아름다운샘 교재

개념기본서

수학의 샘

- 수학의 기본 개념과 원리를 쉽게 설명한 교재
- 예제와 유제가 단계적(필수, 발전)으로 구성
- 연습문제가 수준별(A, B, C)로 수록

♣ 수학(상), 수학(하), 수학 Ⅰ, 수학 Ⅱ, 확률과 통계, 미적분, 기하

수학의 샘 연습장(노트)

- 개념기본서 '수학의 샘'에서 문제만 뽑아 모두 수록
- 풀이 작성 및 서술형 지도가 용이하도록 넓은 문항 간격으로 편집
- 수업과 과제물 점검이 편리한 교재

♣ 수학(상), 수학(하), 수학 Ⅰ, 수학 Ⅱ 과목별 2권(예제유제편/연습문제편)

문제기본서(기본편/실력편)

- 문제를 통해서 수학의 개념을 익히고 다지는 교재
- [하이 매쓰] 기본문제와 유형문제로 수학의 기본기를 다지는 교재
- [하이 하이] 유형문제와 심화문제로 구성된 최고난도 유형별 교재

♣ 수학(상), 수학(하), 수학 Ⅰ, 수학 Ⅱ, 확률과 통계, 미적분, 기하

수준별 내신 대비 교재

- 학교 시험에 잘 출제되는 기출문제 중심으로 유형 선정
- 같은 유형의 문제를 충분히 반복할 수 있는 교재
- 각 유형별 3단계(기본문제, 기출문제, 예상문제)로 구성

♣ 수학(상), 수학(하)

중간·기말고사 대비서

- 실전 모의고사 10회, 부록 4회로 구성
- 회차별 서술형을 포함하여 23문항으로 구성
- 전국의 학교 시험 문제를 완벽히 분석하여 반영한 교재

♣ 고1 수학, 고2 수학 Ⅰ, 고2 수학 Ⅱ 과목별 중간고사/기말고사

유형별 수능기출문제집

짱 쉬운 / 중요한 / 어려운 유형

- 최근 수능에 잘 출제되는 기출문제 중심으로 유형 선정
- 같은 유형의 문제를 충분히 반복할 수 있는 교재
- 각 유형별 3단계(기본문제, 기출문제, 예상문제)로 구성
- [짱 쉬운 유형] '2점+쉬운 3점'짜리 난이도 수준의 유형으로 구성
- [짱 중요한 유형] '3점+쉬운 4점'짜리 난이도 수준의 유형으로 구성
- [짱 어려운 유형] '고난도 4점'짜리 난이도 수준의 유형으로 구성

♣ 수학 Ⅰ, 수학 Ⅱ, 확률과 통계, 미적분, 기하

수능 쉬운(2점+3점) 유형 집중 공략서

짱 쉬운유형 확장판

- 짱 쉬운 유형을 학습 후 더 많은 문항을 필요로 할 때 보는 교재
- 수능의 쉬운 유형, 쉬운 문항을 완벽히 마스터할 수 있는 교재

♣ 수학 Ⅰ, 수학 Ⅱ, 확률과 통계

수능 실전 모의고사

짱 Final 실전모의고사

- 수능 문제지와 가장 유사한 난이도와 문제로 구성된 실전 모의고사 7회
- EBS교재 연계 문항을 수록

♣ 수학 영역

예비 고1 기본서

- 예비고1 학생들을 위한 교재
- 고교 수학의 기본을 다지는 참 쉬운 기본서
- 교과서를 어려워하는 학생이 이해할 수 있는 쉬운 교재

♣ 수학(상), 수학(하)

단기특강 교재

10강 & 2강 텐투

- 유형문제 10강과 기출문제 2강의 총12강으로 구성
- 방과후 또는 방학 보충수업에 최적합

♣ 수학(상), 수학(하), 수학 Ⅰ, 수학 Ⅱ

수학 I

수열의 합
- ∑의 뜻과 성질
- 여러 가지 수열의 합

수학적 귀납법
- 수열의 귀납적 정의
- 수학적 귀납법

삼각함수
- 일반각과 호도법
- 삼각함수의 뜻과 그래프
- 사인법칙과 코사인법칙

등차수열과 등비수열
- 등차수열의 일반항과 합
- 등비수열의 일반항과 합

지수와 로그
- 거듭제곱과 거듭제곱근
- 지수법칙
- 로그와 상용로그

지수함수와 로그함수
- 지수함수와 그 그래프
- 로그함수와 그 그래프
- 지수함수와 로그함수의 활용

'기본+유형+적중+고난도'로 구성되어
누구나 수준에 맞춰 학습이 가능한
Total 짱

CONTENTS

수능 관련 용어,
들어는 봤는데...

앞으로 다가올 대학입시 관련 용어들을 한 번쯤 들어는 봤는데 뜻과 내용이 대충 이러할 것이라고 추측만 할 뿐 정확한 내용을 아는 학생은 많지 않습니다. 많은 학생들이 대학입시가 바짝 다가온 고3이 되어서야 알게 되는 입시 관련 용어 중에서 입시를 준비하는 여러분이 기본적으로 알아야 할 수능 관련 주요한 용어들을 지금부터 알아보겠습니다.

등급(9등급제)

영역별로 산출된 표준점수를 기준으로 9개의 등급으로 구분하여 수험생이 속해 있는 등급을 표시하는 점수 제도입니다. 전체 응시생의 상위 4%까지를 1등급으로, 전체 응시생의 상위 11%까지 중에서 1등급을 제외한 나머지를 2등급으로, 이렇게 순차적으로 9등급까지의 등급을 부여하는데 등급별 비율은 다음과 같습니다.

등급	1	2	3	4	5	6	7	8	9
비율(%)	4	7	12	17	20	17	12	7	4
누적비율(%)	4	11	23	40	60	77	89	96	100

원점수와 표준점수

원점수란 맞힌 문항에 해당되는 배점을 단순히 합산한 점수를 의미하는데, 대학수학능력시험에서는 원점수를 제공하지 않습니다. 선택 영역(과목)이 많은 수능에서 영역(과목)별로 난이도가 다르고 응시 집단의 규모와 성격이 다르기 때문에 원점수를 기준으로 하면 어려운 영역(과목)을 선택한 학생은 총점에서 불이익을 받게 되는데, 이를 보완하고자 상대적 서열을 나타내기 위해 영역(과목)별로 비교가 가능하도록 변환한 점수가 표준점수입니다.

표준점수 산출 공식은 $\frac{(\text{원점수})-(\text{평균점수})}{(\text{표준편차})}$ x20(탐구영역은 10)+100(탐구영역은 50)

이므로, 국어영역과 수학영역의 표준점수는 0~200점, 탐구영역의 표준점수는 0~100점입니다.

백분위와 절대평가

백분위는 영역(과목) 내에서 수험생의 상대적 서열을 나타내는 지수로, 국어영역, 수학영역, 탐구영역에서 사용됩니다. 한국사영역, 영어영역, 제2외국어영역은 절대적인 기준으로 평가하는 절대평가를 채택하고 있습니다.

백분위 산출 공식은 $\frac{(\text{자신보다 점수가 낮은 수험생의 수}) + (\text{동점자 수})/2}{(\text{해당 영역에 응시한 전체 수험생 수})}$ x100이며,

절대평가가 적용되는 영역의 등급 분할 원점수는 다음과 같습니다.

영역 \ 등급	1	2	3	4	5	6	7	8	9
영어	100~90	89~80	79~70	69~60	59~50	49~40	39~30	29~20	19~0
한국사	50~40	39~35	34~30	29~25	24~20	19~15	14~10	9~5	4~0
제2외국어/한문	50~45	44~40	39~35	34~30	29~25	24~20	19~15	14~10	9~0

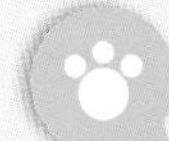

수능가중치

각 대학의 모집 단위별 특성을 고려하여 특정 영역 성적의 반영 비율을 높게 하여 전형 총점을 계산하는 것을 말합니다. 만약 지원 대학에서 수학영역과 영어영역에 가중치를 부여한다고 하면, 수능 총점이 같더라도 수학영역과 영어영역의 성적이 높은 학생이 유리하게 됩니다. 주요대 수능 영역별 반영 비율은 대체로 인문계열에서는 국어, 수학이, 자연계열에서는 수학이 높은 편입니다.

수능최저학력기준

대학이 수학능력을 판단하기 위해 일정한 학력 수준 이상을 선발하려고 설정한 기준을 말합니다. 대학에서 정한 기준을 충족하지 못하면 불합격 처리됩니다. 고교 사이의 격차를 반영할 수 없는 교과 성적을 보완하고 우수 학생을 선발하기 위해 많은 대학에서 수능최저학력기준을 적용합니다.

300여개 학교 중 2개 이상의 학교 시험에
출제된 모든 문제 유형이 수록된

Total 짱

※ 대표저자: 이창주(前한영고 교사, EBS·강남인강 강사, 7차 개정 교과서 집필위원)
※ 연구 및 개발: 박상원, 전신영, 강윤석, 김기호

이 책의 장점은

TOTAL 내신

모든 학교 · 모든 유형 · 다 있다

누구나

중위권 도약에 필요한 체계적이고
충분한 기본문제

모든 유형

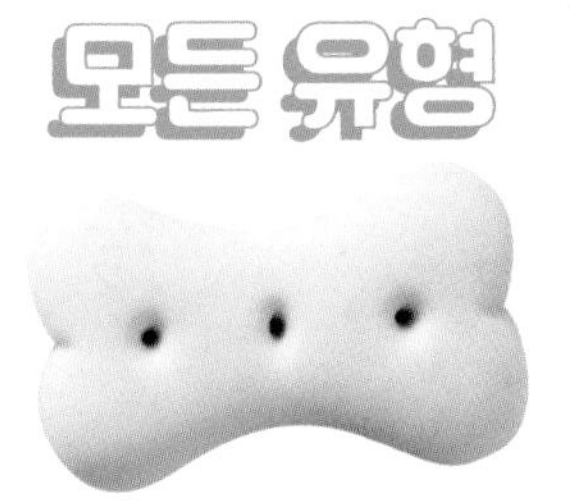

고득점의 발판이 될 다양한
유형문제 & 적중문제

완 벽

1등급을 넘어 만점의 길을 안내해 줄
고난도문제

학교 시험에서 자주 출제되는
교육청 기출문제가 수록된
Total 짱

01 지수

		제 목	내신중요도	유형난이도	문항수	문항번호
		기본 문제			54	0001~0054
유형문제	01	거듭제곱과 거듭제곱근	▬▬▬▬▬	★★★	9	0055~0063
	02	실수인 거듭제곱근의 개수	▬▬▬▬	★★★★	6	0064~0069
	03	거듭제곱근의 계산	▬▬▬▬	★★	9	0070~0078
	04	거듭제곱근의 대소 비교	▬	★★★	3	0079~0081
	05	지수법칙 - 지수가 정수일 때	▬	★	3	0082~0084
	06	지수법칙 - 지수가 실수일 때	▬▬▬	★★	6	0085~0090
	07	거듭제곱근을 지수를 사용하여 나타내기	▬▬▬▬▬	★★★	9	0091~0099
	08	a^x 꼴이 자연수가 되는 조건	▬▬▬▬▬	★★★★★	9	0100~0108
	09	지수법칙과 곱셈 공식	▬▬▬	★★★★	9	0109~0117
	10	a^x+a^{-x} 꼴의 식의 값 구하기	▬▬▬▬	★★★	6	0118~0123
	11	$\frac{a^x-a^{-x}}{a^x+a^{-x}}$ 꼴의 식의 값 구하기	▬▬▬▬	★★★	6	0124~0129
	12	$a^x=k$의 조건이 주어진 식의 값 구하기	▬▬▬▬▬	★★★	6	0130~0135
	13	$a^x=b^y$의 조건이 주어진 식의 값 구하기	▬▬▬▬	★★★★★	9	0136~0144
	14	지수법칙의 활용	▬▬	★★★★★	5	0145~0149
		적중 문제			12	0150~0161
		고난도 문제			15	0162~0176

01 지수

1. 거듭제곱과 거듭제곱근

(1) 거듭제곱 : 실수 a를 n번 곱한 것을 a의 n제곱이라 하며, 기호 a^n으로 나타낸다.
이때 a, a^2, a^3, $\cdots$, a^n, $\cdots$을 통틀어 a의 거듭제곱이라 하고, a^n에서 a를 거듭제곱의 밑, n을 거듭제곱의 지수라고 한다.

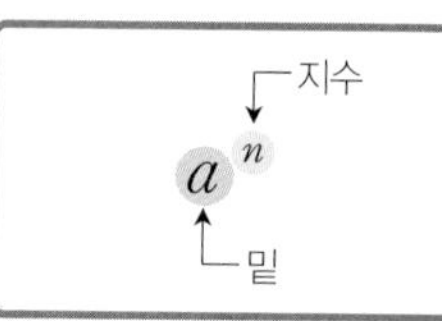

(2) 거듭제곱근

① 실수 a에 대하여 n이 2 이상의 자연수일 때, $x^n=a$를 만족시키는 수 x를 a의 n제곱근이라고 한다.

② a의 제곱근, 세제곱근, 네제곱근, $\cdots$을 통틀어 a의 거듭제곱근이라고 한다.

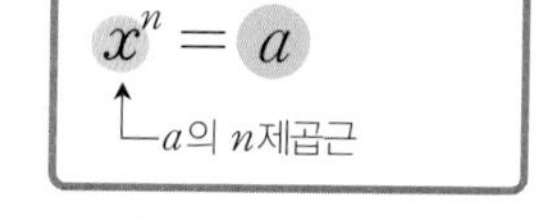

(3) 실수인 거듭제곱근 : 실수 a에 대하여 a의 n제곱근 중에서 실수인 것은 다음과 같다.

n \ a	$a>0$	$a=0$	$a<0$
n이 홀수	$\sqrt[n]{a}$ (1개)	0 (1개)	$\sqrt[n]{a}$ (1개)
n이 짝수	$\sqrt[n]{a}$, $-\sqrt[n]{a}$ (2개)	0 (1개)	없다. (0개)

참고 'a의 n제곱근'과 'n제곱근 a'를 혼동하지 않도록 유의한다.
➡ a의 n제곱근은 $x^n=a$를 만족시키는 수 x이고, n제곱근 a는 $\sqrt[n]{a}$이다.

● a의 n제곱근
⟺ n제곱하여 a가 되는 수
⟺ x에 대한 방정식 $x^n=a$의 해

● 실수 a의 n제곱근은 복소수의 범위에서 n개가 있다.

● 실수인 거듭제곱근

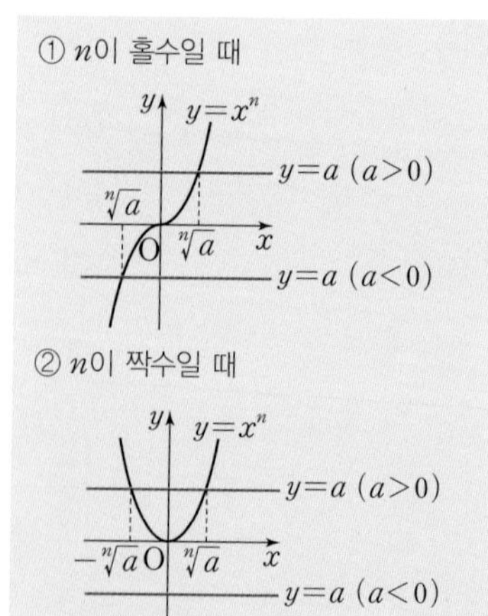

2. 거듭제곱근의 성질

$a>0$, $b>0$이고, m, n이 2 이상의 자연수일 때

(1) $\sqrt[n]{a}\sqrt[n]{b}=\sqrt[n]{ab}$ (2) $\dfrac{\sqrt[n]{a}}{\sqrt[n]{b}}=\sqrt[n]{\dfrac{a}{b}}$

(3) $(\sqrt[n]{a})^m=\sqrt[n]{a^m}$ (4) $\sqrt[m]{\sqrt[n]{a}}=\sqrt[mn]{a}=\sqrt[n]{\sqrt[m]{a}}$

(5) $(\sqrt[n]{a})^n=a$ (6) $\sqrt[np]{a^{mp}}=\sqrt[n]{a^m}$ (단, p는 자연수이다.)

$a>0$, $b>0$의 조건이 없으면 거듭제곱근의 성질이 성립하지 않는다.
$\sqrt{-2}\sqrt{-3}=\sqrt{2}i\sqrt{3}i=-\sqrt{6}$,
$\sqrt{(-2)\times(-3)}=\sqrt{6}$이므로
$\sqrt{-2}\sqrt{-3}\neq\sqrt{(-2)\times(-3)}$

3. 지수의 확장

(1) 0 또는 음의 정수인 지수

$a\neq0$이고, n이 양의 정수일 때 ➡ $a^0=1$, $a^{-n}=\dfrac{1}{a^n}$

(2) 유리수인 지수

$a>0$이고, m, n $(n\geq2)$이 정수일 때 ➡ $a^{\frac{1}{n}}=\sqrt[n]{a}$, $a^{\frac{m}{n}}=\sqrt[n]{a^m}$

(3) 지수법칙(지수가 실수일 때)

$a>0$, $b>0$이고, x, y가 실수일 때

① $a^xa^y=a^{x+y}$ ② $a^x\div a^y=a^{x-y}$

③ $(a^x)^y=a^{xy}$ ④ $(ab)^x=a^xb^x$

실수 a와 2 이상의 자연수 n에 대하여
① $\sqrt[n]{a^n}=\begin{cases}|a| & (n\text{이 짝수})\\ a & (n\text{이 홀수})\end{cases}$
② $(\sqrt[n]{a})^n=a$

0^0은 정의하지 않는다.

지수법칙의 응용 문제
① $a^{2x}=k$가 주어지면 $\dfrac{a^x-a^{-x}}{a^x+a^{-x}}$ 꼴의 식의 분모, 분자에 각각 a^x을 곱한다.
② $a^x=b^y=c^z=k$가 주어지면 a, b, c를 k에 대한 식으로 나타낸다.
⇨ $a=k^{\frac{1}{x}}$, $b=k^{\frac{1}{y}}$, $c=k^{\frac{1}{z}}$

4. 거듭제곱근의 대소 비교

(1) 밑을 같게 할 수 없을 때에는 지수를 같게 하여 밑을 비교한다.
지수는 분수로 고쳐서 각 분모의 최소공배수를 이용하여 통분하고, 이때 밑이 큰 쪽이 큰 수이다.

(2) 밑을 같게 할 수 있을 때에는 지수를 비교한다.
① $0<(\text{밑})<1$ ➡ 지수가 작은 쪽이 큰 수
② $(\text{밑})>1$ ➡ 지수가 큰 쪽이 큰 수

지수가 정수가 아닌 유리수인 경우, 밑이 음수이면 지수법칙을 사용할 수 없다. 즉,
$\{(-5)^2\}^{\frac{3}{2}}=(-5)^{2\times\frac{3}{2}}=(-5)^3$
$=-125$
는 잘못된 계산이다.

1 거듭제곱

[0001-0008] 다음 식을 간단히 하시오. (단, $a\neq0$, $b\neq0$, $x\neq0$)

0001 a^2a^3

0002 $(x^6)^5$

0003 $(x^2y^3)^4$

0004 $\left(\dfrac{y^2}{x^5}\right)^3$

0005 $\dfrac{(ab)^5}{a^3b^2}$

0006 $a^5\left(\dfrac{b}{a}\right)^3$

0007 $a^8\div a^4$

0008 $x^5\div x^5$

2 거듭제곱근

[0009-0021] 다음 거듭제곱근 중에서 실수인 것을 모두 구하시오.

0009 4의 제곱근

0010 3의 제곱근

0011 -9의 제곱근

0012 8의 세제곱근

0013 125의 세제곱근

0014 -1의 세제곱근

0015 -64의 세제곱근

0016 5의 세제곱근

0017 -12의 세제곱근

0018 16의 네제곱근

0019 $\frac{1}{81}$의 네제곱근

0020 3의 네제곱근

0021 -16의 네제곱근

[0022-0027] 다음 식을 간단히 하시오.

0022 $\sqrt[3]{2}\sqrt[3]{5}$

0023 $\sqrt[4]{32}\sqrt[4]{8}$

0024 $\frac{\sqrt[3]{8}}{\sqrt[3]{2}}$

0025 $\frac{\sqrt[3]{54}}{\sqrt[3]{2}}$

0026 $\sqrt{\sqrt[3]{64}}$

0027 $\sqrt[6]{25}$

3 지수의 확장

[0028-0031] 다음 값을 구하시오.

0028 7^0

0029 $\left(-\frac{1}{4}\right)^0$

0030 3^{-3}

0031 $\left(-\frac{1}{2}\right)^{-4}$

[0032-0035] 다음을 a^r의 꼴로 나타내시오.
(단, $a>0$, r는 유리수이다.)

0032 $\sqrt[3]{a}$

0033 $\sqrt[4]{a^2}$

0034 $\sqrt[7]{a^3}$

0035 $\frac{1}{\sqrt[5]{a^2}}$

[0036-0041] 다음 식을 간단히 하시오.

0036 $(2^{\frac{3}{4}})^2\times 2^2$

0037 $5^{\frac{2}{3}}\times 25^{-\frac{5}{6}}$

0038 $(2^{\frac{6}{5}})^2\times 2^{\frac{3}{5}}\div(2^2)^{\frac{1}{2}}$

0039 $8^{\frac{1}{3}}\times 8^{-\frac{2}{3}}\times 8^{\frac{4}{3}}$

0040 $\sqrt{8}\div\sqrt[3]{4}\times\sqrt[6]{2}$

0041 $\sqrt[3]{9}\times\sqrt[6]{27}$

[0042-0043] 다음 식을 간단히 하시오. (단, $a>0$, $b>0$)

0042 $(a^{\frac{1}{3}}b^{\frac{5}{6}})^{12}$

0043 $\sqrt[3]{a^2}\div\sqrt[4]{a}\times\sqrt[12]{a}$

[0044-0047] 다음 식을 간단히 하시오. (단, $a>0$)

0044 $7^{\sqrt{2}}\times 7^{\sqrt{2}}$

0045 $(2^{\sqrt{3}})^{\sqrt{3}}$

0046 $5^{\sqrt{32}}\times 5^{\sqrt{8}}\div 5^{\sqrt{2}}$

0047 $a^{\sqrt{2}}a^{2\sqrt{2}}$

[0048-0049] 다음 물음에 답하시오.

0048 세 수 a, b, c에 대하여 a^6, b^6, c^6의 크기를 비교하시오.

$a=\sqrt{2}$, $b=\sqrt[3]{3}$, $c=\sqrt[6]{6}$

0049 세 수 a, b, c에 대하여 a^{12}, b^{12}, c^{12}의 크기를 비교하시오.

$a=\sqrt{3}$, $b=\sqrt[3]{4}$, $c=\sqrt[4]{7}$

[0050-0052] $x+x^{-1}=3$일 때, 다음 식의 값을 구하시오. (단, $x>1$)

0050 x^2+x^{-2}

0051 $x-x^{-1}$

0052 x^3+x^{-3}

[0053-0054] 다음 식의 분모, 분자에 각각 a^x을 곱하여 간단히 하시오. (단, $a>0$)

0053 $\dfrac{a^x-a^{-x}}{a^x+a^{-x}}$

0054 $\dfrac{a^{5x}+a^{-x}}{a^{2x}-a^{-x}}$

01 지수

유형 01 거듭제곱과 거듭제곱근

내신 중요도 ■■■■■ 유형 난이도 ★★★☆☆

(1) a의 n제곱
0이 아닌 실수 a와 양의 정수 n에 대하여 a를 n번 곱한 것을 a의 n제곱이라 하고 a^n으로 나타낸다.

(2) a의 거듭제곱
a, a^2, a^3, $\cdots$, a^n, $\cdots$을 통틀어 a의 거듭제곱이라 하고 a^n에서 a를 거듭제곱의 밑, n을 거듭제곱의 지수라고 한다.

(3) 거듭제곱근
임의의 실수 a에 대하여 n이 2 이상의 정수일 때, $x^n=a$를 만족하는 수 x를 a의 n제곱근이라 한다.

0055 ●○○○

$\{(-3)^3\cdot 27^2\}^4=(3^4)^n$이 성립할 때, 자연수 n의 값은?

① 5 ② 6 ③ 7
④ 8 ⑤ 9

0056 ●○○○

1이 아닌 두 양수 a, b에 대하여 $(a^2b^3)^2\div a^3=a^xb^y$일 때, $x+y$의 값은?

① 3 ② 4 ③ 5
④ 6 ⑤ 7

0057 ●●○○

8의 제곱을 a, 9의 세제곱을 b라 할 때, $ab^3\times(a^4b^3)^2\div(ab)^8=6^n$이 성립한다. 자연수 n의 값을 구하시오.

0058 ●○○○

2의 네제곱을 a, -8의 세제곱근을 b라 할 때, ab의 값은?

① -2^5 ② -2^3 ③ 1
④ 2^3 ⑤ 2^5

0059 중요 ●○○○

다음 중 옳은 것은?

① 49의 제곱근은 7이다.
② 제곱근 9는 ±3이다.
③ -1은 -1의 제곱근이다.
④ 81의 실수인 네제곱근은 3이다.
⑤ -27의 세제곱근 중 실수인 것은 -3이다.

0060 중요 ●●○○

27의 세제곱근 중 실수인 것을 a, -8의 세제곱근 중 실수인 것을 b라 하면, $a+b$가 실수 x의 세제곱근일 때, x의 값은?

① -4 ② -2 ③ -1
④ 1 ⑤ 2

0061 짱중요 ●○○○

거듭제곱근에 대한 설명으로 〈보기〉에서 옳은 것만을 있는 대로 고른 것은?

보기

ㄱ. -4의 세제곱근 중 실수는 $\sqrt[3]{-4}$이다.
ㄴ. -125의 세제곱근 중 실수인 것은 $-\sqrt[3]{125}$이다.
ㄷ. 16의 네제곱근은 모두 실수이다.

① ㄱ ② ㄴ ③ ㄱ, ㄴ
④ ㄴ, ㄷ ⑤ ㄱ, ㄴ, ㄷ

0062 ●●○○

거듭제곱근에 대한 설명으로 〈보기〉에서 옳은 것만을 있는 대로 고르시오. (단, a는 실수이고, n은 2 이상의 자연수이다.)

보기

ㄱ. a의 네제곱근 중에서 실수인 것은 2개이다.
ㄴ. $a>0$이고, n이 홀수이면 $\sqrt[n]{a}=-\sqrt[n]{-a}$이다.
ㄷ. $a<0$일 때, a의 세제곱근 중에서 실수인 것은 $\sqrt[3]{a}$이다.

0063 ●●○○

다음 〈보기〉 중 옳은 것을 모두 고른 것은?

보기

ㄱ. 3의 다섯제곱근 중 실수인 것은 $\sqrt[5]{3}$이다.
ㄴ. 실수 a의 네제곱근 중 실수인 것은 $\sqrt[4]{a}$, $-\sqrt[4]{a}$이다.
ㄷ. 실수 a의 세제곱근은 모두 집합 $\{x \mid x^3=a,\ x$는 복소수$\}$의 원소이다.

① ㄱ ② ㄴ ③ ㄱ, ㄷ
④ ㄴ, ㄷ ⑤ ㄱ, ㄴ, ㄷ

유형 02 실수인 거듭제곱근의 개수

내신 중요도 ▬▬▬▬ 유형 난이도 ★★★★☆

실수 a에 대하여 a의 n제곱근 중 실수인 것은 다음과 같다.

n \ a	$a>0$	$a=0$	$a<0$
n이 짝수	$\sqrt[n]{a}$, $-\sqrt[n]{a}$	0	없다.
n이 홀수	$\sqrt[n]{a}$	0	$\sqrt[n]{a}$

0064 ●○○○

-27의 세제곱근 중 실수인 것의 개수를 m, 2의 네제곱근 중 실수인 것의 개수를 n이라 할 때, $m+n$의 값은?

① 1 ② 2 ③ 3
④ 4 ⑤ 5

0065 중요 ●○○○

-32의 다섯제곱근 중 실수인 것의 개수를 m, 3의 네제곱근 중 실수인 것의 개수를 n이라 할 때, $m+n$의 값을 구하시오.

0066 짱중요 ●○○○

다음 중에서 옳은 것은?

① 0의 네제곱근은 없다.
② -64의 제곱근 중에서 실수인 것은 1개이다.
③ -256의 네제곱근 중에서 실수인 것은 1개이다.
④ n이 짝수일 때, -2의 n제곱근 중 실수인 것은 없다.
⑤ n이 홀수일 때, -2의 n제곱근 중 실수인 것은 2개이다.

0067 교육청 기출

2 이상의 자연수 n에 대하여 $(7-2n)^3$의 n제곱근 중에서 실수인 것의 개수를 $f(n)$이라 할 때,
$f(2)+f(3)+f(4)+\cdots+f(100)$의 값을 구하시오.

0068

실수 a에 대하여 a의 n제곱근 중 실수인 것의 개수를 $g(a, n)$이라 하자. 예를 들면, 16의 네제곱근 중 실수인 것은 2와 -2의 두 개이므로 $g(16, 4)=2$이다. 이때,
$g(-1, 2)+g(-2, 3)+g(-3, 4)+\cdots+g(-99, 100)$의 값은?

① 49　② 50　③ 148　④ 149　⑤ 198

0069 중요

자연수 n $(n\geq 2)$에 대하여 실수 a의 n제곱근 중에서 실수인 것의 개수를 $f_n(a)$라 할 때, 〈보기〉에서 옳은 것만을 있는 대로 고른 것은?

보기

ㄱ. $f_3(-3)+f_4(4)+f_5(0)=4$
ㄴ. n이 홀수일 때, $f_n(a)=f_n(-a)$
ㄷ. $ab>0$일 때, $f_2(a)\times f_2(b)=f_2(ab)$

① ㄱ　② ㄴ　③ ㄱ, ㄴ　④ ㄴ, ㄷ　⑤ ㄱ, ㄴ, ㄷ

유형 03 거듭제곱근의 계산

내신 중요도　유형 난이도 ★★☆☆☆

$a>0$, $b>0$이고, m, n이 2 이상의 자연수일 때,
(1) $(\sqrt[n]{a})^n=a$
(2) $\sqrt[n]{a}\sqrt[n]{b}=\sqrt[n]{ab}$
(3) $\dfrac{\sqrt[n]{a}}{\sqrt[n]{b}}=\sqrt[n]{\dfrac{a}{b}}$
(4) $(\sqrt[n]{a})^m=\sqrt[n]{a^m}$
(5) $\sqrt[m]{\sqrt[n]{a}}=\sqrt[mn]{a}=\sqrt[n]{\sqrt[m]{a}}$
(6) $\sqrt[np]{a^{mp}}=\sqrt[n]{a^m}$ (단, p는 양의 정수)

0070 중요

$\sqrt[4]{27}\times\sqrt[4]{3}$의 값은?

① 1　② 3　③ 9　④ 27　⑤ 81

0071

$\sqrt[5]{32^2}\div(\sqrt[3]{2})^6-\sqrt[3]{\sqrt{64}}$의 값은?

① -1　② 0　③ 1　④ $\sqrt{2}$　⑤ $2\sqrt{2}$

0072

$\sqrt[4]{\dfrac{\sqrt{2}}{\sqrt[8]{2}}}=\sqrt[32]{2^k}$을 만족하는 상수 k의 값은?

① 2　② 3　③ 4　④ 5　⑤ 6

0073 짱중요

$\sqrt[4]{(-3)^4}+\sqrt[5]{-32}+\sqrt[5]{9}\sqrt[5]{27}+\sqrt[3]{\sqrt{64}}$를 간단히 하면?

① 2 ② 3 ③ 4 ④ 6 ⑤ 8

0074

$\dfrac{\sqrt[6]{36}+\sqrt[3]{81}}{\sqrt{\sqrt[3]{4}}+\sqrt[3]{9}\sqrt[3]{3}}$을 간단히 하면?

① $\sqrt[3]{2}$ ② $\sqrt[3]{3}$ ③ $\sqrt{3}$ ④ 2 ⑤ 3

0075

$a=\sqrt{\dfrac{\sqrt{16}}{\sqrt[3]{16}}}-\sqrt[4]{\dfrac{\sqrt[3]{16}}{16}}$일 때, a^3의 값을 구하시오.

0076

양의 실수 a에 대하여 다음 〈보기〉 중 $\sqrt[8]{a^5}$과 같은 것을 모두 고른 것은?

보기

ㄱ. $(\sqrt[8]{a})^5$ ㄴ. $\sqrt{\sqrt[4]{a^5}}$ ㄷ. $\sqrt[4]{a^2\sqrt{a}}$

① ㄱ ② ㄴ ③ ㄱ, ㄴ ④ ㄴ, ㄷ ⑤ ㄱ, ㄴ, ㄷ

0077 중요

$a>0$, $b>0$일 때, $\sqrt[12]{2a^3b^4}\times\sqrt[4]{2ab^2}\div\sqrt[6]{4a^2b}$를 간단히 하면?

① $\sqrt{ab^3}$ ② $\sqrt[3]{a^2b^2}$ ③ $\sqrt[4]{a^3b}$ ④ $\sqrt[6]{ab^4}$ ⑤ $\sqrt[12]{a^2b^7}$

0078

양의 실수 a에 대하여 $\sqrt{\dfrac{\sqrt[6]{a^5}}{\sqrt[4]{a}}}\times\sqrt[4]{\dfrac{\sqrt{a}}{\sqrt[3]{a}}}=\sqrt[12]{a^n}$이 성립할 때, 자연수 n의 값을 구하시오. (단, $a\neq1$)

유형 04 거듭제곱근의 대소 비교

내신 중요도 유형 난이도 ★★★☆☆

(1) $\sqrt[k]{A}<\sqrt[k]{B}$이면 $A<B$ (단, $A>0$, $B>0$, k는 자연수)
(2) $(\sqrt[m]{A})^k<(\sqrt[n]{B})^k$이면 $\sqrt[m]{A}<\sqrt[n]{B}$
(단, $A>0$, $B>0$, k, m, n은 자연수)

0079 ●●○○

$A=\sqrt{3}$, $B=\sqrt[3]{4}$, $C=\sqrt[4]{5}$라 할 때, 세 수 A, B, C의 대소 관계를 바르게 나타낸 것은?

① $A<B<C$ ② $A<C<B$ ③ $B<A<C$
④ $B<C<A$ ⑤ $C<B<A$

0080 ●●○○

세 수 $A=\sqrt[3]{\sqrt{10}}$, $B=\sqrt{5}$, $C=\sqrt[3]{\sqrt{28}}$의 대소 관계를 바르게 나타낸 것은?

① $A<B<C$ ② $A<C<B$ ③ $B<A<C$
④ $B<C<A$ ⑤ $C<A<B$

0081 ●●○○

세 수 $\sqrt[3]{3}$, $\sqrt[4]{5}$, $\sqrt[3]{\sqrt{7}}$ 중에서 가장 큰 수를 a, 가장 작은 수를 b라 할 때, $a^{12}+b^{12}$의 값을 구하시오.

유형 05 지수법칙 - 지수가 정수일 때

내신 중요도 유형 난이도 ★☆☆☆☆

(1) 0 또는 음의 정수인 지수의 정의
$a\neq0$이고, n이 양의 정수일 때
① $a^0=1$ ② $a^{-n}=\dfrac{1}{a^n}$
(2) $a\neq0$, $b\neq0$이고, m, n이 정수일 때,
① $a^ma^n=a^{m+n}$ ② $a^m\div a^n=a^{m-n}$
③ $(a^m)^n=a^{mn}$ ④ $(ab)^m=a^mb^m$

0082 ●○○○

$5^0+\left(\dfrac{1}{3}\right)^{-2}$의 값은?

① 9 ② 10 ③ 11
④ 12 ⑤ 13

0083 ●○○○

$(5^3)^{-2}\div5^{-3}\times5^4$의 값을 구하시오.

0084 ●●○○

$\dfrac{7^{-10}+7^{-100}}{7^{10}+7^{100}}=7^k$일 때, 상수 k의 값은?

① -110 ② -100 ③ 10
④ 100 ⑤ 110

유형 06 지수법칙－지수가 실수일 때

내신 중요도 ■■■■■ 유형 난이도 ★★☆☆☆

(1) 유리수인 지수의 정의
$a>0$이고, m, $n\,(n\geq 2)$이 정수일 때

① $a^{\frac{m}{n}}=\sqrt[n]{a^m}$ ② $a^{\frac{1}{n}}=\sqrt[n]{a}$

(2) $a>0$, $b>0$이고, m, n이 유리수일 때,

① $a^m a^n=a^{m+n}$ ② $a^m\div a^n=a^{m-n}$

③ $(a^m)^n=a^{mn}$ ④ $(ab)^m=a^m b^m$

(3) $a>0$, $b>0$이고, x, y가 실수일 때,

① $a^x a^y=a^{x+y}$ ② $a^x\div a^y=a^{x-y}$

③ $(a^x)^y=a^{xy}$ ④ $(ab)^x=a^x b^x$

0085 ●○○○

$16^{-\frac{3}{4}}+81^{-0.25}$의 값은?

① $\frac{1}{3}$ ② $\frac{1}{4}$ ③ $\frac{3}{8}$
④ $\frac{4}{9}$ ⑤ $\frac{11}{24}$

0086 ●●○○

$\left(\frac{3^{\sqrt{5}}}{9}\right)^{\sqrt{5}+2}$의 값을 구하시오.

0087 중요 ●●○○

다음 중 옳은 것을 모두 고르면? (정답 2개)

① $\sqrt[4]{(-6)^4}+\sqrt[3]{-2^6}=-2$

② $\{(-2)^6\}^{\frac{1}{2}}=-8$

③ $2^{\frac{\sqrt{5}}{2}}\times 2^{\frac{3\sqrt{5}}{2}}=4^{\sqrt{5}}$

④ $(5^{3\sqrt{2}})^{\frac{\sqrt{2}}{3}}=5^{\sqrt{2}}$

⑤ $2^{-2}(2^{\frac{3}{2}}3^{-\frac{5}{4}})^{\frac{4}{3}}=3^{-\frac{5}{3}}$

0088 짱중요 ●○○○

$(a^{\sqrt{3}})^{2\sqrt{3}}\div a^3\times(\sqrt[3]{a})^6=a^k$일 때, k의 값을 구하시오.
(단, $a>0$, $a\neq 1$)

0089 ●●○○

다음 중 $\{3^{\sqrt{2}}+(\sqrt{3})^{\sqrt{2}}\}\{3^{\sqrt{2}}-(\sqrt{3})^{\sqrt{2}}\}$의 값과 같은 것은?

① $3^{\sqrt{2}}(3^{\sqrt{2}}-1)$ ② $3^{\sqrt{2}}(2^{\sqrt{2}}+1)$ ③ $3^{\sqrt{2}}-1$
④ $(\sqrt{3})^{\sqrt{2}}-1$ ⑤ 3

0090 교육청 기출 ●●●○

$P_n=3^{\frac{1}{n(n+1)}}$에 대하여 $P_1\times P_2\times P_3\times\cdots\times P_{2014}=3^k$일 때, 상수 k의 값은? (단, n은 자연수)

① $\frac{2013}{2014}$ ② $\frac{2014}{2015}$ ③ 1
④ $\frac{2015}{2014}$ ⑤ $\frac{2014}{2013}$

유형 07 거듭제곱근을 지수를 사용하여 나타내기

내신 중요도 ■■■■■ 유형 난이도 ★★★☆☆

$a>0$이고, m, n $(m, n\ge2)$이 정수일 때,

(1) $\sqrt[n]{a}=a^{\frac{1}{n}}$

(2) $\sqrt[n]{a^m}=a^{\frac{m}{n}}$

(3) $\sqrt[m]{\sqrt[n]{a}}=a^{\frac{1}{mn}}$

0091 ●○○○

$\left\{\left(\frac{2\sqrt{2}}{3\sqrt{3}}\right)^{-\frac{3}{2}}\right\}^{\frac{4}{9}}$의 값은?

① $\frac{2}{3}$ ② $\frac{3}{2}$ ③ $\frac{4}{9}$
④ $\frac{9}{4}$ ⑤ $\frac{8}{27}$

0092 ●○○○

$9^{\frac{5}{4}}\times32^{\frac{7}{10}}\div\sqrt{216}$을 간단히 하면?

① 6 ② 12 ③ 24
④ 42 ⑤ 54

0093 짱중요 평가원 기출 ●○○○

$(a^{\sqrt{3}})^{2\sqrt{3}}\div a^3\times(\sqrt[3]{a})^{36}=a^k$일 때, k의 값을 구하시오.

(단, $a>0$, $a\ne1$)

0094 ●●○○

$\sqrt{(\sqrt{2^{\sqrt{2}}})^{\sqrt{2}}}=2^k$일 때, 상수 k의 값은?

① $\frac{1}{2}$ ② $\frac{\sqrt{2}}{2}$ ③ $\sqrt{2}$
④ 2 ⑤ $2\sqrt{2}$

0095 교육청 기출 ●○○○

$a>0$, $a\ne1$에 대하여 $\left\{\frac{\sqrt{a^3}}{\sqrt{\sqrt[3]{a^4}}}\times\sqrt{\left(\frac{1}{a}\right)^{-4}}\right\}^6=a^k$일 때, 상수 k의 값을 구하시오.

0096 ●○○○

두 유리수 a, b에 대하여

$$\sqrt[3]{6}\times\sqrt[3]{9}\times\frac{\sqrt[3]{\sqrt[4]{2^6}}}{\sqrt[3]{4}}=2^a\times3^b$$

일 때, $6a+2b$의 값을 구하시오.

0097

●○○○

$a=\sqrt[4]{2}$, $b^3=\sqrt{3}$일 때, $(a^2b)^2$의 값은? (단, b는 실수이다.)

① $2^{\frac{1}{2}}\times3^{\frac{2}{3}}$　② $2\times3^{\frac{1}{3}}$　③ $2\times3^{\frac{2}{3}}$
④ $4\times3^{\frac{2}{3}}$　⑤ $4\times3^{\frac{1}{2}}$

0098 중요 교육청 기출

●●○○

1이 아닌 양수 a에 대하여 $\sqrt[4]{a\sqrt[3]{a\sqrt{a}}}=a^{\frac{n}{m}}$일 때, $m+n$의 값을 구하시오. (단, m과 n은 서로소인 자연수)

0099

●●○○

다음 〈보기〉 중 옳은 것을 모두 고른 것은?

보기
ㄱ. $16^{-0.25}=\frac{1}{2}$　　ㄴ. $\sqrt[3]{5\sqrt[4]{5\sqrt{5}}}=5^{\frac{11}{24}}$
ㄷ. $(\sqrt{3})^{3\sqrt{3}}=(3\sqrt{3})^{\sqrt{3}}$

① ㄱ　② ㄴ　③ ㄱ, ㄴ
④ ㄴ, ㄷ　⑤ ㄱ, ㄴ, ㄷ

유형 08 a^x 꼴이 자연수가 되는 조건

내신 중요도 ▬▬▬▬▬　유형 난이도 ★★★★★

자연수 a가 소수이고, m, n이 자연수일 때,
$a^{\frac{n}{m}}$이 자연수 ⇨ n은 m의 배수이다.

0100 교육청 기출

●●●○

$1\le m\le3$, $1\le n\le8$인 두 자연수 m, n에 대하여 $\sqrt[3]{n^m}$이 자연수가 되도록 하는 순서쌍 (m, n)의 개수는?

① 6　② 8　③ 10
④ 12　⑤ 14

0101

●●○○

정수 n에 대하여 집합 A를 다음과 같이 정의한다.

$$A=\left\{n\,\middle|\left(\frac{1}{2^{12}}\right)^{\frac{1}{n}}\text{은 정수}\right\}$$

이때, 집합 A의 원소의 개수는? (단, $n\neq0$)

① 3　② 4　③ 5
④ 6　⑤ 7

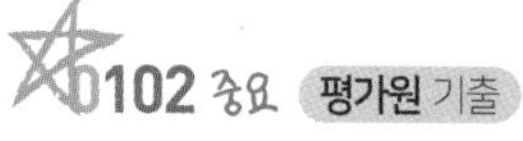

0102 중요 평가원 기출

●●●○

$2\le n\le100$인 자연수 n에 대하여 $(\sqrt[3]{3^5})^{\frac{1}{2}}$이 어떤 자연수의 n제곱근이 되도록 하는 n의 개수를 구하시오.

0103 중요 ●●●○

두 수 $\sqrt{\frac{2^a \cdot 5^b}{2}}$과 $\sqrt[3]{\frac{2^a \cdot 5^b}{5}}$이 모두 자연수일 때, $a+b$의 최솟값은? (단, a, b는 자연수)

① 2　② 3　③ 5　④ 7　⑤ 9

0104 ●●○○

$N=\sqrt[3]{\frac{\sqrt{x^3}}{\sqrt[4]{x}}} \times \sqrt{\frac{\sqrt[6]{x}}{\sqrt[3]{x}}}$일 때, 다음 중 N의 값이 자연수가 되게 하는 양수 x의 값이 아닌 것은?

① 3^4　② 4^3　③ 5^6　④ 8^5　⑤ 10^9

0105 ●●●●

$\sqrt{\frac{n}{2}}, \sqrt[3]{\frac{n}{3}}, \sqrt[5]{\frac{n}{5}}$이 모두 자연수가 되도록 하는 최소의 정수 n을 $2^a 3^b 5^c$ (a, b, c는 자연수)의 꼴로 나타낼 때, $a+b+c$의 값을 구하시오.

0106 ●●●○

세 양수 a, b, c에 대하여 $a^6=3$, $b^5=7$, $c^2=11$일 때 $(abc)^n$이 자연수가 되게 하는 최소의 자연수 n의 값은?

① 10　② 15　③ 20　④ 25　⑤ 30

0107 교육청 기출 ●●●○

2의 네제곱근 중 양수인 것을 x라 할 때, x^n이 세 자리의 자연수가 되도록 하는 모든 자연수 n의 값의 합을 구하시오.

0108 ●●●●

$512^{\frac{1}{8}}$의 세제곱근 중 실수인 것을 x라 할 때, x^n이 1000 이하의 자연수가 되도록 하는 모든 자연수 n의 값의 합은?

① 48　② 56　③ 64　④ 72　⑤ 80

유형 09 지수법칙과 곱셈 공식

내신 중요도 유형 난이도 ★★★★☆

a, b가 양수이고, p, q가 유리수일 때,
(1) $(a^p+b^q)(a^p-b^q)=a^{2p}-b^{2q}$
(2) $(a^p\pm b^q)^2=a^{2p}\pm 2a^pb^q+b^{2q}$ (복호동순)
(3) $(a^p\pm b^q)^3=a^{3p}\pm 3a^{2p}b^q+3a^pb^{2q}\pm b^{3q}$ (복호동순)

0109

$a>0$, $b>0$일 때, $(a^{\frac{1}{4}}-b^{\frac{1}{4}})(a^{\frac{1}{4}}+b^{\frac{1}{4}})(a^{\frac{1}{2}}+b^{\frac{1}{2}})$을 간단히 하면?

① $a-b$ ② $a^{\frac{3}{2}}-b^{\frac{3}{2}}$ ③ a^2-b^2
④ $a^{\frac{5}{2}}-b^{\frac{5}{2}}$ ⑤ a^3-b^3

0110

$2^x\cdot 2^y=8$, $(2^x)^y=16$일 때, $2^{x^2}\cdot 2^{y^2}$의 값은?

① 2 ② 2^2 ③ 2^3
④ 2^4 ⑤ 2^5

0111

$(2^{\frac{1}{3}}+2^{-\frac{2}{3}})^3+(2^{\frac{1}{3}}-2^{-\frac{2}{3}})^3$을 간단히 하면?

① 6 ② 7 ③ 8
④ 9 ⑤ 10

0112 중요

$x=\sqrt[3]{4}-\sqrt[3]{2}$일 때, x^3+6x의 값을 구하시오.

0113

$2^x-2^{-x}=2$일 때, 8^x의 값은?

① $5\sqrt{2}-7$ ② $7+5\sqrt{2}$ ③ $7+3\sqrt{2}$
④ $7\sqrt{2}-5$ ⑤ $5+7\sqrt{2}$

0114

$a=4+2\sqrt{3}$, $b=4-2\sqrt{3}$일 때, $\dfrac{10^{\sqrt{a}}}{2^{\sqrt{b}}\times 5^{\sqrt{b}}}$의 값은?

① 10 ② 50 ③ 100
④ 200 ⑤ 1000

0115

$f(x)=\dfrac{1+x+x^2+\cdots+x^{10}}{x^{-2}+x^{-3}+\cdots+x^{-12}}$ 일 때, $f(\sqrt[6]{2})$의 값은?

① $\sqrt{2}$　② 2　③ $2\sqrt{2}$
④ 4　⑤ $3\sqrt{2}$

0116

$\dfrac{1}{1-5^{\frac{1}{8}}}+\dfrac{1}{1+5^{\frac{1}{8}}}+\dfrac{2}{1+5^{\frac{1}{4}}}+\dfrac{4}{1+5^{\frac{1}{2}}}$ 의 값을 구하시오.

0117 중요

다음 식의 값은?

$$\frac{1}{2^{-100}+1}+\frac{1}{2^{-99}+1}+\cdots+\frac{1}{2^{-1}+1}+\frac{1}{2^{0}+1}+\frac{1}{2^{1}+1}+\cdots+\frac{1}{2^{99}+1}+\frac{1}{2^{100}+1}$$

① 50　② $\dfrac{101}{2}$　③ 100
④ $\dfrac{201}{2}$　⑤ 200

유형 **10** a^x+a^{-x} 꼴의 식의 값 구하기

내신 중요도 ▬▬▬▬▬ 유형 난이도 ★★★☆☆

양수 x에 대하여

(1) $(x^{\frac{1}{2}}\pm x^{-\frac{1}{2}})^2=x+x^{-1}\pm 2$ (복호동순)

(2) $(x^{\frac{1}{3}}\pm x^{-\frac{1}{3}})^3=x\pm x^{-1}\pm 3(x^{\frac{1}{3}}\pm x^{-\frac{1}{3}})$ (복호동순)

0118

$a^{\frac{1}{2}}+a^{-\frac{1}{2}}=\sqrt{5}$ 일 때, $a+a^{-1}$의 값을 구하시오. (단, $a>0$)

0119

$a^{2x}=4$일 때, $(a^x-a^{-x})^2$의 값은?

① $\dfrac{3}{2}$　② $\dfrac{7}{4}$　③ 2
④ $\dfrac{9}{4}$　⑤ $\dfrac{5}{2}$

0120

$a^x+a^{-x}=4$일 때, $\dfrac{a^{3x}+a^{-3x}}{2}$ 의 값은? (단, $a>0$)

① 26　② 28　③ 30
④ 32　⑤ 34

0121

●●○○

$x^2-3x+1=0$일 때, $x^{\frac{3}{2}}+x^{-\frac{3}{2}}$의 값을 구하시오. (단, $x>0$)

0122

●●○○

$a>1$이고, $a^{\frac{1}{2}}+a^{-\frac{1}{2}}=3$일 때, $a^{\frac{3}{2}}-a^{-\frac{3}{2}}$의 값은?

① $-8\sqrt{5}$　② $-3\sqrt{5}$　③ $\sqrt{5}$
④ $3\sqrt{5}$　⑤ $8\sqrt{5}$

0123

●●●○

$\sqrt{x}+\frac{1}{\sqrt{x}}=3$일 때, $\frac{x^{\frac{3}{2}}+x^{-\frac{3}{2}}+7}{x^2+x^{-2}+3}$의 값은?

① $\frac{1}{5}$　② $\frac{2}{5}$　③ $\frac{1}{2}$
④ $\frac{2}{3}$　⑤ $\frac{4}{5}$

유형 11 $\frac{a^x-a^{-x}}{a^x+a^{-x}}$ 꼴의 식의 값 구하기

내신 중요도 ■■■■■ 유형 난이도 ★★★☆☆

주어진 식의 분모, 분자에 a^x을 곱하여 a^{2x}의 꼴로 나타낸다.

0124 짱중요

●●○○

$a^{2x}=7$일 때, $\frac{a^{3x}-a^{-x}}{a^x+a^{-x}}$의 값은?

① 3　② 4　③ 5
④ 6　⑤ 7

0125

●●●○

$2^{8x}=9$일 때, $\frac{2^{6x}-2^{-6x}}{2^{2x}+2^{-2x}}$의 값은?

① $\frac{5}{3}$　② $\frac{11}{6}$　③ 2
④ $\frac{13}{6}$　⑤ $\frac{7}{3}$

0126 중요

●●○○

$4^x=5$일 때, $\frac{8^x+8^{-x}}{2^x+2^{-x}}=\frac{b}{a}$ (단, a, b는 서로소인 자연수)이다. 이때, $a+b$의 값을 구하시오.

0127 ●●○○

$\dfrac{2^x-2^{-x}}{2^x+2^{-x}}=\dfrac{1}{2}$일 때, 4^x-4^{-x}의 값은?

① $\dfrac{4}{3}$ ② $\dfrac{5}{3}$ ③ 2
④ $\dfrac{7}{3}$ ⑤ $\dfrac{8}{3}$

0128 ●●○○

$\dfrac{a^x+a^{-x}}{a^x-a^{-x}}=3$일 때, $(a^x+a^{-x})(a^x-a^{-x})$의 값은?

(단, $a>0$, $a\neq1$)

① $\dfrac{1}{2}$ ② $\dfrac{2}{3}$ ③ 1
④ $\dfrac{3}{2}$ ⑤ 2

0129 ●●●○

$a>0$이고 $\dfrac{a^x-2a^{-x}}{a^x+2a^{-x}}=\dfrac{1}{3}$일 때, $(a^{2x}+a^{-2x})^{\frac{1}{2}}$의 값은?

① $\dfrac{\sqrt{17}}{4}$ ② $\dfrac{5}{4}$ ③ $\dfrac{\sqrt{17}}{2}$
④ $\dfrac{5}{2}$ ⑤ $\sqrt{17}$

유형 12 내신 중요도 ■■■■■ 유형 난이도 ★★★★★

$a^x=k$의 조건이 주어진 식의 값 구하기

$a^x=k^m$, $b^y=k^n$ (a, b, k는 양수, $xy\neq0$)일 때,

① $a=k^{\frac{m}{x}}$, $b=k^{\frac{n}{y}}$ 꼴로 나타낸다.

② 지수법칙을 이용하여 조건에 맞는 식으로 변형한다.

0130 짱중요 ●●○○

실수 x, y에 대하여 $15^x=25$, $375^y=125$일 때, $\dfrac{2}{x}-\dfrac{3}{y}$의 값은?

① -2 ② -1 ③ 0
④ $\dfrac{1}{2}$ ⑤ 2

0131 중요 교육청 기출 ●●○○

$80^x=2$, $\left(\dfrac{1}{10}\right)^y=4$, $a^z=8$을 만족시키는 세 실수 x, y, z에 대하여 $\dfrac{1}{x}+\dfrac{2}{y}-\dfrac{1}{z}=1$이 성립할 때, 양수 a의 값을 구하시오.

0132 ●●○○

실수 a, b에 대하여 $5^a=c$, $5^b=d$일 때, $\left(\dfrac{1}{5}\right)^{a-2b}$을 c, d로 나타내면?

① $\dfrac{d^3}{c^2}$ ② $\dfrac{d^2}{c}$ ③ $\dfrac{c^2}{d}$
④ $\dfrac{d^2}{c^3}$ ⑤ $\dfrac{d}{c}$

0133 ●●○○

$2^a=c$, $2^b=d$일 때, $\left(\frac{1}{4}\right)^{\frac{1}{2}a-b}$과 같은 것은?

① $\frac{d^2}{c}$ ② $\frac{c^2}{d}$ ③ $\frac{1}{cd^2}$
④ $-c^2d$ ⑤ $-2cd^2$

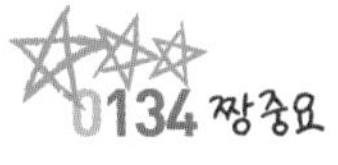
0134 짱중요 ●●●○

$100^a=4$, $100^b=5$일 때, $25^{\frac{2-a-b}{2(1-a)}}$의 값은?

① $8\sqrt{5}$ ② $10\sqrt{5}$ ③ $12\sqrt{5}$
④ $14\sqrt{5}$ ⑤ $16\sqrt{5}$

0135 ●●●○

두 실수 a, b가 $3^{a+b}=4$, $2^{a-b}=5$를 만족할 때, $3^{a^2-b^2}$의 값을 구하시오.

유형 내신 중요도 유형 난이도 ★★★★★

13 $a^x=b^y$의 조건이 주어진 식의 값 구하기

$a^x=b^y=k$ $(a>0,\ b>0,\ xy\neq0)$일 때,

(1) $a=k^{\frac{1}{x}}$, $b=k^{\frac{1}{y}}$

(2) $ab=k^{\frac{1}{x}+\frac{1}{y}}$, $\frac{a}{b}=k^{\frac{1}{x}-\frac{1}{y}}$

0136 ●●○○

$2^x=3^y=6$일 때, $\frac{1}{x}+\frac{1}{y}$의 값을 구하시오.

0137 ●●○○

$2^x=9^y=18^z$일 때, $\frac{1}{x}+\frac{1}{y}-\frac{1}{z}$의 값은? (단, $xyz\neq0$)

① -1 ② $-\frac{1}{2}$ ③ 0
④ $\frac{1}{2}$ ⑤ 1

0138 ●●○○

두 양수 a, b가 $ab=27$, $a^x=b^y=81$을 만족할 때, $\frac{1}{x}+\frac{1}{y}$의 값은?

① $\frac{1}{2}$ ② $\frac{3}{4}$ ③ $\frac{4}{3}$
④ 2 ⑤ 3

0139 ●●●●

두 실수 x, y가 $2^{2x}=5^{2y}=k$를 만족하고 $x+y-2xy=0$일 때, $2k$의 값은? (단, $xy\neq0$)

① 16　② 18　③ 20　④ 22　⑤ 24

0140 교육청 기출 ●●●○

세 양수 a, b, c가 $a^x=b^{2y}=c^{3z}=7$, $abc=49$를 만족할 때, $\frac{6}{x}+\frac{3}{y}+\frac{2}{z}$의 값을 구하시오.

0141 ●●○○

$x^a=y^b=xy$인 관계가 성립할 때, $\frac{2(a+b)}{ab}$의 값은?

(단, x, y는 1이 아닌 양수, $xy\neq1$)

① $\frac{1}{2}$　② 1　③ $\frac{3}{2}$　④ 2　⑤ $\frac{5}{2}$

0142 ●●●○

0이 아닌 실수 x, y, z가 다음 두 식을 만족할 때, 상수 a의 값은?

(가) $4^x=9^y=24^z$　(나) $\frac{a}{x}+\frac{1}{y}=\frac{2}{z}$

① 1　② 2　③ 3　④ 4　⑤ 5

0143 ●●●○

0이 아닌 두 실수 a, b가 다음 두 조건을 만족할 때, 3^b의 값을 구하시오.

(가) $\frac{1}{a}+\frac{1}{2b}=\frac{1}{2}$　(나) $5^a=9^b$

0144 ●●○○

$2^x=3^y=5^z=a$, $\frac{1}{x}+\frac{1}{y}+\frac{1}{z}=2$일 때, 상수 a의 값을 구하시오. (단, $xyz\neq0$)

유형 14 지수법칙의 활용

내신 중요도 유형 난이도 ★★★★★

(1) 단순 대입 문제
⇨ 주어진 등식에 포함된 문자가 어떤 용어를 나타내는지 알고 대입해 본다.

(2) 시간에 따른 양의 변화율이 일정한 문제
⇨ 반감기 등과 같이 일정 기간이 지난 후에 원래의 양이 일정한 비율로 변할 때는 먼저 횟수를 구한 다음, 횟수에 기간을 곱한다.

0145

어떤 바이러스는 그 수가 2배로 늘어나는 데 t시간이 걸린다고 한다. 이 바이러스 한 마리가 16시간 후에 8마리로 늘어난다고 할 때, 한 마리의 바이러스가 32시간 후에는 몇 마리가 되는가?

① 32마리 ② 64마리 ③ 128마리 ④ 256마리 ⑤ 512마리

0146

그림과 같이 세 모서리의 길이가 각각 $\sqrt{10}$, $\sqrt[3]{10^2}$, $\sqrt[6]{10^5}$인 직육면체 모양의 금속 덩어리가 있다.

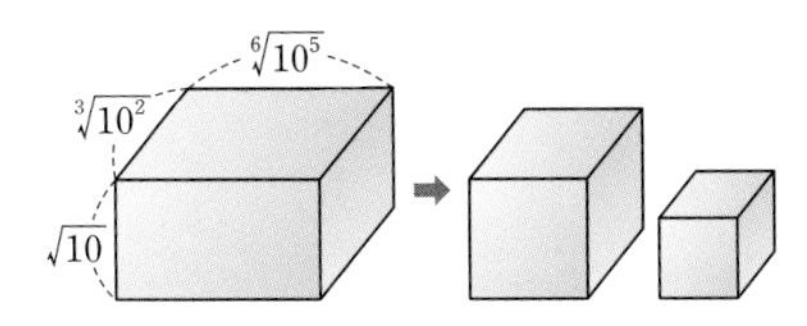

이 금속 덩어리를 녹여 부피의 비가 3 : 1인 정육면체 모양의 금속 덩어리 두 개로 만들었을 때, 부피가 작은 것의 한 모서리의 길이를 구하시오.

0147

어떤 종을 100 dB(데시벨)의 크기로 타종한 후 t초가 지났을 때 소리의 크기를 $f(t)$ dB이라고 하면 관계식

$$f(t)=100\cdot a^{-\frac{t}{5}}\ (a\text{는 상수})$$

이 성립한다고 한다. 이 종을 100 dB의 크기로 타종한 후 5초가 지났을 때 소리의 크기는 이 종을 100 dB의 크기로 타종한 후 10초가 지났을 때 소리의 크기의 몇 배인가?

① a배 ② $2a$배 ③ $5a$배 ④ a^2배 ⑤ a^5배

0148 중요

어떤 호수에서 수면에서의 빛의 세기가 I_0일 때 수심이 d m인 곳에서의 빛의 세기 I_d는 다음과 같이 나타내어진다고 한다.

$$I_d=I_0\cdot 2^{-0.25d}$$

이 호수에서 빛의 세기가 수면에서의 빛의 세기의 25 %인 곳의 수심은?

① 4 m ② 8 m ③ 10 m ④ 12 m ⑤ 16 m

0149

어떤 특정 방사능 핵종의 원자수가 방사성 붕괴에 의해서 원래의 수의 반으로 줄어드는 데 걸리는 시간을 반감기라고 한다. 따라서 반감기가 T(시간)인 어떤 방사능 핵종의 원래의 원자수가 M_0일 때, t시간 후의 원자수 M은

$$M=M_0\left(\frac{1}{2}\right)^{\frac{t}{T}}$$

으로 계산된다. 현재 원자수가 N_0인 어떤 핵종의 200시간 후의 원자수와 500시간 후의 원자수의 비가 8 : 1일 때, 이 핵종의 반감기는?

① 70시간 ② 80시간 ③ 90시간 ④ 100시간 ⑤ 110시간

적중 문제

시험에 잘 나오는 문제로 점검하기

0150

다음 중 옳지 않은 것은?

① 네제곱근 64는 $\sqrt{8}$ 이다.
② 6은 216의 세제곱근이다.
③ 4의 네제곱근은 2개이다.
④ -27의 세제곱근 중 실수인 것은 -3이다.
⑤ n이 2보다 큰 홀수일 때, -5의 n제곱근 중 실수인 것은 $-\sqrt[n]{5}$ 이다.

0151

다음 설명 중 옳은 것은?

① -2의 제곱근은 없다.
② -27의 세제곱근 중에서 실수인 것은 2개이다.
③ 8의 세제곱근 중 실수인 것의 개수는 1이다.
④ n이 홀수일 때, 5의 n제곱근 중에서 실수인 것은 없다.
⑤ n이 짝수일 때, -2의 n제곱근 중에서 실수인 것은 2개이다.

0152

$a>0$, $b>0$일 때, $\sqrt[4]{\frac{\sqrt{b}}{\sqrt[3]{a}}}\times\sqrt{\frac{\sqrt[6]{a}}{\sqrt[4]{b}}}$ 을 간단히 하면?

① $\frac{a}{b}$　② $\frac{\sqrt{a}}{b}$　③ 1
④ $\frac{b}{a}$　⑤ $\frac{a\sqrt{b}}{b}$

0153

$\left\{\left(\frac{8}{125}\right)^{-\frac{1}{3}}\right\}^{\frac{3}{2}}\times\left(\frac{8}{5}\right)^{\frac{1}{2}}$ 의 값은?

① $\sqrt{3}$　② $\sqrt{5}$　③ 3
④ $2\sqrt{3}$　⑤ 5

0154

$\sqrt{ab^3}\div\sqrt[3]{a^2b^4}\times(ab^5)^{\frac{1}{6}}$을 간단히 하면? (단, $a>0$, $b>0$)

① $\sqrt{a}$　② $\sqrt{b}$　③ $a\sqrt{b}$
④ b　⑤ ab

0155 서술형

두 양수 a, b가 $a^5=3$, $b^{12}=9$일 때, 100 이하의 자연수 n에 대하여 $(\sqrt[7]{ab^3})^n$이 자연수가 되는 n의 값의 합을 구하시오.

0156

$x+x^{-1}=7$일 때, $x^{\frac{1}{2}}+x^{-\frac{1}{2}}$의 값은? (단, $x>0$)

① 2 ② $\sqrt{6}$ ③ $2\sqrt{2}$
④ 3 ⑤ 4

0157

$x=2^{\frac{1}{3}}-2^{-\frac{1}{3}}$일 때, $2x^3+6x$의 값을 구하시오.

0158

$a^{2x}=4$일 때, $\frac{a^{3x}+a^{-3x}}{a^x+a^{-x}}$의 값은?

① $\frac{5}{4}$ ② $\frac{7}{4}$ ③ $\frac{9}{4}$
④ $\frac{11}{4}$ ⑤ $\frac{13}{4}$

0159 서술형

실수 a, b에 대하여 $2^a=100$, $20^b=1000$일 때, $\frac{3}{b}-\frac{2}{a}$의 값을 구하시오.

0160

$a^x=b^y=2^z$이고, $\frac{1}{x}+\frac{1}{y}=\frac{3}{z}$일 때, ab의 값은?

(단, $xyz\neq0$이고 $a>0$, $b>0$)

① 6 ② 7 ③ 8
④ 9 ⑤ 10

0161

처음 개체 수가 n인 어떤 박테리아를 최적의 조건하에서 배양하였을 때 t시간 후의 개체 수를 N이라 하면

$N=n\cdot2^{kt}$ (단, k는 상수)

인 관계가 성립한다고 한다. 배양한 지 2시간 후 박테리아의 개체 수가 $5n$일 때, 배양한 지 5시간 후의 개체 수는 처음 개체 수의 몇 배인지 구하시오.

Level 1

0162

실수 a와 2 이상의 자연수 m에 대하여 $N(a, m)$을

$N(a, m)=$(a의 m제곱근 중 실수인 것의 개수)

로 정의할 때, 다음 〈보기〉 중 옳은 것만을 있는 대로 고른 것은?

보기

ㄱ. $N(4, 2)=2$

ㄴ. $a<0$이면 $N(a, m)=0$

ㄷ. $a>0$이면 $N(a, m)+N(a, m+1)=3$

① ㄱ ② ㄱ, ㄴ ③ ㄱ, ㄷ
④ ㄴ, ㄷ ⑤ ㄱ, ㄴ, ㄷ

0163

$x+y=2$를 만족하는 두 실수 x, y에 대하여 $f(a)$를 다음과 같이 정의한다.

$$f(a)=(a^x+a^y)^2-(a^x-a^y)^2$$

이때, $f(3)+f(4)+f(5)$의 값을 구하시오.

0164

2의 세제곱을 a, 3의 제곱을 b라 할 때,
$(a^2b)^3\times(a^4b^3)^2\div(a^2b)^6$의 n제곱근이 정수가 되게 하는 n의 값의 개수는? (단, $n\geq2$)

① 1 ② 2 ③ 3
④ 4 ⑤ 5

0165

$2^x=\sqrt{\sqrt{3}+\sqrt{2}}+\sqrt{\sqrt{3}-\sqrt{2}}$를 만족하는 실수 x에 대하여 $2^{2x-1}+2^{-2x+2}$의 값은?

① $\frac{1}{2}$ ② $\frac{\sqrt{3}}{2}$ ③ $\sqrt{3}$
④ $2\sqrt{3}$ ⑤ $4\sqrt{2}$

0166

$2^x+2^y=3-k$, $x+y=0$을 만족시키는 두 실수 x, y에 대하여 $(1+k\cdot 2^x+2^{2x})(1+k\cdot 2^y+2^{2y})$의 값은? (단, $k\le 1$)

① 1 ② 4 ③ 9
④ 16 ⑤ 25

0167

어떤 용기에 뜨거운 물을 부어 처음 온도를 잰 후, t분 후에 물의 온도 T(℃)와 실험실 안의 온도 R(℃)의 관계를 조사하였더니 다음 식이 성립함을 알았다.

$T=R+k\cdot 10^{tm}$ (m, k, R는 상수)

뜨거운 물을 이 용기에 담고, 1분 후에 온도를 재어 보니 물의 온도가 80℃였고, 그로부터 5분 후에 다시 재었더니 50℃이었다. 실험실 온도가 20℃로 일정할 때, 처음 물의 온도는 약 몇 ℃인가? (단, $\sqrt[5]{0.5}=0.87$로 계산한다.)

① 약 89℃ ② 약 92℃ ③ 약 94℃
④ 약 96℃ ⑤ 약 98℃

Level 2

0168

$a>1$이고, $x>2$, $y>2$일 때,

$$A=\frac{a^x+a^y}{2},\ B=\sqrt{a^x\cdot a^y},\ C=(a^{\sqrt{x}})^{\sqrt{y}},\ D=a^{\sqrt{x+y}}$$

의 대소 관계로 옳은 것은?

① $A>B>C>D$ ② $A\ge B\ge C>D$
③ $B>C\ge D\ge A$ ④ $B\ge C\ge D>A$
⑤ $C>A>B>D$

0169

$a=2^n$ (n은 자연수)일 때, $6^2\times 12^3\div a^2=x$를 만족하는 x의 값이 자연수가 되도록 하는 a의 개수는?

① 2 ② 3 ③ 4
④ 6 ⑤ 7

0170

$a=\frac{1}{2}(8^{40}+8^{-40})$일 때, $\sqrt[n]{a+\sqrt{a^2-1}}$의 값이 정수가 되도록 하는 2 이상의 자연수 n의 개수를 구하시오.

0171

$\frac{27^{20}}{27^{-20}-1}+\frac{9^{-15}}{9^{15}-9^{-15}}$을 간단히 하면?

① $-3^{60}-1$ ② -3^{60} ③ $-3^{60}+1$
④ $3^{60}-1$ ⑤ $3^{60}+1$

0172

$a+b+c=-1$, $3^a+3^b+3^c=\frac{13}{3}$, $3^{-a}+3^{-b}+3^{-c}=\frac{11}{2}$을 동시에 만족하는 세 실수 a, b, c에 대하여 $9^a+9^b+9^c$의 값은?

① $\frac{103}{9}$ ② $\frac{136}{9}$ ③ $\frac{169}{9}$
④ $\frac{68}{3}$ ⑤ $\frac{85}{3}$

0173

$(2^x+2^{-x})(2^y+2^{-y})=100$, $(2^x-2^{-x})(2^y-2^{-y})=50$을 만족하는 실수 x, y에 대하여 $(2^{x+y}+2^{-x-y})(2^{x-y}+2^{-x+y})$의 값은?

① 1800 ② 1825 ③ 1850
④ 1875 ⑤ 1900

Level 3

0174

교육청 기출

양의 실수 x, y가 $\sqrt{x}+\sqrt{2y}=4$를 만족시킬 때, $2^x \cdot 4^y$의 최솟값은?

① 32　② 64　③ 128　④ 256　⑤ 512

0175

$f(x)=\dfrac{3^x-3^{-x}}{3^x+3^{-x}}$이고, $f(2\alpha)=\dfrac{3}{5}$, $f(2\beta)=\dfrac{4}{5}$일 때, $f(\alpha+\beta)f(\alpha-\beta)$의 값은?

① $-\dfrac{3}{2}$　② $-\dfrac{1}{5}$　③ $-\dfrac{1}{7}$　④ $\dfrac{3}{2}$　⑤ $\dfrac{9}{2}$

0176

원유가 가득 들어 있는 어느 원유 저장 탱크의 밑바닥에 균열이 생기는 사고가 발생해 원유가 유출되기 시작하였다. 사고가 발생한 지 t시간 후 저장 탱크의 밑바닥으로부터 원유의 표면까지의 높이를 x m라 하면

$$kt=\pi(x^{\frac{5}{2}}-35x^{\frac{3}{2}}+300\sqrt{10})\ (k\text{는 상수})$$

인 관계가 성립한다고 한다. 사고 발생 1시간 후에 $x=10$이 되었고 이후 같은 속도로 원유가 계속 유출될 때, 원유가 모두 유출되는 것은 사고 발생 후 최소 몇 시간째부터인가?

① 6시간　② 7시간　③ 8시간　④ 9시간　⑤ 10시간

Reading Material

집합으로 잰 무한의 크기

수학에서 무한은 고대 그리스 수학에서부터 근대 수학에 이르기까지 가장 다루기 힘든 수학적 개념이었다.

그러던 것이 19세기에 들어서 러시아 태생의 독일 수학자 칸토어에 의해 처음으로 엄밀한 수학적 체계를 갖추게 되었다. 그가 무한의 개념을 체계화하는 데 사용한 것은 집합론이었다.

칸토어는 '집합은 기준이 확정되어 있고 서로 명확히 구별되는 모임을 말한다.'고 정의한 뒤, 각 집합의 원소들을 일대일로 짝지어 대응시킬 수 있는지를 통해 각 집합 간의 크기를 비교할 수 있다고 했다. 즉, 두 집합을 일대일로 대응시킬 수 있으면 두 집합의 원소 수는 같다는 말이다.

또한 한 집합이 다른 집합보다 크다는 개념은 '집합 A는 집합 B의 부분집합과 일대일대응 시킬 수 있지만 그 역은 가능하지 않을 때 집합 B는 집합 A보다 크다고 한다.'로 정의된다.

이러한 집합의 정의를 통해 칸토어는 두 무한집합을 서로 비교했을 때 겉으로 보기에는 훨씬 작아 보이는 무한집합도 그보다 큰 수를 원소로 갖는 무한집합과 일대일대응이 가능한 경우가 있다는 것을 밝혀냈다.

예를 들어 유리수 집합을 자연수 집합과 대응시켜 볼 때, 일대일대응 관계가 성립한다는 놀라운 것을 밝혀냈다.

이는 오랜 수학적 통념인 '전체가 부분보다 크다.'란 개념을 뒤엎는 놀라운 생각이었다. 이러한 공로를 인정해 칸토어를 무한 이론의 창시자라고 부른다.

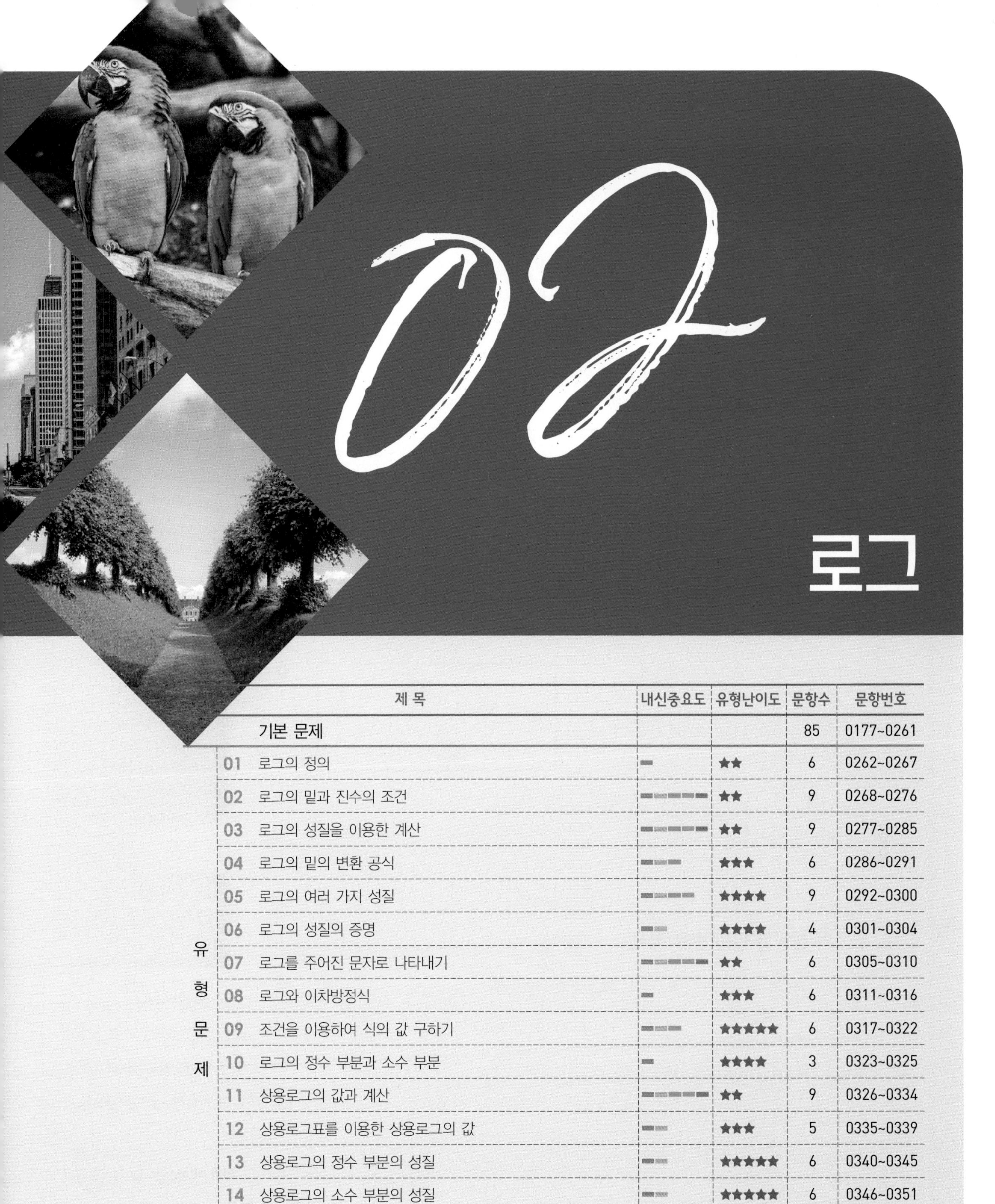

02 로그

	제 목	내신중요도	유형난이도	문항수	문항번호
	기본 문제			85	0177~0261
유형 문제	01 로그의 정의	▬	★★	6	0262~0267
	02 로그의 밑과 진수의 조건	▬▬▬▬▬	★★	9	0268~0276
	03 로그의 성질을 이용한 계산	▬▬▬▬▬	★★	9	0277~0285
	04 로그의 밑의 변환 공식	▬▬▬	★★★	6	0286~0291
	05 로그의 여러 가지 성질	▬▬▬▬	★★★★	9	0292~0300
	06 로그의 성질의 증명	▬▬	★★★★	4	0301~0304
	07 로그를 주어진 문자로 나타내기	▬▬▬▬▬	★★	6	0305~0310
	08 로그와 이차방정식	▬	★★★	6	0311~0316
	09 조건을 이용하여 식의 값 구하기	▬▬▬	★★★★★	6	0317~0322
	10 로그의 정수 부분과 소수 부분	▬	★★★★	3	0323~0325
	11 상용로그의 값과 계산	▬▬▬▬▬	★★	9	0326~0334
	12 상용로그표를 이용한 상용로그의 값	▬▬	★★★	5	0335~0339
	13 상용로그의 정수 부분의 성질	▬▬	★★★★★	6	0340~0345
	14 상용로그의 소수 부분의 성질	▬▬	★★★★★	6	0346~0351
	15 관계식이 주어진 로그의 활용	▬▬▬▬▬	★★★★	7	0352~0358
	16 상용로그의 실생활에의 활용	▬▬▬▬▬	★★★★★	5	0359~0363
	적중 문제			12	0364~0375
	고난도 문제			18	0376~0393

로그

1. 로그의 정의

$a>0$, $a\neq1$일 때, 양수 N에 대하여

$a^x=N$

을 만족시키는 실수 x는 오직 하나 존재한다.

이와 같은 실수 x를

$x=\log_a N$

으로 나타내고, 이것을 a를 밑으로 하는 N의 로그라고 한다.

여기서 N을 $\log_a N$의 진수라고 한다.

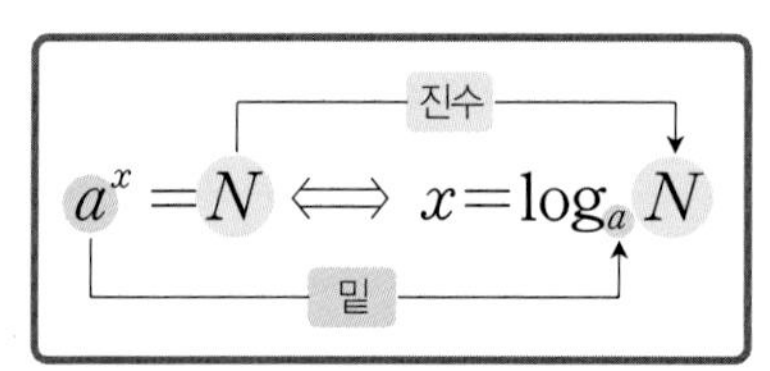

로그가 정의될 조건

$\log_a N$이 정의되기 위해서는

① 밑은 1이 아닌 양수이어야 한다.

⇨ $a>0$, $a\neq1$

② 진수는 양수이어야 한다.

⇨ $N>0$

2. 로그의 성질과 밑의 변환 공식

$a>0$, $a\neq1$, $b>0$, $b\neq1$, $c>0$, $c\neq1$, $M>0$, $N>0$일 때

(1) $\log_a 1=0$, $\log_a a=1$

(2) $\log_a MN=\log_a M+\log_a N$

(3) $\log_a \dfrac{M}{N}=\log_a M-\log_a N$

(4) $\log_a M^k=k\log_a M$ (단, k는 실수이다.)

(5) $\log_{a^m} b^n=\dfrac{n}{m}\log_a b$ (단, $m\neq0$)

(6) $\log_a b=\dfrac{\log_c b}{\log_c a}$ ← 로그의 밑의 변환 공식

(7) $\log_a b=\dfrac{1}{\log_b a}$

(8) $a^{\log_c b}=b^{\log_c a}$, $a^{\log_a b}=b$

착각하기 쉬운 로그의 성질

$a>0$, $a\neq1$, $M>0$, $N>0$일 때

① $\log_a (M+N)\neq\log_a M+\log_a N$

② $\log_a (M-N)\neq\log_a M-\log_a N$

③ $\log_a M\times\log_a N\neq\log_a M+\log_a N$

④ $\dfrac{\log_a M}{\log_a N}\neq\log_a M-\log_a N$

⑤ $(\log_a M)^k\neq k\log_a M$ (단, k는 실수)

⑥ $(\log_a M)^k\neq\log_a M^k$ (단, k는 실수)

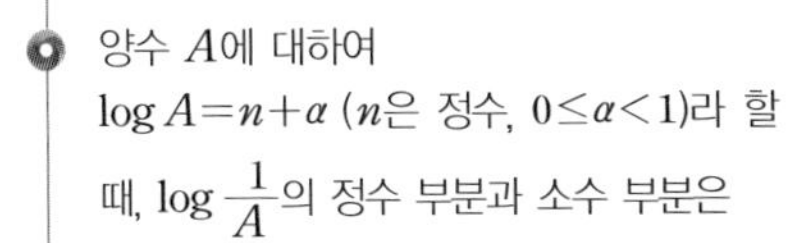

3. 상용로그

10을 밑으로 하는 로그를 상용로그라 하고, 보통 밑 10을 생략하여

$\log N$ $(N>0)$

과 같이 나타낸다.

4. 상용로그의 정수 부분과 소수 부분

양수 N에 대하여

$\log N=n+\alpha$ (n은 정수, $0\le\alpha<1$)

로 나타낼 때, n을 $\log N$의 정수 부분, α를 $\log N$의 소수 부분이라고 한다.

참고 $[x]$가 x보다 크지 않은 최대의 정수를 나타낼 때,

① $\log N$의 정수 부분: $[\log N]=n$

② $\log N$의 소수 부분: $\log N-[\log N]=\alpha$

5. 상용로그의 정수 부분과 소수 부분의 성질

(1) 정수 부분의 성질

① 정수 부분이 n자리인 수의 상용로그의 정수 부분은 $(n-1)$이다.

② 소수점 아래 n째 자리에서 처음으로 0이 아닌 숫자가 나타나는 수의 상용로그의 정수 부분은 $-n$이다.

(2) 소수 부분의 성질

숫자의 배열이 같고 소수점의 위치만 다른 수들의 상용로그의 소수 부분은 모두 같다.

참고 상용로그의 소수 부분에 대한 조건이 주어지면 다음을 이용한다.

① 두 상용로그의 소수 부분이 같다. ➡ (두 상용로그의 차)=(정수)

② 두 상용로그의 소수 부분의 합이 1이다. ➡ (두 상용로그의 합)=(정수)

양수 A에 대하여
$\log A=n+\alpha$ (n은 정수, $0\le\alpha<1$)라 할 때, $\log\frac{1}{A}$의 정수 부분과 소수 부분은

(i) $\alpha=0$이면

$\log\frac{1}{A}=-\log A=-n-\alpha$

$\therefore$ (정수 부분)$=-n$, (소수 부분)$=0$

(ii) $0<\alpha<1$이면

$\log\frac{1}{A}=-\log A=-n-\alpha$

$=(-n-1)+(1-\alpha)$

$\therefore$ (정수 부분)$=-n-1$,

(소수 부분)$=(1-\alpha)$

정수 부분과 소수 부분의 성질의 활용

$A>1$, $B>1$일 때,

① 정수 부분의 성질

$\log A$의 정수 부분이 n이다.

$\iff \log A=n+\alpha$ (단, n은 정수, $0\le\alpha<1$)

$\iff n\le\log A<n+1$

$\iff [\log A]=n$

(단, $[x]$는 x보다 크지 않은 최대의 정수)

$\iff 10^n\le A<10^{n+1}$

$\iff$ A는 정수 부분이 $(n+1)$자리인 수이다.

② 소수 부분의 성질

$\log A$와 $\log B$의 소수 부분이 같다.

$\iff \log A-\log B=$(정수)

$\iff \log A-[\log A]$

$=\log B-[\log B]$

(단, $[x]$는 x보다 크지 않은 최대의 정수)

$\iff \frac{A}{B}=10^m$ (단, m은 정수)

$\iff$ A와 B의 숫자의 배열이 같다.

1 로그의 정의

[0177-0178] 다음 등식을 $x=\log_a b$의 꼴로 나타내시오.

0177 $2^4=16$

0178 $9^{\frac{1}{2}}=3$

[0179-0181] 다음 등식을 $a^x=b$의 꼴로 나타내시오.

0179 $\log_2 32=5$

0180 $\log_4 8=\frac{3}{2}$

0181 $\log_3 \sqrt{3}=\frac{1}{2}$

[0182-0184] 로그의 정의를 이용하여 다음 값을 구하시오.

0182 $\log_2 8$

0183 $\log_{27} 3$

0184 $\log_{\frac{1}{3}} 3$

[0185-0188] 다음 등식을 만족시키는 실수 x의 값을 구하시오.

0185 $\log_3 x=4$

0186 $\log_x 8=3$

0187 $\log_3 x=\frac{1}{2}$

0188 $\log_5 x=-1$

[0189-0191] 다음 등식을 만족시키는 x의 값을 로그를 이용하여 구하시오.

0189 $3^x=10$

0190 $10^x=15$

0191 $7^x=\frac{1}{2}$

[0192-0195] 다음 로그가 정의되도록 하는 실수 x의 값의 범위를 구하시오.

0192 $\log_2(x-5)$

0193 $\log_3(x^2-4)$

0194 $\log_{x-5}3$

0195 $\log_x(5-x)$

2 로그의 성질

[0196-0198] 다음 값을 구하시오.

0196 $\log_3 1$

0197 $\log_3 3$

0198 $\log_2 2-\log_2 1$

[0199-0208] 다음 값을 구하시오.

0199 $\log_2\frac{2}{3}+\log_2 3$

0200 $\log_3 12-\log_3 4$

0201 $\log_5 125$

0202 $\log_3\sqrt{3}$

0203 $\log_6 3+\log_6 12$

0204 $\log_5 10-\log_5\frac{2}{5}$

0205 $\log_2\frac{4}{3}+2\log_2\sqrt{12}$

0206 $\log_2 8+\log_2 2\sqrt{2}-\log_2\sqrt{2}$

0207 $\log_3 18-\log_3 \frac{4}{9}+\log_3 6$

0208 $\log_4 3+5\log_4 2-\log_4 6$

[0209-0212] 다음 $\square$ 안에 알맞은 것을 써넣으시오.

0209 $\log_3 5=\dfrac{\log_{\square} 5}{\log_2 \square}$

0210 $\log_5 2=\dfrac{1}{\log_2 \square}$

0211 $\dfrac{\log_3 7}{\log_3 5}=\log_5 \square$

0212 $\dfrac{1}{\log_4 6}=\log_{\square} 4$

[0213-0216] 로그의 밑의 변환 공식을 이용하여 다음 값을 구하시오.

0213 $\dfrac{\log_7 9}{\log_7 3}$

0214 $\dfrac{1}{\log_{32} 2}$

0215 $\log_2 3\times\log_3 8$

0216 $\log_3 2\times\log_2 5\times\log_5 9$

3 로그의 여러 가지 성질

[0217-0222] 다음 $\square$ 안에 알맞은 것을 써넣으시오.
(단, $a>0$, $a\neq1$, $b>0$, $c>0$, $c\neq1$, $m\neq0$)

0217 $\log_{a^m} b^n=\square\log_a b$

0218 $a^{\log_c b}=\square^{\log_c \square}$

0219 $a^{\log_a b}=\square$

0220 $\log_9 8 = \square \log_3 2$

0221 $5^{\log_3 6} = \square^{\log_3 \square}$

0222 $3^{\log_3 7} = \square$

[0223-0227] 다음 값을 구하시오.

0223 $\log_8 128$

0224 $\log_{\sqrt{3}} 27$

0225 $\log_2 5 + \log_4 9$

0226 $2^{\log_2 5}$

0227 $9^{\log_3 \sqrt{5}}$

4 조건식을 이용한 로그의 표현

[0228-0230] $\log_{10} 2 = a$, $\log_{10} 3 = b$일 때, 다음을 a, b로 나타내시오.

0228 $\log_{10} 12$

0229 $\log_{10} \frac{3}{2}$

0230 $\log_{10} \frac{1}{9}$

[0231-0233] $\log_3 2 = a$, $\log_3 5 = b$일 때, 다음을 a, b로 나타내시오.

0231 $\log_2 5$

0232 $\log_8 25$

0233 $\log_{10} 20$

5 상용로그

[0234-0238] 다음 상용로그의 값을 구하시오.

0234 $\log 100$

0235 $\log 0.1$

0236 $\log \frac{1}{1000}$

0237 $\log \sqrt[3]{10}$

0238 $\log \sqrt{1000}$

[0239-0241] $\log 2=a$, $\log 3=b$라 할 때, 다음을 a, b로 나타내시오.

0239 $\log 4$

0240 $\log 5$

0241 $\log 6$

[0242-0243] 상용로그표를 이용하여 다음 상용로그의 값을 구하시오.

수	⋯	4	5	6	⋯
⋮	⋱	⋮	⋮	⋮	⋰
2.2	⋯	.3502	.3522	.3541	⋯
2.3	⋯	.3692	.3711	.3729	⋯
⋮	⋰	⋮	⋮	⋮	⋱

0242 $\log 2250$

0243 $\log 0.235$

[0244-0247] $\log 3.42=0.5340$일 때, 다음 상용로그의 값을 구하시오.

0244 $\log 34200$

0245 $\log 342$

0246 $\log 0.342$

0247 $\log 0.0342$

6 상용로그의 성질

[0248-0251] 다음 상용로그를 $n+\log x$ (n은 정수, $1\le x<10$)로 표현하시오.

0248 $\log 254$

0249 $\log 0.0254$

0250 $\log 45.6$

0251 $\log 0.00456$

[0252-0255] 양수 N에 대하여 $\log N=f(N)+g(N)$ ($f(N)$은 정수, $0\le g(N)<1$)일 때, 상용로그표를 이용하여 다음을 구하시오.

0252 $f(1500)$

0253 $f(0.604)$

0254 $g(24500)$

0255 $g(0.768)$

[0256-0261] $\log 5.94=0.7738$일 때, x의 값을 구하시오.

0256 $\log 5940=x$

0257 $\log 0.594=x$

0258 $\log 0.00594=x$

0259 $\log x=4.7738$

0260 $\log x=1.7738$

0261 $\log x=-3.2262$

문제

내신 출제 유형 정복하기

유형 01 로그의 정의

내신 중요도 ■■■■■ 유형 난이도 ★★☆☆☆

$a>0$, $a\neq1$, $N>0$일 때,

$a^x=N \Longleftrightarrow x=\log_a N$

0262 ●○○○

다음 〈보기〉 중 옳은 것을 모두 고른 것은?

보기

ㄱ. $3^{-2}=\frac{1}{9} \Longleftrightarrow \frac{1}{2}=\log_3\frac{1}{9}$

ㄴ. $\log_{16}2=\frac{1}{4} \Longleftrightarrow \sqrt[4]{16}=2$

ㄷ. $\log_{\frac{1}{2}}4=-2 \Longleftrightarrow (-2)^{\frac{1}{2}}=4$

① ㄱ ② ㄴ ③ ㄷ
④ ㄱ, ㄴ ⑤ ㄴ, ㄷ

0263 중요 ●○○○

$b=\log_2 a$일 때, 다음 중 8^b과 같은 것은? (단, $a\neq1$)

① a ② $2a$ ③ $3a$
④ a^2 ⑤ a^3

0264 ●○○○

$\log_2 x=2$, $\log_y\frac{1}{8}=3$을 만족하는 x, y에 대하여 xy의 값을 구하시오.

0265 ●●○○

$\log_5(\log_4(\log_3 x))=0$을 만족하는 x의 값은?

① 3 ② 9 ③ 27
④ 81 ⑤ 243

0266 ●○○○

$x=\log_2 3$일 때, 2^x+2^{-x}의 값은?

① $\frac{7}{3}$ ② $\frac{8}{3}$ ③ $\frac{10}{3}$
④ $\frac{11}{3}$ ⑤ $\frac{13}{3}$

0267 ●●○○

$x=\log_2\sqrt{2-\sqrt{3}}$일 때, 4^x-4^{-x}의 값은?

① $-2\sqrt{3}$ ② $-\sqrt{3}$ ③ 1
④ $\sqrt{2}$ ⑤ $\sqrt{3}$

유형 02 로그의 밑과 진수의 조건

내신 중요도 ━━━━━ 유형 난이도 ★★☆☆☆

$\log_a N$이 정의되기 위해서는

(1) 밑은 1이 아닌 양수이어야 한다. ⇨ $a>0$, $a\neq1$

(2) 진수는 양수이어야 한다. ⇨ $N>0$

0268 ●○○○

다음 〈보기〉 중 그 값이 존재하는 것을 모두 고른 것은?

보기

ㄱ. $\log_{2^{-1}}3^{-1}$　　ㄴ. $\log_5 0$

ㄷ. $\log_{2^0}4$　　ㄹ. $\log_3\frac{1}{100}$

① ㄱ, ㄴ　② ㄱ, ㄷ　③ ㄱ, ㄹ
④ ㄴ, ㄷ　⑤ ㄴ, ㄹ

0269 ●○○○

$\log_2(-x^2+4x+12)$가 정의되도록 하는 정수 x의 개수는?

① 5　② 6　③ 7
④ 8　⑤ 9

0270 ●○○○

$\log_{x+1}(3-x)$가 정의되도록 하는 정수 x의 개수를 구하시오.

0271 짱중요 ●○○○

$\log_{x-3}(-x^2+6x-8)$이 정의되도록 하는 실수 x의 값의 범위는?

① $3<x<4$　② $5<x<7$　③ $7<x<9$
④ $10<x<13$　⑤ $14<x<16$

0272 중요 ●●○○

$\log_{|x-2|}(10+3x-x^2)$이 정의되도록 x의 값을 정할 때, 정수 x의 개수는?

① 1　② 2　③ 3
④ 4　⑤ 5

0273 ●●○○

모든 실수 x에 대하여 $\log_{|a-1|}(x^2+ax+2a)$가 정의되기 위한 정수 a의 개수를 구하시오.

0274 짱중요 교육청 기출

모든 실수 x에 대하여 $\log_a(x^2+2ax+5a)$가 정의되기 위한 모든 정수 a의 값의 합은?

① 9 ② 11 ③ 13
④ 15 ⑤ 17

0275 교육청 기출

$\log_2(-x^2+ax+4)$의 값이 자연수가 되도록 하는 실수 x의 개수가 6일 때, 모든 자연수 a의 값의 곱을 구하시오.

0276

모든 실수 x에 대하여 $\log_{(k-2)^2}(kx^2+kx+2)$가 정의되기 위한 정수 k의 개수는?

① 1 ② 3 ③ 5
④ 7 ⑤ 9

유형 03 로그의 성질을 이용한 계산

내신 중요도 유형 난이도 ★★☆☆☆

$a>0$, $a\neq1$, $M>0$, $N>0$일 때

(1) $\log_a 1=0$, $\log_a a=1$

(2) $\log_a MN=\log_a M+\log_a N$

(3) $\log_a \frac{M}{N}=\log_a M-\log_a N$

(4) $\log_a M^k=k\log_a M$ (단, k는 실수)

0277

$\log_2 6-\log_2 \frac{3}{2}$의 값은?

① -2 ② -1 ③ 0
④ 1 ⑤ 2

0278 중요

$\log_3 6+\log_3 27-\log_3 2$의 값은?

① 1 ② 2 ③ 3
④ 4 ⑤ 5

0279 짱중요

$\log_2 \frac{4}{3}+2\log_2 \sqrt{6}$의 값은?

① 1 ② 2 ③ 3
④ 4 ⑤ 5

0280 중요

●○○○

$\frac{1}{3}\log_2 \frac{5}{4} - \log_2 \frac{\sqrt[3]{10}}{8} - \frac{1}{3}\log_2 4$의 값은?

① $\frac{1}{3}$ ② $\frac{2}{3}$ ③ 1

④ $\frac{4}{3}$ ⑤ $\frac{5}{3}$

0281

●●○○

$(\log_6 3)^3 + \log_6 27 \cdot \log_6 2 + (\log_6 2)^3$의 값은?

① 1 ② 2 ③ 3

④ 4 ⑤ 5

0282

●●○○

$\log_7\left(1-\frac{1}{2}\right)+\log_7\left(1-\frac{1}{3}\right)+\log_7\left(1-\frac{1}{4}\right)+\cdots+\log_7\left(1-\frac{1}{49}\right)$

의 값은?

① -2 ② -1 ③ 0

④ 1 ⑤ 2

0283 중요

●●○○

함수 $f(x)=\log_2\left(1+\frac{1}{x}\right)$에 대하여

$$f(1)+f(2)+f(3)+\cdots+f(n)=5$$

일 때, 자연수 n의 값을 구하시오.

0284

●○○○

a, x, y가 양의 실수이고

$$A=\log_a \frac{x^2}{y^3},\ B=\log_a \frac{y^2}{x^3}$$

일 때, $3A+2B$와 같은 것은? (단, $a\neq1$, $x\neq1$, $y\neq1$)

① $\log_a \frac{1}{x^5}$ ② $\log_a \frac{1}{y^5}$ ③ $\log_a \frac{1}{xy}$

④ $\log_a \frac{x^5}{y^5}$ ⑤ $\log_a \frac{x^5}{y^7}$

0285

●●●●

$f(n)=\log_2\left(\frac{1}{n+3}+1\right)$에 대하여

$f(1)+f(2)+f(3)+\cdots+f(2^{100}-4)$의 값을 구하시오.

02 로그

유형 04 로그의 밑의 변환 공식

내신 중요도 ■■■□□ 유형 난이도 ★★★☆☆

a, b, c가 양수일 때

(1) $\log_a b=\dfrac{\log_c b}{\log_c a}$ (단, $a\neq1$, $c\neq1$)

(2) $\log_a b=\dfrac{1}{\log_b a}$ (단, $a\neq1$, $b\neq1$)

0286
●●○○

$\log_4 5\cdot\log_5 7\cdot\log_7 16$의 값은?

① 1 ② 2 ③ 3 ④ 4 ⑤ 5

0287
●●○○

$x=2\log_3 4+\dfrac{1}{2}\log_3 100-\dfrac{3}{\log_2 3}$일 때, 3^x의 값은?

① 4 ② 8 ③ 12 ④ 16 ⑤ 20

0288
●○○○

$\log_5 35-\dfrac{\log_7 14}{\log_7 5}+\dfrac{1}{\log_{10} 5}$의 값을 구하시오.

0289
●●○○

$\log_a 3\cdot\log_3 5\cdot\log_5 b=12$일 때, $\dfrac{\log_2\sqrt{b}}{\log_2 a}$의 값은?

① 2 ② 3 ③ 4 ④ 6 ⑤ 8

0290
●●○○

다음 등식이 성립할 때, k의 값을 구하시오. (단, $x>0$, $x\neq1$)

$$\frac{1}{\log_2 x}+\frac{1}{\log_3 x}+\frac{1}{\log_4 x}=\frac{1}{\log_k x}$$

0291
●●●○

$\displaystyle\sum_{n=2}^{31}(\log_n 2-\log_{n+1} 2)$의 값을 구하시오.

유형 05 로그의 여러 가지 성질

내신 중요도 ▬▬▬▬▬ 유형 난이도 ★★★★☆

$a>0,\ a\neq1,\ b>0,\ c>0,\ c\neq1$일 때

(1) $\log_{a^m} b^n = \dfrac{n}{m}\log_a b$ (단, $m\neq0$)

(2) $a^{\log_c b} = b^{\log_c a}$

(3) $a^{\log_a b} = b$

0292

●○○○

$\log_{\sqrt{3}} 3 + \log_4 \dfrac{1}{2}$의 값은?

① 1 ② $\dfrac{3}{2}$ ③ 2 ④ $\dfrac{5}{2}$ ⑤ 3

0293

●○○○

$(\log_2 3 + \log_4 9)(\log_3 4 + \log_9 2)$의 값은?

① 4 ② 5 ③ 6 ④ 7 ⑤ 8

0294 중요

●●○○

$\log_{\sqrt{2}} \dfrac{4}{\sqrt{3}} + \log_2 9 + \dfrac{1}{2}\log_4 \dfrac{1}{81}$의 값을 구하시오.

0295

●●○○

$\log_a(\log_2 4) + \log_a(\log_4 8) + \log_a(\log_8 16) = 4$를 만족하는 실수 a의 값은? (단, $a>0,\ a\neq1$)

① $\dfrac{1}{8}$ ② $\dfrac{1}{4}$ ③ $\dfrac{\sqrt{2}}{2}$ ④ $\sqrt{2}$ ⑤ $2\sqrt{2}$

0296

●●○○

$2^{\log_2 4} \times 8^{\frac{2}{3}}$의 값은?

① 2 ② 4 ③ 8 ④ 16 ⑤ 32

0297 중요

●●●○

$7^{2\log_7 4 + 4\log_7 3 - 3\log_7 6}$의 값은?

① 2 ② 3 ③ 4 ④ 5 ⑤ 6

0298

$$T=\log_5\left(1+\frac{1}{1}\right)+\log_5\left(1+\frac{1}{2}\right)+\log_5\left(1+\frac{1}{3}\right)+\cdots+\log_5\left(1+\frac{1}{25}\right)$$

이라 할 때, 25^T의 값은?

① 25^2 ② 26^2 ③ 2^{25}
④ 3^{20} ⑤ 5^{25}

0299

세 수 A, B, C에 대하여 $A=\log_3 2$, $B=\log_4 8$, $C=\log_2 3$일 때, A, B, C의 대소 관계로 옳은 것은?

① $A<B<C$ ② $A<C<B$ ③ $B<C<A$
④ $C<A<B$ ⑤ $C<B<A$

0300

$\log_a \frac{1}{a}<\log_a x<\log_a 1$일 때,

$A=(\log_a x)^2$, $B=\log_a x^2$, $C=\log_{\frac{1}{a}} x$의 대소 관계는?

① $A<B<C$ ② $A<C<B$ ③ $B<A<C$
④ $B<C<A$ ⑤ $C<A<B$

유형 06 로그의 성질의 증명

내신 중요도 ▬▬▬▬ 유형 난이도 ★★★★☆

로그의 정의와 성질을 이용하여 빈칸에 알맞은 식을 구한다.

0301

다음은 양수 a, x에 대하여

$\log_a x^n=n\log_a x$ (단, $a\neq1$, n은 실수)

가 성립함을 증명한 것이다.

증명

$\log_a x=k$로 놓으면 $x=$ (가) 이므로
$x^n=a^{kn}$
따라서 $\log_a x^n=$ (나) 이므로
$\log_a x^n=n\log_a x$

위의 증명에서 (가), (나)에 알맞은 것을 순서대로 적은 것은?

① a^k, kn ② a^k, $\frac{k}{n}$ ③ a^k, $\frac{n}{k}$
④ k^a, kn ⑤ k^a, $\frac{k}{n}$

0302

다음은 로그의 성질 $\log_p q^r=r\log_p q$를 이용하여 m이 0이 아닌 실수일 때,

$\log_{a^m} b^n=\frac{n}{m}\log_a b$ (단, $a\neq1$, $a>0$, $b>0$, n은 실수)

가 성립함을 증명한 것이다.

증명

$x=\log_{a^m} b^n$으로 놓으면 $b^n=$ (가) $=(a^x)^{(나)}$
(다) $=a^x$
따라서 $x=\log_a$ (다) $=\frac{n}{m}\log_a b$가 성립한다.

위의 증명에서 (가), (나), (다)에 알맞은 것은?

	(가)	(나)	(다)
①	a^x	m	b^n
②	a^x	$\frac{m}{n}$	$b^{\frac{n}{m}}$
③	$(a^m)^x$	m	$b^{\frac{n}{m}}$
④	$(a^m)^x$	$\frac{m}{n}$	$b^{\frac{n}{m}}$
⑤	$(a^x)^m$	m	b^n

0303 중요 ●●●●

다음은 양수 a, b, c에 대하여

$$\log_a b = \frac{\log_c b}{\log_c a} \text{ (단, } a \neq 1,\ c \neq 1)$$

가 성립함을 증명한 것이다.

증명

$\log_a b = x$, $\log_c a = y$라 하면 로그의 정의에 의하여

$a^x = b$, $c^y = a$

이때, $b =$ (가) 이므로 (나) $= \log_c b$

즉, $\log_a b \cdot \log_c a = \log_c b$이다.

여기서 (다) 이므로 $\log_c a \neq 0$이다.

$\therefore \log_a b = \dfrac{\log_c b}{\log_c a}$

위의 증명에서 (가), (나), (다)에 알맞은 것을 순서대로 적은 것은?

① c^{x+y}, $x+y$, $a \neq 1$ ② c^{xy}, xy, $a \neq 1$
③ c^{xy}, xy, $c \neq 1$ ④ c^{y^x}, y^x, $a \neq 1$
⑤ c^{y^x}, y^x, $c \neq 1$

0304 짱중요 ●●●●

다음은 $a^{\log_b c} = c^{\log_b a}$ (a, b, c는 1이 아닌 양수)임을 증명한 것이다.

증명

주어진 등식의 좌변에 밑이 c인 로그를 취하여 정리하면

$\log_c$ (가) $=$ (나) $\cdot \log_c a =$ (나) $\cdot \dfrac{\log_b a}{\text{(나)}}$

$=$ (다)

$\therefore a^{\log_b c} = c^{\log_b a}$

위의 증명에서 (가), (나), (다)에 알맞은 것을 순서대로 적은 것은?

① $a^{\log_b c}$, $\log_b c$, $\log_a b$ ② $a^{\log_b c}$, $\log_b c$, $\log_b a$
③ $a^{\log_b c}$, $\log_c b$, $\log_b a$ ④ $b^{\log_c a}$, $\log_c b$, $\log_a b$
⑤ $c^{\log_b a}$, $\log_b c$, $\log_b a$

유형 07 로그를 주어진 문자로 나타내기

내신 중요도 ■■■■■ 유형 난이도 ★★☆☆☆

로그의 값을 주어진 조건식을 이용하여 나타내는 문제는
① 로그의 진수를 분수꼴로 나타내거나 소인수분해한다.
② ①을 조건식을 이용할 수 있도록 로그의 성질을 이용하여 간단히 한다.

0305 짱중요 ●○○○

$\log_{10} 2 = a$, $\log_{10} 3 = b$라 할 때, 다음 중 옳지 않은 것은?

① $\log_{10} 5 = 1 - a$ ② $\log_{10} 24 = 3a + b$
③ $\log_{10} 11 = a + 3b$ ④ $\log_5 6 = \dfrac{a+b}{1-a}$
⑤ $\log_2 3 = \dfrac{b}{a}$

0306 중요 교육청 기출 ●●○○

$5^a = 2$, $5^b = 3$이라 할 때, $\log_6 72$를 a와 b의 식으로 바르게 나타낸 것은?

① $\dfrac{a+b}{a-b}$ ② $\dfrac{2a+b}{b-a}$ ③ $\dfrac{2a-b}{a+b}$
④ $\dfrac{2a+b}{a+b}$ ⑤ $\dfrac{3a+2b}{a+b}$

0307 ●●○○

$\log_2 5 = a$, $\log_3 2 = b$일 때, $\log_6 15$를 a, b로 나타낸 식을 $f(a, b)$라 하자. 이때, $f(8, 9)$의 값은?

① 7.1 ② 7.2 ③ 7.3
④ 7.4 ⑤ 7.5

0308 짱중요

$\log_5 2=a$, $\log_5 3=b$일 때, $\log_{12}\sqrt{24}$를 a, b를 사용하여 나타내면?

① $\frac{2(3a+b)}{2a+b}$ ② $\frac{3a+b}{2(2a+b)}$ ③ $\frac{2(2a+b)}{3a+b}$
④ $\frac{2a+b}{2(3a+b)}$ ⑤ $\frac{3a+b}{3(2a+b)}$

0309

$2^a=x$, $4^b=y$, $8^c=z$일 때, $\log_x y^3z^4$을 a, b, c로 나타내면? (단, $abc\neq0$)

① $\frac{b+c}{a}$ ② $\frac{2b+4c}{a}$ ③ $\frac{3b+4c}{a}$
④ $\frac{3b+6c}{a}$ ⑤ $\frac{6b+12c}{a}$

0310

두 양수 a, b에 대하여 $a^x=b^y=3$일 때, $\log_{ab}b^3$을 x, y로 나타내면? (단, $ab\neq1$)

① $\frac{x}{x+y}$ ② $\frac{y}{x+y}$ ③ $\frac{3x}{x+y}$
④ $\frac{3y}{x+y}$ ⑤ $\frac{3xy}{x+y}$

유형 8 로그와 이차방정식

내신 중요도 유형 난이도 ★★★★★

(1) 이차방정식 $ax^2+bx+c=0$의 두 근을 α, β라 하면

$\alpha+\beta=-\frac{b}{a}$, $\alpha\beta=\frac{c}{a}$

(2) 이차방정식 $px^2+qx+r=0$의 두 근을 $\log_a\alpha$, $\log_a\beta$라 하면

$\log_a\alpha+\log_a\beta=\log_a\alpha\beta=-\frac{q}{p}$, $\log_a\alpha\times\log_a\beta=\frac{r}{p}$

0311

이차방정식 $x^2-12x+16=0$의 두 근을 α, β라 할 때, $\log_2\alpha+\log_2\beta$의 값은?

① 2 ② 4 ③ 6
④ 8 ⑤ 10

0312

이차방정식 $x^2+x\log_2 20+2\log_2 5=0$의 두 근을 α, β라 할 때, $2^\alpha+2^\beta$의 값을 구하시오.

0313

x에 대한 이차방정식 $x^2-5x+3=0$의 두 근을 α, β라 할 때, $\log_2(\alpha+\beta^{-1})+\log_2(\beta+\alpha^{-1})+\log_2\alpha\beta$의 값은?

① 2 ② 4 ③ 6
④ 8 ⑤ 10

0314 ●●○○

이차방정식 $x^2-ax+b=0$의 두 근이 2, $\log_2 3$일 때, 실수 a, b에 대하여 $\frac{b}{a}$의 값은?

① $-\log_{12} 3$ ② $\log_{12} 3$ ③ $2\log_{12} 3$
④ $3\log_{12} 3$ ⑤ $4\log_{12} 3$

**0315** 중요 ●●○○

이차방정식 $x^2-8x+2=0$의 두 근이 $\log_{10} a$, $\log_{10} b$일 때, $\log_a b+\log_b a$의 값은?

① 26 ② 28 ③ 30
④ 32 ⑤ 34

0316 ●●●○

이차방정식 $x^2-2x-22=0$의 두 근을 $\log_5 a$, $\log_5 b$라 할 때, $\log_a \sqrt{b}+\log_b \sqrt{a}$의 값을 구하시오.

유형 09 조건을 이용하여 식의 값 구하기

내신 중요도 ▬▬▬▬▬ 유형 난이도 ★★★★★

$a^x=b^y=c^z=k$ $(k>0)$로 놓고, 로그의 정의와 성질을 이용하여 구하고자 하는 식의 값을 구한다.

0317 ●●○○

$150^x=25$, $6^y=125$일 때, $\frac{2}{x}-\frac{3}{y}$의 값은?

① 1 ② 2 ③ 3
④ 4 ⑤ 5

0318 ●●●○

$2^x=9^y=18^z$일 때, $\frac{1}{x}+\frac{1}{y}-\frac{1}{z}$의 값은? (단, $xyz\neq0$)

① -2 ② -1 ③ 0
④ 1 ⑤ 2

0319 ●●●○

세 양수 a, b, c에 대하여

$$a^x=b^y=c^z=27,\ xy+yz+zx=xyz$$

일 때, $\log_3 abc$의 값을 구하시오.

0320 중요 ●●●○

1이 아닌 세 양수 a, b, c에 대하여

$a^x=(\sqrt{b})^y=(\sqrt[3]{c})^z=32$, $abc=1024$일 때, $\frac{1}{x}+\frac{2}{y}+\frac{3}{z}$의 값을 구하시오.

0321 ●●●●

두 양수 a, b에 대하여

$$ab=27,\ \log_3 \frac{b}{a}=5$$

가 성립할 때, $4\log_3 a+9\log_3 b$의 값을 구하시오.

0322 ●●●○

$\log_3 \frac{1}{\sqrt[3]{2}}=a$, $\log_3 \frac{1}{\sqrt{7}}=b$일 때, $\frac{\log_{10} 392}{\log_{10} 3}=ma+nb$라 한다. 두 정수 m, n의 곱 mn의 값을 구하시오.

유형 10 로그의 정수 부분과 소수 부분

내신 중요도 ■■■■■ 유형 난이도 ★★★★☆

$a>1$이고, 양수 M과 정수 n에 대하여
$a^n \le M < a^{n+1}$일 때,
$\log_a a^n \le \log_a M < \log_a a^{n+1}$ $\quad \therefore n \le \log_a M < n+1$
⇨ $\log_a M$의 정수 부분은 n, 소수 부분은 $\log_a M-n$이다.

0323 중요 ●●○○

$\log_3 13$의 정수 부분을 a, 소수 부분을 b라 할 때, 2^a+3^b의 값은? (단, $0\le b<1$)

① $\frac{59}{9}$ ② 6 ③ $\frac{49}{9}$
④ 5 ⑤ $\frac{41}{9}$

0324 ●●○○

$\log_2 9=n+\alpha$ (n은 정수, $0\le\alpha<1$)일 때, $\frac{n-2^\alpha}{n+2^\alpha}$의 값은?

① $\frac{1}{11}$ ② $\frac{2}{11}$ ③ $\frac{3}{11}$
④ $\frac{4}{11}$ ⑤ $\frac{5}{11}$

0325 ●●●○

$\log_2 7$의 정수 부분을 x, 소수 부분을 y라 할 때, $\frac{2^y-2^{-y}}{2^x+2^{-x}}$의 값을 구하시오.

유형 **11** **상용로그의 값과 계산**

내신 중요도 ━━━━━ 유형 난이도 ★★☆☆☆

(1) 양수 N에 대하여
$N=a\times10^n$ (단, $1\le a<10$, n은 정수)
⇨ $\log N=n+\log a$

(2) $\log a$, $\log b$의 값이 주어지면
$\log a^m b^n=m\log a+n\log b$,
$\log\frac{a^m}{b^n}=m\log a-n\log b$
임을 이용하여 구하려는 상용로그의 값을 구한다.
(단, $a>0$, $b>0$이고 m, n은 실수)

0326 중요 ●○○○

$\log 2.38=0.3766$일 때, $\log 0.00238$의 값은?

① -3.6234 ② -2.6234 ③ -2.3766
④ 2.3766 ⑤ 3.3766

0327 짱중요 ●●○○

$\log 425+\log 0.0425$의 값은? (단, $\log 4.25=0.6284$)

① 0.3142 ② 0.6284 ③ 0.9426
④ 1.0997 ⑤ 1.2568

0328 ●○○○

$\log 6.21=0.7931$일 때, 다음 중 옳지 <u>않은</u> 것은?

① $\log 621=2.7931$
② $\log 0.0621=-1.2069$
③ $\log 62.1=1.7931$
④ $\log 62100=5.7931$
⑤ $\log 0.00621=-2.2069$

0329 ●○○○

$\log 3.18=0.5024$일 때, $\log 318^4+\log\sqrt{318}$의 값을 구하시오.

0330 중요 ●●○○

$\log 13.5=1.1303$일 때, $\log x=-2+0.1303$을 만족하는 x의 값은?

① 0.000135 ② 0.00135 ③ 0.0135
④ 0.135 ⑤ 1.35

0331 짱중요 ●●○○

$\log 25.6=1.4082$일 때, $\log x=2.4082$, $\log y=-2.5918$이다. $\log_2(x+10^5y)$의 값은?

① 9 ② 10 ③ 11
④ 12 ⑤ 13

0332 ●●○○

$\log 2=a$, $\log 3=b$일 때, $\log_{12} 54$의 값을 a, b로 나타내면?

① $\frac{a+3b}{a+2b}$ ② $\frac{2a+3b}{a+3b}$ ③ $\frac{a+3b}{2a+b}$
④ $\frac{3a+b+1}{a+b}$ ⑤ $\frac{3a+b}{a+2b}$

0333 ●○○○

$\log 2=0.3010$, $\log 3=0.4771$일 때, $\log 24$의 값은?

① 0.7781 ② 0.9030 ③ 1.0791
④ 1.3801 ⑤ 1.5562

0334 ●●○○

$\log 2=0.3010$, $\log 3=0.4771$일 때, $\log\left(\frac{6}{5}\right)^{100}$의 값을 구하시오.

유형 12 상용로그표를 이용한 상용로그의 값

내신 중요도 ▬▬▬▬▬ 유형 난이도 ★★★☆☆

$\log 0.abc$의 값은 다음과 같은 방법으로 구한다.
① 상용로그표에서 $\log a.bc$의 값을 찾는다.
⇨ $a.b$의 행과 c의 열이 만나는 곳의 수
② $\log 0.abc=\log(a.bc\times 10^{-1})$임을 이용하여 $\log 0.abc$의 값을 구한다.

0335 ●○○○

다음 상용로그표를 이용하여 $\log 234^4$의 값을 구하시오.

수	0	1	2	3	4	⋯
⋮	⋮	⋮	⋮	⋮	⋮	⋰
2.2	.3424	.3444	.3464	.3483	.3502	⋯
2.3	.3617	.3636	.3655	.3674	.3692	⋯
2.4	.3802	.3820	.3838	.3856	.3874	⋯
⋮	⋮	⋮	⋮	⋮	⋮	⋱

0336 ●●○○

다음 상용로그표를 이용하여 $\log \sqrt[3]{0.218}$의 값을 구하면?

수	⋯	5	6	7	8	9
⋮	⋱	⋮	⋮	⋮	⋮	⋮
2.1	⋯	.3324	.3345	.3365	.3385	.3404
2.2	⋯	.3522	.3541	.3560	.3579	.3598
2.3	⋯	.3711	.3729	.3747	.3766	.3784
⋮	⋰	⋮	⋮	⋮	⋮	⋮

① -0.6615 ② -0.2205 ③ -0.2201
④ 0.2205 ⑤ 0.6615

0337

●●○○

다음 상용로그표를 이용하여 $\log x=-2.8477$을 만족하는 x의 값을 구하시오.

수	0	1	2	3	4	⋯
⋮	⋮	⋮	⋮	⋮	⋮	⋰
1.2	.0792	.0828	.0864	.0899	.0934	⋯
1.3	.1139	.1173	.1206	.1239	.1271	⋯
1.4	.1461	.1492	.1523	.1553	.1584	⋯
⋮	⋮	⋮	⋮	⋮	⋮	⋱

0338

●●○○

$\log x=2.1399$일 때, x의 값을 상용로그표를 이용하여 구하시오.

0339

●●●○

$10^{2.4082}$의 값을 상용로그표를 이용하여 구한 값은?

① 253 ② 254 ③ 255
④ 256 ⑤ 257

유형 13 상용로그의 정수 부분의 성질

내신 중요도 유형 난이도 ★★★★★

양수 N에 대하여

$\log N=n+\alpha$ (n은 정수, $0\le\alpha<1$)

의 꼴로 나타낼 때, n을 $\log N$의 정수 부분, α를 $\log N$의 소수 부분이라고 한다.

(1) 진수 N은 정수 부분이 $(n+1)$자리인 수이다. ←$N>1$인 경우

(2) 진수 N은 소수점 아래 $|n|$째 자리에서 처음으로 0이 아닌 숫자가 나온다. ←$0<N<1$인 경우

(3) $N>1$일 때, $\log N$의 정수 부분이 n, 소수 부분이 α이면

① $10^n\le N<10^{n+1}$ ② $\alpha=\log N-n$

0340

●●○○

양수 A는 정수 부분이 다섯 자리인 수일 때, $\log A$의 값의 범위는?

① $2\le\log A<3$ ② $3\le\log A<4$
③ $4\le\log A<5$ ④ $5\le\log A<6$
⑤ $6\le\log A<7$

0341 중요

●●●○

$f(x)$가 $\log x$의 정수 부분을 나타낸다고 할 때,
$f(1)+f(2)+f(3)+\cdots+f(2000)$의 값을 구하시오.

0342

●●●○

$\log 3=0.4771$일 때, 3^{20}은 몇 자리 정수인가?

① 8자리 ② 9자리 ③ 10자리
④ 11자리 ⑤ 12자리

0343 교육청 기출

부등식 $10^n < 24^{10} < 10^{n+1}$을 만족시키는 자연수 n의 값은?

(단, $\log 2 = 0.3010$, $\log 3 = 0.4771$로 계산한다.)

① 11 ② 13 ③ 15
④ 17 ⑤ 19

0344

정수 n에 대하여 양의 실수 x가 $n \le \log x < n+1$일 때, $f(x)=n$이라 하자. $f(x)+f(x^2)+f(x^3)=14$를 만족시키는 $f(x)$의 값은?

① 1 ② 2 ③ 3
④ 4 ⑤ 5

0345

자연수 a, b에 대하여 $a^5 \times b^5$은 24자리 수이고, $\dfrac{a^5}{b^5}$은 정수 부분이 16자리 수이다. 이때, a는 몇 자리 수인가?

① 1자리 ② 2자리 ③ 3자리
④ 4자리 ⑤ 5자리

유형 **14** 상용로그의 소수 부분의 성질

내신 중요도 유형 난이도 ★★★★★

(1) $N>1$일 때, $\log N$의 정수 부분이 n, 소수 부분이 α이면
① $10^n \le N < 10^{n+1}$ ② $\alpha = \log N - n$

(2) 1보다 큰 두 수 A, B에 대하여
① $\log A$와 $\log B$의 소수 부분이 같다.
⇨ $\log A - \log B = $(정수)
② $\log A$와 $\log B$의 소수 부분의 합이 1이다.
⇨ $\log A + \log B = $(정수)

0346

$\log 200$의 소수 부분을 α라 할 때, 1000^{α}의 값은?

① 2 ② 4 ③ 8
④ 10 ⑤ 100

0347

x는 네 자리 자연수이고, $\log x$의 소수 부분이 0.6022일 때, $\log x^2 + \log \sqrt{x}$의 값은?

① -5.9945 ② -8.4945 ③ 5.4033
④ 9.0055 ⑤ 11.5055

0348

$10 < x < 100$이고, $\log x$와 $\log \dfrac{1}{x}$의 소수 부분이 같을 때, $\log x$의 값은?

① $\dfrac{1}{2}$ ② 1 ③ $\dfrac{3}{2}$
④ 2 ⑤ $\dfrac{5}{2}$

●●●○

$10<x<1000$인 실수 x에 대하여 $\log x$와 $\log \sqrt[3]{x}$의 소수 부분이 서로 같을 때, x의 값은?

① $10^{\frac{2}{3}}$ ② $10^{\frac{3}{4}}$ ③ $10^{\frac{1}{2}}$
④ $10^{\frac{4}{3}}$ ⑤ $10^{\frac{3}{2}}$

0350 ●●●●

정수 부분이 4자리인 실수 x에 대하여 $\log x$의 소수 부분과 $\log x\sqrt{x}$의 소수 부분의 합이 1일 때, $\log x$의 소수 부분들의 합은?

① $\frac{1}{3}$ ② $\frac{3}{5}$ ③ $\frac{2}{3}$
④ $\frac{4}{5}$ ⑤ $\frac{6}{5}$

0351 ●●●●

$\log N=f(N)+g(N)$ ($f(N)$은 정수, $0\le g(N)<1$)이라 하고, 다음 두 조건을 만족하는 모든 x의 값들의 곱을 X라 할 때, $\log X$의 값은? (단, $g(x)\neq 0$)

(가) $4\le \log x<5$
(나) $g(x^2)=g(x^{-1})$

① 9 ② 10 ③ 11
④ 12 ⑤ 13

유형 15 관계식이 주어진 로그의 활용

내신 중요도 ▬▬▬▬▬ 유형 난이도 ★★★★☆

① 주어진 식의 문자에 해당하는 값을 대입하여 식을 세운다.
② ①의 식에서 로그의 정의와 성질을 이용하여 구하고자 하는 값을 구한다.

0352 교육청 기출 ●●○○

지진 발생 시 에너지의 세기를 나타내는 척도인 리히터 규모 M과 그 에너지 E 사이에는

$$\log E=11.8+1.5M$$

인 관계식이 성립한다. 어느 해안에서 처음 발생한 규모 9.0인 지진의 에너지를 E_1, 며칠 후 발생한 규모 5.0인 지진의 에너지를 E_2라 할 때, $\frac{E_1}{E_2}$의 값은?

① 10^4 ② $10^{\frac{9}{2}}$ ③ 10^5
④ $10^{\frac{11}{2}}$ ⑤ 10^6

0353 교육청 기출 ●●●○

어느 도시의 인구가 P_0명에서 P명이 될 때까지 걸리는 시간 T(년)은 다음 식을 만족시킨다고 한다.

$$T=C\log\frac{P(K-P_0)}{P_0(K-P)}$$

(단, C는 상수, K는 최대 인구 수용 능력이다.)

이 도시의 최대 인구 수용 능력이 30만 명이고, 인구가 6만 명에서 10만 명이 될 때까지 10년이 걸렸다고 한다. 인구가 처음으로 15만 명 이상이 되는 것은 인구가 6만 명일 때부터 몇 년 후인가?

① 18년 후 ② 20년 후 ③ 22년 후
④ 24년 후 ⑤ 26년 후

0354

용액 1 L 속에 존재하는 수소 이온의 몰(mol) 수를 기호 $[H^+]$로 나타내고 수소 이온 지수를 나타내는 pH는 $pH=\log_{10}\frac{1}{[H^+]}$로 정의한다. 이때, 수소 이온의 몰수가 10% 증가하면 pH는 얼마만큼 감소하는가?

① $\log_{10}1.1$ ② $\log_{10}1.2$ ③ $\log_{10}1.3$
④ $\log_{10}1.4$ ⑤ $\log_{10}1.5$

0355

어떤 물질의 양이 반으로 줄어드는 데 걸리는 시간을 반감기라고 한다. 현재의 질량을 a, 반감기를 h년이라 할 때, t년 후에 남아 있는 물질의 양 m은

$$m=a\cdot 2^{-\frac{t}{h}}$$

인 관계가 성립한다. 반감기가 h년인 어떤 물질 ag이 mg으로 변하려면 몇 년이 지나야 하는가?

① $\frac{h}{\log 2}\cdot\log\frac{m}{a}$년 ② $\frac{h}{\log 2}\cdot\log\frac{a}{m}$년
③ $\frac{h}{\log 2}\cdot\frac{\log a}{\log m}$년 ④ $\frac{\log 2}{h}\cdot\log\frac{m}{a}$년
⑤ $\frac{\log 2}{h}\cdot\log\frac{a}{m}$년

0356

어떤 물질이 녹아 있는 용액에 단색광을 투과시킬 때 투과 전 단색광의 세기에 대한 투과 후 단색광의 세기의 비를 그 단색광의 투과도라고 한다. 투과도를 T, 단색광이 투과한 길이를 l, 용액의 농도를 d라 할 때, 다음 관계가 성립한다.

$\log_{10}T=-kld$ (단, k는 양의 상수이다.)

이 물질에 대하여 투과 길이가 l_0 $(l_0>0)$이고 용액의 농도가 $3d_0$ $(d_0>0)$일 때의 투과도를 T_1, 투과 길이가 $2l_0$이고 용액의 농도가 $4d_0$일 때의 투과도를 T_2라 하자. $T_2={T_1}^n$을 만족시키는 n의 값을 구하시오.

0357 중요

소리가 건물의 벽을 통과할 때, 일정 비율만 실내로 투과되고 나머지는 반사되거나 흡수된다. 이때, 실내로 투과되는 소리의 비율을 투과율이라 한다. 확성기의 음향출력이 W(와트)일 때, 투과율이 α인 건물에서 r(m)만큼 떨어진 지점에 있는 확성기로부터 실내로 투과되는 소리의 세기 P(데시벨)는 다음과 같다.

$$P=10\log\frac{\alpha W}{I_0}-20\log r-11$$

(단, $I_0=10^{-12}$ (와트/m²)이고 $r>1$이다.)

확성기에서 음향출력이 100(와트)인 소리가 나오고 있다. 투과율이 $\frac{1}{100}$인 건물의 실내로 투과되는 소리의 세기가 59(데시벨) 이하가 되게 할 때, 확성기와 건물 사이의 최소 거리는? (단, 소리는 공간으로 골고루 퍼져나가고, 투과율 이외의 다른 요인은 고려하지 않는다고 가정한다.)

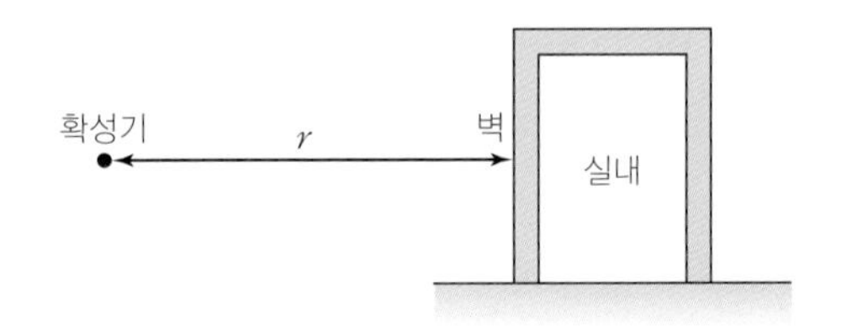

① 10^2 m ② $10^{\frac{17}{8}}$ m ③ $10^{\frac{13}{6}}$ m
④ $10^{\frac{9}{4}}$ m ⑤ $10^{\frac{5}{2}}$ m

0358

어떤 물체와 그것을 둘러싸고 있는 공기의 온도차의 변화를 나타내는 뉴턴의 냉각법칙은 다음과 같다.

> $\log D(t)=-kt+\log D_0$
> $D(t)$: t시간 후 물체와 공기의 온도 차
> D_0 : 처음 상태에서 물체와 공기의 온도 차
> k : 비례상수

공기의 온도가 35 ℃인 상태에서 처음 온도가 15 ℃인 물체가 25 ℃로 되는 데 1시간이 걸렸다. 처음 온도가 15 ℃이던 이 물체의 3시간이 지난 후의 온도를 구하시오.

유형 16 상용로그의 실생활에서의 활용

내신 중요도 ▬▬▬▬▬ 유형 난이도 ★★★★★

처음 양이 A이고, 매년 $a\%$씩 증가할 때, k년 후의 양

⇨ $A\left(1+\frac{a}{100}\right)^k$

0359 ●●○○

실험실에서 어떤 박테리아의 번식력을 측정하였더니 1시간마다 3배로 증가하였다. 처음에 2마리의 박테리아로 번식력을 측정하였다면 10000마리 이상이 되기까지 걸리는 시간을 구하시오.

(단, $\log 2=0.3$, $\log 3=0.5$로 계산한다.)

0360 중요 ●●○○

A 도시의 인구증가율이 매월 1%일 때, 현재 인구의 2배 이상이 되는 것은 몇 개월 후부터인가?

(단, $\log 1.01=0.0043$, $\log 2=0.3010$)

① 68개월 ② 69개월 ③ 70개월
④ 71개월 ⑤ 72개월

0361 중요 ●●●○

빛이 어떤 유리창을 통과할 때마다 그 밝기가 8%씩 감소한다고 한다. 밝기가 $1000\,\text{lx}$인 빛이 같은 유리창 10개를 통과하였을 때 빛의 밝기는?

(단, $\log 9.2=0.9638$, $\log 4.345=0.6380$으로 계산한다.)

① $43.45\,\text{lx}$ ② $92\,\text{lx}$ ③ $434.5\,\text{lx}$
④ $638\,\text{lx}$ ⑤ $920\,\text{lx}$

0362 ●●●○

$100\,\text{L}$의 물이 매일 전날의 5%가 감소한다. 남아 있는 물이 처음 양의 절반 이하가 되는 것은 며칠 후인가?

(단, $\log 9.5=0.9777$, $\log 2=0.3010$)

① 13일 ② 14일 ③ 15일
④ 16일 ⑤ 17일

0363 ●●●●

총인구에서 65세 이상 인구가 차지하는 비율이 20% 이상인 사회를 초고령화 사회라고 한다. 2000년 어느 나라의 총인구는 1000만 명, 65세 이상 인구는 50만 명이었다. 이 나라의 총인구는 매년 전년도보다 0.3%씩 증가하고, 65세 이상 인구는 매년 전년도보다 4%씩 증가한다고 가정할 때, 처음으로 초고령화 사회가 되는 시기는?

(단, $\log 1.003=0.0013$, $\log 1.04=0.0170$, $\log 2=0.3010$)

① 2008년 ~ 2010년 ② 2018년 ~ 2020년
③ 2028년 ~ 2030년 ④ 2038년 ~ 2040년
⑤ 2048년 ~ 2050년

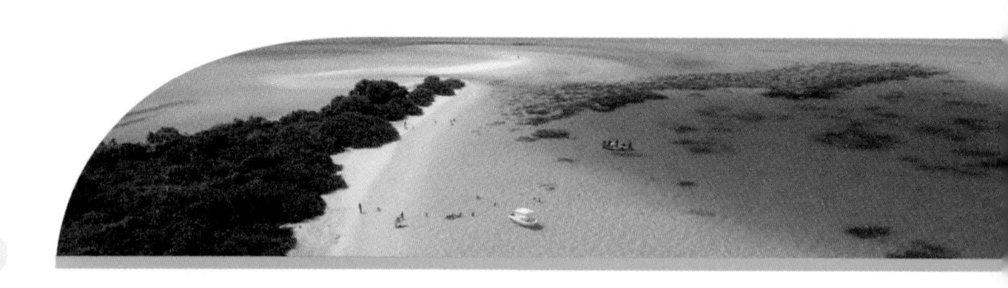

0364

$\log_{(x-3)}(-x^2+8x-12)$가 정의되도록 하는 정수 x의 개수는?

① 1 ② 2 ③ 3 ④ 4 ⑤ 5

0365

$\log_2 5\sqrt{3}+\log_2 \frac{24}{5}-\log_2 3\sqrt{3}$의 값은?

① 2 ② $\log_2 5$ ③ $\log_2 6$ ④ 3 ⑤ 5

0366

$\log_a x=\frac{1}{3}$, $\log_b x=\frac{1}{4}$, $\log_c x=\frac{1}{5}$일 때, $\frac{1}{\log_{abc} x}$의 값은?

① $\frac{1}{24}$ ② $\frac{1}{9}$ ③ 9 ④ 12 ⑤ 24

0367

$x=2\log_3 \frac{2\sqrt{2}}{3}+\log_3 \sqrt{162}-\frac{1}{2}\log_3 32$일 때, 3^x의 값은?

① -2 ② -1 ③ 0 ④ 1 ⑤ 2

0368

$\log_{10} 5=a$, $\log_2 6=b$일 때, $\log_4 0.12$를 a, b를 사용하여 나타내면?

① $\frac{ab+a-b+1}{2(a-1)}$ ② $\frac{ab+b-1}{2(a+1)}$ ③ $\frac{2(a+1)}{ab+a-b+1}$ ④ $\frac{2(a+1)}{ab+b+1}$ ⑤ $\frac{ab+a+b+1}{2(a-1)}$

0369

세 양수 a, b, c가 다음 조건을 모두 만족한다.

(가) $a^x=b^y=c^z=256$	(나) $abc=16$

이때, $\frac{1}{x}+\frac{1}{y}+\frac{1}{z}$의 값은?

① 1 ② $\frac{1}{2}$ ③ $\frac{1}{4}$ ④ $\frac{1}{8}$ ⑤ $\frac{1}{16}$

0370 서술형

$\log 3.26=0.5132$일 때, $a=\log 0.326$, $\log b=-1.4868$을 만족하는 a, b에 대하여 $10000(a+b)$의 값을 구하시오.

0371

$\log(453\times k)=2.3291$일 때, 상용로그표를 이용하여 구한 k의 값은?

수	0	1	2	3	⋯
⋮	⋮	⋮	⋮	⋮	⋰
4.5	.6532	.6542	.6551	.6561	⋯
4.6	.6628	.6637	.6646	.6656	⋯
4.7	.6721	.6730	.6739	.6749	⋯
⋮	⋮	⋮	⋮	⋮	⋱

① 0.451 ② 0.460 ③ 0.462
④ 0.471 ⑤ 0.473

0372

양수 N에 대하여
$\log N=f(N)+g(N)$ ($f(N)$은 정수, $0\le g(N)<1$)으로 나타낼 때, $f(7230)+f(0.235)$의 값은?

① 2 ② 4 ③ 6
④ 8 ⑤ 10

0373

$10^3<x<10^4$이고, $\log x$의 소수 부분과 $\log x^3$의 소수 부분이 같을 때, $\log x^2$의 값은?

① 3 ② 4 ③ 5
④ 6 ⑤ 7

0374 서술형

어느 물탱크에 서식하고 있는 박테리아를 제거하기 위하여 약품을 투여하려고 한다. 물탱크에 있는 물 1 mL당 초기 박테리아 수를 C_0, 약품을 투여한지 t시간이 지나는 순간 1 mL당 박테리아 수를 C라 할 때, 다음 관계식이 성립한다고 하자.

$$\log\frac{C}{C_0}=-kt \ (k\text{는 양의 상수})$$

물 1 mL당 초기 박테리아 수가 8×10^5이고, 약품을 투여한 지 3시간이 지나는 순간 1 mL당 박테리아 수는 2×10^5이 된다고 한다. 약품을 투여한 지 a시간 후에 처음으로 1 mL당 박테리아 수가 8×10^3 이하가 되었다. 이때, a의 값을 구하시오.

(단, $\log 2=0.3$으로 계산한다.)

0375

어느 호수는 수면 아래로 2 m씩 내려갈 때마다 빛의 양이 15 %씩 줄어든다고 한다. 호수 면에 비친 처음 빛의 양을 100 lx라고 할 때, 수심 20 m인 곳에서의 빛의 양을 구하시오. (단, lx는 빛의 단위이고, $\log 8.5=0.93$, $\log 2.0=0.30$으로 계산한다.)

Level 1

0376

1보다 큰 두 양수 a, b에 대하여 $\log_a 8=\log_{\sqrt{b}} 4$인 관계가 성립할 때, $\log_a \sqrt{b}+\log_{ab} \sqrt[3]{a^2b^2}$의 값은?

① $\frac{2}{3}$ ② 1 ③ $\frac{4}{3}$

④ $\frac{5}{3}$ ⑤ 2

0377

0이 아닌 세 실수 a, b, c에 대하여

$$a+b+c=0,\ 3^a=x,\ 3^b=y,\ 3^c=z$$

일 때, $\log_x yz+\log_y zx+\log_z xy$의 값은?

① -3 ② -1 ③ 0

④ 1 ⑤ 3

0378

두 양수 a, b에 대하여 $\frac{b}{a}$의 정수 부분이 10자리일 때, $10^n \cdot a \le b < 10^{n+2} \cdot a$를 만족시키는 모든 자연수 n의 값의 합은?

① 11 ② 13 ③ 15

④ 17 ⑤ 19

0379

어떤 암석에 포함되어 있는 물질 A는 시간이 지남에 따라 점차적으로 물질 B로 변한다. 따라서 물질 A와 B의 양을 측정함으로써 그 암석의 생성연도를 알 수 있다. 암석이 생성된 t억 년 후의 A의 양과 B의 양을 각각 a, b라 하면 상수 k에 대하여

$$t=k\log\left(\frac{9b}{a}+1\right)$$

이 성립한다. 처음에 물질 B는 없고 물질 A만 있는 암석이 25.2억 년이 지난 후 A의 양과 B의 양의 비가 3 : 1이 되었다. 암석이 생성되어 x억 년이 지난 후 A의 양과 B의 양이 같아질 때, x의 값을 구하시오. (단, $\log 2=0.3$으로 계산한다.)

Level 2

0380

다음 조건을 만족시키는 세 정수 a, b, c에 대하여 $a+b+c=k$라 할 때, k의 최댓값과 최솟값의 합을 구하시오.

(가) $1 \le a \le 5$
(나) $\log_2(b-a)=3$
(다) $\log_2(c-b)=2$

0381

자연수 n에 대하여 $f(n)=2^n-\log_2 n$이라 할 때, 〈보기〉에서 옳은 것을 모두 고른 것은?

보기
ㄱ. $f(2)=3$
ㄴ. $f(8)=-f(\log_2 8)$
ㄷ. $f(2^n)+n=\{f(2^{n-1})+n-1\}^2$

① ㄱ　② ㄴ　③ ㄱ, ㄴ
④ ㄱ, ㄷ　⑤ ㄴ, ㄷ

0382

세 양수 a, b, c에 대하여 $a^2+b^2=c^2$일 때,

$$\log_{b+c} a+\log_{c-b} a=k(\log_{b+c} a \times \log_{c-b} a)$$

를 만족시키는 상수 k의 값을 구하시오.

0383

$k=1, 2, 3, 4, \cdots$에 대하여 b_k가 0 또는 1이고

$$\log_7 2=\frac{b_1}{2}+\frac{b_2}{2^2}+\frac{b_3}{2^3}+\frac{b_4}{2^4}+\cdots$$

일 때, b_1, b_2, b_3의 값을 순서대로 적은 것은?

① 0, 0, 0　② 0, 0, 1　③ 0, 1, 0
④ 0, 1, 1　⑤ 1, 1, 1

0384

a, b, x, y는 1이 아닌 양수이고

$$\log_a x+\log_b y=4,\ \log_x \sqrt{a}+\log_y \sqrt{b}=-1$$

일 때, $(\log_a \sqrt{x})^2+(\log_b \sqrt{y})^2$의 값은?

① 4 ② 5 ③ 6 ④ 7 ⑤ 8

0385

자연수 x에 대하여 두 함수 f, g를

$$f(x)=[\log_2 x],\ g(x)=\log_2 x-[\log_2 x]$$

로 정의할 때, 〈보기〉에서 옳은 것만을 있는 대로 고른 것은?

(단, $[x]$는 x보다 크지 않은 최대의 정수이다.)

보기

ㄱ. $f(10)=f(12)$

ㄴ. $g(6)<g(20)$

ㄷ. $g(a)=g(5)$를 만족시키는 두 자리의 자연수 a의 개수는 4이다.

① ㄱ ② ㄱ, ㄴ ③ ㄱ, ㄷ ④ ㄴ, ㄷ ⑤ ㄱ, ㄴ, ㄷ

0386

교육청 기출

정수 부분이 세 자리인 두 실수 x, y가 다음 두 조건을 만족한다.

(가) $\log x+\log y$는 정수이다.

(나) $\log x-\log y=0.4$

x의 최고 자리의 숫자를 a, y의 최고 자리의 숫자를 b라 할 때, $a+b$의 값을 구하시오. (단, $\log 2=0.3010$, $\log 3=0.4771$)

0387

실외 공기 중의 이산화탄소 농도가 $0.03\,\%$일 때, 실내 공간에서 공기 중의 초기 이산화탄소 농도 $c(0)(\%)$를 측정한 후, t시간 뒤의 실내 공간의 이산화탄소 농도 $c(t)(\%)$와 환기량 $Q(\text{m}^3/\text{시})$의 관계는 다음과 같다.

$$Q=k\times\frac{V}{t}\log\frac{c(0)-0.03}{c(t)-0.03}$$

(단, k는 양의 상수이고, $V(\text{m}^3)$는 실내 공간의 부피이다.)

실외 공기 중의 이산화탄소 농도가 $0.03\,\%$이고 환기량이 일정할 때, 초기 이산화탄소 농도가 $0.83\,\%$인 빈 교실에서 환기를 시작한 후 1시간 뒤의 이산화탄소 농도를 측정하였더니 $0.43\,\%$이었다. 환기를 시작한 후 t시간 뒤에 이산화탄소 농도가 $0.08\,\%$가 되었다고 할 때, t의 값은?

① 3 ② 4 ③ 5 ④ 6 ⑤ 7

Level 3

0388

세 등식

$xyz\cdot\log x=2\log y$,

$(xyz+1)\cdot\log y=3\log z$,

$(xyz+2)\cdot\log z=4\log x$

를 모두 만족시키는 1이 아닌 세 양수 x, y, z에 대하여 $x^6+y^6+z^6$의 값을 구하시오.

0389

임의의 양수 x에 대하여

$\log x=n+f(x)$ (n은 정수, $0\le f(x)<1$)

로 나타낼 때, 다음 〈보기〉 중 옳은 것을 모두 고른 것은?

보기

ㄱ. $f(a)=f(a^2)$이면 $f(a)=0$이다.

ㄴ. $f(a)=f(a^3)$이면 $f(a)=0$ 또는 $f(a)=\frac{1}{2}$이다.

ㄷ. $f(a)=f(b)$이면 $a=10^n\cdot b$인 정수 n이 존재한다.

① ㄱ ② ㄴ ③ ㄱ, ㄴ
④ ㄴ, ㄷ ⑤ ㄱ, ㄴ, ㄷ

0390

자연수 k에 대하여 $f(k)$가 다음과 같다. 평가원 기출

$$f(k)=\begin{cases}\log_3 k & (k\text{가 홀수})\\ \log_2 k & (k\text{가 짝수})\end{cases}$$

20 이하의 두 자연수 m, n에 대하여 $f(mn)=f(m)+f(n)$을 만족시키는 순서쌍 (m, n)의 개수는?

① 220 ② 230 ③ 240
④ 250 ⑤ 260

0391

자연수 n에 대하여 $\log_3 n$의 정수 부분을 $f(n)$이라 할 때, $f(2n)=f(n)+1$을 만족시키는 두 자리의 자연수 n의 개수를 구하시오.

0392 교육청 기출

$4<a<b<200$인 두 자연수 a, b에 대하여
집합 $A=\{k \mid k=\log_a b,\ k$는 유리수$\}$라 하자. $n(A)$의 값은?

① 11 ② 13 ③ 15
④ 17 ⑤ 19

0393 교육청 기출

자연수 m에 대하여 집합 A_m을
$A_m=\{ab \mid \log_2 a+\log_4 b$는 100 이하의 자연수,
$a\,(1\le a\le m)$은 자연수, $b=2^k$(k는 정수)$\}$
라 하자. $n(A_m)=205$가 되도록 하는 m의 최댓값을 구하시오.

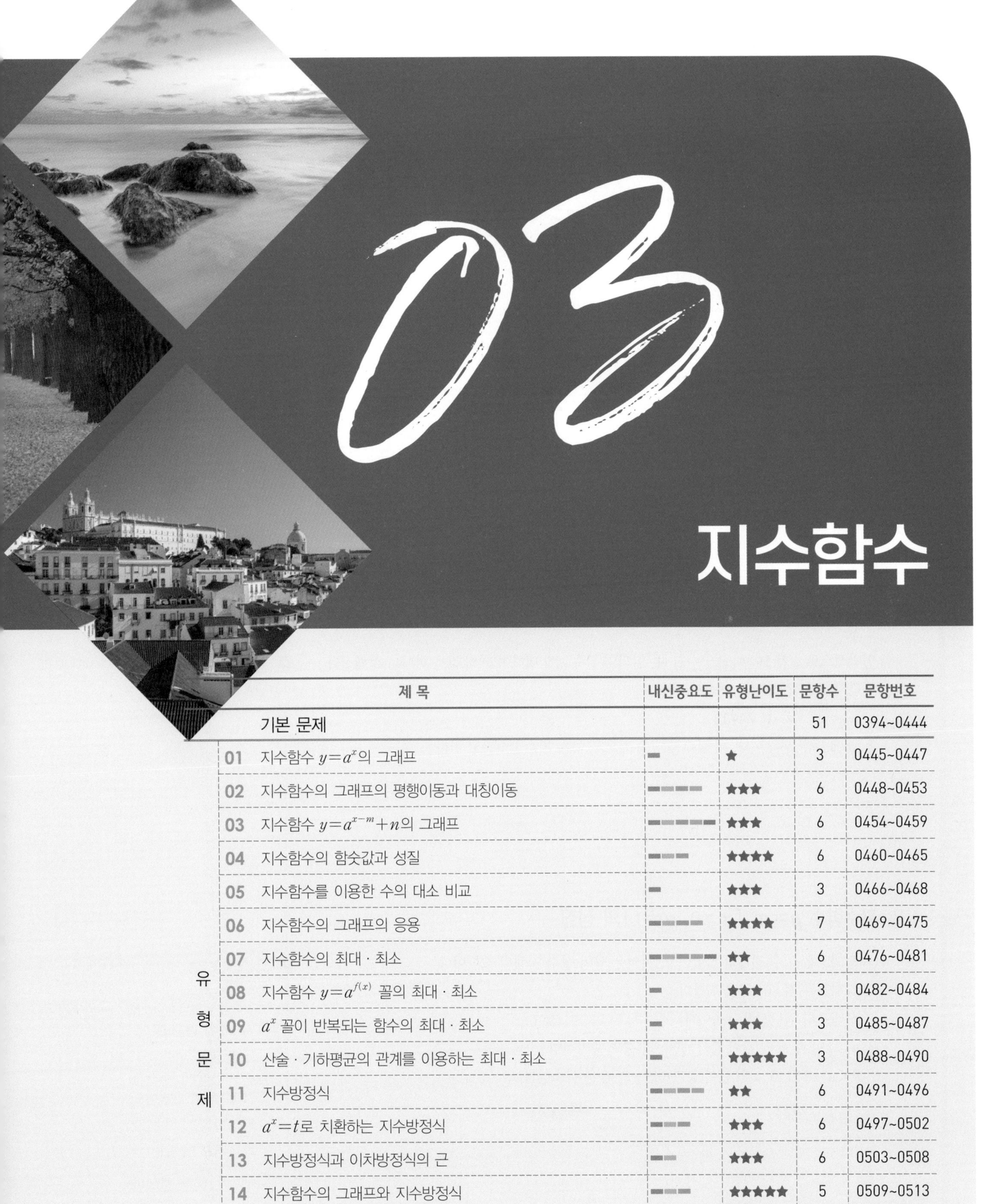

03 지수함수

		제 목	내신중요도	유형난이도	문항수	문항번호
		기본 문제			51	0394~0444
유형문제	01	지수함수 $y=a^x$의 그래프	▬	★	3	0445~0447
	02	지수함수의 그래프의 평행이동과 대칭이동	▬▬▬▬	★★★	6	0448~0453
	03	지수함수 $y=a^{x-m}+n$의 그래프	▬▬▬▬▬	★★★	6	0454~0459
	04	지수함수의 함숫값과 성질	▬▬▬	★★★★	6	0460~0465
	05	지수함수를 이용한 수의 대소 비교	▬	★★★	3	0466~0468
	06	지수함수의 그래프의 응용	▬▬▬▬	★★★★	7	0469~0475
	07	지수함수의 최대 · 최소	▬▬▬▬▬	★★	6	0476~0481
	08	지수함수 $y=a^{f(x)}$ 꼴의 최대 · 최소	▬	★★★	3	0482~0484
	09	a^x 꼴이 반복되는 함수의 최대 · 최소	▬	★★★	3	0485~0487
	10	산술 · 기하평균의 관계를 이용하는 최대 · 최소	▬	★★★★★	3	0488~0490
	11	지수방정식	▬▬▬▬	★★	6	0491~0496
	12	$a^x=t$로 치환하는 지수방정식	▬▬▬	★★★	6	0497~0502
	13	지수방정식과 이차방정식의 근	▬▬	★★★	6	0503~0508
	14	지수함수의 그래프와 지수방정식	▬▬▬	★★★★★	5	0509~0513
	15	지수부등식	▬▬▬	★★	9	0514~0522
	16	$a^x=t$로 치환하는 지수부등식	▬▬	★★★	6	0523~0528
	17	지수부등식이 항상 성립할 조건	▬▬	★★★★★	5	0529~0533
	18	지수방정식과 지수부등식의 활용	▬▬	★★★★	2	0534~0535
		적중 문제			12	0536~0547
		고난도 문제			17	0548~0564

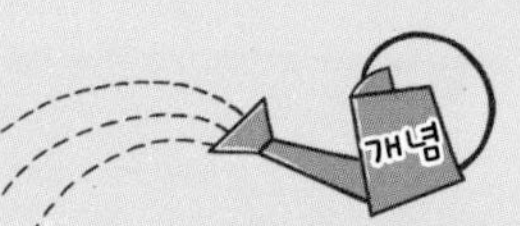

지수함수

1. 지수함수

일반적으로 a가 1이 아닌 양수일 때, 임의의 실수 x에 대하여 a^x의 값은 하나로 정해진다. 따라서 x에 a^x의 값을 대응시키면

$y=a^x$ $(a>0,\ a\neq1)$

은 x에 대한 함수이다. 이 함수를 a를 밑으로 하는 지수함수라고 한다.

$y=a^x$에서 $a=1$이면 모든 실수 x에 대하여 $y=1^x=1$이므로 상수함수가 된다.

2. 지수함수 $y=a^x$ $(a>0,\ a\neq1)$의 성질

(1) 정의역은 실수 전체의 집합이고, 치역은 양의 실수 전체의 집합이다.

(2) 그래프는 점 $(0,\ 1)$을 지난다.

(3) 그래프의 점근선은 x축이다.

(4) $a>1$일 때, x의 값이 증가하면 y의 값도 증가한다.

$0<a<1$일 때, x의 값이 증가하면 y의 값은 감소한다.

$a>1$

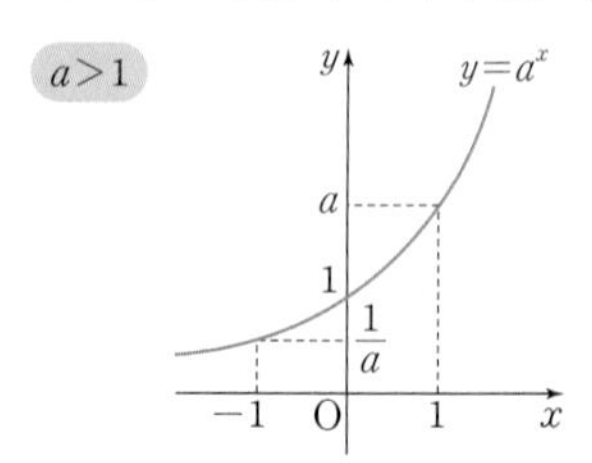

$0<a<1$

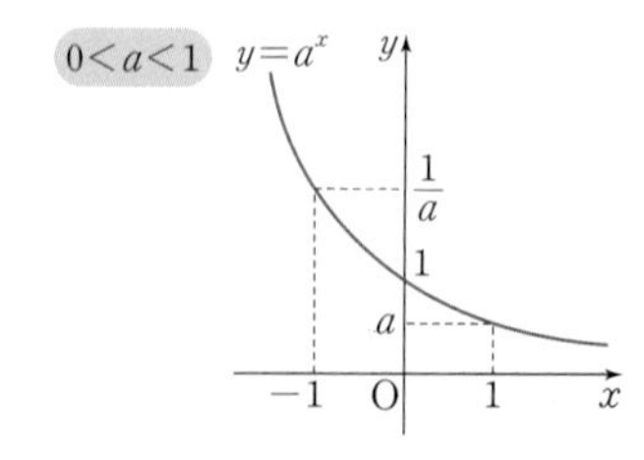

지수함수 $y=a^x$ $(a>0,\ a\neq1)$의 그래프를

① x축의 방향으로 m만큼, y축의 방향으로 n만큼 평행이동
⇨ $y=a^{x-m}+n$

② x축에 대하여 대칭이동
⇨ $y=-a^x$

③ y축에 대하여 대칭이동
⇨ $y=a^{-x}=\left(\frac{1}{a}\right)^x$

④ 원점에 대하여 대칭이동
⇨ $y=-a^{-x}=-\left(\frac{1}{a}\right)^x$

3. 지수방정식

지수에 미지수가 있는 방정식은 다음과 같이 푼다.

(1) 밑을 같게 할 수 있는 경우 ($a^{f(x)}=a^{g(x)}$의 꼴)

방정식에서 양변의 밑을 a로 같게 할 수 있으면 $a^{f(x)}=a^{g(x)}$의 꼴로 정리한 다음 지수가 같거나 밑을 1로 만드는 값을 찾는다.

➡ $f(x)=g(x)$ 또는 $a=1$

(2) 밑을 같게 할 수 없는 경우 ($a^{f(x)}=b^{g(x)}$의 꼴)

방정식에서 각 항의 밑을 같게 할 수 없으면 $a^{f(x)}=b^{g(x)}$의 꼴로 정리한 다음 양변에 상용로그를 취하여 $\log a^{f(x)}=\log b^{g(x)}$을 푼다.

(3) 지수가 같은 경우 ($a^{f(x)}=b^{f(x)}$의 꼴)

방정식의 지수를 같게 하여 $a^{f(x)}=b^{f(x)}$의 꼴로 정리할 수 있으면 밑이 같거나 지수가 0이 되는 값을 찾는다.

➡ $a=b$ 또는 $f(x)=0$

(4) $a^x=t$로 치환하는 경우

방정식의 항이 3개 이상일 때, $a^x=t$ $(t>0)$로 치환하여 t에 대한 방정식을 푼다.

$a^{f(x)}=b^{g(x)}$ $(a>0, b>0)$의 꼴이면
(i) $a=b$인 경우
(ii) $a\neq b$, $f(x)\neq g(x)$인 경우
(iii) $f(x)=g(x)$인 경우
에 따라서 방정식을 푼다.

밑이 1일 때에는 지수가 같지 않아도 등식이 성립하고, 지수가 0일 때에는 밑이 같지 않아도 등식이 성립한다.

$a^{2x}+a^x+k=0$에서 $a^x=t\,(t>0)$로 놓으면
$t^2+t+k=0$
이 이차방정식의 해가 $t=\alpha$이면 $a^x=\alpha$를 만족시키는 x의 값이 구하는 해이다.

4. 지수부등식

지수에 미지수가 있는 부등식은 다음과 같이 푼다.

(1) 밑을 같게 할 수 있는 경우

부등식에서 양변의 밑을 a로 같게 할 수 있으면

① $a>1$일 때, $a^{f(x)}<a^{g(x)}$의 꼴로 정리한 다음 $f(x)<g(x)$를 푼다.

② $0<a<1$일 때, $a^{f(x)}<a^{g(x)}$의 꼴로 정리한 다음 $f(x)>g(x)$를 푼다.

(2) 밑을 같게 할 수 없는 경우

부등식에서 각 항의 밑을 같게 할 수 없으면 $a^{f(x)}<b^{g(x)}$의 꼴로 정리한 다음 양변에 상용로그를 취하여 $\log a^{f(x)}<\log b^{g(x)}$을 푼다.

(3) $a^x=t$로 치환하는 경우

부등식의 항이 3개 이상일 때, $a^x=t$ $(t>0)$로 치환하여 t에 대한 부등식을 푼다.

지수에 미지수가 있는 부등식을 풀 때에는 밑이 1보다 큰지 작은지에 따라 부등호의 방향이 달라짐에 유의해야 한다.

① $a>1$일 때,
함수 $y=a^x$은 x의 값이 증가하면 y의 값도 증가하므로
$a^{f(x)}<a^{g(x)} \Longleftrightarrow f(x)<g(x)$
② $0<a<1$일 때,
함수 $y=a^x$은 x의 값이 증가하면 y의 값은 감소하므로
$a^{f(x)}<a^{g(x)} \Longleftrightarrow f(x)>g(x)$

1 지수함수 $y=a^x$ $(a>0,\ a\neq1)$의 성질

[0394-0399] 다음은 지수함수 $f(x)=a^x$ $(a>0,\ a\neq1)$에 대한 설명이다. □ 안에 알맞은 것을 써넣으시오.

0394 그래프의 점근선은 □이다.

0395 그래프는 반드시 점 (□, 1)을 지난다.

0396 정의역은 $\{x|x$는 □$\}$이다.

0397 치역은 $\{y|$□$\}$이다.

0398 $a>1$일 때, $f(x_1)<f(x_2)$이면 x_1□x_2이다.

0399 $0<a<1$일 때, $f(x_1)<f(x_2)$이면 x_1□x_2이다.

[0400-0401] 다음 두 지수함수의 그래프를 하나의 좌표평면 위에 나타내시오.

0400 $y=2^x$, $y=3^x$

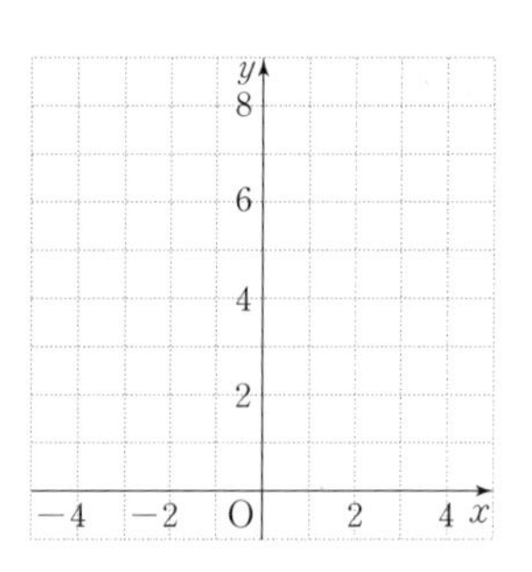

0401 $y=\left(\frac{1}{2}\right)^x$, $y=\left(\frac{1}{3}\right)^x$

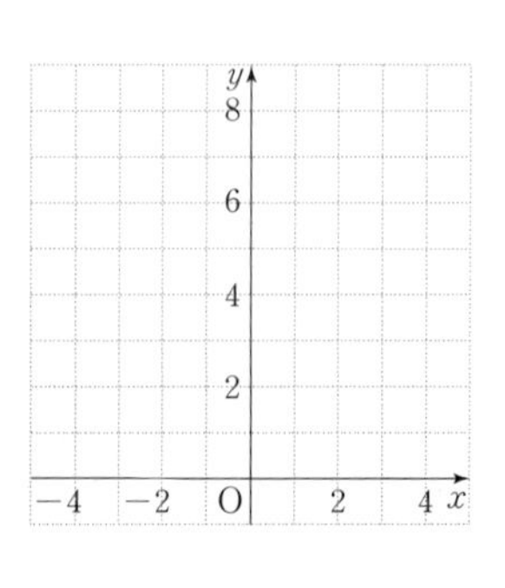

2 지수함수의 그래프의 평행이동과 대칭이동

[0402-0405] 지수함수 $y=a^x$ $(a>0,\ a\neq1)$의 그래프가 그림과 같을 때, 다음 함수의 그래프를 같은 좌표평면 위에 나타내시오.

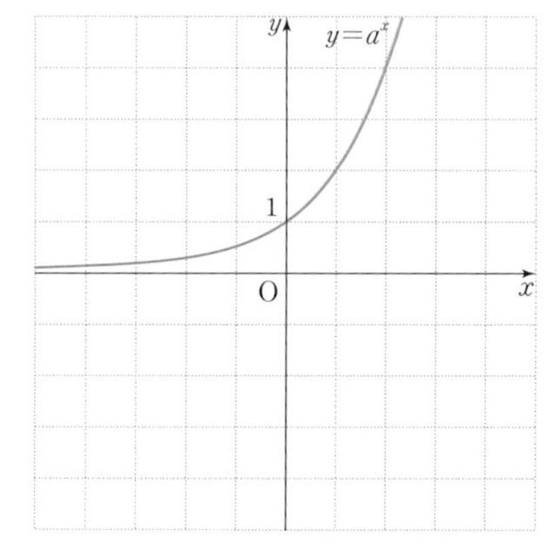

0402 $y=a^{x-2}$

0403 $y=a^{x-1}+1$

0404 $y=\left(\frac{1}{a}\right)^x$

0405 $y=-a^x$

[0406-0411] 지수함수 $y=5^x$의 그래프를 다음과 같이 평행이동 또는 대칭이동한 그래프의 식을 구하시오.

0406 x축의 방향으로 3만큼 평행이동

0407 y축의 방향으로 -2만큼 평행이동

0408 x축의 방향으로 -1만큼, y축의 방향으로 4만큼 평행이동

0409 x축에 대하여 대칭이동

0410 y축에 대하여 대칭이동

0411 원점에 대하여 대칭이동

3 지수함수의 그래프의 점근선과 최대 · 최소

0412 다음 □ 안에 알맞은 수를 써넣으시오.

> 함수 $y=3^{x-1}+2$의 그래프는 지수함수 $y=3^x$의 그래프를 x축의 방향으로 □만큼, y축의 방향으로 □만큼 평행이동한 것이다.
> 이때, 점근선의 방정식은 $y=$□이다.

[0413-0415] 다음 함수의 그래프의 점근선의 방정식을 구하시오.

0413 $y=2^{x-3}$

0414 $y=\left(\frac{1}{2}\right)^x+5$

0415 $y=2^{x+2}+1$

[0416-0418] 다음 함수의 주어진 범위에서의 최댓값과 최솟값을 각각 구하시오.

0416 $y=3^x$ $(1\le x\le 4)$

0417 $y=2^{x-1}$ $(-2\le x\le 3)$

0418 $y=\left(\frac{1}{3}\right)^{x+1}$ $(-2\le x\le 1)$

4 지수방정식

[0419-0426] 다음 방정식을 푸시오.

0419 $2^x=64$

0420 $3^{x-1}=81$

0421 $2\times 3^{x}=54$

0422 $2^{x+2}=\frac{1}{32}$

0423 $8^{x}=2\sqrt{2}$

0424 $\left(\frac{1}{9}\right)^{x}=\sqrt{3}$

0425 $x^{3}=x^{x+1}$ (단, $x\neq 0$)

0426 $(x-1)^{x-2}=4^{x-2}$

5 지수방정식(치환하는 경우)

[0427-0429] 방정식 $2^{2x}-5\times 2^{x}+4=0$에 대하여 다음 물음에 답하시오.

0427 $2^{x}=t$ $(t>0)$라 할 때, 주어진 방정식을 t에 대한 방정식으로 나타내시오.

0428 **0427**의 방정식의 해를 구하시오.

0429 **0428**의 해를 이용하여 x의 값을 구하시오.

6 지수부등식

[0430-0431] 다음 방정식을 푸시오.

0430 $(3^{x})^{2}-6\times 3^{x}-27=0$

0431 $4^{x}-2\times 2^{x}-8=0$

[0432-0433] 다음 $\square$ 안에 알맞은 부등호를 써넣으시오.

0432 $3^{x_1}<3^{x_2}$이면 $x_1\square x_2$

0433 $\left(\frac{1}{5}\right)^{x_1}<\left(\frac{1}{5}\right)^{x_2}$이면 $x_1\square x_2$

[0434-0439] 다음 부등식을 푸시오.

0434 $2^{x+1}>2^{3-x}$

0435 $\left(\frac{1}{10}\right)^{x-2}<\frac{1}{100}$

0436 $\left(\frac{2}{3}\right)^{3x}\geq\left(\frac{3}{2}\right)^{2-x}$

0437 $5^{2x-1}>125$

0438 $\left(\frac{1}{8}\right)^{2x+1}<32$

0439 $7^{x+1}\leq\left(\frac{1}{49}\right)^{x}$

7 지수부등식(치환하는 경우)

[0440-0442] 부등식 $2^{2x}-6\times2^{x}+8<0$에 대하여 다음 물음에 답하시오.

0440 $2^{x}=t$ $(t>0)$라 할 때, 주어진 부등식을 t에 대한 부등식으로 나타내시오.

0441 0440의 부등식을 만족시키는 t의 값의 범위를 구하시오.

0442 0441에서 구한 t의 값의 범위를 이용하여 x의 값의 범위를 구하시오.

[0443-0444] 다음 부등식을 푸시오.

0443 $(2^{x})^{2}+4\times2^{x}-32>0$

0444 $9^{x}-6\times3^{x}-27\leq0$

유형 01 내신 중요도 유형 난이도 ★☆☆☆☆

지수함수 $y=a^x$의 그래프

지수함수 $y=a^x$ ($a>0$, $a\neq1$)의 그래프

(1) 정의역은 실수 전체의 집합이고, 치역은 양의 실수 전체의 집합이다.

(2) 그래프는 점 $(0, 1)$을 지난다.

(3) 그래프의 점근선은 x축이다.

(4) $a>1$일 때, x의 값이 증가하면 y의 값도 증가한다.
$0<a<1$일 때, x의 값이 증가하면 y의 값은 감소한다.

0445

지수함수 $f(x)=a^x$ ($a>0$, $a\neq1$)에 대한 설명으로 옳지 않은 것은?

① 정의역은 실수 전체의 집합이다.
② 치역은 양의 실수 전체의 집합이다.
③ $f(x_1)=f(x_2)$이면 $x_1=x_2$이다.
④ $0<a<1$일 때, $f(x_1)<f(x_2)$이면 $x_1>x_2$이다.
⑤ 그래프의 점근선은 $x=0$이고, 점 $(0, 1)$을 지난다.

0446

지수함수 $f(x)=2^x$에 대하여 〈보기〉에서 옳은 것만을 있는 대로 고르시오.

보기

ㄱ. 임의의 실수 x에 대하여 $f(x)>0$이다.
ㄴ. 함수 $y=f(x)$의 그래프는 지수함수 $y=\left(\frac{1}{2}\right)^x$의 그래프와 y축에 대하여 대칭이다.
ㄷ. x의 값이 증가하면 y의 값은 감소한다.

0447

지수함수 $f(x)=\left(\frac{1}{3}\right)^x$에 대한 〈보기〉의 설명 중에서 옳은 것만을 있는 대로 고르시오.

보기

ㄱ. 그래프는 점 $(0, 1)$을 지난다.
ㄴ. 그래프의 점근선의 방정식은 $y=0$이다.
ㄷ. 두 실수 a, b에 대하여 $a<b$이면 $f(a)<f(b)$이다.

유형 02 내신 중요도 유형 난이도 ★★★☆☆

지수함수의 그래프의 평행이동과 대칭이동

지수함수 $y=a^x$ ($a>0$, $a\neq1$)의 그래프를

(1) x축의 방향으로 m만큼, y축의 방향으로 n만큼 평행이동
⇨ $y=a^{x-m}+n$

(2) x축에 대하여 대칭이동 ⇨ $y=-a^x$

(3) y축에 대하여 대칭이동 ⇨ $y=a^{-x}=\left(\frac{1}{a}\right)^x$

(4) 원점에 대하여 대칭이동 ⇨ $y=-a^{-x}=-\left(\frac{1}{a}\right)^x$

0448

지수함수 $y=2^x$의 그래프를 x축의 방향으로 2만큼, y축의 방향으로 -3만큼 평행이동한 함수의 그래프가 점 $(7, a)$를 지날 때, a의 값을 구하시오.

0449

함수 $y=8\times2^x+1$의 그래프는 지수함수 $y=2^x$의 그래프를 x축의 방향으로 a만큼, y축의 방향으로 b만큼 평행이동한 것이다. $a+b$의 값을 구하시오.

0450

다음 〈보기〉의 함수 중에서 평행이동 또는 대칭이동하여 지수함수 $y=3^x$의 그래프와 일치하는 것만을 있는 대로 고른 것은?

보기

ㄱ. $y=3^{x+1}$　　ㄴ. $y=3^{2x-2}$
ㄷ. $y=-3^{-x}$　　ㄹ. $y=9\times3^x$

① ㄱ, ㄴ　② ㄱ, ㄷ　③ ㄴ, ㄷ
④ ㄷ, ㄹ　⑤ ㄱ, ㄷ, ㄹ

0451 ●●○○

함수 $y=2^{2x}$의 그래프를 x축의 방향으로 m만큼, y축의 방향으로 n만큼 평행이동하였더니 함수 $y=4\times2^{2x}-2$의 그래프와 일치하였다. $m+n$의 값을 구하시오.

0452 ●●○○

그림은 지수함수 $y=2^x$의 그래프를 y축에 대하여 대칭이동한 후, x축의 방향으로 a만큼, y축의 방향으로 b만큼 평행이동한 그래프와 그 점근선을 나타낸 것이다. $a-b$의 값을 구하시오.

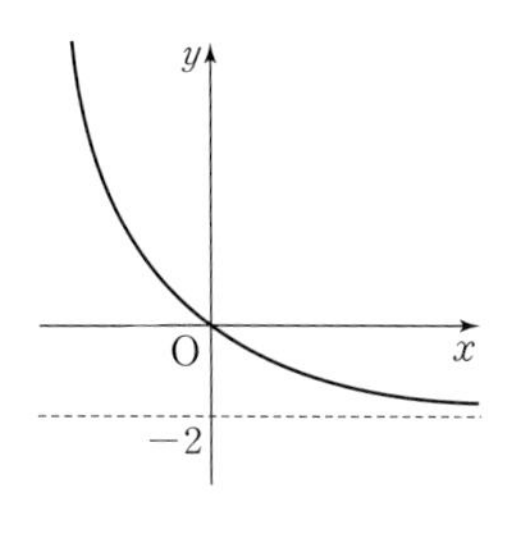

0453 중요 ●●●○

좌표평면에서 지수함수 $f(x)=2^x$에 대하여 함수 $y=f(x)$의 그래프를 y축에 대하여 대칭이동시킨 후, x축의 방향으로 m만큼 평행이동시킨 함수를 $y=g(x)$라 하자. 이때, 두 함수 $y=f(x)$의 그래프와 $y=g(x)$의 그래프가 직선 $x=2$에 대하여 대칭이 되는 양수 m에 대하여 $f(m)$의 값을 구하시오.

유형 03 지수함수 $y=a^{x-m}+n$의 그래프

내신 중요도 ▬▬▬▬▬ 유형 난이도 ★★★☆☆

지수함수 $y=a^x$의 그래프를 x축의 방향으로 m만큼, y축의 방향으로 n만큼 평행이동한 그래프의 식은
⇨ $y=a^{x-m}+n$
(1) 정의역: $\{x|x$는 실수$\}$, 치역: $\{y|y>n$인 실수$\}$
(2) 점 $(m, n+1)$을 지난다.
(3) 점근선은 직선 $y=n$이다.

0454 짱중요 ●●○○

다음 중 함수 $y=3^{-x}+1$에 대한 설명으로 옳지 않은 것은?

① 그래프는 점 $(0, 2)$를 지난다.
② 점근선은 직선 $y=1$이다.
③ 함수 $y=-\left(\frac{1}{3}\right)^x+1$의 그래프와 만나지 않는다.
④ x의 값이 증가하면 y의 값도 증가한다.
⑤ 그래프는 제1사분면과 제2사분면을 지난다.

0455 ●○○○

함수 $y=a^{x-1}+3$의 그래프가 a의 값에 관계없이 점 (p, q)를 지날 때, pq의 값을 구하시오. (단, $a>0$, $a\neq1$)

0456 중요 평가원 기출 ●●●○

함수 $f(x)=-2^{4-3x}+k$의 그래프가 제2사분면을 지나지 않도록 하는 자연수 k의 최댓값을 구하시오.

0457 ●●○○

함수 $y=\left(\frac{1}{2}\right)^{|x-1|}-10$의 그래프와 직선 $y=k$가 만나게 되는 실수 k의 최댓값을 구하시오.

0458 ●●●○

좌표평면 위의 두 함수 $y=\left(\frac{1}{3}\right)^{x-4}-3$, $y=2^{x+n}$의 그래프가 제1사분면에서 만나도록 하는 자연수 n의 개수를 구하시오.

0459 ●●●●

함수 $f(x)=2^x-1$에 대하여 〈보기〉에서 옳은 것만을 있는 대로 고른 것은?

보기

ㄱ. $x>1$이면 $\frac{f(x)}{x}>1$

ㄴ. $0<x<1$이면 $0<\frac{f(x)}{x}<1$

ㄷ. $x<0$이면 $\frac{f(x)}{x}<0$

① ㄱ ② ㄷ ③ ㄱ, ㄴ
④ ㄴ, ㄷ ⑤ ㄱ, ㄴ, ㄷ

유형 04 지수함수의 함숫값과 성질

내신 중요도 ■■■■■ 유형 난이도 ★★★★☆

지수함수 $f(x)=a^x$ $(a>0,\ a\neq1)$에 대하여

(1) $f(0)=1$

(2) $f(x+y)=f(x)f(y)$

(3) $f(x-y)=\frac{f(x)}{f(y)}$

(4) $f(kx)=\{f(x)\}^k$ (단, k는 실수)

참고 함수 $y=f(x)$의 역함수를 $y=g(x)$라 할 때

① $f(g(x))=x$

② $f(a)=b \Longleftrightarrow g(b)=a$

0460 ●○○○

함수 $f(x)=2^{ax+b}$이고 $f(1)=2$, $f(2)=16$일 때, a^2+b^2의 값을 구하시오. (단, a, b는 상수이다.)

0461 중요 ●○○○

함수 $f(x)=a^x+b$에 대하여 $f(1)=3$, $f^{-1}(1)=0$일 때, a의 값을 구하시오. (단, $a>0$, b는 상수이다.)

0462 중요 ●●○○

그림과 같은 지수함수 $f(x)=a^x$의 그래프에서 $f(b)=3$, $f(c)=6$일 때, $f\left(\frac{b+c}{2}\right)$의 값을 구하시오.

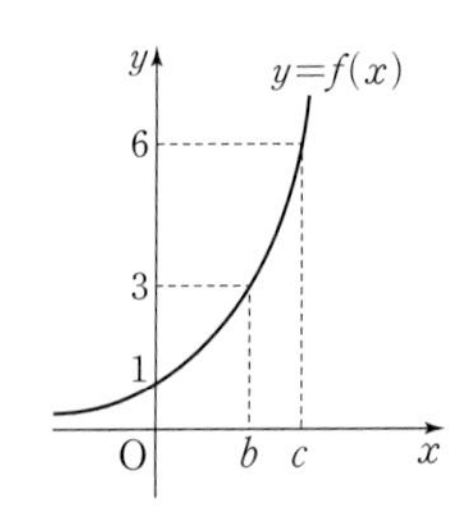

0463 ●●○○

함수 $f(x)=a^x$ $(0<a<1)$에 대하여 $f(2)+f(-2)=11$일 때, $f(2)-f(-2)$의 값은?

① $-3\sqrt{13}$ ② $-3\sqrt{11}$ ③ $-\sqrt{13}$
④ $3\sqrt{11}$ ⑤ $3\sqrt{13}$

0464 ●●○○

지수함수 $f(x)=a^x$이 임의의 실수 x에 대하여
$f(x+2)+3f(x)=4f(x+1)$
을 만족시킬 때, $\log_3 f(20)$의 값을 구하시오. (단, $a>0$, $a\neq1$)

0465 ●●○○

지수함수 $f(x)=3^x$에 대하여 다음 중 옳지 <u>않은</u> 것은? (단, m, n은 실수이다.)

① $f(0)=1$
② $f(-2)=\dfrac{1}{f(2)}$
③ $f(m+n)=f(m)f(n)$
④ $f(2m)=2f(m)$
⑤ $f(m-n)=\dfrac{f(m)}{f(n)}$

유형 05 **지수함수를 이용한 수의 대소 비교**

내신 중요도 ■■■■■ 유형 난이도 ★★★☆☆

지수함수 $y=a^x$ $(a>0,\ a\neq1)$에서
(1) $a>1$일 때, x의 값이 증가하면 y의 값도 증가한다.
(2) $0<a<1$일 때, x의 값이 증가하면 y의 값은 감소한다.

0466 ●○○○

다음 세 수의 대소 관계를 바르게 나타낸 것은?

$$A=\sqrt{\frac{1}{9}},\quad B=\sqrt[3]{\frac{1}{3}},\quad C=\sqrt[5]{\frac{1}{81}}$$

① $A<B<C$ ② $A<C<B$ ③ $B<A<C$
④ $C<A<B$ ⑤ $C<B<A$

0467 ●○○○

세 수 $A=\sqrt{2}$, $B=\sqrt[3]{4}$, $C=\left(\frac{1}{2}\right)^{-0.6}$의 대소 관계를 바르게 나타낸 것은?

① $A<B<C$ ② $A<C<B$ ③ $B<A<C$
④ $B<C<A$ ⑤ $C<B<A$

0468 ●●●○

$0<a<1$일 때, 〈보기〉에서 옳은 것만을 있는 대로 고른 것은?

보기
ㄱ. $a<a^a$ ㄴ. $a^a<a^{a^2}$ ㄷ. $a<a^{a^2}$

① ㄱ ② ㄱ, ㄴ ③ ㄱ, ㄷ
④ ㄴ, ㄷ ⑤ ㄱ, ㄴ, ㄷ

유형 06 지수함수의 그래프의 응용

내신 중요도 ▬▬▬▬ 유형 난이도 ★★★★☆

지수함수 $y=a^x$ $(a>0,\ a\neq1)$의 그래프가 점 $(\alpha,\ \beta)$를 지나면 $\beta=a^\alpha$

0469

●●○○

그림과 같이 지수함수 $y=4^x$의 그래프 위의 점 $\mathrm{A}(a,\ b)$에서 x축, y축에 내린 수선의 발을 각각 B, C라 하자.
점 $\mathrm{D}(0,\ 1)$에 대하여 삼각형 ADO와 삼각형 AOB의 넓이의 비가 $1:2$일 때, 삼각형 ACD의 넓이는?

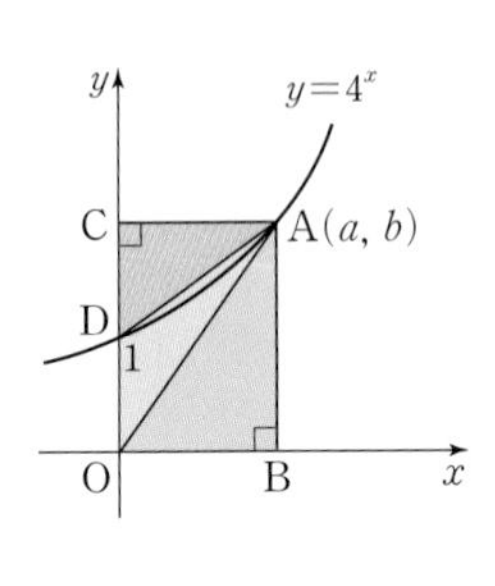

(단, $a>0$이고, O는 원점이다.)

① $\frac{1}{4}$ ② $\frac{1}{2}$ ③ $\frac{\sqrt{2}}{2}$
④ $\frac{3}{2}$ ⑤ $\frac{3\sqrt{2}}{2}$

0470

●●○○

그림과 같이 x축 위의 두 점 A, B와 두 함수 $y=2^x$, $y=2^{x-a}$의 그래프 위의 두 점 D, C를 연결한 도형은 직사각형이다. 이 직사각형 ABCD의 넓이가 24일 때, 점 A의 x좌표 a의 값을 구하시오. (단, a는 자연수이다.)

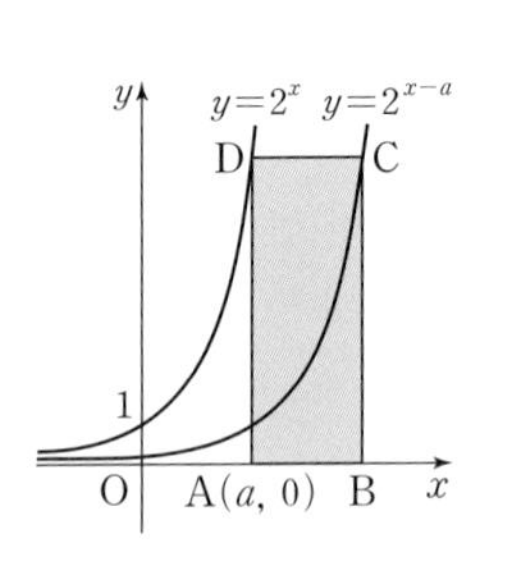

0471

●●○○

좌표평면 위의 두 지수함수 $y=2^x$, $y=4^x$의 그래프와 직선 $y=8$이 만나는 서로 다른 두 점을 각각 A, B라 하고 원점을 O라 할 때, 삼각형 OAB의 넓이를 구하시오.

0472 중요

●●○○

그림과 같이 직선 $y=4$가 y축과 만나는 점을 B, 점 A를 지나는 두 지수함수 $y=2^x$, $y=a^x$의 그래프와 만나는 점을 각각 C, D라 하자. 삼각형 ACB와 삼각형 ADC의 넓이의 비가 $2:1$일 때, 상수 a의 값은? (단, $1<a<2$)

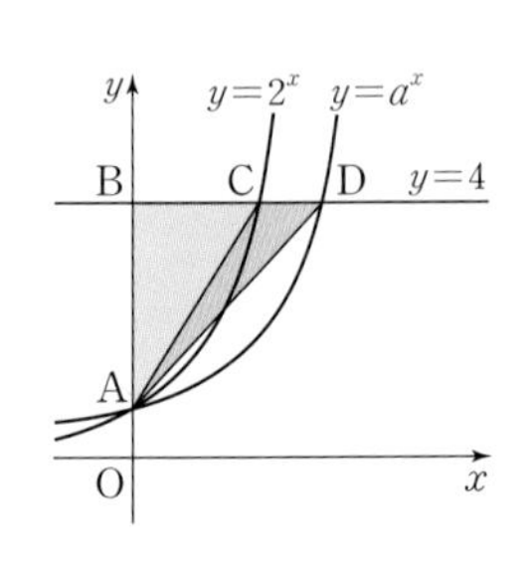

① $\sqrt[4]{2}$ ② $\sqrt[3]{2}$ ③ $\sqrt[4]{3}$
④ $\sqrt[3]{4}$ ⑤ $\sqrt[4]{8}$

0473

●●○○

그림과 같이 곡선 $y=3^x$ 위의 두 점 B, E에서 x축, y축에 내린 수선의 발을 각각 A, D, C, F라 하자. 점 A의 x좌표가 3일 때, 사각형 ODEF의 넓이는 사각형 OABC의 넓이의 몇 배인가?

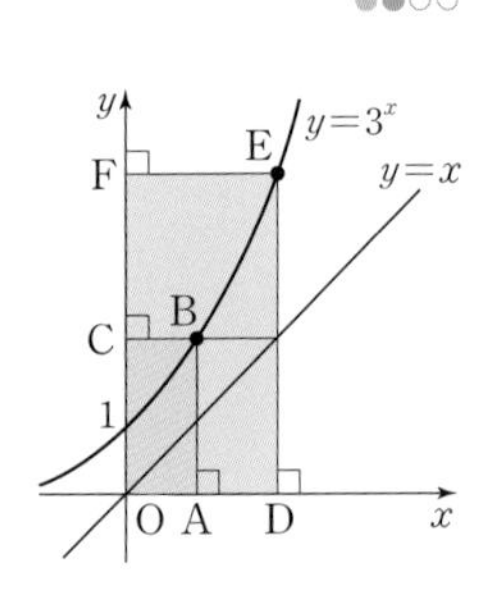

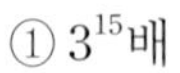

① 3^{15}배 ② 3^{20}배
③ 3^{21}배 ④ 3^{26}배
⑤ 3^{27}배

0474

그림과 같이 지수함수 $y=2^x$의 그래프 위에 점 $P(\alpha,\ 2^\alpha)$, 함수 $y=-2^{-x}$의 그래프 위에 점 $Q(\beta,\ -2^{-\beta})$이 있다. $\beta-\alpha=2$일 때, 두 점 P, Q에서 x축, y축과 각각 평행한 직선을 그어 만들어지는 직사각형 PRQS의 넓이의 최솟값은?

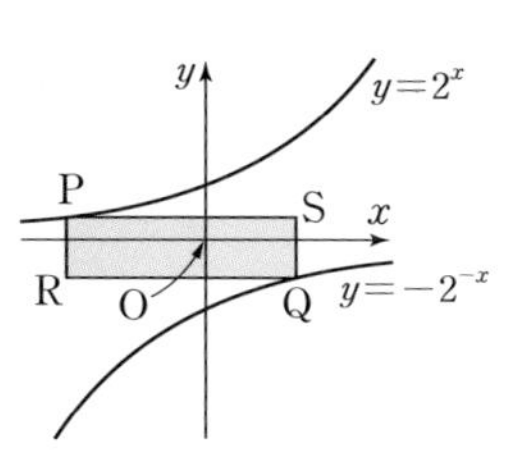

① 1 ② 2 ③ 4
④ 8 ⑤ 16

0475 중요 평가원 기출

함수 $y=k\cdot 3^x\,(0<k<1)$의 그래프가 두 함수 $y=3^{-x}$, $y=-4\cdot 3^x+8$의 그래프와 만나는 점을 각각 P, Q라 하자. 점 P와 점 Q의 x좌표의 비가 1 : 2일 때, $35k$의 값을 구하시오.

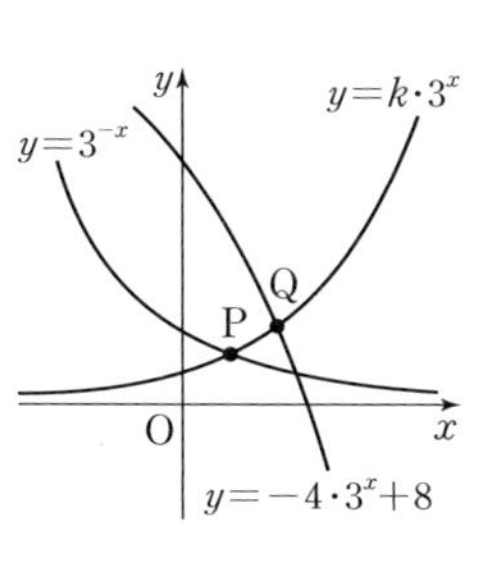

유형 07 지수함수의 최대 · 최소

내신 중요도 ▬▬▬▬▬ 유형 난이도 ★★★★★

정의역이 $\{x|m\le x\le n\}$인 함수
$f(x)=a^{px+q}+r\ (a>0,\ a\ne1,\ p>0)$에 대하여
(1) $a>1$일 때
⇨ $f(x)$의 최댓값은 $f(n)$, 최솟값은 $f(m)$
(2) $0<a<1$일 때
⇨ $f(x)$의 최댓값은 $f(m)$, 최솟값은 $f(n)$

0476 짱중요

정의역이 $\{x|1\le x\le 3\}$인 지수함수 $y=2^{x-3}+3$의 최댓값을 M, 최솟값을 m이라 할 때, $M+4m$의 값을 구하시오.

0477 짱중요

$-2\le x\le 1$에서 정의된 함수 $y=\left(\frac{2}{3}\right)^x$의 최댓값을 M, 최솟값을 m이라 할 때, Mm의 값을 구하시오.

0478 평가원 기출

정의역이 $\{x|-1\le x\le 3\}$인 두 지수함수 $f(x)=4^x$, $g(x)=\left(\frac{1}{2}\right)^x$에 대하여 $f(x)$의 최댓값을 M, $g(x)$의 최솟값을 m이라 할 때, Mm의 값을 구하시오.

0479 ●●○○

정의역이 $\{x|-1\le x\le 1\}$인 함수 $y=2^x\times 5^{-x}+1$의 치역이 $\{y|a\le y\le b\}$일 때, $5a+2b$의 값을 구하시오.

0480 ●○○○

$a\le x\le 3$에서 정의된 함수 $y=3^{x-1}+b$의 최댓값이 11, 최솟값이 3일 때, $a+b$의 값을 구하시오. (단, b는 상수이다.)

0481 중요 ●●○○

정의역이 $\{x|0\le x\le 2\}$인 함수 $f(x)=3^{a-x}-1$의 최댓값과 최솟값의 차는 8이다. 이때, $f(1)$의 값을 구하시오.

(단, a는 상수이다.)

유형 08 지수함수 $y=a^{f(x)}$ 꼴의 최대 · 최소

내신 중요도 ▬▬▬▬▬ 유형 난이도 ★★★☆☆

지수함수 $y=a^{f(x)}$에 대하여 주어진 범위에서 $f(x)$의 최댓값과 최솟값을 구한 후 a의 값에 따라 다음을 이용하자.

(1) $a>1$일 때
⇨ $f(x)$가 최대일 때 y도 최대, $f(x)$가 최소일 때 y도 최소

(2) $0<a<1$일 때
⇨ $f(x)$가 최대일 때 y는 최소, $f(x)$가 최소일 때 y는 최대

0482 중요 ●○○○

함수 $y=\left(\frac{1}{2}\right)^{x^2-4x+1}$의 최댓값은?

① 1 ② 2 ③ 4
④ 8 ⑤ 16

0483 중요 교육청 기출 ●●○○

$0\le x\le 3$에서 함수 $f(x)=2^{-x^2+4x+a}$의 최솟값이 4일 때, $f(x)$의 최댓값을 구하시오. (단, a는 상수이다.)

0484 교육청 기출 ●●○○

$-2\le x\le 4$일 때, 지수함수 $y=3^{x^2-4x-3}$의 최댓값과 최솟값의 곱을 구하시오.

유형 09 a^x 꼴이 반복되는 함수의 최대 · 최소

내신 중요도 ■□□□□ 유형 난이도 ★★★☆☆

함수 $y=pa^{2x}+qa^x+r$ 꼴의 최대 · 최소는
⇨ $a^x=t$로 치환한 후, t에 대한 이차함수 $y=pt^2+qt+r$의 최대 · 최소를 이용하여 구하자.

0485 ●●○○

$-1\le x\le 3$에서 정의된 함수 $y=4^x-2^{x+2}+5$의 최댓값을 M, 최솟값을 m이라 할 때, $M-m$의 값은?

① 16 ② 20 ③ 24
④ 30 ⑤ 36

0486 중요 ●○○○

함수 $f(x)=4^x-2^{x+1}+a$가 $x=b$에서 최솟값 10을 가질 때, 두 상수 a, b의 합 $a+b$의 값을 구하시오.

0487 ●●○○

$1\le x\le 2$에서 함수 $y=9^x-2\times 3^{x+1}+a$의 최댓값이 18일 때, 상수 a의 값은?

① -11 ② -9 ③ -7
④ -5 ⑤ -3

유형 10 산술 · 기하평균의 관계를 이용하는 최대 · 최소

내신 중요도 ■□□□□ 유형 난이도 ★★★★★

함수 $y=a^x+a^{-x}$ $(a>0,\ a\ne 1)$ 꼴의 최대 · 최소는
⇨ 모든 실수 x에 대하여 $a^x>0$, $a^{-x}>0$이므로 산술평균과 기하평균의 관계에 의하여
$a^x+a^{-x}\ge 2\sqrt{a^x\cdot a^{-x}}=2$
임을 이용하자. (단, 등호는 $x=0$일 때 성립)

0488 ●●●○

함수 $y=4^x+4^{-x}-2(2^x+2^{-x})+3$의 최솟값을 구하시오.

0489 ●●●○

함수 $y=9^x+9^{-x}-2(3^x+3^{-x})+5$의 최솟값은?

① 2 ② 3 ③ 4
④ 5 ⑤ 6

0490 ●●●●

함수 $f(x)=2^{2x}+2^{-2(x+1)}$이 $x=a$에서 최솟값 b를 가질 때, $a+b$의 값을 구하시오.

유형 11 지수방정식

내신 중요도 ▬▬▬▬▬ 유형 난이도 ★★☆☆☆

(1) $a^{f(x)}=a^{g(x)} \Longleftrightarrow f(x)=g(x)$ (단, $a>0$, $a\neq1$)

(2) $a^{f(x)}=b^{g(x)} \Longleftrightarrow \log a^{f(x)}=\log b^{g(x)}$

(단, $a>0$, $a\neq1$, $b>0$, $b\neq1$, $a\neq b$)

(3) $a^{f(x)}=b^{f(x)} \Longleftrightarrow a=b$ 또는 $f(x)=0$

(단, $a>0$, $a\neq1$, $b>0$, $b\neq1$)

참고 $a^{f(x)}=a^{g(x)}$에서 $a=1$이면 등식은 항상 성립한다.

0491 ●●○○

방정식 $8^{2x+1}=\sqrt[3]{2}$를 만족시키는 x의 값을 구하시오.

0492 짱중요 ●○○○

방정식 $2^{-x+6}=4^{x-1}$의 근을 a라 할 때, $3a$의 값은?

① 2 ② 4 ③ 6
④ 8 ⑤ 10

0493 교육청 기출 ●●○○

방정식 $\left(\frac{1}{\sqrt{3}}\right)^{3x}=9^{3-x}$의 해를 구하시오.

0494 ●●○○

방정식 $\left(\frac{4}{3}\right)^{2x^2-5}=\left(\frac{3}{4}\right)^{2-x}$을 만족시키는 모든 근의 합은?

① $\frac{1}{3}$ ② $\frac{1}{2}$ ③ 1
④ 2 ⑤ 3

0495 ●●●○

방정식 $(x-1)^{x+1}=2^{x+1}$을 만족시키는 x의 값을 구하시오.

(단, $x>1$)

0496 중요 ●●●○

방정식 $(x-1)^{2(x+2)}=(x-1)^{x^2+1}$의 모든 근의 합을 구하시오.

(단, $x>1$)

유형 12 $a^x=t$로 치환하는 지수방정식

내신 중요도 ▬▬▬▬▬ 유형 난이도 ★★★☆☆

a^x의 꼴이 반복되는 방정식은 $a^x=t$ $(t>0)$로 치환한 후 해를 구한다.

0497 중요 ●●○○

방정식 $2^{2x}-9\times2^x+8=0$의 두 근을 α, β라 할 때, $\alpha+\beta$의 값은?

① 0　② 1　③ 2　④ 3　⑤ 4

0498 짱중요 ●●○○

방정식 $4^x+2^{x+3}-128=0$의 해를 구하시오.

0499 ●●○○

x에 대한 방정식 $a^{2x}-a^x=2$의 해가 $x=\frac{1}{7}$이 되도록 하는 상수 a의 값을 구하시오. (단, $a>0$, $a\neq1$)

0500 ●●●○

방정식 $2^x+2^{2-x}=5$를 만족시키는 모든 x의 값의 합은?

① -2　② -1　③ 0　④ 1　⑤ 2

0501 ●●●○

연립방정식 $\begin{cases} x-y=-1 \\ 4^x-2^y=48 \end{cases}$을 만족시키는 두 실수 x, y에 대하여 $x+y$의 값을 구하시오.

0502 ●●●●

방정식 $4^x+4^{-x}-3(2^x+2^{-x})+4=0$의 해는?

① $x=-2$　② $x=-1$　③ $x=0$　④ $x=1$　⑤ $x=2$

유형 13 내신 중요도 ▬▬▬▬▬ 유형 난이도 ★★★☆☆

지수방정식과 이차방정식의 근

방정식 $p(a^x)^2+qa^x+r=0$의 두 근을 α, β라 하면

(1) $a^x=t$로 치환한 이차방정식 $pt^2+qt+r=0$의 두 근은 a^α, a^β이다.

(2) 이차방정식의 근과 계수의 관계에 의하여

$$a^\alpha+a^\beta=-\frac{q}{p},\ a^\alpha\times a^\beta=\frac{r}{p}$$

0503 ●●○○

방정식 $3^{2x}-8\times3^x+9=0$의 두 근을 α, β라 할 때, $\alpha+\beta$의 값은?

① 1 ② 2 ③ 3
④ 4 ⑤ 5

0504 ●●○○

x에 대한 방정식 $2^{2x+1}-5\times2^x+k=0$의 두 근의 합이 -1일 때, 상수 k의 값은?

① $\frac{1}{4}$ ② $\frac{1}{2}$ ③ $\frac{3}{4}$
④ 1 ⑤ 2

0505 ●●○○

방정식 $3^{2x}-3\times3^x+2=0$의 두 근을 α, β라 할 때, $3^{3\alpha}+3^{3\beta}$의 값은?

① 4 ② 8 ③ 9
④ 12 ⑤ 15

0506 ●●●○

방정식 $4^{2x}-4^{x+1}+1=0$의 두 근을 α, β라 할 때, $2^\alpha+2^\beta$의 값은?

① $\sqrt{5}$ ② $\sqrt{6}$ ③ $2\sqrt{2}$
④ $3\sqrt{2}$ ⑤ $4\sqrt{5}$

0507 ●●●●

방정식 $3^{2x}-k\times3^x+18=0$의 한 근이 $\log_3 2$일 때, 상수 k의 값을 구하시오.

0508 ●●●●

곡선 $y=3^{2x}-3^{x+1}$과 직선 $y=k$가 서로 다른 두 점에서 만나도록 하는 모든 정수 k의 값의 합을 구하시오.

유형 14 **지수함수의 그래프와 지수방정식**

내신 중요도 ▬▬▬▬▬ 유형 난이도 ★★★★★

방정식 $f(x)-g(x)=0$의 실근은 함수 $y=f(x)$의 그래프와 함수 $y=g(x)$의 교점의 x좌표이다.

0509 ●●●○

x에 대한 방정식 $|3^x-5|-k=0$이 오직 한 개의 실근을 갖게 되는 자연수 k의 최솟값을 구하시오.

0510 ●●●○

두 함수 $f(x)=|2^x-8|$, $g(x)=k+3$에 대하여 방정식 $f(x)-g(x)=0$이 서로 다른 두 개의 양의 실근을 갖게 되는 정수 k의 개수를 구하시오.

0511 ●●●●

x에 대한 방정식 $|5^x-25|=2^x+k$가 서로 다른 두 실근을 갖도록 하는 정수 k의 개수를 구하시오.

0512 교육청 기출 ●●●●

함수 $f(x)=\left(\frac{1}{2}\right)^{x-5}-64$에 대하여 함수 $y=|f(x)|$의 그래프와 직선 $y=k$가 제1사분면에서 만나도록 하는 자연수 k의 개수를 구하시오. (단, 좌표축은 어느 사분면에도 속하지 않는다.)

0513 평가원 기출 ●●●●

좌표평면 위의 두 곡선 $y=|9^x-3|$과 $y=2^{x+k}$이 만나는 서로 다른 두 점의 x좌표를 x_1, x_2 $(x_1<x_2)$라 할 때, $x_1<0$, $0<x_2<2$를 만족시키는 모든 자연수 k의 값의 합은?

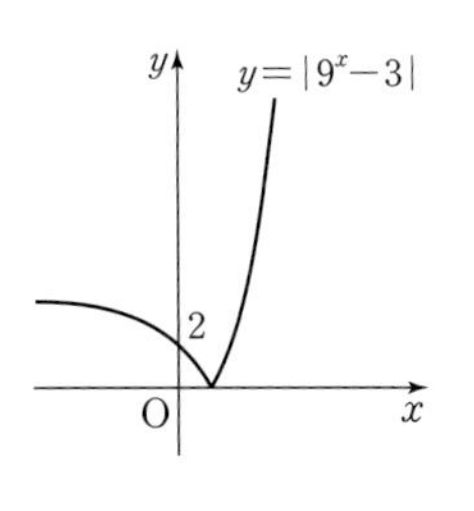

① 8 ② 9 ③ 10 ④ 11 ⑤ 12

유형 15 지수부등식

내신 중요도 ▬▬▬▬▬ 유형 난이도 ★★☆☆☆

(1) $a>1$일 때, $a^{f(x)}<a^{g(x)} \Longleftrightarrow f(x)<g(x)$
(2) $0<a<1$일 때, $a^{f(x)}<a^{g(x)} \Longleftrightarrow f(x)>g(x)$

0514 ●○○○

부등식 $3^{3-x} \le 9^{x+6}$을 만족시키는 x의 값의 범위는?

① $x \le -3$　② $x \ge -3$　③ $x \le -1$
④ $x \ge 1$　⑤ $x \le 3$

0515 중요 ●○○○

부등식 $\left(\frac{1}{5}\right)^{1-2x} \le 5^{x+4}$을 만족시키는 모든 자연수 x의 값의 합은?

① 11　② 12　③ 13
④ 14　⑤ 15

0516 ●●○○

부등식 $\left(\frac{1}{2}\right)^{x^2} > \left(\frac{1}{4}\right)^{x+4}$을 만족시키는 정수 x의 개수를 구하시오.

0517 ●●○○

부등식 $\left(\frac{\sqrt{3}}{3}\right)^{-2x-2} > 9(\sqrt{3})^x$을 만족시키는 x의 값의 범위는?

① $x<-1$　② $x>-1$　③ $x>0$
④ $x<2$　⑤ $x>2$

0518 중요 ●●●○

연립부등식 $\begin{cases} 3^{x^2} \le 9^{x+4} \\ \left(\frac{1}{25}\right)^{x-3} \ge \left(\frac{1}{5}\right)^{3x-4} \end{cases}$ 을 만족시키는 정수 x의 개수를 구하시오.

0519 ●●○○

다음 부등식을 동시에 만족시키는 x의 값의 범위가 $a \le x \le b$일 때, $a+b$의 값은?

$$\frac{1}{81} \le 3^x \le \frac{1}{9},\quad \left(\frac{1}{2}\right)^{x+1} \le 64 \le \left(\frac{1}{4}\right)^x$$

① -7　② -6　③ -5
④ -4　⑤ -3

0520 ●●●○

부등식 $x^x \le x^3$을 만족시키는 실수 x의 값의 범위는? (단, $x>0$)

① $0<x<3$ ② $0<x\le3$ ③ $1<x\le3$
④ $1\le x<3$ ⑤ $1\le x\le3$

0521 ●●●●

부등식 $x^{x^x} \le x^{x^3}$을 만족시키는 x의 값의 범위는? (단, $x>0$)

① $0<x<1$ ② $0<x\le1$ ③ $0<x<3$
④ $0<x\le3$ ⑤ $1<x<3$

0522 ●●●●

곡선 $y=f(x)$와 직선 $y=g(x)$가 그림과 같을 때, 부등식 $\left(\frac{1}{2}\right)^{f(x)}<\left(\frac{1}{2}\right)^{g(x)}$의 해는?

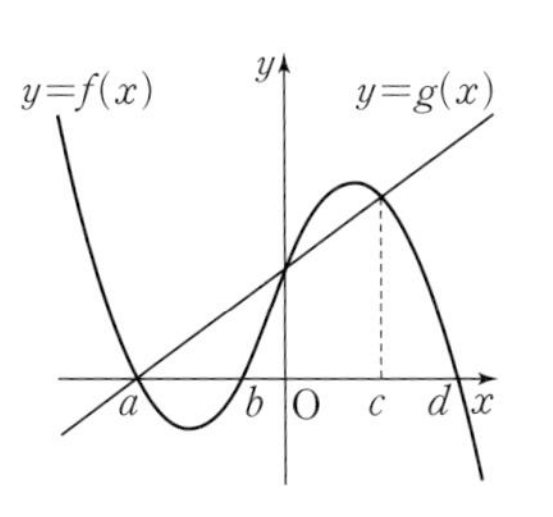

① $x<a$ 또는 $x>d$
② $x<a$ 또는 $0<x<c$
③ $a<x<b$ 또는 $c<x<d$
④ $a<x<b$ 또는 $x>d$
⑤ $a<x<0$ 또는 $x>c$

유형 **16** $a^x=t$로 치환하는 지수부등식

내신 중요도 유형 난이도 ★★★☆☆

a^x의 꼴이 반복되는 부등식은 $a^x=t$ $(t>0)$로 치환한 후 해를 구한다.

0523 중요 ●●○○

부등식 $4^{x+1}-9\times2^x+2\le0$을 만족시키는 정수 x의 개수를 구하시오.

0524 ●●○○

부등식 $\left(\frac{1}{9}\right)^x-12\left(\frac{1}{3}\right)^x+27\le0$을 만족시키는 x의 최댓값을 M, 최솟값을 m이라 할 때, $M+m$의 값은?

① -3 ② -2 ③ -1
④ 1 ⑤ 2

0525 ●●●●

부등식 $2^x+2^{-x+3}<6$을 만족시키는 실수 x의 값의 범위가 $\alpha<x<\beta$일 때, $\alpha+\beta$의 값은?

① 1 ② 2 ③ 3
④ 4 ⑤ 5

0526

연립부등식 $\begin{cases} 4^x-3\times 2^{x+2}+32<0 \\ \left(\frac{1}{2}\right)^{3x+1}<\left(\frac{1}{2}\right)^{2x} \end{cases}$ 의 해가 $a<x<b$일 때, $a+b$의 값을 구하시오.

0527

x에 대한 부등식 $4^{x+1}+a\times 2^x+b<0$의 해가 $-2<x<4$일 때, 두 상수 a, b에 대하여 $b-a$의 값을 구하시오.

0528

x에 대한 부등식 $16a^{2x}-17a^x+1<0$의 해가 $0<x<4$일 때, 상수 a의 값을 구하시오. (단, $0<a<1$)

유형 **17** 지수부등식이 항상 성립할 조건

내신 중요도 ■■■■■ 유형 난이도 ★★★★★

모든 실수 x에 대하여 지수부등식 $pa^{2x}+qa^x+r>0$이 성립 (단, $a>0$, $a\neq 1$, $p\neq 0$)

⇨ $a^x=t$로 치환한 이차부등식 $pt^2+qt+r>0$이 $t>0$인 모든 실수 t에 대하여 성립

참고 이차부등식이 항상 성립할 조건

① $ax^2+bx+c\geq 0$ $(a\neq 0) \Longleftrightarrow a>0,\ D\leq 0$

② $ax^2+bx+c<0$ $(a\neq 0) \Longleftrightarrow a<0,\ D<0$

0529

x에 대한 부등식 $4^x-2^{x+1}-k>0$이 모든 실수 x에 대하여 성립하도록 하는 실수 k의 값의 범위는?

① $k<-2$　② $k<-1$　③ $k<0$
④ $0<k<2$　⑤ $k>3$

0530

모든 실수 x에 대하여 부등식

$$2^x-2^{\frac{x+4}{2}}+a\geq 0$$

이 성립하도록 하는 실수 a의 최솟값을 구하시오.

0531 ●●○○

모든 실수 x에 대하여 부등식 $\left(\frac{1}{3}\right)^{x^2+6} \le 3^{k(1-2x)}$이 성립하기 위한 정수 k의 최댓값을 M, 최솟값을 m이라 할 때, M^2+m^2의 값을 구하시오.

0532 ●●●○

모든 실수 x에 대하여 이차부등식
$x^2-2(2^a+1)x-3(2^a-5)>0$이 성립하도록 하는 실수 a의 값의 범위는?

① $a<0$ ② $a<1$ ③ $a<2$
④ $a>1$ ⑤ $a>2$

0533 ●●●●

모든 실수 x에 대하여 부등식 $9^x-2a\cdot 3^x+9\ge 0$이 성립하도록 하는 자연수 a의 개수를 구하시오.

유형 18 지수방정식과 지수부등식의 활용

내신 중요도 ■■■■■ 유형 난이도 ★★★★☆

매시간 일정한 비율 p로 늘어나는 어느 물질의 처음의 양을 a, x시간 후 변화된 양을 y라 하면
$y=a\times p^x$

0534 ●●●○

육안으로 본 별의 밝기를 겉보기 등급, 그 별이 10 (pc)의 거리에 있다고 가정했을 때의 밝기를 절대 등급이라고 한다. 어떤 별이 지구로부터 r (pc)만큼 떨어져 있을 때, 겉보기 등급 m과 절대 등급 M은

$$\left(\frac{r}{10}\right)^2=100^{\frac{1}{5}(m-M)}$$

을 만족시킨다. '데네브'라는 별은 지구로부터 $10^{2.7}$ (pc)만큼 떨어져 있고 겉보기 등급은 1.3이다. 이 별의 절대 등급은?
(단, pc은 거리를 나타내는 단위이다.)

① -3.6 ② -4.8 ③ -6.0
④ -7.2 ⑤ -8.4

0535 ●●●●

아열대 해역에 서식하는 수명이 짧은 어류의 성장 정도를 알아보는 방법 중의 하나는 길이 (cm)를 측정하는 것이다. 이 해역에 서식하는 어떤 물고기의 연령 t에 따른 길이 $f(t)$를 근사적으로 추정하면 다음과 같다고 한다.

$$f(t)=20\{1-a^{-0.7(t+0.4)}\}$$

이 물고기의 길이가 16 cm 이상이 되기 위한 최소 연령은?
(단, a는 $a>1$인 상수이고, $\log_a 5=1.4$로 계산한다.)

① 1.2 ② 1.6 ③ 2.2
④ 2.6 ⑤ 3.2

적중 문제

시험에 잘 나오는 문제로 점검하기

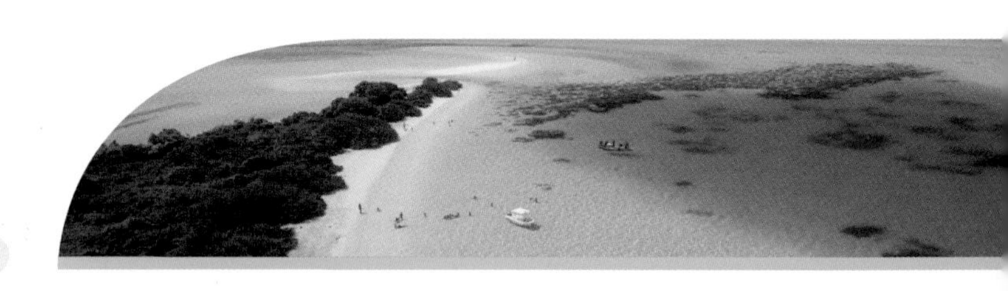

0536

지수함수 $y=\left(\frac{1}{3}\right)^x$의 그래프를 x축의 방향으로 1만큼 평행이동한 후 y축에 대하여 대칭이동하면 점 $(1, k)$를 지날 때, k의 값을 구하시오.

0537

지수함수 $y=3^{x+1}-3$에 대한 설명으로 옳지 않은 것은?

① 정의역은 실수 전체의 집합이다.
② 그래프는 원점을 지난다.
③ 그래프의 점근선은 $y=-3$이다.
④ x의 값이 증가하면 y의 값도 증가한다.
⑤ 그래프는 제4사분면을 지난다.

0538

지수함수 $f(x)=2^x$의 그래프가 그림과 같다. $f(a)=m$, $f(b)=n$이고 $mn=64$일 때, $a+b$의 값은?

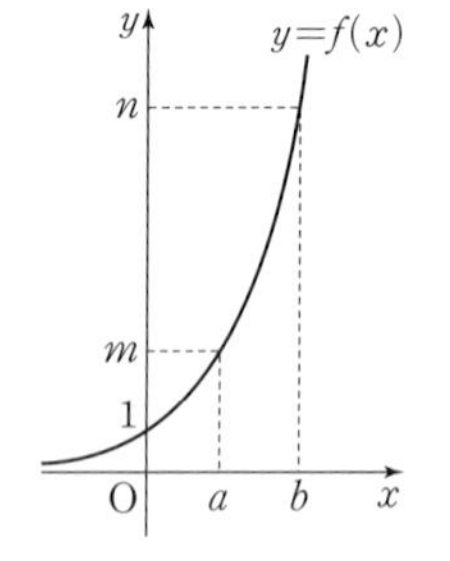

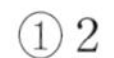

① 2 ② 3
③ 4 ④ 5
⑤ 6

0539

그림과 같이 두 곡선 $y=2^{x-3}$, $y=2^{x+1}$ 위의 두 점 A, B와 x축 위의 두 점 C, D를 이어 만든 사각형 ABCD가 정사각형일 때, 점 D의 x좌표를 구하시오.

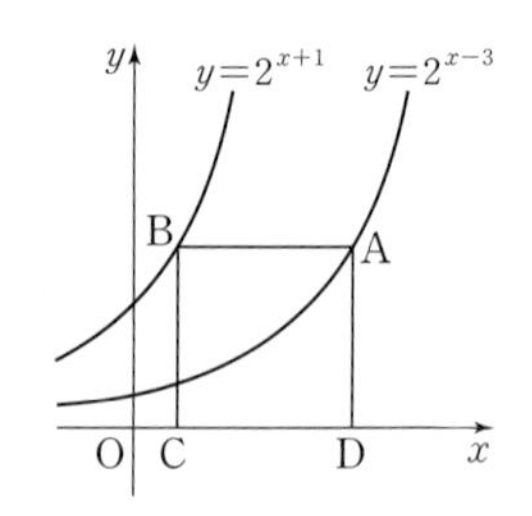

0540 서술형

정의역이 $\{x \mid -1 \le x \le 2\}$인 함수 $y=\left(\frac{1}{2}\right)^{x-1}+2$의 최댓값을 α, 최솟값을 β라 할 때, $\alpha\beta$의 값을 구하시오.

0541

$1 \le x \le 3$에서 정의된 함수 $y=4^x-4\times 2^x+a$의 최댓값이 35일 때, 상수 a의 값을 구하시오.

0542

방정식 $\left(\frac{1}{3}\right)^{-3x}=3^{x^2-4}$의 모든 근의 곱은?

① 0　　② -3　　③ -4
④ -7　　⑤ -8

0543

방정식 $4^x-6\times2^x+8=0$의 두 근을 α, β라 할 때, $\alpha^2+\beta^2$의 값을 구하시오.

0544

방정식 $4^x-7\times2^x+8=0$이 서로 다른 두 실근 α, β를 가질 때, $\alpha+\beta$의 값을 구하시오.

0545 서술형

부등식 $\left(\frac{1}{3}\right)^{x^2-2}>\left(\frac{1}{9}\right)^{x+3}$을 만족시키는 정수 x의 개수를 구하시오.

0546

부등식 $9^x-3^{x+2}+18<0$의 해가 $\alpha<x<\beta$일 때, $3^\alpha\times3^\beta$의 값을 구하시오.

0547

불순물을 포함하는 어느 물질이 여과기를 한 번 통과할 때마다 불순물의 양이 통과 전 양의 절반이 된다고 한다. 이 물질에 포함된 불순물의 양이 0.1% 이하가 되도록 하려면 이 여과기를 적어도 몇 번 통과해야 하는가?

① 6번　　② 7번　　③ 8번
④ 9번　　⑤ 10번

Level 1

0548

집합 $A=\left\{(x, y) \middle| y=\left(\frac{1}{2}\right)^x, x\text{는 실수}\right\}$에 대하여 〈보기〉에서 옳은 것만을 있는 대로 고른 것은?

보기

ㄱ. $(a, b)\in A$이면 $\left(a+1, \frac{b}{2}\right)\in A$

ㄴ. $(a, b)\in A$이면 $(2a, 2b)\in A$

ㄷ. $(a, b)\in A$이면 $(-2a, \sqrt{b})\in A$

① ㄱ ② ㄴ ③ ㄷ
④ ㄱ, ㄴ ⑤ ㄱ, ㄷ

0549

두 이차함수 $y=f(x)$, $y=g(x)$의 그래프가 그림과 같고,

$f(a)=g(a)=f(c)=g(e)=0$,

$f(0)=g(b)=f(d)=g(d)=1$

이다.

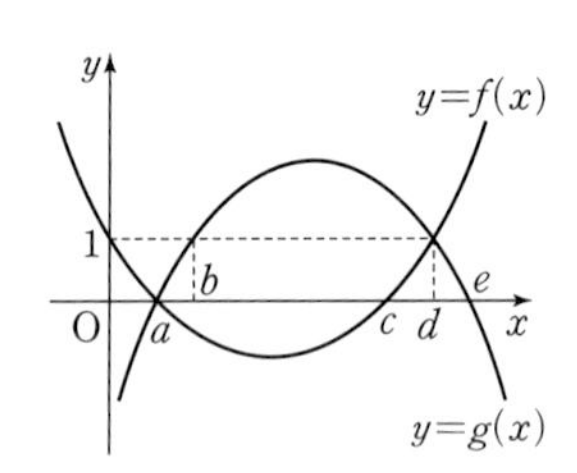

연립부등식 $\begin{cases} 2^{f(x)}<2 \\ 2^{f(x)}>2^{g(x)} \end{cases}$의 해는?

① $0<x<a$ ② $x<a$ 또는 $x>d$
③ $a<x<c$ ④ $a<x<d$ 또는 $x>e$
⑤ $b<x<d$

0550

방정식 $2^{\log 10x}\times x^{\log 2}-\frac{1}{2}(2^{\log 10x}+16\times x^{\log 2})+4=0$의 두 근을 α, β라 할 때, $10\alpha+\beta$의 값을 구하시오. (단, $\alpha<\beta$)

0551

방정식 $2(2^x+2^{-x})^2-7(2^x+2^{-x})+5=0$의 모든 실근의 곱은?

① -2 ② -1 ③ 0
④ 1 ⑤ 2

0552

어떤 과일을 물에 담가 두면 과일의 표면에 묻은 잔류 농약이 일정한 비율로 줄어들어 2시간이 지나면 a %만 남게 된다고 한다. 처음 잔류 농약이 0.1mg인 과일을 물에 담가 두고, 6시간이 지난 후에 측정하였더니 0.01mg이었다. 잔류 농약에 대한 안전 기준치가 0.001mg 이하라고 할 때, 이 과일을 안전하게 섭취하려면 최소한 섭취하기 몇 시간 전에 이 과일을 물에 담가 두어야 하는지 구하시오.

Level 2

0553

1이 아닌 두 양수 a, b $(a>b)$에 대하여
두 함수 $f(x)=a^x$, $g(x)=b^x$이라 하자. $x>0$일 때, 〈보기〉에서 옳은 것만을 있는 대로 고른 것은?

보기

ㄱ. $f(x)>g(x)$
ㄴ. $f(x)<g(-x)$이면 $a>1$이다.
ㄷ. $f(x)=g(-x)$이면 $f\left(\frac{1}{x}\right)=g\left(-\frac{1}{x}\right)$이다.

① ㄱ ② ㄴ ③ ㄱ, ㄷ
④ ㄴ, ㄷ ⑤ ㄱ, ㄴ, ㄷ

0554

평가원 기출

그림과 같이 지수함수 $y=2^x$의 그래프 위의 한 점 A를 지나고 x축에 평행한 직선이 함수 $y=15\times2^{-x}$의 그래프와 만나는 점을 B라 하자. 점 A의 x좌표를 a라 할 때, $1<\overline{AB}<100$을 만족시키는 2 이상의 자연수 a의 개수를 구하시오.

(단, 점 A의 x좌표는 점 B의 x좌표보다 크다.)

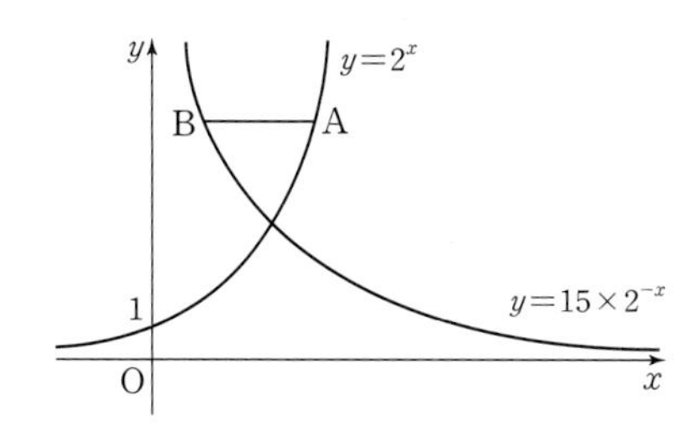

0555

교육청 기출

두 함수 $f(x)=-x^2+2x+1$, $g(x)=a^x$ $(a>0,\ a\neq1)$이 있다. $-1\leq x\leq2$에서 두 함수 $y=f(g(x))$, $y=g(f(x))$의 최댓값이 같아지도록 하는 모든 a의 값의 합은?

① $\frac{3\sqrt{2}}{2}$ ② $\frac{4\sqrt{2}}{3}$ ③ $\sqrt{2}$
④ $\frac{2\sqrt{2}}{3}$ ⑤ $\frac{\sqrt{2}}{2}$

0556

x에 대한 방정식 $9^x=4\times3^x-k$가 오직 하나의 실근을 갖도록 하는 실수 k의 최댓값을 구하시오.

0557

x에 대한 방정식 $4^x=2^{x+1}+k$가 서로 다른 두 실근을 갖도록 하는 상수 k의 값의 범위는 $\alpha<k<\beta$이다. $\alpha+\beta$의 값은?

① -2　② -1　③ 1
④ 2　⑤ 4

0558

모든 실수 x에 대하여 부등식 $k\times2^x\le4^x-2^x+4$가 성립하도록 하는 실수 k의 값의 범위는?

① $k\ge-1$　② $-4\le k<3$　③ $-1\le k\le4$
④ $k\le3$　⑤ $k\ge0$

0559

A라는 조건을 만족하는 환경에서 고여 있는 물은 시간이 지남에 따라 물의 오염도가 높아진다고 한다. 이 조건에서 고여 있는 물의 t주가 지난 후의 오염도 p는 다음과 같다고 한다.

$$p=\frac{1}{1+k\times10^{-\frac{1}{12}t}}\ \text{(단, } k\text{는 상수이다.)}$$

이 환경에서 처음 고인 물의 오염도가 0.1이었다고 한다. n주 후의 물의 오염도가 0.64 이상이 된다고 할 때, 자연수 n의 최솟값은?

(단, $\log2=0.3010$으로 계산한다.)

① 11　② 13　③ 15
④ 17　⑤ 19

Level 3

0560 평가원 기출

실수 전체의 집합에서 정의된 함수 f가 다음 조건을 만족시킨다.

(가) $-2 \le x \le 0$일 때, $f(x)=|x+1|-1$
(나) 모든 실수 x에 대하여 $f(x)+f(-x)=0$
(다) 모든 실수 x에 대하여 $f(2-x)=f(2+x)$

$-10 \le x \le 10$에서 두 함수 $y=f(x)$, $y=\left(\frac{1}{2}\right)^x$의 그래프가 만나는 점의 개수는?

① 2 ② 3 ③ 4
④ 5 ⑤ 6

0561

방정식 $4^x-2^{x+1}+\frac{1}{9^y}-\frac{6}{3^y}=15$를 만족시키는 두 실수 x, y에 대하여 x의 최댓값을 α, y의 최솟값을 β라 할 때, $\alpha\beta$의 값은?

① $-3\log_3 6$ ② $-2\log_3 6$ ③ $-4\log_2 6$
④ $-3\log_2 6$ ⑤ $-2\log_2 6$

0562

$-3 \le x \le 2$에서 x에 대한 부등식 $4^x-5\times 2^{x+2} \ge 4^a-5\times 2^{a+2}$이 항상 성립하도록 하는 모든 정수 a의 값의 합을 구하시오.

03 지수함수

0563

x에 대한 방정식

$$9^{x}+9^{-x}-n(3^{x}+3^{-x})+18=0$$

이 서로 다른 네 개의 실근을 갖도록 하는 자연수 n의 값을 구하시오.

0564

$0\leq x\leq 8$에서 정의된 함수 $f(x)$가 다음 조건을 만족시킨다.

(가) $f(x)=\begin{cases} 2^{x}-1 & (0\leq x\leq 1) \\ 2-2^{x-1} & (1< x\leq 2) \end{cases}$

(나) $n=1,\ 2,\ 3$일 때,

$2^{n}f(x)=f(x-2n)\ \ (2n< x\leq 2n+2)$

함수 $y=f(x)$의 그래프와 x축으로 둘러싸인 부분의 넓이를 S라 할 때, $32S$의 값을 구하시오.

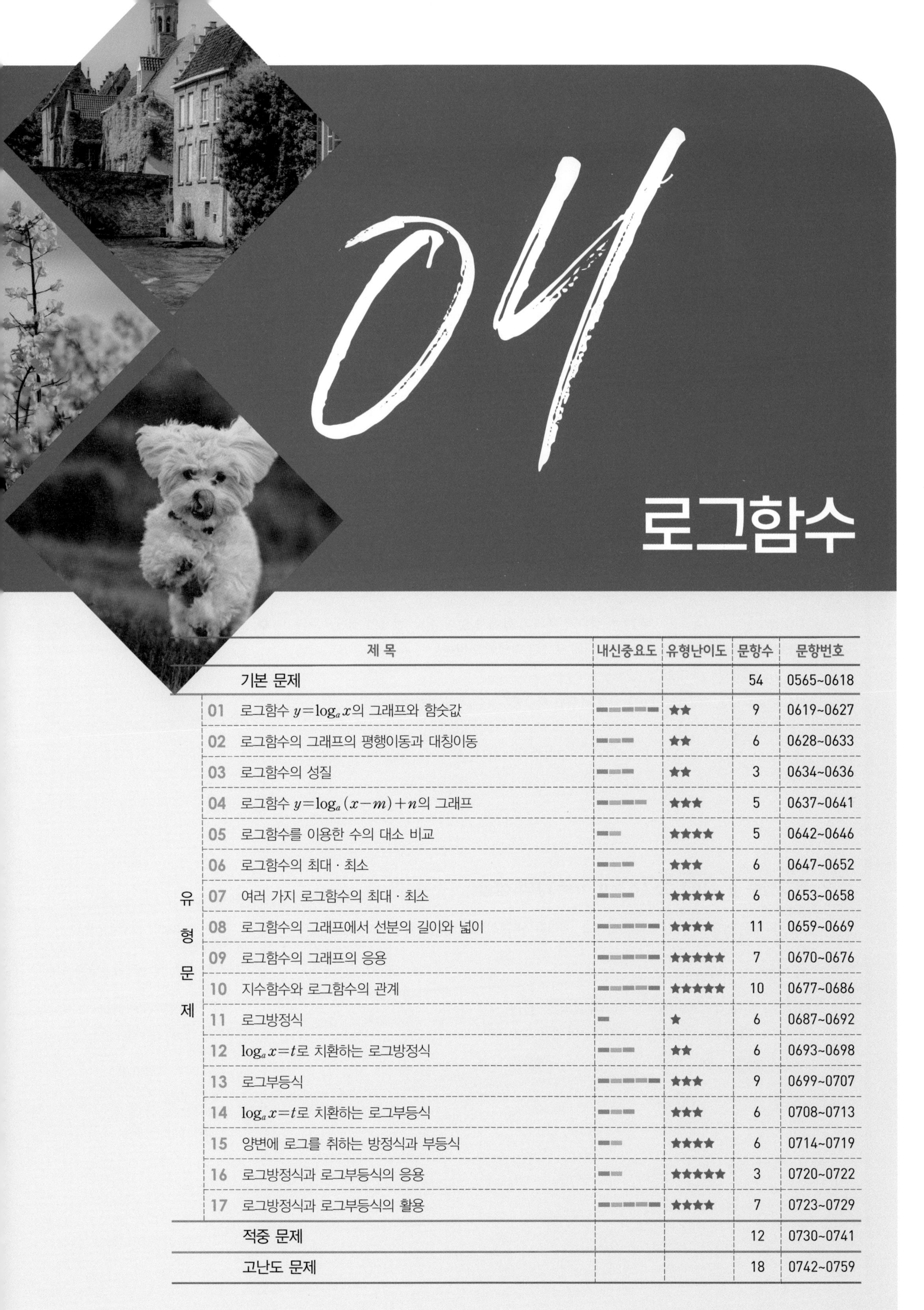

04 로그함수

		제 목	내신중요도	유형난이도	문항수	문항번호
		기본 문제			54	0565~0618
유형 문제	01	로그함수 $y=\log_a x$의 그래프와 함숫값	■■■■■	★★	9	0619~0627
	02	로그함수의 그래프의 평행이동과 대칭이동	■■■	★★	6	0628~0633
	03	로그함수의 성질	■■■	★★	3	0634~0636
	04	로그함수 $y=\log_a(x-m)+n$의 그래프	■■■■	★★★	5	0637~0641
	05	로그함수를 이용한 수의 대소 비교	■■	★★★★	5	0642~0646
	06	로그함수의 최대 · 최소	■■■	★★★	6	0647~0652
	07	여러 가지 로그함수의 최대 · 최소	■■■	★★★★★	6	0653~0658
	08	로그함수의 그래프에서 선분의 길이와 넓이	■■■■■	★★★★	11	0659~0669
	09	로그함수의 그래프의 응용	■■■■■	★★★★★	7	0670~0676
	10	지수함수와 로그함수의 관계	■■■■■	★★★★★	10	0677~0686
	11	로그방정식	■	★	6	0687~0692
	12	$\log_a x=t$로 치환하는 로그방정식	■■■	★★	6	0693~0698
	13	로그부등식	■■■■■	★★★	9	0699~0707
	14	$\log_a x=t$로 치환하는 로그부등식	■■■	★★★	6	0708~0713
	15	양변에 로그를 취하는 방정식과 부등식	■■	★★★★	6	0714~0719
	16	로그방정식과 로그부등식의 응용	■■	★★★★★	3	0720~0722
	17	로그방정식과 로그부등식의 활용	■■■■■	★★★★	7	0723~0729
		적중 문제			12	0730~0741
		고난도 문제			18	0742~0759

04 로그함수

1. 로그함수

지수함수 $y=a^x$ $(a>0,\ a\neq1)$은 실수 전체의 집합에서 양의 실수 전체의 집합으로의 일대일대응이므로 역함수를 갖는다. 이때 로그의 정의에 의하여

$$y=a^x \iff x=\log_a y\ (a>0,\ a\neq1)$$

이므로 $x=\log_a y$에서 x와 y를 서로 바꾸면 지수함수 $y=a^x$의 역함수

$$y=\log_a x\ (a>0,\ a\neq1)$$

를 얻는다. 이 함수를 a를 밑으로 하는 로그함수라고 한다.

> 로그함수 $y=\log_a x$ $(a>0,\ a\neq1)$는 지수함수 $y=a^x$의 역함수이므로 지수함수 $y=a^x$의 그래프는 로그함수 $y=\log_a x$의 그래프와 직선 $y=x$에 대하여 대칭이다.

2. 로그함수 $y=\log_a x$ $(a>0,\ a\neq1)$의 성질

(1) 정의역은 양의 실수 전체의 집합이고, 치역은 실수 전체의 집합이다.

(2) 그래프는 점 $(1,\ 0)$을 지난다.

(3) 그래프의 점근선은 y축이다.

(4) $a>1$일 때, x의 값이 증가하면 y의 값도 증가한다.

$0<a<1$일 때, x의 값이 증가하면 y의 값은 감소한다.

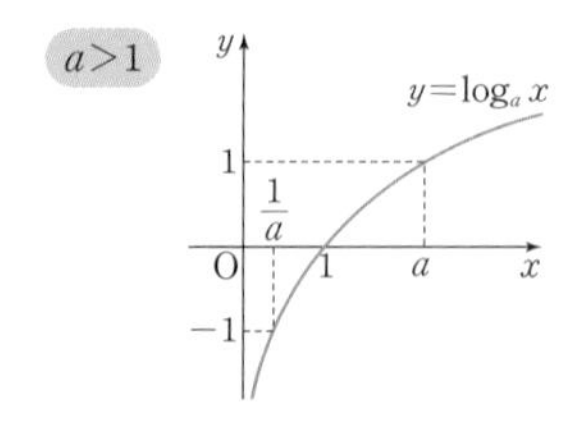

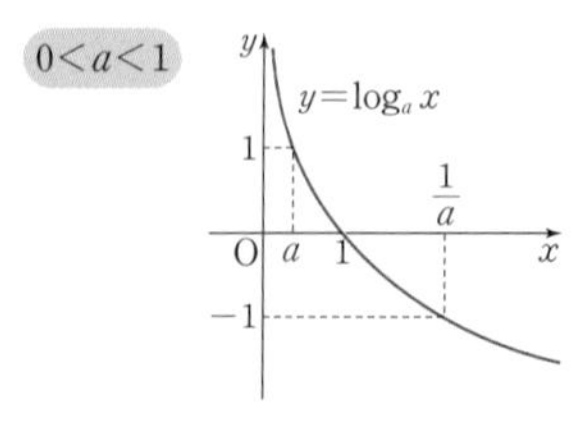

> 로그함수 $y=\log_a x$ $(a>0,\ a\neq1)$의 그래프를
> ① x축의 방향으로 m만큼, y축의 방향으로 n만큼 평행이동
> ⇨ $y=\log_a(x-m)+n$
> ② x축에 대하여 대칭이동
> ⇨ $y=-\log_a x$
> ③ y축에 대하여 대칭이동
> ⇨ $y=\log_a(-x)$
> ④ 원점에 대하여 대칭이동
> ⇨ $y=-\log_a(-x)$

3. 로그방정식

로그에 미지수가 있는 로그방정식은 다음과 같이 푼다.

(단, $a>0$, $a\neq1$, $f(x)>0$, $g(x)>0$)

(1) 밑이 같은 경우

로그방정식에서 양변의 밑을 a로 같게 할 수 있으면 $\log_a f(x)=\log_a g(x)$의 꼴로 정리한 다음 $f(x)=g(x)$를 푼다.

(2) 밑이 같지 않은 경우

로그방정식에서 밑이 다를 때에는 로그의 성질이나 밑의 변환 공식을 이용하여 밑을 같게 한 후 푼다.

(3) $\log_a x=t$로 치환하는 경우

로그방정식에서 $\log_a x$ 꼴이 반복될 때 $\log_a x=t$로 치환하여 t에 대한 방정식을 푼다.

(4) 양변에 로그를 취하는 경우

로그방정식에서 지수에 $\log_a x$를 포함하는 경우는 양변에 a를 밑으로 하는 로그를 취하여 방정식을 푼다.

- 로그방정식과 로그부등식을 풀 때에는 구한 해가 (밑)>0, (밑)$\neq1$, (진수)>0 의 조건을 만족하는지 확인한다.
- $\log_a f(x)=b$ ($a>0$, $a\neq1$, $f(x)>0$) 꼴의 로그방정식은 $\log_a f(x)=b \Longleftrightarrow f(x)=a^b$ 을 이용하여 해를 구한다.
- 로그의 밑이 같지 않은 경우에는 로그의 밑의 변환 공식 $\log_a N=\dfrac{\log_b N}{\log_b a}$, $\log_a b=\dfrac{1}{\log_b a}$ ($b>0$, $b\neq1$) 을 이용하여 밑을 같게 한 후 푼다.
- $a^{\log x}=b \Longleftrightarrow \log_a a^{\log x}=\log_a b$ $\Longleftrightarrow \log x=\log_a b$

4. 로그부등식

로그에 미지수가 있는 로그부등식은 다음과 같이 푼다.

(단, $a>0$, $a\neq1$, $f(x)>0$, $g(x)>0$)

(1) 밑이 같은 경우

로그부등식에서 양변의 밑을 a로 같게 할 수 있으면

① $a>1$일 때 $\log_a f(x)<\log_a g(x)$의 꼴로 정리한 다음 $f(x)<g(x)$를 푼다.

② $0<a<1$일 때 $\log_a f(x)<\log_a g(x)$의 꼴로 정리한 다음 $f(x)>g(x)$를 푼다.

(2) 밑이 같지 않은 경우

로그부등식에서 밑이 다를 때에는 로그의 성질이나 밑의 변환 공식을 이용하여 밑을 같게 한 후 푼다.

(3) $\log_a x=t$로 치환하는 경우

로그부등식에서 $\log_a x$ 꼴이 반복될 때 $\log_a x=t$로 치환하여 t에 대한 부등식을 푼다.

(4) 양변에 로그를 취하는 경우

로그부등식에서 지수에 $\log_a x$를 포함하는 경우는 양변에 a를 밑으로 하는 로그를 취하여 부등식을 푼다.

- 로그의 진수에 미지수가 있는 부등식을 풀 때에는 밑이 1보다 큰지 작은지에 따라 부등호의 방향이 달라짐에 유의해야 한다.

① $a>1$일 때, 함수 $y=\log_a x$는 x의 값이 증가하면 y의 값도 증가하므로
$\log_a f(x)<\log_a g(x)$
$\Longleftrightarrow f(x)<g(x)$

② $0<a<1$일 때, 함수 $y=\log_a x$는 x의 값이 증가하면 y의 값은 감소하므로
$\log_a f(x)<\log_a g(x)$
$\Longleftrightarrow f(x)>g(x)$

1 로그함수의 정의역

[0565-0568] 다음 함수의 정의역을 구하시오.

0565 $y=\log_4 x$

0566 $y=\log_3 (x-5)$

0567 $y=\log_2 (3-x)$

0568 $y=\log_5 x^2$

2 로그함수 $y=\log_a x$ $(a>0, a\neq1)$의 성질

[0569-0572] 다음은 로그함수 $f(x)=\log_a x$ $(a>0, a\neq 1)$에 대한 설명이다. □ 안에 알맞은 것을 써넣으시오.

0569 그래프의 점근선은 □이다.

0570 그래프는 반드시 점 (□, 0)을 지난다.

0571 정의역은 $\{x|$□$\}$이다.

0572 치역은 $\{y|y$는 □$\}$이다.

[0573-0578] 로그함수 $y=\log_5 x$의 그래프를 다음과 같이 평행이동 또는 대칭이동한 그래프의 식을 구하시오.

0573 x축의 방향으로 1만큼 평행이동

0574 y축의 방향으로 -2만큼 평행이동

0575 x축의 방향으로 -3만큼, y축의 방향으로 4만큼 평행이동

0576 x축에 대하여 대칭이동

0577 y축에 대하여 대칭이동

0578 원점에 대하여 대칭이동

3 로그함수의 그래프의 점근선과 최대 · 최소

0579 다음 □ 안에 알맞은 수를 써넣으시오.

> 함수 $y=\log_3 (x-2)-1$의 그래프는 로그함수 $y=\log_3 x$의 그래프를 x축의 방향으로 □만큼, y축의 방향으로 □만큼 평행이동한 것이다.
> 이때, 점근선의 방정식은 $x=$□이다.

[0580-0582] 다음 함수의 그래프의 점근선의 방정식을 구하시오.

0580 $y=\log_3(x-5)$

0581 $y=\log_2 x+2$

0582 $y=\log_5(x+3)+1$

[0583-0584] 다음 함수의 주어진 범위에서의 최댓값과 최솟값을 각각 구하시오.

0583 $y=\log_2 x\ (1\le x\le 16)$

0584 $y=\log_{\frac{1}{2}}(x+1)\ \left(-\frac{1}{2}\le x\le 3\right)$

4 지수함수와 로그함수의 관계

[0585-0587] 다음 함수의 역함수를 구하시오.

0585 $y=2^x$

0586 $y=2^{x+3}$

0587 $y=\log_5(x-2)$

5 $\log_a f(x)=b$ 꼴의 로그방정식

[0588-0589] 다음은 로그방정식의 해를 구하는 과정이다. □ 안에 알맞은 것을 써넣으시오.

0588 $\log_2 x=4$

> $\log_2 x=4$에서 $x=2^{\square}$
> $\therefore x=\square$

0589 $\log_3 x=2$

> $\log_3 x=2$에서 $x=\square^2$
> $\therefore x=\square$

[0590-0595] 다음 등식을 만족시키는 x의 값을 구하시오.

0590 $\log_2 x=1$

0591 $\log_5 x=0$

0592 $\log_{\frac{1}{3}} x=2$

0593 $\log_2 x=-3$

0594 $\log_3(x+1)=1$

0595 $\log_2(3x-5)=2$

6 밑이 같은 로그방정식

[0596-0599] 다음 방정식을 푸시오.

0596 $\log_3(x+2)=\log_3 5$

0597 $\log_{\frac{1}{2}}(x-3)=\log_{\frac{1}{2}}6$

0598 $\log_5(3x-1)=\log_5 2x$

0599 $\log_{\frac{1}{2}}(4x-3)=\log_{\frac{1}{2}}(3x+5)$

7 밑이 같지 않은 로그방정식

0600 다음은 방정식 $\log_2(x-4)=\log_4 2x$의 해를 구하는 과정이다. □ 안에 알맞은 것을 써넣으시오.

> 진수의 조건에서 $x-4>0$, $2x>0$
> $\therefore x>\square$ …… ㉠
> $\log_2(x-4)=\log_4 2x$에서
> $\log_2(x-4)=\square\log_2 2x$
> $\square\log_2(x-4)=\log_2 2x$
> $\log_2(x-4)^{\square}=\log_2 2x$
> $(x-4)^{\square}=2x$
> $x^2-8x+16=2x$
> $x^2-10x+16=0$
> $(x-2)(x-8)=0$
> $\therefore x=2$ 또는 $x=8$
> 그런데 ㉠에서 $x>\square$이므로 $x=\square$

[0601-0602] 다음 방정식을 푸시오.

0601 $\log_2(x-1)=\log_4(x+1)$

0602 $\log_3(x-3)=\log_9(5-x)$

8 치환을 이용한 로그방정식의 풀이

0603 다음은 방정식 $(\log_3 x)^2-4\log_3 x+4=0$의 해를 구하는 과정이다. □ 안에 알맞은 것을 써넣으시오.

> 진수의 조건에서 $x>0$ …… ㉠
> $(\log_3 x)^2-4\log_3 x+4=0$에서
> $\log_3 x=t$로 놓으면
> $\square=0$
> $(t-2)^2=0$
> $\therefore t=\square$
> 즉, $\log_3 x=\square$이므로 $x=3^{\square}=\square$
> $x=\square$는 ㉠을 만족하므로 구하는 해이다.

[0604-0605] 다음 방정식을 푸시오.

0604 $(\log_2 x)^2-3\log_2 x+2=0$

0605 $(\log_2 x)^2+\log_2 x-2=0$

9 밑이 같은 로그부등식

[0606-0612] 다음 부등식을 푸시오.

0606 $\log_3 x > \log_3 4$

0607 $\log_{\frac{1}{2}}(x+1) \le \log_{\frac{1}{2}} 3$

0608 $\log_5 x < \log_5 3$

0609 $\log_{\frac{1}{3}}(x-3) < \log_{\frac{1}{3}} 5$

0610 $\log_2(5-x) < \log_2 3$

0611 $\log_2(3x-2) \le \log_2(x+4)$

0612 $\log_{\frac{1}{5}}(3x-2) < \log_{\frac{1}{5}}(6-x)$

10 밑이 같지 않은 로그부등식

[0613-0616] 다음 부등식을 푸시오.

0613 $\log_3(2x-3) \le 2$

0614 $\log_{\frac{1}{2}}(x-1) \ge 3$

0615 $\log_2(x-1) < \log_4(2x+1)$

0616 $\log_3(x-4) \le \log_9(x+8)$

11 치환을 이용한 로그부등식의 풀이

[0617-0618] 다음 부등식을 푸시오.

0617 $(\log_2 x)^2 - 4\log_2 x + 3 \le 0$

0618 $(\log_3 x)^2 - \log_3 x - 2 < 0$

유형 01 내신 중요도 유형 난이도 ★★☆☆☆

로그함수 $y=\log_a x$의 그래프와 함숫값

로그함수 $y=\log_a x$ $(a>0, a\neq1)$의 그래프
(1) 정의역은 양의 실수 전체의 집합이고, 치역은 실수 전체의 집합이다.
(2) 그래프는 점 $(1, 0)$을 지난다.
(3) 그래프의 점근선은 y축이다.
(4) $a>1$일 때, x의 값이 증가하면 y의 값도 증가한다.
$0<a<1$일 때, x의 값이 증가하면 y의 값은 감소한다.

0619

로그함수 $y=\log_a x$ $(a>0, a\neq1)$에 대한 〈보기〉의 설명 중에서 옳은 것만을 있는 대로 고른 것은?

보기
ㄱ. 그래프는 점 $(1, 0)$을 지나고, 점근선의 방정식은 $x=0$이다.
ㄴ. $a>1$일 때, x의 값이 감소하면 y의 값도 감소한다.
ㄷ. 그래프는 지수함수 $y=a^x$의 그래프와 직선 $y=x$에 대하여 대칭이다.

① ㄴ ② ㄱ, ㄴ ③ ㄱ, ㄷ
④ ㄴ, ㄷ ⑤ ㄱ, ㄴ, ㄷ

0620

함수 $y=\log_3(2x-1)$의 치역이 $\{y|2\leq y\leq3\}$이 되도록 정의역 $\{x|a\leq x\leq b\}$를 정할 때, $a+b$의 값을 구하시오.

0621

두 로그함수 $f(x)=\log_2 x$, $g(x)=\log_3 x$에 대하여
$$(f\circ g)(81)=(g\circ f)(k)$$
를 만족시킬 때, 상수 k의 값을 구하시오. (단, $x>1$)

0622

로그함수 $f(x)=\log_a x$ $(a>1)$의 그래프가 그림과 같을 때, $a+b$의 값은?

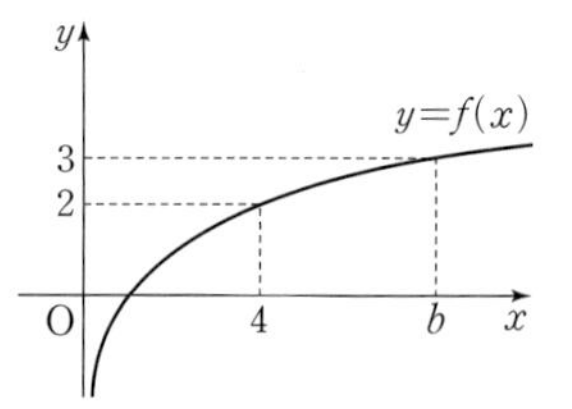

① 6 ② 8
③ 10 ④ 12
⑤ 14

0623 짱중요 평가원 기출

다음은 직선 $y=x$와 로그함수 $y=\log_2 x$의 그래프이다. $x_1+x_2+x_3$의 값을 구하시오.

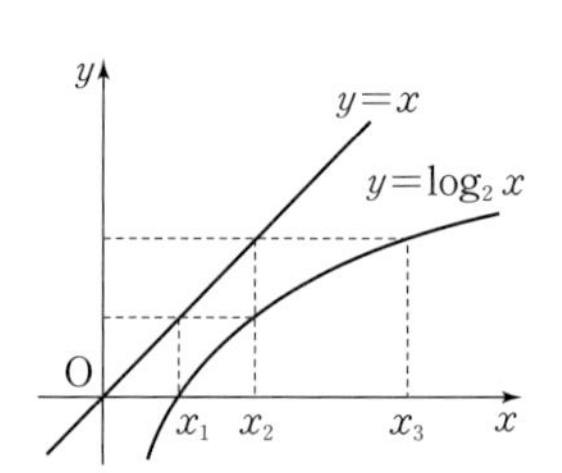

0624 중요 평가원 기출

그림은 두 함수 $y=\left(\frac{1}{2}\right)^x$, $y=\log_2 x$의 그래프와 직선 $y=x$를 나타낸 것이다. 옳은 것만을 〈보기〉에서 있는 대로 고른 것은?
(단, 점선은 모두 좌표축에 평행하다.)

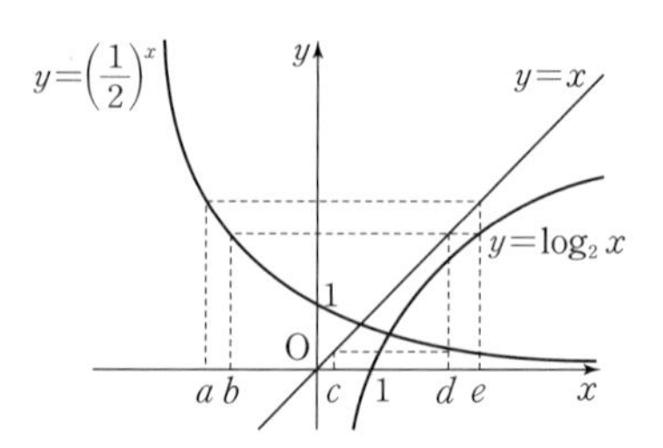

보기
ㄱ. $2^d=e$　ㄴ. $a+d=0$　ㄷ. $ce=1$

① ㄱ ② ㄱ, ㄴ ③ ㄴ, ㄷ
④ ㄱ, ㄷ ⑤ ㄱ, ㄴ, ㄷ

0625

다음 〈보기〉의 함수 중에서 로그함수 $y=\log_2 x$와 같은 것만을 있는 대로 고른 것은?

보기

ㄱ. $y=-\log_2 \frac{1}{x}$　　ㄴ. $y=\log_4 x^2$

ㄷ. $y=3\log_2 \sqrt[3]{x}$

① ㄱ　② ㄴ　③ ㄷ
④ ㄱ, ㄷ　⑤ ㄱ, ㄴ, ㄷ

0626

양의 실수 전체의 집합에서 정의된 함수 $f(x)=\log 2x$에 대하여 〈보기〉에서 옳은 것만을 있는 대로 고른 것은?

보기

ㄱ. $f\left(\frac{1}{8}\right)=-f(2)$　　ㄴ. $f(x)+f(y)=f(2xy)$

ㄷ. $f(x^2)=2f(x)$

① ㄱ　② ㄴ　③ ㄱ, ㄴ
④ ㄱ, ㄷ　⑤ ㄴ, ㄷ

0627

집합 G를 $G=\{(x, y)\,|\,y=\log_2 x, x>0\}$으로 정의할 때, 〈보기〉에서 옳은 것만을 있는 대로 고른 것은?

보기

ㄱ. $(a, b)\in G$이면 $(a^2, 2b)\in G$

ㄴ. $(a, b)\in G$, $(c, d)\in G$이면 $(a+c, bd)\in G$

ㄷ. $(6\times 2^b, \log_2 3a)\in G$이면 $(a, b+1)\in G$

① ㄱ　② ㄴ　③ ㄱ, ㄷ
④ ㄴ, ㄷ　⑤ ㄱ, ㄴ, ㄷ

유형 02 로그함수의 그래프의 평행이동과 대칭이동

내신 중요도　유형 난이도 ★★

로그함수 $y=\log_a x$ $(a>0, a\neq 1)$의 그래프를

(1) x축의 방향으로 m만큼, y축의 방향으로 n만큼 평행이동
⇨ $y=\log_a (x-m)+n$

(2) x축에 대하여 대칭이동 ⇨ $y=-\log_a x$

(3) y축에 대하여 대칭이동 ⇨ $y=\log_a (-x)$

(4) 원점에 대하여 대칭이동 ⇨ $y=-\log_a (-x)$

0628

곡선 $y=\log x$를 x축의 방향으로 3만큼, y축의 방향으로 2만큼 평행이동한 후, 직선 $y=x$에 대하여 대칭이동한 그래프의 식은?

① $y=10^{x-2}+3$　② $y=10^{x+1}-3$
③ $y=10^{x+2}+2$　④ $y=\log(x-3)+2$
⑤ $y=\log(x-2)+3$

0629

함수 $y=\log_2(2x+8)$의 그래프는 로그함수 $y=\log_2 x$의 그래프를 x축의 방향으로 a만큼, y축의 방향으로 b만큼 평행이동한 것이다. $a+b$의 값을 구하시오.

0630

지수함수 $y=2^x$의 그래프를 직선 $y=x$에 대하여 대칭이동한 다음 x축의 방향으로 2만큼, y축의 방향으로 3만큼 평행이동한 그래프가 점 $(k, 6)$을 지날 때, k의 값은?

① 4　② 6　③ 8
④ 10　⑤ 12

0631

●●●○

두 함수 $y=\log_a x$, $y=\log_a(3x+b)$의 그래프는 점 $(9, 2)$에서 만나고, 로그함수 $y=\log_a x$의 그래프를 x축의 방향으로 m만큼, y축의 방향으로 n만큼 평행이동하면 함수 $y=\log_a(3x+b)$의 그래프와 일치한다. $a+b+m+n$의 값을 구하시오.

(단, a, b는 상수이다.)

0632

●●○○

〈보기〉의 함수의 그래프 중에서 함수 $f(x)=\log_3(x-1)$의 그래프를 평행이동하여 일치시킬 수 있는 것만을 있는 대로 고른 것은?

보기

ㄱ. $y=\log_3 3x$
ㄴ. $y=3\log_3 x$
ㄷ. $y=\frac{1}{3}\log_3(x+1)^3$

① ㄱ ② ㄴ ③ ㄱ, ㄴ
④ ㄱ, ㄷ ⑤ ㄱ, ㄴ, ㄷ

0633

●●○○

로그함수 $y=\log_3 x$의 그래프를 평행이동 또는 대칭이동하여 일치할 수 있는 것만을 〈보기〉에서 있는 대로 고른 것은?

보기

ㄱ. $y=\log_3(-x)$
ㄴ. $y=\log_3(x-2)$
ㄷ. $y=3\log_3 x$
ㄹ. $y=\log_3 3x$

① ㄱ ② ㄴ ③ ㄱ, ㄷ
④ ㄱ, ㄹ ⑤ ㄱ, ㄴ, ㄹ

유형 03 로그함수의 성질

내신 중요도 ■■■■■ 유형 난이도 ★★☆☆☆

로그함수 $y=\log_a(x-m)+n$의 성질
(1) 정의역: $\{x\,|\,x>m$인 실수$\}$, 치역: $\{y\,|\,y$는 실수$\}$
(2) 점 $(m+1,\ n)$을 지난다.
(3) 점근선은 직선 $x=m$이다.

0634

●○○○

다음 중 함수 $y=\log_2(x+2)+3$에 대한 설명으로 옳은 것은?

① 정의역은 $\{x\,|\,x\ge -2\}$이다.
② 치역은 $\{y\,|\,y>3\}$이다.
③ 그래프는 점 $(0, 3)$을 지난다.
④ 그래프의 점근선은 직선 $x=-2$이다.
⑤ x의 값이 증가하면 y의 값은 감소한다.

0635 중요

●●○○

함수 $f(x)=\log_3(x-2)+3$에 대하여 〈보기〉에서 옳은 것만을 있는 대로 고른 것은?

보기

ㄱ. 정의역은 실수 전체의 집합이다.
ㄴ. $x_1<x_2$이면 $f(x_1)<f(x_2)$이다.
ㄷ. 그래프의 점근선의 방정식은 $x=2$이다.

① ㄱ ② ㄴ ③ ㄷ
④ ㄴ, ㄷ ⑤ ㄱ, ㄴ, ㄷ

0636

●●●○

다음 중 함수 $f(x)=2\log_4(x-1)+2$에 대한 설명으로 옳지 않은 것은?

① 점근선의 방정식은 $x=1$이다.
② $x_1<x_2$이면 $f(x_1)<f(x_2)$를 만족한다.
③ 점 $(3, 3)$을 지난다.
④ $y=\log_2 x$의 그래프를 x축의 방향으로 1만큼, y축의 방향으로 2만큼 평행이동한 것과 같다.
⑤ $y=f(x)$의 그래프는 제3사분면을 지난다.

유형 04 내신 중요도 ■■■■□ 유형 난이도 ★★★☆☆

로그함수 $y=\log_a(x-m)+n$의 그래프

로그함수 $y=\log_a(x-m)+n$의 그래프는 $y=\log_a x$의 그래프를 x축의 방향으로 m만큼, y축의 방향으로 n만큼 평행이동한 그래프이다.

0637 중요 ●●○○

함수 $y=\log_3(x+a)+b$의 그래프가 그림과 같을 때, $a+b$의 값을 구하시오. (단, a, b는 상수이고, $x=-3$은 점근선이다.)

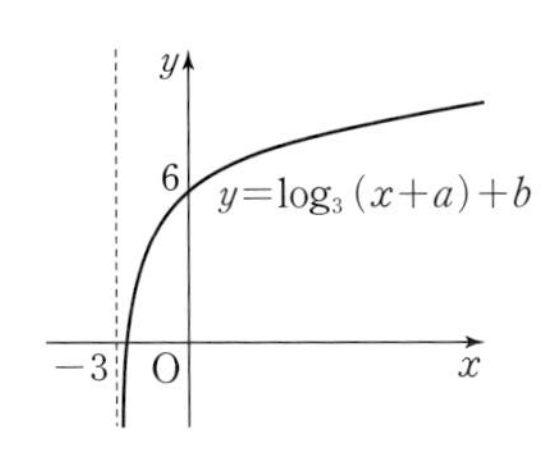

0638 교육청 기출 ●●●●

오른쪽 그림은 로그함수 $y=\log_b ax$의 그래프 개형이다. 로그함수 $y=\log_a bx$의 그래프 개형으로 옳은 것은?

(단, $a>0$, $a\neq1$, $b>0$, $b\neq1$인 실수)

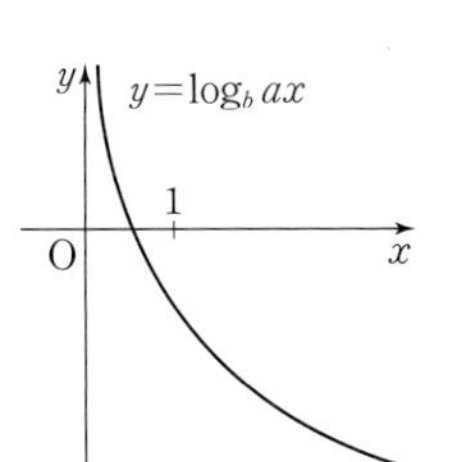

①

②
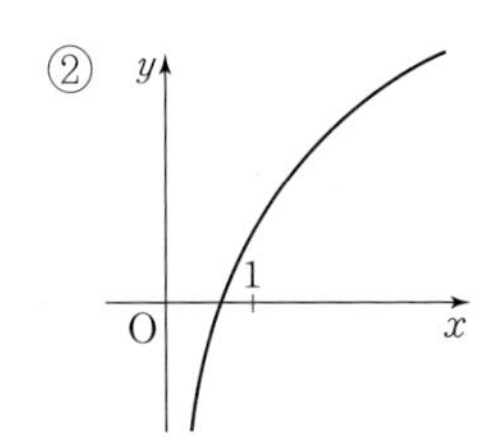

③
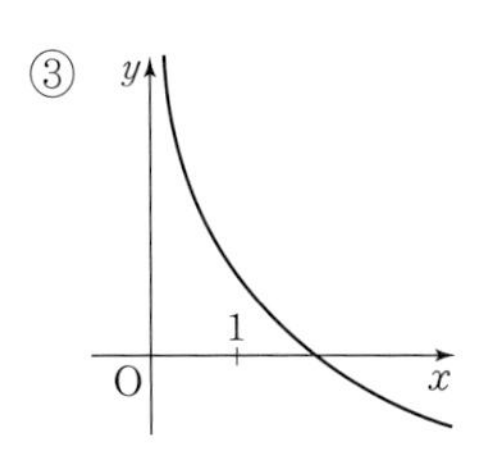

④
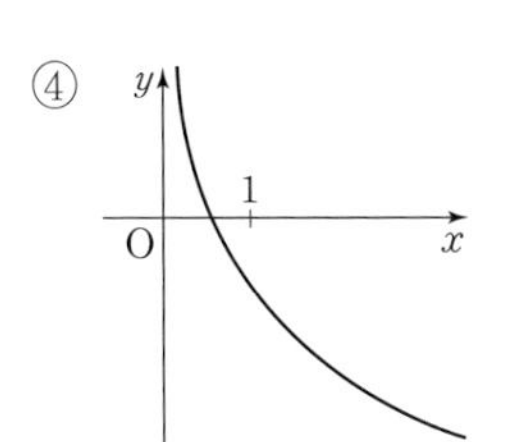

⑤
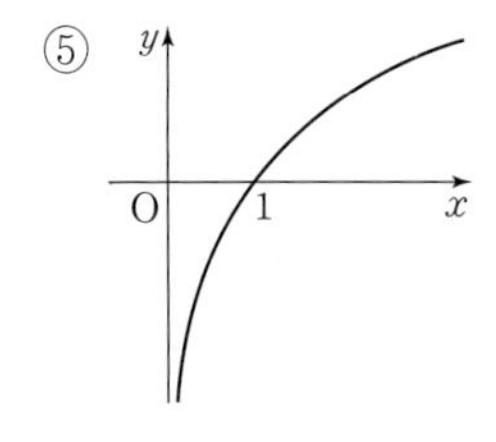

0639 ●●●○

함수 $y=\log_a(x-b)+c$의 그래프가 제1사분면을 지나지 않을 때, 〈보기〉에서 옳은 것만을 있는 대로 고른 것은?

보기

ㄱ. $0<a<1$ ㄴ. $b<0$ ㄷ. $c<0$

① ㄱ ② ㄴ ③ ㄱ, ㄴ
④ ㄱ, ㄷ ⑤ ㄱ, ㄴ, ㄷ

0640 교육청 기출 ●●●○

함수 $y=\log_3 x$의 그래프가 x축과 만나는 점을 A라 하자.
$y=\log_3(x+a)$의 그래프가 선분 OA를 x축의 양의 방향으로 3만큼, y축의 양의 방향으로 2만큼 평행이동한 선분과 만날 때, a의 최댓값과 최솟값의 합은? (단, O는 원점이다.)

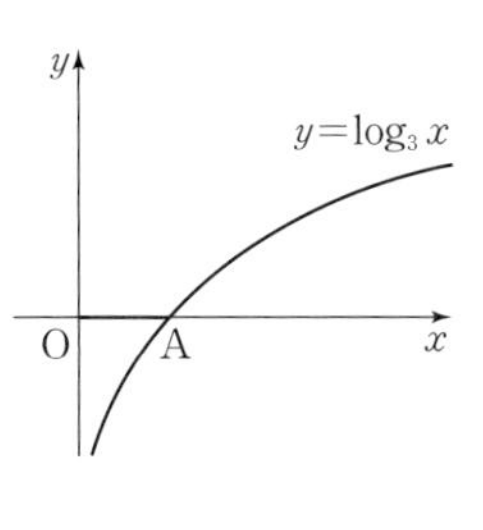

① 9 ② 10 ③ 11
④ 12 ⑤ 13

0641 교육청 기출 ●●●●

네 점 A$(3, -1)$, B$(5, -1)$, C$(5, 2)$, D$(3, 2)$를 연결하여 만든 직사각형이 있다. 함수 $y=\log_a(x-1)-4$의 그래프가 직사각형 ABCD와 만나기 위한 상수 a의 최댓값을 M, 최솟값을 N이라 할 때, $\left(\frac{M}{N}\right)^{12}$의 값을 구하시오.

유형 05 내신 중요도 유형 난이도 ★★★★

로그함수를 이용한 수의 대소 비교

로그함수 $y=\log_a x$ $(a>0,\ a\neq1)$에서
(1) $a>1$일 때, x의 값이 증가하면 y의 값도 증가한다.
(2) $0<a<1$일 때, x의 값이 증가하면 y의 값은 감소한다.

0642

$0<x<1$일 때, 세 수 $A=\log_x 2$, $B=\log_x 5$, $C=\log_x 7$의 대소 관계를 바르게 나타낸 것은?

① $A<B<C$ ② $A<C<B$ ③ $B<C<A$
④ $C<A<B$ ⑤ $C<B<A$

0643

다음 세 수 A, B, C의 대소 관계를 바르게 나타낸 것은?

$$A=2\log_5\sqrt{5},\ B=\log_{\frac{1}{3}}\frac{1}{2},\ C=\log_{\frac{1}{9}}2$$

① $A<B<C$ ② $A<C<B$ ③ $B<C<A$
④ $C<A<B$ ⑤ $C<B<A$

0644

$1<x<2$일 때, 세 수 A, B, C의 대소 관계를 바르게 나타낸 것은?

$$A=\log_2 x,\quad B=(\log_2 x)^2,\quad C=\log_x 2$$

① $A<B<C$ ② $A<C<B$ ③ $B<A<C$
④ $B<C<A$ ⑤ $C<B<A$

0645

$0<b<a<1$일 때, 세 수 $A=\log_a b$, $B=\log_b a$, $C=\log_a \dfrac{a}{b}$의 대소 관계를 바르게 나타낸 것은?

① $A<C<B$ ② $B<A<C$ ③ $B<C<A$
④ $C<A<B$ ⑤ $C<B<A$

0646 평가원 기출

다음은 1이 아닌 세 양수 a, b, c에 대하여 세 함수
$y=\log_a x$, $y=\log_b x$, $y=c^x$
의 그래프를 나타낸 것이다. 세 양수 a, b, c의 대소 관계를 옳게 나타낸 것은?

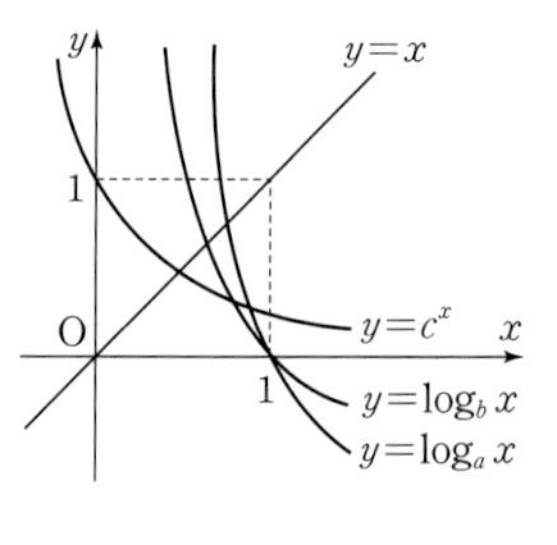

① $a>b>c$ ② $a>c>b$ ③ $b>a>c$
④ $b>c>a$ ⑤ $c>b>a$

유형 06 로그함수의 최대 · 최소

내신 중요도 ▬▬▬▬▬ 유형 난이도 ★★★☆☆

정의역이 $\{x|m\le x\le n\}$인 함수
$g(x)=\log_a f(x)$ $(a>0,\ a\ne1)$에 대하여 주어진 정의역에서 $f(x)$의 최댓값을 α, 최솟값을 β라 하면
(1) $a>1$일 때
⇨ $g(x)$의 최댓값은 $\log_a \alpha$, 최솟값은 $\log_a \beta$
(2) $0<a<1$일 때
⇨ $g(x)$의 최댓값은 $\log_a \beta$, 최솟값은 $\log_a \alpha$

0647 중요 ●○○○

정의역이 $\{x|0\le x\le2\}$일 때, 함수 $y=\log_2(x+2)-5$의 최솟값과 최댓값의 합을 구하시오.

0648 ●●○○

$2\le x\le3$일 때, 함수 $y=\log_{\frac{1}{3}}(x+1)$의 최댓값을 구하시오.

0649 교육청 기출 ●●○○

정의역이 $\{x|5\le x\le8\}$인 함수 $y=\log_{\frac{1}{2}}(x-a)$의 최솟값이 -2일 때, a의 값을 구하시오.

0650 ●●●○

함수 $y=\log_{\frac{1}{3}}(x^2-2x+4)$는 $x=a$일 때, 최댓값 b를 갖는다. $a+b$의 값을 구하시오.

0651 중요 ●●●○

$0\le x\le4$에서 함수 $y=\log_2(x^2-2x+4)$의 최댓값을 M, 최솟값을 m이라 할 때, $M-m$의 값을 구하시오.

0652 중요 교육청 기출 ●●●●

로그함수 $y=\log_{a-3}(x^2-2x+65)$의 최솟값이 2일 때, 상수 a의 값을 구하시오. (단, $a>3$, $a\ne4$)

유형 07 여러 가지 로그함수의 최대 · 최소

내신 중요도 ▬▬▬ 유형 난이도 ★★★★★

(1) $y=f(x)$에서 $f(x)$가 $\log_a x$에 대한 이차식인 경우
⇨ $\log_a x$를 t로 치환하여 t의 값의 범위 내에서 최대 · 최소를 구하자.

(2) $y=x^{f(x)}$ 꼴의 함수의 최대 · 최소
⇨ 양변에 로그를 취하여 구하자.

(3) $y=\log_a b+\log_b a$ ($\log_a b>0$, $\log_b a>0$)의 최대 · 최소
⇨ 산술평균과 기하평균의 관계에 의하여
$\log_a b+\log_b a \geq 2\sqrt{\log_a b \cdot \log_b a}=2$임을 이용하자.
(단, 등호는 $\log_a b=\log_b a$일 때 성립)

0653 ●●○○

$3\leq x\leq 27$에서 함수 $y=(\log_3 x)^2-3\log_3 x+1$의 최댓값을 M, 최솟값을 m이라 할 때, $M+m$의 값을 구하시오.

0654 ●●●○

함수 $y=(\log_3 x)^2+a\log_3 x+b$는 $x=\frac{1}{9}$일 때 최솟값 -2를 가진다. 두 상수 a, b에 대하여 ab의 값을 구하시오.

0655 ●●○○

$1\leq x\leq 8$에서 정의된 함수 $y=(\log_2 x)^2-2\log_2 x+3$의 최댓값을 M, 최솟값을 m이라 할 때, $M+m$의 값은?

① 2 ② 4 ③ 6
④ 8 ⑤ 10

0656 ●●●●

$1\leq x\leq 100$일 때, 함수 $y=10\times x^{4-\log x}$의 최댓값은?

① 10^2 ② 10^3 ③ 10^4
④ 10^5 ⑤ 10^6

0657 ●●●●

$x>0$에서 함수 $y=\log_4(x+1)+\log_4\left(\frac{9}{x}+1\right)$의 최솟값은?

① 0 ② 1 ③ 2
④ 3 ⑤ 4

0658 ●●●○

함수 $y=2^{\log x}\times x^{\log 2}-4(2^{\log x}+x^{\log 2})$은 $x=a$에서 최솟값 b를 가진다. $a+b$의 값을 구하시오. (단, $x>1$)

유형 08 로그함수의 그래프에서 선분의 길이와 넓이

내신 중요도 ■■■■■ 유형 난이도 ★★★★☆

로그함수 $y=\log_a x$ 위의 두 점 $A(m, \log_a m)$, $B(n, \log_a n)$에서 y축에 내린 수선의 발을 각각 A′, B′라 하면

⇨ $\overline{A'B'}=|\log_a m-\log_a n|=\left|\log_a \frac{m}{n}\right|$이다.

0659 ●●○○

그림과 같은 로그함수 $y=\log_3 x$의 그래프에서 선분 AB의 길이가 2일 때, $\frac{b}{a}$의 값을 구하시오.

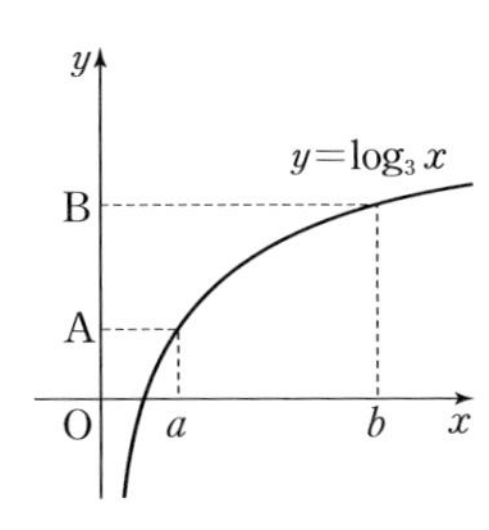

0660 ●●○○

그림과 같이 두 로그함수 $y=\log_2 x$, $y=\log_4 x$의 그래프와 직선 $x=k$가 만나는 서로 다른 두 점을 각각 A, B라 할 때, 선분 AB의 길이가 3이 되도록 하는 k의 값을 구하시오. (단, $k>1$)

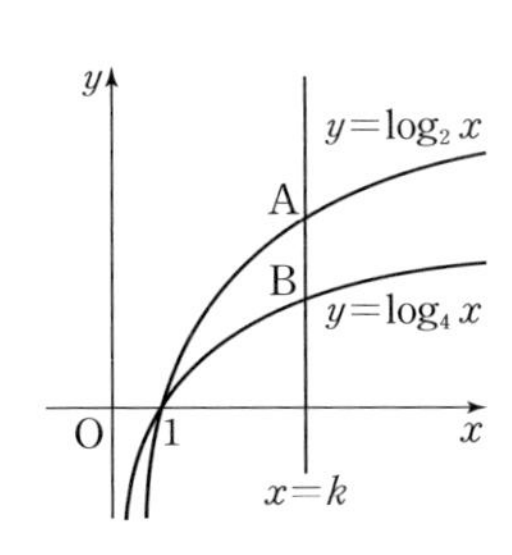

0661 중요 ●●○○

그림과 같이 세 곡선 $y=\log_2 x$, $y=\log_4 x$, $y=\log_8 x$와 직선 $x=k$가 만나는 점을 각각 A, B, C라 할 때, $\frac{\overline{AB}}{\overline{BC}}$의 값을 구하시오. (단, $k>1$)

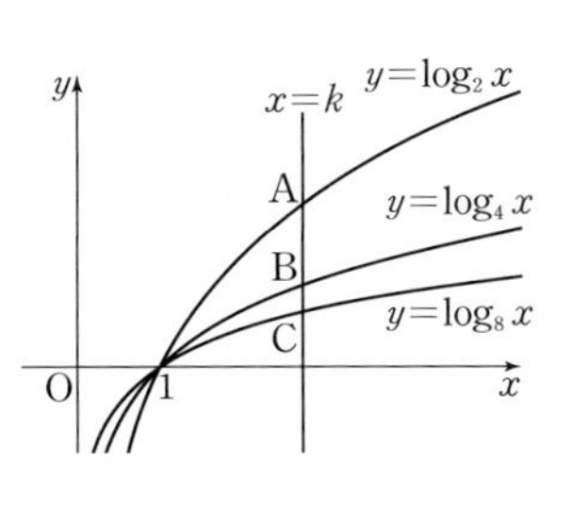

0662 ●●○○

그림과 같이 로그함수 $y=\log_2 x$의 그래프 위의 세 점 A, B, C에서 x축에 내린 수선의 발을 각각 A_x, B_x, C_x라 하고, y축에 내린 수선의 발을 각각 A_y, B_y, C_y라 하자. $\overline{A_yB_y}=\overline{B_yC_y}=1$일 때, $\overline{A_xB_x} : \overline{B_xC_x}$는?

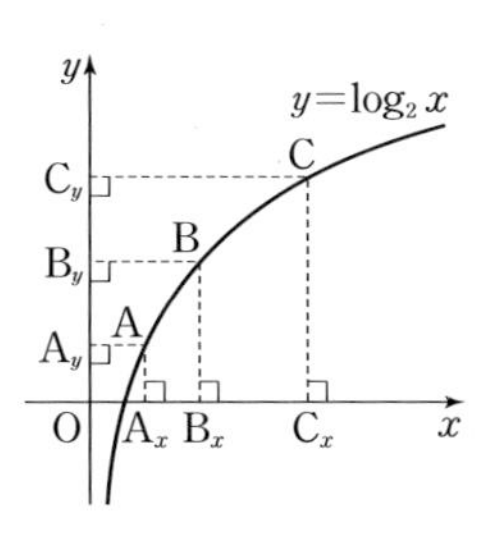

① $1:1$ ② $1:\sqrt{2}$ ③ $1:2$
④ $1:2\sqrt{2}$ ⑤ $1:4$

0663 중요 ●●○○

그림과 같이 로그함수 $y=\log_a x$의 그래프 위의 두 점 A, C를 이은 선분이 한 변의 길이가 2인 정사각형 ABCD의 대각선이다. 선분 AB는 x축과 평행하고, 함수 $y=\log_b x$의 그래프가 점 B를 지날 때, b의 값을 구하시오.

(단, $1<a<b$이고, 점 A의 y좌표는 2이다.)

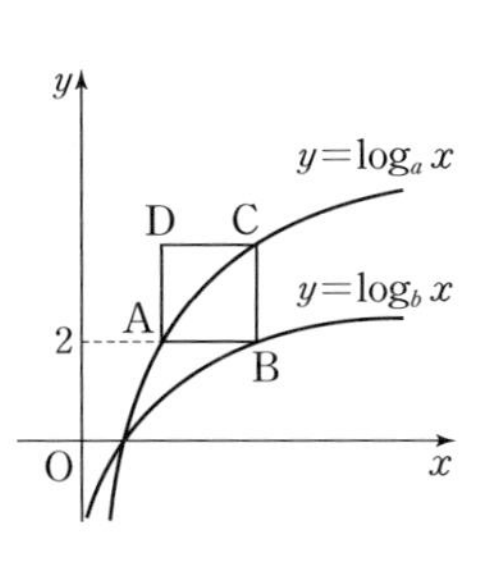

0664 ●●○○

그림과 같이 한 변은 x축 위에 있고, 한 꼭짓점은 곡선 $y=\log_3(x-1)$ 위에 있는 두 정사각형이 서로 붙어 있다. 작은 정사각형의 넓이가 4일 때, 큰 정사각형의 넓이는?

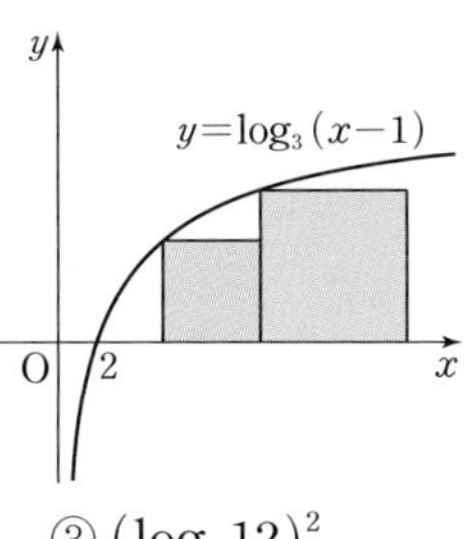

① $(\log_3 10)^2$ ② $(\log_3 11)^2$ ③ $(\log_3 12)^2$
④ $\log_3 20$ ⑤ $\log_3 22$

0665 ●●○○

좌표평면 위의 네 점 A(2, 0), B(4, 0), C(8, 0), D(16, 0)에서 x축에 수직인 직선을 그어 로그함수 $y=\log_2 x$의 그래프와 만나는 점을 각각 P, Q, R, S라 하자. 두 사다리꼴 ABQP, CDSR의 넓이의 합을 구하시오.

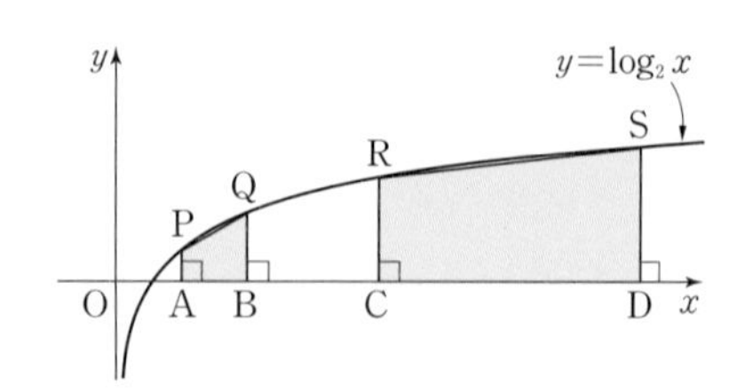

0666 ●●●●

그림과 같이 두 함수 $y=\log_2 x$, $y=\log_2 2x$의 그래프와 두 직선 $x=1$, $x=4$로 둘러싸인 부분의 넓이를 구하시오.

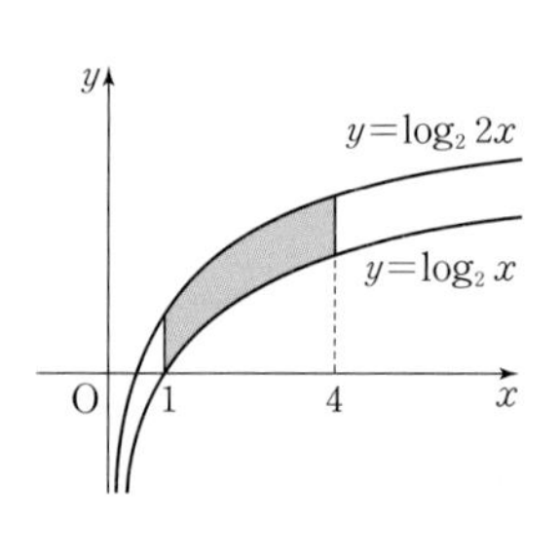

0667 ●●●○

1보다 큰 양수 a에 대하여 두 함수 $y=\log_a x$, $y=\log_a (16-x)$의 그래프가 x축과 만나는 점을 각각 A, B라 하고, 두 함수 $y=\log_a x$, $y=\log_a (16-x)$의 그래프가 만나는 점을 C라 하자. 삼각형 ABC의 넓이가 14일 때, a의 값은?

① $\sqrt{2}$ ② 2 ③ $2\sqrt{2}$
④ 3 ⑤ $3\sqrt{2}$

0668 중요 교육청 기출 ●●●○

그림과 같이 x축 위의 한 점 A를 지나는 직선이 곡선 $y=\log_2 x^3$과 서로 다른 두 점 B, C에서 만나고 있다. 두 점 B, C에서 x축에 내린 수선의 발을 각각 D, E라 하고, 두 선분 BD, CE가 곡선 $y=\log_2 x$와 만나는 점을 각각 F, G라 하자.

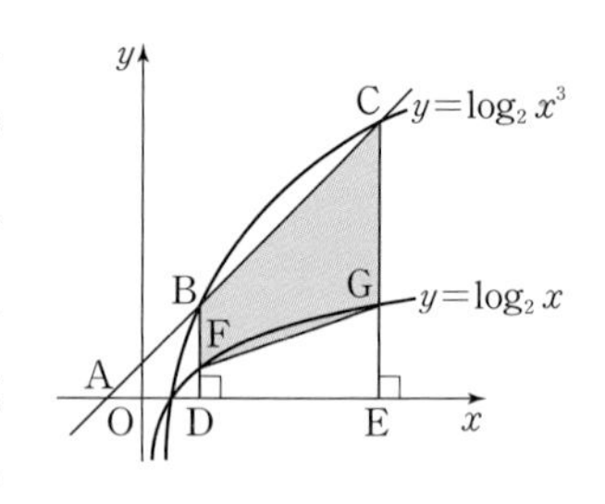

$\overline{AB}:\overline{BC}=1:2$이고, 삼각형 ADB의 넓이가 $\frac{9}{2}$일 때, 사각형 BFGC의 넓이를 구하시오. (단, 점 A의 x좌표는 0보다 작다.)

0669 ●●●●

그림과 같이 함수 $y=|\log_3 x|$의 그래프와 직선 l이 세 점 P, Q, R에서 만나고, 두 점 P, Q의 x좌표는 각각 k, $2k$이다. 점 P를 지나고 x축에 평행한 직선을 m이라 할 때, 두 점 Q, R에서 직선 m에 내린 수선의 발을 각각 Q′, R′이라 하자. 삼각형 PR′R의 넓이가 삼각형 PQ′Q의 넓이의 9배라 할 때, k^4의 값은?

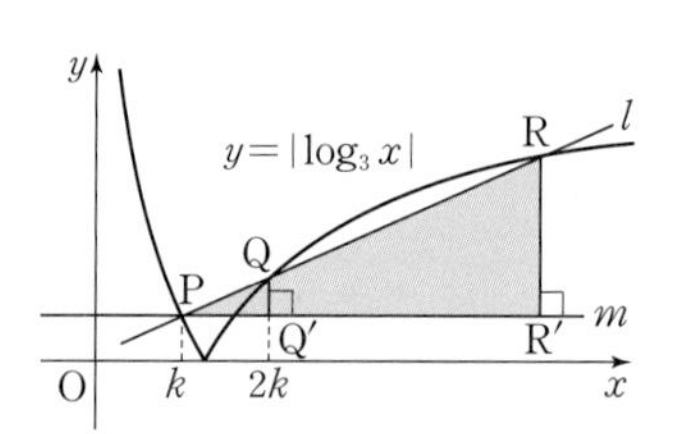

① $\frac{1}{3}$ ② $\frac{1}{2}$ ③ 1
④ 2 ⑤ 3

해설 088쪽

유형 09 로그함수의 그래프의 응용

내신 중요도 ▬▬▬▬▬ 유형 난이도 ★★★★★

로그함수 $y=\log_a x$ $(a>0,\ a\neq1)$의 그래프가 점 $(m,\ n)$을 지나면

$n=\log_a m \Longleftrightarrow a^n=m$

0670

●●●○

두 함수 $f(x)=-\log_2(2x-n)$, $g(x)=|2^{-x}-n|$에 대하여 다음 두 조건을 모두 만족하는 정수 n의 개수를 구하시오.

(가) 함수 $y=f(x)$의 그래프와 직선 $x=5$가 한 점에서 만난다.
(나) 함수 $y=g(x)$의 그래프와 직선 $y=3$이 두 점에서 만난다.

0671

●●●○

두 함수 $y=\log_2\left(x+\frac{1}{4}\right)$과 $y=\log_{\frac{1}{3}}\left(x+\frac{p}{2}\right)$가 제4사분면에서 만나도록 하는 양의 실수 p의 값의 범위가 $\alpha<p<\beta$일 때, $\alpha\beta$의 값을 구하시오.

0672 평가원 기출

●●●○

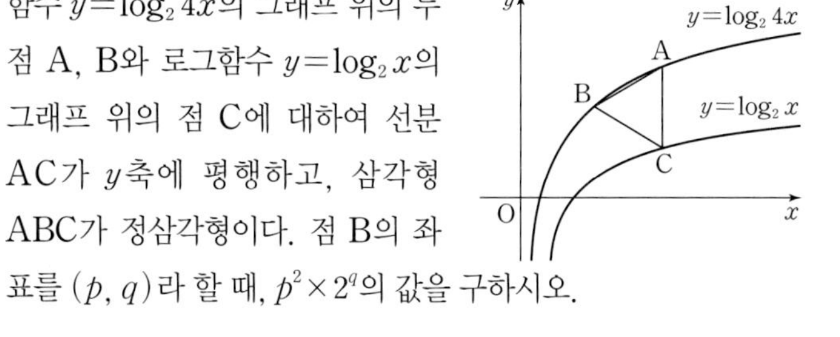

함수 $y=\log_2 4x$의 그래프 위의 두 점 A, B와 로그함수 $y=\log_2 x$의 그래프 위의 점 C에 대하여 선분 AC가 y축에 평행하고, 삼각형 ABC가 정삼각형이다. 점 B의 좌표를 $(p,\ q)$라 할 때, $p^2\times2^q$의 값을 구하시오.

0673 교육청 기출

●●●○

두 함수 $f(x)=a^x$과 $g(x)=\log_b x$의 교점의 개수를 k라 할 때, 옳은 것만을 〈보기〉에서 있는 대로 고른 것은?

(단, $a\neq1$, $a>0$, $b\neq1$, $b>0$)

보기

ㄱ. $a=\frac{1}{2}$, $b=2$이면 $k=1$이다.
ㄴ. $a=b=\sqrt{2}$이면 $k=2$이다.
ㄷ. $ab>2$이면 $k=2$이다.

① ㄱ ② ㄴ ③ ㄱ, ㄴ
④ ㄴ, ㄷ ⑤ ㄱ, ㄴ, ㄷ

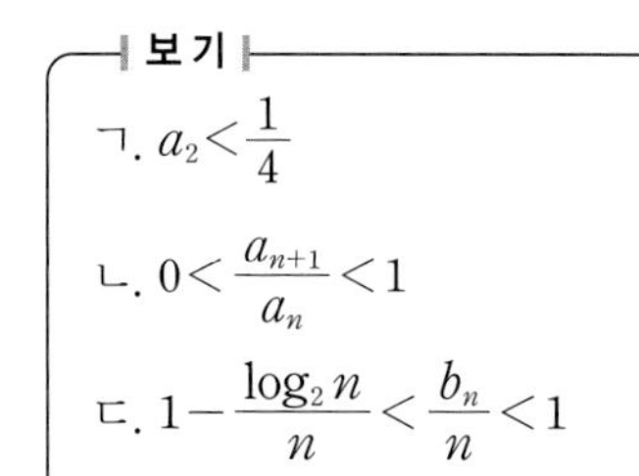

0674 평가원 기출

●●●●

자연수 n $(n\geq2)$에 대하여 직선 $y=-x+n$과 곡선 $y=|\log_2 x|$가 만나는 서로 다른 두 점의 x좌표를 각각 a_n, b_n $(a_n<b_n)$이라 할 때, 옳은 것만을 〈보기〉에서 있는 대로 고른 것은?

보기

ㄱ. $a_2<\frac{1}{4}$
ㄴ. $0<\frac{a_{n+1}}{a_n}<1$
ㄷ. $1-\frac{\log_2 n}{n}<\frac{b_n}{n}<1$

① ㄱ ② ㄴ ③ ㄱ, ㄴ
④ ㄴ, ㄷ ⑤ ㄱ, ㄴ, ㄷ

0675 평가원 기출 ●●●●

$0<a<\frac{1}{2}$인 상수 a에 대하여 직선 $y=x$가 곡선 $y=\log_a x$와 만나는 점을 (p, p), 직선 $y=x$가 곡선 $y=\log_{2a}x$와 만나는 점을 (q, q)라 하자. 〈보기〉에서 옳은 것만을 있는 대로 고르시오.

보기
ㄱ. $p=\frac{1}{2}$이면 $a=\frac{1}{4}$이다.
ㄴ. $p<q$
ㄷ. $a^{p+q}=\frac{pq}{2^q}$

0676 평가원 기출 ●●●●

좌표평면에서 두 곡선 $y=|\log_2 x|$와 $y=\left(\frac{1}{2}\right)^x$이 만나는 두 점을 $P(x_1, y_1)$, $Q(x_2, y_2)$ $(x_1<x_2)$라 하고, 두 곡선 $y=|\log_2 x|$와 $y=2^x$이 만나는 점을 $R(x_3, y_3)$이라 하자. 옳은 것만을 〈보기〉에서 있는 대로 고른 것은?

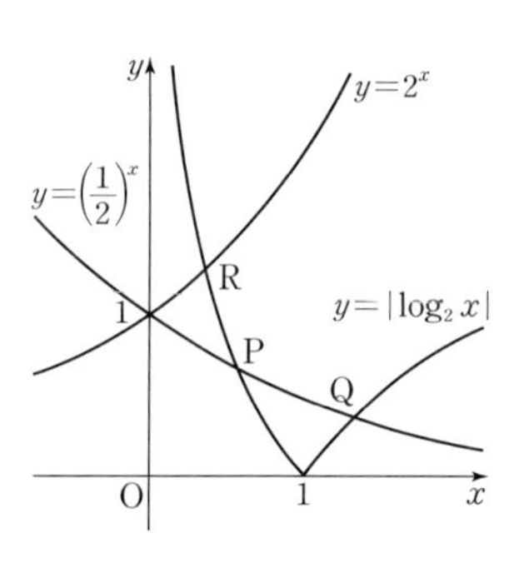

보기
ㄱ. $\frac{1}{2}<x_1<1$
ㄴ. $x_2y_2-x_3y_3=0$
ㄷ. $x_2(x_1-1)>y_1(y_2-1)$

유형 10 지수함수와 로그함수의 관계

내신 중요도 ■■■■■ 유형 난이도 ★★★★★

$a>0$, $a\neq1$일 때

(1) $y=\log_a x \Longleftrightarrow x=a^y$

(2) 로그함수 $y=\log_a x$는 지수함수 $y=a^x$의 역함수이다.

(3) 두 함수 $y=\log_a x$, $y=a^x$의 그래프는 직선 $y=x$에 대하여 대칭이다.

참고 로그함수 $f(x)=\log_a x$ $(a>0, a\neq1)$의 역함수를 $g(x)$라 할 때

$f(p)=q \Longleftrightarrow g(q)=p$, 즉 $\log_a p=q \Longleftrightarrow a^q=p$

0677 ●●○○

함수 $f(x)=\log_6 x$의 역함수 $y=g(x)$에 대하여 $g(\alpha)=\frac{1}{3}$, $g(\beta)=\frac{1}{2}$일 때, $g(\alpha+\beta)$의 값을 구하시오.

0678 ●●○○

두 함수 $y=10^{ax}$, $y=\frac{a}{100}\log x$의 그래프가 직선 $y=x$에 대하여 대칭일 때, 양수 a의 값을 구하시오.

0679 중요 ●●○○

함수 $y=2^{x-a}+b$의 그래프와 그 역함수의 그래프가 두 점에서 만나고, 두 교점의 x좌표가 각각 1, 2일 때, 두 상수 a, b에 대하여 $a+b$의 값을 구하시오.

0680 평가원 기출

자연수 n에 대하여 두 함수 $y=2^x$, $y=\log_2 x$의 그래프가 직선 $x=n$과 만나는 교점의 y좌표를 각각 a, b라 하자. $a+b$가 세 자리의 자연수일 때, $a+b$의 값을 구하시오.

0681 중요

함수 $f(x)=a^x+k$의 그래프와 함수 $g(x)=\log_a(x-k)$의 그래프가 서로 다른 두 점 A, B에서 만나고 다음 조건을 만족한다. 이때, $f(1)+g(5)$의 값을 구하시오. (단, $a>1$이고, k는 상수이다.)

> (가) $\overline{AB}=4\sqrt{2}$
> (나) 선분 AB를 수직이등분하는 직선의 방정식이 $y=-x+6$ 이다.

0682

그림은 지수함수 $f(x)=2^x$의 그래프와 $y=f(x)$의 역함수 $y=f^{-1}(x)$의 그래프이다. 점 C의 좌표를 (a, b)라 할 때, $a-b$의 값은?
(단, 점선은 x축 또는 y축에 평행하다.)

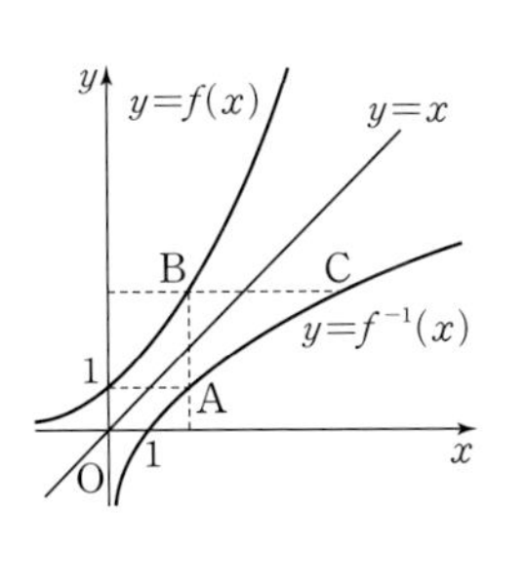

① 12 ② 14
③ 16 ④ 18
⑤ 20

0683 중요

함수 $y=f(x)$의 그래프는 함수 $y=\log_2(x-1)$의 그래프와 직선 $y=x$에 대하여 대칭이다.
점 $P(2, b)$는 곡선 $y=f(x)$ 위에, 점 $Q(a, b)$는 곡선 $y=\log_2(x-1)$ 위에 있을 때, $a+b$의 값을 구하시오.

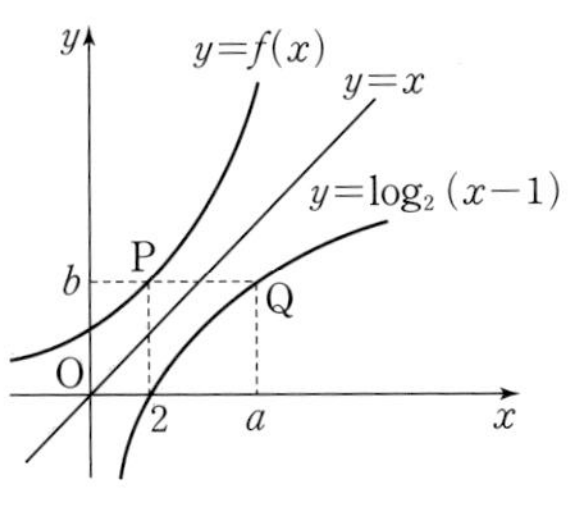

0684

그림과 같이 각 변이 x축 또는 y축에 평행한 두 정사각형 ABCD, DEFG가 있다. 두 점 A, G는 곡선 $y=3^x$ 위의 점이고, 두 점 C, E는 곡선 $y=\log_3 x$ 위의 점이다. 점 A의 x좌표가 1일 때, 두 정사각형 ABCD와 DEFG의 넓이의 합을 구하시오.

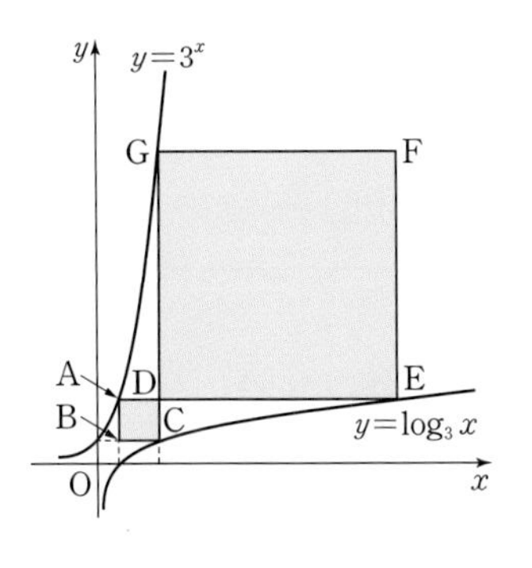

0685 ●●●○

그림과 같이 x축 위의 두 점 $P(p, 0)$, $Q(q, 0)$에서 각각 y축에 평행한 직선을 그어 곡선 $y=\log_3 x$와 만나는 점을 P_1, Q_1이라 하고, 두 점 P_1, Q_1에서 각각 x축에 평행한 직선을 그어 곡선 $y=3^x$과 만나는 점을 P_2, Q_2라 하자.

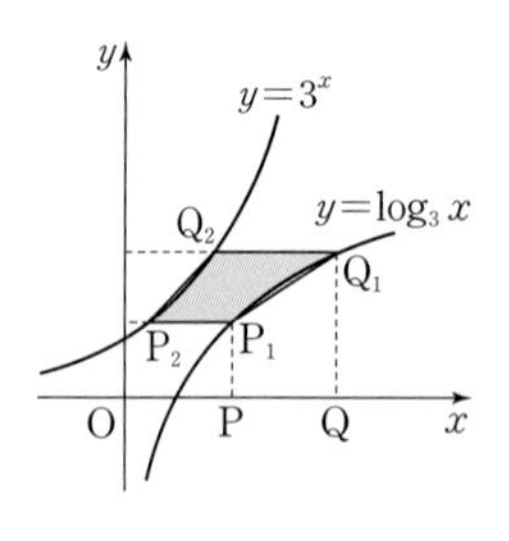

사각형 $P_1Q_1Q_2P_2$의 넓이를 $f(p, q)$라 할 때, $f(9, 81)$의 값은?
(단, $p>3$, $q>3$)

① $36-\log_3 2$ ② $72-\log_3 2$ ③ $72+2\log_3 2$
④ $90-3\log_3 2$ ⑤ $90+\log_3 2$

0686 ●●●●

그림과 같이 직선 $y=-x+a$가 두 곡선 $y=2^x$, $y=\log_2 x$와 만나는 점을 각각 A, B라 하고, x축과 만나는 점을 C라 할 때, 세 점 A, B, C가 다음 조건을 만족시킨다.

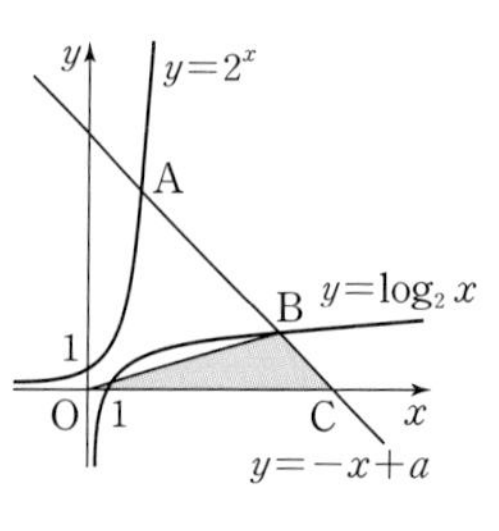

> (가) $\overline{AB} : \overline{BC}=3 : 1$
> (나) 삼각형 OCB의 넓이는 40이다.

점 A의 좌표를 (p, q)라 할 때, $p+q$의 값을 구하시오.
(단, a는 상수이고, O는 원점이다.)

유형 11 로그방정식 내신 중요도 ▬▬▬▬▬ 유형 난이도 ★★★★★

(1) 밑이 같은 경우
$\log_a f(x)=\log_a g(x) \Rightarrow f(x)=g(x)$
(단, $a>0$, $a\neq1$, $f(x)>0$, $g(x)>0$)

(2) 밑이 같지 않은 경우
로그의 성질이나 밑의 변환 공식을 이용하여 밑을 같게 한 후 방정식을 푼다.

0687 ●●○○

방정식 $\log_2(\log_3(\log_5 x))=0$을 만족시키는 정수 x의 값을 구하시오. (단, $x>5$)

0688 중요 ●○○○

방정식 $\log_2 x+\log_2(x+3)=\log_2 10$의 해는?

① -5 또는 2 ② -2 또는 5 ③ 2
④ 3 ⑤ 5

0689 ●●○○

방정식 $\log_4(x-3)+\log_{\frac{1}{4}}(x-5)=\frac{1}{2}$의 해를 구하시오.

0690 ●○○○

방정식 $\log_2|x-2|=3$을 만족시키는 모든 x의 값의 합은?

① 2　② 4　③ 6　④ 8　⑤ 10

0691 ●●○○

연립방정식 $\begin{cases} y=x+2 \\ 3=\log_2 x+\log_2 y \end{cases}$의 해를 $x=\alpha$, $y=\beta$라 할 때, $\alpha^2-\beta^2$의 값을 구하시오.

0692 ●●●●

방정식 $\log_{x^2-8}(x-3)=\log_{2x+7}(x-3)$의 모든 근의 곱은?

① -20　② -15　③ 10　④ 15　⑤ 20

유형 **12** $\log_a x=t$로 치환하는 로그방정식

내신 중요도 / 유형 난이도 ★★☆☆☆

(1) $\log_a x$ 꼴이 반복될 때 $\log_a x=t$로 치환하여 t에 대한 방정식을 푼다. (단, $a>0$, $a\neq1$, $x>0$)

(2) 방정식 $p(\log_a x)^2+q\log_a x+r=0$의 두 근을 α, β라 하면 $\log_a x=t$로 치환한 이차방정식 $pt^2+qt+r=0$의 두 근은 $\log_a\alpha$, $\log_a\beta$이다. (단, $a>0$, $a\neq1$)

⇨ 이차방정식의 근과 계수의 관계에 의하여

$$\log_a\alpha+\log_a\beta=-\frac{q}{p},\ \log_a\alpha\times\log_a\beta=\frac{r}{p}$$

0693 중요 ●●○○

방정식 $(\log_2 x)^2-3\log_2 x+2=0$의 두 실근을 α, β라 할 때, $2\alpha+\beta$의 값은? (단, $\alpha<\beta$)

① 2　② 4　③ 6　④ 8　⑤ 10

0694 ●●○○

방정식 $\log_3 3x\times\log_3\frac{x}{3}=8$의 해를 구하시오.

0695 ●●●○

방정식 $\log_3 x+2\log_x 3-3=0$의 모든 근의 합은?

① 12　② 15　③ 18　④ 24　⑤ 32

0696 중요 ●●●○

방정식 $\log_2 x \times \log_2 \frac{x}{10} - \log_2 x = 8$의 두 근을 α, β라 할 때, $\alpha\beta$의 값을 구하시오.

0697 ●●●○

방정식 $(\log x)^2 - k\log x - 2 = 0$의 두 근의 곱이 1000일 때, 상수 k의 값은?

① 1 ② 2 ③ 3
④ 4 ⑤ 5

0698 ●●●○

방정식 $3^{\log x} \times x^{\log 3} - 5(3^{\log x} + x^{\log 3}) + 9 = 0$의 모든 근의 합을 구하시오.

유형 **13** 로그부등식

내신 중요도 ■■■■■ 유형 난이도 ★★★★★

(1) 밑이 같은 경우

① $a>1$일 때

$\log_a f(x) < \log_a g(x) \Rightarrow f(x) < g(x)$

② $0<a<1$일 때

$\log_a f(x) < \log_a g(x) \Rightarrow f(x) > g(x)$

(단, $f(x)>0$, $g(x)>0$)

(2) 밑이 같지 않은 경우

로그의 성질이나 밑의 변환 공식을 이용하여 밑을 같게 한 후 부등식을 푼다.

0699 중요 ●○○○

로그부등식 $\log_2(2x-1)<1$을 만족시키는 x의 값의 범위를 구하시오.

0700 ●○○○

부등식 $\log_{\frac{1}{5}}(x^2-2x+5) \geq -1$을 만족시키는 x의 최댓값은?

① -2 ② -1 ③ 0
④ 1 ⑤ 2

0701 짱중요 ●●○○

부등식 $\log_3(x-1)+\log_3(7-x)>\log_3 5$를 만족시키는 정수 x의 개수는?

① 1 ② 2 ③ 3
④ 4 ⑤ 5

0702 짱중요

●●○○

부등식 $2\log_3(x-1) \le \log_3(2x+6)$의 해는?

① $x \le -1$　② $-1 \le x \le 1$　③ $-1 < x \le 5$
④ $1 < x \le 5$　⑤ $x \ge 5$

0703

●●○○

부등식 $\log_{\frac{1}{2}}(x^2-ax+b) \ge \log_{\frac{1}{2}} x$의 해가 $1 \le x \le 3$일 때, 두 상수 a, b에 대하여 a^2+b^2의 값을 구하시오.

0704

●●●○

부등식 $\log_8(\log_2 x-3) \le \frac{2}{3}$를 만족시키는 정수 x의 개수는?

① 114　② 116　③ 118
④ 120　⑤ 122

0705 중요 평가원 기출

●●●○

연립부등식

$$\begin{cases} 2^{x+3} > 4 \\ 2\log(x+3) < \log(5x+15) \end{cases}$$

를 만족시키는 정수 x의 개수를 구하시오.

0706 중요

●●●●

두 함수 $y=f(x)$와 $y=g(x)$의 그래프가 그림과 같을 때, 부등식 $\log_{\frac{1}{2}} f(x) \le \log_{\frac{1}{2}} g(x)$의 해는?

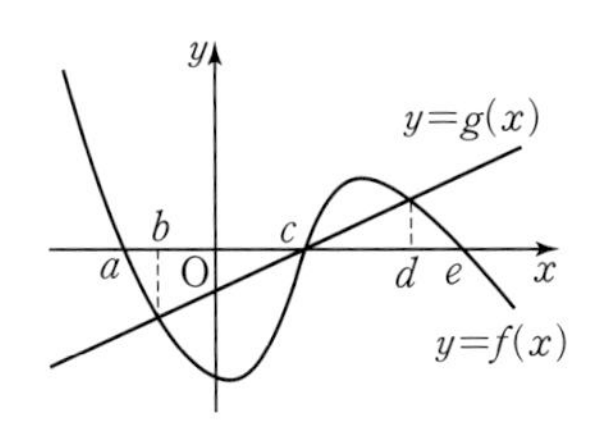

① $a \le x \le b$
② $b < x \le d$
③ $c < x \le d$
④ $c < x \le e$
⑤ $d \le x < e$

0707 교육청 기출

●●●●

그림은 두 함수 $y=f(x)$, $y=g(x)$의 그래프이다. $0 < x < e$에서 로그부등식 $\log_{f(x)} g(x) > 1$을 만족하는 값의 범위는?

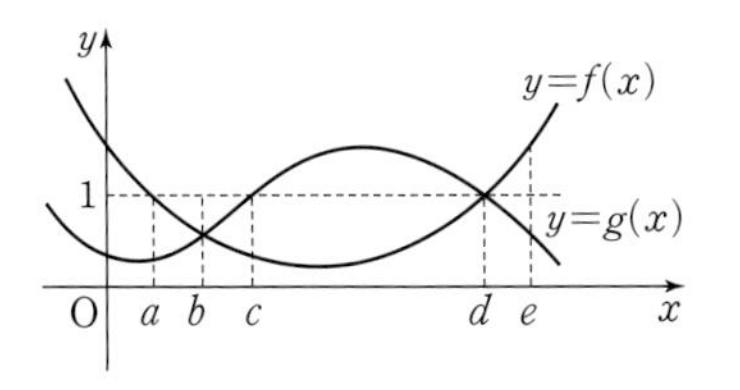

① $0 < x < a$　② $a < x < b$　③ $b < x < c$
④ $c < x < d$　⑤ $d < x < e$

유형 14

내신 중요도 ■■■■■ 유형 난이도 ★★★★★

$\log_a x = t$로 치환하는 로그부등식

$\log_a x$ 꼴이 반복될 때 $\log_a x = t$로 치환하여 t에 대한 부등식을 푼다. (단, $a>0$, $a \neq 1$, $x>0$)

0708 ●●○○

부등식 $(\log_2 4x)(\log_2 8x) < 2$를 만족시키는 해가 $\alpha < x < \beta$일 때, $\alpha\beta$의 값은?

① $\frac{1}{32}$ ② $\frac{1}{16}$ ③ $\frac{1}{8}$
④ $\frac{1}{4}$ ⑤ $\frac{1}{2}$

0709 중요 ●○○○

부등식 $(\log_{\frac{1}{2}} x)^2 - 2\log_{\frac{1}{2}} x - 3 \leq 0$의 해는?

① $0 < x \leq \frac{1}{8}$ 또는 $x \geq 2$ ② $0 < x \leq \frac{1}{4}$ 또는 $x \geq 2$
③ $\frac{1}{8} \leq x \leq 2$ ④ $\frac{1}{4} \leq x \leq 2$
⑤ $\frac{1}{2} \leq x \leq 2$

0710 ●●○○

부등식 $(\log_3 x)^2 < \log_{\frac{1}{3}} x^2$의 해를 구하시오.

0711 중요 ●●○○

연립부등식 $\begin{cases} (\log_2 x)^2 - \log_2 x^2 < 3 \\ 4^x - 2^{x+2} \leq 32 \end{cases}$ 를 만족시키는 모든 정수 x의 값의 합은?

① 3 ② 4 ③ 5
④ 6 ⑤ 7

0712 ●●●○

부등식 $x^{\log_{\frac{1}{2}} x} \geq \frac{1}{2}$의 해를 구하시오.

0713 ●●●○

임의의 양수 x에 대하여 부등식 $(\log_3 x)^2 + a\log_3 x + a + 8 > 0$이 항상 성립하도록 하는 정수 a의 개수는?

① 3 ② 5 ③ 7
④ 9 ⑤ 11

유형 15 양변에 로그를 취하는 방정식과 부등식

내신 중요도 유형 난이도 ★★★★☆

지수에 $\log_a x$를 포함하는 경우는 양변에 a를 밑으로 하는 로그를 취하여 방정식, 부등식을 푼다.

0714

방정식 $2^{\log_8 x}=3$의 해는?

① 19 ② 21 ③ 23 ④ 25 ⑤ 27

0715

$x>0$일 때, 방정식 $(2x)^{\log 2}=(3x)^{\log 3}$의 해는?

① $x=\frac{1}{2}$ ② $x=\frac{1}{3}$ ③ $x=\frac{1}{4}$ ④ $x=\frac{1}{5}$ ⑤ $x=\frac{1}{6}$

0716 중요

방정식 $x^{\log x}-\frac{100}{x}=0$의 모든 근의 곱은?

① $\frac{1}{100}$ ② $\frac{1}{10}$ ③ 1 ④ 10 ⑤ 100

0717 중요

방정식 $x^{\log_2 x^2}=4x^3$의 모든 근의 곱은?

① $\sqrt{2}$ ② 2 ③ $2\sqrt{2}$ ④ 4 ⑤ 8

0718

부등식 $x^{\log_2 x}<4x$의 해가 $\alpha<x<\beta$일 때, $\alpha\beta$의 값은?

① 2 ② 3 ③ 4 ④ 5 ⑤ 6

0719

임의의 실수 x에 대하여 부등식 $10^{x^2+\log a}>a^{2x}$이 항상 성립하도록 하는 양의 정수 a의 총합을 구하시오.

유형 16 내신 중요도 유형 난이도 ★★★★★

16 로그방정식과 로그부등식의 응용

(1) 모든 실수 x에 대하여
$ax^2+bx+c>0 \Rightarrow a>0,\ b^2-4ac<0$
$ax^2+bx+c<0 \Rightarrow a<0,\ b^2-4ac<0$
(2) 이차방정식 $ax^2+bx+c=0$이 실근을 갖는다.
$\Rightarrow b^2-4ac\geq 0$

0720 중요

x에 대한 방정식 $x^2-2(2+\log_2 a)x+1=0$이 실근을 가지도록 하는 상수 a의 값의 범위를 구하시오.

0721

x에 대한 부등식 $x^2-2(1+\log_3 a)x+1-(\log_3 a)^2>0$이 항상 성립하도록 하는 양수 a의 값의 범위는?

① $0<a<\frac{1}{3}$ ② $0<a<\frac{1}{3}$ 또는 $a>1$
③ $0<a<1$ 또는 $a>1$ ④ $\frac{1}{3}<a<1$
⑤ $a>1$

0722

이차방정식 $(3+\log_2 a)x^2+2(1+\log_2 a)x+1=0$이 서로 다른 두 실근을 가질 때, 다음 중 a의 값이 될 수 있는 것은?

① $\frac{1}{8}$ ② $\frac{1}{4}$ ③ $\frac{1}{2}$
④ 2 ⑤ 4

유형 17 내신 중요도 유형 난이도 ★★★★☆

17 로그방정식과 로그부등식의 활용

(1) 조건에 맞게 방정식 또는 부등식을 세운 다음 상용로그를 취하여 그 해를 구한다.
(2) 주어진 관계식에 알맞은 문자 또는 값을 대입한 후 지수와 로그의 성질을 이용하여 푼다.

0723

소리의 세기가 $I\,(\mathrm{W/cm^2})$인 음원으로부터 $r\,(\mathrm{cm})$만큼 떨어진 지점에서 측정된 소리의 상대적 세기 P(데시벨)는

$$\mathrm{P}(I, r)=10\left(12+\log\frac{I}{r^2}\right)$$

로 나타난다고 한다. 음원으로부터 측정 지점까지의 거리를 10배로 늘리면 소리의 상대적 세기는 몇 데시벨 감소하는지 구하시오.

0724

어떤 물질 200cc를 물에 넣은 후 t시간이 지났을 때, 물에 분해되고 남아 있는 물질의 양을 $f(t)$cc라 하면 다음 관계식을 따른다고 한다.

$$f(t)=200-50\log_2(1+t)$$

물에 분해되고 남아 있는 물질의 양이 120cc가 될 때까지의 시간을 a라 할 때, 남아 있는 물질의 양이 40cc가 될 때까지의 시간을 a로 나타낸 것은?

① $(a+1)^2-1$ ② $(a+1)^2$ ③ $(a+1)^2+1$
④ $(a-1)^2-1$ ⑤ $(a-1)^2$

0725 ●●●●

15세에서 25세까지의 남자들의 몸무게를 조사해 보았더니 나이 t와 몸무게 y(kg) 사이에

$y=45+20\log(t-14)$ $(15\le t\le 25)$

의 관계가 성립하였다고 한다. 3살 차이의 두 남자의 몸무게의 합이 110kg일 때, 두 남자의 나이의 합은?

① 33 ② 35 ③ 37
④ 39 ⑤ 41

0726 중요 ●●●○

개체 수가 1시간마다 2배씩 증가하는 어떤 세균은 n시간 후 최초로 처음 세균의 수의 4000배 이상이 된다. 이때, 자연수 n의 값을 구하시오. (단, $\log 2=0.3$으로 계산한다.)

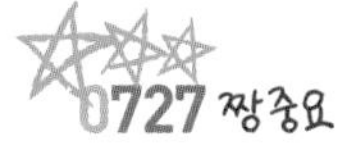
0727 짱중요 ●●●○

물에 섞여 있는 중금속은 여과기를 한 번 통과할 때마다 20 %씩 감소한다고 한다. 중금속의 양을 처음 양의 2 % 이하로 줄이려면 여과기를 최소한 몇 번 통과시켜야 하는가?

(단, $\log 2=0.3010$으로 계산한다.)

① 17번 ② 18번 ③ 19번
④ 20번 ⑤ 21번

0728 ●●●●

어느 경제학자에 의하면 일반적으로 근로자의 노동에 대한 시간당 금전적 가치를 V, 시간당 임금을 W, 시간당 생활비를 C, 세율을 t라 할 때, 다음과 같은 식이 성립한다고 한다.

$$V=\frac{W(100-t)}{100C}$$

매년 시간당 임금과 생활비는 각각 8 %, 3 %씩 증가하고 세율은 변동이 없을 때, 시간당 금전적 가치가 현재의 2배 이상이 되는 것은 몇 년 후부터인가?

(단, $\log 1.03=0.0128$, $\log 1.08=0.0334$, $\log 2=0.3010$으로 계산한다.)

① 9년 후 ② 11년 후 ③ 13년 후
④ 15년 후 ⑤ 17년 후

0729 ●●●●

특정 환경의 어느 웹사이트에서 한 메뉴 안에 선택할 수 있는 항목이 n개 있는 경우, 항목을 1개 선택하는 데 걸리는 시간 T(초)가 다음 식을 만족시킨다.

$$T=2+\frac{1}{3}\log_2(n+1)$$

메뉴가 여러 개인 경우, 모든 메뉴에서 항목을 1개씩 선택하는 데 걸리는 전체 시간은 각 메뉴에서 항목을 1개씩 선택하는 데 걸리는 시간을 모두 더하여 구한다. 예를 들어 메뉴가 3개이고 각 메뉴 안에 항목이 4개씩 있는 경우, 모든 메뉴에서 항목을 1개씩 선택하는 데 걸리는 전체 시간은 $3\left(2+\frac{1}{3}\log_2 5\right)$초이다.

메뉴가 10개이고 각 메뉴 안에 항목이 n개씩 있는 경우, 모든 메뉴에서 항목을 1개씩 선택하는 데 걸리는 전체 시간이 30초 이하가 되도록 하는 n의 최댓값은?

① 7 ② 8 ③ 9
④ 10 ⑤ 11

04 로그함수

적중 문제

시험에 잘 나오는 문제로 점검하기

0730

그림은 함수 $y=\log_3 x$의 그래프이다. 이 그래프를 이용하여 $\log_2(3^a+3^b)$의 값을 구하시오.

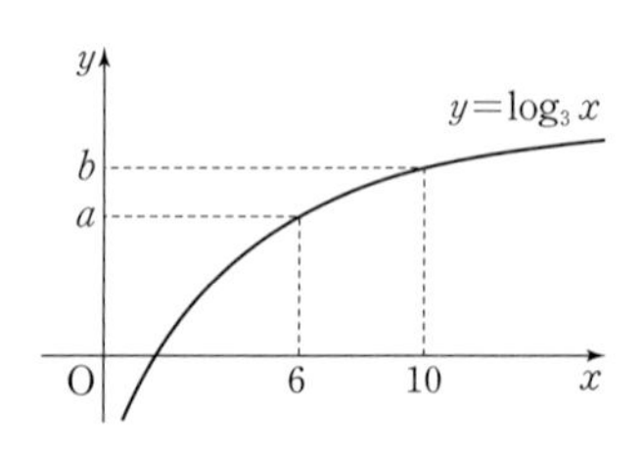

0731

함수 $y=\log_2(x-2)+3$의 그래프는 $y=2^x$의 그래프를 x축의 방향으로 a만큼, y축의 방향으로 b만큼 평행이동한 후, 직선 $y=x$에 대하여 대칭이동한 것이다. 이때, $10a+b$의 값은?

① -32　② -28　③ -17
④ 23　⑤ 32

0732

함수 $y=\log_3(x+a)+b$의 그래프가 제4사분면을 지나지 않고 직선 $x=-3$이 이 그래프의 점근선일 때, $a+b$의 값의 최솟값을 구하시오. (단, a, b는 상수이다.)

0733

$0\le x\le 3$에서 함수 $f(x)=\log_{\frac{1}{2}}(-x^2+2x+7)$의 최솟값은?

① -6　② -5　③ -4
④ -3　⑤ -2

0734 서술형

정의역이 $\{x\mid 1\le x\le 81\}$인 함수

$$y=(\log_3 x)(\log_{\frac{1}{3}} x)+2\log_3 x+10$$

의 최댓값을 M, 최솟값을 m이라 할 때, $M+m$의 값을 구하시오.

0735

그림과 같이 직선 $x=10$이 x축 및 두 곡선 $y=\log ax$, $y=\log bx$와 만나는 점을 각각 P, Q, R라 하자.
$\overline{PQ}=\overline{QR}$일 때, a, b 사이의 관계식은?

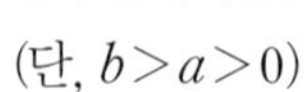
(단, $b>a>0$)

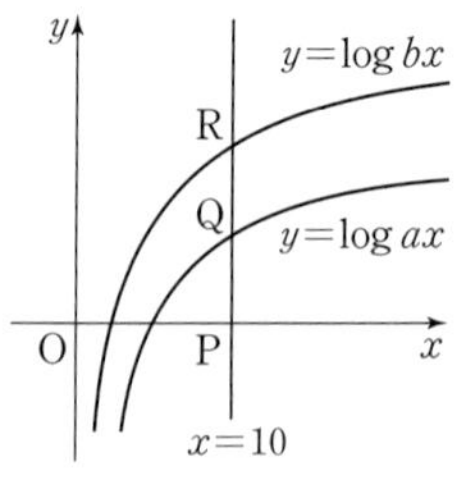

① $b=a^2$　② $a=b^2$　③ $b=\sqrt{10}a^2$
④ $a=\sqrt{10}b^2$　⑤ $b=10a^2$

0736

로그함수 $y=\log_3 x$의 그래프 위의 서로 다른 두 점 A, B가 다음 조건을 만족시킬 때, 삼각형 OBA의 넓이는?

(단, O는 원점이다.)

(가) 선분 AB의 중점이 x축 위에 있다.
(나) 선분 AB를 3 : 1로 외분하는 점이 y축 위에 있다.

① $\frac{\sqrt{3}}{3}$ ② $\frac{\sqrt{2}}{2}$ ③ 1
④ $\sqrt{2}$ ⑤ $\sqrt{3}$

0737

지수함수 $y=2^x$의 그래프와 그 역함수 $y=f(x)$의 그래프 위의 세 점 A, B, C가 그림과 같다. 함수 $y=f(x)$의 그래프가 x축과 만나는 점을 A라 하고 점 C의 좌표를 (a, b)라 할 때, $\log_2 ab$의 값은? (단, 점선은 x축 또는 y축에 평행하다.)

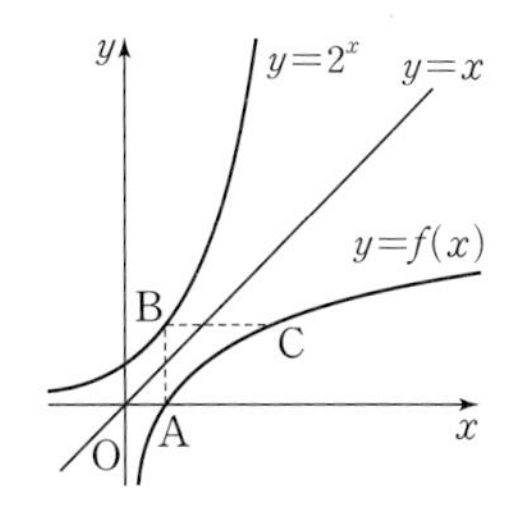

① 2 ② 3 ③ 4
④ 5 ⑤ 6

0738

방정식 $\log x \times \log \frac{x}{32}=1$의 두 근을 α, β라 할 때, $\alpha\beta$의 값을 구하시오.

0739

부등식 $\log_2 x+\log_2 (x-4)\leq 5$를 만족시키는 모든 자연수 x의 값의 합을 구하시오.

0740 서술형

부등식 $(\log_3 3x)^2-\log_3 x^5+1<0$의 해와 이차부등식 $x^2+ax+b<0$의 해가 서로 같을 때, 두 상수 a, b의 합 $a+b$의 값을 구하시오.

0741

들어오는 빛의 양의 10%를 반사시키는 특수한 필름이 있다. 이 필름을 유리에 붙여서 유리를 통과한 빛의 양이 처음 들어오는 빛의 양의 $\frac{1}{4}$ 이하가 되도록 하려면 이 필름을 최소한 몇 장 붙여야 하는가? (단, $\log 2=0.3010$, $\log 3=0.4771$)

① 12장 ② 13장 ③ 14장
④ 15장 ⑤ 16장

Level 1

0742

$0<a<b<1$일 때, 〈보기〉에서 옳은 것만을 있는 대로 고른 것은?

보기

ㄱ. $\log_b a>1$
ㄴ. $\log_{(b+1)}(a+1)=k$이면 $k<k^2$이다.
ㄷ. 임의의 두 양수 c, d에 대하여 $\log_a c=\log_b d$이면 $c<d$이다.

① ㄱ　② ㄱ, ㄴ　③ ㄱ, ㄷ　④ ㄴ, ㄷ　⑤ ㄱ, ㄴ, ㄷ

0743

$2\le x\le 16$에서 $\log_2 x+\dfrac{12}{\log_2 x}-\log_x y=6$을 만족시키는 y의 최댓값을 M, 최솟값을 m이라 할 때, $\dfrac{M}{m}$의 값을 구하시오.

0744

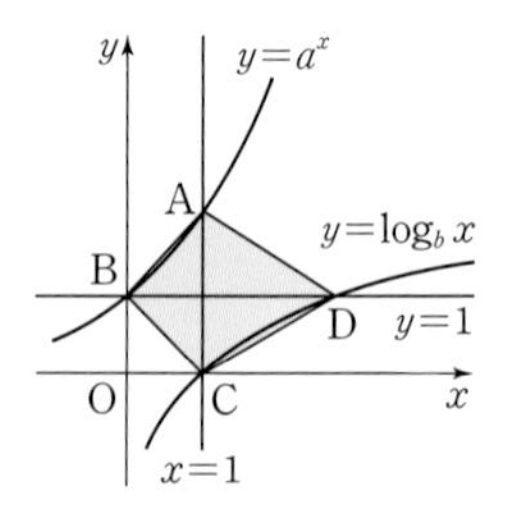

그림과 같이 1보다 큰 두 자연수 a, b에 대하여 두 함수 $y=a^x$, $y=\log_b x$의 그래프와 직선 $x=1$이 만나는 점을 각각 A, C라 하고, 두 함수 $y=a^x$, $y=\log_b x$의 그래프와 직선 $y=1$이 만나는 점을 각각 B, D라 하자. 사각형 ABCD의 넓이가 5이고, 직선 AD의 기울기가 -1보다 클 때, $5a+2b$의 값을 구하시오.

0745

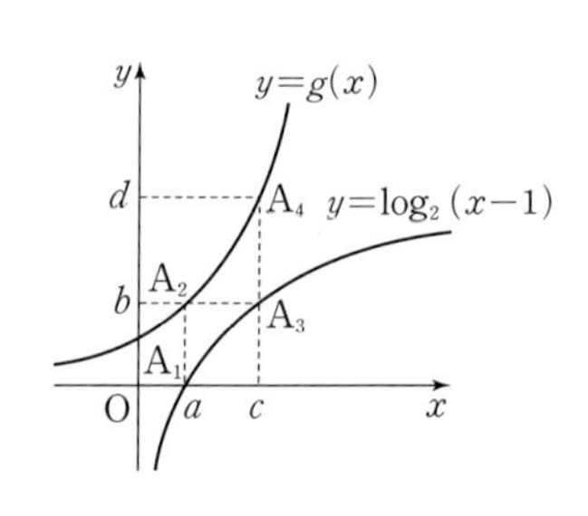

그림과 같이 함수 $y=\log_2(x-1)$과 그 역함수 $y=g(x)$에 대하여 함수 $y=\log_2(x-1)$의 그래프가 x축과 만나는 점을 $A_1(a,\ 0)$, 점 A_1을 지나고 y축에 평행한 직선이 함수 $y=g(x)$의 그래프와 만나는 점을 $A_2(a,\ b)$라 하자. 점 A_2를 지나고 x축에 평행한 직선이 함수 $y=\log_2(x-1)$의 그래프와 만나는 점을 $A_3(c,\ b)$, 점 A_3을 지나고 y축에 평행한 직선이 함수 $y=g(x)$의 그래프와 만나는 점을 $A_4(c,\ d)$라 하자. 이때, $\log_{(b-1)}(c-1)(d-1)$의 값을 구하시오.

0746

x에 대한 방정식 $\log_a x+\log_a(2-x)=\log_a|a-1|$이 실근을 갖도록 a의 값을 정할 때, 자연수 a의 개수는? (단, $a\neq1$)

① 0　　② 1　　③ 2
④ 3　　⑤ 4

0747

방정식 $2^{2x}-a\times2^x+8=0$의 두 근과 방정식 $(\log_2 x)^2-\log_2 x+b=0$의 두 근이 같을 때, 두 상수 a, b에 대하여 $a+b$의 값을 구하시오.

0748

부등식 $x^{\log_{\frac{1}{5}} x}\leq ax^2$이 모든 양수 x에 대하여 항상 성립하도록 양수 a의 값을 정할 때, a의 최솟값을 구하시오.

0749

현재 연봉이 a원인 회사원이 매년 $p\%$씩 인상된 연봉을 받을 경우 연봉이 현재 연봉의 2배 이상이 되는 것은 10년 후부터라고 한다. 이때, p의 최솟값을 구하시오.

(단, $\log2=0.30$, $\log1.072=0.03$으로 계산한다.)

Level 2

0750

정의역이 $\{x|1\le x<100\}$인 함수 f를 $f(x)=\log x-[\log x]$라 하자. 함수 $y=f(x)$의 그래프와 직선 $y=2-\frac{x}{n}$가 서로 다른 두 점에서 만나도록 하는 자연수 n의 개수를 구하시오.

(단, $[x]$는 x보다 크지 않은 최대의 정수이다.)

0751

교육청 기출

그림과 같이 함수 $y=\log_2 x$의 그래프와 직선 $y=mx$가 만나는 점을 각각 A, B라 하고, 함수 $y=2^x$의 그래프와 직선 $y=nx$가 만나는 점을 각각 C, D라 하자. 사각형 ABDC는 등변사다리꼴이고 삼각형 OBD의 넓이는 삼각형 OAC의 넓이의 4배일 때, $m+n$의 값을 구하시오. (단, O는 원점이다.)

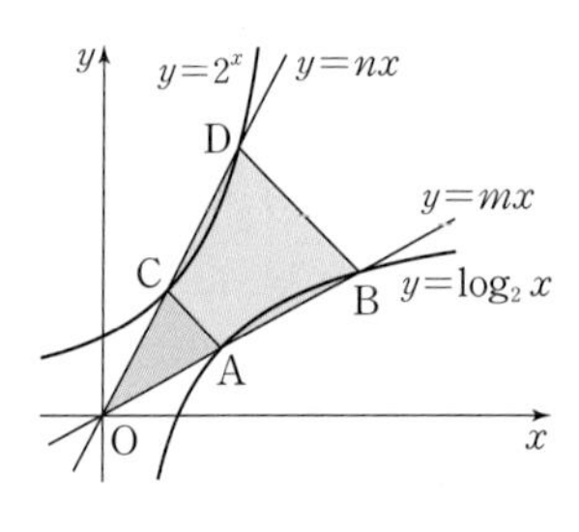

0752

이차방정식 $x^2+2(\log k)x+2-\log k=0$의 서로 다른 두 실근을 α, β라 할 때, 두 근이 모두 1보다 크도록 하는 실수 k의 값의 범위를 $\alpha<k<\beta$라 할 때, $\frac{1}{\alpha}+\frac{1}{\beta}$의 값을 구하시오.

0753

자연수 n에 대하여 직선 $y=n$이 두 로그함수 $y=\log_2 x$, $y=\log_3 x$의 그래프와 만나는 점의 x좌표를 각각 a_n, b_n이라 하자. $a_n\le p\le b_n$을 만족시키는 자연수 p의 개수를 c_n이라 할 때, c_2+c_5의 값은?

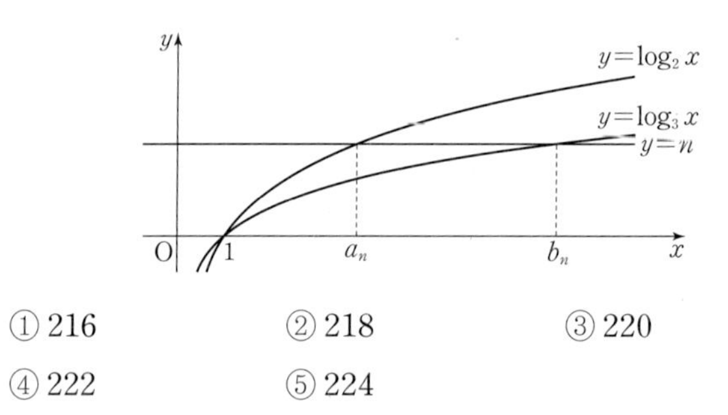

① 216 ② 218 ③ 220
④ 222 ⑤ 224

0754 교육청 기출

두 양수 x, y에 대하여 등식

$$(\log_3 x)^2+(\log_3 y)^2=\log_9 x^2+\log_9 y^2$$

이 성립할 때, xy의 최댓값은 M, 최솟값은 m이다. $M+m$의 값을 구하시오.

0755 평가원 기출

그림과 같이 곡선 $y=2\log_2 x$ 위의 한 점 A를 지나고 x축에 평행한 직선이 곡선 $y=2^{x-3}$과 만나는 점을 B라 하자. 점 B를 지나고 y축에 평행한 직선이 곡선 $y=2\log_2 x$와 만나는 점을 D라 하고, 점 D를 지나고 x축에 평행한 직선이 곡선 $y=2^{x-3}$과 만나는 점을 C라 하자. $\overline{AB}=2$, $\overline{BD}=2$일 때, 사각형 ABCD의 넓이를 구하시오.

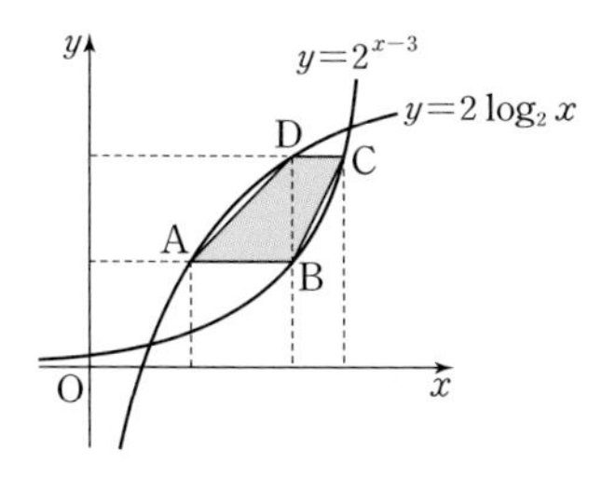

Level 3

0756

좌표평면에서 자연수 n에 대하여 다음 조건을 만족시키는 삼각형 OAB의 개수를 $f(n)$이라 할 때, $f(1)+f(2)$의 값을 구하시오.
(단, O는 원점이다.)

> (가) 점 A의 좌표는 $(-2, 3^n)$이다.
> (나) 점 B의 좌표를 (a, b)라 할 때, a와 b는 자연수이고 $b\le\log_2 a$를 만족시킨다.
> (다) 삼각형 OAB의 넓이는 15 이하이다.

0757

1보다 큰 실수 a에 대하여 두 곡선 $y=\log_a x$, $y=\log_{a+2} x$가 직선 $y=2$와 만나는 점을 각각 A, B라 하자. 점 A를 지나고 y축에 평행한 직선이 곡선 $y=\log_{a+2} x$와 만나는 점을 C, 점 B를 지나고 y축에 평행한 직선이 곡선 $y=\log_a x$와 만나는 점을 D라 할 때, 〈보기〉에서 옳은 것만을 있는 대로 고른 것은?

> **보기**
> ㄱ. 점 A의 x좌표는 a^2이다.
> ㄴ. $\overline{AC}=1$이면 $a=2$이다.
> ㄷ. 삼각형 ACB와 삼각형 ABD의 넓이를 각각 S_1, S_2라 할 때, $\dfrac{S_2}{S_1}=\log_a(a+2)$이다.

① ㄱ ② ㄷ ③ ㄱ, ㄴ
④ ㄴ, ㄷ ⑤ ㄱ, ㄴ, ㄷ

해설 110쪽

0758

그림과 같이 자연수 n에 대하여 곡선 $y=|\log_2 x-n|$이 직선 $y=1$과 만나는 두 점을 각각 A_n, B_n이라 하고 곡선 $y=|\log_2 x-n|$이 직선 $y=2$와 만나는 두 점을 각각 C_n, D_n이라 하자. 〈보기〉에서 옳은 것만을 있는 대로 고른 것은?

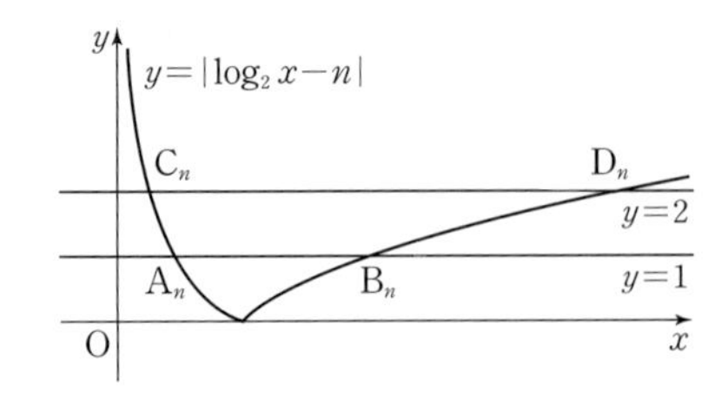

보기

ㄱ. $\overline{A_1B_1}=3$

ㄴ. $\overline{A_nB_n} : \overline{C_nD_n}=2 : 5$

ㄷ. 사각형 $A_nB_nD_nC_n$의 넓이를 S_n이라 할 때, $21\le S_k\le 210$을 만족시키는 모든 자연수 k의 합은 25이다.

① ㄱ ② ㄱ, ㄴ ③ ㄱ, ㄷ ④ ㄴ, ㄷ ⑤ ㄱ, ㄴ, ㄷ

0759

자연수 k $(k\le 39)$에 대하여 함수 $f(x)=2\log_{\frac{1}{2}}(x-7+k)+2$의 그래프와 원 $x^2+y^2=64$가 만나는 서로 다른 두 점의 x좌표를 a, b라 하자. 다음 조건을 만족시키는 k의 최댓값과 최솟값을 각각 M, m이라 할 때, $M+m$의 값을 구하시오.

(가) $ab<0$
(나) $f(a)f(b)<0$

05 삼각함수의 뜻

		제 목	내신중요도	유형난이도	문항수	문항번호
		기본 문제			70	0760~0829
유형 문제	01	육십분법과 호도법	▬	★	3	0830~0832
	02	일반각	▬▬▬▬	★★	6	0833~0838
	03	사분면의 각	▬▬	★★★	3	0839~0841
	04	두 동경의 위치 관계: 일치 또는 방향이 반대	▬▬▬	★★★	5	0842~0846
	05	두 동경의 위치 관계: 직선에 대하여 대칭	▬▬▬	★★★★	6	0847~0852
	06	부채꼴의 호의 길이와 넓이	▬▬▬▬▬	★★	9	0853~0861
	07	부채꼴의 호의 길이와 넓이의 활용	▬▬▬▬▬	★★★★	8	0862~0869
	08	부채꼴의 호의 길이와 넓이의 최대 · 최소	▬▬▬	★★★	6	0870~0875
	09	삼각함수의 정의	▬▬▬▬▬	★★	9	0876~0884
	10	삼각함수의 값의 부호	▬▬▬	★★★	6	0885~0890
	11	삼각함수 사이의 관계를 이용하여 식 간단히 하기	▬▬	★★★	3	0891~0893
	12	삼각함수 사이의 관계를 이용하여 식의 값 구하기	▬▬▬	★★★	3	0894~0896
	13	$\sin\theta+\cos\theta$, $\sin\theta\cos\theta$의 관계를 이용하여 식의 값 구하기	▬▬▬▬	★★★	9	0897~0905
	14	삼각함수와 이차방정식	▬▬▬	★★★	6	0906~0911
		적중 문제			12	0912~0923
		고난도 문제			14	0924~0937

삼각함수의 뜻

1. 일반각의 뜻

동경 OP가 나타내는 한 각의 크기를 α°라 할 때,

$\angle \mathrm{XOP}=360^\circ \times n+\alpha^\circ$ (n은 정수)

로 나타내어지는 각 XOP의 크기를 동경 OP가 나타내는 일반각이라고 한다.

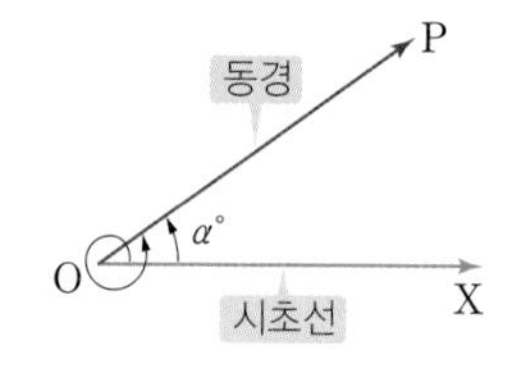

참고 일반각으로 나타낼 때, α°는 보통 $0^\circ \le \alpha^\circ < 360^\circ$ 또는 $-180^\circ < \alpha^\circ \le 180^\circ$인 것을 택한다.

두 동경의 위치 관계
두 동경의 크기가 각각 α, β일 때, 두 동경의 위치에 따른 관계식은 다음과 같다.
(단, n은 정수)

두 동경의 위치 관계	α, β의 관계식
일치	$\alpha-\beta=2n\pi$
일직선상에 있고 방향이 반대	$\alpha-\beta=2n\pi+\pi$
x축에 대하여 대칭	$\alpha+\beta=2n\pi$
y축에 대하여 대칭	$\alpha+\beta=2n\pi+\pi$
직선 $y=x$에 대하여 대칭	$\alpha+\beta=2n\pi+\frac{\pi}{2}$

2. 호도법

(1) **1라디안**: 반지름의 길이가 r인 원에서 길이가 r인 호에 대한 중심각의 크기

(2) **호도법**: 라디안을 단위로 하여 각의 크기를 나타내는 방법

(3) **육십분법과 호도법 사이의 관계**

① 1라디안$=\dfrac{180^\circ}{\pi}$

② $1^\circ=\dfrac{\pi}{180}$라디안

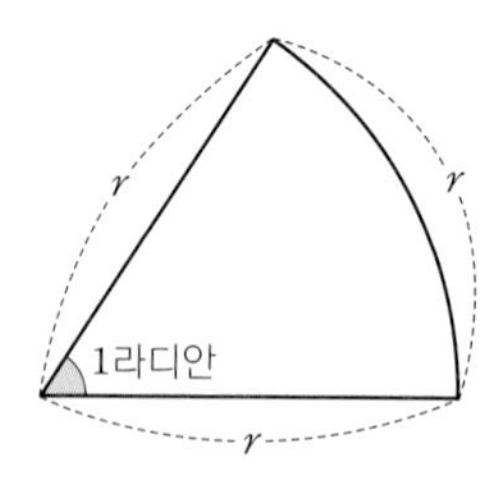

각의 크기를 호도법으로 나타낼 때에는 단위인 라디안을 생략하고 실수처럼 쓴다.

3. 부채꼴의 호의 길이와 넓이

반지름의 길이가 r, 중심각의 크기가 θ인 부채꼴의 호의 길이를 l, 넓이를 S라 하면

(1) $l=r\theta$

(2) $S=\frac{1}{2}r^2\theta=\frac{1}{2}rl$

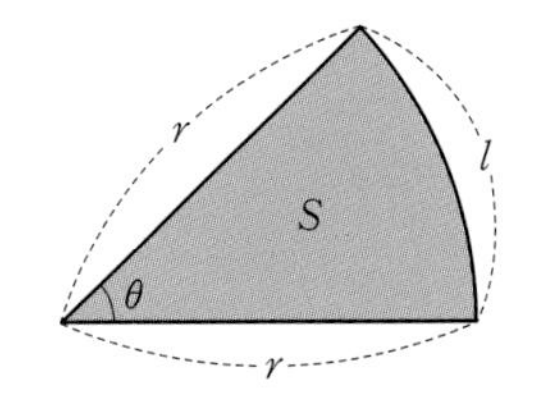

부채꼴의 호의 길이와 넓이는 중심각의 크기에 정비례하므로

$2\pi:\theta=2\pi r:l \quad \therefore l=r\theta$

$2\pi:\theta=\pi r^2:S$

$\therefore S=\frac{1}{2}r^2\theta=\frac{1}{2}rl$

4. 삼각함수

동경 OP가 나타내는 각 θ에 대하여

(1) $\sin\theta=\frac{y}{r}$

(2) $\cos\theta=\frac{x}{r}$

(3) $\tan\theta=\frac{y}{x}$ $(x\neq 0)$

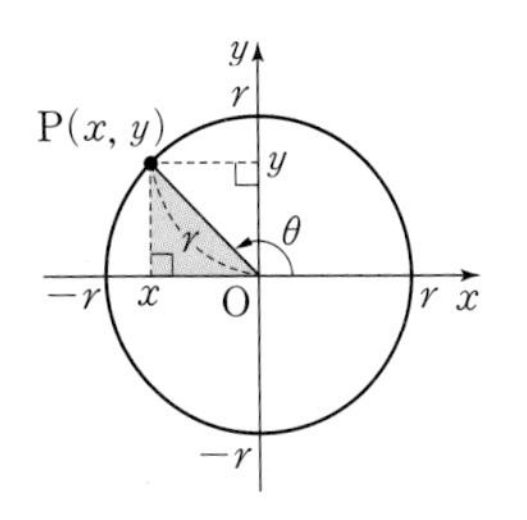

5. 삼각함수의 값의 부호

(1) θ가 제1사분면의 각이면
$\sin\theta>0$, $\cos\theta>0$, $\tan\theta>0$

(2) θ가 제2사분면의 각이면
$\sin\theta>0$, $\cos\theta<0$, $\tan\theta<0$

(3) θ가 제3사분면의 각이면
$\sin\theta<0$, $\cos\theta<0$, $\tan\theta>0$

(4) θ가 제4사분면의 각이면
$\sin\theta<0$, $\cos\theta>0$, $\tan\theta<0$

각 사분면에서 값이 양수인 삼각함수를 좌표평면 위에 나타내면 다음과 같다.

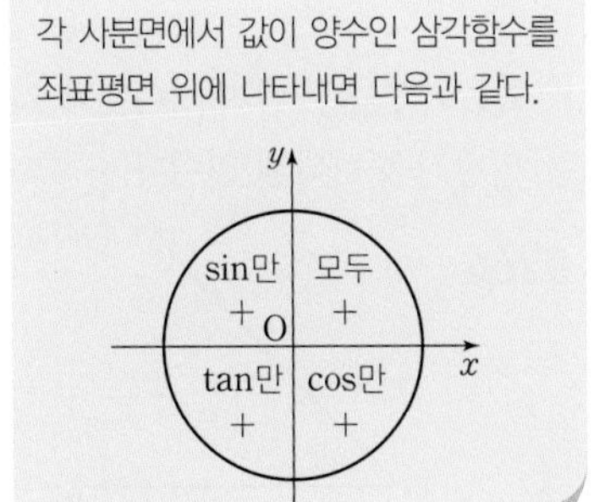

6. 삼각함수 사이의 관계

(1) $\tan\theta=\frac{\sin\theta}{\cos\theta}$

(2) $\sin^2\theta+\cos^2\theta=1$

1 일반각과 호도법

[0760-0763] 다음 각을 나타내는 동경의 위치를 그림으로 알맞게 나타낸 것을 〈보기〉에서 고르시오.

0760 30°

0761 -60°

0762 150°

0763 240°

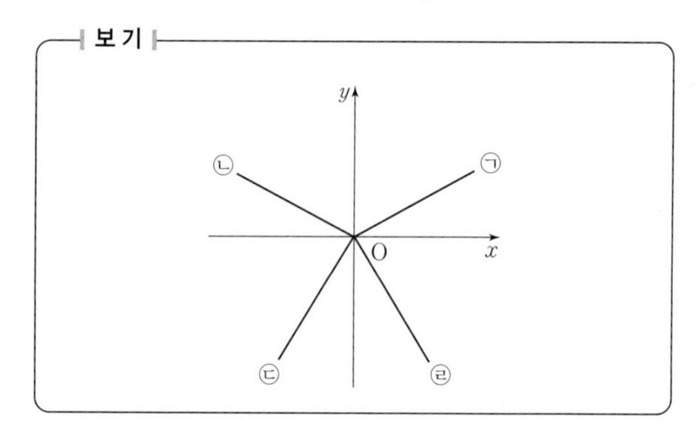

[0764-0766] 반직선 OX가 시초선일 때, 동경 OP가 나타내는 일반각을 나타낸 것이다. □ 안에 알맞은 양수를 써넣으시오.

0764

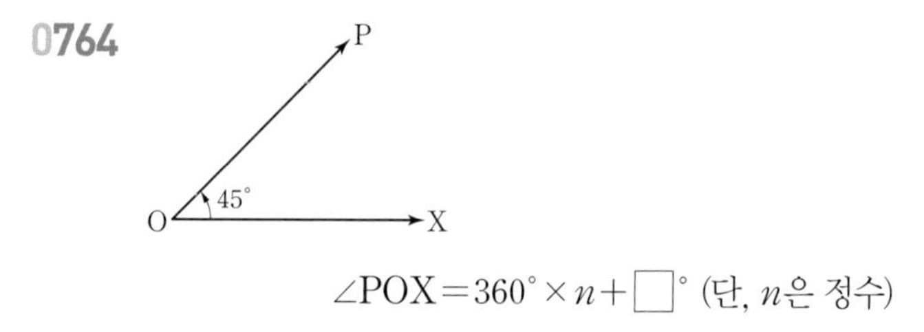

$\angle POX = 360^\circ \times n + \square^\circ$ (단, n은 정수)

0765

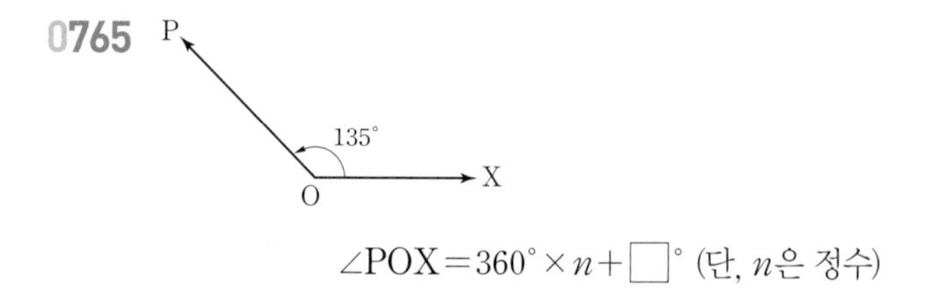

$\angle POX = 360^\circ \times n + \square^\circ$ (단, n은 정수)

0766

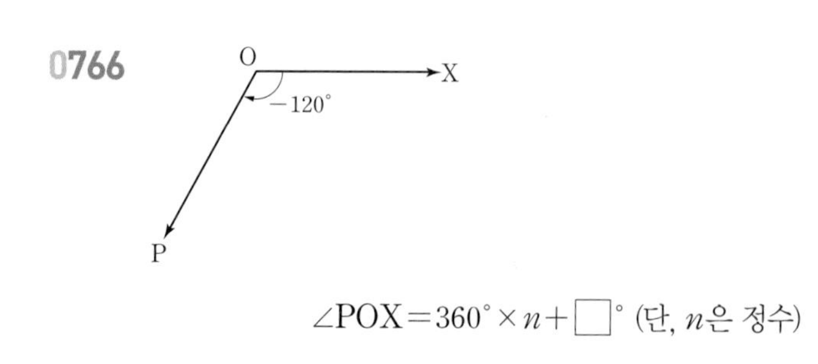

$\angle POX = 360^\circ \times n + \square^\circ$ (단, n은 정수)

[0767-0769] 다음 각의 동경이 나타내는 일반각을 $360^\circ \times n + \alpha$ (n은 정수, $0^\circ \le \alpha < 360^\circ$) 꼴로 나타내시오.

0767 460°

0768 750°

0769 -300°

[0770-0774] 다음 각은 몇 사분면의 각인지 말하시오.

0770 120°

0771 210°

0772 315°

0773 400°

0774 -150°

[0775-0793] 다음 각을 육십분법으로 나타낸 것은 호도법으로, 호도법으로 나타낸 것은 육십분법으로 나타내시오.

0775 30°

0776 45°

0777 60°

0778 90°

0779 120°

0780 135°

0781 180°

0782 240°

0783 330°

0784 360°

0785 $\frac{\pi}{6}$

0786 $\frac{\pi}{4}$

0787 $\frac{\pi}{3}$

0788 $\frac{\pi}{2}$

0789 $\frac{5}{6}\pi$

0790 $\frac{7}{6}\pi$

0791 $\frac{4}{3}\pi$

0792 $\frac{7}{4}\pi$

0793 2π

2 부채꼴의 호의 길이와 넓이

[0794-0797] 다음 부채꼴의 □ 안에 알맞은 것을 써넣으시오.

0794 0795

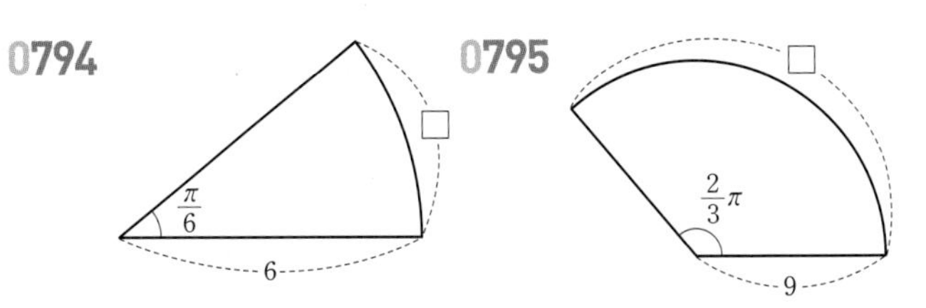

0796 0797

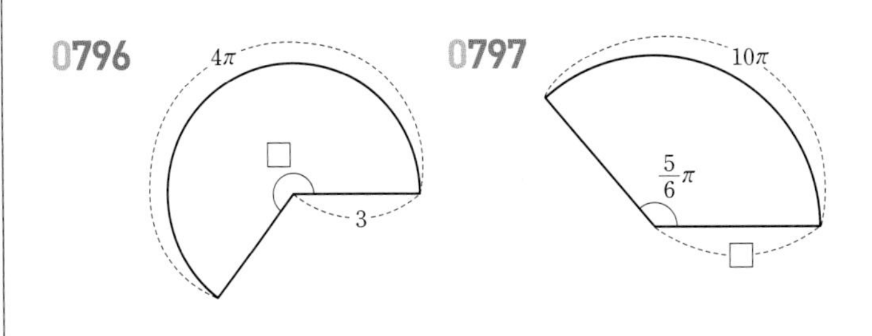

[0798-0799] 다음 부채꼴의 넓이를 구하시오.

0798

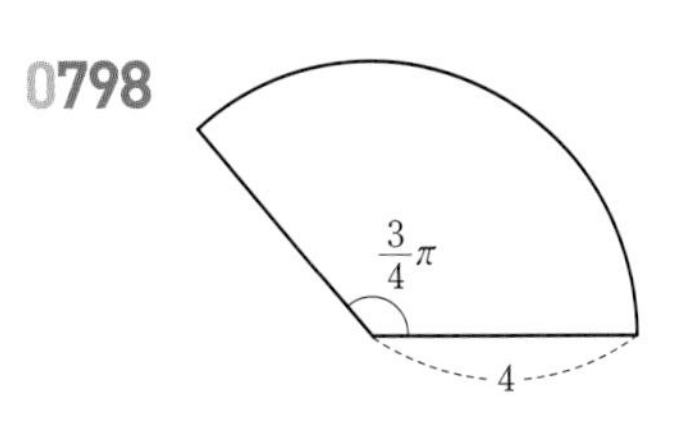

0799

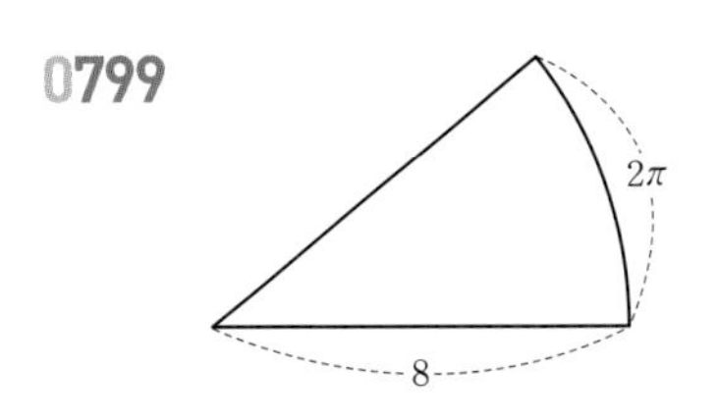

3 삼각함수

[0800-0802] 점 P(4, 3)에 대하여 동경 OP가 나타내는 각의 크기를 θ라 할 때, 다음 삼각함수의 값을 구하시오.
(단, O는 원점이다.)

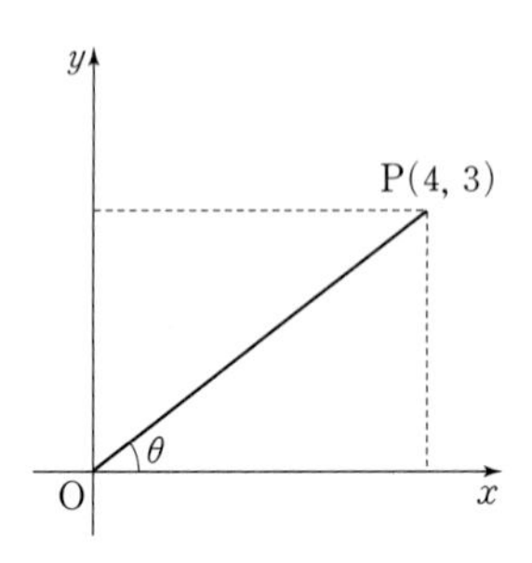

0800 $\sin\theta$

0801 $\cos\theta$

0802 $\tan\theta$

[0803-0805] 점 P(−1, 2)에 대하여 동경 OP가 나타내는 각의 크기를 θ라 할 때, 다음 삼각함수의 값을 구하시오.
(단, O는 원점이다.)

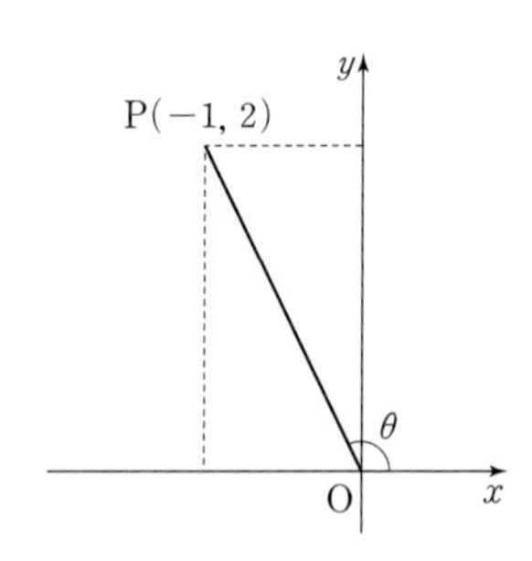

0803 $\sin\theta$

0804 $\cos\theta$

0805 $\tan\theta$

[0806-0808] θ가 제2사분면의 각일 때, 다음 삼각함수의 값의 부호를 말하시오.

0806 $\sin\theta$

0807 $\cos\theta$

0808 $\tan\theta$

[0809-0811] θ가 제3사분면의 각일 때, 다음 삼각함수의 값의 부호를 말하시오.

0809 $\sin\theta$

0810 $\cos\theta$

0811 $\tan\theta$

[0812-0820] 다음 삼각형을 이용하여 삼각함수의 값을 구하시오.

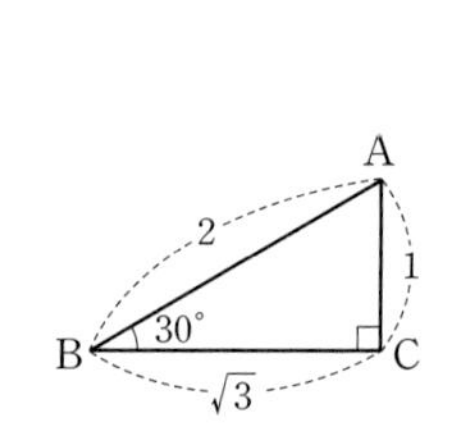

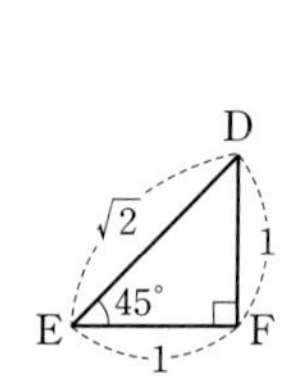

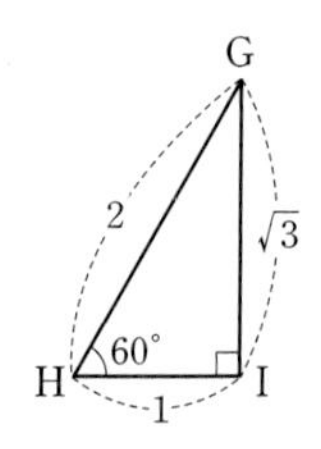

0812 $\sin 30°$

0813 $\cos 30°$

0814 $\tan 30°$

0815 $\sin 45°$

0816 $\cos 45°$

0817 $\tan 45°$

0818 $\sin 60°$

0819 $\cos 60°$

0820 $\tan 60°$

해설 112쪽

4 삼각함수 사이의 관계

[0821-0822] $\sin\theta=\frac{\sqrt{3}}{2}$, $\cos\theta=-\frac{1}{2}$일 때, 다음의 값을 구하시오.

0821 $\tan\theta$

0822 $\sin^2\theta+\cos^2\theta$

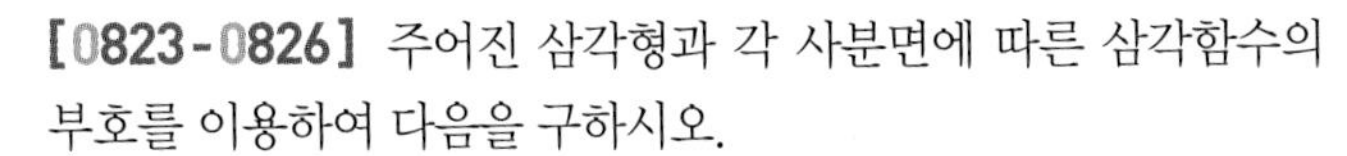

[0823-0826] 주어진 삼각형과 각 사분면에 따른 삼각함수의 부호를 이용하여 다음을 구하시오.

0823 θ가 제1사분면의 각이고
$\sin\theta=\frac{3}{5}$일 때,
$\cos\theta$, $\tan\theta$의 값

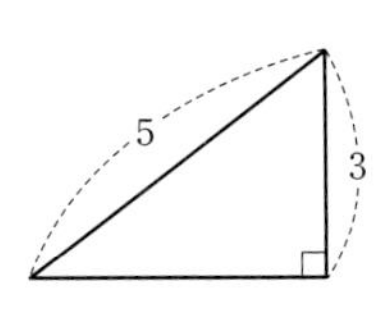

0824 θ가 제2사분면의 각이고
$\sin\theta=\frac{4}{5}$일 때,
$\cos\theta$, $\tan\theta$의 값

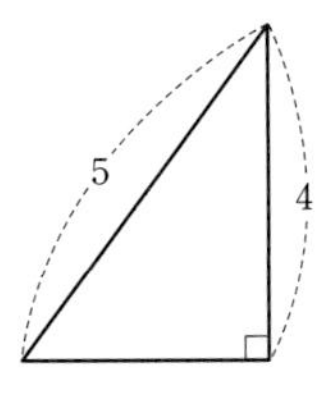

0825 θ가 제3사분면의 각이고
$\tan\theta=\frac{1}{2}$일 때,
$\sin\theta$, $\cos\theta$의 값

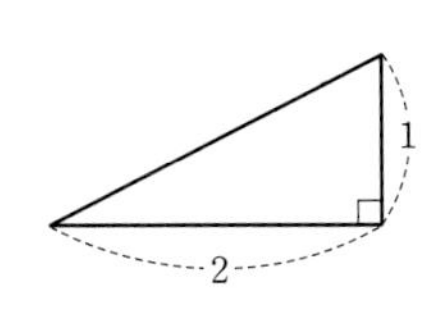

0826 θ가 제4사분면의 각이고
$\cos\theta=\frac{1}{\sqrt{2}}$일 때,
$\sin\theta$, $\tan\theta$의 값

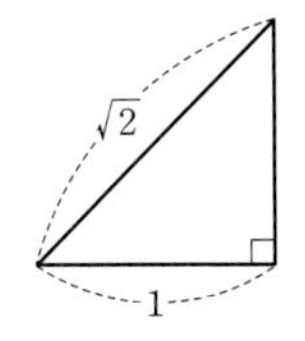

[0827-0829] 다음 조건이 주어질 때, 곱셈공식 $(a\pm b)^2=a^2\pm 2ab+b^2$을 이용하여 $\sin\theta\cos\theta$의 값을 구하시오.

0827 $\sin\theta+\cos\theta=\frac{1}{2}$

0828 $\sin\theta+\cos\theta=-\frac{1}{3}$

0829 $\sin\theta-\cos\theta=\frac{1}{3}$

유형 01 육십분법과 호도법

내신 중요도 ■■■■ 유형 난이도 ★☆☆☆☆

(1) 호도법의 각 θ라디안을 육십분법의 각으로 고칠 때

⇨ $\theta \times \frac{180^\circ}{\pi}$

(2) 육십분법의 각 α°를 호도법의 각으로 고칠 때

⇨ $\alpha \times \frac{\pi}{180}$

0830

●○○○

다음 중 옳지 않은 것은?

① $15^\circ = \frac{\pi}{12}$ ② $120^\circ = \frac{2}{3}\pi$ ③ $225^\circ = \frac{5}{4}\pi$
④ $300^\circ = \frac{11}{6}\pi$ ⑤ $360^\circ = 2\pi$

0831

●○○○

〈보기〉에서 옳은 것만을 있는 대로 고른 것은?

보기

ㄱ. $\frac{\pi}{3} = 60^\circ$ ㄴ. $225^\circ = \frac{5}{4}\pi$
ㄷ. $-\frac{7}{6}\pi = -210^\circ$ ㄹ. $\pi = 3.14^\circ$

① ㄱ, ㄴ ② ㄴ, ㄷ ③ ㄱ, ㄴ, ㄷ
④ ㄱ, ㄴ, ㄹ ⑤ ㄱ, ㄷ, ㄹ

0832

●●○○

$150^\circ + \frac{2}{3}\pi - 210^\circ = a\pi$일 때, 상수 a의 값은?

① $\frac{1}{6}$ ② $\frac{1}{3}$ ③ $\frac{1}{2}$
④ $\frac{2}{3}$ ⑤ $\frac{5}{6}$

유형 02 일반각

내신 중요도 ■■■■ 유형 난이도 ★★☆☆☆

시초선 $\overrightarrow{OX}$와 동경 $\overrightarrow{OP}$가 나타내는 한 각의 크기를 α°라 하면 동경 $\overrightarrow{OP}$가 나타내는 일반각 θ는

$\theta = 360^\circ \times n + \alpha^\circ$ (단, n은 정수)

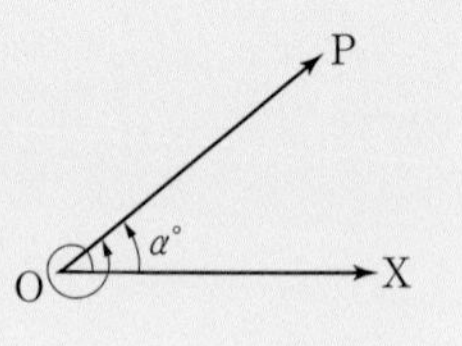

0833

●○○○

-120°의 동경이 나타내는 일반각을 $2n\pi + \theta$ 꼴로 나타낼 때, θ의 값은? (단, n은 정수, $0 \le \theta < 2\pi$)

① $\frac{1}{6}\pi$ ② $\frac{2}{3}\pi$ ③ $\frac{1}{2}\pi$
④ $\frac{4}{3}\pi$ ⑤ $\frac{5}{6}\pi$

0834 중요

●○○○

다음 각 중에서 같은 위치의 동경을 나타내는 것이 아닌 것은?

① -330° ② 750° ③ $\pi - 60^\circ$
④ $\frac{13}{6}\pi$ ⑤ $-\frac{11}{6}\pi$

0835 중요

●●○○

$\frac{3}{4}\pi$와 같은 사분면에 속하는 각은?

① 90° ② 210° ③ 300°
④ -190° ⑤ -300°

0836

그림에서 반직선 OX를 시초선으로 할 때, 동경 OP가 나타내는 각이 될 수 없는 것은?

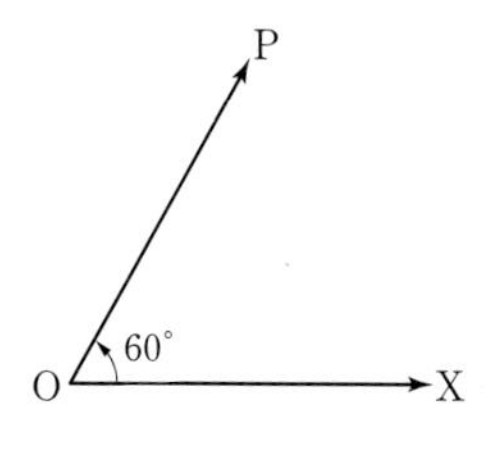

① 420°　② 780°

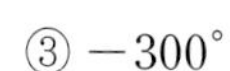
③ -300°　④ -420°

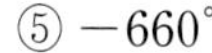
⑤ -660°

0837 중요

다음 중 제3사분면의 각의 개수를 구하시오. (단, n은 정수이다.)

-120°　1100°　$\frac{23}{4}\pi$　$\frac{3}{2}\pi$　$2n\pi+\frac{9}{8}\pi$　$4n\pi-\frac{\pi}{6}$

0838

다음 중 각을 나타내는 동경이 존재하는 사분면이 나머지 넷과 다른 것은?

① 910°　② -520°　③ $-\frac{5}{6}\pi$

④ $\frac{4}{3}\pi$　⑤ $\frac{14}{5}\pi$

유형 03 사분면의 각

내신 중요도 　유형 난이도 ★★★

(1) 제1사분면의 각: $2n\pi<\theta<2n\pi+\frac{\pi}{2}$

(2) 제2사분면의 각: $2n\pi+\frac{\pi}{2}<\theta<2n\pi+\pi$

(3) 제3사분면의 각: $2n\pi+\pi<\theta<2n\pi+\frac{3}{2}\pi$

(4) 제4사분면의 각: $2n\pi+\frac{3}{2}\pi<\theta<2n\pi+2\pi$

(단, n은 정수)

0839

θ가 제3사분면의 각일 때, $\frac{\theta}{2}$는 제 몇 사분면의 각인지 구하시오.

0840

θ가 제1사분면의 각일 때, $\frac{\theta}{3}$의 동경이 존재할 수 있는 사분면을 모두 고른 것은?

① 제1, 3사분면　② 제2, 4사분면

③ 제1, 2, 3사분면　④ 제1, 2, 4사분면

⑤ 제2, 3, 4사분면

0841 짱중요

θ가 제3사분면의 각일 때, $\frac{\theta}{3}$가 존재할 수 있는 사분면을 모두 고른 것은?

① 제1, 3사분면　② 제1, 4사분면

③ 제2, 4사분면　④ 제1, 2, 4사분면

⑤ 제1, 3, 4사분면

유형 04 내신 중요도 ▬▬▬▬▬ 유형 난이도 ★★★☆☆

두 동경의 위치 관계: 일치 또는 방향이 반대

두 동경이 나타내는 각의 크기가 각각 α, β일 때 두 동경의 위치에 따른 α, β의 관계식은 다음과 같다.

(1) 일치 ⇨ $\alpha-\beta=2n\pi$

(2) 일직선 위에 있고 방향이 반대 ⇨ $\alpha-\beta=2n\pi+\pi$

(단, n은 정수)

0842 ●●○○

$\frac{\pi}{2}<\theta<\pi$에 대하여 각 θ를 나타내는 동경과 각 4θ를 나타내는 동경이 일치한다. 이때, θ의 값은?

① $\frac{\pi}{6}$ ② $\frac{\pi}{3}$ ③ $\frac{\pi}{2}$

④ $\frac{2}{3}\pi$ ⑤ $\frac{5}{6}\pi$

0843 교육청 기출 ●●○○

좌표평면 위의 점 P에 대하여 동경 OP가 나타내는 각의 크기 중 하나를 $\theta\left(\frac{\pi}{2}<\theta<\pi\right)$라 하자. 각의 크기 6θ를 나타내는 동경이 동경 OP와 일치할 때, θ의 값은? (단, O는 원점이고, x축의 양의 방향을 시초선으로 한다.)

① $\frac{3}{5}\pi$ ② $\frac{2}{3}\pi$ ③ $\frac{11}{15}\pi$

④ $\frac{4}{5}\pi$ ⑤ $\frac{13}{15}\pi$

0844 ●●○○

$0<\theta<2\pi$이고 각 θ의 동경과 각 5θ의 동경이 일치할 때, 모든 θ의 값의 합은?

① π ② 2π ③ 3π

④ 4π ⑤ 5π

0845 ●●●○

각 θ를 나타내는 동경과 각 7θ를 나타내는 동경이 일직선 위에 있고 방향이 반대일 때, $\sin\left(\theta-\frac{2}{3}\pi\right)$의 값을 구하시오.

$\left(\text{단, } \frac{\pi}{2}<\theta<\pi\right)$

0846 ●●●○

각 θ를 나타내는 동경과 각 6θ를 나타내는 동경이 일직선 위에 있고 방향이 반대일 때, $\sin\left(\theta+\frac{2}{15}\pi\right)$의 값은? $\left(\text{단, } 0<\theta<\frac{\pi}{2}\right)$

① $\frac{\sqrt{3}}{4}$ ② $\frac{1}{2}$ ③ $\frac{\sqrt{3}}{3}$

④ $\frac{\sqrt{2}}{2}$ ⑤ $\frac{\sqrt{3}}{2}$

유형 05 두 동경의 위치 관계: 직선에 대하여 대칭

내신 중요도 유형 난이도 ★★★★☆

두 동경이 나타내는 각의 크기가 각각 α, β일 때 두 동경의 위치에 따른 α, β의 관계식은 다음과 같다.

(1) x축에 대하여 대칭 ⇨ $\alpha+\beta=2n\pi$

(2) y축에 대하여 대칭 ⇨ $\alpha+\beta=2n\pi+\pi$ (단, n은 정수)

(3) 직선 $y=x$에 대하여 대칭 ⇨ $\alpha+\beta=2n\pi+\frac{\pi}{2}$

(단, n은 정수)

0847 중요

$0°<\theta<90°$이고, 각 2θ를 나타내는 동경과 각 4θ를 나타내는 동경이 x축에 대하여 대칭일 때, θ의 값은?

① $15°$ ② $30°$ ③ $45°$
④ $60°$ ⑤ $75°$

0848

$0<\theta<2\pi$인 각 θ에 대하여 각 3θ를 나타내는 동경과 각 5θ를 나타내는 동경이 x축에 대하여 대칭일 때, 각 θ의 개수를 구하시오.

0849 중요

각 θ를 나타내는 동경과 각 5θ를 나타내는 동경이 y축에 대하여 대칭이 되는 θ의 값들의 합은? (단, $0<\theta<\pi$)

① π ② $\frac{4}{3}\pi$ ③ $\frac{3}{2}\pi$
④ $\frac{5}{3}\pi$ ⑤ 2π

0850

$\pi<\theta<2\pi$일 때, 두 각 θ와 3θ를 나타내는 두 동경이 y축에 대하여 대칭이 되도록 하는 모든 θ의 값의 합을 구하시오.

0851

$0<\theta<2\pi$일 때, θ를 나타내는 동경과 2θ를 나타내는 동경이 직선 $y=x$에 대하여 대칭인 θ의 값들의 합을 구하시오.

0852

시초선이 일치하고 크기가 α, β인 두 각을 나타내는 동경이 직선 $y=-x$에 대하여 대칭일 때, 다음 중 옳은 것은?

(단, n은 정수이다.)

① $\alpha-\beta=2n\pi$ ② $\alpha-\beta=2n\pi+\pi$
③ $\alpha+\beta=2n\pi+\frac{\pi}{2}$ ④ $\alpha+\beta=2n\pi+\pi$
⑤ $\alpha+\beta=2n\pi+\frac{3}{2}\pi$

05 삼각함수의 뜻

유형 06 부채꼴의 호의 길이와 넓이

내신 중요도 유형 난이도 ★★☆☆☆

반지름의 길이가 r, 중심각의 크기가 θ(라디안)인 부채꼴에 대하여

(1) 호의 길이: $l=r\theta$

(2) 넓이: $S=\frac{1}{2}rl=\frac{1}{2}r^2\theta$

(3) 둘레의 길이: $2r+l=2r+r\theta$

0853 중요 교육청 기출

반지름의 길이가 4, 중심각의 크기가 $\frac{\pi}{6}$인 부채꼴의 호의 길이는?

① $\frac{\pi}{3}$ ② $\frac{\pi}{2}$ ③ $\frac{2}{3}\pi$

④ $\frac{5}{6}\pi$ ⑤ π

0854 짱중요

반지름의 길이가 6, 중심각의 크기가 $\frac{\pi}{3}$인 부채꼴의 넓이는?

① 3π ② $\frac{10}{3}\pi$ ③ 6π

④ $\frac{20}{3}\pi$ ⑤ 12π

0855

그림과 같이 반지름의 길이가 4, 중심각의 크기가 315°인 부채꼴이 있다. 이 부채꼴의 둘레의 길이를 구하시오.

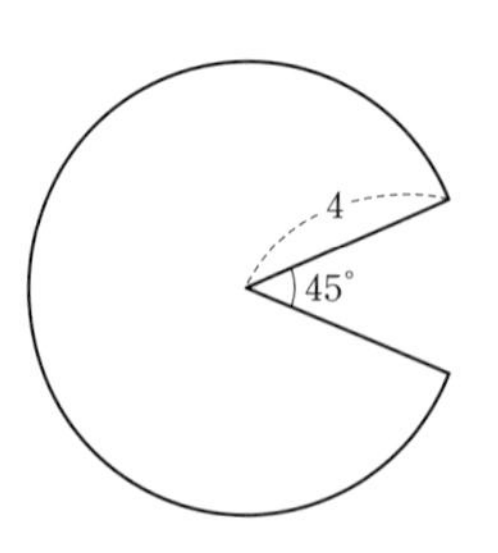

0856 짱중요

중심각의 크기가 $\frac{\pi}{3}$이고, 호의 길이가 2π cm인 부채꼴의 넓이는?

① 6π cm^2 ② 8π cm^2 ③ 10π cm^2

④ 12π cm^2 ⑤ 14π cm^2

0857

반지름의 길이가 12이고, 중심각의 크기가 θ인 부채꼴의 호의 길이가 4π일 때 $\sin\theta$의 값을 구하시오.

0858

반지름의 길이가 2인 부채꼴의 둘레의 길이가 2π일 때, 이 부채꼴의 넓이 S와 중심각의 크기 θ를 각각 구하시오.

0859 짱중요

중심각의 크기가 $\frac{2}{3}\pi$이고 넓이가 $12\pi\,\text{cm}^2$인 부채꼴의 둘레의 길이를 구하시오.

0860

호의 길이가 $\frac{\pi}{3}$, 넓이가 $\frac{3}{2}\pi$인 부채꼴의 중심각의 크기는?

① $\frac{\pi}{3}$ ② $\frac{\pi}{6}$ ③ $\frac{\pi}{9}$
④ $\frac{\pi}{18}$ ⑤ $\frac{\pi}{27}$

0861

그림과 같이 반지름의 길이가 5인 부채꼴의 둘레의 길이와 넓이가 같을 때, 중심각의 크기 θ를 구하시오.

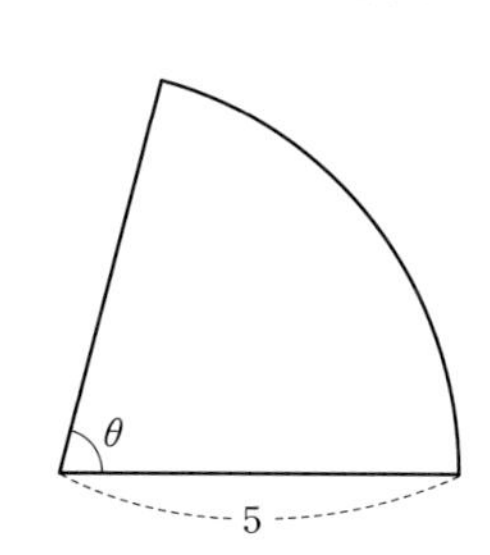

유형 07 부채꼴의 호의 길이와 넓이의 활용

내신 중요도 ▬▬▬▬▬ 유형 난이도 ★★★★★

(1) 활꼴의 넓이는 부채꼴의 넓이에서 이등변삼각형의 넓이를 빼는 것으로 구할 수 있다.
(2) 원뿔의 전개도에서 옆면인 부채꼴의 호의 길이와 밑면인 원의 둘레의 길이는 같다.

0862

반지름의 길이가 2인 원의 넓이와 반지름의 길이가 4인 부채꼴의 넓이가 같을 때, 이 부채꼴의 둘레의 길이를 구하시오.

0863

그림과 같은 부채꼴 AOB에서 반지름의 길이를 10 % 줄이고, 호 AB의 길이를 10 % 늘인 부채꼴의 넓이는 어떤 변화가 있는가?

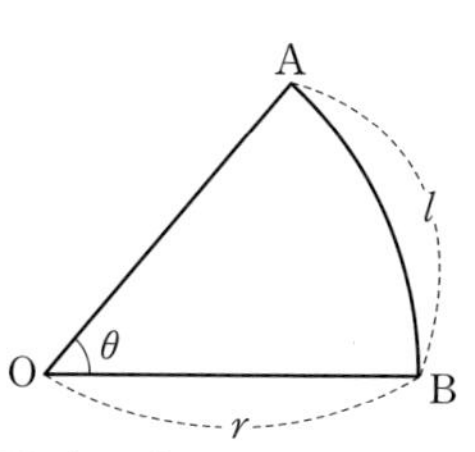

① 3 % 줄어든다. ② 1 % 줄어든다.
③ 변화가 없다. ④ 1 % 늘어난다.
⑤ 3 % 늘어난다.

0864 중요

호의 길이가 10πcm인 부채꼴 OAB가 있다. 이 부채꼴을 접어 만든 원뿔 모양의 입체는 밑면의 둘레의 길이가 호 AB의 길이와 같고, 부피는 100πcm^{3}이다. 이 부채꼴의 중심각의 크기를 구하시오.

0865

그림은 어느 공연장의 무대와 객석이다. 부채꼴 OAB에서 호 AB의 길이는 48m, 부채꼴 OCD에서 호 CD의 길이는 18m이고 $\overline{AC}=\overline{BD}=20$m일 때, 이 공연장의 객석 부분인 도형 ABDC의 넓이를 구하시오.

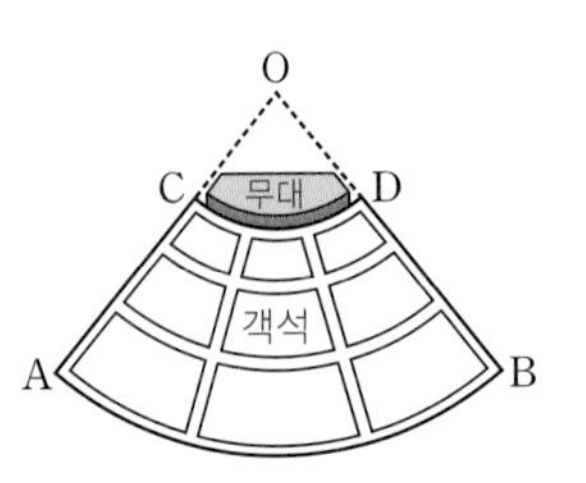

0866

그림과 같은 부채꼴 AOB에서 호 AB의 길이는 $\frac{4}{3}\pi$, $\overline{AH}\perp\overline{OB}$, $\angle AOH=\frac{\pi}{3}$일 때, 색칠한 부분의 넓이를 구하시오.

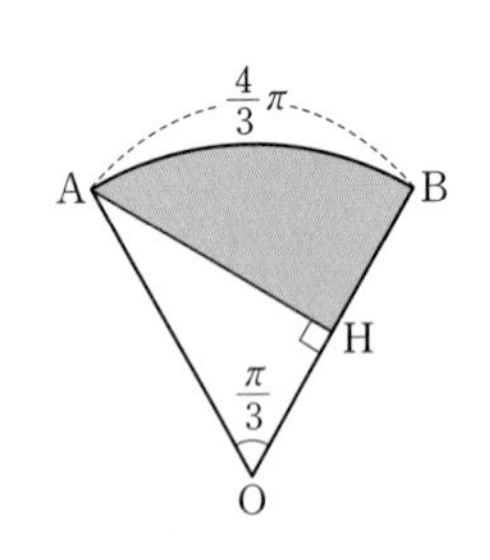

0867

그림과 같이 밑면의 반지름의 길이가 1인 세 개의 원기둥을 끈으로 팽팽하게 묶으려고 한다. 이때, 필요한 끈의 길이의 최솟값은?

(단, 매듭을 지은 부분의 길이는 생각하지 않는다.)

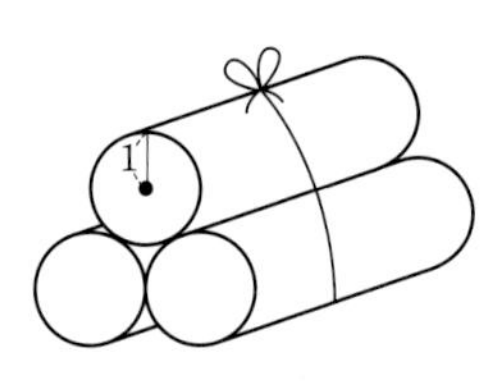

① 3π ② $3+\pi$ ③ $6+\pi$
④ $3+2\pi$ ⑤ $6+2\pi$

0868

그림과 같이 반지름의 길이가 2m인 반원 모양의 잔디밭에 폭 1m인 자갈길을 만들었을 때, 자갈길의 넓이는?

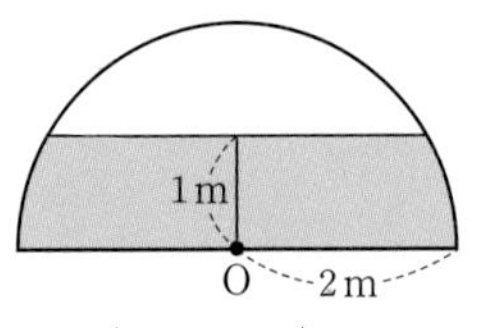

① $\left(\sqrt{2}+\frac{\pi}{3}\right)$m^2 ② $\left(\sqrt{3}+\frac{\pi}{3}\right)$m^2 ③ $\left(\sqrt{3}+\frac{2}{3}\pi\right)$m^2
④ $\left(2\sqrt{2}+\frac{\pi}{3}\right)$m^2 ⑤ $\left(2\sqrt{3}+\frac{\pi}{3}\right)$m^2

0869

그림과 같이 한 변의 길이가 20인 정사각형 PQRS가 있다. 두 점 P, Q를 각각의 중심으로 하고 반지름의 길이가 20인 사분원을 그릴 때, 색칠한 부분의 넓이를 구하시오.

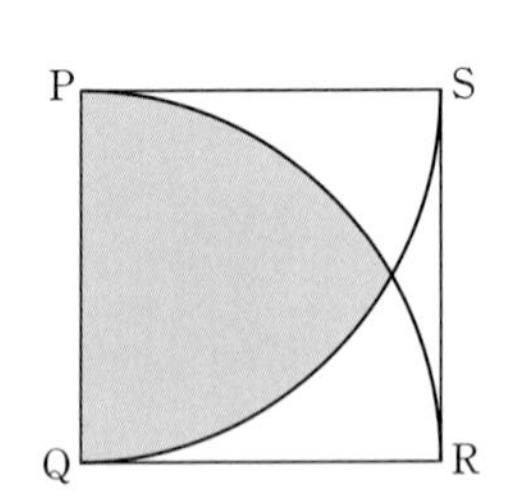

유형 08 부채꼴의 호의 길이와 넓이의 최대 · 최소

내신 중요도 유형 난이도 ★★★☆☆

반지름의 길이가 r, 둘레의 길이가 a인 부채꼴의 넓이 S는

$$S=\frac{1}{2}r(a-2r)$$

⇨ 이차함수의 최대 · 최소를 이용하여 S의 최댓값을 구한다.

0870 ●●○○

둘레의 길이가 96인 부채꼴 중에서 넓이가 최대인 부채꼴의 반지름의 길이를 구하시오.

0871 짱중요 ●●●○

둘레의 길이가 10인 부채꼴의 넓이가 최대일 때, 이 부채꼴의 중심각의 크기는?

① 1 ② 2 ③ 3
④ 4 ⑤ 5

0872 짱중요 ●●○○

둘레의 길이가 20인 부채꼴의 최대 넓이를 구하시오.

0873 ●●●○

길이가 60인 울타리를 모두 사용하여 부채꼴 모양의 화단을 만들려고 한다. 화단의 넓이를 최대로 하는 부채꼴의 반지름의 길이와 중심각의 크기를 각각 r, θ라 할 때, $r+\theta$의 값을 구하시오.

(단, θ의 단위는 라디안)

0874 ●●●●

넓이가 25인 부채꼴 중에서 그 둘레의 길이의 최솟값을 구하시오.

0875 ●●●●

넓이가 $4a^2$으로 일정한 부채꼴의 둘레의 길이의 최솟값은?

(단, $a>0$)

① $2a$ ② $2\sqrt{2}a$ ③ $4a$
④ $4\sqrt{2}a$ ⑤ $8a$

유형 09 삼각함수의 정의

내신 중요도 ■■■■■ 유형 난이도 ★★☆☆☆

동경 OP가 나타내는 각 θ에 대하여

(1) $r=\overline{\mathrm{OP}}=\sqrt{x^2+y^2}$

(2) $\sin\theta=\frac{y}{r}$, $\cos\theta=\frac{x}{r}$,

$\tan\theta=\frac{y}{x}$ $(x\neq0)$

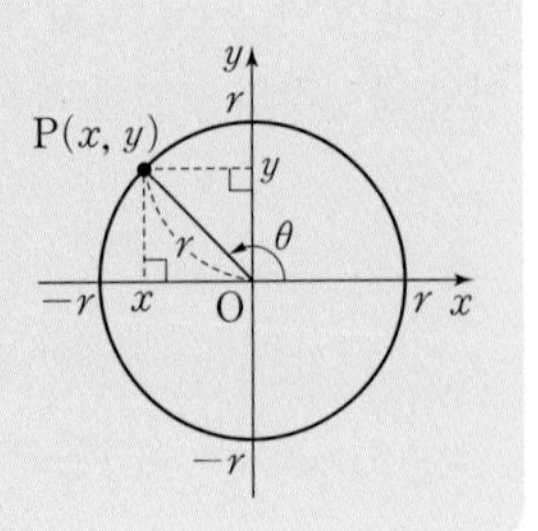

0876

●○○○

원점 O와 점 P$(-4, 3)$에 대하여 동경 OP가 나타내는 각의 크기를 θ라 할 때, $5\sin\theta+4\tan\theta$의 값을 구하시오.

0877

●○○○

원점과 점 P$(5,\ -12)$를 이은 선분을 동경으로 하는 각의 크기를 θ라 할 때, $13(\sin\theta-\cos\theta)+10\tan\theta$의 값은?

① -41 ② -31 ③ -21
④ -11 ⑤ 0

0878

●●●○

제2사분면 위의 점 P가 직선 $y=-\sqrt{3}x$ 위에 있다. 동경 OP가 나타내는 각의 크기를 θ라 할 때, $\sin\theta+\cos\theta+\tan\theta$의 값을 구하시오. (단, O는 원점이다.)

0879

●●●○

그림과 같이 원 $x^2+y^2=4$와 직선 $y=\frac{1}{\sqrt{3}}x$가 만나는 두 점을 각각 P, Q라 하고 선분 OP가 x축의 양의 방향과 이루는 각의 크기를 α, 선분 OQ가 y축의 양의 방향과 이루는 각의 크기를 β라 할 때, $\sin\alpha+\cos\beta$의 값은? (단, O는 원점이다.)

① -1 ② $\frac{1-\sqrt{3}}{2}$ ③ 0
④ 1 ⑤ $\frac{1+\sqrt{3}}{2}$

0880 중요

●●○○

원점 O와 점 P$(a, 1)$에 대하여 동경 OP가 나타내는 각을 θ라 하면 $\tan\theta=-\frac{3}{5}$이다. 이때, 선분 OP의 길이를 구하시오.

0881 짱중요

●●○○

θ가 제2사분면의 각이고 $\cos\theta=-\frac{3}{5}$일 때, $\tan\theta$의 값을 구하시오.

0882 교육청 기출 ●●○○

θ가 제3사분면의 각이고 $\tan\theta=2$일 때, $\sin\theta\cos\theta$의 값은?

① $-\frac{3}{5}$ ② $-\frac{2}{5}$ ③ $\frac{1}{5}$
④ $\frac{2}{5}$ ⑤ $\frac{3}{5}$

0883 중요 ●●○○

θ가 제4사분면의 각이고 $\sin\theta=-\frac{5}{13}$일 때, $13\cos\theta+24\tan\theta$의 값을 구하시오.

0884 ●●●●

그림과 같이 정육각형 ABCDEF가 원 $x^2+y^2=4$에 내접하고 있다. 두 동경 OA, OD가 나타내는 일반각의 크기를 각각 α, β라 할 때, $\frac{\sin\alpha}{\cos\beta}$의 값을 구하시오.
(단, $\overline{AF}$와 $\overline{CD}$는 x축과 평행하다.)

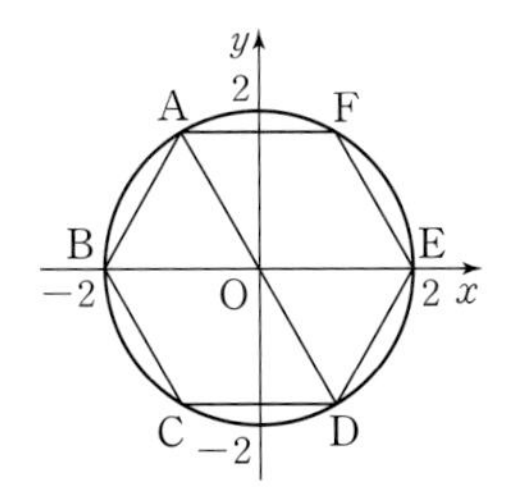

유형 **10** 삼각함수의 값의 부호

내신 중요도 유형 난이도 ★★★☆☆

(1) θ가 제1사분면의 각이면
$\sin\theta>0$, $\cos\theta>0$, $\tan\theta>0$
(2) θ가 제2사분면의 각이면
$\sin\theta>0$, $\cos\theta<0$, $\tan\theta<0$
(3) θ가 제3사분면의 각이면
$\sin\theta<0$, $\cos\theta<0$, $\tan\theta>0$
(4) θ가 제4사분면의 각이면
$\sin\theta<0$, $\cos\theta>0$, $\tan\theta<0$

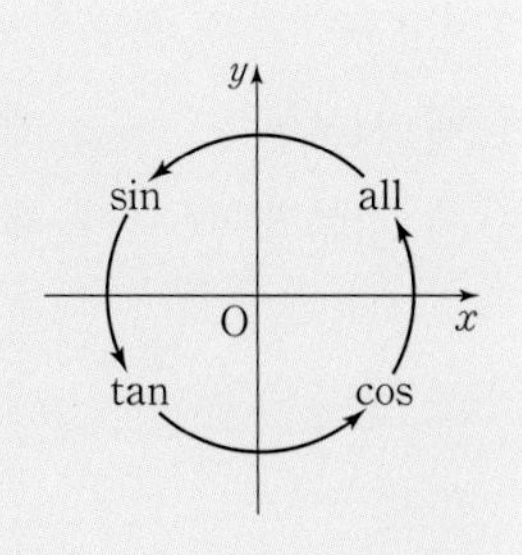

0885 ●○○○

$\frac{\pi}{2}<\theta<\pi$일 때, 다음 식을 간단히 하시오.

$$|\sin\theta|-\sqrt{\cos^2\theta}-\sqrt{(\cos\theta-\sin\theta)^2}$$

0886 ●○○○

$\sin\theta\cos\theta<0$일 때, θ는 제 몇 사분면의 각인가?

① 제1사분면 또는 제2사분면
② 제1사분면 또는 제3사분면
③ 제1사분면 또는 제4사분면
④ 제2사분면 또는 제3사분면
⑤ 제2사분면 또는 제4사분면

0887 중요 ●●○○

다음 중 $\sin\theta\cos\theta>0$, $\cos\theta\tan\theta<0$을 동시에 만족시키는 θ의 값이 될 수 없는 것은?

① $\frac{8}{7}\pi$ ② $\frac{7}{6}\pi$ ③ $\frac{5}{4}\pi$
④ $\frac{7}{5}\pi$ ⑤ $\frac{5}{3}\pi$

0888

$\sin\theta\tan\theta>0$, $\sin\theta+\tan\theta<0$을 동시에 만족시키는 각 θ의 동경이 존재할 수 있는 사분면은?

① 제1사분면　② 제2사분면　③ 제3사분면
④ 제4사분면　⑤ 제1, 4사분면

0889 짱중요

$\sin\theta\cos\theta<0$, $\sin\theta\tan\theta>0$을 동시에 만족시키는 각 θ에 대하여 $|1-2\sin\theta|-\sqrt{\cos^2\theta}+\sqrt{(\cos\theta-\sin\theta)^2}$의 값은?

① $1-3\sin\theta$　② $-1-\sin\theta$　③ $-1+2\sin\theta$
④ $1-\cos\theta$　⑤ $1+\cos\theta$

0890 중요

$\sin\theta\tan\theta>0$일 때, 〈보기〉에서 항상 옳은 것만을 있는 대로 고른 것은?

보기
ㄱ. $\sin\theta+|\sin\theta|=0$　ㄴ. $\sqrt{\cos^2\theta}=\cos\theta$
ㄷ. $|\tan\theta|=-\tan\theta$

① ㄱ　② ㄴ　③ ㄷ
④ ㄱ, ㄴ　⑤ ㄴ, ㄷ

유형 11 삼각함수 사이의 관계를 이용하여 식 간단히 하기

내신 중요도 ■■■■■ 유형 난이도 ★★★☆☆

(1) $\tan\theta=\dfrac{\sin\theta}{\cos\theta}$

(2) $\sin^2\theta+\cos^2\theta=1$

0891

$\dfrac{\sqrt{\sin\theta}}{\sqrt{\cos\theta}}=-\sqrt{\tan\theta}$를 만족시키는 각 θ에 대하여

$$|\sin\theta|-\sqrt{\cos^2\theta}+|1+\sin\theta|+\sqrt{(1-\cos\theta)^2}$$

을 간단히 하면? (단, $\sin\theta\neq0$)

① $2-2\sin\theta$　② $2-2\cos\theta$　③ 2
④ $2+2\sin\theta$　⑤ $2+2\cos\theta$

0892

$\dfrac{1}{2}\left(\dfrac{1+\sin\theta}{\cos\theta}+\dfrac{\cos\theta}{1+\sin\theta}\right)$를 간단히 하면?

① $\sin\theta$　② $\cos\theta$　③ $\tan\theta$
④ $\dfrac{1}{\sin\theta}$　⑤ $\dfrac{1}{\cos\theta}$

0893

〈보기〉에서 옳은 것만을 있는 대로 고르시오.

보기
ㄱ. $\cos^2\theta-\sin^4\theta=1-2\sin^2\theta$
ㄴ. $(\sin\theta-\cos\theta)^2+(\sin\theta+\cos\theta)^2=2$
ㄷ. $\tan^2\theta-\sin^2\theta=\tan^2\theta\sin^2\theta$

유형 12 삼각함수 사이의 관계를 이용하여 식의 값 구하기

내신 중요도 ■■■□□ 유형 난이도 ★★★☆☆

삼각함수의 값과

$\sin^2\theta=1-\cos^2\theta$, $\cos^2\theta=1-\sin^2\theta$,

$\tan^2\theta+1=\dfrac{1}{\cos^2\theta}$

임을 이용하여 주어진 식의 값을 구하자.

0894 ●●●○

$\sin\theta=3\cos\theta$일 때, $\sin\theta\cos\theta$의 값을 구하시오.

(단, $\sin\theta\cos\theta\neq0$)

0895 ●●○○

$\cos\theta=\dfrac{\sqrt{2}}{2}$일 때, $\dfrac{\cos\theta}{1-\sin\theta}+\dfrac{1-\sin\theta}{\cos\theta}$의 값은?

① $-2\sqrt{2}$ ② $-\sqrt{2}$ ③ $\sqrt{2}$
④ $2\sqrt{2}$ ⑤ $4\sqrt{2}$

0896 ●●●●

θ가 제1사분면의 각이고, $2\tan\theta=\cos\theta$일 때, $\sin\theta$의 값은?

① $-1-\sqrt{2}$ ② $1-\sqrt{2}$ ③ $-1+\sqrt{2}$
④ $-1+2\sqrt{2}$ ⑤ $-2+3\sqrt{2}$

유형 13 $\sin\theta+\cos\theta$, $\sin\theta\cos\theta$의 관계를 이용하여 식의 값 구하기

내신 중요도 ■■■■□ 유형 난이도 ★★★☆☆

$\sin\theta\pm\cos\theta$의 값 또는 $\sin\theta\cos\theta$의 값이 주어지는 경우

$(\sin\theta\pm\cos\theta)^2=1\pm2\sin\theta\cos\theta$ (복부호동순)

임을 이용하자.

0897 ●●○○

$\sin x+\cos x=\sqrt{2}$일 때, $\dfrac{1}{\sin x}+\dfrac{1}{\cos x}$의 값을 구하시오.

0898 짱중요 ●●●○

θ는 제2사분면의 각이고 $\sin\theta+\cos\theta=\dfrac{1}{\sqrt{2}}$일 때,

$\sin\theta-\cos\theta$의 값을 구하시오.

0899 중요 ●●○○

$\sin\theta+\cos\theta=\dfrac{4}{3}$일 때, $\dfrac{\sin^2\theta}{\cos\theta}+\dfrac{\cos^2\theta}{\sin\theta}$의 값은?

① $\dfrac{20}{21}$ ② $\dfrac{26}{21}$ ③ $\dfrac{32}{21}$
④ $\dfrac{38}{21}$ ⑤ $\dfrac{44}{21}$

0900 중요 교육청 기출

$\sin\theta-\cos\theta=\frac{1}{2}$일 때, $8\sin\theta\cos\theta$의 값을 구하시오.

0901

$\sin\theta-\cos\theta=-\frac{\sqrt{14}}{5}$일 때, $\sin\theta+\cos\theta$의 값을 구하시오. $\left(단, 0<\theta<\frac{\pi}{2}\right)$

0902

$\frac{1}{\cos\theta}\times\frac{1}{\sin\theta}=2$일 때, $(\sin\theta+\cos\theta)^2$의 값은?

① $\frac{1}{4}$ ② $\frac{1}{2}$ ③ 1
④ $\frac{3}{2}$ ⑤ 2

0903 중요

$0<\theta<\frac{\pi}{2}$이고 $\sin\theta\cos\theta=\frac{1}{3}$일 때, $\sin^3\theta+\cos^3\theta$의 값을 구하시오.

0904

$\tan\theta+\frac{1}{\tan\theta}=2$일 때, $\frac{1}{\sin^2\theta}+\frac{1}{\cos^2\theta}$의 값을 구하시오.

0905 교육청 기출

$\sin\theta+\cos\theta=\sin\theta\cos\theta$일 때, $\sin\theta\cos\theta$의 값은 $a+b\sqrt{2}$이다. $10a-b$의 값을 구하시오. (단, a, b는 유리수이다.)

유형 14 삼각함수와 이차방정식

내신 중요도 ▬▬▬▬ 유형 난이도 ★★★☆☆

이차방정식 $ax^2+bx+c=0$의 두 근이 $\sin\theta$, $\cos\theta$이면 근과 계수의 관계에 의하여

$$\sin\theta+\cos\theta=-\frac{b}{a},\ \sin\theta\cos\theta=\frac{c}{a}$$

0906 중요 ●●○○

이차방정식 $3x^2-x+k=0$의 두 근이 $\sin\theta$, $\cos\theta$일 때, 실수 k의 값을 구하시오.

0907 ●●●○

이차방정식 $2x^2+kx+1=0$의 두 근이 $\sin\theta$, $\cos\theta$일 때, $k\tan\theta$의 값을 구하시오. (단, $k>0$)

0908 ●●●○

이차방정식 $x^2-kx+2=0$의 두 근이 $\frac{1}{\sin\theta}$, $\frac{1}{\cos\theta}$일 때, k^2의 값을 구하시오. (단, k는 상수이다.)

0909 ●●●●

x에 대한 이차방정식 $3x^2-5ax+a^2-1=0$의 두 근이 $\tan\theta$, $\frac{1}{\tan\theta}$일 때, $\sin\theta\cos\theta$의 값을 구하시오.

(단, $\frac{\pi}{2}<\theta<\pi$이고 a는 상수이다.)

0910 ●●●○

$\sin\theta+\cos\theta=\frac{\sqrt{6}}{2}$일 때, $\sin\theta$와 $\cos\theta$를 두 근으로 하고 x^2의 계수가 4인 이차방정식은? (단, $0<\theta<\frac{\pi}{2}$)

① $4x^2-2\sqrt{6}x-1=0$
② $4x^2-2\sqrt{6}x+1=0$
③ $4x^2-2\sqrt{3}x-1=0$
④ $4x^2-2\sqrt{3}x+1=0$
⑤ $4x^2-2\sqrt{2}x-1=0$

0911 ●●●○

이차방정식 $2x^2+\sqrt{2}x-\frac{1}{2}=0$의 두 근이 $\sin\theta$, $\cos\theta$일 때, $\tan\theta$, $\frac{1}{\tan\theta}$을 두 근으로 하고 이차항의 계수가 1인 이차방정식을 구하시오.

0912

〈보기〉의 각을 나타내는 동경 중 120°를 나타내는 동경과 일치하는 것을 고른 것은?

보기	
ㄱ. 840°	ㄴ. -380°
ㄷ. $\frac{17}{3}\pi$	ㄹ. -960°

① ㄱ, ㄴ ② ㄱ, ㄷ ③ ㄱ, ㄹ
④ ㄴ, ㄷ ⑤ ㄴ, ㄹ

0913

θ가 제2사분면의 각일 때, $\frac{\theta}{3}$의 동경이 존재할 수 있는 사분면을 모두 고른 것은?

① 제1, 3사분면 ② 제2, 4사분면
③ 제1, 2, 3사분면 ④ 제1, 2, 4사분면
⑤ 제2, 3, 4사분면

0914

어떤 예각을 6배하면 처음의 각의 동경과 일치한다고 할 때, 이 예각의 크기를 구하시오.

0915

반지름의 길이가 3이고, 중심각의 크기가 $\frac{\pi}{6}$인 부채꼴의 호의 길이를 l, 넓이를 S라고 할 때, $l+S$의 값을 구하시오.

0916 서술형

모선의 길이가 10이고 밑면의 넓이가 16π인 원뿔이 있다. 모선의 중점을 지나고 밑면에 평행한 평면으로 이 원뿔을 잘라서 만든 원뿔대의 겉넓이를 구하시오.

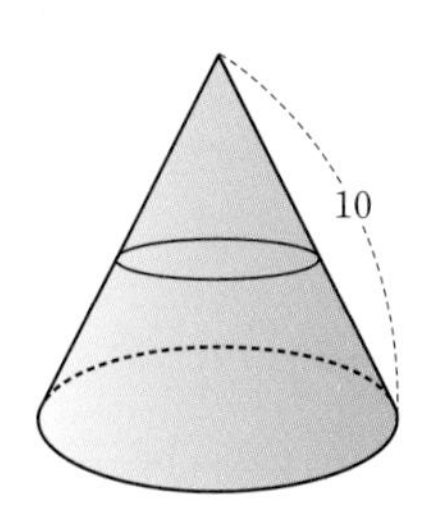

0917

둘레의 길이가 8인 부채꼴의 최대 넓이를 구하시오.

0918

원점 O와 점 P$(4,\ -3)$에 대하여 동경 OP가 나타내는 각을 θ라 할 때, $\sin\theta+\cos\theta$의 값을 구하시오.

0919

θ가 제2사분면의 각이고 $\tan\theta=-\frac{3}{4}$일 때, $\sin\theta+\cos\theta$의 값을 구하시오.

0920

다음 두 조건을 동시에 만족시키는 θ는 제 몇 사분면의 각인가?

(가) $\sin\theta\cos\theta<0$ (나) $\cos\theta\tan\theta>0$

① 제1사분면 ② 제2사분면 ③ 제3사분면
④ 제4사분면 ⑤ 제2, 4사분면

0921

$\tan\theta=\frac{1}{4}$일 때, $\frac{\cos\theta+\sin\theta}{\cos\theta-\sin\theta}$의 값을 구하시오.

0922

$\sin\theta+\cos\theta=\frac{3}{2}$일 때, $\sin^3\theta+\cos^3\theta$의 값은?

① $\frac{3}{8}$ ② $\frac{7}{16}$ ③ $\frac{1}{2}$
④ $\frac{9}{16}$ ⑤ $\frac{5}{8}$

0923 서술형

이차방정식 $3x^2-x+k=0$의 두 근이 $\sin\theta$, $\cos\theta$이고, 이차방정식 $ax^2+bx+8=0$의 두 근이 $\tan\theta$, $\frac{1}{\tan\theta}$이다. 이때, 상수 a, b, k에 대하여 abk의 값을 구하시오.

Level 1

0924

$0<\theta<\frac{\pi}{2}$인 각 θ에 대하여 각 20θ가 제1사분면의 각일 때,

$\sin 20\theta=\sin\theta$를 만족시키는 각 θ의 개수는?

① 1　　② 2　　③ 3　　④ 4　　⑤ 5

0925

$0<\theta<2\pi$인 각 θ에 대하여 각 θ를 나타내는 동경과 각 3θ를 나타내는 동경이 x축에 대하여 대칭일 때, 이를 만족시키는 θ를 $\theta_1, \theta_2, \cdots, \theta_n$이라 하자. $\sin^2\theta_1+\sin^2\theta_2+\cdots+\sin^2\theta_n$의 값을 구하시오.

0926

넓이가 일정한 부채꼴의 둘레의 길이가 최소일 때, 이 부채꼴의 중심각의 크기를 구하시오.

0927

원 $x^2+y^2=6$과 직선 $y=\left|\frac{\sqrt{2}}{2}x\right|$의 두 교점을 각각 P, Q라 하자. 두 동경 OP, OQ가 나타내는 각의 크기를 각각 α, β라 할 때, $\frac{2}{\cos\alpha}+\frac{\sqrt{2}}{\tan\beta}$의 값을 구하시오.

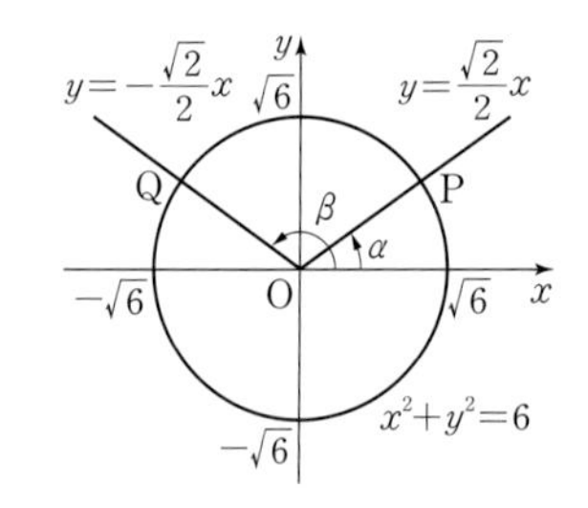

0928

$\dfrac{\sqrt{\cos\theta}}{\sqrt{\tan\theta}}=-\sqrt{\dfrac{\cos\theta}{\tan\theta}}$ 를 만족시키는 각 θ에 대하여 $\sqrt{(\sin\theta-\cos\theta)^2}-|\sin\theta|$ 를 간단히 하시오. (단, $\cos\theta\neq0$)

0929

모든 실수 x에 대하여 이차부등식 $kx^2-2kx+2-k>0$이 성립할 때, 〈보기〉에서 옳은 것만을 있는 대로 고른 것은?

(단, k의 단위는 라디안이다.)

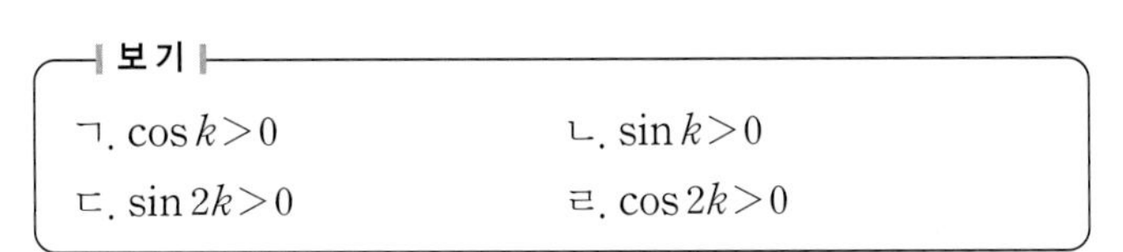

보기

ㄱ. $\cos k>0$　　ㄴ. $\sin k>0$

ㄷ. $\sin 2k>0$　　ㄹ. $\cos 2k>0$

① ㄱ, ㄴ　② ㄱ, ㄹ　③ ㄴ, ㄷ

④ ㄱ, ㄴ, ㄷ　⑤ ㄱ, ㄴ, ㄹ

0930

$\sin x+\cos x=\dfrac{1}{\sqrt{2}}$일 때, $\tan^3 x+\dfrac{1}{\tan^3 x}$의 값을 구하시오.

0931

x에 대한 이차방정식 $2x^2+x\cos\theta+3\cos\theta\tan\theta=0$이 서로 다른 부호의 실근을 가지고 음수인 근의 절댓값이 양수인 근보다 크도록 θ의 값을 정할 때, 다음 중 θ의 값이 될 수 있는 것은?

① $-\dfrac{3}{4}\pi$　② $-\dfrac{1}{5}\pi$　③ $\dfrac{2}{7}\pi$

④ $\dfrac{5}{8}\pi$　⑤ $\dfrac{10}{9}\pi$

Level 2

0932

자연수 n에 대하여 A_n을 $A_n=3+(-1)^n$이라 하자. 좌표평면 위의 점 P_n의 좌표를 $\left(A_n\cos\frac{2n\pi}{3},\ A_n\sin\frac{2n\pi}{3}\right)$라 할 때, 다음 중 점 P_{2022}와 같은 점은?

① P_2 ② P_3 ③ P_4
④ P_5 ⑤ P_6

0933

원점 O와 곡선 $y=\frac{4}{x}\ (x>0)$ 위의 점 P에 대하여 동경 OP가 나타내는 각을 θ라 할 때, $\sin\theta\cos\theta$의 최댓값을 구하시오.

0934

직선 $2x+y\sin\theta+\cos\theta=0$이 그림과 같을 때, 직선 $y=x\sin\theta+\tan\theta\cos\theta$가 지나지 않는 사분면을 구하시오.

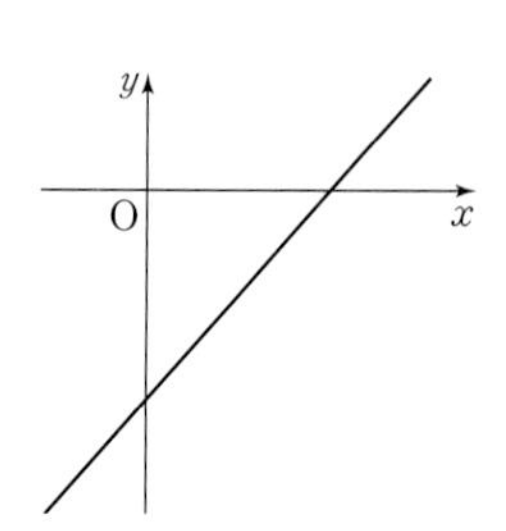

0935

자연수 n에 대하여 $f(n)=\sin^n\theta+\cos^n\theta$일 때, 다음 중 $2f(6)$과 같은 것은?

① $2f(4)-1$ ② $2f(4)+3$ ③ $3f(4)-1$
④ $3f(4)+3$ ⑤ $4f(4)-1$

0936

그림과 같은 직각삼각형 ABC의 꼭짓점 C와 빗변 AB를 삼등분하는 점 D, E 사이의 거리가 각각 $\sin x$, $\cos x$일 때, 선분 AB의 길이를 구하시오.

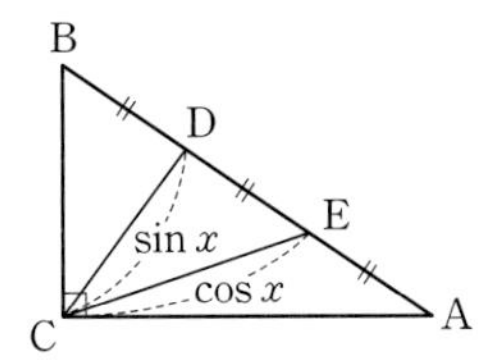

Level 3

0937

그림과 같이 길이가 2인 선분 AB를 지름으로 하고 중심이 O인 반원이 있다. 호 AB 위에 점 P를 $\cos(\angle BAP)=\frac{4}{5}$가 되도록 잡는다. 부채꼴 OBP에 내접하는 원의 반지름의 길이가 r_1, 호 AP를 이등분하는 점과 선분 AP의 중점을 지름의 양 끝점으로 하는 원의 반지름의 길이가 r_2일 때, r_1r_2의 값은?

① $\frac{3}{40}$ ② $\frac{1}{10}$ ③ $\frac{1}{8}$

④ $\frac{3}{20}$ ⑤ $\frac{7}{40}$

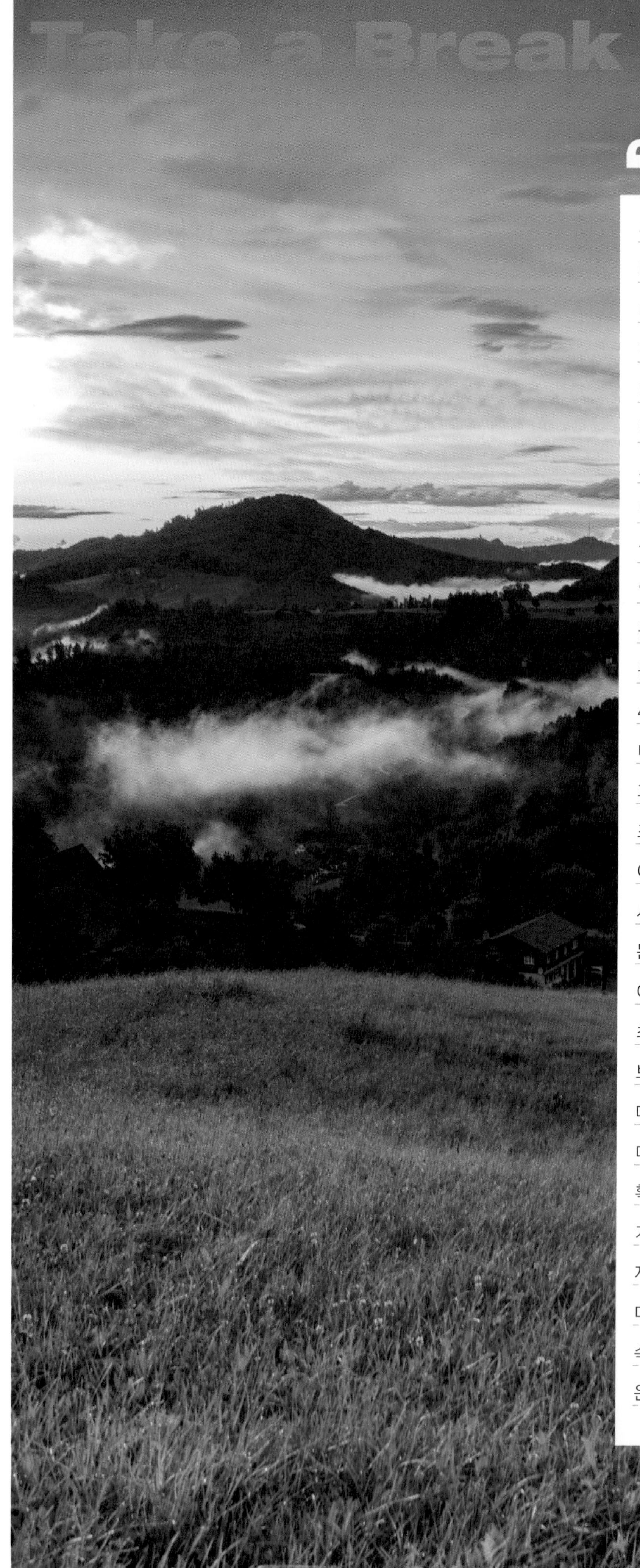

"소수를 이용한 종족보존"

우리나라에서 흔히 볼 수 있는 매미는 매년 나타나는 참매미이다. 매미 때문에 짜증이 나고 매미 울음소리는 소음이라 생각하며 매미의 개체 수를 줄여야 한다는 생각을 한 번쯤 해 본 적이 있을 것이다. 그러나 여러 종의 매미 중에서 불쌍한 매미가 있다. 북아메리카에서 17년 주기로 살아가는 17년매미가 그 주인공이다. 17년 주기에는 소수의 원리가 숨어 있다. 17년매미는 왜 그렇게 긴 시간 동안 땅속에서 지내는 걸까? 그리고 왜 하필 16, 18년이 아닌 17년 동안 사는 걸까?

17년매미의 애벌레는 17년마다 흙을 뚫고 나와 짝짓기를 한다. 만일 매미가 16년 혹은 18년 또는 그 사이의 애매한 주기로 짝짓기를 한다면 많은 매미가 종족을 번식하지 못하는 일이 생긴다. 예를 들어 매미가 8년마다 한 번씩 땅에서 나온다고 하면 8은 1, 2, 4, 8로 나눌 수 있으므로 1년, 2년, 4년, 8년을 생존 주기로 하는 다른 동물들의 공격을 받을 수 있기 때문이다. 매미가 다른 동물과 생존 주기가 겹쳐지지 않으려면 어떤 수가 유리할까?

두 수	최소공배수
14와 15	210
14와 16	112
14와 17	238
14와 18	126
15와 16	240
15와 17	255
15와 18	90
16과 17	272
16과 18	144
17과 18	306

표를 보면 17이 들어간 경우에 최소공배수 값이 커진다는 사실을 알 수 있다. 그 이유는 바로 17이 소수이기 때문이다. 소수를 포함한 두 수의 최소공배수는 약수가 많은 수보다 최소공배수가 커진다. 따라서 매미의 주기가 길어져 다른 동물들의 공격을 받을 확률도 적어지게 된다. 짝짓기 횟수가 많을수록, 시기가 자주 돌아올수록 매미에게 위기가 온다는 사실을 생각할 때 17은 매미가 살아남을 수 있는 특별한 숫자이다. 이러한 이유로 어둠 속에서 17년을 기다려온 매미의 삶을 생각해보면 매미의 시끄러운 소리를 참는 데 조금은 도움이 되지 않을까?

06 삼각함수의 그래프

		제 목	내신중요도	유형난이도	문항수	문항번호
		기본 문제			55	0938~0992
유형 문제	01	주기함수	■■	★★	3	0993~0995
	02	$y=a\sin bx$, $y=a\cos bx$ 꼴의 그래프	■■■■	★★★	6	0996~1001
	03	$y=a\sin b(x-c)+d$, $y=a\cos b(x-c)+d$ 꼴의 그래프	■■■■■	★★★	9	1002~1010
	04	그래프가 주어진 삼각함수의 미정계수 구하기	■■■■■	★★★	6	1011~1016
	05	탄젠트 함수의 그래프	■	★★	3	1017~1019
	06	절댓값 기호를 포함한 삼각함수	■	★★★	3	1020~1022
	07	삼각함수의 그래프와 직선 $y=k$의 교점	■■■■	★★★★	6	1023~1028
	08	일반각에 대한 삼각함수의 성질 – 각의 변형	■■■■■	★★	9	1029~1037
	09	일정하게 증가하는 각	■■	★★★★	5	1038~1042
	10	삼각함수를 포함한 식의 최대 · 최소 – 이차식 꼴	■■■■	★★★★	6	1043~1048
	11	삼각함수를 포함한 식의 최대 · 최소 – 분수식 꼴	■■	★★★★★	3	1049~1051
	12	삼각함수의 그래프와 직선의 교점	■■■■	★★★★★	6	1052~1057
	13	일차식 꼴의 삼각방정식	■■■	★★★	9	1058~1066
	14	이차식 꼴의 삼각방정식	■■■	★★★	6	1067~1072
	15	일차식 꼴의 삼각부등식	■■■■	★★★	6	1073~1078
	16	이차식 꼴의 삼각부등식	■■■	★★★★	6	1079~1084
	17	두 함수로 표현된 부등식	■	★★★★	3	1085~1087
	18	삼각방정식과 삼각부등식의 응용	■■■	★★★★	6	1088~1093
	19	삼각방정식과 삼각부등식의 활용	■■	★★★★★	5	1094~1098
		적중 문제			12	1099~1110
		고난도 문제			15	1111~1127

06 삼각함수의 그래프

1. $y=\sin x$, $y=\cos x$의 그래프

(1) 정의역: 실수 전체의 집합

(2) 치역: $\{y \mid -1 \le y \le 1\}$

(3) 주기가 2π인 주기함수이다.

(4) $y=\sin x$의 그래프는 원점에 대하여 대칭이고 $y=\cos x$의 그래프는 y축에 대하여 대칭이다.

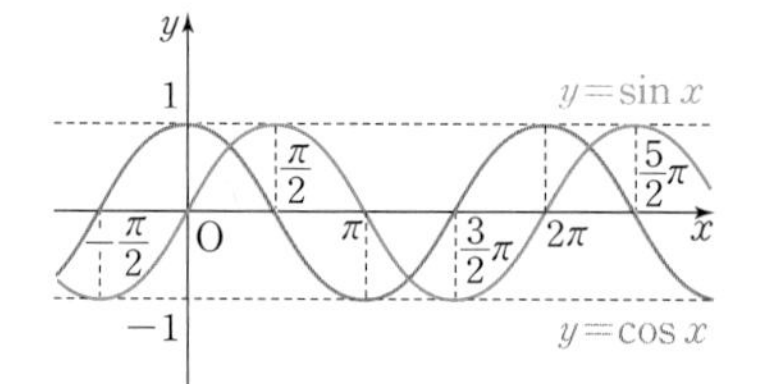

주기함수

함수 $y=f(x)$의 정의역에 속하는 임의의 실수 x에 대하여

$f(x+p)=f(x)$

인 0이 아닌 상수 p가 존재할 때, $y=f(x)$를 주기함수라 하고, 이러한 상수 p의 값 중에서 최소인 양수를 그 함수의 주기라고 한다.

2. $y=\tan x$의 그래프

(1) 정의역: $x \ne n\pi+\frac{\pi}{2}$ (n은 정수)인 실수 전체의 집합

(2) 치역: 실수 전체의 집합

(3) 주기가 π인 주기함수이다.

(4) 그래프는 원점에 대하여 대칭이다.

(5) 점근선의 방정식: $x=n\pi+\frac{\pi}{2}$ (n은 정수)

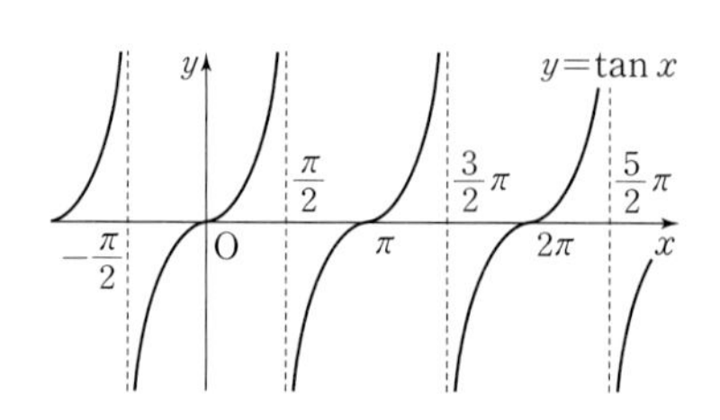

3. 삼각함수의 최댓값, 최솟값, 주기

(1) 함수 $y=a\sin b(x-m)+n$, $y=a\cos b(x-m)+n$

➡ 최댓값: $|a|+n$, 최솟값: $-|a|+n$, 주기: $\dfrac{2\pi}{|b|}$

(2) 함수 $y=a\tan b(x-m)+n$

➡ 최댓값, 최솟값은 없다.

주기: $\dfrac{\pi}{|b|}$

$\dfrac{\pi}{2}\times n+\theta$ (n은 정수)의 삼각함수

① 각 $\dfrac{\pi}{2}\times n+\theta$에서 θ는 예각이라 생각하고 제 몇 사분면의 각인지 구하여 부호를 정한다.

② (i) n이 짝수일 때,
sin ⇨ sin, cos ⇨ cos,
tan ⇨ tan

(ii) n이 홀수일 때,
sin ⇨ cos, cos ⇨ sin,
tan ⇨ $\dfrac{1}{\tan}$

4. 일반각에 대한 삼각함수의 성질

(1) $2n\pi+\theta$ (n은 정수)의 삼각함수

$\sin(2n\pi+\theta)=\sin\theta$, $\cos(2n\pi+\theta)=\cos\theta$, $\tan(2n\pi+\theta)=\tan\theta$

(2) $-\theta$의 삼각함수

$\sin(-\theta)=-\sin\theta$, $\cos(-\theta)=\cos\theta$, $\tan(-\theta)=-\tan\theta$

(3) $\pi\pm\theta$의 삼각함수

$\sin(\pi\pm\theta)=\mp\sin\theta$, $\cos(\pi\pm\theta)=-\cos\theta$,

$\tan(\pi\pm\theta)=\pm\tan\theta$ (복부호동순)

(4) $\dfrac{\pi}{2}\pm\theta$의 삼각함수

$\sin\left(\dfrac{\pi}{2}\pm\theta\right)=\cos\theta$, $\cos\left(\dfrac{\pi}{2}\pm\theta\right)=\mp\sin\theta$,

$\tan\left(\dfrac{\pi}{2}\pm\theta\right)=\mp\dfrac{1}{\tan\theta}$ (복부호동순)

$\dfrac{3}{2}\pi\pm\theta$의 삼각함수

$\sin\left(\dfrac{3}{2}\pi\pm\theta\right)=-\cos\theta$

$\cos\left(\dfrac{3}{2}\pi\pm\theta\right)=\pm\sin\theta$ (복부호동순)

$\tan\left(\dfrac{3}{2}\pi\pm\theta\right)=\mp\dfrac{1}{\tan\theta}$ (복부호동순)

5. 삼각방정식

① 주어진 방정식을 $\sin x=k$ (또는 $\cos x=k$, $\tan x=k$)의 꼴로 고친다.

② 삼각함수 $y=\sin x$ (또는 $y=\cos x$, $y=\tan x$)의 그래프와 직선 $y=k$의 교점의 x좌표를 구한다.

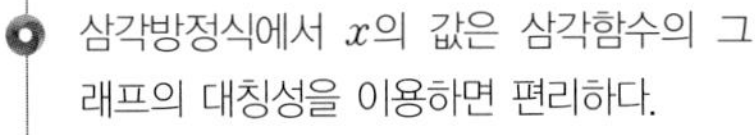

삼각방정식에서 x의 값은 삼각함수의 그래프의 대칭성을 이용하면 편리하다.

① $\sin x=k$의 해

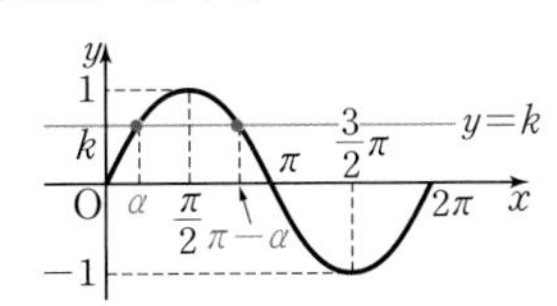

② $\cos x=k$의 해

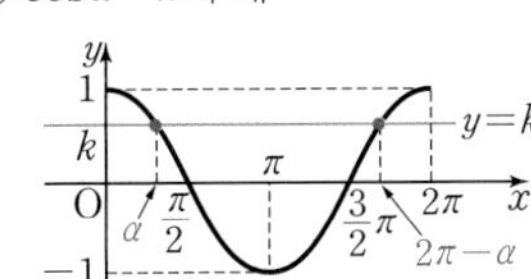

6. 삼각부등식

① 부등호를 등호로 바꾸어 삼각방정식을 푼다.

② 삼각함수의 그래프를 이용하여 주어진 부등식을 만족시키는 미지수의 값의 범위를 구한다.

1 주기함수

[0938-0939] $0 \le x \le 3$에서 $f(x)=-x^2+3x$이고 $f(x+3)=f(x)$인 함수의 그래프는 그림과 같다. 다음 물음에 답하시오.

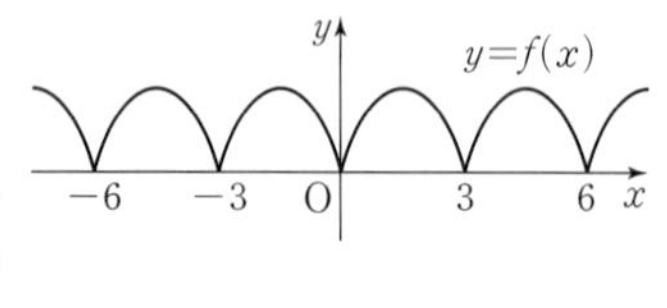

0938 함수 $y=f(x)$의 주기를 구하시오.

0939 $f(x+3)=f(x)$를 이용하여 $f(15)$의 값을 구하시오.

2 이차함수의 그래프와 이차방정식의 해

[0940-0943] 다음은 함수 $y=\sin x$의 그래프와 그 그래프에 대한 설명이다. □ 안에 알맞은 것을 써넣으시오.

0940

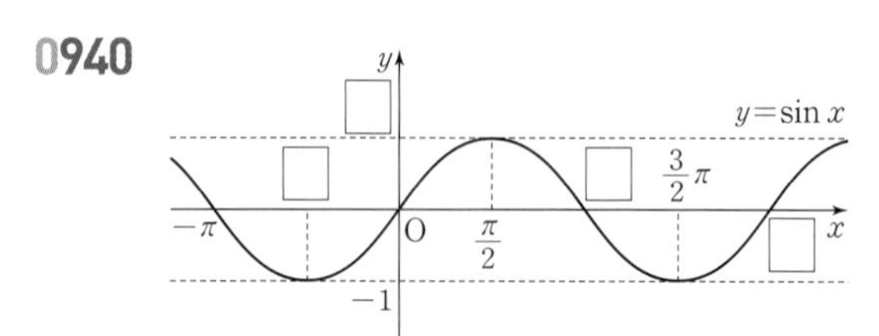

0941 주기가 □인 주기함수이다.

0942 치역은 $\{y|$ □ $\}$이다.

0943 $y=\sin x$의 그래프는 □에 대하여 대칭이다.

[0944-0946] 다음은 함수 $y=3\sin x$의 그래프와 그 그래프에 대한 설명이다. □ 안에 알맞은 것을 써넣으시오.

0944

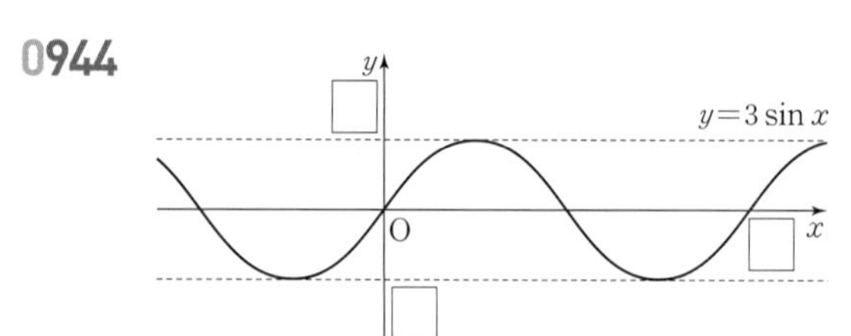

0945 주기가 □인 주기함수이다.

0946 치역은 $\{y|$ □ $\}$이다.

3 $y=a\sin bx$, $y=a\cos bx$의 그래프

[0947-0950] 두 함수 $y=\sin x$, $y=\cos x$의 그래프를 이용하여 다음 함수의 그래프를 그리시오.

0947 $y=2\sin x$

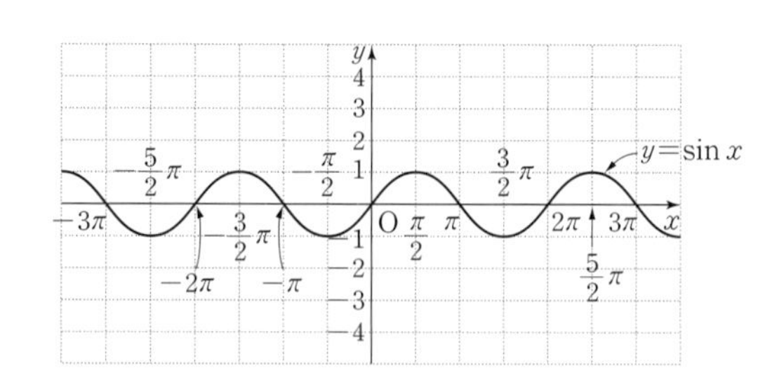

0948 $y=\sin 2x$

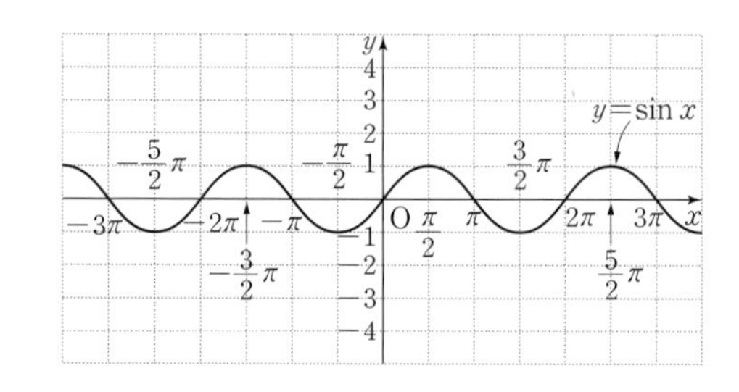

0949 $y=\cos\frac{x}{2}$

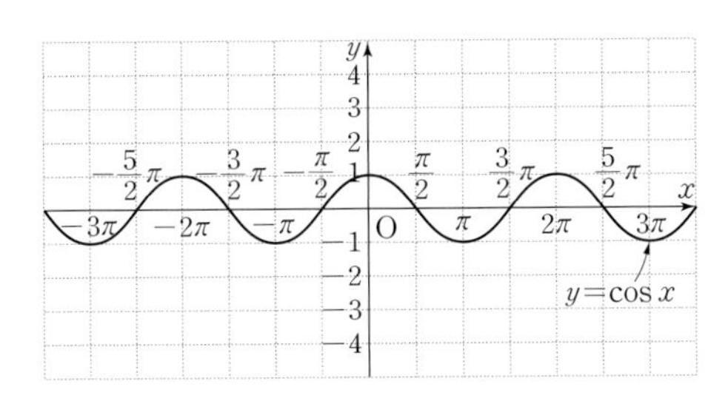

0950 $y=2\cos 2x$

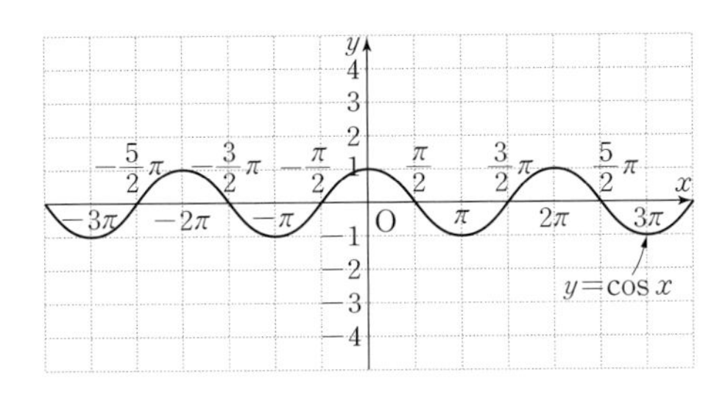

[0951-0953] 다음 함수의 치역을 구하시오.

0951 $y=4\sin 2x$

0952 $y=\sqrt{2}\sin\frac{x}{2}$

0953 $y=-2\cos\frac{x}{3}$

[0954-0957] 다음 함수의 주기를 구하시오.

0954 $y=3\sin 2x$

0955 $y=\cos\frac{x}{2}$

0956 $y=\sqrt{2}\sin 3x$

0957 $y=-\cos 4x$

4 $y=a\sin b(x-m)+n$, $y=a\cos b(x-m)+n$ 의 그래프

[0958-0961] 다음 함수의 그래프에서 □ 안에 알맞은 것을 써넣으시오.

0958 $y=\sin\left(x-\frac{\pi}{3}\right)$

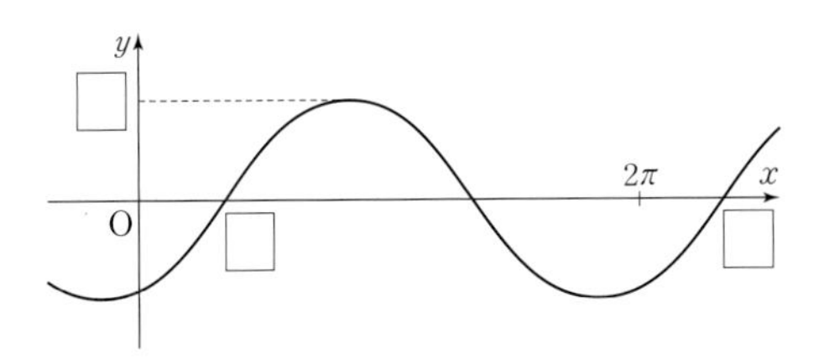

0959 $y=\cos\left(x+\frac{\pi}{4}\right)$

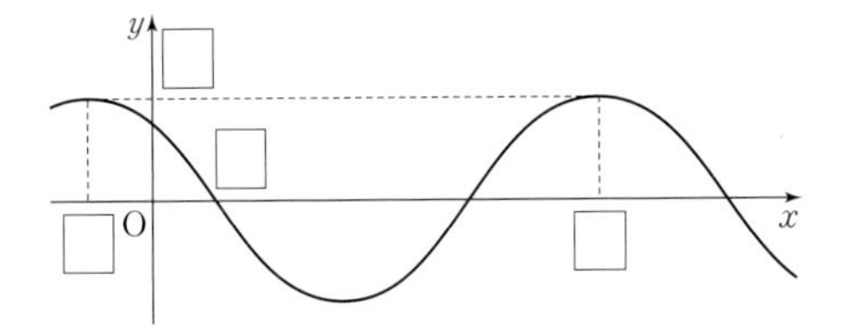

0960 $y=\sin x+1$

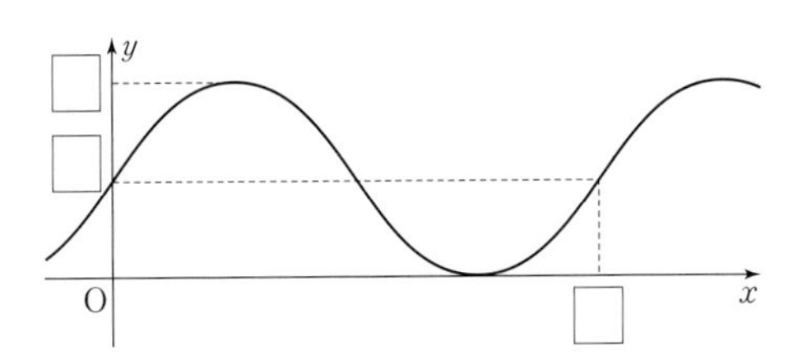

0961 $y=\cos x-1$

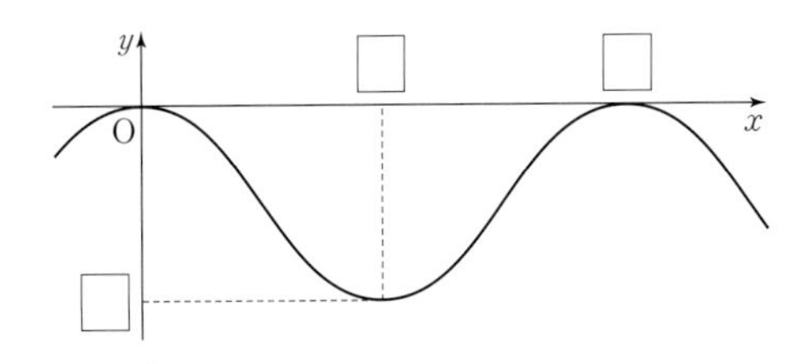

5 $y=\tan x$의 그래프

[0962-0966] 다음은 함수 $y=\tan x$의 그래프와 그 그래프에 대한 설명이다. □ 안에 알맞은 것을 써넣으시오.

0962

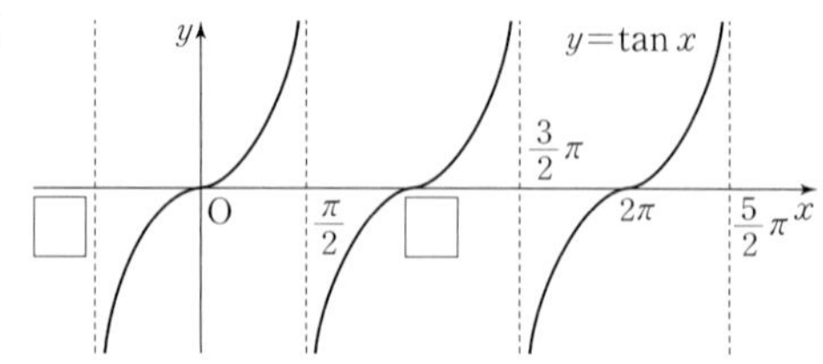

0963 주기가 □인 주기함수이다.

0964 정의역은 $x=n\pi+$□ (n은 정수)를 제외한 실수 전체의 집합이다.

0965 $y=\tan x$의 그래프는 □에 대하여 대칭이다.

0966 점근선의 방정식은 $x=n\pi+$□ (n은 정수)이다.

[0967-0970] 다음은 $y=\tan 2x$의 그래프와 그 그래프에 대한 설명이다. □ 안에 알맞은 것을 써넣으시오.

0967

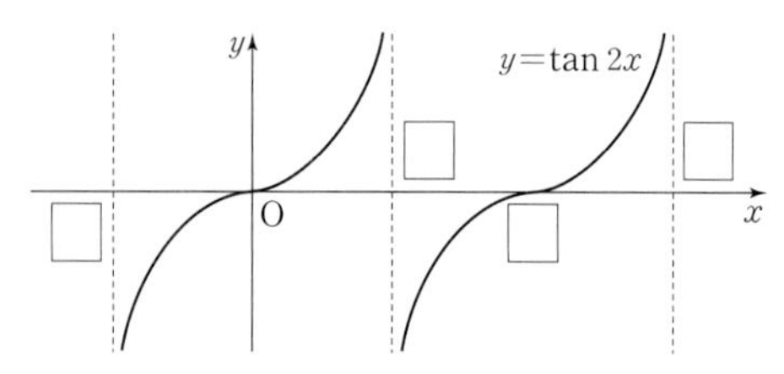

0968 주기가 □인 주기함수이다.

0969 정의역은 $x=\frac{n}{2}\pi+$□ (n은 정수)를 제외한 실수 전체의 집합이다.

0970 점근선의 방정식은 $x=\frac{n}{2}\pi+$□ (n은 정수)이다.

6 일반각에 대한 삼각함수의 성질

[0971-0977] 다음 삼각함수를 간단히 하시오.

0971 $\sin(2\pi+\theta)$

0972 $\cos(2\pi-\theta)$

0973 $\tan(2\pi-\theta)$

0974 $\sin(\pi-\theta)$

0975 $\cos(\pi+\theta)$

0976 $\sin\left(\frac{\pi}{2}-\theta\right)$

0977 $\cos\left(\frac{\pi}{2}+\theta\right)$

[0978-0982] 다음 삼각함수의 값을 구하시오.

0978 $\sin\left(2\pi-\frac{\pi}{6}\right)$

0979 $\cos\left(2\pi+\frac{\pi}{3}\right)$

0980 $\sin\left(\pi+\frac{\pi}{6}\right)$

0981 $\tan\left(\pi-\frac{\pi}{3}\right)$

0982 $\cos\left(\frac{\pi}{2}-\frac{\pi}{4}\right)$

해설 136쪽

7 삼각방정식과 삼각부등식

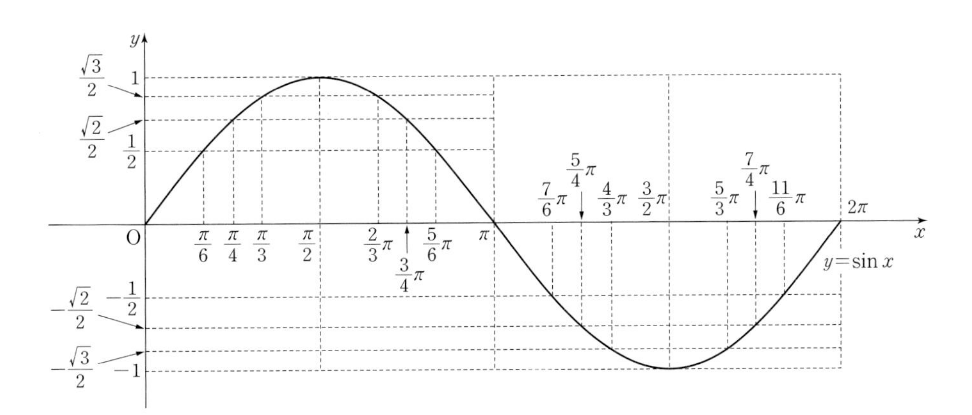

[0983-0987] $0\le x<2\pi$일 때, 다음 방정식의 해를 구하시오.

0983 $\sin x=\frac{1}{2}$

0984 $\sin x=\frac{\sqrt{3}}{2}$

0985 $\sin x=-\frac{\sqrt{2}}{2}$

0986 $\cos x=-\frac{1}{2}$

0987 $\tan x=\sqrt{3}$

[0988-0992] $0\le x<2\pi$일 때, 다음 부등식의 해를 구하시오.

0988 $\sin x>\frac{1}{2}$

0989 $\sin x\le\frac{\sqrt{3}}{2}$

0990 $\sin x<-\frac{\sqrt{2}}{2}$

0991 $\cos x\le-\frac{1}{2}$

0992 $\tan x<\sqrt{3}$

문제

내신 출제 유형 정복하기

유형 01 주기함수

내신 중요도 유형 난이도 ★★★★★

(1) 함수 $f(x)$는 주기가 p인 주기함수이다.

⇨ $f(x)=f(x+p)=f(x+2p)=f(x+3p)=\cdots$

⇨ $f(x)=f(x+p) \Longleftrightarrow f\left(x-\frac{p}{2}\right)=f\left(x+\frac{p}{2}\right)$

(2) $y=\sin bx$, $y=\cos bx$의 주기는 $\frac{2\pi}{|b|}$이다.

(3) $y=\tan bx$의 주기는 $\frac{\pi}{|b|}$이다.

0993 중요 ●○○○

다음 함수 중 모든 실수 x에 대하여 $f(x+2)=f(x)$를 만족시키는 것은?

① $f(x)=\sin 2x$ ② $f(x)=\cos x$
③ $f(x)=\tan 2x$ ④ $f(x)=\sin \pi x$
⑤ $f(x)=\cos\frac{\pi}{2}x$

0994 ●○○○

다음 함수 중 모든 실수 x에 대하여 $f(x+\sqrt{2})=f(x)$를 만족하는 것은?

① $f(x)=\cos 2x$ ② $f(x)=\sin \pi x$
③ $f(x)=\cos\sqrt{2}\pi x$ ④ $f(x)=\sin\frac{\sqrt{2}}{2}\pi x$
⑤ $f(x)=\sin 2\sqrt{2}x$

0995 ●●●○

〈보기〉에서 주기함수가 아닌 것을 고른 것은?

보기

ㄱ. $y=|\cos x|$ ㄴ. $y=\sin|x|$
ㄷ. $y=\cos|x|$ ㄹ. $y=\tan|x|$

① ㄱ, ㄴ ② ㄱ, ㄹ ③ ㄴ, ㄷ
④ ㄴ, ㄹ ⑤ ㄷ, ㄹ

유형 02 $y=a\sin bx$, $y=a\cos bx$ 꼴의 그래프

내신 중요도 유형 난이도 ★★★★★

$y=a\sin bx$, $y=a\cos bx$ 꼴의 그래프

⇨ 최댓값: $|a|$, 최솟값: $-|a|$, 주기: $\frac{2\pi}{|b|}$

0996 짱중요 ●○○○

함수 $f(x)=2\sin x$에 대한 설명으로 옳은 것만을 〈보기〉에서 있는 대로 고르시오.

보기

ㄱ. 정의역은 실수 전체의 집합이다.
ㄴ. 주기는 π이다.
ㄷ. 최댓값은 2이고, 최솟값은 -2이다.
ㄹ. $f(-\pi)=f(3\pi)$이다.
ㅁ. $y=f(x)$의 그래프는 y축에 대하여 대칭이다.

0997 중요 ●●○○

함수 $y=a\cos bx$의 최댓값이 5, 주기가 $\frac{\pi}{2}$일 때, 두 양수 a, b에 대하여 $a+b$의 값을 구하시오.

0998 중요 교육청 기출 ●●○○

함수 $y=a\sin\frac{\pi}{2b}x$의 최댓값은 2이고 주기는 2이다. 두 양수 a, b의 합 $a+b$의 값은?

① 2 ② $\frac{17}{8}$ ③ $\frac{9}{4}$
④ $\frac{19}{8}$ ⑤ $\frac{5}{2}$

0999

두 함수 $y=a\sin x$와 $y=\frac{3}{4}\cos ax$의 그래프가 그림과 같을 때, 양수 a의 값을 구하시오.

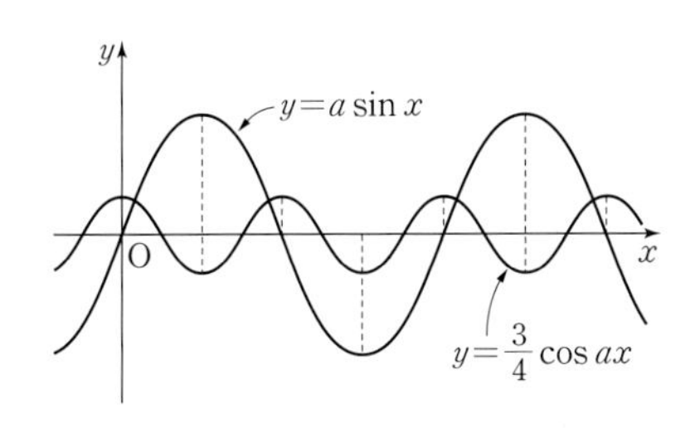

1000

함수 $y=\sin\frac{\pi}{2}x$의 그래프와 x축 사이에 직사각형 ABCD가 그림과 같이 내접하고 있다.

$\overline{BC}=\frac{4}{3}$일 때, 선분 CD의 길이를 구하시오.

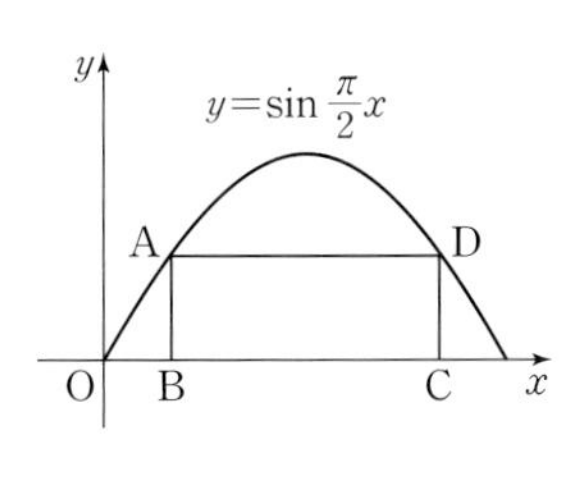

1001

$0\le x\le 15$에서 방정식 $3\cos\pi x-\sin\frac{\pi}{3}x=0$의 실근의 개수는?

① 3 ② 5 ③ 10
④ 12 ⑤ 15

유형 03 $y=a\sin b(x-c)+d$, $y=a\cos b(x-c)+d$ 꼴의 그래프

내신 중요도 ━━━━━ 유형 난이도 ★★★☆☆

$y=a\sin b(x-c)+d$, $y=a\cos b(x-c)+d$ 꼴의 그래프

⇨ 최댓값: $|a|+d$, 최솟값: $-|a|+d$, 주기: $\frac{2\pi}{|b|}$

참고 $y=a\sin b(x-c)+d$의 그래프는 $y=a\sin bx$의 그래프를 x축의 방향으로 c만큼, y축의 방향으로 d만큼 평행이동한 것이다.

1002

함수 $y=\sin x$의 그래프를 x축의 방향으로 k만큼 평행이동하면 함수 $y=\cos x$의 그래프와 일치한다. 이때, 양수 k의 최솟값은?

① $\frac{\pi}{4}$ ② $\frac{\pi}{2}$ ③ $\frac{3}{4}\pi$
④ π ⑤ $\frac{3}{2}\pi$

1003

함수 $y=3\sin(\pi x-\pi)-2$의 그래프는 함수 $y=3\sin\pi x$의 그래프를 x축의 방향으로 m만큼, y축의 방향으로 n만큼 평행이동한 것이다. 이때, $m+n$의 값을 구하시오.

1004 짱중요

다음 중 함수 $f(x)=-4\sin(2x-\pi)+2$의 그래프에 대한 설명으로 옳지 않은 것은?

① 주기는 π이다. ② 최댓값은 6이다.
③ 최솟값은 2이다. ④ $f(\pi)=2$
⑤ 직선 $x=\frac{3}{4}\pi$에 대하여 대칭이다.

1005

함수 $y=2\cos\left(\frac{x}{2}-\frac{\pi}{4}\right)+2$의 최댓값, 최솟값, 주기를 각각 a, b, c라 할 때, $a+b+c$의 값을 구하시오.

1006 중요

함수 $f(x)=2\sin\left(2x+\frac{\pi}{3}\right)+2$에 대한 설명으로 옳은 것만을 〈보기〉에서 있는 대로 고르시오.

보기

ㄱ. $f\left(\frac{\pi}{3}\right)=2$

ㄴ. $f\left(-\frac{\pi}{6}\right)=f\left(\frac{5}{6}\pi\right)$

ㄷ. 주기는 π이다.

ㄹ. 최댓값은 4이고, 최솟값은 -2이다.

ㅁ. $y=f(x)$의 그래프는 $y=2\sin 2x+2$의 그래프를 x축의 방향으로 $-\frac{\pi}{3}$만큼 평행이동한 것이다.

1007 짱중요

삼각함수 $y=a\cos bx+c$의 주기가 π이고 최댓값이 2, 최솟값이 -4일 때, $a^2+b^2+c^2$의 값은? (단, a, b, c는 상수이다.)

① 2 ② 3 ③ 9 ④ 14 ⑤ 17

1008

함수 $f(x)=a\cos\frac{x}{2}+b$의 최댓값이 4이고 $f\left(\frac{2}{3}\pi\right)=\frac{5}{2}$일 때, 두 상수 a, b의 곱 ab의 값은? (단, $a>0$)

① $\frac{3}{2}$ ② 2 ③ $\frac{5}{2}$ ④ 3 ⑤ $\frac{7}{2}$

1009 중요 교육청 기출

함수 $f(x)=a\sin x+1$의 최댓값을 M, 최솟값을 m이라 하자. $M-m=6$일 때, 양수 a의 값은?

① 2 ② $\frac{5}{2}$ ③ 3 ④ $\frac{7}{2}$ ⑤ 4

1010

그림은 두 삼각함수 $y=f(x)$, $y=g(x)$의 그래프이다. 다음 중 옳은 것은?

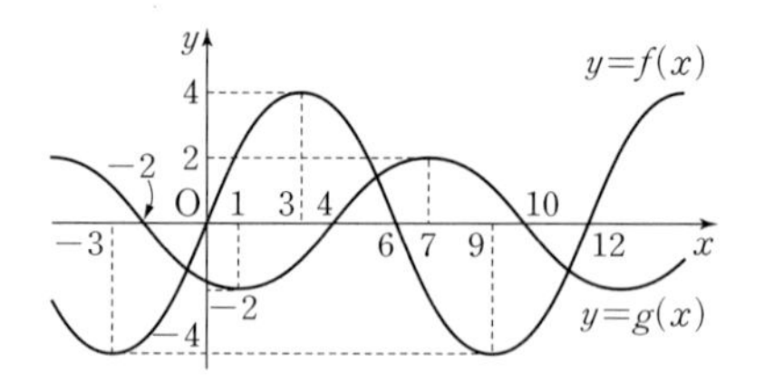

① $g(x)=\frac{1}{2}f(x-4)$ ② $g(x)=2f(x-4)$

③ $g(x)=\frac{1}{2}f(x+4)$ ④ $g(x)=2f(x+4)$

⑤ $g(x)=\frac{1}{2}f(x)$

유형 04 내신 중요도 유형 난이도 ★★★

그래프가 주어진 삼각함수의 미정계수 구하기

$y=a\sin b(x-c)+d$, $y=a\cos b(x-c)+d$
⇨ b: 삼각함수의 주기를 이용하여 구한다.
a, d: 삼각함수의 최대 · 최소를 이용하여 구한다.
c: 임의의 함숫값을 이용하여 구한다.

1011

그림은 삼각함수 $y=2\cos x$의 그래프의 일부이다. 이때, $2a(b+c)$의 값을 구하시오.

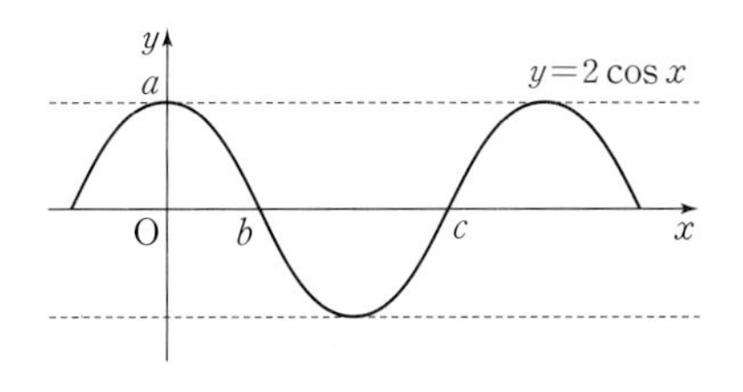

1012 교육청 기출

두 양수 a, b에 대하여 삼각함수 $y=a\sin bx$의 그래프가 그림과 같을 때, ab의 값을 구하시오.

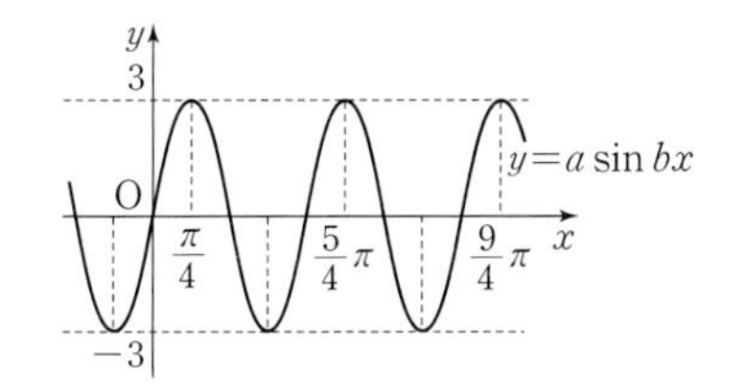

1013 짱중요

그림의 그래프가 나타내는 식이 $y=a\sin(bx+c)$일 때, 세 상수 a, b, c에 대하여 abc의 값을 구하시오.

(단, $a>0$, $b>0$, $-\pi<c<\pi$)

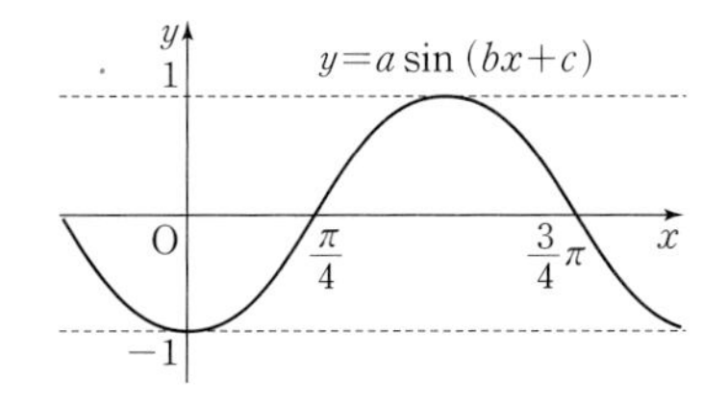

1014 중요 교육청 기출

그림은 함수 $y=\cos a(x+b)+1$의 그래프이다. 두 상수 a, b에 대하여 ab의 값을 구하시오. (단, $a>0$, $0<b<\pi$)

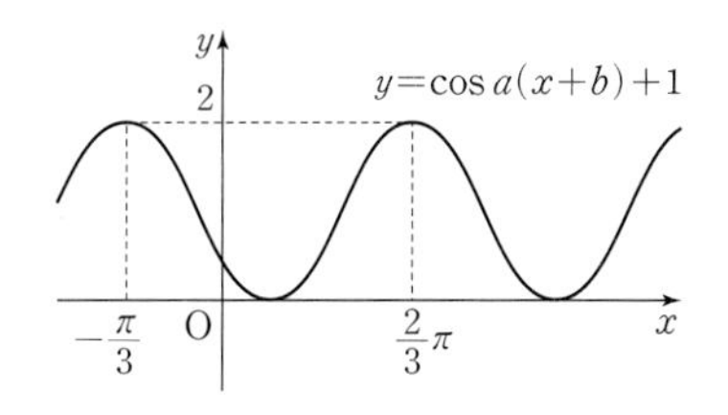

1015 중요

그림은 함수 $f(x)=\sin(ax-b\pi)+c$의 그래프이다. $a>0$, $0<b<1$일 때, $6(a+b+c)$의 값을 구하시오.

(단, a, b, c는 상수)

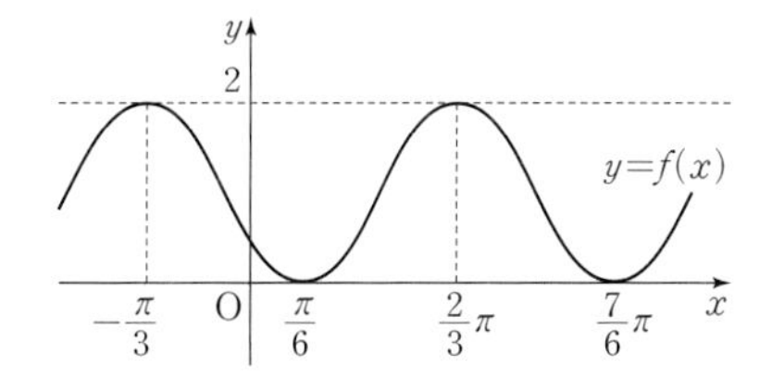

1016

함수 $y=a\cos\left\{\frac{\pi}{3}(2x-1)\right\}+b$의 그래프가 그림과 같을 때, $a+b+c$의 값은? (단, a, b는 상수이고, $a>0$이다.)

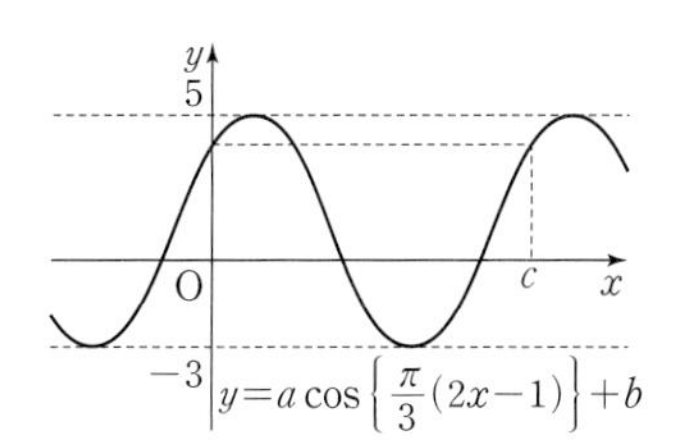

① 5 ② 6 ③ 7
④ 8 ⑤ 9

유형 05 탄젠트 함수의 그래프

내신 중요도 ■□□□□ 유형 난이도 ★★☆☆☆

(1) $y=a\tan bx$ 꼴의 그래프

⇨ 최댓값과 최솟값은 없다, 주기: $\dfrac{\pi}{|b|}$

(2) $y=a\tan b(x-c)+d$ 꼴의 그래프

⇨ 최댓값과 최솟값은 없다, 주기: $\dfrac{\pi}{|b|}$

1017 ●○○○

그림은 함수 $y=3\tan 2x$의 그래프이다. 이때, $a-b-2c$의 값을 구하시오.

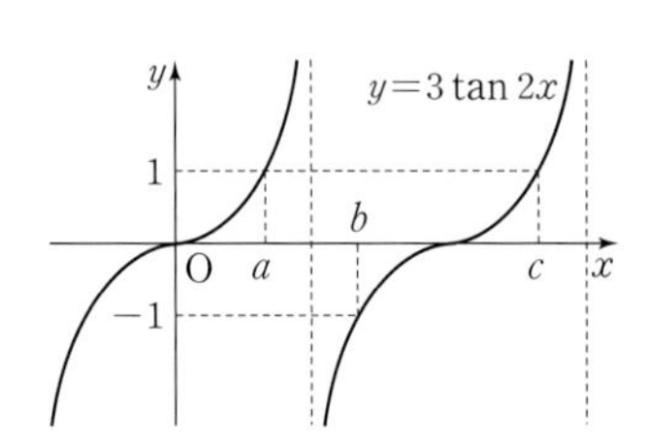

1018 중요 ●●○○

함수 $f(x)=a\tan bx$의 주기가 $\dfrac{\pi}{4}$이고, $f\left(\dfrac{\pi}{16}\right)=5$일 때, 두 상수 a, b에 대하여 ab의 값은? (단, $b>0$)

① 5 ② 10 ③ 15
④ 20 ⑤ 25

1019 ●●●○

그림은 함수 $y=a\tan bx+c$의 그래프이다. 이때, 세 상수 a, b, c에 대하여 $a^2+b^2+c^2$의 값을 구하시오.

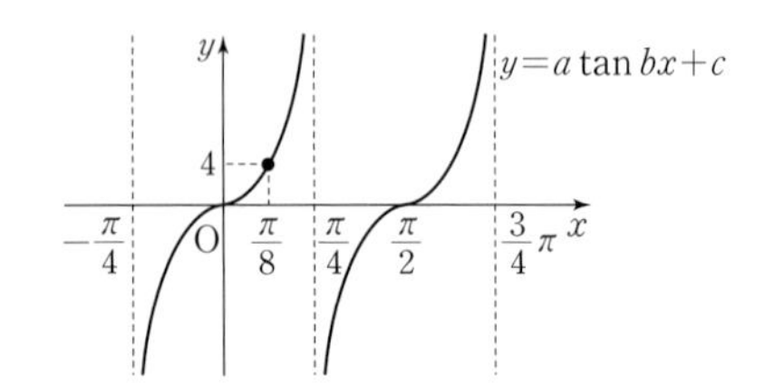

유형 06 절댓값 기호를 포함한 삼각함수

내신 중요도 ■□□□□ 유형 난이도 ★★★☆☆

(1) $y=|f(x)|$의 그래프 ⇨ $y=f(x)$의 그래프에서 $y\ge 0$인 부분은 그대로 두고 $y<0$인 부분은 x축에 대하여 대칭이동한다.

(2) $y=f(|x|)$의 그래프 ⇨ $y=f(x)$의 그래프에서 $x\ge 0$인 부분만 남기고, $x<0$인 부분은 $x\ge 0$인 부분을 y축에 대하여 대칭이동한다.

1020 ●●○○

다음은 함수 $y=|\sin x|$에 대한 설명이다. 옳지 않은 것은?

① 최댓값은 1이다.
② 최솟값은 0이다.
③ 주기는 π이다.
④ 그래프는 원점에 대하여 대칭이다.
⑤ 그래프는 직선 $x=\pi$에 대하여 대칭이다.

1021 중요 ●●●○

함수 $f(x)=|2\sin 2x|$의 그래프에 대한 설명으로 옳은 것만을 〈보기〉에서 있는 대로 고른 것은?

보기

ㄱ. y축에 대하여 대칭이다. ㄴ. 치역은 $\{y\,|\,0\le y\le 2\}$이다.
ㄷ. 주기는 π이다.

① ㄱ ② ㄴ ③ ㄱ, ㄴ
④ ㄱ, ㄷ ⑤ ㄱ, ㄴ, ㄷ

1022 ●●●●

실수 전체의 집합에서 정의된 함수 $y=-|\cos\theta-4|+1$의 최댓값을 M, 최솟값을 m이라 할 때, $M+m$의 값을 구하시오.

유형 07 삼각함수의 그래프와 직선 $y=k$의 교점

내신 중요도 ▬▬▬▬ 유형 난이도 ★★★★☆

$y=\sin x$ (또는 $y=\cos x$)의 그래프와 직선 $y=k$의 교점의 x좌표의 합은 삼각함수의 그래프의 대칭성을 이용하여 구한다.

(1) $f(x)=\sin x\ (0\le x<\pi)$에서
$f(a)=f(b)=k$이면 $a+b=\pi$ (단, $a\ne b$)

(2) $f(x)=\cos x\ (0\le x<2\pi)$에서
$f(a)=f(b)=k$이면 $a+b=2\pi$ (단, $a\ne b$)

1023 짱중요 ●●●○

그림은 함수 $y=\sin x$의 그래프이다. 이 그래프를 이용하여 $\cos(a+b+c+d+e+f)$의 값을 구하시오.

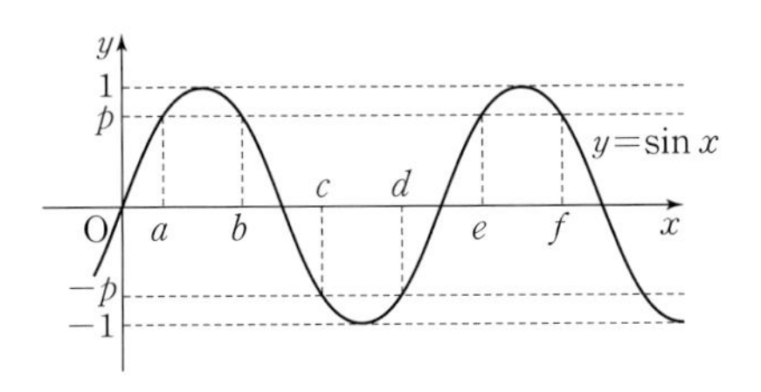

1024 ●●●○

그림과 같이 함수 $y=\cos x\left(0\le x\le\frac{3}{2}\pi\right)$의 그래프와 두 직선 $y=\frac{2}{3}$, $y=-\frac{2}{3}$가 만나는 점의 x좌표를 a, b, c로 나타낼 때, $\cos(a+b+c)$의 값을 구하시오.

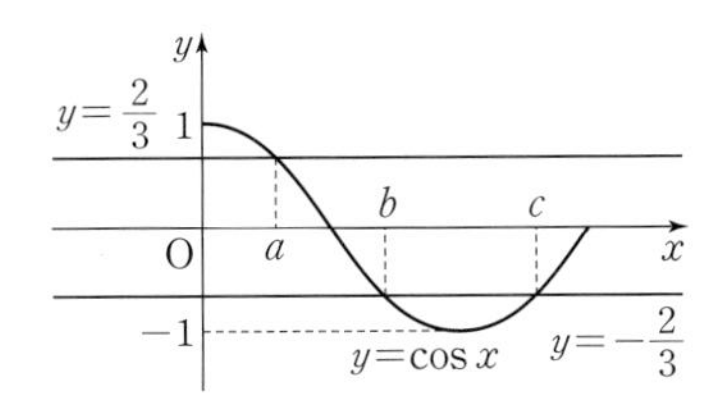

1025 ●●○○

함수 $f(x)=\cos x$의 그래프와 직선 $y=k\ (0<k<1)$가 만나는 점의 x좌표를 x_1, x_2라 할 때, $f\left(\frac{x_1+x_2}{2}\right)$의 값을 구하시오.

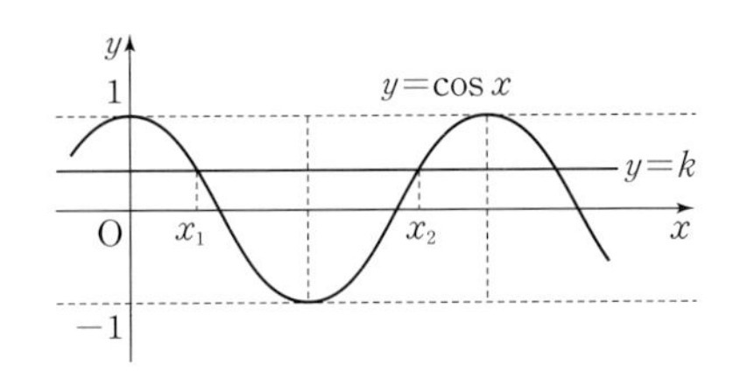

1026 중요 교육청 기출 ●●●●

함수 $f(x)=\sin\pi x\ (x\ge 0)$의 그래프와 직선 $y=\frac{2}{3}$가 만나는 점의 x좌표를 작은 것부터 차례대로 α, β, γ라 할 때, $f(\alpha+\beta+\gamma+1)+f\left(\alpha+\beta+\frac{1}{2}\right)$의 값을 구하시오.

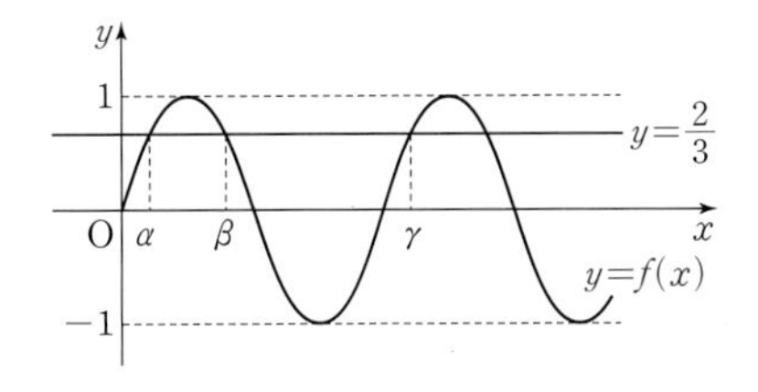

1027 중요 교육청 기출 ●●●●

그림과 같이 삼각함수 $f(x)=\sin kx\left(0\le x\le\frac{5\pi}{2k}\right)$의 그래프와 직선 $y=\frac{3}{4}$이 만나는 점의 x좌표를 각각 α, β, $\gamma\ (\alpha<\beta<\gamma)$라 할 때, $f(\alpha+\beta+\gamma)$의 값은? (단, k는 양의 실수이다.)

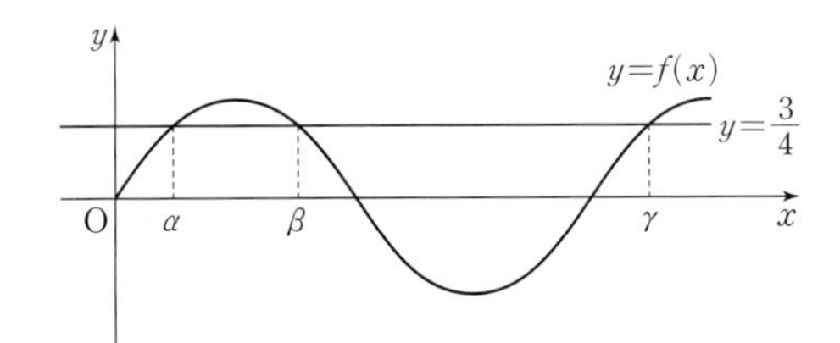

① -1 ② $-\frac{7}{8}$ ③ $-\frac{3}{4}$
④ 0 ⑤ $\frac{3}{4}$

1028 ●●●●

함수 $y=\sin 2x\ (x\ge 0)$의 그래프와 직선 $y=k\ (0<k<1)$의 교점의 x좌표를 작은 것부터 차례대로 x_1, x_2, x_3, $\cdots$이라 할 때, $x_1+x_2+x_3+\cdots+x_{20}$의 값을 구하시오.

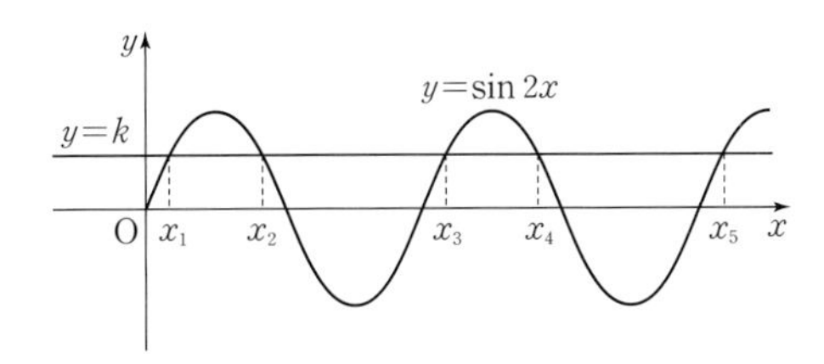

유형 08 내신 중요도 ■■■■■ 유형 난이도 ★★☆☆☆

일반각에 대한 삼각함수의 성질 – 각의 변형

$\frac{\pi}{2}\times n\pm\theta$ 또는 $90^{\circ}\times n\pm\theta$ (n은 정수)를 간단히 하는 방법

① n이 홀수일 때

sin ⇨ cos, cos ⇨ sin, tan ⇨ $\frac{1}{\tan}$

n이 짝수일 때

sin ⇨ sin, cos ⇨ cos, tan ⇨ tan

② θ를 예각으로 생각하고 일반각이 존재하는 사분면에서의 삼각함수의 값의 부호를 조사한다.

1029 평가원 기출 ●○○○

$\sin\frac{7\pi}{3}$의 값은?

① $-\frac{\sqrt{2}}{2}$ ② $-\frac{1}{2}$ ③ $\frac{1}{2}$
④ $\frac{\sqrt{2}}{2}$ ⑤ $\frac{\sqrt{3}}{2}$

1030 평가원 기출 ●○○○

$\sin\frac{\pi}{6}+\tan\frac{9\pi}{4}$의 값은?

① -2 ② $-\frac{1}{2}$ ③ 0
④ 1 ⑤ $\frac{3}{2}$

1031 짱중요 ●●○○

$\sin\left(-\frac{\pi}{6}\right)+\cos\frac{14}{3}\pi+\tan\frac{5}{4}\pi$의 값은?

① -1 ② $-\frac{1}{2}$ ③ 0
④ $\frac{1}{2}$ ⑤ 1

1032 중요 ●●○○

$\sin\frac{7}{3}\pi\cos\frac{13}{6}\pi+\cos\left(-\frac{7}{6}\pi\right)\tan\frac{4}{3}\pi$의 값을 구하시오.

1033 ●●●●

$\frac{\sin\left(\frac{\pi}{2}-\theta\right)}{\sin\left(\frac{\pi}{2}+\theta\right)\cos^2\theta}+\frac{\sin(\pi+\theta)\tan^2(\pi-\theta)}{\cos\left(\frac{3}{2}\pi+\theta\right)}$의 값은?

① -1 ② 0 ③ 1
④ 2 ⑤ 3

1034 중요 ●●●○

$\sin\left(\frac{\pi}{2}+\theta\right)+\cos(\pi+\theta)-\sin(-\theta)+\cos\left(\frac{\pi}{2}+\theta\right)$를 간단히 하면?

① $-2\sin\theta$ ② $-\sin\theta+\cos\theta$ ③ $\sin\theta-\cos\theta$
④ 0 ⑤ $2\cos\theta$

1035 짱중요

$\dfrac{\cos\theta}{\cos(\pi+\theta)}-\dfrac{\cos\left(\frac{3}{2}\pi+\theta\right)}{\sin(\pi-\theta)}$ 를 간단히 하면?

① -2 ② -1 ③ 0
④ 1 ⑤ 2

1036

$\cos\theta=-\dfrac{3}{5}$ 일 때,

$\cos\left(\dfrac{3}{2}\pi+\theta\right)+\sin\left(\dfrac{\pi}{2}-\theta\right)+\sin(\pi-\theta)$ 의 값을 구하시오.

$\left(\text{단, } \dfrac{\pi}{2}<\theta<\pi\right)$

1037

A, B, C가 삼각형 ABC의 세 내각의 크기를 나타낼 때, 〈보기〉에서 옳은 것만을 있는 대로 고른 것은?

보기

ㄱ. $\sin(B+C)=\sin A$　　ㄴ. $\cos(B+C)=\cos A$

ㄷ. $\cos\left(\dfrac{B}{2}+\dfrac{C}{2}\right)=\sin\dfrac{A}{2}$

① ㄱ ② ㄴ ③ ㄱ, ㄷ
④ ㄴ, ㄷ ⑤ ㄱ, ㄴ, ㄷ

유형 09 일정하게 증가하는 각

내신 중요도 유형 난이도 ★★★★☆

일정하게 증가하는 각의 삼각함수의 합 또는 곱은 다음 성질을 이용하면 편리하다.

(1) $\sin\left(\dfrac{\pi}{2}-x\right)=\cos x$, $\cos\left(\dfrac{\pi}{2}-x\right)=\sin x$

(2) $\sin^2 x+\cos^2 x=1$

(3) $\sin(\pi+x)+\sin x=0$, $\cos(\pi-x)+\cos x=0$

(4) $\tan x\times\tan\left(\dfrac{\pi}{2}-x\right)=1$

1038

$\cos^2 10^\circ+\cos^2 20^\circ+\cos^2 30^\circ+\cdots+\cos^2 80^\circ$ 의 값은?

① 1 ② 2 ③ 3
④ 4 ⑤ 5

1039

$\sin^2 1^\circ+\sin^2 2^\circ+\cdots+\sin^2 89^\circ+\sin^2 90^\circ$ 의 값을 구하시오.

1040

$\tan 2^\circ \tan 3^\circ \tan 4^\circ \cdots \tan 87^\circ \tan 88^\circ$ 의 값은?

① 0 ② $\dfrac{1}{2}$ ③ 1
④ 44 ⑤ $\dfrac{89}{2}$

1041

$\left(\cos^2\frac{\pi}{10}+\cos^2\frac{2\pi}{10}+\cos^2\frac{3\pi}{10}+\cdots+\cos^2\frac{9\pi}{10}\right)-\cos^2\frac{\pi}{2}$의 값을 구하시오.

1042

그림과 같이 좌표평면 위의 단위원을 10등분하여 각 분점을 차례로 P_0, P_1, P_2, $\cdots$, P_9라 하자. $\angle P_0OP_1=\theta$라 할 때,

$$\sin\theta+\sin 2\theta+\sin 3\theta+\cdots+\sin 10\theta$$

의 값을 구하시오.

(단, O는 원점이고, 점 P_0의 좌표는 $(1, 0)$이다.)

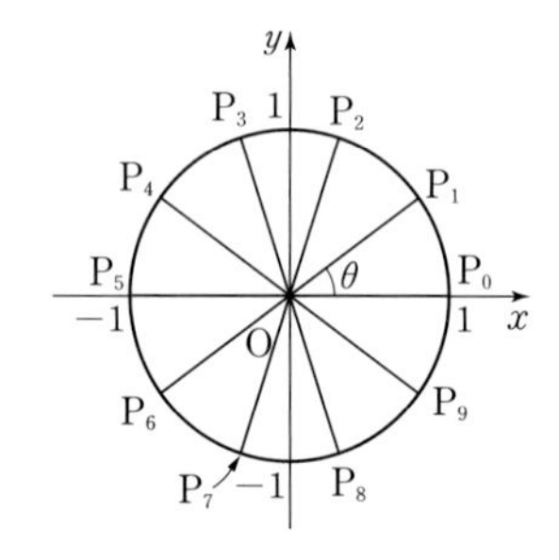

유형 10 내신 중요도 유형 난이도 ★★★★

삼각함수를 포함한 식의 최대 · 최소 – 이차식 꼴

(1) 두 종류 이상의 삼각함수를 포함하고 있는 식은 한 종류의 삼각함수로 통일한 후 최댓값과 최솟값을 구한다.
(2) 주어진 삼각함수를 t로 치환하고 범위를 구한 후 그래프를 이용하여 최댓값과 최솟값을 구한다.
(3) 절댓값 기호가 포함되어 있는 경우
$0\le|\sin x|\le 1$, $0\le|\cos x|\le 1$임을 이용한다.

1043 짱중요

함수 $y=-\sin^2 x+2\cos x+1$의 최댓값을 M, 최솟값을 m이라 할 때, $M-m$의 값을 구하시오.

1044

함수 $y=\cos^2 x-2\sin x-1$의 최댓값을 M, 최솟값을 m이라 할 때, $M-m$의 값을 구하시오.

1045 짱중요

함수 $y=-\cos^2\left(x+\frac{\pi}{2}\right)+\cos(x-\pi)$가 $x=a$에서 최솟값 b를 가질 때, ab의 값은? (단, $0\le x\le\pi$)

① $-\frac{5}{12}\pi$ ② $-\frac{\pi}{4}$ ③ 0
④ $\frac{\pi}{4}$ ⑤ $\frac{5}{12}\pi$

1046 ●●●○

함수 $y=\sin^2 x-6\cos x+k$의 최댓값이 5일 때, 상수 k의 값을 구하시오.

1047 중요 ●●●●

실수 k에 대하여 함수

$$f(x)=\cos^2\left(x-\frac{3}{4}\pi\right)-\cos\left(x-\frac{\pi}{4}\right)+k$$

의 최댓값은 3, 최솟값은 m이다. $k+m$의 값은?

① 2　② $\frac{9}{4}$　③ $\frac{5}{2}$　④ $\frac{11}{4}$　⑤ 3

1048 ●●●●

$0\le x\le\frac{\pi}{2}$일 때, 삼각함수 $y=2\sin^2 x+a\cos x+3$의 최댓값이 $\frac{49}{8}$가 되도록 하는 양수 a의 값은?

① 2　② 3　③ 4　④ 5　⑤ 6

유형 **11** 삼각함수를 포함한 식의 최대 · 최소 – 분수식 꼴

내신 중요도 ■■■■■ 유형 난이도 ★★★★★

① 삼각함수를 t로 치환하여 t에 대한 유리함수를 만든다.
② t의 값의 범위를 구한다.
③ 구한 t의 값의 범위에서 유리함수의 그래프를 이용하여 최댓값과 최솟값을 구한다.

1049 ●●●○

함수 $y=\frac{-2\sin x+3}{\sin x+2}$의 최댓값과 최솟값을 각각 M, m이라 할 때, $3Mm$의 값을 구하시오.

1050 ●●●○

함수 $y=\frac{2\tan x+3}{\tan x+2}$의 최댓값과 최솟값을 각각 M, m이라 할 때, $M+m$의 값을 구하시오. $\left(\text{단, } 0\le x\le\frac{\pi}{4}\right)$

1051 ●●●●

실수 x에 대하여 $\frac{\sin x+1}{-\cos x-3}$의 최댓값을 M, 최솟값을 m이라 할 때, $M+m$의 값은?

① $-\frac{3}{4}$　② $-\frac{1}{4}$　③ 0　④ $\frac{1}{4}$　⑤ $\frac{3}{4}$

유형 12 내신 중요도 ■■■■■ 유형 난이도 ★★★★★

삼각함수의 그래프와 직선의 교점

삼각함수 $y=f(x)$와 일차함수 $y=g(x)$에 대하여
방정식 $f(x)=g(x)$의 실근의 개수는
⇨ $y=f(x)$의 그래프와 $y=g(x)$의 교점의 개수와 같다.

1052 중요 ●●○○

방정식 $\sin\pi x=\frac{x}{4}$의 실근의 개수는?

① 4 ② 5 ③ 6
④ 7 ⑤ 8

1053 짱중요 교육청 기출 ●●●○

직선 $y=-\frac{1}{5\pi}x+1$과 함수 $y=\sin x$의 그래프의 교점의 개수는?

① 7 ② 8 ③ 9
④ 10 ⑤ 11

1054 ●●●○

방정식 $2\cos\pi x=\frac{1}{3}|x-1|$의 실근의 개수는?

① 8 ② 9 ③ 10
④ 11 ⑤ 12

1055 ●●●○

x에 대한 방정식 $\left|\cos x+\frac{1}{5}\right|=k(0\leq x<2\pi)$가 서로 다른 3개의 실근을 갖도록 하는 실수 k의 값을 구하시오.

1056 교육청 기출 ●●●●

자연수 n에 대하여 $0<x<n\pi$일 때,
방정식 $\sin x=\frac{3}{n}$의 모든 실근의 개수를 a_n이라 하자.
$a_1+a_2+\cdots+a_7$의 값은?

① 26 ② 27 ③ 28
④ 29 ⑤ 30

1057 짱중요 교육청 기출 ●●●●

함수 $y=f(x)$가 다음 조건을 만족시킨다.

> (가) 모든 실수 x에 대하여 $f(x+\pi)=f(x)$이다.
> (나) $0\leq x\leq\frac{\pi}{2}$일 때, $f(x)=\sin 4x$
> (다) $\frac{\pi}{2}<x\leq\pi$일 때, $f(x)=-\sin 4x$

함수 $y=f(x)$의 그래프와 직선 $y=\frac{x}{\pi}$가 만나는 점의 개수는?

① 4 ② 5 ③ 6
④ 7 ⑤ 8

유형 13 일차식 꼴의 삼각방정식

내신 중요도 ▬▬▬▬▬ 유형 난이도 ★★★☆☆

(1) $\sin x=k$ 꼴의 방정식은 $y=\sin x$의 그래프와 직선 $y=k$의 교점의 x좌표를 구한다.
(2) $\sin(ax+b)=k$ (a, b는 상수) 꼴의 식은 $ax+b=t$로 치환한 후 t의 값의 범위에 주의하여 삼각방정식을 푼다.

1058 ●○○○

$0\le x<2\pi$일 때, 방정식 $\cos x=\frac{1}{2}$을 만족시키는 모든 x의 값의 합을 구하시오.

1059 중요 ●○○○

방정식 $2\sin x=\sqrt{3}$의 두 근을 α, β $(\alpha<\beta)$라 할 때, $\tan(\beta-\alpha)$의 값을 구하시오. (단, $0\le x\le 2\pi$)

1060 ●●○○

$0\le x\le 2\pi$일 때, 방정식 $\cos x=\sqrt{3}\sin x$를 풀면?

① $x=\frac{\pi}{6}$ 또는 $x=\frac{7}{6}\pi$
② $x=\frac{\pi}{6}$ 또는 $x=\frac{11}{6}\pi$
③ $x=\frac{\pi}{3}$ 또는 $x=\frac{2}{3}\pi$
④ $x=\frac{\pi}{3}$ 또는 $x=\frac{5}{3}\pi$
⑤ $x=\pi$ 또는 $x=2\pi$

1061 중요 ●●○○

$0\le x<2\pi$일 때, 방정식 $2\sin 2x=\sqrt{3}$을 만족시키는 모든 x의 값의 합은?

① π ② $\frac{3}{2}\pi$ ③ 2π ④ $\frac{5}{2}\pi$ ⑤ 3π

1062 교육청 기출 ●●○○

방정식 $\sin\left(x-\frac{\pi}{6}\right)=\frac{1}{2}$의 해는? $\left(단, 0\le x\le\frac{\pi}{2}\right)$

① 0 ② $\frac{\pi}{6}$ ③ $\frac{\pi}{4}$ ④ $\frac{\pi}{3}$ ⑤ $\frac{\pi}{2}$

1063 ●●●○

방정식 $\tan\left(x+\frac{\pi}{4}\right)=\sqrt{3}$을 만족시키는 모든 x의 값의 합은?

(단, $-\pi\le x\le\pi$)

① $-\frac{6}{5}\pi$ ② $-\pi$ ③ $-\frac{5}{6}\pi$ ④ $-\frac{\pi}{2}$ ⑤ 0

06 삼각함수의 그래프

1064 짱중요

$\frac{\pi}{6} \le x < \frac{3}{2}\pi$에서 방정식 $2\cos\left(x+\frac{\pi}{6}\right)+\sqrt{3}=0$의 두 근을 α, β $(\alpha<\beta)$라 할 때, $\frac{\alpha\beta}{\pi^2}$의 값은?

① $\frac{5}{36}$ ② $\frac{2}{3}$ ③ $\frac{8}{9}$
④ $\frac{35}{36}$ ⑤ 1

1065

$0 \le x < 2\pi$일 때, 방정식 $\sqrt{3}\tan x = 2\sin x$의 모든 근의 합은?

① $\frac{\pi}{3}$ ② $\frac{\pi}{2}$ ③ π
④ 2π ⑤ 3π

1066

$0 \le x \le \frac{3}{2}\pi$에서 방정식 $\cos(\pi\cos x)=0$의 해를 θ_1, θ_2, θ_3이라 할 때, $\theta_1+\theta_2+\theta_3$의 값은?

① $\frac{5}{3}\pi$ ② 2π ③ $\frac{7}{3}\pi$
④ $\frac{8}{3}\pi$ ⑤ 3π

유형 14 이차식 꼴의 삼각방정식

내신 중요도 ▬▬▬▬ 유형 난이도 ★★★☆☆

두 종류 이상의 삼각함수를 포함한 방정식은 $\sin^2 x+\cos^2 x=1$을 이용하여 한 종류의 삼각함수로 고친 후 이차방정식을 풀고 그래프를 이용하여 x의 값을 구한다.

1067 짱중요

방정식 $2\sin^2 x+\cos x-1=0$의 모든 근의 합은? (단, $0 \le x \le 2\pi$)

① 2π ② $\frac{5}{2}\pi$ ③ 3π
④ $\frac{7}{2}\pi$ ⑤ 4π

1068 짱중요 평가원 기출

$0<x<2\pi$일 때, 방정식 $\cos^2 x-\sin x=1$의 모든 실근의 합은 $\frac{q}{p}\pi$이다. $p+q$의 값을 구하시오.
(단, p, q는 서로소인 자연수이다.)

1069

방정식 $3\sin^2 x+4\sin x-4=0$을 만족시키는 모든 x의 값의 합은? (단, $0 \le x \le 2\pi$)

① $\frac{1}{2}\pi$ ② $\frac{2}{3}\pi$ ③ $\frac{5}{6}\pi$
④ π ⑤ $\frac{7}{6}\pi$

1070

$0 \le x < 2\pi$일 때, 다음 방정식의 해를 구하시오.

$$2\cos x + 3\tan x = 0$$

1071 평가원 기출

$0 \le x < 4\pi$일 때, 방정식

$$4\sin^2 x - 4\cos\left(\frac{\pi}{2} + x\right) - 3 = 0$$

의 모든 해의 합은?

① 5π ② 6π ③ 7π
④ 8π ⑤ 9π

1072

$0 \le x \le \pi$에서 방정식 $2\sin x\cos x - \sin x - 2\cos x + 1 = 0$의 두 근을 α, β $(\alpha < \beta)$라 할 때, $\beta - \alpha$의 값을 구하시오.

유형 15 일차식 꼴의 삼각부등식

내신 중요도 유형 난이도 ★★★☆☆

(1) $\sin x > k$ (또는 $\sin x < k$) 꼴의 부등식은 $y = \sin x$의 그래프가 직선 $y = k$보다 위쪽(또는 아래쪽)에 있는 x의 값의 범위를 구한다.

(2) $\sin(ax+b) > k$ (a, b는 상수) 꼴의 식은 $ax + b = t$로 치환한 후 t의 값의 범위에 주의하여 삼각부등식을 푼다.

1073 짱중요

$0 \le x < 2\pi$에서 부등식 $2\sin x + 1 \le 0$의 해가 $\alpha \le x \le \beta$일 때, $\beta - \alpha$의 값은?

① $\frac{\pi}{4}$ ② $\frac{\pi}{3}$ ③ $\frac{\pi}{2}$
④ $\frac{2}{3}\pi$ ⑤ $\frac{5}{6}\pi$

1074 중요

부등식 $3\tan x - \sqrt{3} \le 0$을 만족시키는 x의 최댓값을 구하시오.
$\left(\text{단, } 0 \le x < \frac{3}{2}\pi\right)$

1075 중요

$\pi \le \theta \le 2\pi$일 때, 부등식 $\frac{1}{2} \le \cos\theta < \frac{\sqrt{2}}{2}$의 해를 구하시오.

1076

●●●○

$0<x<\pi$에서 부등식 $\cos 2x>\frac{1}{2}$을 만족시키는 x의 값의 범위가 $\alpha<x<\beta$ 또는 $\gamma<x<\delta$이다. 이때, $\alpha+\beta+\gamma+\delta$의 값은?

① $\frac{5}{2}\pi$ ② 2π ③ $\frac{3}{2}\pi$
④ π ⑤ $\frac{1}{2}\pi$

1077

●●●○

$0\le x<2\pi$일 때, 부등식 $2\cos\frac{x}{2}+1\ge 0$의 해를 $\alpha\le x\le\beta$라 할 때, $\alpha+\beta$의 값은?

① $\frac{\pi}{3}$ ② $\frac{2}{3}\pi$ ③ π
④ $\frac{4}{3}\pi$ ⑤ $\frac{5}{3}\pi$

1078 중요

●●●●

부등식 $\tan\left(x+\frac{\pi}{3}\right)<1$의 해가 $\alpha<x<\beta$일 때, $\alpha+\beta$의 값은?

(단, $0\le x<\pi$)

① $\frac{\pi}{3}$ ② $\frac{2}{3}\pi$ ③ π
④ $\frac{13}{12}\pi$ ⑤ $\frac{5}{4}\pi$

유형 16 이차식 꼴의 삼각부등식

내신 중요도 유형 난이도 ★★★★

두 종류 이상의 삼각함수를 포함한 부등식은 $\sin^2 x+\cos^2 x=1$을 이용하여 한 종류의 삼각함수로 고친 후 이차부등식을 풀고 그래프를 이용하여 x의 값의 범위를 구한다.

1079 중요

●●○○

부등식 $2\sin^2 x-\cos x-1<0$의 해가 $0\le x<\alpha$ 또는 $\beta<x<2\pi$일 때, $\frac{\beta}{\alpha}$의 값은? (단, $0\le x<2\pi$)

① 2 ② 3 ③ 4
④ 5 ⑤ 11

1080 중요

●●○○

$0\le x\le 2\pi$에서 부등식 $2\cos^2 x+\sin x-1\ge 0$을 만족시키는 x의 값의 범위는 $0\le x\le\alpha$ 또는 $\beta\le x\le 2\pi$이다. 이때, $\tan(\beta-\alpha)$의 값은?

① $-\sqrt{3}$ ② -1 ③ $-\frac{\sqrt{3}}{3}$
④ $\frac{\sqrt{3}}{3}$ ⑤ $\sqrt{3}$

1081

●●●○

$0\le x\le 2\pi$에서 부등식 $2\cos^2 x+5\cos x+2<0$을 만족시키는 모든 정수 x의 값의 합을 구하시오.

1082

●●●●

$0\le x\le 2\pi$에서 부등식 $2\cos^2\left(x-\frac{\pi}{3}\right)-5\cos\left(x+\frac{\pi}{6}\right)\ge 4$의 해를 구하시오.

1083 중요 평가원 기출

●●●○

$0\le\theta<2\pi$일 때, x에 대한 이차방정식

$$6x^2+(4\cos\theta)x+\sin\theta=0$$

이 실근을 갖지 않도록 하는 모든 θ의 값의 범위는 $\alpha<\theta<\beta$이다. $3\alpha+\beta$의 값은?

① $\frac{5}{6}\pi$　② π　③ $\frac{7}{6}\pi$　④ $\frac{4}{3}\pi$　⑤ $\frac{3}{2}\pi$

1084 평가원 기출

●●●○

$0\le\theta<2\pi$일 때, x에 대한 이차방정식

$$x^2-(2\sin\theta)x-3\cos^2\theta-5\sin\theta+5=0$$

이 실근을 갖도록 하는 θ의 최솟값과 최댓값을 각각 α, β라 하자. $4\beta-2\alpha$의 값은?

① 3π　② 4π　③ 5π　④ 6π　⑤ 7π

유형 17 두 함수로 표현된 부등식

내신 중요도 ■■■■■ 유형 난이도 ★★★★☆

삼각함수 $y=f(x)$, $y=g(x)$에 대해
부등식 $f(x)<g(x)$의 해는 $y=f(x)$의 그래프가 $y=g(x)$의 그래프보다 아래쪽에 있는 부분의 x의 값의 범위이다.

1085 중요

●●●○

부등식 $\sin x\le\cos x$를 만족시키는 x의 값의 범위를 구하시오. (단, $0\le x<\pi$)

1086

●●●○

부등식 $\sin x+\cos x<0$을 만족하는 x의 값의 범위가 $\alpha<x<\beta$일 때, $\sin(\beta-\alpha)$의 값을 구하시오. (단, $0\le x<2\pi$)

1087

●●●●

$0<x<\frac{\pi}{4}$인 모든 x에 대하여 다음 〈보기〉 중 옳은 것만을 있는 대로 고른 것은?

보기

ㄱ. $\sin x<\cos x$
ㄴ. $\cos x>\tan x$
ㄷ. $\tan x>\sin x$

① ㄱ　② ㄱ, ㄴ　③ ㄱ, ㄷ　④ ㄴ, ㄷ　⑤ ㄱ, ㄴ, ㄷ

내신 중요도 유형 난이도 ★★★★☆

18 삼각방정식과 삼각부등식의 응용

삼각함수가 포함된 방정식, 부등식의 근의 조건 문제는
① $\sin x$(또는 $\cos x$)를 t로 치환하여 t에 관한 함수로 나타낸다.
② t에 관한 함수의 그래프를 이용하여 t의 값의 범위에서 주어진 근의 조건을 구한다.

1088 짱중요

부등식 $\cos^2\theta+4\sin\theta\le 2a$가 모든 실수 θ에 대하여 항상 성립하도록 하는 실수 a의 값의 범위는?

① $a\ge-\frac{5}{2}$ ② $a\ge1$ ③ $a\ge2$
④ $a\le3$ ⑤ $a\le\frac{5}{2}$

1089 중요

부등식 $\sin^2\left(x+\frac{\pi}{2}\right)+2\sin x+k\le0$이 모든 실수 x에 대하여 항상 성립하도록 하는 실수 k의 값의 범위를 구하시오.

1090

부등식 $\sin^2\left(x-\frac{\pi}{6}\right)-\sin\left(x+\frac{\pi}{3}\right)+a\ge0$이 항상 성립하도록 하는 a의 값의 범위를 구하시오. (단, $0\le x\le 2\pi$)

1091

방정식 $\sin^2 x-\sin x+k-1=0$이 실근을 갖도록 하는 상수 k의 값의 범위를 $\alpha\le k\le\beta$라 할 때, $4\beta-\alpha$의 값을 구하시오.
(단, $0\le x<2\pi$)

1092 중요

방정식 $4\cos^2 x-4\sin x+a=0$이 실근을 가질 때, 실수 a의 값의 범위는 $\alpha\le a\le\beta$이다. $\alpha+\beta$의 값을 구하시오.

1093

방정식 $-2\sin^2 x+2\cos x+a=0$을 만족시키는 실근 x가 존재하기 위한 실수 a의 값의 범위를 구하시오.

유형 19 내신 중요도 유형 난이도 ★★★★★

삼각방정식과 삼각부등식의 활용

도형의 주어진 선분의 길이와 각을 삼각비를 이용하여 삼각방정식과 삼각부등식으로 표현한다.

1094

그림과 같이 반지름의 길이가 1인 부채꼴 AOB에 대하여 $\angle COD=\theta$라 할 때, 다음 중 길이가 $\dfrac{\cos\left(\frac{3}{2}\pi-\theta\right)}{\sin\left(\frac{3}{2}\pi+\theta\right)}$인 선분은?

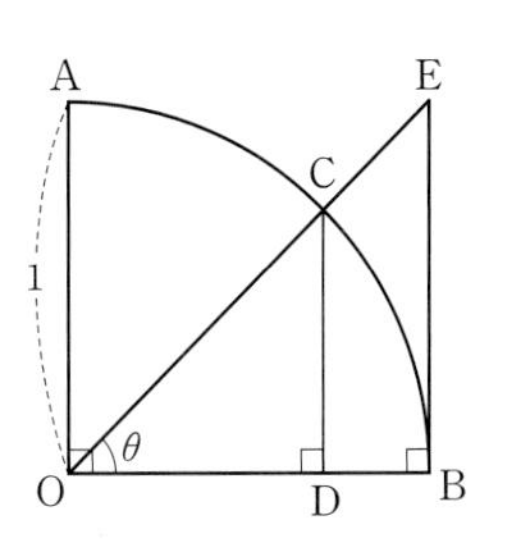

① $\overline{OA}$ ② $\overline{OD}$ ③ $\overline{OE}$
④ $\overline{CD}$ ⑤ $\overline{BE}$

1095

$\frac{\pi}{2}<x<\pi$일 때, 세 변의 길이가 1, 2, $2\sin x$인 삼각형이 둔각삼각형이 되도록 하는 x의 값의 범위는?

① $\frac{\pi}{2}<x<\frac{2}{3}\pi$ ② $\frac{\pi}{2}<x<\frac{5}{6}\pi$
③ $\frac{2}{3}\pi<x<\frac{5}{6}\pi$ ④ $\frac{2}{3}\pi<x<\pi$
⑤ $\frac{5}{6}\pi<x<\pi$

1096 평가원 기출

양의 상수 a에 대하여 곡선 $f(x)=a\sin\frac{x+\pi}{3}$ $(0\le x\le 6\pi)$와 직선 $y=-\frac{a}{2}$가 만나는 두 점을 각각 A, B라 하자. 곡선 $y=f(x)$ 위의 제1사분면에 있는 점 P에 대하여 삼각형 PAB의 넓이의 최댓값이 6π일 때, a의 값을 구하시오.

1097

그림과 같은 삼각형 ABC에서 $\angle BAC$를 이등분하는 직선이 선분 BC와 만나는 점을 D라 하면 $\angle ADC=45°$가 된다. 선분 BC를 연장한 반직선 BC 위의 한 점을 E라 하고 $\angle ABC=\alpha$, $\angle ACE=\beta$라 할 때, $\sin^2\alpha+\sin^2\beta$의 값을 구하시오.

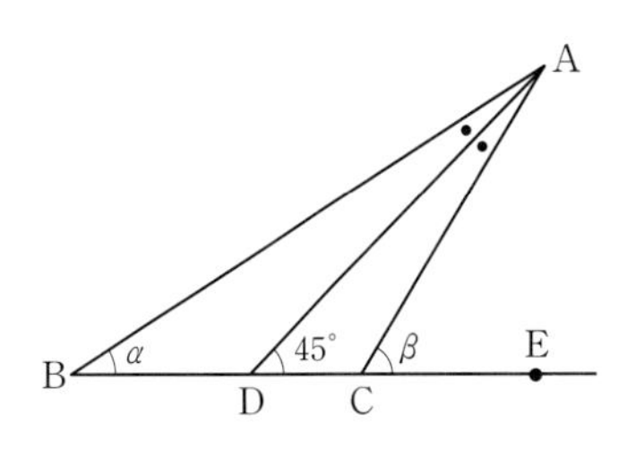

1098 중요 교육청 기출

좌표평면에서 원 $x^2+y^2=1$ 위의 두 점 P, Q가 점 A(1, 0)에서 동시에 출발하여 시계 반대 방향으로 매초 $\frac{2}{3}\pi$, $\frac{4}{3}\pi$의 속력으로 원 위를 따라 각각 움직인다. 출발 후 100초가 될 때까지 두 점 P, Q의 y좌표가 같아지는 횟수는?

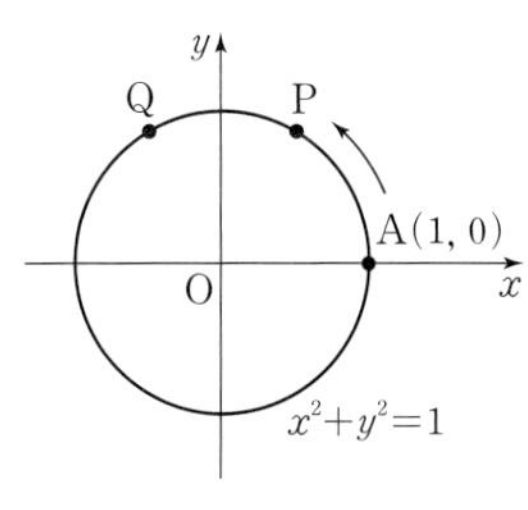

① 132 ② 133 ③ 134
④ 135 ⑤ 136

1099

함수 $f(x)=3\sin\frac{x}{2}$에 대한 설명으로 옳은 것만을 〈보기〉에서 있는 대로 고른 것은?

보기

ㄱ. 주기는 3π이다.　　ㄴ. 최댓값은 3이다.

ㄷ. $y=f(x)$의 그래프는 원점에 대하여 대칭이다.

① ㄱ　② ㄴ　③ ㄷ　④ ㄱ, ㄴ　⑤ ㄴ, ㄷ

1100

함수 $y=2\sin\left(x+\frac{\pi}{4}\right)-1$의 주기와 최댓값, 최솟값을 차례대로 나열한 것은?

① $2\pi,\ 3,\ -1$　② $2\pi,\ 2,\ -2$　③ $2\pi,\ 1,\ -3$　④ $\pi,\ 2,\ -2$　⑤ $\pi,\ 1,\ -3$

1101

그림은 함수 $y=a\sin(bx-c)$의 그래프이다. $a>0$, $b>0$, $0<c<2\pi$일 때, $\frac{abc}{\pi}$의 값을 구하시오. (단, a, b, c는 상수이다.)

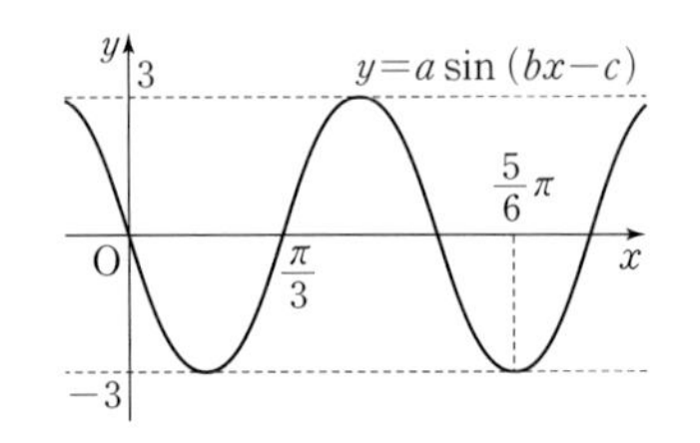

1102

그림은 함수 $y=|\tan ax|+b$의 그래프이다. 두 상수 a, b에 대하여 ab의 값을 구하시오. (단, $a>0$)

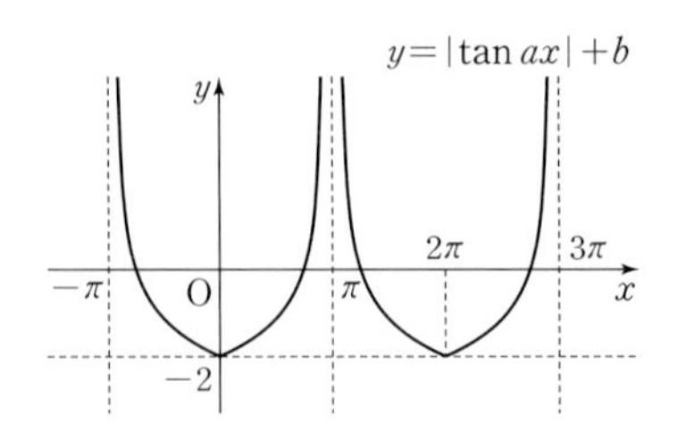

1103

$0<x<\frac{3}{2}\pi$에서 $\cos 2x=p$를 만족시키는 x의 값의 합을 k라 하면 $\cos k=\frac{1}{2}$이다. $2\left(\cos\frac{k}{2}-\sin\frac{k}{2}\right)$의 값은? (단, $-1<p<0$)

① $\sqrt{3}+1$　② $\sqrt{3}-1$　③ 0　④ $1-\sqrt{3}$　⑤ $-\sqrt{3}-1$

1104

$\sin\left(\frac{\pi}{2}+\theta\right)\cos\theta+\cos\left(\frac{\pi}{2}+\theta\right)\sin(\pi+\theta)$를 간단히 하면?

① $\sin\theta$　② -1　③ 0　④ 1　⑤ $\cos\theta$

1105 서술형

함수 $y=-3\sin^2 x+3\cos x+2$의 최댓값을 M, 최솟값을 m이라 할 때, $M+m$의 값을 구하시오.

1106

방정식 $\sin \pi x-\frac{1}{5}x=0$의 실근의 개수는?

① 7　② 8　③ 9　④ 10　⑤ 11

1107

방정식 $2\sin x=\sqrt{2}$의 두 근을 α, β $(\alpha<\beta)$라 할 때, $\cos(\alpha+\beta)$의 값은? (단, $0\leq x\leq 2\pi$)

① -1　② $-\frac{1}{2}$　③ 0　④ $\frac{1}{2}$　⑤ 1

1108

$0\leq x\leq 2\pi$일 때, 방정식 $2\sin^2 x+3\cos x=0$의 모든 근의 합은?

① $\frac{2}{3}\pi$　② $\frac{4}{3}\pi$　③ 2π　④ $\frac{7}{3}\pi$　⑤ $\frac{8}{3}\pi$

1109 서술형

부등식 $2\cos\left(2x-\frac{\pi}{3}\right)<\sqrt{3}$의 해를 구하시오. (단, $0\leq x\leq \pi$)

1110 교육청 기출

$0\leq x<2\pi$일 때, x에 대한 부등식 $\sin^2 x-4\sin x-5k+5\geq 0$이 항상 성립하도록 하는 실수 k의 최댓값은?

① $\frac{2}{5}$　② $\frac{1}{2}$　③ $\frac{3}{5}$　④ $\frac{7}{10}$　⑤ $\frac{4}{5}$

Level 1

1111

<보기>에서 두 함수의 그래프가 일치하는 것만을 있는 대로 고른 것은?

보기

ㄱ. $y=|\cos x|$, $y=\sin|x|$

ㄴ. $y=|\sin x|$, $y=\left|\cos\left(x+\frac{\pi}{2}\right)\right|$

ㄷ. $y=\cos|x|$, $y=|\sin(x-\pi)|$

① ㄱ ② ㄴ ③ ㄷ
④ ㄱ, ㄴ ⑤ ㄴ, ㄷ

1112

두 함수 $f(x)=x^2+x+a$, $g(x)=b\cos x$에 대하여 $(f\circ g)(x)$의 최댓값과 $(g\circ f)(x)$의 최솟값의 합이 0일 때, $\tan(a+b)\pi$의 최댓값을 구하시오. (단, $0\le b\le 1$이고, a, b는 상수이다.)

1113

$\pi<\alpha<2\pi$, $\pi<\beta<2\pi$인 서로 다른 두 각 α, β가 $\sin\alpha=\cos\beta$를 만족시킬 때, <보기>에서 항상 옳은 것만을 있는 대로 고른 것은?

보기

ㄱ. $\sin(\alpha+\beta)=1$ ㄴ. $\cos^2\alpha+\cos^2\beta=1$

ㄷ. $\tan\alpha+\tan\beta=1$

① ㄱ ② ㄴ ③ ㄷ
④ ㄱ, ㄴ ⑤ ㄴ, ㄷ

1114

두 함수 $f(x)=\frac{1}{4}x^2$, $g(x)=\sqrt{1-\cos^2 2\pi x}$에 대하여 방정식 $f(x)=g(x)$의 실근의 개수는?

① 13 ② 14 ③ 15
④ 16 ⑤ 17

1115

다음 중 $\alpha+\beta=\frac{\pi}{2}$일 때, $-1<\sin\alpha+\cos\beta\leq\sqrt{3}$을 만족시키는 α의 값의 범위에 속하지 않는 것은? (단, $0\leq\alpha<2\pi$)

① $0\leq\alpha\leq\frac{\pi}{3}$
② $\frac{\pi}{3}<\alpha<\frac{2}{3}\pi$
③ $\frac{2}{3}\pi\leq\alpha\leq\pi$
④ $\pi<\alpha<\frac{7}{6}\pi$
⑤ $\frac{11}{6}\pi<\alpha<2\pi$

1116

$0<x<2\pi$에서 방정식 $2\cos^2 x-\cos x-1-k=0$이 서로 다른 4개의 실근을 갖도록 하는 실수 k의 값의 범위가 $\alpha<k<\beta$일 때, $\beta-\alpha$의 값을 구하시오.

Level 2

1117

교육청 기출

함수 $y=k\sin\left(2x+\frac{\pi}{3}\right)+k^2-6$의 그래프가 제1사분면을 지나지 않도록 하는 모든 정수 k의 개수를 구하시오.

1118

실수 a에 대하여 함수 $f(x)=2\sin^2 x+2a\cos x-2$의 최댓값을 $g(a)$라 할 때,
$g(-3)+g(-2)+g(-1)+g(0)+g(1)+g(2)+g(3)$의 값을 구하시오. (단, $0\leq x\leq\pi$이다.)

1119

함수 $f(\theta)=4+4\sin^2\theta+\dfrac{1}{4-4\cos^2\theta}$은 $\theta=a$일 때 최솟값 b를 갖는다. ab의 값을 구하시오. $\left(단, 0<\theta<\dfrac{\pi}{2}\right)$

1120

실수 전체에서 정의된 함수 $y=f(x)$가 임의의 실수 x에 대하여 $f(\sin x)=-\cos 2x$를 만족시킬 때, 방정식 $f(\cos x)=\dfrac{4}{5\pi}x$의 실근의 개수는?

① 1 ② 3 ③ 5
④ 7 ⑤ 9

1121

x에 대한 방정식 $\cos x=\dfrac{1}{(2n-1)\pi}x$ $(n=1, 2, 3, \cdots)$의 양의 실근의 개수를 a_n이라 할 때, $a_1+a_2+a_3+\cdots+a_7$의 값을 구하시오.

1122

이차함수 $f(x)=x^2+x\cos\theta+\sin\theta-1$의 그래프와 x축의 교점의 x좌표가 모두 -1보다 크고 1보다 작을 때, θ의 값의 범위를 구하시오. (단, $0\leq\theta\leq2\pi$)

1123

그림과 같이 $\overline{AB}=2$, $\overline{AC}=3$, $A=30°$인 삼각형 ABC의 변 BC 위의 점 P에서 두 직선 AB, AC 위에 내린 수선의 발을 각각 M, N이라 할 때,

$\frac{\overline{AB}}{\overline{PM}}+\frac{\overline{AC}}{\overline{PN}}$의 최솟값을 구하시오.

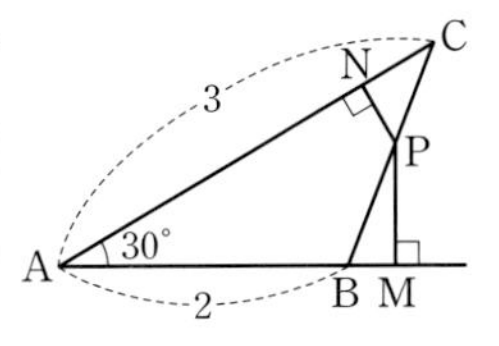

Level 3

1124

교육청 기출

자연수 n에 대하여 $-n\pi \le x \le n\pi$일 때,

방정식 $\sin 2nx=\frac{x}{n\pi}$의 서로 다른 실근의 개수를 a_n이라 하자.

$a_1+a_2+\cdots+a_6$의 값을 구하시오.

1125

교육청 기출

자연수 n에 대하여 $0<x<\frac{n}{12}\pi$일 때, 방정식

$$\sin^2(4x)-1=0$$

의 실근의 개수를 $f(n)$이라 하자. $f(n)=33$이 되도록 하는 모든 n의 값의 합은?

① 295 ② 297 ③ 299

④ 301 ⑤ 303

1126 교육청 기출

두 실수 a $(0<a<2\pi)$와 k에 대하여 $0\le x\le 2\pi$에서 정의된 함수 $f(x)$는

$$f(x)=\begin{cases} \sin x-\frac{1}{2} & (0\le x<a) \\ k\sin x-\frac{1}{2} & (a\le x\le 2\pi) \end{cases}$$

이고, 다음 조건을 만족시킨다.

> (가) 함수 $|f(x)|$의 최댓값은 $\frac{1}{2}$이다.
> (나) 방정식 $f(x)=0$의 실근의 개수는 3이다.

방정식 $|f(x)|=\frac{1}{4}$의 모든 실근의 합을 S라 할 때, $20\left(\frac{a+S}{\pi}+k\right)$의 값을 구하시오.

1127 교육청 기출

음이 아닌 세 정수 a, b, n에 대하여

$$(a^2+b^2+2ab-4)\cos\frac{n}{4}\pi+(b^2+ab+2)\tan\frac{2n+1}{4}\pi=0$$

일 때, $a+b+\sin^2\frac{n}{8}\pi$의 값은? (단, $a\ge b$)

① 4 ② $\frac{19}{4}$ ③ $\frac{11}{2}$ ④ $\frac{25}{4}$ ⑤ 7

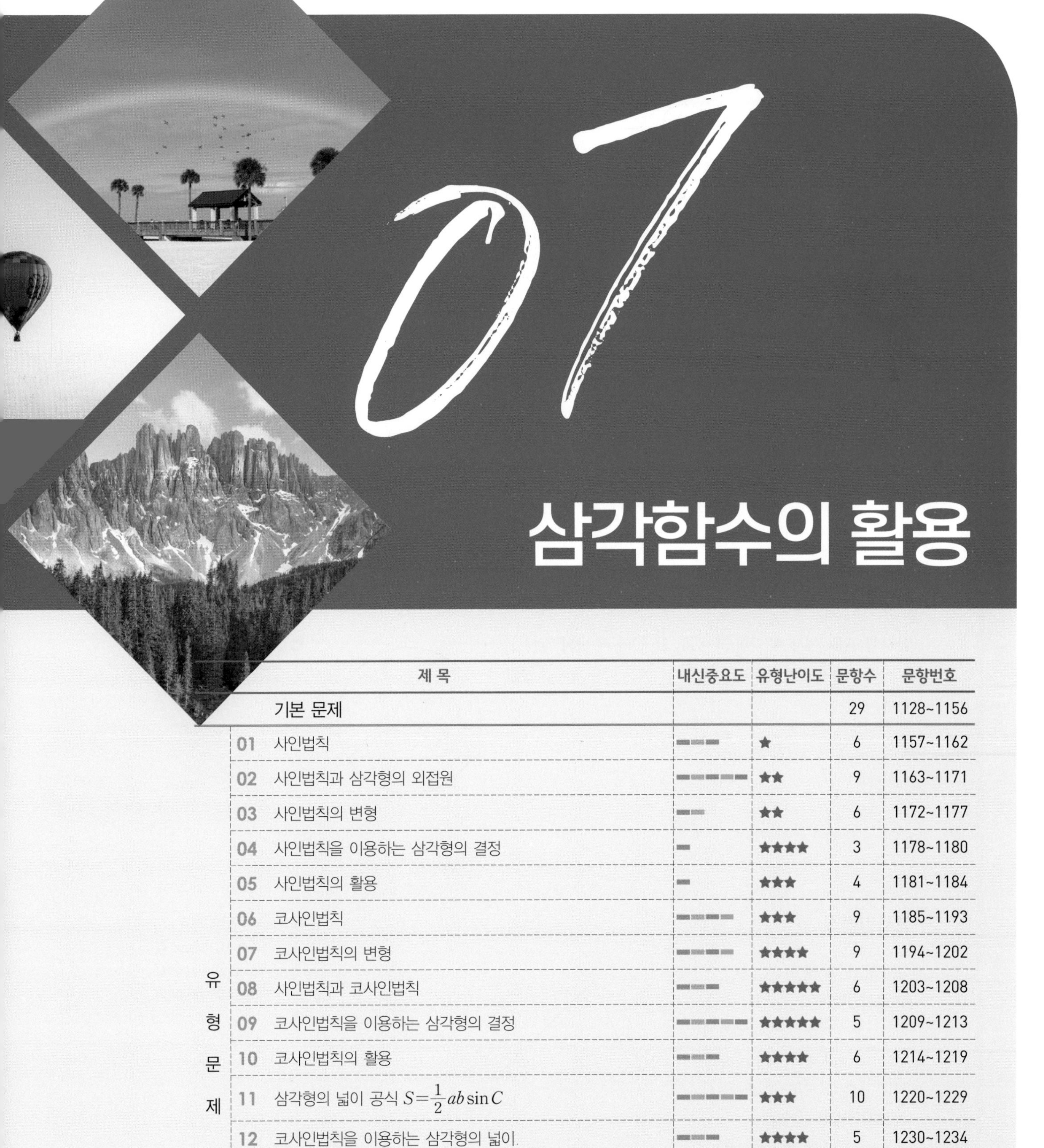

07 삼각함수의 활용

07 삼각함수의 활용

1. 사인법칙

삼각형 ABC에서 세 각의 크기 A, B, C와 세 변의 길이 a, b, c 및 외접원의 반지름의 길이 R 사이에는 다음 관계가 성립한다.

$$\frac{a}{\sin A}=\frac{b}{\sin B}=\frac{c}{\sin C}=2R$$

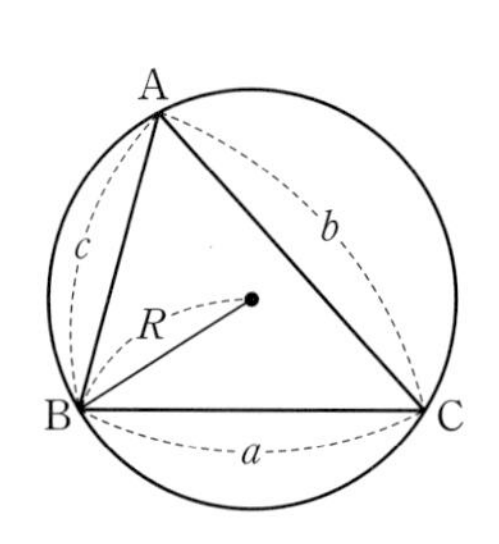

사인법칙의 변형

① $a=2R\sin A$, $b=2R\sin B$, $c=2R\sin C$

② $\sin A=\frac{a}{2R}$, $\sin B=\frac{b}{2R}$, $\sin C=\frac{c}{2R}$

③ $a:b:c=\sin A:\sin B:\sin C$

2. 코사인법칙

삼각형 ABC에서

(1) 코사인법칙

$$a^2=b^2+c^2-2bc\cos A$$
$$b^2=c^2+a^2-2ca\cos B$$
$$c^2=a^2+b^2-2ab\cos C$$

(2) 코사인법칙의 변형

$$\cos A=\frac{b^2+c^2-a^2}{2bc}$$
$$\cos B=\frac{c^2+a^2-b^2}{2ca}$$
$$\cos C=\frac{a^2+b^2-c^2}{2ab}$$

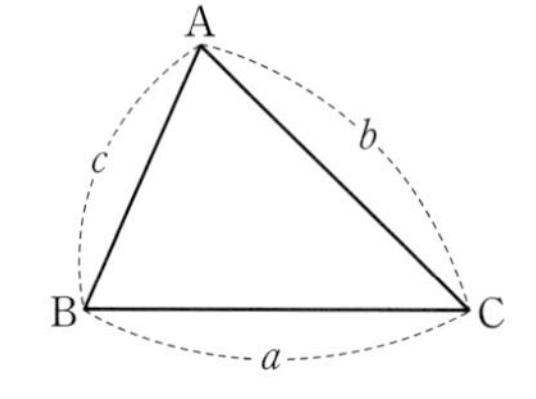

삼각형 ABC에서
$a=b\cos C+c\cos B$
$b=c\cos A+a\cos C$
$c=a\cos B+b\cos A$

3. 삼각형의 넓이

삼각형 ABC의 넓이를 S라 하면

(1) $S=\frac{1}{2}ab\sin C$

$=\frac{1}{2}bc\sin A$

$=\frac{1}{2}ca\sin B$

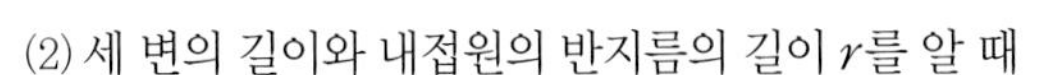

(2) 세 변의 길이와 내접원의 반지름의 길이 r를 알 때

$$S=\frac{1}{2}r(a+b+c)$$

(3) 세 변의 길이(또는 세 각의 크기)와 외접원의 반지름의 길이 R를 알 때

$$S=\frac{abc}{4R}=2R^2\sin A\sin B\sin C$$

헤론의 공식

삼각형의 세 변의 길이가 a, b, c일 때, 넓이 S는

$S=\sqrt{s(s-a)(s-b)(s-c)}$

(단, $2s=a+b+c$)

$S=\frac{abc}{4R}=2R^2\sin A\sin B\sin C$의 증명

삼각형 ABC의 넓이를 S라 하면

$S=\frac{1}{2}ab\sin C$

사인법칙에 의하여

$\sin C=\frac{c}{2R}$

$\therefore S=\frac{1}{2}ab\sin C$

$=\frac{1}{2}ab\times\frac{c}{2R}$

$=\frac{abc}{4R}$

또 사인법칙에 의하여

$a=2R\sin A$, $b=2R\sin B$, $c=2R\sin C$

$\therefore S=\frac{abc}{4R}$

$=\frac{2R\sin A\times 2R\sin B\times 2R\sin C}{4R}$

$=2R^2\sin A\sin B\sin C$

4. 평행사변형의 넓이

평행사변형 ABCD에서 이웃하는 두 변의 길이가 a, b이고, 그 끼인각의 크기가 θ일 때, 평행사변형 ABCD의 넓이 S는

$$S=ab\sin\theta$$

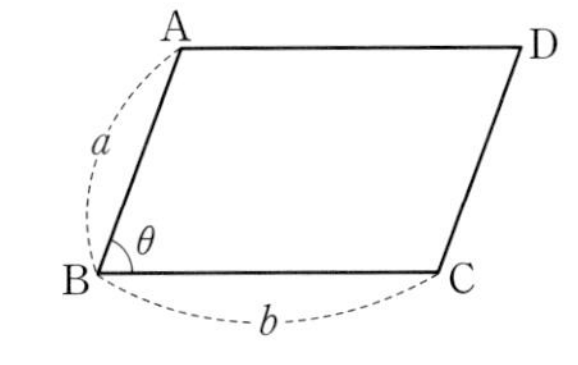

5. 사각형의 넓이

사각형 ABCD에서 두 대각선의 길이가 p, q이고, 두 대각선이 이루는 각의 크기가 θ일 때, 사각형의 넓이 S는

$$S=\frac{1}{2}pq\sin\theta$$

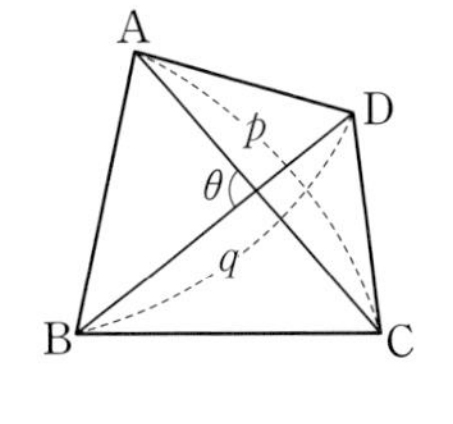

O 중학 도형 특강

1. 원에 내접하는 삼각형

(1) $\angle A+\angle B+\angle C=\pi$

(2) $\angle ACD=\angle A+\angle B$

(3) $\angle BOC=2\angle A$

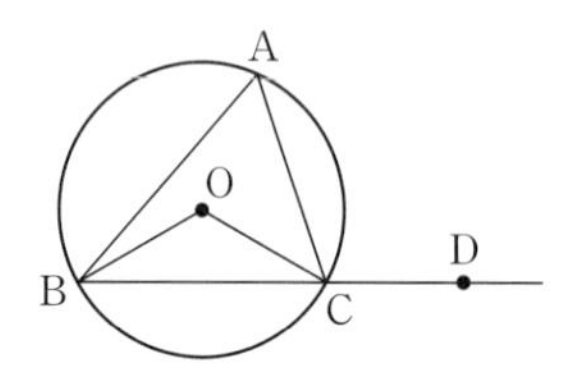

2. 원에 내접하는 직각삼각형

(1) $\overline{BC}^2+\overline{AC}^2=\overline{AB}^2$

(2) $\overline{AB}=2R$

(3) $\angle C=\frac{\pi}{2}$

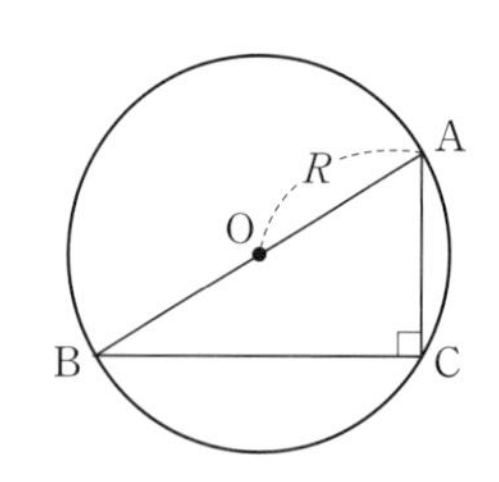

3. 원에 내접하는 사각형

$\angle A+\angle C=\angle B+\angle D=\pi$

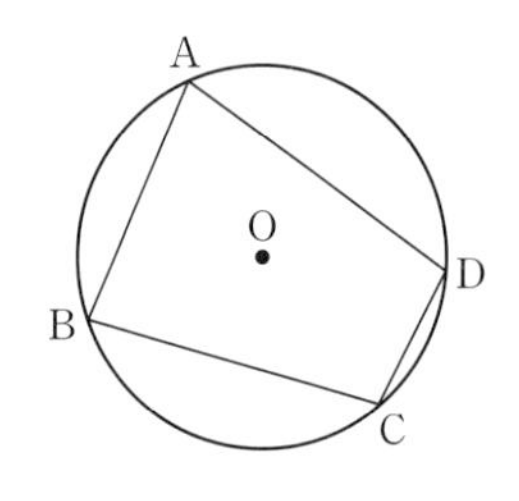

1 사인법칙

1128 다음은 사인법칙을 이용하여 a의 값을 구하는 과정이다. □ 안에 알맞은 것을 써넣으시오.

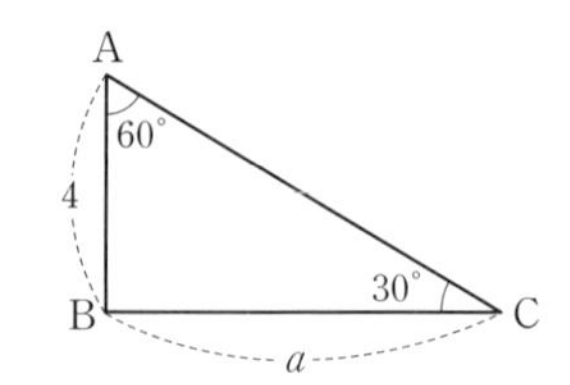

$\frac{a}{\sin A}=\frac{b}{\square}=\frac{\square}{\sin C}=\square$에서

$\frac{a}{\sin A}=\frac{\square}{\sin C}$이므로

$c=4$, $A=60°$, $C=30°$를 대입하면

$\frac{a}{\sin 60°}=\frac{\square}{\sin 30°}$

$a\times\sin 30°=\square\times\sin 60°$

$a\times\frac{1}{2}=\square\times\frac{\sqrt{3}}{2}$

$\therefore a=\square$

1129 다음 삼각형에서 □ 안에 알맞은 것을 써넣으시오.

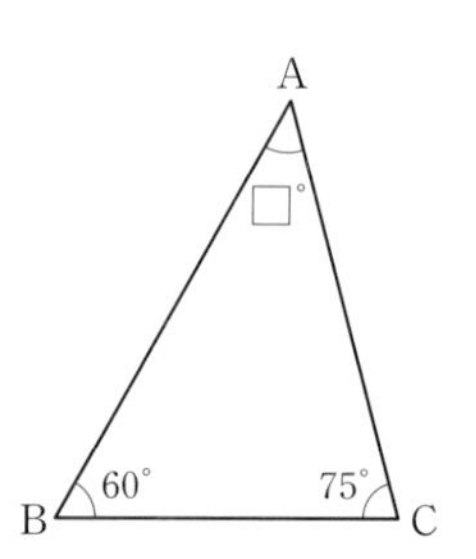

[1130-1133] 사인법칙을 이용하여 다음 삼각형에서 □ 안에 알맞은 것을 써넣으시오.

1130

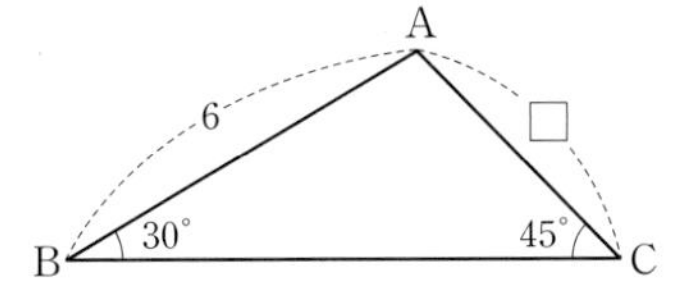

1131

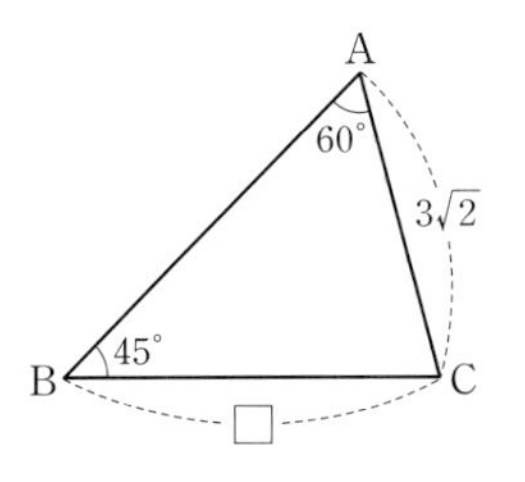

1132

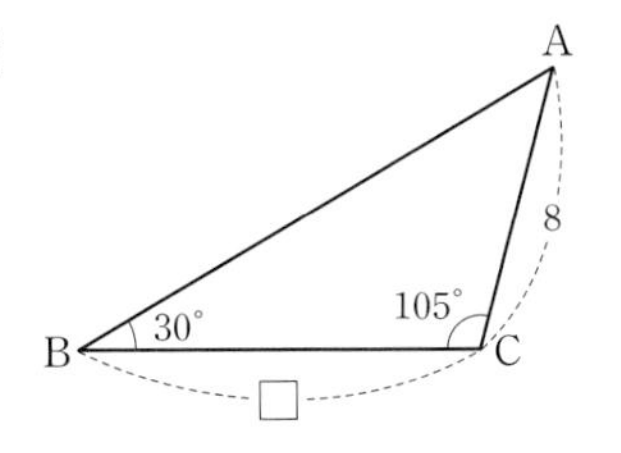

1133

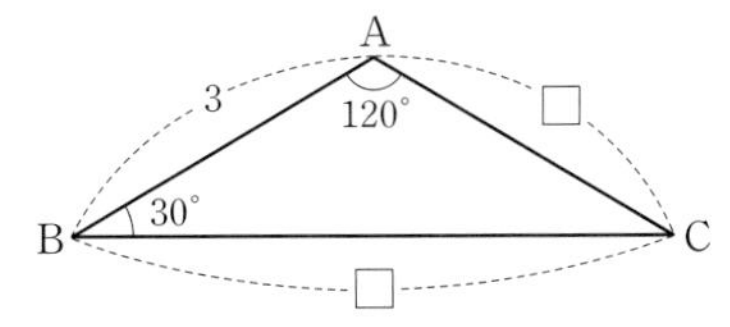

[1134-1136] 다음 조건을 만족시키는 삼각형 ABC의 외접원의 반지름의 길이 R를 구하시오.

1134 $\overline{BC}=3$, $A=30°$

1135 $\overline{CA}=4\sqrt{3}$, $B=150°$

1136 $\overline{AB}=2\sqrt{2}$, $A=60°$, $B=75°$

[1137-1139] 삼각형 ABC에 대하여 다음을 구하시오.
(단, R는 삼각형 ABC의 외접원의 반지름의 길이이다.)

1137 $\overline{BC}=3$, $R=4$일 때, $\sin A$의 값

1138 $\overline{CA}=4$, $R=6$일 때, $\sin B$의 값

1139 $\overline{AB}=3\sqrt{3}$, $R=3$일 때, $\angle C$의 크기 (단, $0° < \angle C < 90°$)

2 코사인법칙

1140 다음은 삼각형 ABC에서 코사인법칙을 이용하여 a의 값을 구하는 과정이다. $\square$ 안에 알맞은 것을 써넣으시오.

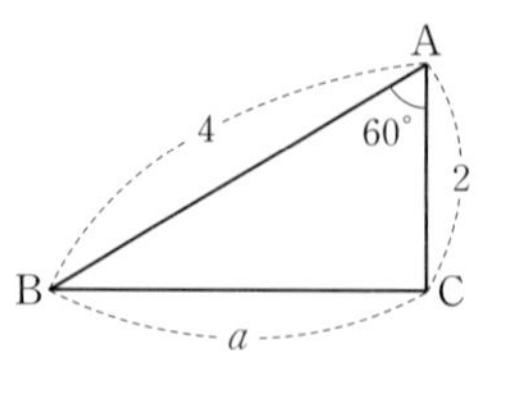

> $a^2=b^2+c^2-2bc\cos A$에
> $b=2$, $c=4$, $A=60°$를 대입하면
> $a^2=\square^2+4^2-2\times\square\times4\times\cos60°$
> $\therefore a=\square$

[1141-1143] 코사인법칙을 이용하여 다음 삼각형에서 $\square$ 안에 알맞은 것을 써넣으시오.

1141

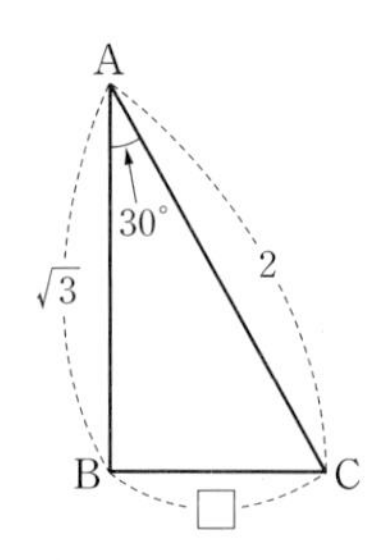

1142

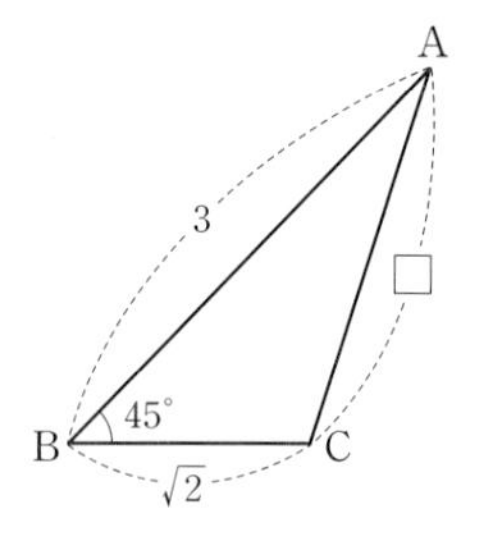

1143

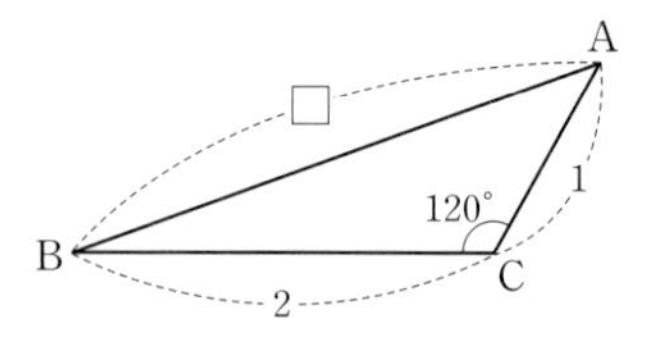

3 코사인법칙의 변형

1144 삼각형 ABC에 대하여 다음의 $\square$ 안에 알맞은 것을 써넣으시오.

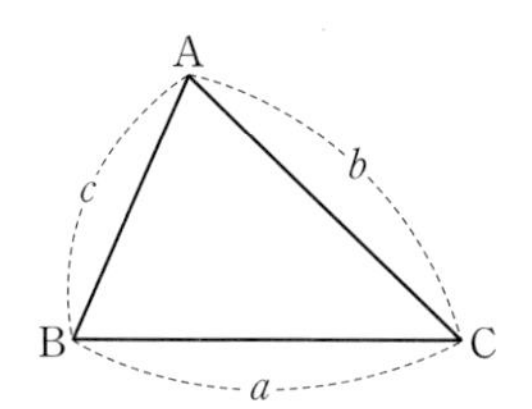

> $$\cos A=\frac{\square^2+c^2-\square^2}{\square\times bc}$$

[1145-1147] 삼각형 ABC에서 $\overline{BC}=a$, $\overline{CA}=b$, $\overline{AB}=c$라 할 때, 다음을 구하시오.

1145 $a=3$, $b=4$, $c=3$일 때, $\cos A$의 값

1146 $a=3$, $b=2\sqrt{3}$, $c=1$일 때, $\cos B$의 값

1147 $a=2$, $b=3\sqrt{2}$, $c=\sqrt{10}$일 때, $\angle$C의 크기

4 삼각형의 넓이

1148 삼각형 ABC에 대하여 다음의 □ 안에 알맞은 것을 써넣으시오.

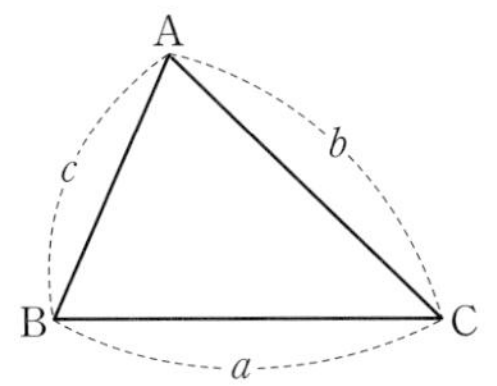

$S=\frac{1}{2}ab\times$ □
$=\frac{1}{2}bc\times$ □
$=\frac{1}{2}\times$ □ $\times$ □ $\times\sin B$

[1149-1151] 다음 삼각형의 넓이를 구하시오.

1149

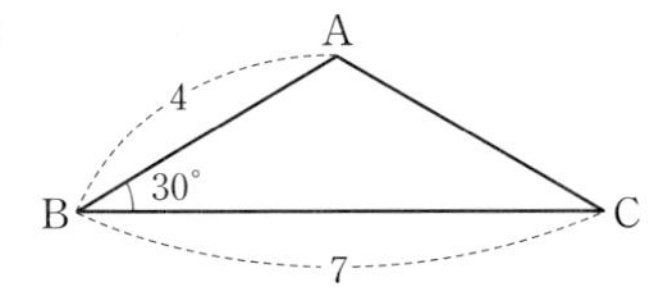

1150

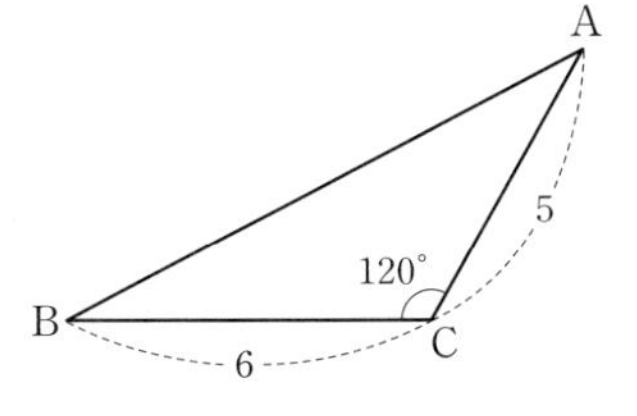

1151

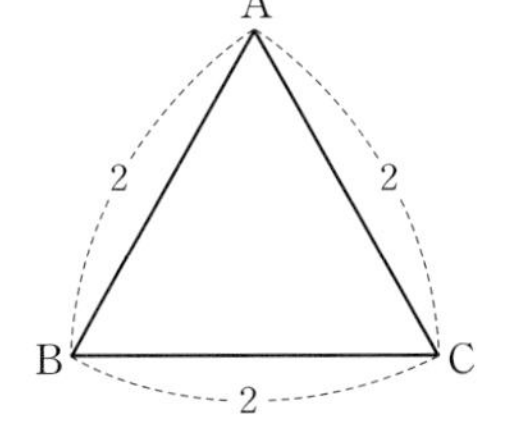

5 평행사변형의 넓이

1152 평행사변형 ABCD에 대하여 다음의 □ 안에 알맞은 것을 써넣으시오.

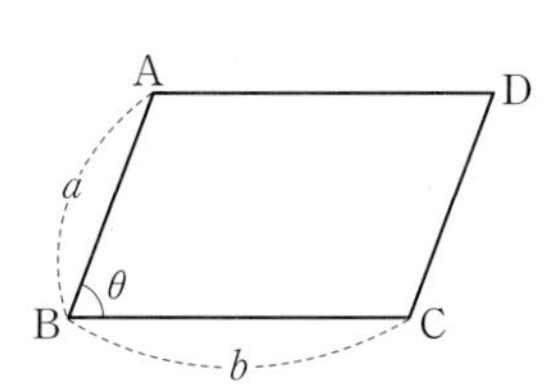

$S=ab\times$ □

[1153-1156] 다음 평행사변형의 넓이를 구하시오.

1153

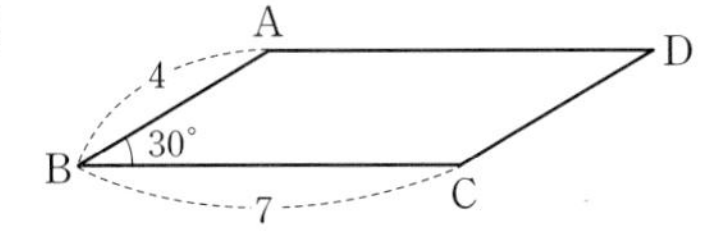

1154

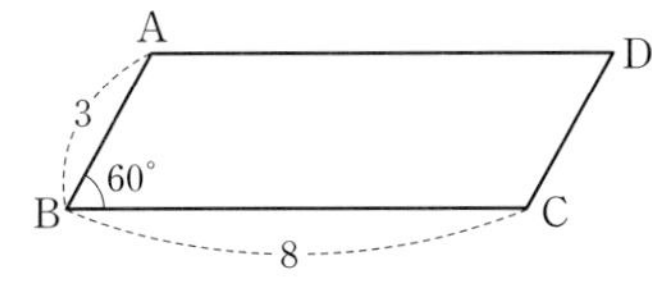

1155

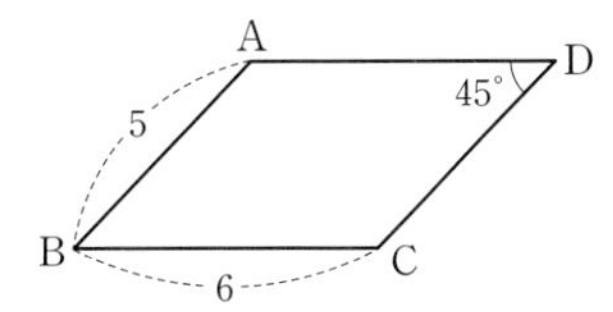

1156

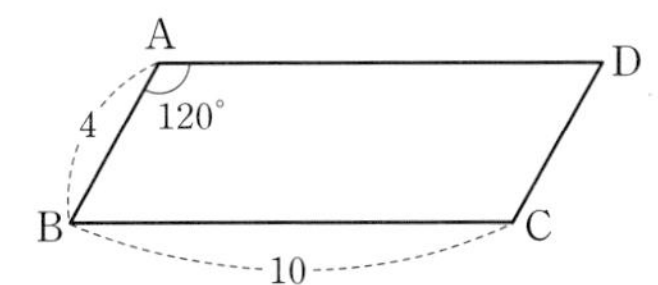

문제

내신 출제 유형 정복하기

유형 01 **사인법칙**

내신 중요도 ▬▬▬ 유형 난이도 ★☆☆☆☆

△ABC에서 세 각의 크기 A, B, C와 세 변의 길이 a, b, c 사이에는 다음 관계가 성립한다.

$$\frac{a}{\sin A}=\frac{b}{\sin B}=\frac{c}{\sin C}$$

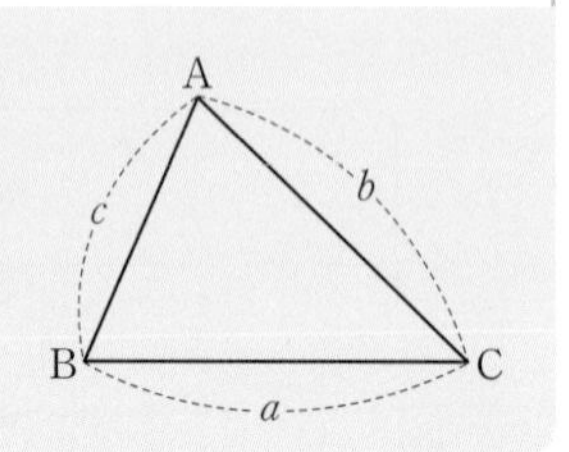

1157 중요

●○○○

삼각형 ABC에서 $\angle A=45^\circ$, $\angle B=30^\circ$, $\overline{BC}=4$일 때, 변 AC의 길이를 구하시오.

1158 짱중요 평가원 기출

●○○○

$\overline{AB}=8$이고 $\angle A=45^\circ$, $\angle B=15^\circ$인 삼각형 ABC에서 선분 BC의 길이는?

① $2\sqrt{6}$ ② $\frac{7\sqrt{6}}{3}$ ③ $\frac{8\sqrt{6}}{3}$

④ $3\sqrt{6}$ ⑤ $\frac{10\sqrt{6}}{3}$

1159

●●○○

그림과 같은 삼각형 ABC에서 $\angle C=45^\circ$, $\overline{AB}=\sqrt{10}$, $\overline{AC}=\sqrt{2}$일 때, $\sin A$의 값은?

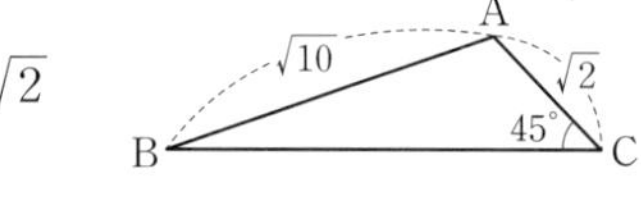

① $\frac{\sqrt{5}}{5}$ ② $\frac{2\sqrt{5}}{5}$ ③ $\frac{3\sqrt{5}}{5}$

④ $\frac{4\sqrt{5}}{5}$ ⑤ $\sqrt{5}$

1160 중요

●●○○

△ABC에서 $\overline{AB}=6\sqrt{3}$, $\overline{CA}=6$, $\angle C=60^\circ$일 때, $\angle A$의 크기를 구하시오.

1161

●●○○

그림에서 $\overline{AB}=25$, $\angle DAB=45^\circ$, $\angle DBC=75^\circ$, $\angle DCB=90^\circ$일 때, 선분 CD의 길이를 구하시오.

(단, $\sin 75^\circ=0.96$으로 계산한다.)

1162

●●●○

그림과 같은 삼각형 ABC에서 $\overline{AB}=10$, $\overline{AC}=8$, $\overline{BM}=\overline{CM}$이고 $\angle BAM=\alpha$, $\angle CAM=\beta$라 할 때, $\frac{\sin\beta}{\sin\alpha}$의 값을 구하시오.

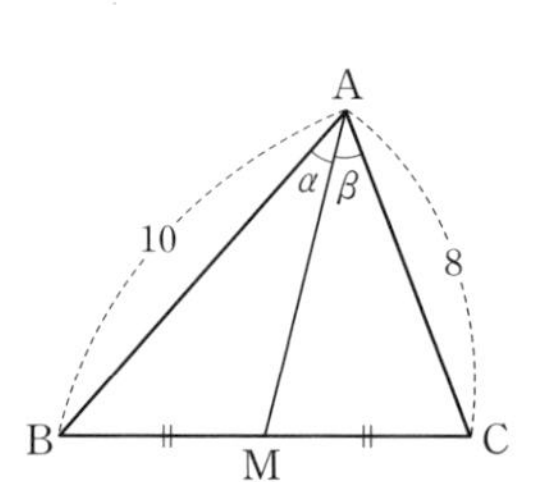

유형 02 사인법칙과 삼각형의 외접원

내신 중요도 ━━━━━ 유형 난이도 ★★☆☆☆

$\triangle$ABC에서 세 각의 크기 A, B, C와 세 변의 길이 a, b, c 및 외접원의 반지름의 길이 R 사이에는 다음 관계가 성립한다.

$$\frac{a}{\sin A}=2R$$

⇨ $\sin A=\frac{a}{2R}$, $a=2R\sin A$

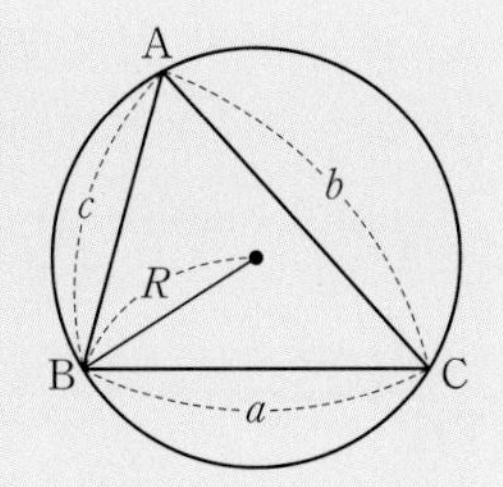

1163 ●○○○

$\triangle$ABC에서 $\overline{\text{BC}}=3\sqrt{2}$, $\angle\text{A}=45°$일 때, $\triangle$ABC의 외접원의 반지름의 길이는?

① 1 ② 2 ③ 3
④ 4 ⑤ 5

1164 짱중요 평가원 기출 ●○○○

$\triangle$ABC에서 $A=40°$, $B=80°$, $\overline{\text{AB}}=6$일 때, $\triangle$ABC의 외접원의 반지름의 길이는?

① $2\sqrt{6}$ ② $2\sqrt{3}$ ③ $2\sqrt{2}$
④ $\sqrt{3}$ ⑤ $\sqrt{2}$

1165 짱중요 ●●○○

그림과 같이 중심각의 크기가 60°이고 반지름의 길이가 $3\sqrt{3}$인 부채꼴 ABC에 외접하는 원의 넓이를 구하시오.

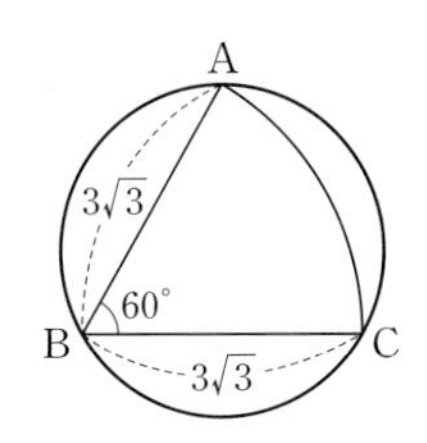

1166 중요 ●●○○

그림과 같이 반지름의 길이가 12인 원에 내접하는 삼각형 ABC에 대하여 $\angle\text{A}=30°$일 때, 상수 a의 값을 구하시오.

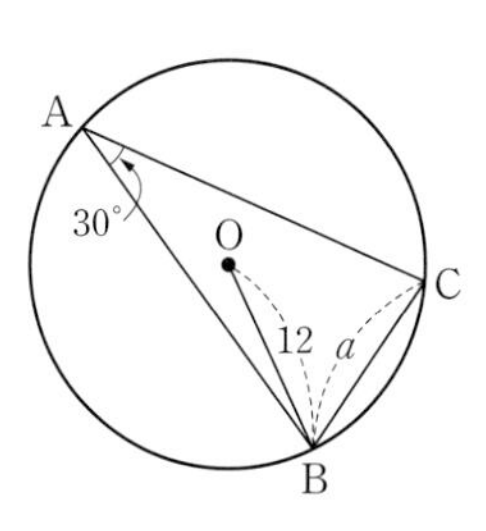

1167 평가원 기출 ●●○○

반지름의 길이가 15인 원에 내접하는 삼각형 ABC에서 $\sin B=\frac{7}{10}$일 때, 선분 AC의 길이는?

① 15 ② 18 ③ 21
④ 24 ⑤ 27

1168 짱중요 ●●●○

반지름의 길이가 6인 원에 내접하는 삼각형 ABC의 둘레의 길이가 24일 때, $\sin A+\sin B+\sin C$의 값을 구하시오.

1169

반지름의 길이가 $\sqrt{5}$인 원에 내접하는 삼각형 ABC에서

$5\sin(A+B)\sin C=4$

인 관계가 성립할 때, 변 AB의 길이를 구하시오.

1170

반지름의 길이가 1인 원 O와 반지름의 길이가 R인 원 O′이 그림과 같이 만난다. $\angle AOB=90°$, $\angle AO'B=60°$일 때, 부채꼴 AO′B의 넓이를 구하시오.

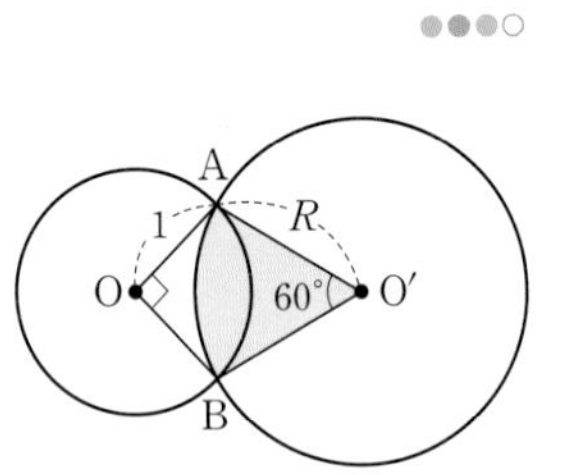

1171 교육청 기출

그림과 같이 $\overline{AB}=10$, $\overline{BC}=6$, $\overline{CA}=8$인 삼각형 ABC와 그 삼각형의 내부에 $\overline{AP}=6$인 점 P가 있다. 점 P에서 변 AB와 변 AC에 내린 수선의 발을 각각 Q, R라 할 때, 선분 QR의 길이는?

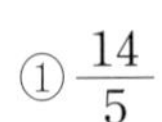

① $\frac{14}{5}$ ② 3 ③ $\frac{16}{5}$ ④ $\frac{17}{5}$ ⑤ $\frac{18}{5}$

유형 03 사인법칙의 변형

내신 중요도 / 유형 난이도 ★★☆☆☆

△ABC에서 세 각의 크기 A, B, C와 세 변의 길이 a, b, c 사이에는 다음 관계가 성립한다.

$\sin A : \sin B : \sin C = a : b : c$

1172

△ABC에서 $A : B : C=2 : 1 : 3$일 때, $\overline{BC} : \overline{CA} : \overline{AB}$는?

① $\sqrt{3} : 1 : 2$ ② $\sqrt{3} : \sqrt{6} : \sqrt{2}$ ③ $2 : 1 : 3$
④ $3 : 6 : 2$ ⑤ $4 : 1 : 9$

1173 중요

그림과 같이 원에 내접하는 삼각형 ABC가 있다.
$\widehat{AB} : \widehat{BC} : \widehat{CA}=4 : 3 : 5$이고 $\overline{AB}=3\sqrt{3}$일 때, 선분 BC의 길이는?

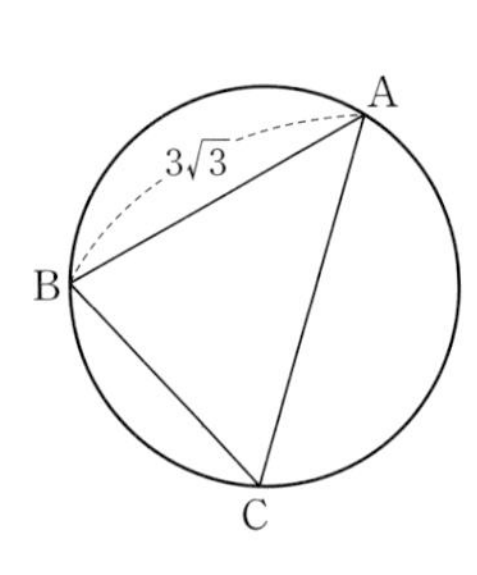

① $2\sqrt{2}$ ② 3 ③ $2\sqrt{3}$ ④ $3\sqrt{2}$ ⑤ 4

1174 중요

삼각형 ABC에서 $\sin A : \sin B : \sin C=3 : 6 : 5$일 때, $\frac{b+2c}{2a+b}$의 값을 구하시오. (단, $a=\overline{BC}$, $b=\overline{CA}$, $c=\overline{AB}$)

1175

$\triangle ABC$에서 $A : B : C=1 : 2 : 3$이고 세 변의 길이의 합이 6일 때, $\triangle ABC$의 외접원의 반지름의 길이는?

① $2-\sqrt{2}$　② $3-\sqrt{3}$　③ 2　④ $5-\sqrt{5}$　⑤ 4

1176

$\triangle ABC$에서 $\dfrac{\overline{AB}+\overline{BC}}{7}=\dfrac{\overline{BC}+\overline{CA}}{5}=\dfrac{\overline{CA}+\overline{AB}}{6}$일 때, $\sin A : \sin B : \sin C$를 구하시오.

1177 중요

삼각형 ABC에서 $(a+b) : (b+c) : (c+a)=5 : 7 : 6$일 때, $\dfrac{\sin^2 C}{\sin A \sin B}$의 값은? (단, $a=\overline{BC}$, $b=\overline{CA}$, $c=\overline{AB}$)

① $\dfrac{1}{6}$　② $\dfrac{3}{8}$　③ $\dfrac{1}{2}$　④ $\dfrac{5}{3}$　⑤ $\dfrac{8}{3}$

유형 04 사인법칙을 이용하는 삼각형의 결정

내신 중요도 ■■■■■ 유형 난이도 ★★★★☆

$\triangle ABC$에서 $\sin A$, $\sin B$, $\sin C$에 대한 관계식이 주어지면

$$\sin A=\frac{a}{2R},\ \sin B=\frac{b}{2R},\ \sin C=\frac{c}{2R}$$

(단, R는 외접원의 반지름의 길이)

임을 이용하여 a, b, c에 대한 관계식으로 변형하여 삼각형을 결정한다.

1178 중요

$\triangle ABC$에서 $\sin^2 A=\sin^2 B+\sin^2 C$가 성립할 때, $\triangle ABC$는 어떤 삼각형인가?

① $A=90°$인 직각삼각형　② $B=90°$인 직각삼각형　③ $C=90°$인 직각삼각형　④ $\overline{BC}=\overline{CA}$인 이등변삼각형　⑤ 정삼각형

1179

그림과 같은 삼각형 ABC에서 $a\sin A=b\sin B$가 성립할 때, 삼각형 ABC는 어떤 삼각형인가?

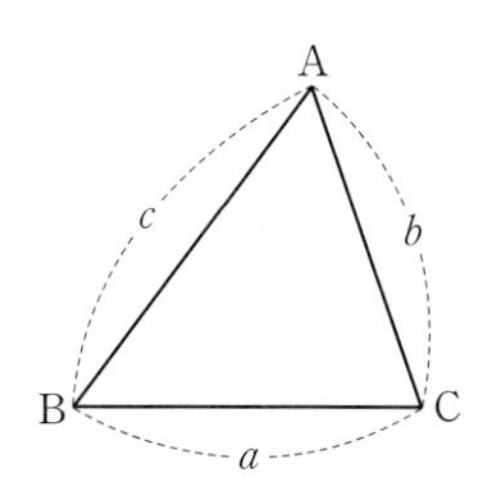

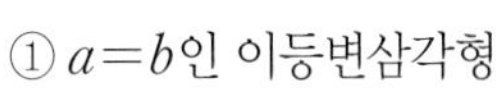

① $a=b$인 이등변삼각형
② $b=c$인 이등변삼각형
③ 정삼각형
④ $\angle A=90°$인 직각삼각형
⑤ $\angle B=90°$인 직각삼각형

1180

삼각형 ABC에서 $\overline{BC}\sin A=\overline{AC}\sin B+\overline{AB}\sin C$가 성립할 때, 이 삼각형은 어떤 삼각형인가?

① 정삼각형
② 직각이등변삼각형
③ 빗변이 $\overline{BC}$인 직각삼각형
④ $\overline{AB}=\overline{AC}$인 이등변삼각형
⑤ $\overline{AC}=\overline{BC}$인 이등변삼각형

유형 05 사인법칙의 활용

내신 중요도 ▬▬▬▬ 유형 난이도 ★★★☆☆

삼각형의 한 변의 길이와 그 양 끝각의 크기를 알 때
① 세 내각의 크기의 합이 180°임을 이용하여 다른 한 각의 크기를 구한다.
② 사인법칙을 이용하여 나머지 변의 길이를 구한다.

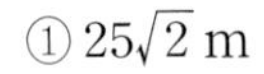

1181 중요 ●●○○

그림과 같이 $\overline{AB}=50\,m$인 두 지점 A, B에서 강 건너 C지점을 바라본 각의 크기를 재었더니 $\angle BAC=60°$, $\angle ABC=75°$이었다. 이때, 두 점 B, C 사이의 거리는?

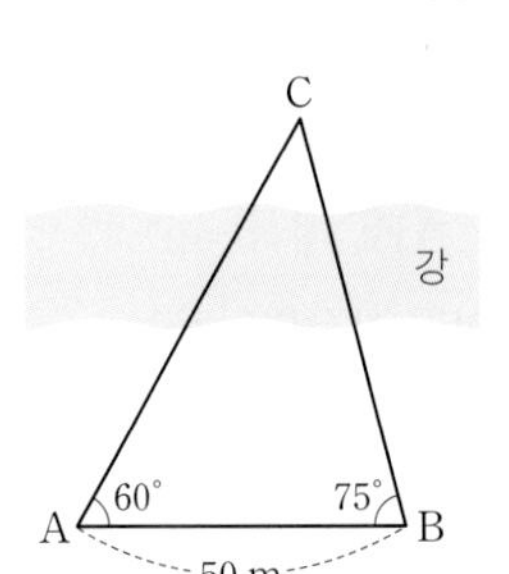

① $25\sqrt{2}$ m ② 50 m ③ $25\sqrt{6}$ m ④ $50\sqrt{2}$ m ⑤ $50\sqrt{6}$ m

1182 중요 ●●●○

어떤 등대의 높이를 재기 위하여 측량을 하였다. A지점에서 등대의 꼭대기 C를 바라본 각의 크기가 30°이었고, 등대를 향해 8 m만큼 다가간 후 B지점에서 다시 등대의 꼭대기를 바라본 각의 크기가 45°이었을 때, 등대의 높이는? (단, 등대의 폭은 무시한다.)

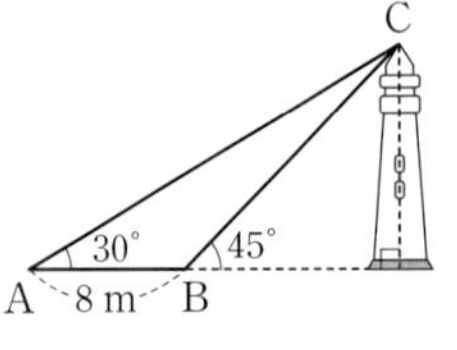

① $2\sqrt{3}$ m ② 4 m ③ $2(\sqrt{3}+1)$ m ④ $4\sqrt{3}$ m ⑤ $4(\sqrt{3}+1)$ m

1183 ●●●○

그림과 같이 높이가 30 m인 건물의 밑에서 옆 건물의 끝을 올려다본 각의 크기는 45°이고 이 건물의 옥상에서 옆 건물의 끝을 올려다본 각의 크기는 15°이다. 이때, 옆 건물의 높이는?

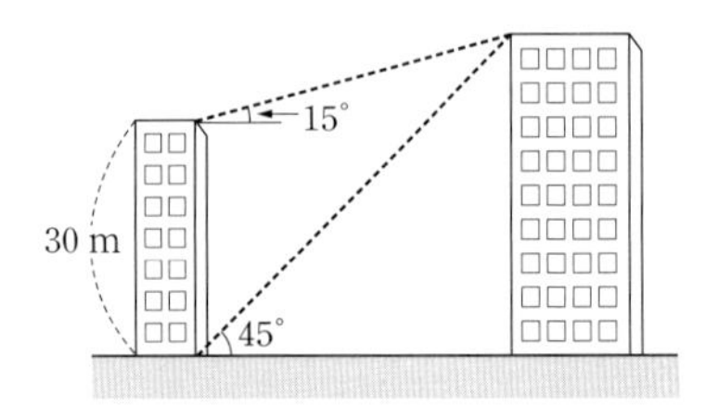

(단, 건물의 폭은 무시하고, $\cos 15°=\frac{\sqrt{6}+\sqrt{2}}{4}$로 계산한다.)

① $15\sqrt{5}$ m ② $15(\sqrt{2}+1)$ m ③ $15\sqrt{6}$ m ④ $15(\sqrt{3}+1)$ m ⑤ $15(\sqrt{2}+2)$ m

1184 평가원 기출 ●●●●

반지름의 길이가 2 km인 원형의 자동차 시험장에서 초속 20 m의 일정한 속력으로 자동차가 달리고 있다. 원의 중심 O에서 1 km 떨어진 지점 A에 속력 측정기가 놓여 있어 자동차의 속도 중 자동차의 위치 P로부터 A방향으로의 성분을 측정하고 있다. 이때, $\angle APO=\theta$이면, 이 성분의 크기는 $20\sin\theta$(m/s)이다. 이 자동차가 한 바퀴 도는 동안 속력 측정기가 기록하는 최댓값은 몇 m/s인가?

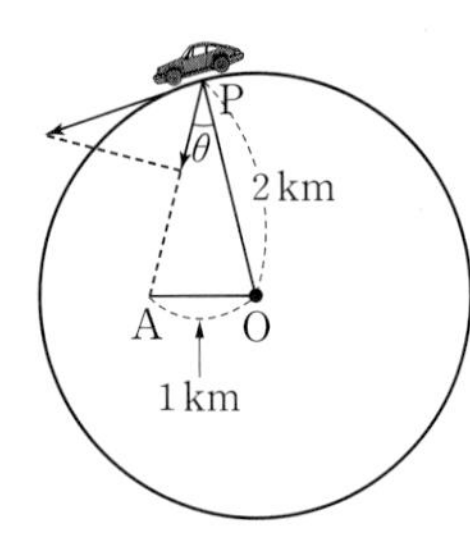

① 8 ② 10 ③ $10\sqrt{2}$ ④ $10\sqrt{3}$ ⑤ 20

유형 06 코사인법칙

내신 중요도 ▬▬▬▬▬ 유형 난이도 ★★★☆☆

$\triangle ABC$에서

$a^2=b^2+c^2-2bc\cos A$

$b^2=c^2+a^2-2ca\cos B$

$c^2=a^2+b^2-2ab\cos C$

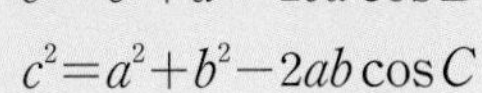

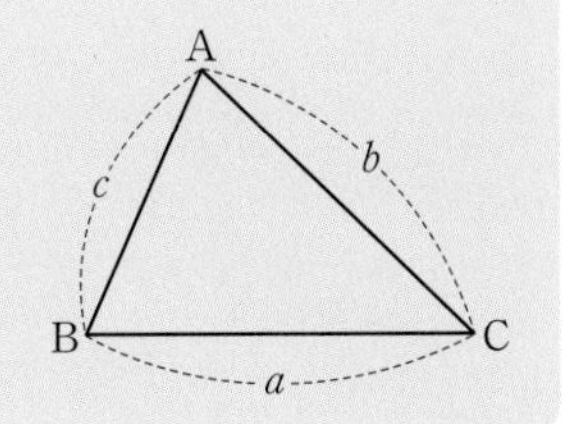

1185

●○○○

그림과 같이 $\triangle ABC$에서
$\angle A=60°$, $\overline{AB}=4$, $\overline{AC}=2$
일 때, 변 BC의 길이를 구하시오.

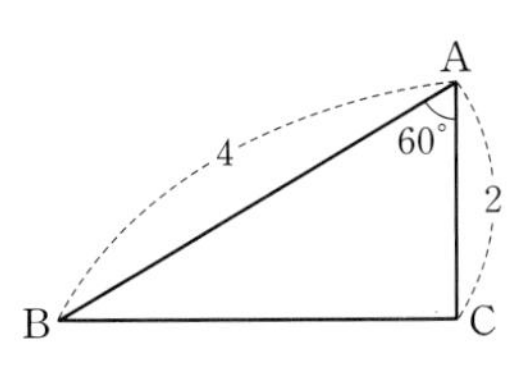

1186 중요

●○○○

$\triangle ABC$에서 $\overline{AB}=2\sqrt{5}$, $\overline{CA}=2\sqrt{2}$, $C=45°$일 때, 변 BC의 길이는?

① $\sqrt{30}$ ② $4\sqrt{2}$ ③ $\sqrt{34}$
④ 6 ⑤ $\sqrt{38}$

1187

●●○○

그림과 같이 반지름의 길이가 2인 원에 내접하는 $\triangle ABC$에서 $\angle BAC=30°$일 때, 선분 BC의 길이는?

① 1 ② $\sqrt{3}$
③ 2 ④ 3
⑤ $2\sqrt{3}$

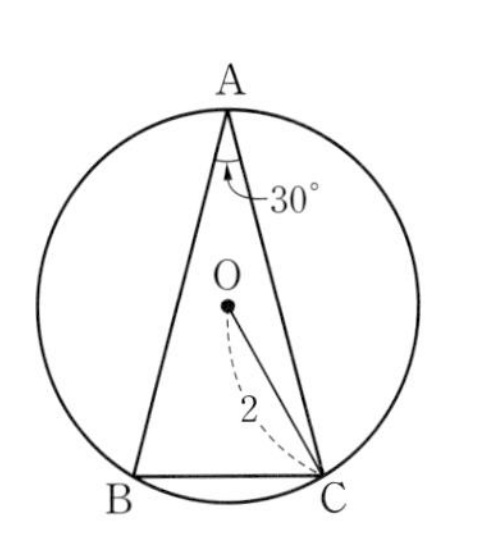

1188 중요

●●●○

그림과 같이 $\triangle ABC$의 변 BC 위의 점 P에 대하여 $\overline{AP}=\overline{BP}$이고 $\angle APC=60°$, $\angle C=30°$, $\overline{AC}=2\sqrt{3}$일 때, 선분 AB의 길이를 구하시오.

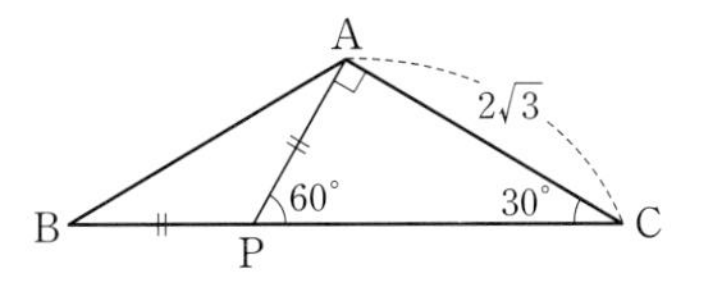

1189 평가원 기출

●●●○

$\overline{AB}=6$, $\overline{AC}=10$인 삼각형 ABC가 있다. 선분 AC위에 점 D 를 $\overline{AB}=\overline{AD}$가 되도록 잡는다. $\overline{BD}=\sqrt{15}$ 일때, 선분 BC의 길이를 k라 하자. k^2의 값을 구하시오.

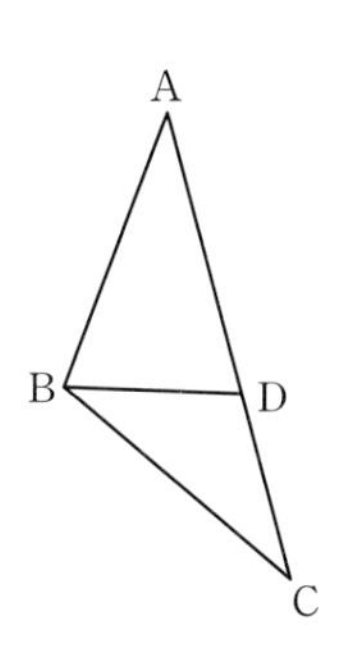

1190

●●○○

그림과 같이 원 O의 지름 AB의 길이가 4이고, 호 BP의 길이가 $\frac{\pi}{3}$일 때, $\overline{AP}^2$의 값을 구하시오.

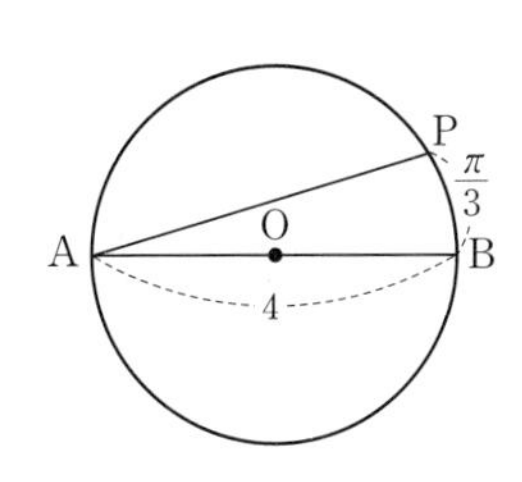

1191 ●●●○

그림과 같이 선분 AB를 지름으로 하는 반원 O에서 호 AB 위의 한 점을 P라 하면 $\overline{AB}=2\sqrt{3}$, $\overline{AP}=3$이다.
$\angle PAB=\theta$라 할 때, $\cos 2\theta$의 값을 구하시오.

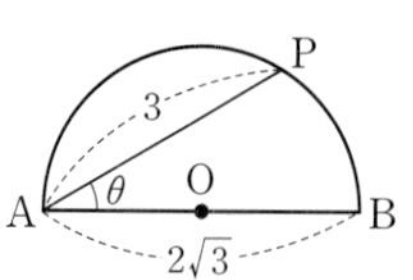

1192 짱중요 ●●●●

그림과 같이 원에 내접하는 사각형 ABCD에서 $\overline{AB}=\overline{CD}=\overline{DA}=3$이고 $\angle A=120^\circ$일 때, 변 BC의 길이를 구하시오.

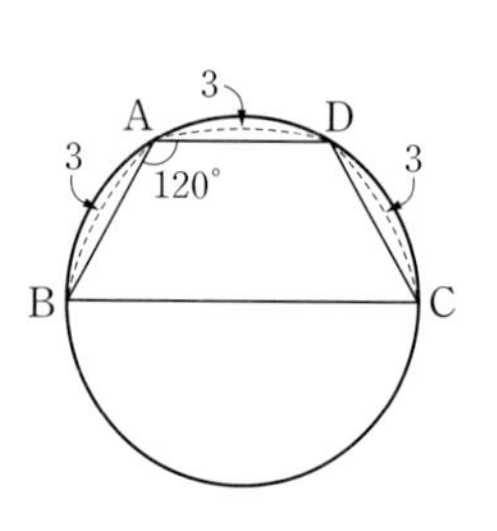

1193 교육청 기출 ●●●●

그림과 같이 원에 내접하는 사각형 ABCD가 $\overline{AB}=10$, $\overline{AD}=2$, $\cos(\angle BCD)=\dfrac{3}{5}$을 만족시킨다.
이 원의 넓이가 $a\pi$일 때, a의 값을 구하시오.

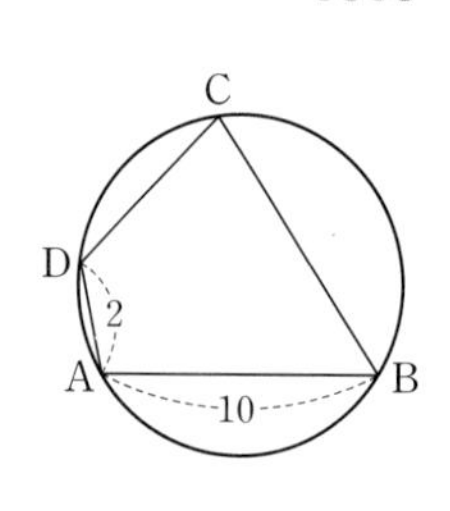

유형 07 코사인법칙의 변형

내신 중요도 ▬▬▬▬ 유형 난이도 ★★★★

$\triangle ABC$에서

$$\cos A=\frac{b^2+c^2-a^2}{2bc}$$

$$\cos B=\frac{c^2+a^2-b^2}{2ca}$$

$$\cos C=\frac{a^2+b^2-c^2}{2ab}$$

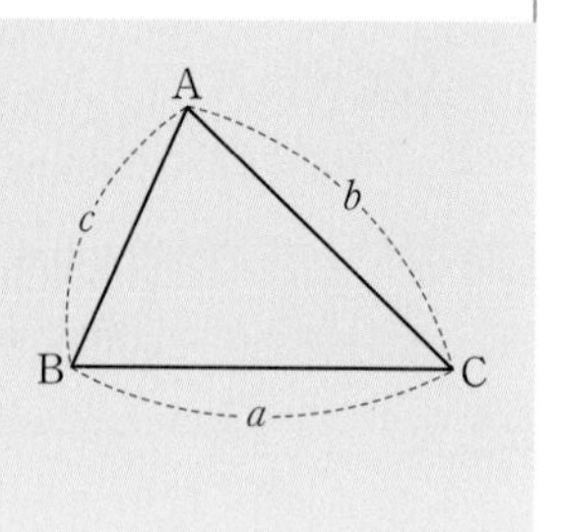

1194 ●●○○

그림과 같이 $\triangle ABC$에서 $\overline{AC}=3$, $\overline{BC}=6$, $\angle C=60^\circ$일 때, $\cos A$의 값을 구하시오.

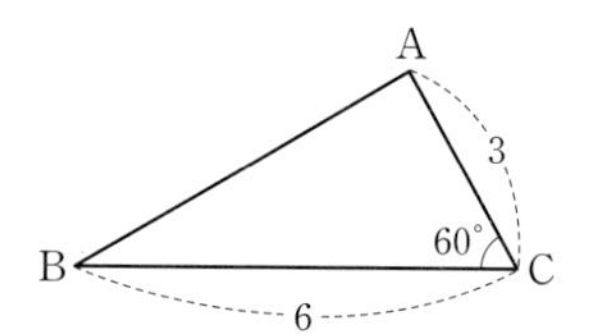

1195 짱중요 ●●○○

그림과 같이 $\triangle ABC$에서 $\overline{AB}=3$, $\overline{CA}=7$, $\angle B=120^\circ$일 때, $\cos C$의 값은?

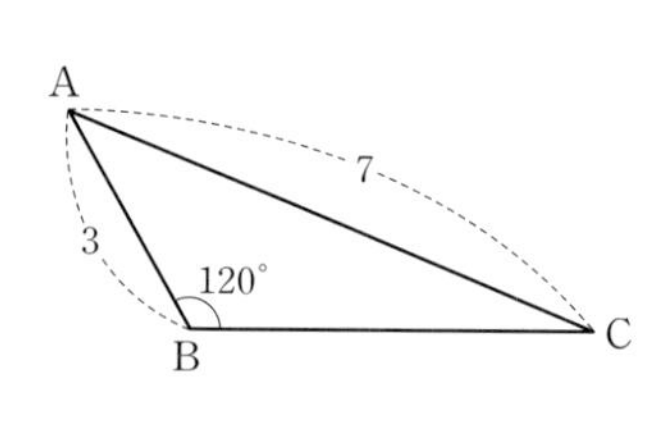

① 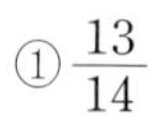 $\frac{13}{14}$　② $\frac{14}{15}$
③ $\frac{15}{16}$　④ $\frac{16}{17}$
⑤ 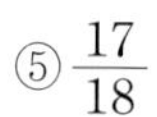 $\frac{17}{18}$

1196 ●●●○

$\triangle ABC$에서 $\sin A : \sin B : \sin C=3 : 5 : 7$일 때, A, B, C 중 최대 각의 크기를 구하시오.

1197 ●●●○

$\triangle ABC$에서 $\overline{BC}=a$, $\overline{CA}=b$, $\overline{AB}=c$라 하면 $(a+b):(b+c):(c+a)=5:4:6$일 때, A의 크기를 구하시오.

1198 ●●○○

그림과 같이 $\overline{AE}=6$, $\overline{EF}=\overline{FG}=2$인 직육면체에서 두 선분 BE와 BG가 이루는 각의 크기를 θ라 할 때, $\cos\theta$의 값은?

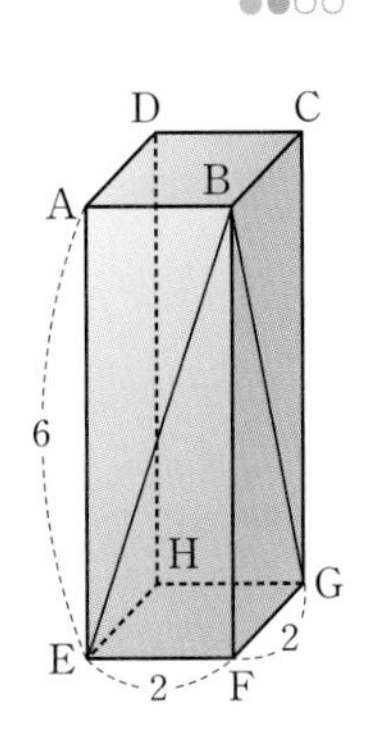

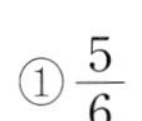
① $\frac{5}{6}$　② $\frac{6}{7}$

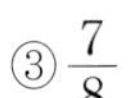
③ $\frac{7}{8}$　④ $\frac{8}{9}$

⑤ $\frac{9}{10}$

1199 중요 ●●●○

그림과 같이 $\overline{AB}=5$, $\overline{BC}=6$, $\overline{CA}=3$인 $\triangle ABC$에서 변 BC를 $2:1$로 내분하는 점을 D라 할 때, 선분 AD의 길이는?

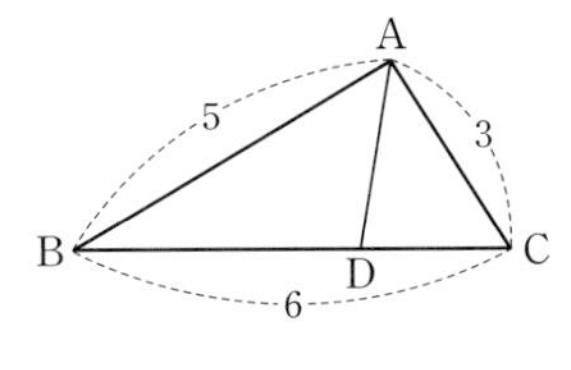

① $\frac{\sqrt{19}}{3}$　② $\frac{2\sqrt{6}}{2}$　③ $\frac{\sqrt{57}}{3}$

④ $\frac{17}{3}$　⑤ $\frac{19}{3}$

1200 짱중요 ●●●○

그림과 같이 삼각형 ABC의 변 BC 위에 점 D를 잡을 때, $\overline{AD}$의 길이를 구하시오.

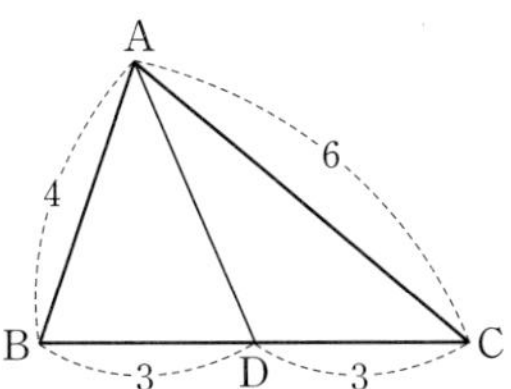

1201 ●●●●

그림과 같이 가로의 길이, 세로의 길이, 높이가 각각 4, 2, 1인 직육면체가 있다. 두 선분 AF와 FH가 이루는 각의 크기를 θ라 할 때, $\cos\theta$의 값을 구하시오.

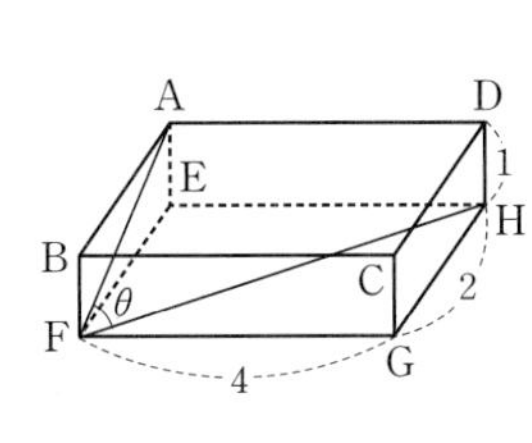

1202 ●●●●

그림과 같이 한 변의 길이가 3인 정사각형 ABCD가 있다. $\overline{AD}$를 $1:2$로 내분하는 점을 E, $\overline{CD}$를 $1:2$로 내분하는 점을 F라 하자. $\angle BEF=\theta$라 할 때, $\sin\theta$의 값은?

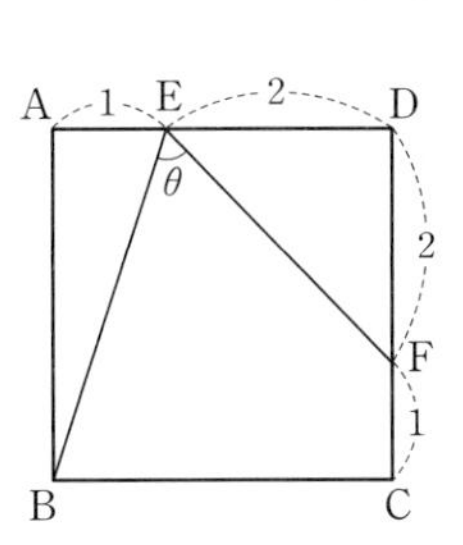

① $\frac{1}{10}$　② $\frac{\sqrt{5}}{10}$

③ $\frac{1}{5}$　④ $\frac{3\sqrt{5}}{10}$

⑤ $\frac{2\sqrt{5}}{5}$

08 사인법칙과 코사인법칙

내신 중요도 ■■■□□ 유형 난이도 ★★★★★

(1) 두 변의 길이와 그 끼인각의 크기가 주어질 때
  ⇨ 사인법칙과 코사인법칙 이용
(2) 세 변의 길이가 주어질 때
  ⇨ 코사인법칙의 변형 이용

1203 중요 ●●●○

삼각형 ABC에서 $\sin A:\sin B:\sin C=4:5:6$일 때, $\sin A$의 값을 구하시오.

1204 ●●○○

세 변의 길이가 각각 4, 5, 6인 삼각형의 외접원의 반지름의 길이를 구하시오.

1205 짱중요 ●●○○

그림과 같이 $\angle A=60^\circ$, $\overline{AB}=5$, $\overline{AC}=4$인 $\triangle ABC$의 외접원의 반지름의 길이 R를 구하시오.

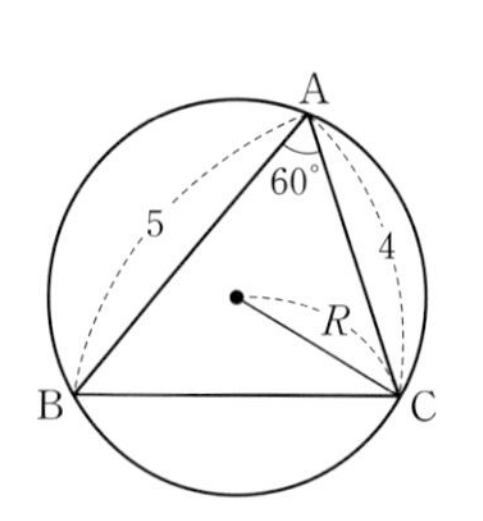

1206 ●●●○

예각삼각형 ABC에서 $\overline{BC}=5$, $\overline{CA}=8$이고 넓이가 12일 때, 삼각형 ABC의 외접원의 반지름의 길이는?

① $\frac{11}{6}$　② $\frac{13}{6}$　③ $\frac{25}{6}$　④ $\frac{29}{6}$　⑤ $\frac{31}{6}$

1207 교육청 기출 ●●●●

그림과 같이 $\overline{AB}=6$, $\overline{AC}=2$, $\angle A=\frac{\pi}{3}$인 $\triangle ABC$의 선분 AB 위에 중심이 있는 서로 외접하는 두 원을 각각 O_1, O_2라 하자. 점 A, C는 원 O_1 위에, 점 B는 원 O_2 위에 있다. $\triangle ABC$의 외접원의 반지름의 길이를 R, 원 O_1의 반지름의 길이를 r_1, 원 O_2의 반지름의 길이를 r_2라 할 때, $3R^2+{r_1}^2+{r_2}^2$의 값을 구하시오.

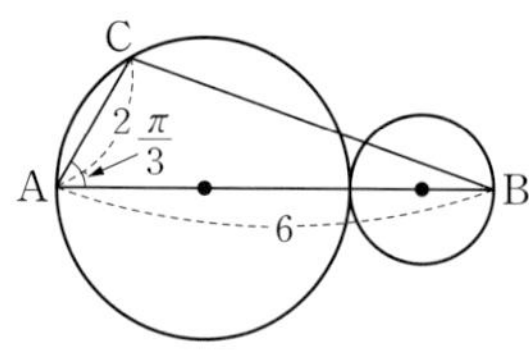

1208 ●●●●

그림과 같이 삼각형 ABC의 두 꼭짓점 A, B를 각각 중심으로 하고, 반지름의 길이가 같은 두 원이 외접하고 있다. $\angle B=\frac{\pi}{3}$, $\overline{AC}=2\sqrt{6}$, $\overline{CD}=2\sqrt{3}$일 때, 색칠한 두 부채꼴의 넓이의 합을 구하시오.

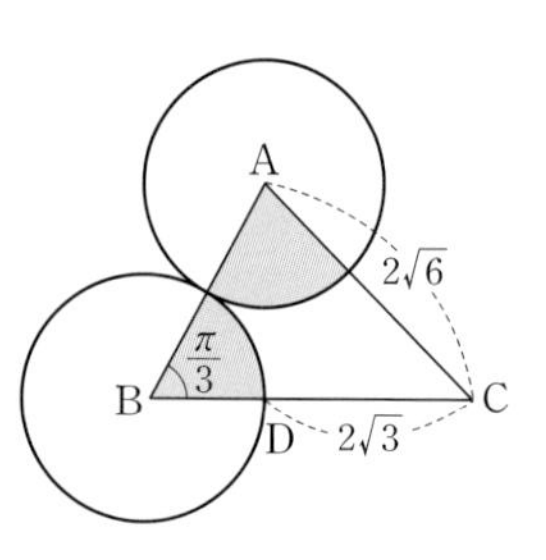

유형 09 내신 중요도 유형 난이도 ★★★★★

코사인법칙을 이용하는 삼각형의 결정

삼각형 ABC의 세 각의 크기 A, B, C 또는 세 변의 길이 a, b, c에 대한 등식이 주어질 때, 사인법칙과 코사인법칙의 변형을 이용하여 각의 크기 사이의 관계를 변의 길이 사이의 관계로 바꿔주면 삼각형의 모양을 알 수 있다.

1209 중요

$\triangle ABC$에서 $\overline{BC}=a$, $\overline{CA}=b$, $\overline{AB}=c$라 할 때, $a\cos B=b\cos A$가 성립하면 $\triangle ABC$는 어떤 삼각형인가?

① $a=b$인 이등변삼각형 ② $b=c$인 이등변삼각형
③ $A=90^\circ$인 직각삼각형 ④ $B=90^\circ$인 직각삼각형
⑤ 정삼각형

1210 짱중요

$2\sin A\cos B=\sin C$를 만족하는 삼각형 ABC는 어떤 삼각형인지 세 변의 길이 a, b, c를 이용하여 표현하시오.

1211

삼각형 ABC에서 $b\cos C-c\cos B=a$가 성립하는 삼각형은 어떤 삼각형인가?

(단, 세 변 BC, CA, AB의 길이를 각각 a, b, c라 한다.)

① 정삼각형
② $a=b$인 이등변삼각형
③ $\angle A=90^\circ$인 직각삼각형
④ $\angle B=90^\circ$인 직각삼각형
⑤ $\angle C=90^\circ$인 직각삼각형

1212

삼각형 ABC에서 $2\sin B\cos C+\sin C=\sin A+\sin B$가 성립하면 이 삼각형은 어떤 삼각형인가?

① $\overline{AB}=\overline{AC}$인 이등변삼각형
② $\overline{AC}=\overline{BC}$인 이등변삼각형
③ 빗변의 길이가 $\overline{AB}$인 직각삼각형
④ 빗변의 길이가 $\overline{AC}$인 직각삼각형
⑤ 빗변의 길이가 $\overline{BC}$인 직각삼각형

1213

$\overline{BC}=a$, $\overline{CA}=b$, $\overline{AB}=c$인 삼각형 ABC의 넓이 S에 대하여 $2S=a^2\sin B\cos B$가 성립할 때, $\triangle ABC$는 어떤 삼각형인가?

① $A=90^\circ$인 직각삼각형 ② $C=90^\circ$인 직각삼각형
③ $a=c$인 이등변삼각형 ④ $b=c$인 이등변삼각형
⑤ 정삼각형

유형 10 내신 중요도 ▬▬▬ 유형 난이도 ★★★★☆

코사인법칙의 활용

(1) 삼각형에서 두 변의 길이와 그 끼인각의 크기를 알 때, 코사인법칙을 이용하여 나머지 한 변의 길이를 구한다.

(2) 삼각형에서 세 변의 길이를 알 때, 코사인법칙의 변형을 이용하여 원하는 각의 크기를 구한다.

1214 중요 ●○○○

직접 거리를 측정할 수 없는 두 건물 A, B 사이의 거리를 알아보기 위하여 그림과 같이 C지점에서 측정한 결과 $\overline{AC}=2\text{km}$, $\overline{BC}=3\text{km}$, $\angle ACB=60^\circ$이었다. 두 건물 A, B 사이의 거리를 구하시오. (단, $\sqrt{7}\fallingdotseq 2.646$)

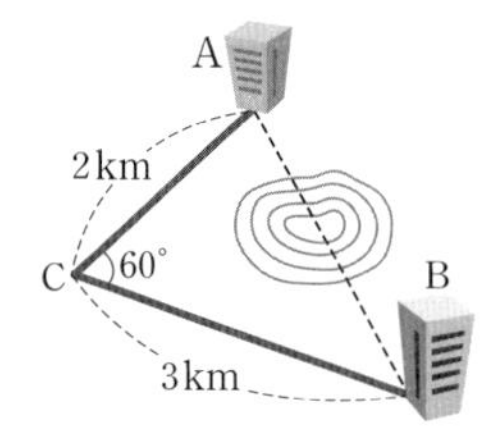

1215 ●●●○

어느 고고학자가 원형으로 추정되는 깨진 손거울을 발견하였다. 이 손거울의 세 지점 A, B, C를 그림과 같이 정하여 각 지점 사이의 거리를 재었더니 4, 3, 2이었다. 이때, 손거울의 반지름의 길이를 구하시오.

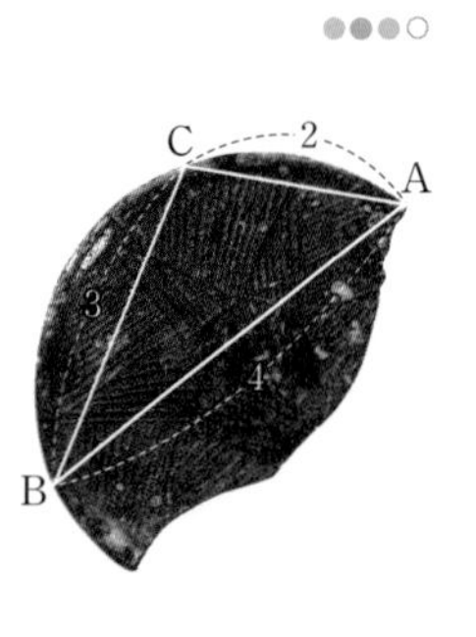

1216 ●●○○

어떤 사람이 동쪽으로 x km를 가다가 왼쪽으로 120° 회전하여 3 km를 갔다고 할 때, 도착 지점이 출발 지점에서 직선 거리로 $2\sqrt{3}$ km라 하면 x의 값은?

① $\dfrac{1+\sqrt{21}}{2}$ ② $\dfrac{3+\sqrt{21}}{2}$ ③ $\dfrac{5+\sqrt{21}}{2}$ ④ $\dfrac{7+\sqrt{21}}{2}$ ⑤ $\dfrac{9+\sqrt{21}}{2}$

1217 중요 ●●○○

그림과 같이 A지점에서 60°의 각도를 이루며 교차하는 두 도로변에 건물이 있다. 두 지점 A, B 사이의 거리는 300 m, 두 지점 A, C 사이의 거리는 100 m일 때, 두 지점 B, C 사이의 거리를 구하시오.

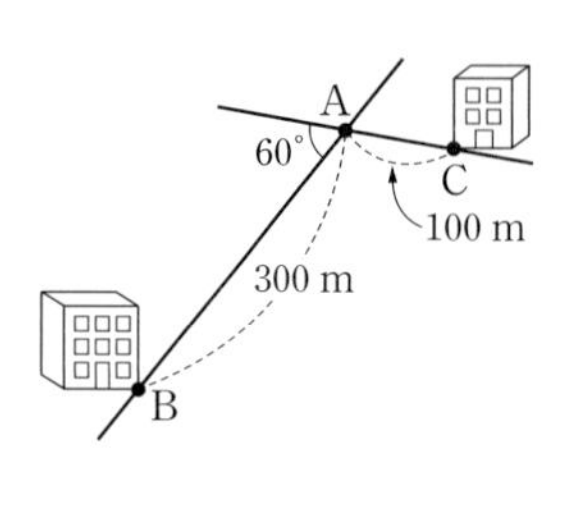

1218 ●●●○

그림과 같이 원 모양의 호수의 가장 자리에 세 지점 A, B, C가 있다. $\overline{AB}=80\text{ m}$, $\overline{AC}=100\text{ m}$, $\angle CAB=60^\circ$일 때, 이 호수의 넓이는?

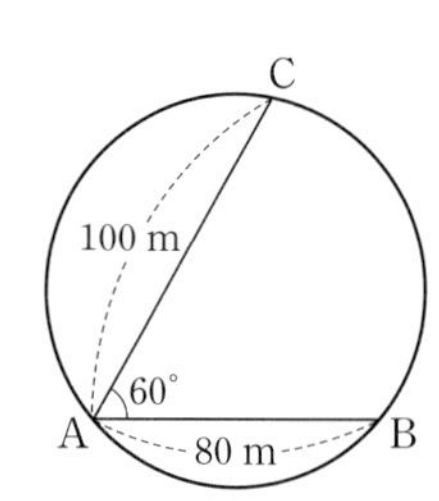

① $2400\pi\text{ m}^2$ ② $2500\pi\text{ m}^2$ ③ $2600\pi\text{ m}^2$ ④ $2700\pi\text{ m}^2$ ⑤ $2800\pi\text{ m}^2$

1219 ●●●●

그림과 같이 밑면의 반지름의 길이가 2, 모선의 길이가 6, 꼭짓점이 O인 직원뿔에 대하여 밑면의 지름의 양 끝을 A, B라 하고 $\overline{OA}$의 중점을 A′라 하자. 점 P가 점 B에서부터 직원뿔의 옆면을 따라 점 A′까지 움직인 최단거리는?

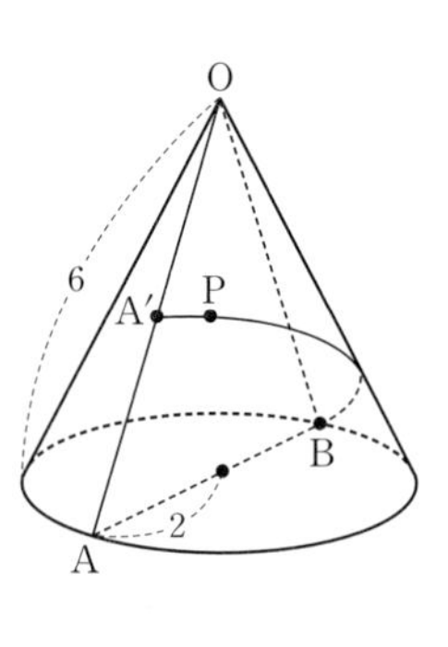

① $\sqrt{3}$ ② $2\sqrt{3}$ ③ $3\sqrt{3}$ ④ $4\sqrt{3}$ ⑤ $5\sqrt{3}$

유형 11

내신 중요도 ▬▬▬▬▬ 유형 난이도 ★★★☆☆

삼각형의 넓이 공식 $S=\frac{1}{2}ab\sin C$

$\triangle$ABC의 넓이를 S라 하면

$S=\frac{1}{2}ab\sin C$

$=\frac{1}{2}bc\sin A$

$=\frac{1}{2}ca\sin B$

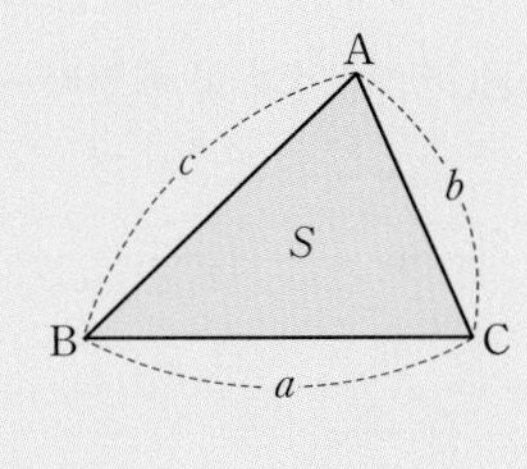

참고 삼각형의 두 변의 길이와 그 끼인각의 크기를 알 때 이용한다.

1220 중요

●○○○

$\triangle$ABC에서 $a=4$, $c=8$, $\angle B=150^\circ$일 때, 삼각형의 넓이를 구하시오.

1221 중요

●○○○

삼각형 ABC에서 $\cos A=\frac{3}{5}$이고 $\overline{CA}=6$, $\overline{AB}=10$일 때, 삼각형 ABC의 넓이를 구하시오.

1222

●●○○

$\triangle$ABC에서 $\overline{BC}=4$, $\angle B=30^\circ$이고, 넓이가 3일 때, 선분 AB의 길이는?

① 2 ② 3 ③ 4
④ 5 ⑤ 6

1223 교육청 기출

●●●○

$\overline{AB}=15$이고 넓이가 50인 삼각형 ABC에 대하여 $\angle ABC=\theta$라 할 때 $\cos\theta=\frac{\sqrt{5}}{3}$이다. 선분 BC의 길이를 구하시오.

1224

●●○○

그림에서 색칠한 부분인 활꼴의 넓이는?

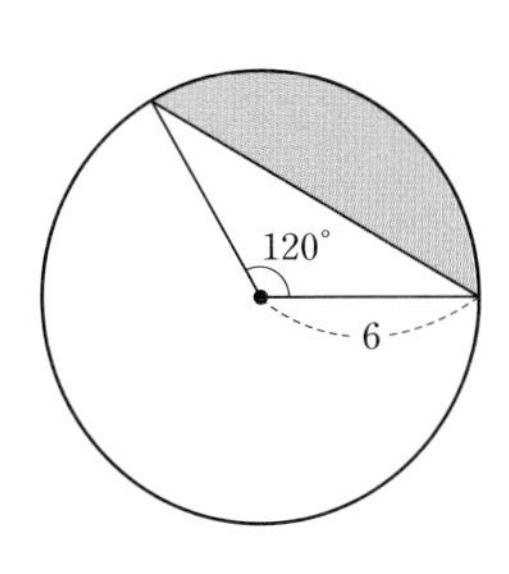

① $12\pi-6\sqrt{3}$ ② $12\pi-9\sqrt{3}$
③ $8\pi-6\sqrt{3}$ ④ $8\pi-9\sqrt{3}$
⑤ $6\pi+9\sqrt{3}$

1225 짱중요

●●●○

그림과 같은 삼각형 ABC에서 $\overline{AB}=4$, $\overline{AC}=6$, $\angle A=60^\circ$이고 선분 AD는 $\angle A$의 이등분선일 때, 선분 AD의 길이는?

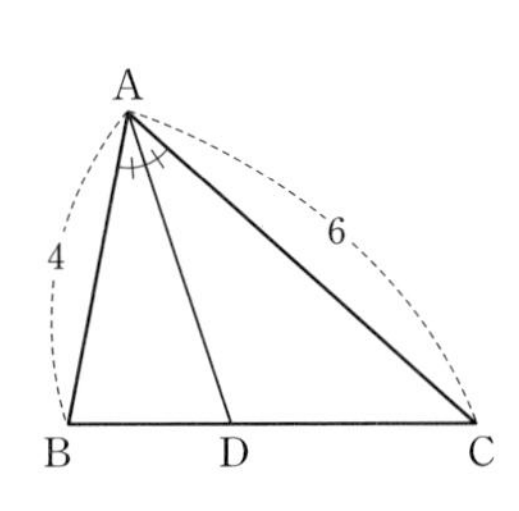

① $\frac{12\sqrt{3}}{5}$ ② $\frac{14\sqrt{3}}{5}$
③ $\frac{16\sqrt{3}}{5}$ ④ $\frac{12\sqrt{6}}{5}$
⑤ $\frac{14\sqrt{6}}{5}$

1226

그림과 같이 넓이가 9인 $\triangle ABC$에서 $\overline{AB}$를 $2:1$로 내분하는 점을 P, $\overline{AC}$를 $1:2$로 내분하는 점을 Q라 할 때, 삼각형 APQ의 넓이는?

A, Q, P, B, C

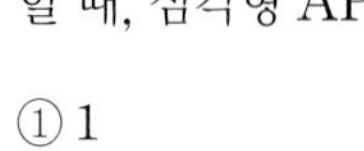

① 1 ② 2
③ 3 ④ 4
⑤ 5

1228

그림에서 $\overline{A'B}=4\overline{AB}$, $2\overline{BC'}=\overline{C'C}$일 때, 삼각형 $A'BC'$의 넓이는 삼각형 ABC의 넓이의 몇 배인지 구하시오.

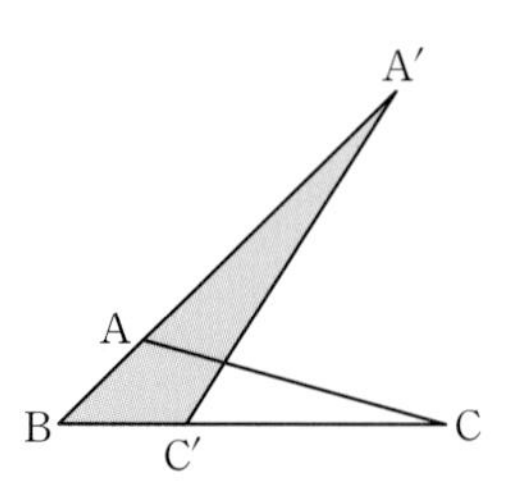

1227

그림과 같이 사각형 ABCD에서 $\overline{BC}=3$, $\overline{CD}=4$, $\angle BCA=30^\circ$, $\angle ACD=75^\circ$, $\angle CDA=60^\circ$일 때, 삼각형 ABC의 넓이를 구하시오.

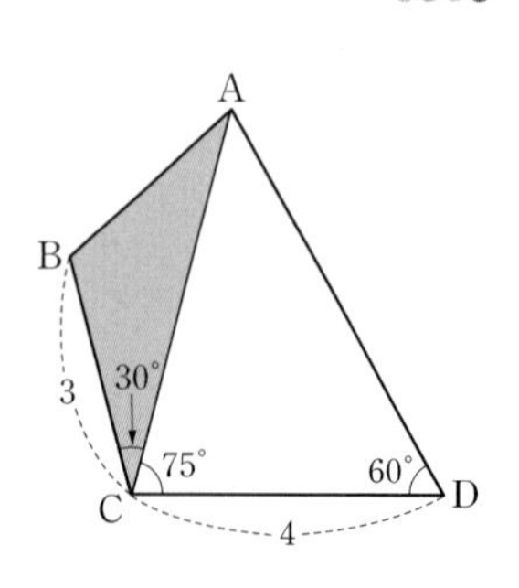

1229

그림과 같이 넓이가 90인 삼각형 ABC가 있다. 각 변 위의 점 L, M, N이 $\overline{AL}=2\overline{BL}$, $\overline{BM}=\overline{CM}$, $\overline{CN}=2\overline{AN}$을 만족할 때, 삼각형 LMN의 넓이를 구하시오.

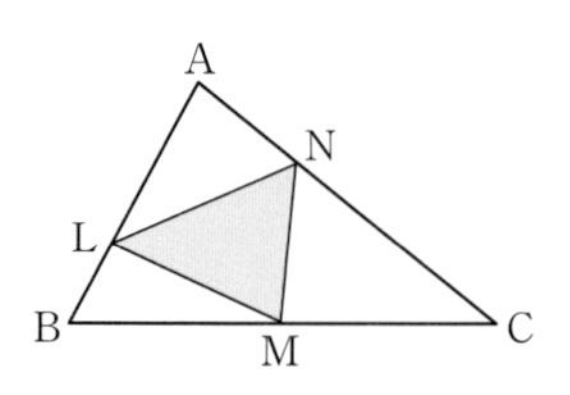

유형 **12** 코사인법칙을 이용하는 삼각형의 넓이

내신 중요도 ▬▬▬▬ 유형 난이도 ★★★★☆

주어진 조건에서 코사인법칙을 이용하여 삼각형의 각의 크기, 변의 길이 등을 알아낸 뒤 삼각형의 넓이 공식

$S=\frac{1}{2}ab\sin C$를 이용하자.

1230 ●●○○

그림과 같이 $\overline{AB}=7$, $\overline{BC}=3$, $\angle C=120°$인 삼각형 ABC의 넓이를 구하시오.

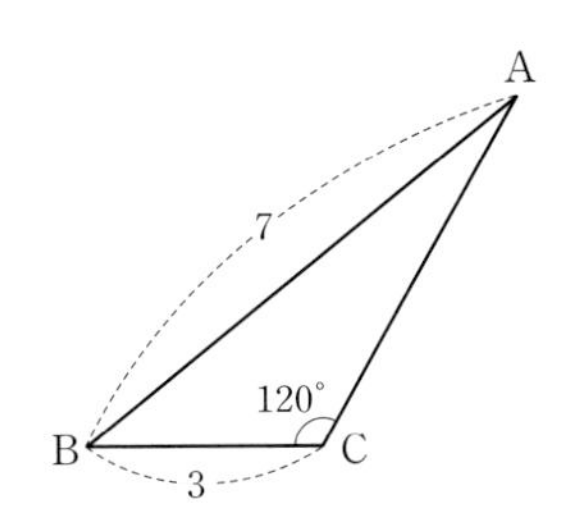

1231 교육청 기출 ●●●○

그림과 같이 한 변의 길이가 1인 정삼각형 ABC에서 선분 AB의 연장선과 선분 AC의 연장선 위에 $\overline{AD}=\overline{CE}$가 되도록 두 점 D, E를 잡는다. $\overline{DE}=\sqrt{13}$일 때, 삼각형 BDE의 넓이는?

① $\sqrt{6}$ ② $2\sqrt{2}$
③ $\sqrt{10}$ ④ $2\sqrt{3}$
⑤ $\sqrt{14}$

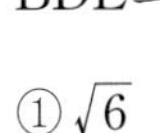

1232 ●●●○

△ABC에서 ∠A의 이등분선이 $\overline{BC}$와 만나는 점을 D라고 하자. $\overline{AB}=3$, $\overline{BD}=\sqrt{7}$이고 $\angle A=120°$일 때, 삼각형 ABC의 넓이를 구하시오. (단, $\overline{BD}>\overline{CD}$)

1233 ●●●○

그림과 같이 한 변의 길이가 6인 정삼각형 ABC를 접어 점 A가 변 BC 위의 점 D에 오도록 하였다. $\overline{BD}:\overline{DC}=2:1$일 때, 삼각형 BDF의 넓이를 구하시오.

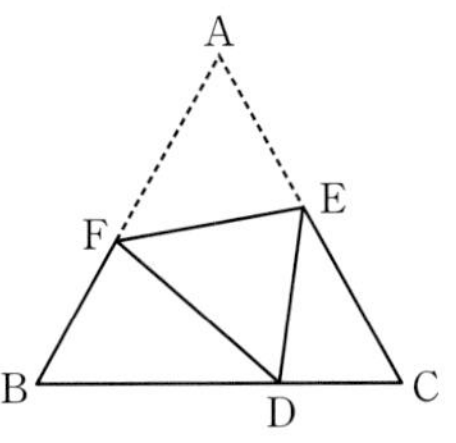

1234 교육청 기출

그림과 같이 $\overline{AB}=6$, $\overline{BC}=4$, $\overline{CA}=5$인 삼각형 ABC의 내부의 한 점 P에서 세 변 BC, CA, AB에 내린 수선의 발을 각각 D, E, F라 한다. $\overline{PD}=\sqrt{7}$, $\overline{PE}=\frac{\sqrt{7}}{2}$일 때, 삼각형 EFP의 넓이는 $\frac{q}{p}\sqrt{7}$이다. $p+q$의 값을 구하시오. (단, p, q는 서로소인 자연수이다.)

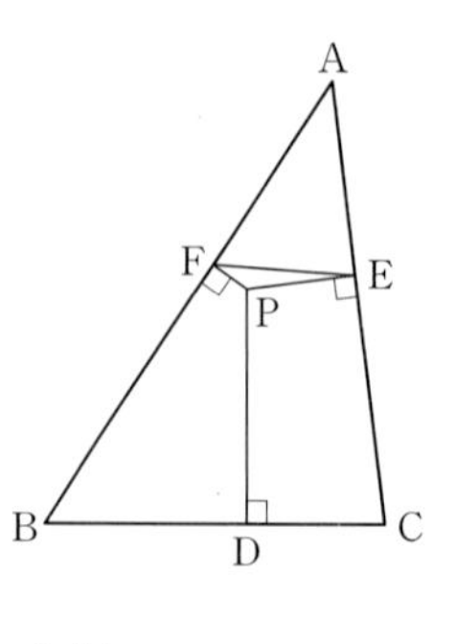

유형 13 다각형의 넓이

내신 중요도 유형 난이도 ★★★★

다각형의 넓이를 구할 때, 주어진 다각형을 여러 개의 삼각형으로 나눈 뒤 삼각형의 넓이를 각각 구하여 더한다.

1235 중요

원에 내접하는 □ABCD에서 $\overline{AB}=5$, $\overline{BC}=3$, $\overline{AD}=2$, $\angle B=60°$일 때, 사각형 ABCD의 넓이를 구하시오.

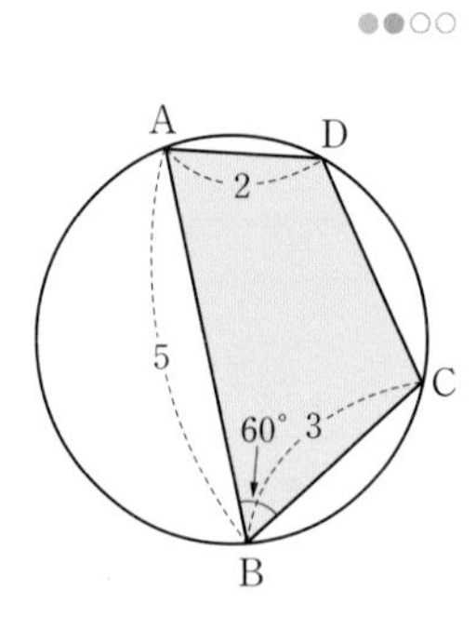

1236

그림과 같은 사각형 ABCD의 넓이를 구하시오.

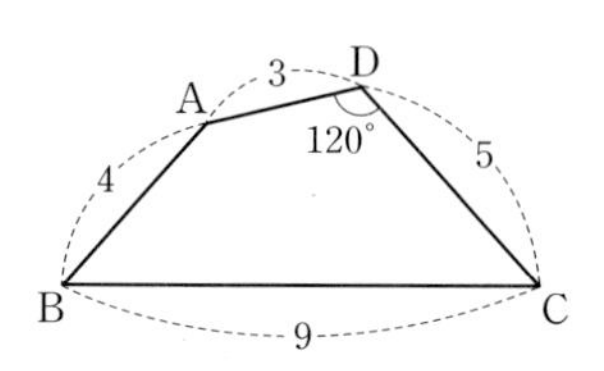

1237 평가원 기출

그림에서 사각형 ABCD는 어느 주차장의 보수공사를 할 부분을 나타낸 것이다. 변 AD와 변 BC가 서로 평행이고 $\cos\theta=\frac{3}{5}$일 때, 보수공사를 할 부분의 넓이는? (단, θ는 $\angle ACB$이다.)

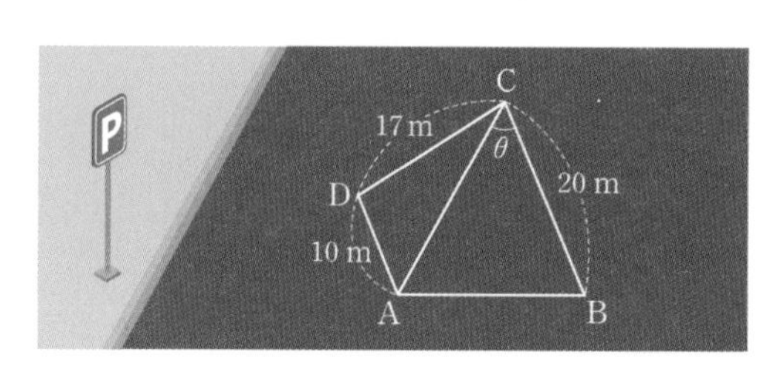

① 220 m^2 ② 228 m^2 ③ 236 m^2
④ 244 m^2 ⑤ 252 m^2

유형 14 최댓값·최솟값에의 응용

내신 중요도 ▬▬▬▬▬ 유형 난이도 ★★★★★

코사인법칙과 삼각형의 넓이 공식을 이용하여 식을 정리한 뒤 산술평균과 기하평균의 관계를 이용하여 최대·최소를 구한다.

참고 산술평균과 기하평균의 관계

$a>0$, $b>0$일 때

$\frac{a+b}{2} \geq \sqrt{ab}$ (단, 등호는 $a=b$일 때 성립한다.)

1238

$\triangle$ABC에서 $\overline{AB}=8$, $\overline{CA}=12$일 때, $\cos C$의 최솟값을 구하시오.

1239 중요

그림과 같은 삼각형 ABC에서 $\angle A=60°$, $\overline{AB}=10$, $\overline{AC}=6$이고 두 점 P, Q는 각각 두 변 AB, AC 위의 점이다. 삼각형 ABC의 넓이는 삼각형 APQ의 넓이의 3배일 때, $\overline{AP}+\overline{AQ}$의 최솟값은?

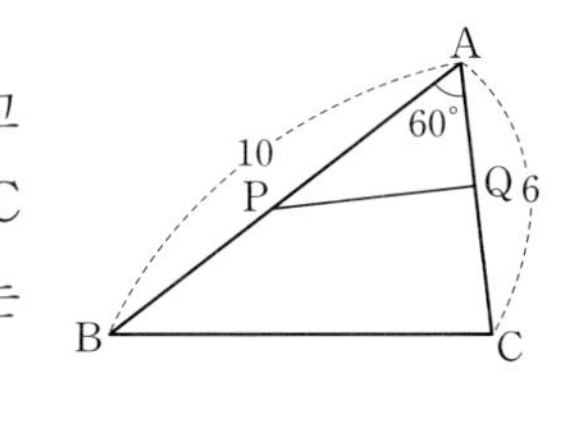

① $\sqrt{2}$ ② $2\sqrt{3}$ ③ 6
④ $4\sqrt{5}$ ⑤ $5\sqrt{6}$

1240 중요

그림과 같이 $\overline{AB}=\overline{AC}=6$, $\overline{BC}=4$인 삼각형 ABC에서 두 선분 AB, BC 위에 각각 점 D와 점 E가 놓여 있다. 삼각형 ABC의 넓이가 삼각형 DBE의 넓이의 2배일 때, 선분 DE의 길이의 최솟값을 구하시오.

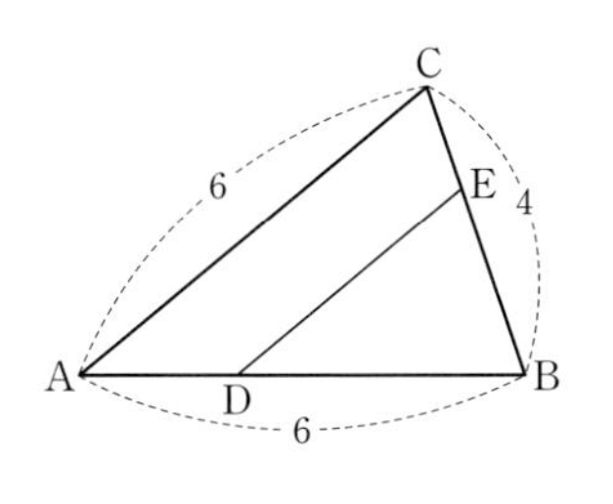

유형 15 여러 가지 넓이 공식

내신 중요도 ▬▬▬▬▬ 유형 난이도 ★★★★★

$\triangle$ABC의 넓이 S는

(1) 세 변의 길이를 알 때 (헤론의 공식)

$S=\sqrt{s(s-a)(s-b)(s-c)}$ (단, $2s=a+b+c$)

(2) 세 변의 길이와 내접원의 반지름의 길이 r를 알 때

$S=\frac{1}{2}r(a+b+c)$

(3) 세 변의 길이(또는 세 각의 크기)와 외접원의 반지름의 길이 R를 알 때

$S=\frac{abc}{4R}=2R^2\sin A\sin B\sin C$

1241

그림과 같은 $\triangle$ABC에서 선분 AD의 길이는?

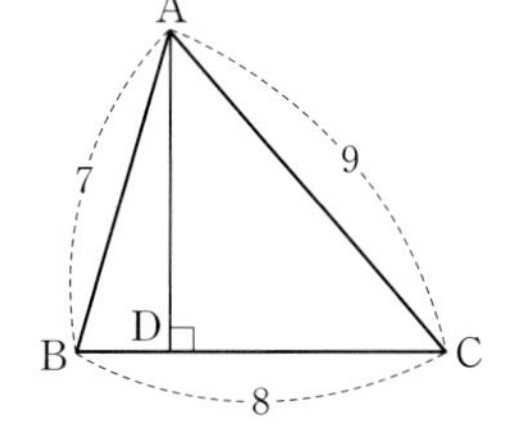

① $2\sqrt{3}$ ② $3\sqrt{3}$
③ $\frac{3}{2}\sqrt{5}$ ④ $\frac{5}{3}\sqrt{3}$
⑤ $3\sqrt{5}$

1242

그림과 같은 사각형 ABCD에서 $\overline{AB}=2$, $\overline{BC}=\overline{BD}=6$, $\overline{CD}=4$, $\angle ABD=30°$일 때, 사각형 ABCD의 넓이를 구하시오.

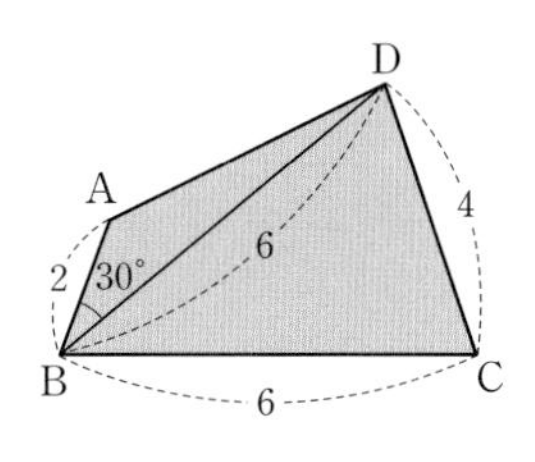

1243 짱중요

$\triangle$ABC에서 $\overline{BC}=6$, $\overline{CA}=10$, $C=120°$일 때, $\triangle$ABC의 내접원의 반지름의 길이를 구하시오.

1244

그림과 같은 삼각형 ABC의 내접원 O의 반지름의 길이는?

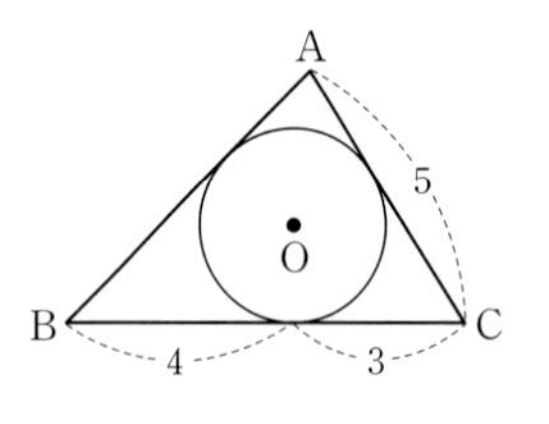

① $\frac{2\sqrt{6}}{3}$ ② $\sqrt{6}$

③ $\frac{4\sqrt{6}}{3}$ ④ $\frac{5\sqrt{6}}{3}$

⑤ $2\sqrt{6}$

1245

그림과 같이 반지름의 길이가 5인 원에 세 변의 길이가 각각 a, 8, b이고 넓이가 8인 삼각형 ABC가 내접한다. $a+b$의 최솟값을 구하시오.

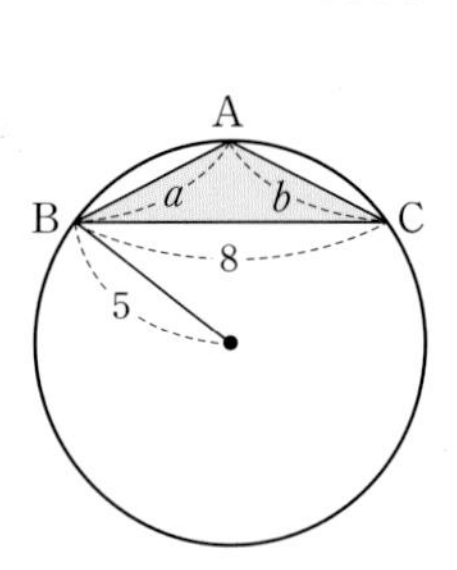

1246 중요

세 변의 길이가 각각 $a=7$, $b=8$, $c=5$인 삼각형 ABC의 외접원의 넓이를 S라 할 때, $3S$의 값을 구하시오.

유형 16 **사각형의 넓이**

내신 중요도 유형 난이도 ★★★★

(1) 평행사변형의 넓이
평행사변형 ABCD에서 이웃하는 두 변의 길이가 a, b이고, 그 끼인각의 크기가 θ일 때, 평행사변형 ABCD의 넓이 S는
$$S=ab\sin\theta$$
(2) 사각형의 넓이
사각형 ABCD에서 두 대각선의 길이가 p, q이고, 두 대각선이 이루는 각의 크기가 θ일 때, 사각형의 넓이 S는
$$S=\frac{1}{2}pq\sin\theta$$

1247

그림과 같이 이웃한 두 변의 길이가 각각 4, 6인 평행사변형 ABCD가 있다. 평행사변형 ABCD의 넓이가 12일 때, θ의 크기를 구하시오.
$\left(\text{단, } 0<\theta<\frac{\pi}{2}\right)$

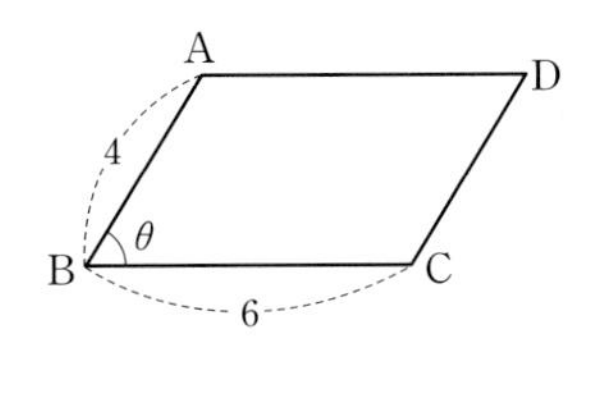

1248

그림과 같이 두 대각선이 이루는 예각의 크기가 30°인 사각형 ABCD의 넓이가 4이고, $\overline{AC}=a$, $\overline{BD}=b$라 할 때, $a+b=10$이다. 이때, a^2+b^2의 값을 구하시오.

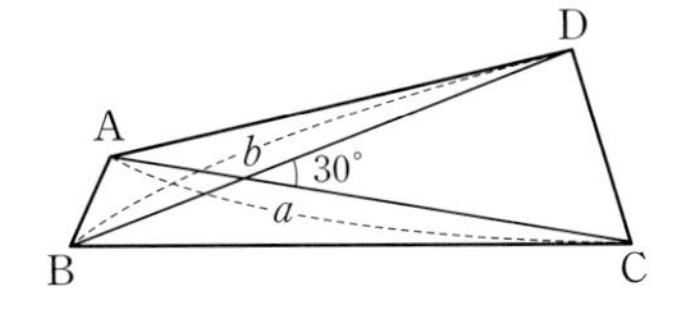

1249

그림과 같이 $\overline{AC}=4$, $\overline{BD}=6$, $\angle B=60°$인 평행사변형 ABCD의 넓이를 구하시오.

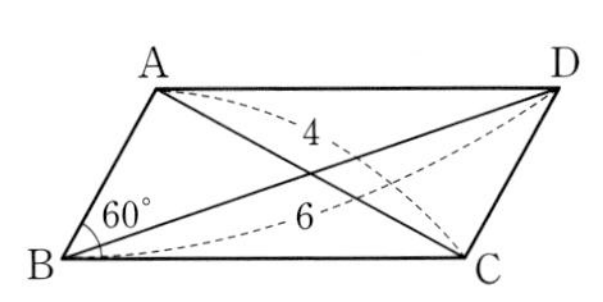

1250

그림과 같이 $\overline{AB}=\overline{CD}$이고 넓이가 $12\sqrt{2}$인 등변사다리꼴 ABCD의 두 대각선이 이루는 각의 크기가 45°일 때, 한 대각선의 길이를 구하시오.

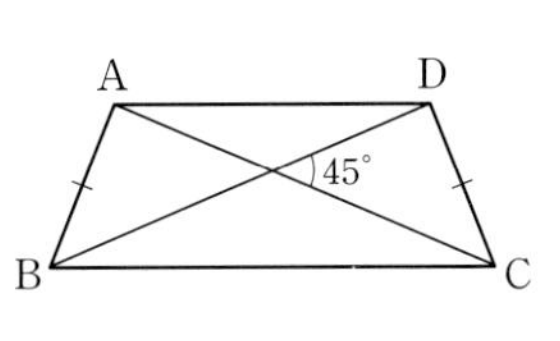

1251

평행사변형 ABCD에서 $\overline{AB}=4$, $\overline{AD}=5$이고 넓이가 $10\sqrt{3}$일 때, 대각선 AC의 길이를 구하시오.
(단, $90°<\angle A<180°$)

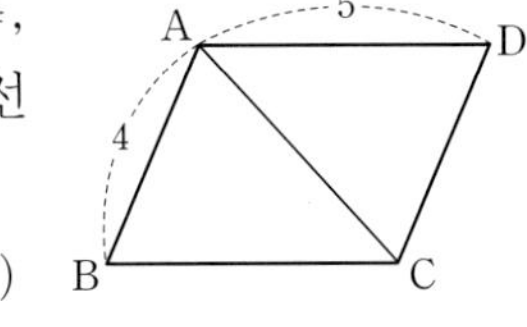

적중 문제

시험에 잘 나오는 문제로 점검하기

1252

그림과 같이 △ABC에서 $\overline{AB}=8$, $\overline{AC}=4\sqrt{2}$, $\angle C=60°$일 때, $\cos B$의 값은?

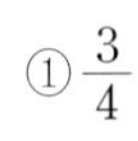

① $\frac{3}{4}$　② $\frac{\sqrt{10}}{4}$　③ $\frac{\sqrt{3}}{4}$　④ $\frac{\sqrt{6}}{2}$　⑤ $\frac{\sqrt{10}}{2}$

1253

그림의 △ABC에서 $\angle B=70°$, $\angle C=80°$, $\overline{BC}=4$일 때, △ABC의 외접원의 넓이를 구하시오.

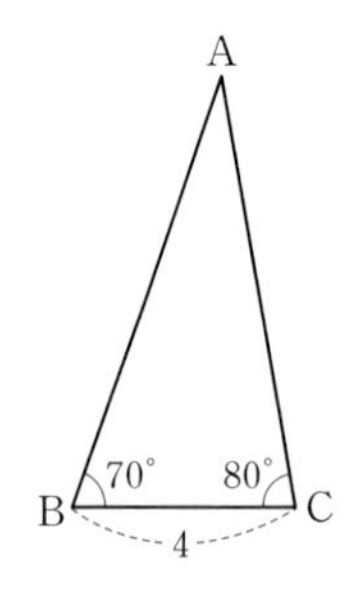

1254

그림과 같이 원에 내접하는 □ABCD에 대하여 $\overline{AB}=1$, $\overline{BC}=3$, $\overline{CD}=\overline{AD}=2$일 때, 선분 BD의 길이는?

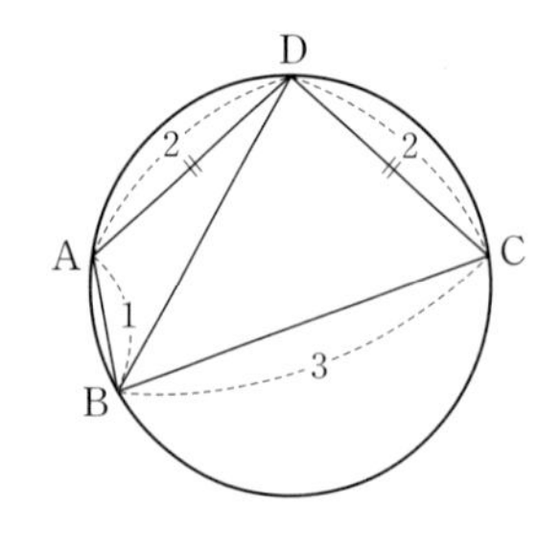

① 2　② $\sqrt{5}$　③ $\sqrt{6}$　④ $\sqrt{7}$　⑤ $2\sqrt{2}$

1255 서술형

삼각형 ABC에서 선분 BC 위에 그림과 같이 점 D를 잡을 때, 선분 AD의 길이를 구하시오.

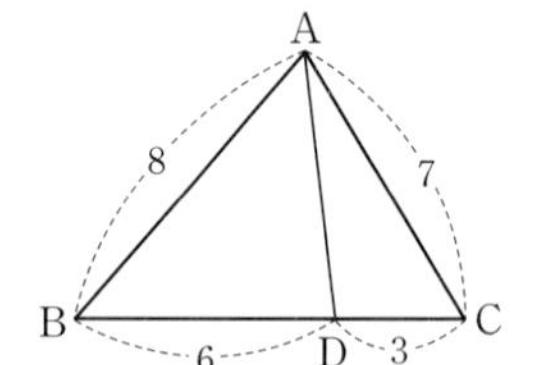

1256

삼각형 ABC에서 $\sin A : \sin B : \sin C = 3 : 5 : 7$일 때, $\angle A$, $\angle B$, $\angle C$ 중에서 크기가 최대인 각의 크기는?

① 60°　② 84°　③ 120°　④ 135°　⑤ 150°

1257

△ABC에서 $\sin A = 2\sin B \cos C$가 성립할 때, 이 삼각형의 모양은?

① $\overline{AB}=\overline{CA}$인 이등변삼각형　② $\overline{BC}=\overline{CA}$인 이등변삼각형　③ $\overline{AB}$가 빗변인 직각삼각형　④ $\overline{CA}$가 빗변인 직각삼각형　⑤ 정삼각형

1258

그림과 같이 밑면의 반지름의 길이가 4이고 모선의 길이가 12인 직원뿔이 있다. 이 직원뿔의 밑면의 둘레 위의 한 점 A에서 선분 OB를 1 : 2로 내분하는 점 P까지 옆면을 따라 가는 최단 거리를 구하시오.
(단, 점 A, B는 밑면의 지름의 양 끝점이다.)

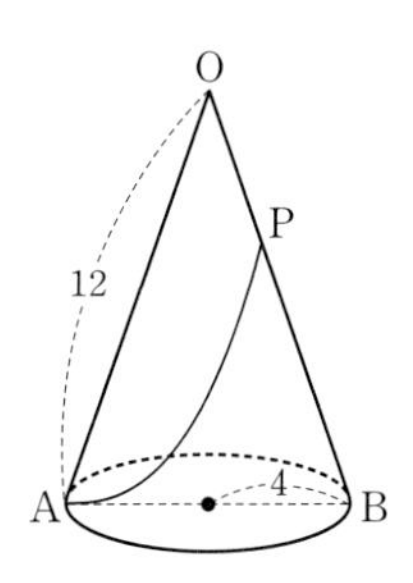

1259

$\triangle ABC$에서 $\overline{AB}=4$, $\overline{CA}=3\sqrt{5}$, $\cos A=\frac{2}{3}$일 때, 삼각형 ABC의 넓이를 구하시오.

1260

$\triangle ABC$에서 $\angle A=60^\circ$, $\overline{AB}=2$, $\overline{AC}=4$이고 $\angle A$의 이등분선이 $\overline{BC}$와 만나는 점을 D라 할 때, 선분 AD의 길이는?

① $\frac{\sqrt{3}}{3}$ ② $\frac{\sqrt{5}}{3}$ ③ $\frac{2\sqrt{3}}{3}$
④ $\frac{4\sqrt{3}}{3}$ ⑤ $\frac{4\sqrt{5}}{3}$

1261 서술형

그림과 같이 삼각형 ABC에서 $\angle A=120^\circ$이고, $\overline{AB}=3$, $\overline{BC}=3\sqrt{3}$, $\overline{CA}=b$일 때, 다음 물음에 답하시오.

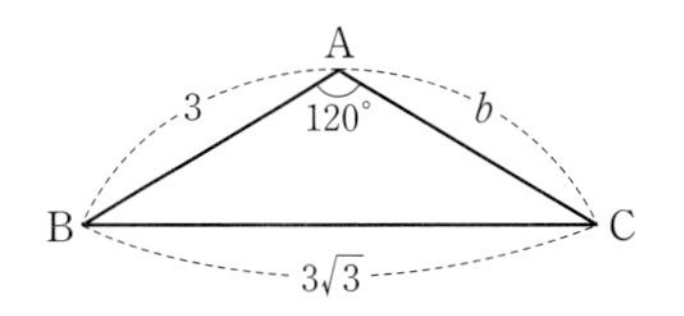

(1) 삼각형 ABC의 넓이를 구하시오.
(2) 사인법칙을 이용하여 삼각형 ABC의 외접원의 넓이를 구하시오.

1262

개발에 의한 산림 훼손을 막기 위해 그림과 같이 사각형 모양 ABCD를 개발 제한 구역으로 설정하였다. 개발 제한 구역의 땅의 넓이는?

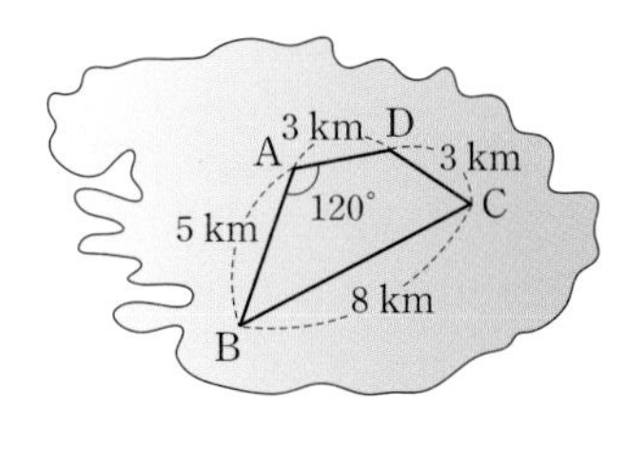

① $9\sqrt{3}$ km² ② $\frac{37\sqrt{3}}{4}$ km² ③ $\frac{19\sqrt{3}}{2}$ km²
④ $\frac{39\sqrt{3}}{4}$ km² ⑤ $10\sqrt{3}$ km²

1263

세 변의 길이가 3, 4, 5인 삼각형의 외접원의 반지름의 길이를 R, 내접원의 반지름의 길이를 r라 할 때, $R+r$의 값을 구하시오.

Level 1

1264

그림과 같은 $\triangle$ABC에서 $\triangle$ABD의 외접원과 $\triangle$ADC의 외접원의 넓이의 비는?

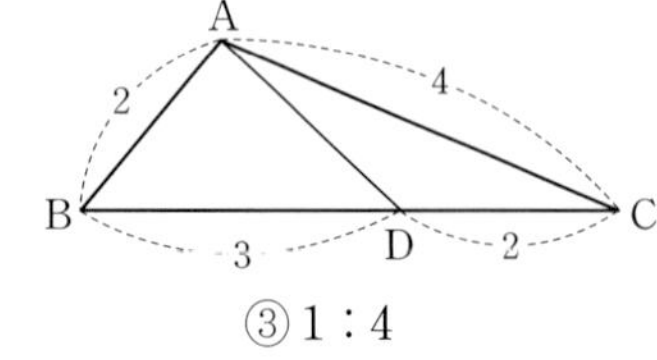

① 1 : 2　② 1 : 3　③ 1 : 4
④ 2 : 3　⑤ 4 : 9

1265

그림과 같이 두 직선 $y=2x$, $y=x$가 이루는 예각의 크기를 θ라 할 때, $\sin\theta$의 값은?

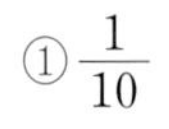

① $\frac{1}{10}$　② $\frac{\sqrt{5}}{10}$
③ $\frac{\sqrt{10}}{10}$　④ $\frac{\sqrt{10}}{5}$
⑤ $\frac{3\sqrt{10}}{10}$

1266

평가원 기출

$\angle A=\frac{\pi}{3}$이고 $\overline{AB}:\overline{AC}=3:1$인 삼각형 ABC가 있다.

삼각형 ABC의 외접원의 반지름의 길이가 7일 때, 선분 AC의 길이를 k라 하자. k^2의 값을 구하시오.

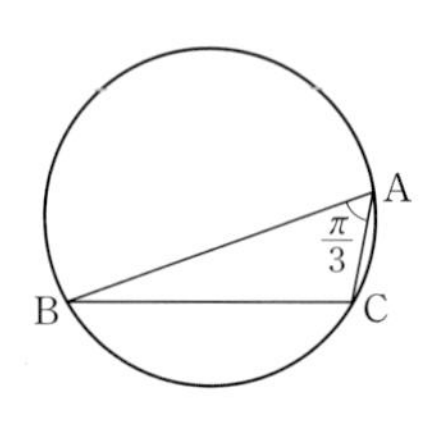

1267

그림과 같이 삼각형 ABC의 변 BC 위에 점 D가 있다.

$\overline{BD}=1$, $\overline{AD}=\sqrt{3}$, $\overline{DC}=3$, $\angle ADB=30^\circ$일 때, 삼각형 ABC의 외접원의 반지름의 길이를 구하시오.

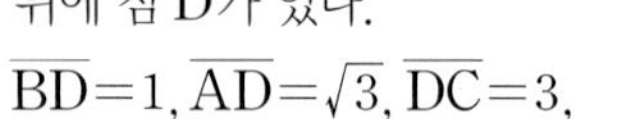

Level 2

1268

삼각형 ABC에서 $\sin^2 A\cos B=\cos A\sin^2 B$가 성립하면 이 삼각형은 어떤 삼각형인가?

① $\angle A=90^\circ$인 직각삼각형
② $\angle B=90^\circ$인 직각삼각형
③ $\angle C=90^\circ$인 직각삼각형
④ $\overline{AC}=\overline{BC}$인 이등변삼각형
⑤ 정삼각형

1269

그림과 같이 한 변의 길이가 100 m인 정사각형 모양의 광장의 한 모퉁이에 수직으로 높이가 60 m인 국기 게양대가 세워져 있다. 이 국기 게양대는 지면에서부터 10 m까지는 파란색, 그 위는 흰색으로 칠해져 있다. 광장의 한 지점에서 국기 게양대의 흰색 부분을 바라보는 각의 크기를 α라 할 때, $\alpha\geq 45^\circ$가 되는 광장의 부분의 넓이를 구하시오.

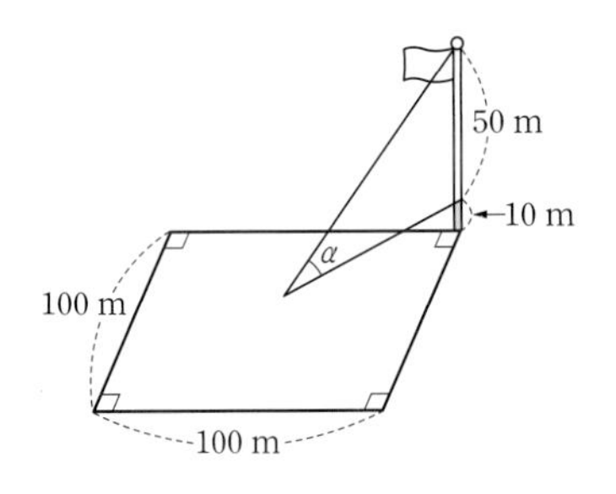

1270

그림과 같은 직원뿔 모양의 산이 있다. A지점을 출발하여 산을 한 바퀴 돌아 B지점으로 가는 관광 열차의 궤도를 최단 거리로 놓으면 이 궤도는 처음에는 오르막길이지만 나중에는 내리막길이 된다. 이 내리막길의 길이는?

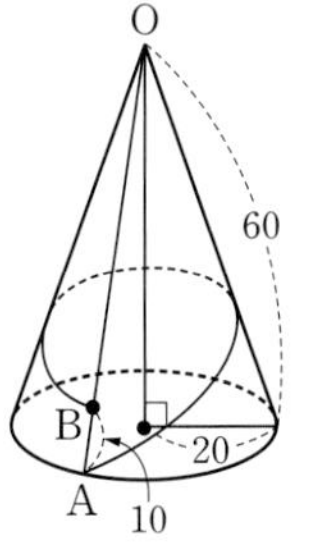

① $\dfrac{200\sqrt{91}}{91}$
② $\dfrac{300\sqrt{91}}{91}$
③ $\dfrac{400\sqrt{91}}{91}$
④ $\dfrac{200\sqrt{19}}{19}$
⑤ $\dfrac{300\sqrt{19}}{19}$

1271

그림과 같이 한 모서리의 길이가 1인 정사면체 ABCD가 있다. 모서리 AD 위를 움직이는 점 E에 대하여 $\angle BEC=\theta$라 하자. $\cos\theta$의 최댓값을 M, 최솟값을 m이라 할 때, $M+m$의 값을 구하시오.

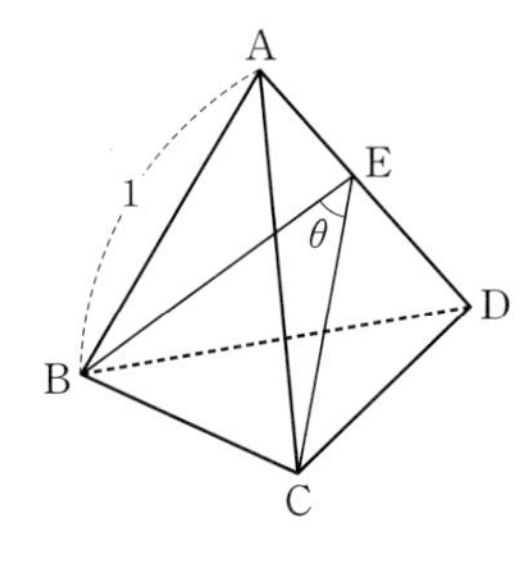

1272

그림과 같이 $\angle A=120°$인 삼각형 ABC의 두 변 AB, AC 위를 움직이는 두 점 D, E가 있다. 삼각형 ADE의 넓이가 삼각형 ABC의 넓이의 $\frac{1}{4}$일 때, 선분 DE의 길이의 최솟값을 구하시오.

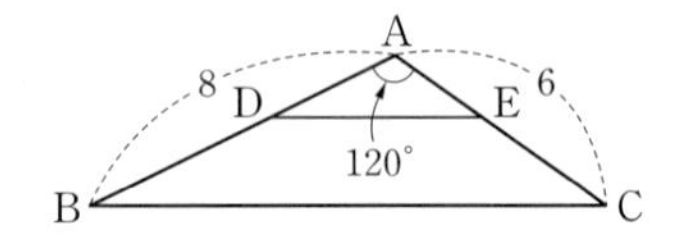

1273

좌표평면 위에서 두 원 $x^2+y^2=100$, $x^2+y^2=64$의 둘레를 움직이는 점을 각각 A, B라 하자. 점 A는 제1사분면, 점 B는 제2사분면 위에 있다고 할 때, 삼각형 OAB에서 $\cos A$의 최솟값을 구하시오. (단, O는 원점이다.)

1274

그림과 같이 가로의 길이가 4, 세로의 길이가 2인 직사각형 ABCD가 있다. 변 BC의 중점을 M, 두 선분 AC와 MD의 교점을 P, $\angle APM=\theta$라 할 때, $\cos\theta$의 값은?

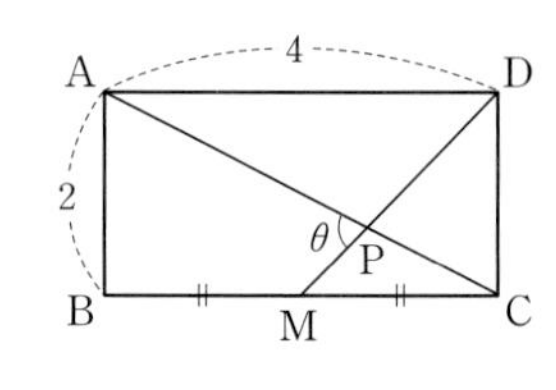

① $\frac{\sqrt{15}}{15}$ ② $\frac{\sqrt{10}}{10}$ ③ $\frac{\sqrt{10}}{5}$
④ $\frac{\sqrt{15}}{5}$ ⑤ $\frac{3\sqrt{10}}{10}$

Level 3

1275

그림과 같은 삼각형 ABC에서 $\tan A\sin^2 B=\tan B\sin^2 A$가 성립할 때, 이 삼각형이 될 수 있는 것을 〈보기〉에서 있는 대로 고른 것은?

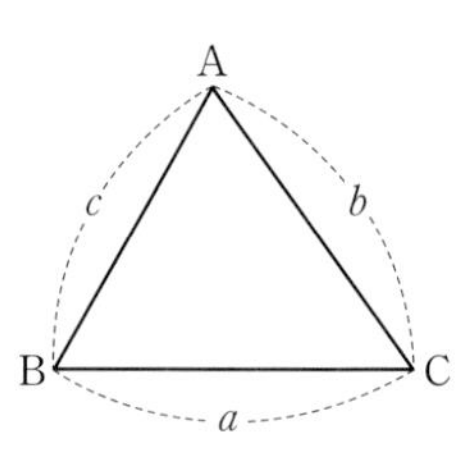

보기

ㄱ. $a=b$인 이등변삼각형 ㄴ. 정삼각형
ㄷ. $\angle B=90°$인 직각삼각형 ㄹ. $\angle C=90°$인 직각삼각형

① ㄱ ② ㄴ ③ ㄱ, ㄹ
④ ㄴ, ㄷ ⑤ ㄷ, ㄹ

1276

교육청 기출

그림과 같이 반지름의 길이가 6인 원 O_1이 있다. 원 O_1 위에 서로 다른 두 점 A, B를 $\overline{AB}=6\sqrt{2}$가 되도록 잡고, 원 O_1의 내부에 점 C를 삼각형 ACB가 정삼각형이 되도록 잡는다. 정삼각형 ACB의 외접원을 O_2라 할 때, 원 O_1과 원 O_2의 공통부분의 넓이는 $p+q\sqrt{3}+r\pi$이다. $p+q+r$의 값을 구하시오. (단, p, q, r는 유리수이다.)

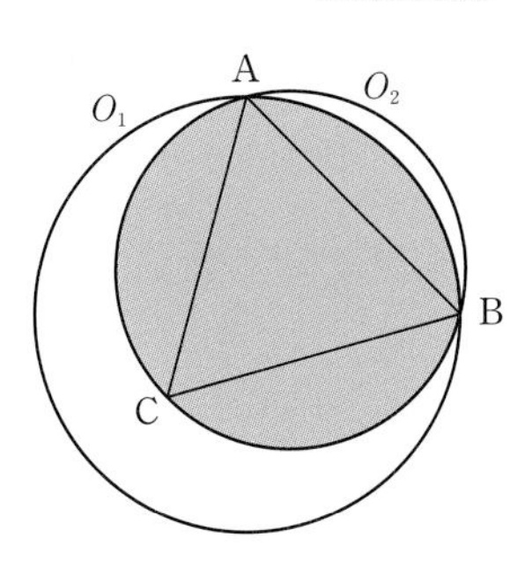

1277

교육청 기출

그림과 같이 직각삼각형 ABC의 세 변 AB, BC, CA를 각각 한 변으로 하는 정사각형 APQB, BRSC, CTUA를 그린다. 세 변 AB, BC, CA의 길이를 각각 c, a, b라 할 때, 다음 중 육각형 PQRSTU의 넓이를 나타낸 것은?

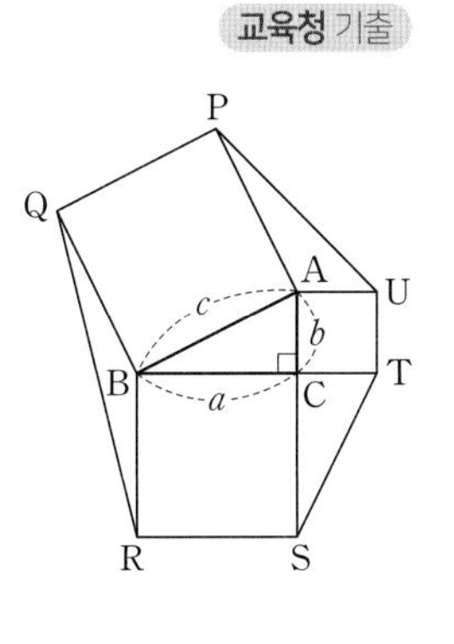

① $2(a^2+bc)$ ② $2(b^2+ca)$
③ $2(c^2+ab)$ ④ $ab+bc+ca+2a^2$
⑤ $ab+bc+ca+2c^2$

1278

교육청 기출

반지름의 길이가 3인 원의 둘레를 6등분하는 점 중에서 연속된 세 개의 점을 각각 A, B, C라 하자. 점 B를 포함하지 않는 호 AC 위의 점 P에 대하여 $\overline{AP}+\overline{CP}=8$이다. 사각형 ABCP의 넓이는?

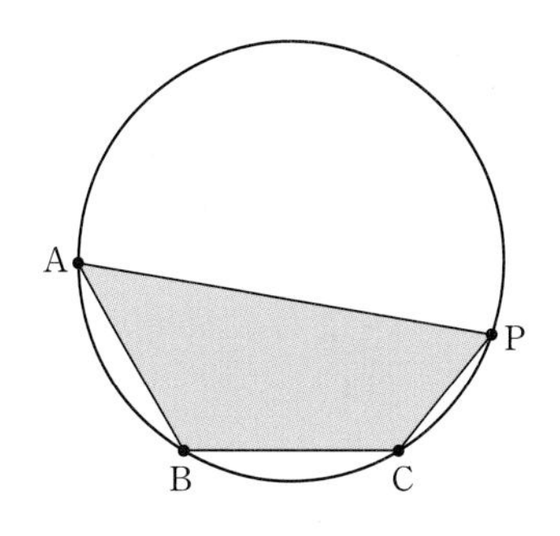

① $\frac{13\sqrt{3}}{3}$ ② $\frac{16\sqrt{3}}{3}$ ③ $\frac{19\sqrt{3}}{3}$
④ $\frac{22\sqrt{3}}{3}$ ⑤ $\frac{25\sqrt{3}}{3}$

해설 199쪽

1279

그림과 같이 서로 외접하는 세 원의 반지름의 길이가 각각 3, 4, 2일 때, 세 원의 중심을 꼭짓점으로 하는 삼각형 ABC가 있다. 삼각형 ABC의 외접원의 반지름의 길이를 R, 내접원의 반지름의 길이를 r라 할 때, $R-r$의 값은?

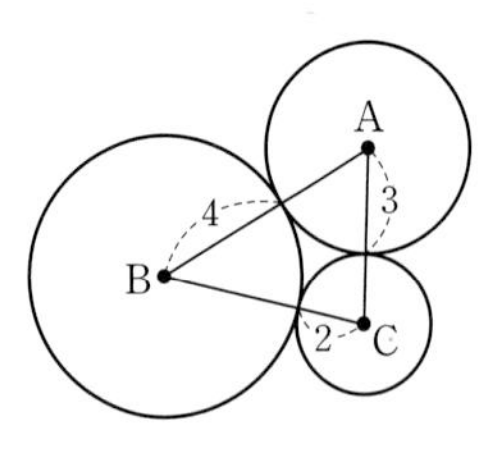

① $\frac{5\sqrt{6}}{8}$ ② $\frac{17\sqrt{6}}{24}$ ③ $\frac{19\sqrt{6}}{24}$
④ $\frac{11\sqrt{6}}{12}$ ⑤ $\frac{13\sqrt{6}}{14}$

1280 교육청 기출

그림과 같이 반지름의 길이가 6인 원에 내접하는 사각형 ABCD에 대하여 $\overline{AB}=\overline{CD}=3\sqrt{3}$, $\overline{BD}=8\sqrt{2}$일 때, 사각형 ABCD의 넓이를 S라 하자. $\frac{S^2}{13}$의 값을 구하시오.

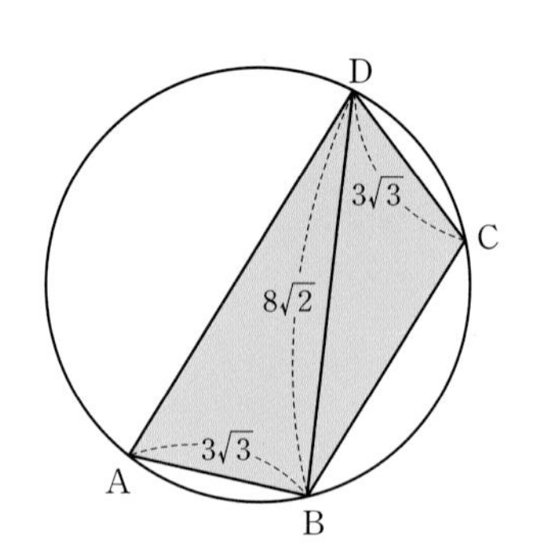

08 등차수열

		제 목	내신중요도	유형난이도	문항수	문항번호
		기본 문제			56	1281~1336
유형 문제	01	수열의 뜻과 일반항	▬▬	★	6	1337~1342
	02	등차수열의 일반항	▬▬▬▬▬	★	9	1343~1351
	03	항 사이의 관계가 주어진 등차수열	▬▬	★★	6	1352~1357
	04	처음으로 양 또는 음이 되는 항 구하기	▬▬	★★★	6	1358~1363
	05	조건을 만족시키는 등차수열의 항	▬▬	★★★★	6	1364~1369
	06	두 수 사이에 수를 넣어서 등차수열 만들기	▬	★★★	3	1370~1372
	07	등차중항	▬▬▬	★★★	6	1373~1378
	08	등차수열을 이루는 수	▬▬▬	★★★★	7	1379~1385
	09	등차수열의 합	▬▬▬	★★★	9	1386~1394
	10	부분의 합이 주어진 등차수열의 합	▬▬	★★★★	6	1395~1400
	11	조건이 주어진 등차수열의 합	▬▬	★★★★★	5	1401~1405
	12	등차수열의 합의 최대 · 최소	▬▬▬	★★★★	6	1406~1411
	13	나머지가 같은 수 또는 배수의 합	▬▬	★★★	3	1412~1414
	14	등차수열의 합과 일반항 사이의 관계	▬▬▬▬	★★★★	9	1415~1423
	15	등차수열의 응용	▬	★★★★	4	1424~1427
		적중 문제			12	1428~1439
		고난도 문제			18	1440~1457

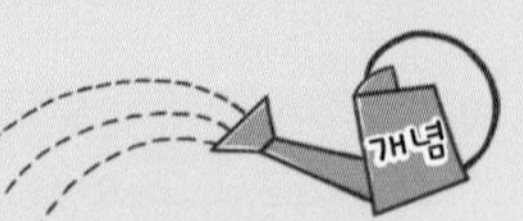

등차수열

1. 등차수열

(1) **등차수열**: 첫째항부터 차례로 일정한 수를 더하여 얻어지는 수열

(2) **공차**: 등차수열에서 일정하게 더하는 수

(3) **등차수열의 일반항**: 첫째항이 a이고, 공차가 d인 등차수열의 일반항 a_n은

$$a_n=a+(n-1)d$$

참고
$a_1=a$
$a_2=a+d$
$a_3=a+d+d$
$a_4=a+d+d+d$
$\vdots$
$a_n=a+(n-1)d$

2. 등차중항

세 수 a, b, c가 이 순서대로 등차수열을 이룰 때, b를 a와 c의 등차중항이라고 한다. 이때 $b-a=c-b$이므로 다음이 성립한다.

$$2b=a+c \Longleftrightarrow b=\frac{a+c}{2}$$

참고 ① 수열 $\{a_n\}$이 공차가 d인 등차수열이면

➡ $2a_{n+1}=a_n+a_{n+2},\ a_{n+1}=\frac{a_n+a_{n+2}}{2},\ a_{n+1}=a_n+d$

② 등차수열을 이루는 세 수 ➡ $a-d,\ a,\ a+d$

③ 등차수열을 이루는 네 수 ➡ $a-3d,\ a-d,\ a+d,\ a+3d$

④ 등차수열을 이루는 다섯 수 ➡ $a-2d,\ a-d,\ a,\ a+d,\ a+2d$

첫째항이 a, 공차가 d인 등차수열 $\{a_n\}$에서

① 처음으로 양수가 되는 항
⇨ $a+(n-1)d>0$을 만족시키는 자연수 n의 최솟값을 구한다.

② 처음으로 음수가 되는 항
⇨ $a+(n-1)d<0$을 만족시키는 자연수 n의 최솟값을 구한다.

조화수열

① 수열 $\{a_n\}$의 각 항의 역수가 등차수열을 이룰 때, 수열 $\{a_n\}$을 조화수열이라고 한다.
⇨ $\frac{1}{a_n}=\frac{1}{a_1}+(n-1)d$

② 0이 아닌 세 수 a, b, c가 조화수열을 이룰 때, b를 a와 c의 조화중항이라고 한다.
$\frac{2}{b}=\frac{1}{a}+\frac{1}{c} \Longleftrightarrow b=\frac{2ac}{a+c}$

3. 등차수열의 합

등차수열의 첫째항부터 제 n항까지의 합을 S_n이라 하면

(1) 첫째항이 a, 제 n항이 l일 때,

$$S_n=\frac{n(a+l)}{2}$$

(2) 첫째항이 a, 공차가 d일 때,

$$S_n=\frac{n\{2a+(n-1)d\}}{2}$$

참고 특수한 등차수열의 합

① 자연수 1부터 n까지의 합: $\frac{n(n+1)}{2}$

② 1부터 연속된 n개의 홀수의 합: n^2

③ 2부터 연속된 n개의 짝수의 합: $n(n+1)$

- 공차가 d인 등차수열 $\{a_n\}$의 첫째항부터 제n항까지의 합을 S_n이라 하면 S_n, $S_{2n}-S_n$, $S_{3n}-S_{2n}$은 이 순서대로 공차가 n^2d인 등차수열을 이룬다.

예 $S_3=a_1+a_2+a_3$
$S_6-S_3=a_4+a_5+a_6=S_3+9d$
$S_9-S_6=a_7+a_8+a_9=S_3+18d$

- 등차수열의 합의 최대 · 최소

공차가 d인 등차수열 $\{a_n\}$의 첫째항부터 제n항까지의 합을 S_n이라 하면
① $d>0$일 때, $a_n<0$, $a_{n+1}>0$이면 S_n이 최소이다.
② $d<0$일 때 $a_n>0$, $a_{n+1}<0$이면 S_n이 최대이다.

4. 수열의 합 S_n과 일반항 a_n 사이의 관계

수열 $\{a_n\}$의 첫째항부터 제 n항까지의 합을 S_n이라 하면

$a_1=S_1$, $a_n=S_n-S_{n-1}$ (단, $n\geq 2$)

참고 수열 $\{a_n\}$의 첫째항부터 제n항까지의 합 $S_n=an^2+bn+c$ (a, b, c는 상수)에 대하여 수열 $\{a_n\}$은

(1) $c=0$이면 첫째항부터 등차수열을 이룬다.

(2) $c\neq 0$이면 둘째항부터 등차수열을 이룬다.

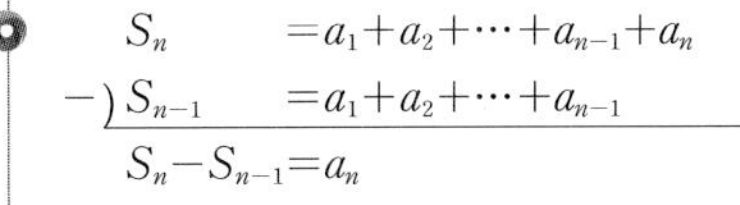

$$\begin{array}{lll} & S_n & =a_1+a_2+\cdots+a_{n-1}+a_n \\ -) & S_{n-1} & =a_1+a_2+\cdots+a_{n-1} \\ \hline & S_n-S_{n-1} & =a_n \end{array}$$

1 수열

[1281-1284] 수열 $\{a_n\}$의 일반항이 다음과 같을 때, 첫째항부터 제3항까지 구하시오.

1281 $a_n=2n$

1282 $a_n=4n-1$

1283 $a_n=3\times 2^n$

1284 $a_n=(-1)^n\times n$

[1285-1288] 수열 $\{a_n\}$의 일반항이 다음과 같을 때, a_{10}을 구하시오.

1285 $a_n=3n+4$

1286 $a_n=2^{n+1}$

1287 $a_n=\frac{n-4}{2}$

1288 $a_n=\frac{n+8}{3n}$

2 등차수열

[1289-1291] 다음 등차수열 $\{a_n\}$의 첫째항과 공차를 구하시오.

1289 2, 6, 10, 14, 18, ⋯

1290 −1, 4, 9, 14, 19, ⋯

1291 $\frac{1}{2}$, 1, $\frac{3}{2}$, 2, $\frac{5}{2}$, ⋯

[1292-1295] 다음 등차수열의 첫째항부터 제4항까지 순서대로 나열하시오.

1292 첫째항: 9, 공차: −2

1293 첫째항: −15, 공차: 3

1294 $\{6n+2\}$

1295 $\{-3n+13\}$

[1296-1303] 다음 등차수열의 일반항 a_n을 구하시오.

1296 첫째항 : 5, 공차 : 2

1297 첫째항 : 10, 공차 : -4

1298 첫째항 : -1, 공차 : 3

1299 2, 3, 4, 5, 6, $\cdots$

1300 1, 3, 5, 7, 9, $\cdots$

1301 -4, -2, 0, 2, 4, $\cdots$

1302 12, 10, 8, 6, 4, $\cdots$

1303 7, 4, 1, -2, -5, $\cdots$

[1304-1307] 다음 등차수열 $\{a_n\}$의 공차를 구하시오.

1304 $a_1=4$, $a_4=13$

1305 $a_1=-4$, $a_5=8$

1306 $a_2=7$, $a_6=23$

1307 $a_3=8$, $a_7=28$

[1308-1310] 다음 세 수가 주어진 순서대로 등차수열을 이룰 때, 등차중항을 구하시오.

1308 1, $\square$, 15

1309 -3, $\square$, 9

1310 -17, $\square$, -7

[1311-1313] 다음은 등차수열을 나타낸 것이다. 등차중항을 이용하여 □ 안에 알맞은 수를 써넣으시오.

1311 $5, \square, 21, \square, 37, \cdots$

1312 $-6, \square, 2, \square, 10, \cdots$

1313 $15, \square, -3, \square, -21, \cdots$

3 등차수열의 합

[1314-1315] 다음을 구하시오.

1314 첫째항이 2, 제 10항이 29인 등차수열의 첫째항부터 제 10항까지의 합 S_{10}

1315 첫째항이 5, 제 8항이 -23인 등차수열의 첫째항부터 제 8항까지의 합 S_8

[1316-1317] 다음을 만족시키는 등차수열의 합을 구하시오.

1316 첫째항: -2, 공차: 2, 항의 개수: 9

1317 첫째항: 11, 공차: -2, 항의 개수: 14

[1318-1321] 다음 등차수열의 첫째항부터 제 20항까지의 합을 구하시오.

1318 $1, 6, 11, 16, 21, \cdots$

1319 $-8, -5, -2, 1, 4, \cdots$

1320 $3, 2, 1, 0, -1, \cdots$

1321 $10, 7, 4, 1, -2, \cdots$

[1322-1324] 다음 합을 구하시오.

1322 $1+2+3+\cdots+100$

1323 $2+4+6+\cdots+30$

1324 $19+17+15+\cdots+1$

4 특수한 해를 갖는 연립일차부등식

[1325-1327] 수열 $\{a_n\}$의 첫째항부터 제n항까지의 합 S_n에 대하여 다음을 구하시오.

1325 $S_9=25$, $S_{10}=30$일 때, a_{10}

1326 $S_{19}=36$, $S_{20}=46$일 때, a_{20}

1327 $S_8=25$, $S_{10}=35$일 때, a_9+a_{10}의 값

[1328-1330] 수열 $\{a_n\}$의 첫째항부터 제n항까지의 합 S_n이 다음과 같을 때, 제5항을 구하시오.

1328 $S_n=n^2$

1329 $S_n=(n-1)^2$

1330 $S_n=2n^2+n$

[1331-1333] 수열 $\{a_n\}$의 첫째항부터 제n항까지의 합 S_n이 다음과 같을 때, a_1과 일반항 a_n을 구하시오.

1331 $S_n=3n^2$

1332 $S_n=n(n+1)$

1333 $S_n=3n^2+n$

[1334-1336] 수열 $\{a_n\}$의 첫째항부터 제n항까지의 합 S_n이 다음과 같을 때, a_1과 일반항 a_n을 구하시오.

1334 $S_n=n^2+3$

1335 $S_n=n^2+2n-1$

1336 $S_n=5-n^2$

유형 01 내신 중요도 유형 난이도 ★☆☆☆☆

수열의 뜻과 일반항

(1) 수열: 어떤 규칙에 따라 차례로 나열된 수의 열
(2) 항: 수열을 이루고 있는 각각의 수
(3) 일반항: 수열의 제 n항

1337

●○○○

다음 수열에서 두 항 a, b에 대하여 $a+b$의 값은?

$$2,\ 5,\ 8,\ a,\ 14,\ b,\ \cdots$$

① 20 ② 22 ③ 24
④ 26 ⑤ 28

1338 중요

●○○○

일반항이 다음과 같은 수열 $\{a_n\}$에 대하여 a_1+a_5의 값을 구하시오.

$$a_n=3n+5$$

1339 중요

●●○○

수열 $\left\{\frac{64}{2^n}\right\}$에서 제3항과 제7항의 곱은?

① 1 ② 2 ③ 3
④ 4 ⑤ 5

1340

●○○○

다음 수열 $\{a_n\}$의 일반항 a_n은?

$$1\cdot2,\ 2\cdot3,\ 3\cdot4,\ 4\cdot5,\ \cdots$$

① $a_n=(n-1)n$ ② $a_n=(n-1)(n+1)$
③ $a_n=n(n+1)$ ④ $a_n=(n-1)^2+n$
⑤ $a_n=n^2-n-1$

1341

●●○○

수열 $1,\ \frac{3}{4},\ \frac{5}{9},\ \frac{7}{16},\ \cdots$의 일반항 a_n을 구하시오.

1342

●●○○

다음 수열 $\{a_n\}$의 일반항 a_n은?

$$101,\ 1001,\ 10001,\ \cdots$$

① $a_n=9^{n-1}+2$ ② $a_n=9^n+2$ ③ $a_n=10^{n-1}+1$
④ $a_n=10^n+1$ ⑤ $a_n=10^{n+1}+1$

해설 203쪽

내신 중요도 ■■■■■ 유형 난이도 ★☆☆☆☆

유형 02 등차수열의 일반항

(1) 등차수열: 첫째항부터 차례로 일정한 수를 더하여 얻어지는 수열
(2) 공차: 등차수열에서 더하는 일정한 수
(3) 첫째항이 a, 공차가 d인 등차수열의 일반항 a_n은
$a_n=a+(n-1)d$

1343 중요 ●○○○

수열 a, 8, 11, b, …가 등차수열을 이룰 때, $b-a$의 값은?

① 3 ② 6 ③ 9
④ 12 ⑤ 15

1344 ●○○○

네 수 a, 1, b, 2가 이 순서대로 등차수열을 이룰 때, $\frac{b}{a}$의 값은?

① 2 ② 3 ③ 4
④ 5 ⑤ 6

1345 ●○○○

수열 2, 7, 12, 17, 22, …의 일반항 a_n을 $a_n=\alpha n+\beta$라 할 때, $\alpha+\beta$의 값은? (단, α, β는 상수)

① -2 ② -1 ③ 1
④ 2 ⑤ 3

1346 중요 ●●○○

공차가 -2, 제8항이 -13인 등차수열 $\{a_n\}$에서 $a_n=pn+q$라 할 때, $p+q$의 값은?

① -2 ② -1 ③ 1
④ 2 ⑤ 3

1347 중요 ●●○○

등차수열 $\{a_n\}$에 대하여 $a_1=-4$, $a_5=8$일 때, $a_2a_3a_4$의 값은?

① -10 ② -5 ③ 1
④ 4 ⑤ 9

1348 짱중요 교육청 기출 ●●○○

등차수열 $\{a_n\}$이 $a_3=2$, $a_6=17$을 만족시킬 때, a_8의 값을 구하시오.

1349

●●○○

등차수열 $\{a_n\}$의 첫째항이 -2, 공차가 3일 때, 19는 제 몇 항인가?

① 제8항 ② 제9항 ③ 제10항
④ 제11항 ⑤ 제12항

1350

●●○○

등차수열 $\{a_n\}$에서 제2항이 10, 제5항이 43일 때, $a_n=978$을 만족하는 n의 값을 구하시오.

1351

●●●○

수열 $\{a_n\}$이 공차가 -4인 등차수열일 때,
$a_1-a_2+a_3-a_4+a_5-\cdots+a_{99}-a_{100}$의 값은?

① -200 ② -180 ③ -160
④ 160 ⑤ 200

유형 03 항 사이의 관계가 주어진 등차수열

내신 중요도 ■■■■■ 유형 난이도 ★★★★★

① 등차수열 $\{a_n\}$의 첫째항을 a, 공차를 d라 하고 주어진 조건을 이용하여 방정식을 세운다.
② a, d의 값을 구하여 일반항 $a_n=a+(n-1)d$를 구한다.

1352

●●○○

등차수열 $\{a_n\}$에 대하여 $a_3=5$, $a_6-a_4=4$일 때, a_{10}의 값을 구하시오.

1353 중요

●●○○

등차수열 $\{a_n\}$에 대하여 $a_1+a_2=14$, $a_3+a_4+a_5=51$이 성립할 때, a_{11}의 값은?

① 39 ② 41 ③ 43
④ 45 ⑤ 47

1354 중요

●●○○

등차수열 $\{a_n\}$에 대하여 $a_5=4a_3$, $a_2+a_4=4$가 성립할 때, a_6의 값은?

① 5 ② 8 ③ 11
④ 13 ⑤ 16

1355

등차수열 $\{a_n\}$에 대하여 $a_1+a_3+a_5=9$, $a_7+a_9+a_{11}=45$일 때, $a_3+a_6+a_9$의 값은?

① 18 ② 21 ③ 24 ④ 27 ⑤ 30

1356

등차수열 $\{a_n\}$에서 $a_1+a_2=8$, $a_3+a_4=24$일 때, $a_k=198$이 되는 상수 k의 값은?

① 48 ② 49 ③ 50 ④ 51 ⑤ 52

1357 중요 평가원 기출

공차가 양수인 등차수열 $\{a_n\}$이 다음 조건을 만족시킬 때, a_2의 값은?

(가) $a_6+a_8=0$
(나) $|a_6|=|a_7|+3$

① -15 ② -13 ③ -11 ④ -9 ⑤ -7

유형 04 처음으로 양 또는 음이 되는 항 구하기

내신 중요도 유형 난이도 ★★★☆☆

첫째항이 a, 공차가 d인 등차수열 $\{a_n\}$에서
(1) 처음으로 양수가 되는 항
⇨ $a+(n-1)d>0$을 만족시키는 자연수 n의 최솟값을 구한다.
(2) 처음으로 음수가 되는 항
⇨ $a+(n-1)d<0$을 만족시키는 자연수 n의 최솟값을 구한다.

1358

첫째항이 30, 공차가 -4인 등차수열 $\{a_n\}$에서 처음으로 음수가 되는 항은 제 몇 항인가?

① 제9항 ② 제10항 ③ 제11항 ④ 제12항 ⑤ 제13항

1359 중요

제1항이 -64, 제10항이 -37인 등차수열에서 처음으로 양수가 되는 항은?

① 제20항 ② 제21항 ③ 제22항 ④ 제23항 ⑤ 제24항

1360 짱중요

제3항이 55이고, 제10항이 27인 등차수열 $\{a_n\}$의 각 항을 순서대로 나열할 때, 처음으로 음수가 나오는 항은 제 몇 항인가?

① 제13항 ② 제14항 ③ 제15항 ④ 제16항 ⑤ 제17항

1361

●●○○

등차수열 2, 6, 10, 14, …에서 처음으로 100보다 커지는 항은 제 몇 항인가?

① 제24항 ② 제26항 ③ 제28항
④ 제30항 ⑤ 제32항

1362

●●○○

등차수열 $\{a_n\}$에서 $a_{11}=166$, $a_{51}=-114$일 때, 양수인 항의 개수를 구하시오.

1363 교육청 기출

●●●○

공차가 2인 등차수열 $\{a_n\}$이

$|a_3-1|=|a_6-3|$

을 만족시킨다. 이때, $a_n>92$를 만족시키는 자연수 n의 최솟값을 구하시오.

유형 05 조건을 만족시키는 등차수열의 항

내신 중요도 ▬▬▬▬▬ 유형 난이도 ★★★★☆

등차수열 $\{a_n\}$에서 $a_i=p$, $a_j=q$를 만족시키는 경우
① 첫째항을 a, 공차를 d라 하면
$a+(i-1)d=p$, $a+(j-1)d=q$
② 위 두 식을 문제에 맞는 관계식으로 바꿔 a와 d를 구한다.

1364 중요

●●○○

두 집합 A, B를

$A=\{a_n | a_n=2n,\ n\text{은 자연수}\}$,

$B=\{b_n | b_n=3n-2,\ n\text{은 자연수}\}$

로 정의하자. 집합 $A\cap B$의 원소를 작은 수부터 차례로 나열한 수열을 $\{c_n\}$이라 할 때, 일반항 c_n을 구하시오.

1365 교육청 기출

●●●○

등차수열 $\{a_n\}$에 대하여 $(a_1+a_2):(a_3+a_4)=1:2$가 성립할 때, $a_1:a_4$는? (단, $a_1\neq0$)

① 1 : 2 ② 1 : 3 ③ 2 : 3
④ 2 : 5 ⑤ 3 : 5

1366

●●○○

제3항과 제8항은 절댓값이 같고 부호가 반대이며, 제5항은 -1인 등차수열 $\{a_n\}$에서 233은 제 몇 항인가?

① 제118항 ② 제119항 ③ 제120항
④ 제121항 ⑤ 제122항

1367

등차수열 $\{a_n\}$에서 $a_{2n}=6n+1$ $(n=1, 2, 3, \cdots)$일 때, a_9의 값은?

① 24 ② 25 ③ 26
④ 27 ⑤ 28

1368

두 등차수열 $\{a_n\}$, $\{b_n\}$에 대하여 $a_1=b_1$, $a_5=b_7$, $b_{22}=10$일 때, $a_k=10$을 만족시키는 양의 정수 k의 값을 구하시오.

1369

공차가 0이 아닌 두 등차수열 $\{a_n\}$, $\{b_n\}$에 대하여 $a_1=b_1=a$, $a_{10}=b_{20}=b$가 성립한다. 두 수열 $\{a_n\}$, $\{b_n\}$의 공차를 각각 d_1, d_2라 할 때, $\frac{d_2}{d_1}$의 값은?

① $\frac{9}{19}$ ② $\frac{10}{19}$ ③ $\frac{11}{19}$
④ $\frac{10}{21}$ ⑤ $\frac{11}{21}$

유형 06 두 수 사이에 수를 넣어서 등차수열 만들기

내신 중요도 유형 난이도 ★★★

두 수 a, b 사이에 n개의 수 $a_1, a_2, a_3, \cdots, a_n$을 넣어 $a, a_1, a_2, a_3, \cdots, a_n, b$가 등차수열을 이루는 경우

(1) 항의 개수: $n+2$

(2) 첫째항: a, 제 $(n+2)$항: $b=a+(n+1)d$

(3) 공차: $d=\frac{b-a}{n+1}$

1370

두 수 10과 30 사이에 3개의 수를 넣어 5개의 수가 등차수열을 이루도록 할 때, 이 수열의 공차는?

① 3 ② 4 ③ 5
④ 6 ⑤ 7

1371

두 수 -2와 20 사이에 10개의 수 $a_1, a_2, \cdots, a_{10}$을 넣어 등차수열을 이루도록 할 때, a_{10}의 값을 구하시오.

1372

다음 수열이 공차가 $\frac{1}{2}$인 등차수열이 되도록 하는 n의 값은?

$$-10, a_1, a_2, a_3, \cdots, a_n, 10$$

① 36 ② 37 ③ 38
④ 39 ⑤ 40

유형 07 등차중항

내신 중요도 / 유형 난이도 ★★★

세 수 a, b, c가 이 순서대로 등차수열을 이룰 때,
b를 a와 c의 등차중항이라 하고, 다음이 성립한다.

$$2b=a+c \Longleftrightarrow b=\frac{a+c}{2}$$

1373

다섯 개의 수 4, a, b, c, 16이 이 순서대로 등차수열을 이룰 때, $a+b+c$의 값은?

① 10 ② 20 ③ 30
④ 40 ⑤ 50

1374

다음 수열이 이 순서대로 등차수열을 이룰 때, $y-x$의 값은?

5, x, 11, y

① 6 ② 7 ③ 8
④ 9 ⑤ 10

1375 중요

세 수 $2k-5$, k^2-1, $2k+3$이 이 순서대로 등차수열을 이룰 때, k의 값은? (단, $k\neq0$)

① 1 ② 2 ③ 3
④ 4 ⑤ 5

1376

세 수 7, a, 13이 이 순서대로 등차수열을 이루고, a, 6, b와 a, b, c도 각각 이 순서대로 등차수열을 이룰 때, $a+b+c$의 값은?

① 2 ② 4 ③ 6
④ 8 ⑤ 10

1377 중요

이차방정식 $3x^2-6x+1=0$의 두 실근을 각각 α, β라 하면 세 실수 $\frac{1}{\alpha^3}$, $\frac{1}{p}$, $\frac{1}{\beta^3}$이 이 순서대로 등차수열을 이룬다. 이때, 실수 p의 값은?

① $\frac{1}{3}$ ② $\frac{1}{9}$ ③ $\frac{1}{27}$
④ $\frac{1}{81}$ ⑤ $\frac{1}{162}$

1378

서로 다른 세 정수 a, b, c가 다음 두 조건을 모두 만족한다.

(가) a, b, c가 이 순서대로 등차수열을 이룬다.
(나) a^2, c^2, b^2이 이 순서대로 등차수열을 이룬다.

이때, $\frac{ab}{c^2}$의 값을 구하시오.

유형 08 **등차수열을 이루는 수**

내신 중요도 ■■■■■ 유형 난이도 ★★★★☆

등차수열을 이루는 몇 개의 수를 다음과 같이 놓고, 식을 세우면 그 계산이 편리하다.

① 등차수열을 이루는 세 수
⇨ $a-d,\ a,\ a+d$ → 공차 : d

② 등차수열을 이루는 네 수
⇨ $a-3d,\ a-d,\ a+d,\ a+3d$ → 공차 : $2d$

③ 등차수열을 이루는 다섯 수
⇨ $a-2d,\ a-d,\ a,\ a+d,\ a+2d$ → 공차 : d

1379 중요 ●●○○

세 변의 길이가 등차수열을 이루는 직각삼각형이 있다. 빗변의 길이를 5라고 할 때, 이 직각삼각형의 넓이는?

① 5 ② 6 ③ 7
④ 8 ⑤ 9

1380 ●●●○

다음 세 조건을 모두 만족시키는 삼각형의 세 변 중 가장 긴 변의 길이는?

(가) 세 변의 길이는 공차가 자연수인 등차수열을 이룬다.
(나) 두 번째로 긴 변의 길이가 40이다.
(다) 직각삼각형이다.

① 45 ② 50 ③ 55
④ 60 ⑤ 65

1381 ●●●○

어떤 직육면체의 가로의 길이, 세로의 길이, 높이는 이 순서대로 등차수열을 이룬다고 한다. 모든 모서리의 길이의 합이 36이고 겉넓이가 46일 때, 이 직육면체의 부피를 구하시오.

1382 중요 ●●●○

삼차방정식 $x^3-3x^2+kx+8=0$의 세 근이 등차수열을 이룰 때, 상수 k의 값을 구하시오.

1383 ●●●○

다섯 개의 수 $a,\ b,\ c,\ d,\ e$가 이 순서대로 등차수열을 이루고 $a+c+e=6$, $ace=-120$이 성립한다. 이때, $a+b+c+d+e$의 값은?

① 10 ② 16 ③ 20
④ 26 ⑤ 32

1384 교육청 기출 ●●●●

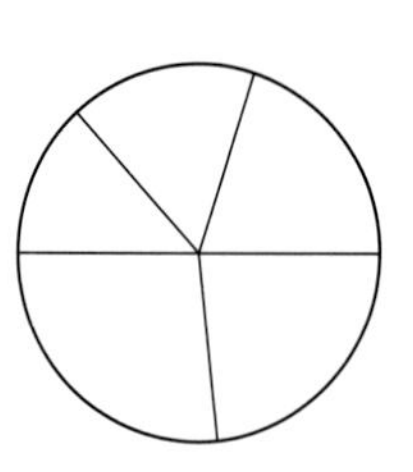

그림과 같이 반지름의 길이가 15인 원을 5개의 부채꼴로 나누었더니 부채꼴의 넓이가 작은 것부터 차례로 등차수열을 이루었다. 가장 큰 부채꼴의 넓이가 가장 작은 부채꼴의 넓이의 2배일 때, 가장 큰 부채꼴의 넓이는 $k\pi$이다. 이때, k의 값을 구하시오.

1385 중요 교육청 기출 ●●●●

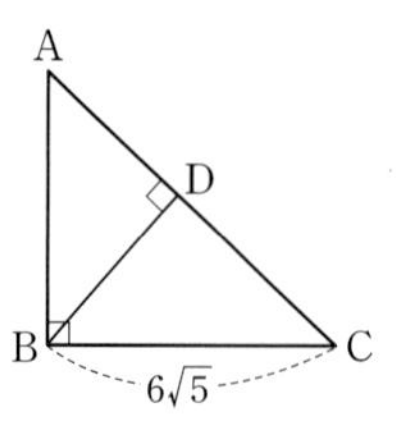

그림과 같이 $\angle B=90°$이고 선분 BC의 길이가 $6\sqrt{5}$인 직각삼각형 ABC의 꼭짓점 B에서 빗변 AC에 내린 수선의 발을 D라 하자. 세 선분 AD, CD, AB의 길이가 이 순서대로 등차수열을 이룰 때, 선분 AC의 길이를 구하시오.

유형 09 등차수열의 합

내신 중요도 유형 난이도 ★★★☆☆

등차수열의 첫째항부터 제n항까지의 합 S_n은

(1) 첫째항이 a, 제n항이 l일 때

⇨ $S_n=\dfrac{n(a+l)}{2}$

(2) 첫째항이 a, 공차가 d일 때

⇨ $S_n=\dfrac{n\{2a+(n-1)d\}}{2}$

1386 ●○○○

첫째항이 3, 제10항이 27인 등차수열의 첫째항부터 제10항까지의 합을 구하시오.

1387 ●●○○

등차수열 1, 4, 7, $\cdots$, 28의 합은?

① 130 ② 135 ③ 140
④ 145 ⑤ 150

1388 중요 ●●○○

$a_1=3$, $a_{n+1}=a_n+2$로 정의된 수열 $\{a_n\}$에서 $a_1+a_2+a_3+\cdots+a_{99}$의 값은?

① 6666 ② 7777 ③ 8888
④ 9999 ⑤ 10000

1389 중요

등차수열 $\{a_n\}$에서 $a_1=2$, $a_2+a_3=16$일 때, $a_1+a_2+\cdots+a_{20}$의 값은?

① 780 ② 790 ③ 800
④ 810 ⑤ 820

1390

첫째항이 m, 공차가 1인 등차수열의 첫째항부터 제n항까지의 합이 50일 때, $m+n$의 값은? (단, $m\le 10$인 자연수)

① 13 ② 14 ③ 15
④ 16 ⑤ 17

1391

제8항이 29이고, 제20항이 -7인 등차수열에서 첫째항부터 제몇 항까지의 합이 처음으로 음수가 되는가?

① 제32항 ② 제33항 ③ 제34항
④ 제35항 ⑤ 제36항

1392

등차수열 $\{a_n\}$의 일반항이 $a_n=2n-5$일 때, $a_{11}+a_{12}+a_{13}+\cdots+a_{20}$의 값은?

① 240 ② 260 ③ 280
④ 300 ⑤ 320

1393

첫째항이 1, 공차 5인 등차수열 $\{a_n\}$에서 $a_1+a_3+a_5+\cdots+a_{2n-1}$의 값은?

① $n(2n-4)$ ② $n(3n-4)$ ③ $4n(n-1)$
④ $n(5n-3)$ ⑤ $n(5n-4)$

1394 짱중요 교육청 기출

등차수열 $\{a_n\}$에서 $a_1=6$, $a_{10}=-12$일 때, $|a_1|+|a_2|+|a_3|+\cdots+|a_{20}|$의 값은?

① 280 ② 284 ③ 288
④ 292 ⑤ 296

08 등차수열

유형 10 내신 중요도 유형 난이도 ★★★★

10 부분의 합이 주어진 등차수열의 합

첫째항이 a, 공차가 d인 등차수열 $\{a_n\}$의 첫째항부터 제n항까지의 합을 S_n이라 하면

$$S_n=\frac{n\{2a+(n-1)d\}}{2},\ S_{2n}=\frac{2n\{2a+(2n-1)d\}}{2}$$

1395 ●●○○

첫째항이 8이고, 제3항까지의 합이 36인 등차수열의 첫째항부터 제10항까지의 합은?

① 256 ② 258 ③ 260
④ 262 ⑤ 264

1396 ●●●○

등차수열 $\{a_n\}$에서

$$a_1+a_2+a_3+a_4=20,\ a_5+a_6+a_7+a_8=68$$

일 때, 첫째항과 공차의 곱은?

① $\frac{3}{2}$ ② 2 ③ $\frac{5}{2}$
④ 3 ⑤ $\frac{7}{2}$

1397 중요 ●●●○

첫째항이 50, 첫째항부터 제10항까지의 합이 410인 등차수열의 제11항부터 제20항까지의 합을 구하시오.

1398 중요 ●●●○

등차수열 $\{a_n\}$에 대하여

$$a_1+a_2+a_3+a_4=32,\ a_5+a_6+a_7+a_8=96$$

일 때, $a_1+a_2+\cdots+a_{12}$의 값을 구하시오.

1399 ●●●○

등차수열의 첫째항부터 제n항까지의 합을 S_n이라 할 때, $S_{10}=120$, $S_{20}=440$이다. S_{30}의 값은?

① 900 ② 920 ③ 940
④ 960 ⑤ 980

1400 ●●●●

등차수열 $\{a_n\}$이 다음을 만족할 때, $m+a_8$의 값은?

$a_1+a_3+\cdots+a_{2m+1}=80$
$a_2+a_4+\cdots+a_{2m}=70$

① 17 ② 18 ③ 19
④ 20 ⑤ 21

유형 11 조건이 주어진 등차수열의 합

내신 중요도 ■■■■■ 유형 난이도 ★★★★★

등차수열의 합 공식 $S_n=\frac{n\{2a+(n-1)d\}}{2}$를 이용하여 주어진 조건에 맞게 식을 세운 뒤 연립하여 푼다.

1401 ●●●○

첫째항이 15인 등차수열 $\{a_n\}$의 첫째항부터 제n항까지의 합을 S_n이라 할 때, $S_{12}=a_{12}$이다. 이때, S_n의 최댓값은?

① 35 ② 40 ③ 45
④ 50 ⑤ 55

1402 ●●●●

수열 $\{a_n\}$에 대하여 첫째항부터 제n항까지의 합을 S_n이라 하자. 수열 $\{S_{2n-1}\}$은 공차가 -3인 등차수열이고, 수열 $\{S_{2n}\}$은 공차가 2인 등차수열이다. $a_2=1$일 때, a_8의 값을 구하시오.

1403 ●●●○

첫째항이 1, 공차가 $\frac{1}{2}$인 등차수열 $\{a_n\}$의 첫째항부터 제n항까지의 합 S_n에 대하여 S_2, S_n, S_{n+3}이 이 순서대로 등차수열을 이룰 때, n의 값을 구하시오.

1404 ●●●●

두 수열 $\{a_n\}$, $\{b_n\}$은 모두 공차가 1인 등차수열이다. 다음 조건을 만족시키는 자연수 m에 대하여 $a_{2m}-b_m$의 값은?

(가) $a_1+a_2+a_3+\cdots+a_m=2m$
(나) $b_1+b_2+b_3+\cdots+b_{2m}=m$
(다) $b_{2m}-a_m=99$

① 300 ② 301 ③ 302
④ 303 ⑤ 304

1405 교육청 기출 ●●●●

공차가 양수인 등차수열 $\{a_n\}$의 첫째항부터 제n항까지의 합을 S_n이라 하자. $S_9=|S_3|=27$일 때, a_{10}의 값은?

① 23 ② 24 ③ 25
④ 26 ⑤ 27

유형 12 등차수열의 합의 최대 · 최소

내신 중요도 ■■■■■ 유형 난이도 ★★★★☆

첫째항이 a, 공차가 d인 등차수열 $\{a_n\}$의 첫째항부터 제n항까지의 합을 S_n이라 하면
(1) $d>0$일 때, $a_n<0$, $a_{n+1}>0$이면 S_n이 최소이다.
(2) $d<0$일 때, $a_n>0$, $a_{n+1}<0$이면 S_n이 최대이다.

1406

●●○○

첫째항이 305, 공차가 -4인 등차수열 $\{a_n\}$에 대하여 첫째항부터 제n항까지의 합 S_n이 최대가 되는 n의 값은?

① 74 ② 75 ③ 76
④ 77 ⑤ 78

1407 짱중요

●●○○

첫째항이 100, 공차가 -3인 등차수열에 대하여 첫째항부터 제n항까지의 합 S_n의 최댓값을 구하시오.

1408 중요

●●○○

제4항이 12, 제9항이 -38인 등차수열에 대하여 첫째항부터 제 몇 항까지의 합이 최대가 되는지 구하시오.

1409

●●●○

첫째항이 50, 공차가 정수인 등차수열 $\{a_n\}$에서 첫째항부터 제17항까지의 합이 최대가 될 때, 이 수열의 공차는?

① -1 ② -2 ③ -3
④ -4 ⑤ -5

1410

●●●○

첫째항이 7인 등차수열의 첫째항부터 제3항까지의 합과 첫째항부터 제5항까지의 합이 같다. 이 수열의 첫째항부터 제 몇 항까지의 합이 처음으로 음수가 되는가?

① 제5항 ② 제6항 ③ 제7항
④ 제8항 ⑤ 제9항

1411

●●●●

첫째항이 -90, 공차가 3인 등차수열 $\{a_n\}$의 첫째항부터 제n항까지의 합을 S_n이라 하자. $S_n>0$이 되도록 하는 최소의 자연수 n의 값을 α, S_n의 최솟값을 β라 할 때, $\alpha-\beta$의 값을 구하시오.

유형 13 나머지가 같은 수 또는 배수의 합

내신 중요도 ■■□□□ 유형 난이도 ★★★☆☆

(1) 자연수 d로 나누었을 때의 나머지가 $a\ (0<a<d)$인 자연수를 작은 것부터 차례대로 나열하면

$a,\ a+d,\ a+2d,\ \cdots$

⇨ 첫째항이 a이고, 공차가 d인 등차수열이다.

(2) 자연수 d의 양의 배수를 작은 것부터 차례대로 나열하면

$d,\ 2d,\ 3d,\ \cdots$

⇨ 첫째항과 공차가 d인 등차수열이다.

1412 ●●○○

200 이하의 자연수 중에서 4로 나누어 떨어지는 수의 총합은?

① 5000 ② 5050 ③ 5100
④ 5150 ⑤ 5200

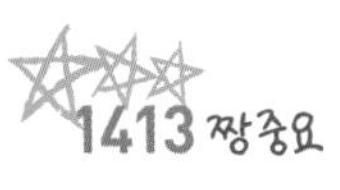

1413 짱중요 ●●●○

두 자리의 자연수 중에서 5로 나누면 3이 남는 자연수의 총합은?

① 998 ② 999 ③ 1000
④ 1001 ⑤ 1002

1414 ●●●○

50 이하의 자연수 중에서 3 또는 4의 배수의 합을 구하시오.

유형 14 등차수열의 합과 일반항 사이의 관계

내신 중요도 ■■■■□ 유형 난이도 ★★★★☆

수열 $\{a_n\}$의 첫째항부터 제n항까지의 합을 S_n이라 하면

$a_1=S_1,\ a_n=S_n-S_{n-1}$ (단, $n\geq2$)

1415 ●●○○

첫째항이 a, 공차가 d인 등차수열 $\{a_n\}$의 첫째항부터 제n항까지의 합 S_n이 $S_n=n^2+5n$일 때, $a+d$의 값을 구하시오.

1416 중요 ●●○○

수열 $\{a_n\}$의 첫째항부터 제n항까지의 합 S_n이 $S_n=n^2+3n$일 때, $a_{30}-a_{20}$의 값은?

① 10 ② 20 ③ 30
④ 40 ⑤ 50

1417 짱중요 ●●○○

수열 $\{a_n\}$의 첫째항부터 제n항까지의 합 S_n이 $S_n=n^2+3n+1$일 때, a_1+a_{10}의 값을 구하시오.

1418

수열 $\{a_n\}$에 대하여 $\dfrac{a_1+a_2+\cdots+a_n}{n}=n+\dfrac{1}{n}$이 성립할 때, a_1+a_{10}의 값은?

① 18 ② 19 ③ 20
④ 21 ⑤ 22

1419 중요

수열 $\{a_n\}$의 첫째항부터 제n항까지의 합 S_n이 $S_n=-n^2+16n$일 때, 처음으로 음수가 되는 항은 제 몇 항인지 구하시오.

1420

수열 $\{a_n\}$의 첫째항부터 제n항까지의 합 S_n이 $S_n=n^2+3n-1$일 때, $a_k=202$를 만족하는 k의 값은?

① 96 ② 98 ③ 100
④ 102 ⑤ 104

1421

수열 $\{a_n\}$의 첫째항부터 제n항까지의 합 S_n은 $S_n=2n^2+kn$이고, $a_{10}=22$이다. 이때, a_1의 값을 구하시오.

1422

등차수열 $\{a_n\}$에 대하여 첫째항부터 제n항까지의 합 S_n이 $S_n=n^2+1$일 때, 다음 〈보기〉 중 옳은 것을 모두 고른 것은?

보기

ㄱ. $a_1=2$
ㄴ. $n\geq 2$일 때, $a_n=2n-1$
ㄷ. 수열 $\{a_{2n}\}$의 공차는 4이다.

① ㄱ ② ㄴ ③ ㄱ, ㄴ
④ ㄴ, ㄷ ⑤ ㄱ, ㄴ, ㄷ

1423

첫째항부터 제n항까지의 합 S_n이 $S_n=n^2+3n$인 수열 $\{a_n\}$에서 $a_1+a_3+a_5+\cdots+a_{2n-1}=220$을 만족시키는 n의 값은?

① 8 ② 9 ③ 10
④ 11 ⑤ 12

유형 15 등차수열의 응용

내신 중요도 ■■■■■ 유형 난이도 ★★★★☆

(1) 표, 그림, 도형의 나열 등으로 주어진 수열
⇨ 처음 몇 개의 항을 나열하여 규칙성을 파악한다.

(2) 두 수 a, b 사이에 n개의 수를 넣어 만든 등차수열의 합을 S_{n+2}라 하면
⇨ S_{n+2}는 첫째항이 a, 제$(n+2)$항이 b, 항의 개수가 $n+2$인 등차수열의 합이다.
⇨ $S_{n+2}=\frac{(n+2)(a+b)}{2}$

1424

수직선 위의 두 점 P(1), Q(9)에 대하여 선분 PQ를 20등분하는 점의 좌표를 차례로 x_1, x_2, x_3, $\cdots$, x_{19}라고 할 때, $x_1+x_2+x_3+\cdots+x_{19}$의 값은?

① 80 ② 85 ③ 90
④ 95 ⑤ 105

1425 중요

좌표평면 위의 두 점 A(2, 3), B(20, 30)을 잇는 선분 AB를 10등분하는 9개의 점들의 x좌표의 합을 구하시오.

1426

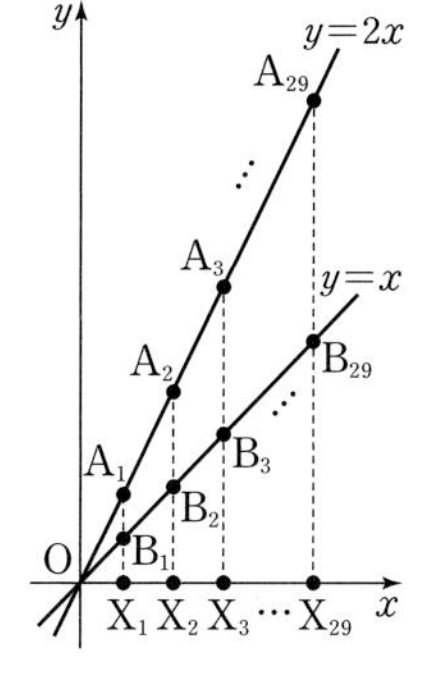

그림과 같이 좌표평면의 x축 위에 일정한 간격으로 $X_1(1, 0)$, $X_2(2, 0)$, $X_3(3, 0)$, $\cdots$, $X_{29}(29, 0)$을 잡는다. 그리고 각 점에서 x축에 수직인 직선을 그어 두 직선 $y=2x$, $y=x$와 만나는 점을 각각 A_i, B_i $(i=1, 2, \cdots, 29)$라고 할 때, $\overline{A_1B_1}+\overline{A_2B_2}+\cdots+\overline{A_{29}B_{29}}$의 값은?

① 431 ② 432
③ 433 ④ 434
⑤ 435

1427

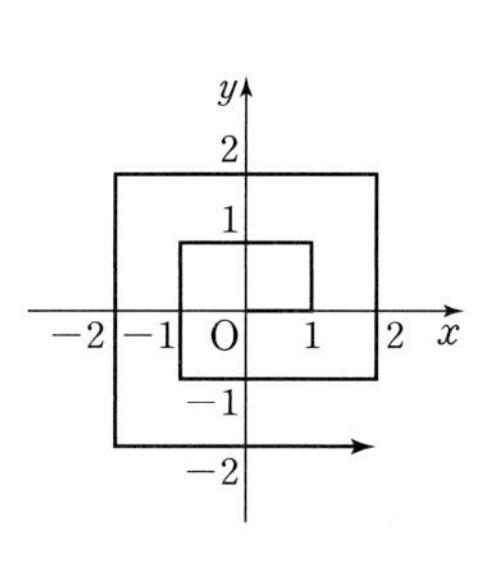

그림은 원점에서 출발하여 점 (1, 0), (1, 1), (0, 1), (−1, 1), (−1, 0), $\cdots$의 순서대로 x, y의 좌표가 모두 정수인 점을 계속해서 지나가는 꺾은 선을 나타낸 것이다. 원점에서 이 꺾은 선을 따라 점 (−10, −10)에 이르는 거리를 구하시오.

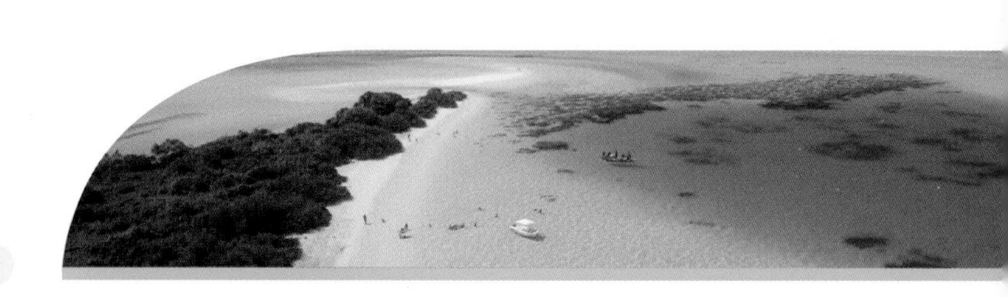

1428

수열 $\{a_n\}$의 일반항이 $a_n=n^2-n$일 때, a_2+a_5의 값은?

① 19 ② 20 ③ 21
④ 22 ⑤ 23

1429

제4항이 10이고, 제7항이 19인 등차수열 $\{a_n\}$의 제10항은?

① 24 ② 26 ③ 28
④ 30 ⑤ 32

1430

등차수열 $\{a_n\}$에서 $a_3=10$, $2a_5-a_8=6$일 때, a_{30}의 값은?

① 112 ② 114 ③ 116
④ 118 ⑤ 120

1431 서술형

$a_3=8$, $a_7:a_{11}=5:8$인 등차수열 $\{a_n\}$에서 처음으로 100 이상이 되는 항은 제 몇 항인지 구하시오.

1432

두 집합

$A=\{5n-2\,|\,n=1, 2, 3, \cdots, 100\}$,

$B=\{3n+2\,|\,n=1, 2, 3, \cdots, 100\}$

에 대하여 집합 $A\cap B$의 원소를 작은 수부터 차례대로 a_1, a_2, a_3, $\cdots$이라 할 때, a_{10}의 값은?

① 128 ② 143 ③ 158
④ 173 ⑤ 188

1433

세 수 x, y, z가 이 순서대로 등차수열을 이루고, 이 세 수들의 합이 6, 제곱의 합이 30일 때, x의 값은? (단, $x\le y\le z$)

① -1 ② -2 ③ -3
④ -4 ⑤ -5

1434

사각형 ABCD의 네 각 ∠A, ∠B, ∠C, ∠D의 크기가 차례로 등차수열을 이루고, 최대인 각의 크기가 최소인 각의 크기의 3배가 될 때, 최대인 각의 크기는?

① 117° ② 120° ③ 126°
④ 135° ⑤ 142°

1435

첫째항이 19, 공차가 -2인 등차수열 $\{a_n\}$에서
$|a_1|+|a_2|+|a_3|+\cdots+|a_{18}|$의 값을 구하시오.

1436 서술형

등차수열 $\{a_n\}$에 대하여 $a_8+a_9+a_{10}+a_{11}+a_{12}=5$, $a_{17}+a_{18}+a_{19}+a_{20}+a_{21}=55$일 때, $a_1+a_2+\cdots+a_{10}$의 값을 구하시오.

1437

두 등차수열 $\{a_n\}$, $\{b_n\}$의 첫째항부터 제n항까지의 합을 각각 S_n, S_n'이라 하자.

$$S_n : S_n'=(2n-1):(3n+2)$$

인 관계가 성립할 때, $a_5 : b_5$는?

① 7 : 15 ② 17 : 29 ③ 19 : 35
④ 23 : 25 ⑤ 29 : 35

1438

첫째항이 19, 공차가 -2인 등차수열 $\{a_n\}$에 대하여 첫째항부터 제n항까지의 합의 최댓값을 구하시오.

1439

수열 $\{a_n\}$의 첫째항부터 제n항까지의 합 S_n이 $S_n=n^2-2n+3$일 때, a_1+a_{10}의 값은?

① 18 ② 19 ③ 20
④ 21 ⑤ 22

Level 1

1440

제5항이 같은 두 등차수열 $\{a_n\}$, $\{b_n\}$에서 $b_8=\frac{3}{2}a_8$, $b_{11}=\frac{9}{5}a_{11}$일 때, $\frac{b_{14}}{a_{14}}$의 값은?

① 1　　② 2　　③ 3
④ 4　　⑤ 5

1441

유한개의 항으로 이루어진 두 등차수열 $\{a_n\}$, $\{b_m\}$이 다음과 같다.

$\{a_n\}$: 5, 8, 11, 14, ⋯, 1202
$\{b_m\}$: 2, 7, 12, 17, ⋯, 1212

이때, $a_p=b_q$를 만족하는 두 자연수 p, q에 대하여 $p+q$의 최댓값을 구하시오.

1442

그림과 같이 직각삼각형 ABC의 꼭짓점 C에서 빗변 AB에 내린 수선의 발을 H라 하자. △BCH, △CAH, △ABC의 넓이가 이 순서대로 등차수열을 이룰 때, $\overline{BC}:\overline{CA}:\overline{AB}$는?

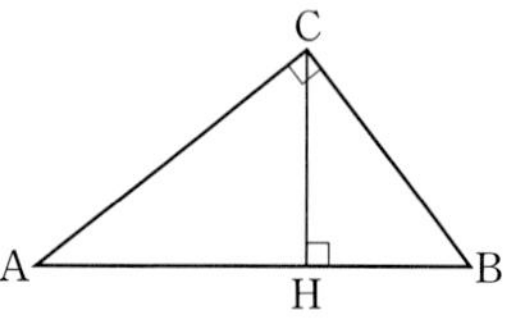

① $3:4:5$　　② $4:3:5$　　③ $1:\sqrt{2}:\sqrt{3}$
④ $\sqrt{2}:1:\sqrt{3}$　　⑤ $1:\sqrt{3}:2$

1443

수열 $\{a_n\}$은 각 항이 정수인 등차수열이고, $a_1=21$이다. $a_6a_7<0$을 만족할 때, 이 수열의 공차는 d이고, 제n항까지의 합이 최대이다. 이때, $d+n$의 값을 구하시오.

1444

두 집합 A와 B가

$A=\{3n-2 \mid n\text{은 자연수}\}$,

$B=\{4n-1 \mid n\text{은 자연수}\}$

일 때, 다음 두 조건을 만족하는 x의 총합은?

(가) $x \in A \cap B$
(나) x는 100 이하의 자연수이다.

① 368 ② 376 ③ 384
④ 392 ⑤ 400

1445

교육청 기출

첫째항이 1인 등차수열 $\{a_n\}$이 다음 조건을 만족시킨다.

(가) $a_2+a_6+a_{10}=8$
(나) $a_1+a_2+a_3+\cdots+a_n=25$

이때, n의 값을 구하시오.

Level 2

1446

-7과 7 사이에 n개의 수 $a_1, a_2, a_3, \cdots, a_n$을 넣어 공차가 자연수인 등차수열을 만들었다. 모든 항의 절댓값의 합이 32일 때, n의 값은?

① 3 ② 4 ③ 5
④ 6 ⑤ 7

1447

이차방정식 $x^2-2x-8=0$의 두 근이 α, β일 때, 세 수 α, p, β는 이 순서대로 등차수열을 이루고, 세 수 α, q, β는 그 역수가 이 순서대로 등차수열을 이룬다. 다음 중 p, q를 두 근으로 하는 이차항의 계수가 1인 이차방정식은?

① $x^2-7x-8=0$ ② $x^2+7x-8=0$
③ $x^2-4x+10=0$ ④ $x^2+4x-10=0$
⑤ $x^2+4x+10=0$

1448

공차가 d ($d \neq 0$)인 등차수열 $\{a_n\}$에 대하여 수열 $\{T_n\}$을

$$T_n = a_1 - a_2 + a_3 - a_4 + \cdots + (-1)^{n-1}a_n$$

으로 정의할 때, 다음 〈보기〉 중 옳은 것을 모두 고른 것은?

보기

ㄱ. $T_4 = 2d$
ㄴ. $T_5 = a_3$
ㄷ. 수열 $\{T_{2n}\}$은 등차수열이다.

① ㄱ ② ㄴ ③ ㄱ, ㄴ
④ ㄱ, ㄷ ⑤ ㄴ, ㄷ

1449

교육청 기출

그림과 같이 좌표축 위의 다섯 개의 점 A, B, C, D, E에 대하여 $\overline{AB} \perp \overline{BC}$, $\overline{BC} \perp \overline{CD}$, $\overline{CD} \perp \overline{DE}$가 성립한다. 세 선분 $\overline{AO}$, $\overline{OC}$, $\overline{EA}$의 길이가 이 순서대로 등차수열을 이룰 때, 직선 AB의 기울기는? (단, O는 원점이고, $\overline{OA} < \overline{OB}$이다.)

① $\sqrt{2}$ ② $\sqrt{3}$ ③ 2
④ $\sqrt{5}$ ⑤ $\sqrt{6}$

1450

양수로 이루어진 등차수열 $a_1, a_2, a_3, \cdots, a_{21}$에서 홀수 번째 항들의 합을 S, 짝수 번째 항들의 합을 T라 할 때, $S : T$는?

① 10 : 11 ② 11 : 10 ③ 11 : 21
④ 20 : 21 ⑤ 21 : 20

1451

평가원 기출

공차가 d_1, d_2인 두 등차수열 $\{a_n\}$, $\{b_n\}$의 첫째항부터 제n항까지의 합을 각각 S_n, T_n이라 하자.

$$S_n T_n = n^2(n^2 - 1)$$

일 때, 〈보기〉에서 항상 옳은 것을 모두 고른 것은?

보기

ㄱ. $a_n = n$이면 $b_n = 4n - 4$이다.
ㄴ. $d_1 d_2 = 4$
ㄷ. $a_1 \neq 0$이면 $a_n = n$이다.

① ㄱ ② ㄴ ③ ㄱ, ㄴ
④ ㄱ, ㄷ ⑤ ㄱ, ㄴ, ㄷ

1452

공차 d가 자연수인 등차수열 $\{a_n\}$에 대하여 $f(n)$, $g(n)$이 다음과 같다.

$$f(n)=a_2+a_4+\cdots+a_{2n},$$
$$g(n)=a_1+a_3+\cdots+a_{2n-1}$$

자연수 m에 대하여 $f(m)=350$, $g(m)=301$이 성립할 때, $d+m$의 값은? (단, $d\geq 2$, $m\geq 2$)

① 11　② 12　③ 13　④ 14　⑤ 15

1453

수열 $\{a_n\}$의 첫째항부터 제n항까지의 합 S_n이 $S_n=2pn^2+(1-2p)n$일 때, 다음 〈보기〉 중 옳은 것을 모두 고른 것은? (단, $p\neq 0$)

보기

ㄱ. $a_1=1$
ㄴ. 수열 $\{a_n\}$은 공차가 $4p$인 등차수열이다.
ㄷ. $a_{101}=-99$이면 $a_{n+1}=a_n-1$이다.

① ㄱ　② ㄴ　③ ㄴ, ㄷ　④ ㄱ, ㄷ　⑤ ㄱ, ㄴ, ㄷ

Level 3

1454

수열 $\{a_n\}$은 첫째항이 4의 배수인 양의 정수이고, 공차가 $-\frac{3}{4}$인 등차수열이다. $b_n=|a_n+a_{n+1}|$을 만족시키는 수열 $\{b_n\}$은 $n=11$일 때, 최솟값을 갖는다고 한다. 이때, $|a_1|+|a_5|+|a_9|+\cdots+|a_{37}|$의 값을 구하시오.

(단, $n=1, 2, 3, \cdots$)

1455

교육청 기출

첫째항이 0이 아닌 등차수열 $\{a_n\}$의 첫째항부터 제n항까지의 합 S_n에 대하여 $S_9=S_{18}$이다. 집합 T_n을

$$T_n=\{S_k\,|\,k=1, 2, 3, \cdots, n\}$$

이라 하자. 집합 T_n의 원소의 개수가 13이 되도록 하는 모든 자연수 n의 값의 합을 구하시오.

해설 224쪽

1456 교육청 기출

첫째항이 60인 등차수열 $\{a_n\}$에 대하여 수열 $\{T_n\}$을

$$T_n=|a_1+a_2+a_3+\cdots+a_n|$$

이라 하자. 수열 $\{T_n\}$이 다음 조건을 만족시킨다.

(가) $T_{19}<T_{20}$　　(나) $T_{20}=T_{21}$

$T_n>T_{n+1}$을 만족시키는 n의 최솟값과 최댓값의 합을 구하시오.

1457 평가원 기출

자연수 n에 대하여 함수 $f(x)$는

$$f(x)=x^2+n$$

이다. 함수 $y=f(x)$의 그래프와 직선 $y=mx$가 만나도록 하는 자연수 m의 최솟값을 a_n이라 하자. $a_n<a_{n+1}$을 만족시키는 33 이하의 모든 n의 값의 합을 구하시오.

09 등비수열

		제 목	내신중요도	유형난이도	문항수	문항번호
		기본 문제			50	1458~1507
유형문제	01	등비수열의 일반항	▬▬▬▬▬	★	9	1508~1516
	02	항 사이의 관계가 주어진 등비수열	▬▬▬	★★★	9	1517~1525
	03	조건을 만족시키는 등비수열	▬▬▬	★★★★	6	1526~1531
	04	등비중항	▬▬	★★★	6	1532~1537
	05	등차중항과 등비중항	▬▬▬▬	★★★	6	1538~1543
	06	등비수열을 이루는 수	▬▬	★★★★	6	1544~1549
	07	등비수열과 도형	▬	★★★★★	4	1550~1553
	08	등비수열의 활용	▬▬	★★★★★	6	1554~1559
	09	등비수열의 합	▬▬▬	★★★	9	1560~1568
	10	부분의 합이 주어진 등비수열의 합	▬▬▬▬	★★★★	6	1569~1574
	11	합에 대한 조건이 주어진 등비수열	▬▬	★★★★	5	1575~1579
	12	등비수열의 합과 일반항 사이의 관계	▬▬▬▬	★★★★	6	1580~1585
	13	등비수열의 합의 활용	▬▬▬	★★★★★	6	1586~1591
	14	원리합계	▬▬▬▬▬	★★★★★	9	1592~1600
		적중 문제			12	1601~1612
		고난도 문제			18	1613~1630

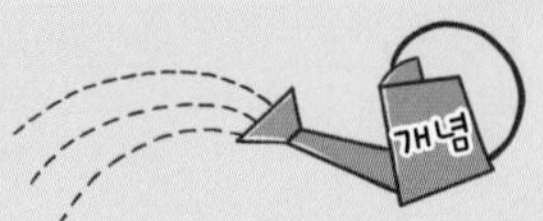

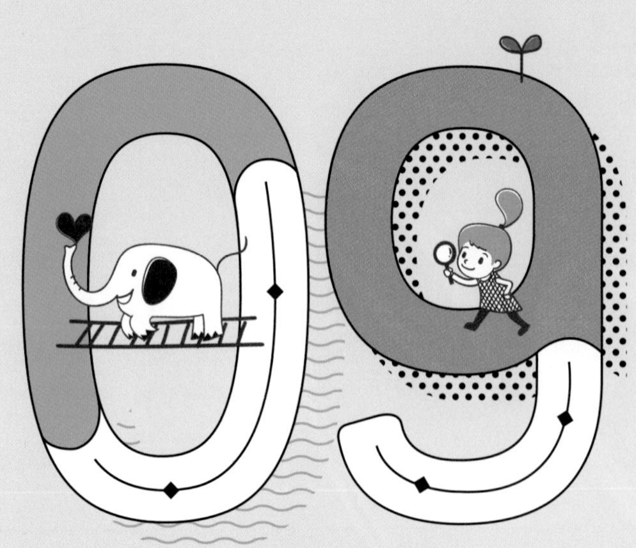

등비수열

1. 등비수열

(1) **등비수열**: 첫째항부터 차례로 일정한 수를 곱하여 얻어지는 수열

(2) **공비**: 등비수열에서 곱하는 일정한 수

(3) **등비수열의 일반항**: 첫째항이 a이고, 공비가 r인 등비수열의 일반항 a_n은

$$a_n=ar^{n-1}$$

참고

$a_1=a$

$a_2=a\times r$

$a_3=a\times r\times r$

$a_4=a\times r\times r\times r$

$\vdots$

$a_n=a\times r^{n-1}$

- 등비수열을 이루는 세 수 ⇨ a, ar, ar^2
- $r^0=1$ (단, $r\neq0$)
- 수열 $\{a_n\}$이 공비가 r인 등비수열이면 ⇨ $a_{n+1}=ra_n$, $\dfrac{a_{n+1}}{a_n}=r$, $\dfrac{a_n}{a_m}=r^{n-m}$, $a_{n+1}{}^2=a_n\times a_{n+2}$

2. 등비중항

0이 아닌 세 수 a, b, c가 이 순서대로 등비수열을 이룰 때, b를 a와 c의 등비중항이라고 한다. 이때 $\dfrac{b}{a}=\dfrac{c}{b}$이므로 다음이 성립한다.

$$b^2=ac$$

참고 세 수 a, b, c에 대한 등차중항, 등비중항, 조화중항은 각각

$$\frac{a+c}{2},\ \sqrt{ac},\ \frac{2ac}{a+c}$$

이고 $\dfrac{a+c}{2}\geq\sqrt{ac}\geq\dfrac{2ac}{a+c}$가 항상 성립한다.

또한, 이것은 두 양수 a, c에 대한 산술평균, 기하평균, 조화평균과 같다.

3. 등비수열의 합

첫째항이 a, 공비가 r인 등비수열의 첫째항부터 제 n항까지의 합 S_n은

(1) $r \neq 1$일 때,

$$S_n = \frac{a(1-r^n)}{1-r} = \frac{a(r^n-1)}{r-1}$$

(2) $r=1$일 때, $S_n = na$

$r>1$이면 $S_n = \frac{a(r^n-1)}{r-1}$

$r<1$이면 $S_n = \frac{a(1-r^n)}{1-r}$

을 이용하는 것이 편리하다.

4. 등비수열의 합과 일반항

(1) 수열 $\{a_n\}$의 첫째항부터 제 n항까지의 합을 S_n이라 하면

$a_1 = S_1$, $a_n = S_n - S_{n-1}$ (단, $n \geq 2$)

(2) 수열 $\{a_n\}$의 첫째항부터 제 n항까지의 합

$S_n = ar^n + b$ (a, b는 상수)에 대하여

수열 $\{a_n\}$은

① $a+b=0$이면 첫째항부터 등비수열을 이룬다.

② $a+b \neq 0$이면 둘째항부터 등비수열을 이룬다.

첫째항이 a, 공비가 r인 등비수열 $\{a_n\}$에서 첫째항부터 제n항까지의 합을 S_n이라 하면 S_n, $S_{2n}-S_n$, $S_{3n}-S_{2n}$은 이 순서대로 공비가 r^n인 등비수열을 이룬다.

예 $S_4 = a_1+a_2+a_3+a_4$
$= a+ar+ar^2+ar^3$
$S_8 - S_4 = a_5+a_6+a_7+a_8$
$= r^4(a+ar+ar^2+ar^3)$
$S_{12} - S_8 = a_9+a_{10}+a_{11}+a_{12}$
$= r^8(a+ar+ar^2+ar^3)$

5. 등비수열의 활용

원리합계는 적립한 원금에 이자를 더한 금액을 의미한다.

(1) 원금을 a, 이율을 r, 기간을 n이라 할 때, 원리합계 S를 복리법으로 계산하면

$$S = a(1+r)^n$$

(2) 매년 초에 a원씩 연이율 r의 복리로 n년간 적립할 때, 원리합계 S는

$$S = a(1+r) + a(1+r)^2 + a(1+r)^3 + \cdots + a(1+r)^n$$
$$= \frac{a(1+r)\{(1+r)^n-1\}}{r}$$

(3) 매년 말에 a원씩 연이율 r의 복리로 n년간 적립할 때, 원리합계 S는

$$S = a + a(1+r) + a(1+r)^2 + \cdots + a(1+r)^{n-1}$$
$$= \frac{a\{(1+r)^n-1\}}{r}$$

일정한 비율로 증가 또는 감소하는 경우
⇨ 등비수열을 이룬다.

(1) 일정한 비율 r씩 증가 (감소)
⇨ a, ar, ar^2, ar^3, $\cdots$

(2) 일정한 비율 $p\%$씩 증가
⇨ a, $a\left(1+\frac{p}{100}\right)$, $a\left(1+\frac{p}{100}\right)^2$, $\cdots$

(3) 일정한 비율 $p\%$씩 감소
⇨ a, $a\left(1-\frac{p}{100}\right)$, $a\left(1-\frac{p}{100}\right)^2$, $\cdots$

1 등비수열

[1458-1460] 다음 등비수열의 첫째항과 공비를 구하시오.

1458 $2, 4, 8, 16, 32, \cdots$

1459 $1, -\frac{1}{2}, \frac{1}{4}, -\frac{1}{8}, \frac{1}{16}, \cdots$

1460 $1, \sqrt{3}, 3, 3\sqrt{3}, 9, \cdots$

[1461-1464] 다음 등비수열 $\{a_n\}$의 첫째항과 공비를 구하시오.

1461 $\{3^n\}$

1462 $\left\{\left(\frac{1}{5}\right)^n\right\}$

1463 $\{3\times(-4)^n\}$

1464 $\left\{\frac{1}{5}\times 2^n\right\}$

[1465-1468] 다음 등비수열의 첫째항부터 제4항까지 순서대로 나열하시오.

1465 첫째항 : 3, 공비 : 2

1466 첫째항 : 5, 공비 : -2

1467 $\{2^{n+1}\}$

1468 $\{5\times(-1)^n\}$

[1469-1471] 다음 등비수열의 일반항 a_n과 a_5를 구하시오.

1469 첫째항 : 1, 공비 : 5

1470 첫째항 : 4, 공비 : -9

1471 첫째항 : 16, 공비 : $\frac{1}{2}$

[1472-1477] 다음 등비수열의 일반항 a_n을 구하시오.

1472 6, 12, 24, 48, 96, ⋯

1473 3, -6, 12, -24, 48, ⋯

1474 $\frac{1}{3}$, -1, 3, -9, 27, ⋯

1475 54, 18, 6, 2, $\frac{2}{3}$, ⋯

1476 0.1, 0.01, 0.001, 0.0001, 0.00001, ⋯

1477 1, $\sqrt{5}$, 5, $5\sqrt{5}$, 25, ⋯

[1478-1481] 다음 등비수열 $\{a_n\}$의 공비를 구하시오. (단, 공비는 양수이다.)

1478 $a_1=1$, $a_4=64$

1479 $a_1=5$, $a_3=45$

1480 $a_1=4$, $a_3=\frac{1}{4}$

1481 $a_3=6$, $a_5=12$

[1482-1484] 다음 등비수열 $\{a_n\}$의 공비를 구하시오.

1482 $a_1=5$, $a_4=-40$

1483 $a_1=-2$, $a_5=-32$

1484 $a_3=\frac{1}{9}$, $a_5=9$

[1485-1487] 다음 세 수가 주어진 순서대로 등비수열을 이룰 때, x의 값을 구하시오.

1485 $3,\ x,\ 12$

1486 $18,\ x,\ 50$

1487 $2,\ x,\ 4$

[1488-1489] 다음은 등비수열을 나타낸 것이다. 등비중항을 이용하여 $\square$ 안에 알맞은 수를 써넣으시오.

1488 $4,\ \square,\ 36,\ \square,\ 324,\ \cdots$

1489 $3,\ \square,\ \frac{1}{3},\ \square,\ \frac{1}{27},\ \cdots$

2 등비수열의 합

[1490-1492] 다음을 만족시키는 등비수열의 합을 구하시오.

1490 첫째항: 2, 공비: 4, 항의 개수: 5

1491 첫째항: 4, 공비: -3, 항의 개수: 5

1492 첫째항: 1, 공비: $\frac{1}{2}$, 항의 개수: 8

[1493-1495] 다음 등비수열의 첫째항부터 제10항까지의 합을 구하시오.

1493 $2,\ 4,\ 8,\ 16,\ \cdots$

1494 $2,\ 8,\ 32,\ 128,\ \cdots$

1495 $2,\ 1,\ \frac{1}{2},\ \frac{1}{4},\ \cdots$

[1496-1498] 다음 합을 구하시오.

1496 $\frac{1}{16}+\frac{1}{8}+\frac{1}{4}+\cdots+4$

1497 $3-6+12-\cdots-384$

1498 $3+\frac{3}{2}+\frac{3}{4}+\cdots+\frac{3}{16}$

3 수열의 합 S_n과 일반항 a_n 사이의 관계

[1499-1501] 수열 $\{a_n\}$의 첫째항부터 제 n항까지의 합 S_n에 대하여 다음을 구하시오.

1499 $S_9=32$, $S_{10}=50$일 때, a_{10}

1500 $S_{99}=512$, $S_{100}=1024$일 때, a_{100}

1501 $S_5=100$, $S_{10}=150$일 때, $a_6+a_7+a_8+a_9+a_{10}$의 값

[1502-1503] 수열 $\{a_n\}$의 첫째항부터 제 n항까지의 합 S_n이 다음과 같을 때, 제 5항을 구하시오.

1502 $S_n=2^n-1$

1503 $S_n=3^n-2$

[1504-1507] 등비수열 $\{a_n\}$의 첫째항부터 제 n항까지의 합 S_n이 다음과 같을 때, a_1과 일반항 a_n을 구하시오.

1504 $S_n=3^n-1$

1505 $S_n=2^{n+1}-2$

1506 $S_n=2^n+5$

1507 $S_n=2\times3^n-1$

유형 내신 중요도 유형 난이도 ★☆☆☆☆

01 등비수열의 일반항

(1) 등비수열: 첫째항부터 차례로 일정한 수를 곱하여 얻어지는 수열
(2) 공비: 등비수열에서 곱하는 일정한 수
(3) 첫째항이 a, 공비가 r인 등비수열의 일반항 a_n은
$a_n=ar^{n-1}$

1508

등비수열 $4, 2, 1, \frac{1}{2}, \frac{1}{4}, \cdots$의 일반항은?

① $\left(\frac{1}{2}\right)^{n-3}$ ② $\left(\frac{1}{2}\right)^{n-2}$ ③ $\left(\frac{1}{2}\right)^{n-1}$
④ $\left(\frac{1}{2}\right)^{n+1}$ ⑤ $\left(\frac{1}{2}\right)^{n+2}$

1509 짱중요

첫째항이 2, 공비가 $-\frac{1}{\sqrt{2}}$인 등비수열 $\{a_n\}$의 a_9의 값은?

① $\frac{1}{16}$ ② $\frac{1}{8}$ ③ $\frac{1}{4\sqrt{2}}$
④ $\frac{1}{4}$ ⑤ $\frac{1}{2\sqrt{2}}$

1510

첫째항이 5이고, 제5항이 80인 등비수열의 공비는?

① -2 ② $-\frac{1}{2}$ ③ $\pm\frac{1}{2}$
④ ±2 ⑤ 2 또는 $\frac{1}{2}$

1511

$a_1=1$, $a_{n+1}=\sqrt{3}a_n$인 수열 $\{a_n\}$에서 a_8의 값은?

① $9\sqrt{3}$ ② 27 ③ $27\sqrt{3}$
④ 81 ⑤ $81\sqrt{3}$

1512

등비수열 $\{a_n\}$에 대하여 $a_3=2$, $a_6=16$일 때, a_9의 값을 구하시오.

1513 짱중요

제4항이 24이고, 제8항이 384인 등비수열 $\{a_n\}$의 제10항은?
(단, 공비는 양수이다.)

① 2^{10} ② $3\cdot2^9$ ③ $3\cdot2^{10}$
④ 3^9 ⑤ $2\cdot3^{10}$

1514 중요 ●○○○

네 수 -2, a, b, 54는 이 순서대로 등비수열을 이룬다고 할 때, ab의 값은?

① 108　② 36　③ -12
④ -36　⑤ -108

1515 중요 ●●○○

등비수열 $\{a_n\}$의 첫째항이 4, 공비가 2일 때, 1024는 제 몇 항인가?

① 제8항　② 제9항　③ 제10항
④ 제11항　⑤ 제12항

1516 ●●●○

등비수열에서 제2항이 10이고, 제5항이 80일 때, 640은 제n항이다. 자연수 n의 값은?

① 7　② 8　③ 9
④ 10　⑤ 11

유형 02 항 사이의 관계가 주어진 등비수열

내신 중요도 ▬▬▬▬▬ 유형 난이도 ★★★☆☆

등비수열 $\{a_n\}$의 첫째항이 a, 공비가 r일 때

(1) $a_n+a_{n+1}=a_n(1+r)$

$a_n+a_{n+2}+a_{n+4}=a_n(1+r^2+r^4)$

(2) $a_n=a_m r^{n-m}$ ➡ $\dfrac{a_n}{a_m}=r^{n-m}$ (단, $n>m$, m, n은 자연수)

1517 중요 ●●○○

등비수열 $\{a_n\}$에 대하여 $a_3+a_5=60$, $a_9=4a_7$일 때, a_{11}의 값을 구하시오.

1518 ●●○○

모든 항이 양수인 등비수열 $\{a_n\}$에 대하여 $a_2a_4=16$, $a_3a_5=64$일 때, a_7의 값을 구하시오.

1519 중요 ●●●○

등비수열 $\{a_n\}$에 대하여 $a_1+a_2+a_3=-24$, $a_4+a_5+a_6=3$이 성립할 때, 수열 $\{a_n\}$의 첫째항은?

① -32　② -27　③ 27
④ 32　⑤ 45

1520 ●●○○

첫째항과 공비가 모두 0이 아닌 등비수열 $\{a_n\}$에 대하여

$\dfrac{a_6}{a_1}+\dfrac{a_7}{a_2}+\dfrac{a_8}{a_3}+\cdots+\dfrac{a_{15}}{a_{10}}=50$일 때, $\dfrac{a_{20}}{a_{10}}$의 값을 구하시오.

1521 중요 평가원 기출 ●●○○

모든 항이 양수인 등비수열 $\{a_n\}$에 대하여

$$a_1=3,\ \frac{a_4a_5}{a_2a_3}=16$$

일 때, a_6의 값을 구하시오.

1522 중요 ●●○○

첫째항이 32인 등비수열 $\{a_n\}$에서 $a_4 : a_8=2 : 3$일 때, a_{13}의 값을 구하시오.

1523 ●●○○

양수로 이루어진 등비수열 $\{a_n\}$에서 $a_1a_2a_3a_4=2000$일 때, $a_1a_4+a_2a_3$의 값은?

① $10\sqrt{5}$ ② $20\sqrt{5}$ ③ $30\sqrt{5}$
④ $40\sqrt{5}$ ⑤ $50\sqrt{5}$

1524 ●●●○

등비수열 $\{a_n\}$이

$$a_1a_4+a_2a_3=6,\ a_1a_3+a_2a_4=10$$

을 만족시킬 때, 공비 r의 값은? (단, $r>1$)

① $\dfrac{3}{2}$ ② $\sqrt{3}$ ③ 2
④ 3 ⑤ $2\sqrt{3}$

1525 교육청 기출 ●●●○

세 양수 a, b, c는 이 순서대로 등비수열을 이루고, 다음 두 조건을 만족한다.

> (가) $a+b+c=\dfrac{7}{2}$ (나) $abc=1$

이때, $a^2+b^2+c^2$의 값을 구하시오.

유형 03 조건을 만족시키는 등비수열

내신 중요도 ■■■■■ 유형 난이도 ★★★★☆

공비가 r인 등비수열 $\{a_n\}$에 대하여
$b_n=a_{2n}$ 또는 $b_n=a_{2n-1}$
로 정의하면, 수열 $\{b_n\}$은 공비가 r^2인 등비수열이다.

1526 중요 ●●○○

첫째항이 1이고, 공비가 2인 등비수열 $\{a_n\}$에서 처음으로 2000보다 크게 되는 항은 제 몇 항인가?

① 제11항 ② 제12항 ③ 제13항
④ 제14항 ⑤ 제15항

1527 ●●○○

첫째항이 64, 공비가 $-\frac{1}{2}$인 등비수열 $\{a_n\}$에 대하여 수열 $\{b_n\}$이 $b_n=a_{2n}$을 만족시킬 때, 등비수열 $\{b_n\}$의 공비는?

① $-\frac{1}{2}$ ② $-\frac{1}{4}$ ③ 1
④ $\frac{1}{4}$ ⑤ $\frac{1}{2}$

1528 중요 ●●●○

등비수열 $\{a_n\}$에 대하여 수열 $\{a_n+2a_{n+1}\}$은 첫째항이 16, 공비가 $\frac{1}{2}$인 등비수열을 이룬다. 수열 $\{a_n\}$의 첫째항은?

① 6 ② 7 ③ 8
④ 9 ⑤ 10

1529 중요 ●●●○

등차수열 $\{a_n\}$과 등비수열 $\{b_n\}$은 다음 조건을 만족한다.

(가) $a_1=2,\ b_1=2$ (나) $a_2=b_2,\ a_4=b_4$

이때, a_5+b_5의 값을 구하시오.
(단, 수열 $\{b_n\}$의 공비는 1이 아니다.)

1530 ●●●●

등비수열 $\{a_n\}$의 $a_1,\ a_2,\ a_3$이 다음 두 조건을 만족한다.

(가) $a_1+a_2+a_3=12$
(나) $a_2,\ a_1,\ a_3$의 순서대로 등차수열을 이룬다.

등비수열 $\{a_n\}$의 공비를 r라 할 때, a_1+r의 값은? (단, $r\neq1$)

① -2 ② -1 ③ 0
④ 1 ⑤ 2

1531 교육청 기출 ●●●●

각 항이 양수인 등비수열 $\{a_n\}$에 대하여 수열 $\{b_n\}$을 다음과 같이 정의한다.

$b_n=\log_3 a_n\ (n=1,\ 2,\ 3,\ \cdots)$

수열 $\{b_n\}$이 다음 조건을 만족시킬 때, a_{11}의 값은?

(가) $b_1+b_3+b_5+\cdots+b_{15}+b_{17}=36$
(나) $b_2+b_4+b_6+\cdots+b_{16}+b_{18}=45$

① 3^5 ② 3^6 ③ 3^7
④ 3^8 ⑤ 3^9

유형 04 등비중항

내신 중요도 ■■■■■ 유형 난이도 ★★★☆☆

(1) 0이 아닌 세 수 a, b, c가 이 순서대로 등비수열을 이룰 때, b를 a와 c의 등비중항이라 하고, 다음이 성립한다.
⇨ $b^2=ac$

(2) 세 수가 등비수열을 이룰 때
⇨ a, ar, ar^2으로 놓고 식을 세운다.

1532

●○○○

5는 두 수 a, b의 등비중항이고, 두 수 a, b의 합이 9일 때, a^2+b^2의 값은?

① 28 ② 29 ③ 30
④ 31 ⑤ 32

1533 중요

●○○○

세 양수 x, $x+6$, $4x$가 이 순서대로 등비수열을 이룰 때, x의 값을 구하시오.

1534

●○○○

등비수열 $\{a_n\}$에서 $a_1a_2a_3=27$일 때, a_2의 값은?

① 1 ② 3 ③ 5
④ 7 ⑤ 9

1535

●●●○

다음 표의 가로줄과 세로줄에 있는 세 양수가 각각 등비수열을 이룰 때, $a+b+c+d+e$의 값은?

a	b	$\frac{1}{2}$
18	c	d
e	4	8

① 169 ② 172 ③ 175
④ 178 ⑤ 181

1536

●●●○

${}_{10}\mathrm{C}_1a^9$, ${}_{10}\mathrm{C}_2a^8$, ${}_{10}\mathrm{C}_4a^6$이 이 순서로 등비수열을 이룰 때, 상수 a의 값을 구하시오. (단, $a\neq0$)

1537 교육청 기출

●●●●

서로 다른 세 자연수 a, b, c가 다음 세 조건을 모두 만족시킬 때, $a+b+c$의 값을 구하시오.

(가) a, b, c는 이 순서대로 등비수열을 이룬다.
(나) $b-a=n^2$ (n은 자연수이다.)
(다) $\log_6 a+\log_6 b+\log_6 c=3$

내신 중요도 유형 난이도 ★★★☆☆

05 등차중항과 등비중항

세 수 a, b, c가 이 순서대로
(1) 등차수열을 이룬다. ⇨ $2b=a+c$
(2) 등비수열을 이룬다. ⇨ $b^2=ac$

1538 중요

세 수 1, x, 4가 이 순서대로 등차수열을 이루고, 세 수 1, y, 4가 이 순서대로 등비수열을 이룬다. 이때, $x+y$의 값은?
(단, y는 양수이다.)

① 3 ② $\frac{7}{2}$ ③ 4
④ $\frac{9}{2}$ ⑤ 5

1539

세 수 -4, a, 8이 이 순서대로 등차수열을 이루고, 세 수 a, 6, b가 이 순서대로 등비수열을 이룰 때, $a+b$의 값은?

① 8 ② 12 ③ 16
④ 20 ⑤ 24

1540 짱중요

두 정수 a, b에 대하여 세 수 3, a, b가 이 순서대로 등차수열을 이루고, 세 수 a, $\sqrt{5}$, b가 이 순서대로 등비수열을 이룬다고 할 때, a^2+b^2의 값은?

① 22 ② 24 ③ 26
④ 28 ⑤ 30

1541

10은 두 수 a, b의 등차중항이고, 8은 두 수 a, b의 등비중항일 때, $a-b$의 값은? (단, $a>b$)

① 8 ② 10 ③ 12
④ 14 ⑤ 16

1542

서로 다른 세 실수 a, b, c가 이 순서대로 등차수열을 이루고, b, a, c가 이 순서대로 등비수열을 이룬다. 세 수의 곱이 8일 때, $a+b+c$의 값은?

① -3 ② -2 ③ -1
④ 0 ⑤ 1

1543 중요

공차가 0이 아닌 등차수열 $\{a_n\}$의 세 항 a_2, a_4, a_9가 이 순서대로 공비가 r인 등비수열을 이룰 때, $6r$의 값을 구하시오.

유형 06 등비수열을 이루는 수

내신 중요도 유형 난이도 ★★★★☆

두 수 a, b 사이에 n개의 수 a_1, a_2, a_3, $\cdots$, a_n을 넣어
a, a_1, a_2, a_3, $\cdots$, a_n, b가 등비수열을 이루는 경우
(1) 항의 개수: $n+2$
(2) a는 첫째항이고, b는 제$(n+2)$항이다.
(3) $b=ar^{n+1}$ (단, r는 공비)

1544

두 수 5와 45 사이에 5개의 양수를 넣어 이 순서대로 등비수열 $\{a_n\}$을 만들 때, a_4의 값은?

① 6 ② 9 ③ 12
④ 15 ⑤ 18

1545 중요

두 수 2와 18 사이에 세 개의 양수 a, b, c를 넣어 2, a, b, c, 18이 이 순서대로 등비수열을 이루도록 할 때, abc의 값을 구하시오.

1546

이차방정식 $x^2+ax+b=0$의 두 실근을 각각 α, β라 하면 세 수 α, -4, β는 이 순서대로 등차수열을 이루고, 세 수 α, 2, β는 이 순서대로 등비수열을 이룬다. 이때, 두 실수 a, b의 합 $a+b$의 값은?

① 10 ② 11 ③ 12
④ 13 ⑤ 14

1547

삼차방정식 $x^3-7x^2+px+q=0$의 세 근이 공비가 2인 등비수열을 이룰 때, 상수 p, q의 합 $p+q$의 값은?

① 6 ② 7 ③ 8
④ 9 ⑤ 10

1548 중요

두 곡선 $y=x^3+x^2+4x$와 $y=3x^2+k$가 서로 다른 세 점에서 만나고 그 교점의 x좌표가 등비수열을 이룰 때, 상수 k의 값은?

① 1 ② 2 ③ 4
④ 8 ⑤ 16

1549

다항식 $f(x)=x^2+2x+a$를 $x+1$, $x-1$, $x-2$로 나누었을 때의 나머지가 이 순서대로 등비수열을 이룬다. 이때, $f(x)$를 $x+2$로 나누었을 때의 나머지는?

① 16 ② 17 ③ 18
④ 19 ⑤ 20

유형 07 등비수열과 도형

내신 중요도 ▬▬▬▬▬ 유형 난이도 ★★★★★

도형의 길이, 넓이, 부피 등이 일정한 비율로 변할 때
⇨ 처음 몇 개의 항을 나열하여 규칙성을 파악한다.

1550

어떤 직육면체의 가로의 길이, 세로의 길이, 높이는 이 순서대로 등비수열을 이룬다고 한다. 모든 모서리의 길이의 합이 32이고, 부피가 27일 때, 이 직육면체의 겉넓이는?

① 42 ② 44 ③ 46
④ 48 ⑤ 50

1551

한 변의 길이가 3인 정사각형이 있다. 첫 번째 시행에서 그림과 같이 정사각형을 9등분하여 중앙의 정사각형을 버린다. 두 번째 시행에서는 첫 번째 시행의 결과로 남은 나머지 8개의 정사각형을 같은 방법으로 각각 9등분하여 중앙의 정사각형을 버린다. 이와 같은 시행을 10번 반복할 때, 남아 있는 도형의 넓이는 $\frac{2^p}{3^q}$이다. 이때, 자연수 p, q의 합 $p+q$의 값은?

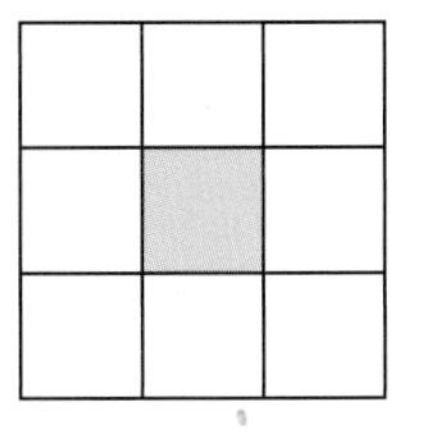

① 42 ② 44 ③ 46
④ 48 ⑤ 50

1552 중요

넓이가 4인 정사각형의 종이를 그림과 같이 각 변의 중점을 이은 정사각형을 만든 후, 정사각형 이외의 부분을 오려낸다. 이와 같은 방법을 10회 반복 시행한 후 남아있는 정사각형의 한 변의 길이를 구하시오.

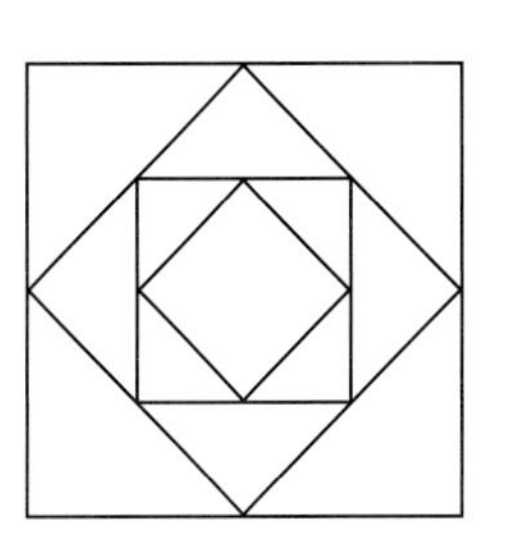

1553

한 변의 길이가 4인 정육면체가 있다.

[그림 1]은 이 정육면체의 각 모서리를 수직이등분하여 분리된 정육면체들을 나타낸 것이다.
[그림 2]는 [그림 1]의 정육면체들의 각 모서리를 수직이등분하여 분리된 정육면체들을 나타낸 것이다.

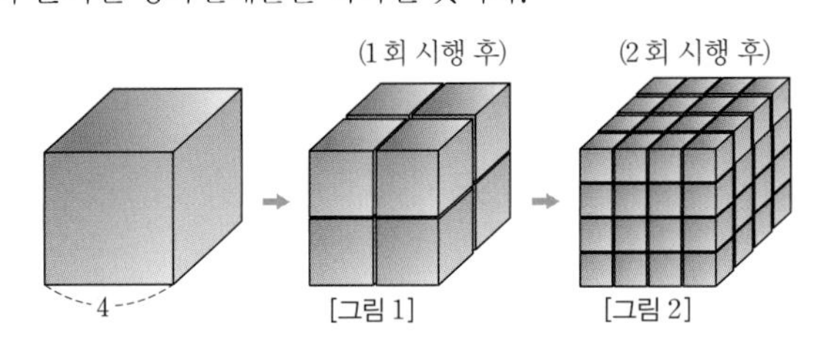

이와 같은 시행을 계속해 나갈 때, 5회 시행 후 분리된 모든 정육면체들의 겉넓이의 합은?

① 3×2^{10} ② 3×2^{12} ③ 3×2^{15}
④ 3×2^{17} ⑤ 3×2^{20}

유형 08 등비수열의 활용

내신 중요도 유형 난이도 ★★★★★

처음의 양을 a, 매시간 (또는 매년) 증가율을 r라 하면
⇨ n시간 (또는 n년) 후의 양은 $a(1+r)^n$

1554

어떤 세균의 개체 수는 1시간마다 r배 증가한다. 이 세균 100마리를 관찰한 결과 3시간 후 800마리로 증가하였을 때, 실수 r의 값은?

① $\sqrt{2}$ ② 2 ③ $2\sqrt{2}$
④ 4 ⑤ $4\sqrt{2}$

1555

매시간마다 개체 수가 두 배로 증가하는 세균이 있다. 즉, 세균 1마리는 3시간 후에 8마리로 증가한다. 1마리의 세균이 2000마리 이상 되는 데 걸리는 시간 t의 최솟값을 구하시오.
(단, t는 자연수)

1556 중요

어느 자동차 회사는 신형차를 개발하면서 올해 1월에는 1000대를 생산하고, 이후 매달 생산량을 10 %씩 늘려나가는 것을 목표로 정하였다. 1년 동안 이 목표를 달성하기 위해 올해 12월에 생산해야 할 신형차는 몇 대인가? (단, $1.1^{11}=2.85$로 계산한다.)

① 2800대 ② 2850대 ③ 2940대
④ 3100대 ⑤ 3140대

1557 중요

현재 10톤의 물이 들어 있는 물탱크가 있다. 이 물탱크의 물의 양이 매달 전달보다 10 %씩 감소한다고 할 때, 1년 후 이 물탱크의 물의 양은 몇 톤인가? (단, $0.9^{12}=0.3$으로 계산한다.)

① 2톤 ② 2.5톤 ③ 3톤
④ 3.5톤 ⑤ 4톤

1558

어느 인터넷 교육 사이트의 회원 수는 2006년 1월부터 매월 일정한 비율로 증가하여 5개월 후인 2006년 6월의 회원 수가 1월에 비해 3배가 되었다. 이와 같은 비율로 회원 수가 계속 증가할 것으로 예상하고, 탈퇴하는 회원이 없다고 가정할 때, 2006년 11월의 회원 수는 2006년 6월에 비해 12000명이 늘어났다. 2006년 1월의 회원 수는 몇 명인가?

① 1500명 ② 2000명 ③ 2500명
④ 3000명 ⑤ 3500명

1559

A도시의 인구는 매년 일정한 비율로 증가하여 10년 후에는 1만 명, 20년 후에는 2만 명이 될 것으로 예상된다. 이때, A도시의 15년 후의 인구는 얼마가 될 것으로 예상할 수 있는가?
(단, $\sqrt{2}=1.4$로 계산한다.)

① 1만 2천 명 ② 1만 3천 명 ③ 1만 4천 명
④ 1만 5천 명 ⑤ 1만 6천 명

유형 09 등비수열의 합

내신 중요도 ▬▬▬▬▬ 유형 난이도 ★★★☆☆

첫째항이 a, 공비가 r인 등비수열의 첫째항부터 제 n항까지의 합 S_n은

(1) $r \neq 1$일 때, $S_n = \frac{a(1-r^n)}{1-r} = \frac{a(r^n-1)}{r-1}$

(2) $r=1$일 때, $S_n = na$

1560 ●○○○

$a_1=6$, $a_{n+1}=2a_n$으로 정의된 수열 $\{a_n\}$에서 $a_1+a_2+a_3+\cdots+a_6$의 값은?

① 374 ② 376 ③ 378
④ 380 ⑤ 382

1561 짱중요 ●●○○

첫째항이 1, 공비가 3인 등비수열 $\{a_n\}$에 대하여 $a_1+a_3+a_5+\cdots+a_{19}$의 값은?

① $\frac{3}{4}(3^{10}-1)$ ② $\frac{2}{3}(3^{10}-1)$ ③ $\frac{1}{9}(3^{20}-1)$
④ $\frac{1}{8}(3^{20}-1)$ ⑤ $\frac{1}{4}(3^{20}-1)$

1562 ●●○○

다음 값을 계산하면?

$$\log_2 4+\log_2 4^3+\log_2 4^9+\cdots+\log_2 4^{3^{n-1}}$$

① $6n-2$ ② $6n$ ③ $6n+2$
④ 3^n-1 ⑤ 3^n+1

1563 ●●○○

첫째항이 2, 공비가 -3, 끝항이 -486인 등비수열의 첫째항부터 끝항까지의 합은?

① -364 ② -122 ③ -40
④ 122 ⑤ 364

1564 중요 ●●○○

제2항이 6, 제5항이 48인 등비수열의 첫째항부터 제6항까지의 합을 구하시오.

1565 중요 ●●●○

등비수열 $\{a_n\}$에 대하여 $a_1+a_4=18$, $a_4+a_7=144$가 성립할 때, 첫째항부터 제6항까지의 합 S_6은?

① 118 ② 120 ③ 122
④ 124 ⑤ 126

1566

등비수열 $\{a_n\}$에 대하여 $a_4=1$, $a_3 : a_7=16 : 1$일 때, 첫째항부터 제20항까지의 합은? (단, 공비는 양수이다.)

① $16\left(1-\frac{1}{2^{19}}\right)$ ② $16\left(1-\frac{1}{2^{20}}\right)$ ③ $16\left(1-\frac{1}{2^{21}}\right)$
④ $8\left(1-\frac{1}{2^{20}}\right)$ ⑤ $4\left(1-\frac{1}{2^{20}}\right)$

1567

등비수열 $2, a_1, a_2, a_3, \cdots, a_n, 512$에 대하여
$a_1+a_2+a_3+\cdots+a_n=508$일 때, n의 값은?

① 5 ② 6 ③ 7
④ 8 ⑤ 9

1568

이차방정식 $x^2+x+1=0$의 한 근을 ω라 할 때,
$1+(2\omega)^3+(2\omega)^6+(2\omega)^9+\cdots+(2\omega)^{30}$의 값은?

① $\frac{2^{33}-1}{7}$ ② $\frac{2^{33}}{7}$ ③ $\frac{2^{33}+1}{7}$
④ $2^{30}-1$ ⑤ $2^{33}-1$

유형 10 부분의 합이 주어진 등비수열의 합

내신 중요도 ■■■■■ 유형 난이도 ★★★★☆

첫째항이 a, 공비가 r인 등비수열 $\{a_n\}$의 첫째항부터 제n항까지의 합을 S_n이라 하면

$S_n=\frac{a(r^n-1)}{r-1}$, $S_{2n}=\frac{a(r^{2n}-1)}{r-1}=\frac{a(r^n-1)(r^n+1)}{r-1}$

⇨ $S_{2n} \div S_n=r^n+1$ (단, $r \neq 1$)

1569 짱중요

등비수열 $\{a_n\}$의 첫째항부터 제3항까지의 합이 14, 첫째항부터 제6항까지의 합이 126일 때, 첫째항부터 제8항까지의 합을 구하시오.

1570 중요

공비가 양수인 등비수열 $\{a_n\}$의 첫째항과 제2항의 합이 3, 첫째항부터 제4항까지의 합이 15일 때, 첫째항부터 제6항까지의 합은?

① 31 ② 63 ③ 127
④ 255 ⑤ 511

1571

등비수열 $\{a_n\}$에 대하여 $a_1+a_2+a_3=1$, $a_4+a_5+a_6=8$일 때, $a_7+a_8+a_9$의 값을 구하시오.

1572 중요

등비수열 $\{a_n\}$에 대하여 $a_1+a_2+\cdots+a_5=6$, $a_1+a_2+\cdots+a_{10}=36$일 때, $a_1+a_2+\cdots+a_{20}$의 값은?

① 882 ② 896 ③ 912 ④ 924 ⑤ 936

1573

첫째항부터 제n항까지의 합이 20, 첫째항부터 제$2n$항까지의 합이 10인 등비수열에서 첫째항부터 제$3n$항까지의 합은?

① 12 ② 15 ③ 18 ④ 22 ⑤ 25

1574

등비수열 $\{a_n\}$의 첫째항부터 제10항까지의 합이 9, 제11항부터 제20항까지의 합이 27일 때, 제21항부터 제30항까지의 합은?

① 49 ② 56 ③ 63 ④ 72 ⑤ 81

유형 11 합에 대한 조건이 주어진 등비수열

내신 중요도 ■■■■■ 유형 난이도 ★★★★☆

등비수열의 합 공식 $S_n=\dfrac{a(r^n-1)}{r-1}$을 이용하여 주어진 조건에 알맞은 식을 세워서 푼다.

1575

등비수열 $\dfrac{1}{2}, \dfrac{1}{4}, \dfrac{1}{8}, \cdots$에서 첫째항부터 제$n$항까지의 합이 0.99보다 커지는 최소의 자연수 n의 값을 구하시오.

1576

첫째항이 1, 공비가 3인 등비수열 $\{a_n\}$에서 첫째항부터 제n항까지의 합을 S_n이라 하자. 수열 $\{S_n+p\}$가 등비수열을 이루도록 하는 상수 p의 값은?

① 1 ② $\dfrac{1}{2}$ ③ $\dfrac{1}{3}$ ④ $\dfrac{1}{4}$ ⑤ $\dfrac{1}{5}$

1577

두 수열 $\{a_n\}$, $\{b_n\}$은 첫째항이 각각 2, 3이고, 공비가 각각 5, $\frac{1}{5}$인 등비수열일 때, 수열 $\{a_nb_n\}$의 첫째항부터 제8항까지의 합을 구하시오.

1578

등비수열 $\{a_n\}$의 제3항이 4이고 제7항이 16일 때, $a_1^2+a_2^2+a_3^2+\cdots+a_{10}^2$의 값은?

① 4092 ② 4093 ③ 4127
④ 4128 ⑤ 4130

1579

$a_3=4$, $a_6=-32$인 등비수열 $\{a_n\}$에 대하여 수열 $\{a_{2n}\}$의 첫째항부터 제n항까지의 합은?

① $-\frac{2}{3}\{1-(-2)^n\}$ ② $\frac{2}{3}\{1-(-2)^n\}$
③ $-\frac{2}{3}(4^n-1)$ ④ $\frac{2}{3}(4^n-1)$
⑤ $-\frac{1}{3}\{1-(-2)^{n+1}\}$

유형 12 등비수열의 합과 일반항 사이의 관계

내신 중요도 ▬▬▬▬▬ 유형 난이도 ★★★★☆

수열 $\{a_n\}$의 첫째항부터 제n항까지의 합을 S_n이라 하면
$a_1=S_1$, $a_n=S_n-S_{n-1}$ (단, $n\geq2$)

1580 짱중요

수열 $\{a_n\}$의 첫째항부터 제n항까지의 합 S_n이 $S_n=4^n-2$일 때, a_1+a_5의 값은?

① 768 ② 769 ③ 770
④ 771 ⑤ 772

1581 짱중요

첫째항부터 제n항까지의 합 S_n이 $S_n=2^{n-1}+k$인 수열 $\{a_n\}$에 대하여 첫째항부터 등비수열이 되기 위한 상수 k의 값은?

① -1 ② $-\frac{1}{2}$ ③ 0
④ $\frac{1}{2}$ ⑤ 1

1582

첫째항이 2, 공비가 $\sqrt{3}$인 등비수열 $\{a_n\}$에서 첫째항부터 제n항까지의 합을 S_n이라 할 때, $\frac{a_{10}-a_9}{S_{10}-S_8}+\frac{S_5-S_3}{a_5-a_4}$의 값은?

① 3 ② $2\sqrt{3}$ ③ 4
④ 6 ⑤ $4\sqrt{3}$

1583

첫째항부터 제n항까지의 합 S_n이 $S_n=3^n-1$인 수열 $\{a_n\}$에 대하여 〈보기〉에서 옳은 것만을 있는 대로 고른 것은?

보기

ㄱ. $a_1=S_1=2$
ㄴ. $a_n=2\times3^{n-1}$
ㄷ. $a_1+a_3+a_5=\frac{1}{4}(3^6-1)$

① ㄱ ② ㄱ, ㄴ ③ ㄱ, ㄷ
④ ㄴ, ㄷ ⑤ ㄱ, ㄴ, ㄷ

1584

수열 $\{a_n\}$의 첫째항부터 제 n항까지의 합 S_n에 대하여 $\log(S_n+1)=2n$을 만족시키는 수열 $\{a_n\}$의 일반항이 $a_n=p\times q^{n-1}$일 때, $p+q$의 값을 구하시오. (단, p, q는 실수이다.)

1585 교육청 기출

수열 $\{a_n\}$의 첫째항부터 제 n항까지의 합 S_n이

$$S_n=-\left(\frac{1}{2}\right)^n+1$$

일 때, $\frac{a_2}{a_1}+\frac{a_4}{a_2}+\frac{a_6}{a_3}+\frac{a_8}{a_4}+\frac{a_{10}}{a_5}+\frac{a_{12}}{a_6}$의 값은?

① $\frac{31}{32}$ ② $\frac{63}{64}$ ③ $\frac{127}{128}$
④ $\frac{65}{64}$ ⑤ $\frac{33}{32}$

유형 13 등비수열의 합의 활용

내신 중요도 ■■■■■ 유형 난이도 ★★★★★

처음의 양을 a, 매회 (또는 매년) 증가율을 r라 하면

$$a+ar+ar^2+\cdots+ar^{n-1}=k \Rightarrow \frac{a(1-r^n)}{1-r}=k$$

1586

어느 휴대폰 회사는 최신형 휴대폰을 발표하면서 첫 달에는 500개를 주문받고, 이후 매달 주문받는 양을 10 %씩 늘려나가는 것을 목표로 정하였다. 이 목표를 달성한다면 발표 후 1년 동안 주문받은 최신형 휴대폰은 모두 몇 대인가?

(단, $1.1^{12}=3.14$로 계산한다.)

① 9200대 ② 9600대 ③ 10000대
④ 10700대 ⑤ 10900대

1587

의학 기술의 발달로 결핵에 걸리는 사람의 수가 매년 일정한 비율로 감소한다고 하자. 2001년부터 2020년까지 20년 동안은 9만 명의 환자가 발생하였고, 이 중 3만 명은 2011년부터 2020년까지의 10년 동안에 발생하였다고 할 때, 2021년에 발생하는 환자의 수는 2001년에 발생한 환자의 수의 몇 배인가?

① $\frac{1}{3}$배 ② $\frac{1}{4}$배 ③ $\frac{1}{6}$배
④ $\frac{1}{8}$배 ⑤ $\frac{1}{16}$배

1588 중요

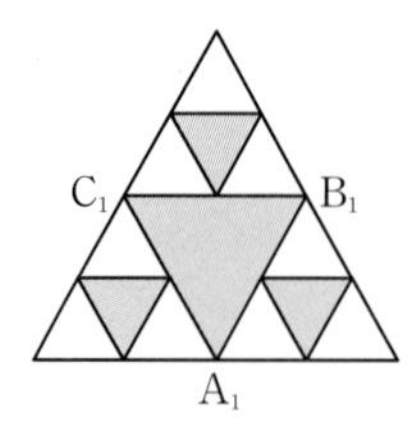

오른쪽 그림과 같이 한 변의 길이가 4인 정삼각형 모양의 종이가 있다. 첫 번째 시행에서 각 변의 중점을 이어서 만든 정삼각형 $A_1B_1C_1$을 잘라내고, 두 번째 시행에서 첫 번째 시행 후 남은 3개의 정삼각형에서 같은 방법으로 만든 정삼각형을 잘라낸다. 이와 같은 시행을 7회 반복했을 때, 잘라낸 종이의 넓이의 합은?

① $2\sqrt{2}\left\{1-\left(\frac{3}{4}\right)^7\right\}$　② $3\sqrt{2}\left\{1-\left(\frac{1}{2}\right)^7\right\}$
③ $4\sqrt{2}\left\{1-\left(\frac{1}{2}\right)^7\right\}$　④ $4\sqrt{3}\left\{1-\left(\frac{1}{2}\right)^7\right\}$
⑤ $4\sqrt{3}\left\{1-\left(\frac{3}{4}\right)^7\right\}$

1589

그림과 같이 한 원의 내부에 서로 같은 4개의 원을 그려 넣는 과정을 10회 실시한 후 나타나는 도형에 그려져 있는 원의 개수를 n이라 할 때, $3n$의 값은?

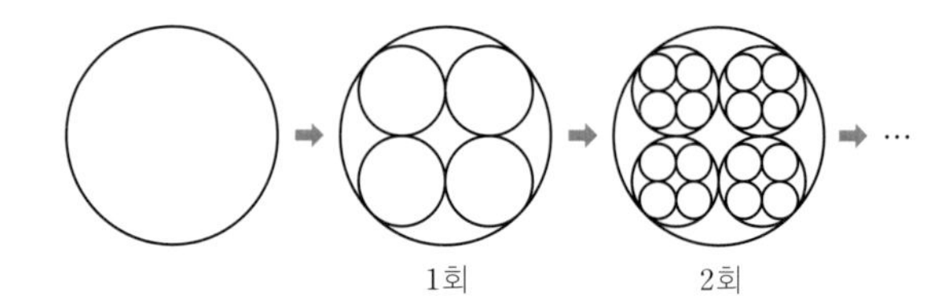

① $4^{10}-1$　② 4^{10}　③ $4^{10}+1$
④ $4^{11}-1$　⑤ 4^{11}

1590

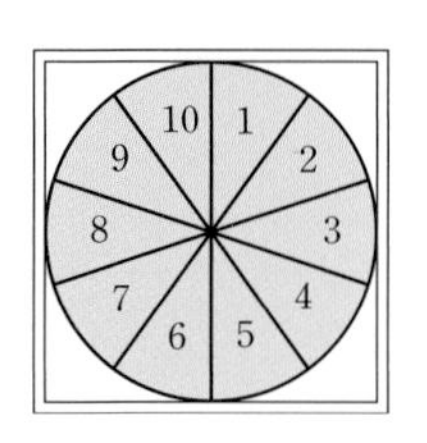

그림과 같이 1부터 10까지의 숫자가 적힌 원형 모양의 전광판이 있다. 처음으로 버튼을 누르면 숫자 1에 불이 켜지고 다시 버튼을 누르면 시계방향으로 2칸 이동하여 숫자 3에 불이 켜진다. 처음으로 버튼을 누른 후 버튼을 누를 때마다 시계방향으로 2칸, 2^2칸, 2^3칸, ⋯씩 이동한 곳의 숫자에 불이 켜질 때, 처음으로 버튼을 누른 후 열 번째 버튼을 눌렀을 때 불이 켜지는 숫자는?

① 1　② 3　③ 5
④ 7　⑤ 9

1591 교육청 응용

반지름의 길이가 $2\sqrt{3}$인 원이 있다. 그림과 같이 이 원에 내접하는 두 정삼각형이 겹쳐지는 부분이 정육각형이 되도록 ✡ 모양의 도형 S_1(어두운 부분)을 그린다. 또, S_1의 정육각형에 내접하는 원을 그리고, 이 원에 내접하는 두 정삼각형이 겹쳐지는 부분이 정육각형이 되도록 ✡ 모양의 도형 S_2(어두운 부분)를 그린다. 이와 같은 방법으로 ✡ 모양의 도형 S_3, S_4, ⋯, S_{10}을 그릴 때, $S_1+S_2+S_3+\cdots+S_{10}$의 값은?

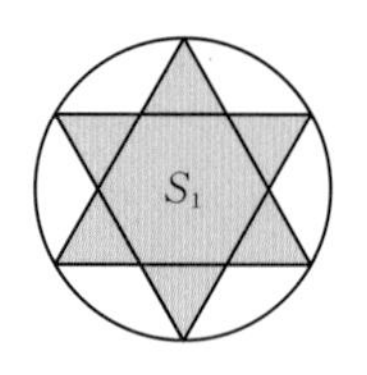

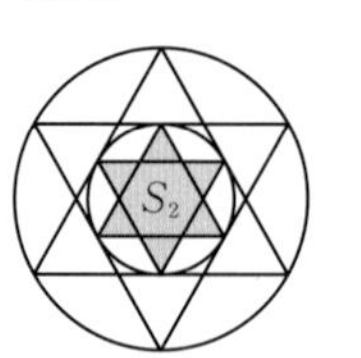

⋯

① $8\sqrt{3}\left(1-\frac{1}{2^{10}}\right)$　② $8\sqrt{3}\left(1-\frac{1}{4^{10}}\right)$
③ $16\sqrt{3}\left(1-\frac{1}{2^{10}}\right)$　④ $16\sqrt{3}\left(1-\frac{1}{4^{10}}\right)$
⑤ $32\sqrt{3}\left(1-\frac{1}{2^{10}}\right)$

유형 14 원리합계

내신 중요도 유형 난이도 ★★★★★

(1) 원리합계: 원금에 이자를 더한 금액

(2) 원금을 a, 이율을 r, 기간을 n이라 할 때, 원리합계 S를 복리법으로 계산하면

$$S=a(1+r)^n$$

(3) 매년 초에 a원씩, 연이율 r의 복리로 n년간 적립할 때 원리합계 S는

$$S=\frac{a(1+r)\{(1+r)^n-1\}}{r}$$

(4) 매년 말에 a원씩, 연이율 r의 복리로 n년간 적립할 때 원리합계 S는

$$S=\frac{a\{(1+r)^n-1\}}{r}$$

1592 짱중요 ●○○○

원금 100만 원을 은행에 예금하여 5년간 연이율 10 %의 복리법으로 계산할 때, 원리합계를 구하시오.

(단, $1.1^5=1.61$로 계산한다.)

1593 ●●○○

매년 초에 30만 원씩 적립할 때, 10년 후의 원리합계는 얼마인가?

(단, $1.06^{10}=1.8$, 연이율 6 %, 1년마다 복리로 계산한다.)

① 421만 원 ② 422만 원 ③ 423만 원
④ 424만 원 ⑤ 425만 원

1594 ●●○○

매월 말에 15만 원씩 적립한다고 할 때, 1월 31일부터 12월 31일까지 적립된 금액의 원리합계는? (단, 월이율 1.5 %, 1개월마다 복리로 하고, $1.015^{12}=1.2$로 계산한다.)

① 190만 원 ② 200만 원 ③ 210만 원
④ 220만 원 ⑤ 230만 원

1595 중요 ●●●○

매월 초에 일정한 금액을 월이율 1 %, 한 달마다 복리로 적립하여 5년 후에 2000만 원을 만들려고 한다. 매달 얼마씩 적립해야 하는가?

(단, $1.01^{60}=1.8$로 계산하고, 천 원 단위에서 반올림한다.)

① 23만 원 ② 24만 원 ③ 25만 원
④ 26만 원 ⑤ 27만 원

1596 ●●●○

금년부터 매년 말에 100만 원씩 20년간 지급받는 연금이 있다. 이 연금을 금년 초에 한꺼번에 지급받는다면 얼마를 받아야 하는가? (단, $1.01^{20}=1.22$, 연이율 1 %, 1년마다 복리로 계산하고, 만 원 미만은 반올림한다.)

① 1792만 원 ② 1803만 원 ③ 1814만 원
④ 1825만 원 ⑤ 1836만 원

해설 243쪽

1597

퇴직금으로 받은 4억 원을 은행에 예치하고, 매년 말에 일정한 금액을 연금 형식으로 받으려고 한다. 퇴직금을 모두 1월 초에 은행에 예치하고, 연말부터 20년간 지급받는다면 매년 말에 받을 금액은 얼마인가?

(단, $1.05^{20}=2.6$, 연이율 5 %, 1년마다 복리로 계산한다.)

① 3250만 원 ② 3370만 원 ③ 3490만 원
④ 3610만 원 ⑤ 3730만 원

1598 중요

320만 원 하는 오디오를 구입하면서 40만 원은 살 때 지불하고 나머지는 24개월간 나누어 갚기로 하였다. 월이율 1 %의 1개월마다의 복리로 계산할 때 매월 갚아야 할 할부금을 구하시오.

(단 $1.01^{24}=1.28$로 계산한다.)

1599 교육청 기출

1월 초에 1000만 원을 월이율 0.5%, 1개월마다 복리로 계산하는 예금 상품에 가입하고, 1월부터 그 해 12월까지 매월 말에 50만 원씩 찾았다. 그 해 12월 말에 통장에 남아있는 금액은?

(단, $1.005^{12}=1.0617$으로 계산한다.)

① 426만 7000원 ② 432만 7000원
③ 438만 7000원 ④ 444만 7000원
⑤ 450만 7000원

1600

벤처기업 육성회에서는 디자인 개발 아이디어를 응모하여 대상을 받은 팀에게 개발비 10억 원을 지원해 주기로 하였다. 2008년 초에 지원금을 받은 팀은 2013년 말부터 매년 말마다 5회에 걸쳐 10억 원을 모두 갚기로 하였다. 매년 전년도에 갚은 돈보다 8 %씩 더 갚기로 할 때, 1회째에 갚아야 할 금액을 구하시오.

(단, $1.08^{6}=1.6$, 1년마다 8 %의 복리로 계산한다.)

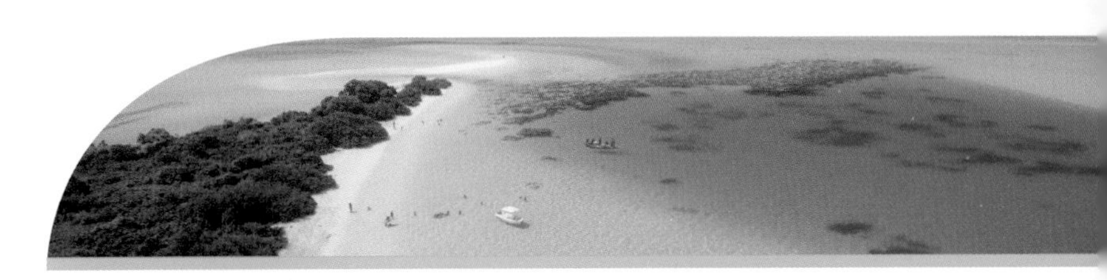

해설 244쪽

1601

제3항이 4이고, 제6항이 -32인 등비수열 $\{a_n\}$의 일반항 a_n은?

① $a_n=2^{n-1}$ ② $a_n=(-2)^{n-1}$ ③ $a_n=(-1)\cdot 2^{n-1}$
④ $a_n=2^n$ ⑤ $a_n=(-2)^n$

1602

각 항이 양수인 등비수열 $\{a_n\}$에 대하여 $a_3+a_5=24$, $a_2a_4=64$일 때, a_9의 값을 구하시오.

1603

등비수열 $\{a_n\}$의 일반항 $a_n=6\cdot 2^n$에 대하여 $b_n=a_{2n-1}\cdot r^n$이라 하면 수열 $\{b_n\}$은 첫째항이 b, 공비가 12인 등비수열이다. 이때, $b+r$의 값을 구하시오.

1604

등비수열을 이루는 세 수 a, b, c에 대하여 $a+b+c=-15$, $a\times b\times c=1000$일 때, $a+c$의 값을 구하시오.

1605 서술형

이차방정식 $x^2-6x+4=0$의 두 근 α, β에 대하여 세 수 α, p, β는 이 순서대로 등차수열을 이루고, 세 수 α, q, β는 이 순서대로 등비수열을 이룬다. 이때, $p+q$의 값을 구하시오. (단, $q>0$)

1606

세 변의 길이가 공비가 r인 등비수열을 이루는 직각삼각형이 있다. 이때, r^2의 값은? (단, $r>1$)

① $\frac{\sqrt{5}}{2}$ ② $\frac{\sqrt{6}}{2}$ ③ $\frac{\sqrt{10}}{2}$
④ $\frac{1+\sqrt{3}}{2}$ ⑤ $\frac{1+\sqrt{5}}{2}$

1607

어떤 세포를 시험관에 넣고 배양하면 그 중 20 %는 죽게 되고, 나머지는 각각 5개씩의 세포로 분열된다고 한다. 처음 10개의 세포를 가지고 위와 같이 10회 배양한 후의 세포의 개수는?

① 2^{19}　② $5\cdot2^{20}$　③ $5\cdot2^{21}$
④ $4\cdot10^{9}$　⑤ $4\cdot9^{10}$

1608

첫째항이 2, 공비가 $\frac{1}{3}$인 등비수열의 첫째항부터 제10항까지의 합은?

① $\frac{3}{4}-\left(\frac{1}{3}\right)^{9}$　② $\frac{3}{2}-\left(\frac{1}{3}\right)^{10}$　③ $\frac{3}{2}-\left(\frac{1}{3}\right)^{9}$
④ $3-\left(\frac{1}{3}\right)^{9}$　⑤ $3-\left(\frac{1}{3}\right)^{10}$

1609 서술형

첫째항부터 제6항까지의 합이 2이고, 첫째항부터 제12항까지의 합이 8인 등비수열에서 첫째항부터 제18항까지의 합을 구하시오.

1610

수열 $\{a_n\}$의 첫째항부터 제n항까지의 합 S_n이 $S_n=3^n-2$일 때, a_{10}의 값은?

① 2^{10}　② $3\cdot2^{9}$　③ 3^{9}
④ $2\cdot3^{9}$　⑤ $2\cdot3^{10}$

1611

그림과 같이 $\overline{OP}=\overline{OQ}=2$인 직각이등변삼각형 OPQ에 정사각형 $OA_1B_1C_1$을 내접시킨다. 다시 직각이등변삼각형 A_1PB_1에 정사각형 $A_1A_2B_2C_2$를 내접시킨다. 이와 같은 시행을 5회 반복할 때 만들어지는 정사각형의 넓이의 총합은?

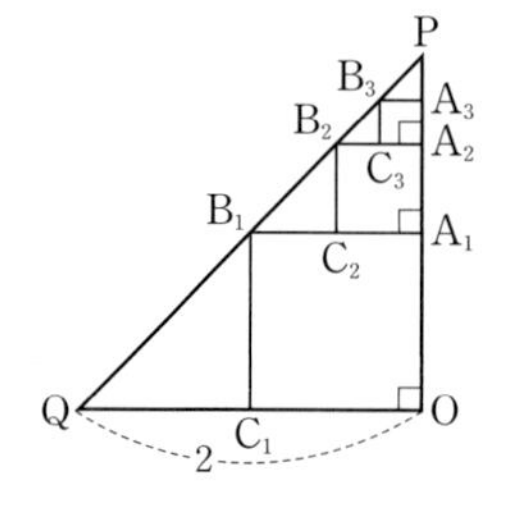

① $\frac{3}{4}\left\{1-\left(\frac{1}{2}\right)^{5}\right\}$　② $\frac{4}{3}\left\{1-\left(\frac{1}{2}\right)^{10}\right\}$　③ $1+\left(\frac{1}{2}\right)^{10}$
④ $\frac{4}{3}$　⑤ $\frac{4}{3}\left\{1+\left(\frac{1}{2}\right)^{5}\right\}$

1612

매년 초에 3만 원씩 적립할 때, 10년 후의 원리합계를 구하시오.
(단, 연이율 6%, 1년마다 복리로 하고, $1.06^{10}=1.8$로 계산한다.)

해설 246쪽

Level 1

1613

첫째항이 a, 공비가 2인 등비수열 $\{a_n\}$에 대하여

$$\frac{2^{a_2}\times 2^{a_4}\times 2^{a_6}}{2^{a_1}\times 2^{a_3}\times 2^{a_5}}=2^{63}$$

일 때, a의 값은?

① 1 ② 2 ③ 3
④ 4 ⑤ 5

1614

등비수열 $\{a_n\}$이

$$\log a_2=\frac{1}{2},\ \log a_5=2$$

를 만족시킨다. $a_1a_2a_3\cdots a_{10}=k$라 할 때, $\log k^2$의 값을 구하시오.

1615

첫째항이 $\frac{1}{2}$, 공비가 $\frac{1}{2}$인 등비수열 $\{a_n\}$에 대하여 수열 $\{b_n\}$을 $b_n={a_{2n}}^2$으로 정의할 때, 수열 $\{b_n\}$은 첫째항이 b, 공비가 r인 등비수열이다. 이때, 실수 b, r에 대하여 $\frac{b}{r}$의 값은?

① 16 ② 1 ③ $\frac{1}{4}$
④ $\frac{1}{16}$ ⑤ $\frac{1}{256}$

1616

두 수열 $\{a_n\}$, $\{b_n\}$이 모든 자연수 k에 대하여

$$b_{2k-1}=\left(\frac{1}{2}\right)^{a_1+a_3+a_5+\cdots+a_{2k-1}},\ b_{2k}=2^{a_2+a_4+a_6+\cdots+a_{2k}}$$

을 만족시킨다. 수열 $\{a_n\}$은 등차수열이고, $b_1\times b_2\times b_3\times\cdots\times b_{10}=8$일 때, 수열 $\{a_n\}$의 공차는?

① $\frac{1}{15}$ ② $\frac{2}{15}$ ③ $\frac{1}{5}$
④ $\frac{4}{15}$ ⑤ $\frac{1}{3}$

1617

세 수 x, y, z는 이 순서대로 공비가 r인 등비수열을 이룬다. 세 수의 합은 2이고, 세 수의 제곱의 합이 8일 때, 이를 만족하는 공비 r의 값의 합은?

① -3　② -2　③ -1　④ 1　⑤ 2

1618

삼각형의 세 내각의 크기를 크기 순으로 a, b, c라 할 때, a, b, c가 이 순서대로 등차수열을 이루고, b, $3a$, $3c$가 이 순서대로 등비수열을 이룬다. 이때, 제일 작은 각의 크기 a의 값은?

① $20°$　② $30°$　③ $40°$　④ $60°$　⑤ $80°$

1619

수열 $\{a_n\}$은 첫째항이 1, 공차가 2인 등차수열일 때, 수열 $\{2^{a_n}\}$의 첫째항부터 제5항까지의 합은?

① 482　② 532　③ 582　④ 632　⑤ 682

Level 2

1620

이차방정식 $x^2-\frac{1}{2}ax+1=0$의 두 근을 α, β $(\alpha>\beta)$라 하고, 이차방정식 $x^2-\frac{1}{2}bx+2=0$의 두 근을 p, q $(p<q)$라 하자. 네 수 α, p, β, q가 이 순서대로 등비수열을 이루도록 a, b의 값을 정할 때, a^2+b^2의 값을 구하시오. (단, $a>0$, $b>0$)

1621

세 실수 a, b, c가 이 순서대로 공비가 r $(0<r<1)$인 등비수열을 이루고 있다. 등식

$$(x-a)(x-b)(x-c)=x^3-26x^2+kx-216$$

이 성립할 때, 상수 k의 값을 구하시오.

1622

교육청 기출

모든 항이 양수인 등비수열 $\{a_n\}$에 대하여
$a_1a_2=a_{10}$, $a_1+a_9=20$일 때,
$(a_1+a_3+a_5+a_7+a_9)(a_1-a_3+a_5-a_7+a_9)$의 값을 구하시오.

1623

첫째항이 3인 등비수열 $\{a_n\}$에서

$$a_1+a_3+a_5+\cdots+a_{2n-1}=2^{30}-1,$$
$$a_3+a_5+a_7+\cdots+a_{2n+1}=2^{32}-4$$

가 성립할 때, 자연수 n의 값은?

① 13 ② 14 ③ 15
④ 16 ⑤ 17

1624

4와 10 사이에 n개의 수 a_1, a_2, $\cdots$, a_n을 넣어 만든 수열 4, a_1, a_2, a_3, $\cdots$, a_n, 10은 이 순서대로 등비수열을 이룬다고 한다. 이때, 등식

$$a_1+a_2+a_3+\cdots+a_n=p\left(\frac{1}{a_1}+\frac{1}{a_2}+\frac{1}{a_3}+\cdots+\frac{1}{a_n}\right)$$

을 만족시키는 상수 p의 값을 구하시오.

1625

길이가 2인 끈이 있다. 그림과 같이 첫 번째 시행에서 이를 3등분하여 가운데 부분을 염색하고, 두 번째 시행에서는 첫 번째 시행에서 염색한 부분의 오른쪽 끝을 3등분하여 가운데 부분을 염색한다.

〈첫 번째 시행〉 〈두 번째 시행〉 〈세 번째 시행〉 …

이와 같이 이전 시행에서 염색한 부분의 오른쪽 끝을 3등분하여 그 가운데 부분을 염색하는 것을 10회 시행했을 때, 염색되지 않은 부분의 길이는?

① $1-\left(\frac{1}{3}\right)^{10}$ ② $1+\left(\frac{1}{3}\right)^{10}$ ③ $1-\left(\frac{2}{3}\right)^{10}$
④ $1+\left(\frac{2}{3}\right)^{10}$ ⑤ $2-\left(\frac{1}{3}\right)^{10}$

1626

어느 회사는 올해 초에 기금을 마련하여 올해 말부터 4년간 사원 자녀들에게 매년 총액 122만 원의 장학금을 지불하려 한다. 이 회사가 마련해야 할 기금의 최솟값은?

(단, $1.05^4=1.22$, 이자는 1년마다 5 %의 복리로 계산한다.)

① 410만 원 ② 420만 원 ③ 430만 원
④ 440만 원 ⑤ 450만 원

Level 3

1627

교육청 기출

두 실수 a, b에 대하여 다음 조건을 만족시키는 모든 실수 a의 값의 합을 k라 하자. $48k$의 값을 구하시오.

> (가) $ab<0$
> (나) 세 수 a, b, ab를 적절히 배열하여 등비수열을 만들 수 있다.
> (다) 세 수 a, b, ab를 적절히 배열하여 등차수열을 만들 수 있다.

1628

등비수열 $\{a_n\}$과 등차수열 $\{b_n\}$이 다음 두 조건을 만족한다.

> (가) $a_1+a_2=288$, $a_4+a_5=36$
> (나) $b_1=84$, $b_1+b_2+b_3+b_4+b_5=290$

부등식 $a_n<b_n$이 성립하도록 하는 모든 자연수 n의 값의 합을 구하시오.

1629

정부가 통일 이후 필요한 통일 비용을 마련하기 위해 예산의 일부를 2021년부터 매년 1월 1일에 적립한다고 하자. 적립할 금액은 경제성장률을 감안하여 매년 전년도보다 6 % 증액한다. 2021년 1월 1일부터 10조 원을 적립하기 시작한다면, 2030년 12월 31일까지 적립된 금액의 원리합계는 몇 조 원인가? (단, 연이율 6 %, 1년마다 복리로 계산하고, $1.06^{10}=1.8$로 계산한다.)

① 160조 원 ② 162조 원 ③ 180조 원 ④ 198조 원 ⑤ 220조 원

1630

교육청 기출

공차가 양수인 등차수열 $\{a_n\}$이 다음 조건을 만족시킨다.

(가) 수열 $\{a_n\}$의 모든 항은 정수이다.
(나) a_7, a_8, a_k가 이 순서대로 등비수열을 이루도록 하는 8보다 큰 자연수 k가 존재한다.

$a_k=144$가 되도록 하는 모든 k의 값의 합을 구하시오.

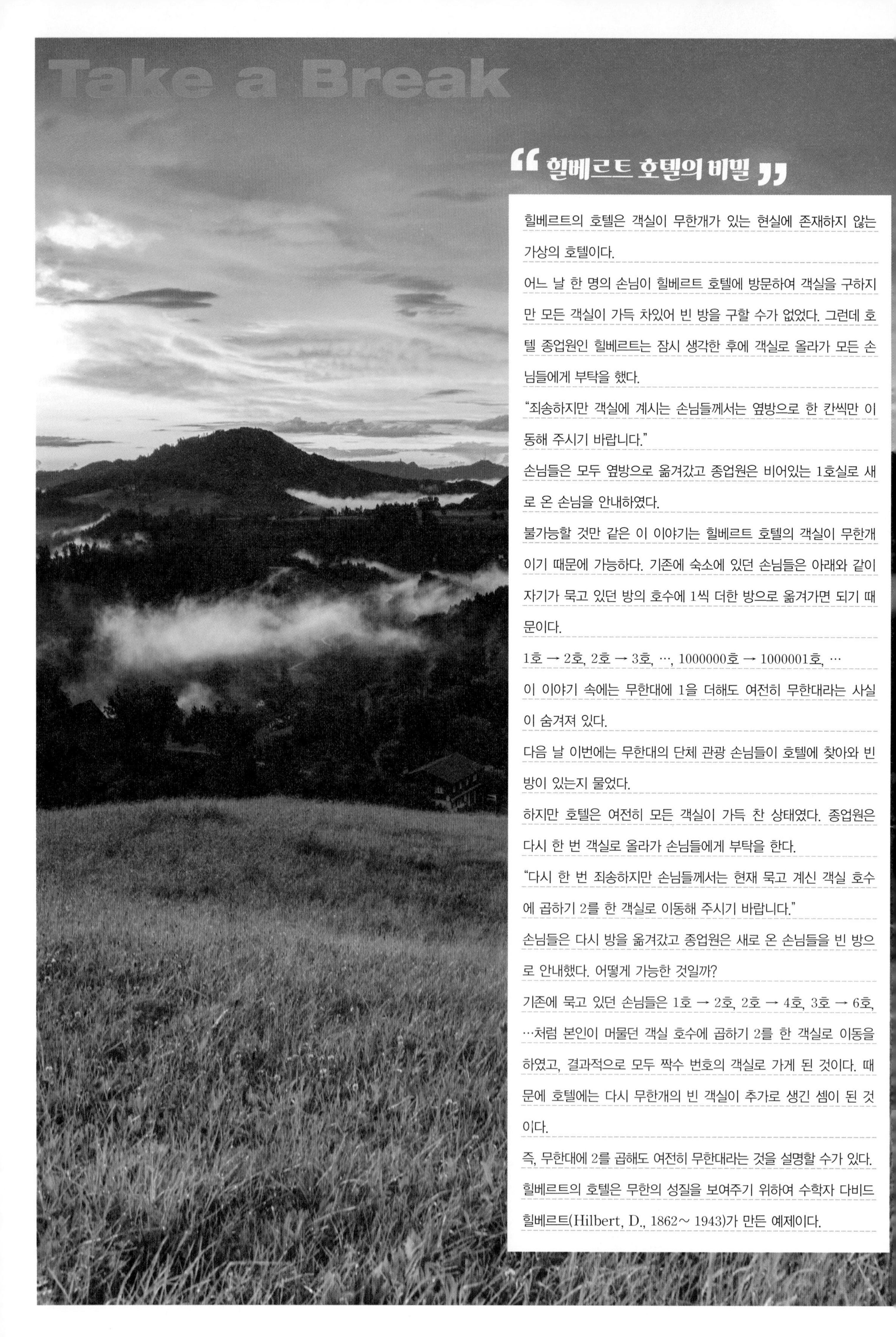

Take a Break

"힐베르트 호텔의 비밀"

힐베르트의 호텔은 객실이 무한개가 있는 현실에 존재하지 않는 가상의 호텔이다.

어느 날 한 명의 손님이 힐베르트 호텔에 방문하여 객실을 구하지만 모든 객실이 가득 차있어 빈 방을 구할 수가 없었다. 그런데 호텔 종업원인 힐베르트는 잠시 생각한 후에 객실로 올라가 모든 손님들에게 부탁을 했다.

"죄송하지만 객실에 계시는 손님들께서는 옆방으로 한 칸씩만 이동해 주시기 바랍니다."

손님들은 모두 옆방으로 옮겨갔고 종업원은 비어있는 1호실로 새로 온 손님을 안내하였다.

불가능할 것만 같은 이 이야기는 힐베르트 호텔의 객실이 무한개이기 때문에 가능하다. 기존에 숙소에 있던 손님들은 아래와 같이 자기가 묵고 있던 방의 호수에 1씩 더한 방으로 옮겨가면 되기 때문이다.

1호 → 2호, 2호 → 3호, …, 1000000호 → 1000001호, …

이 이야기 속에는 무한대에 1을 더해도 여전히 무한대라는 사실이 숨겨져 있다.

다음 날 이번에는 무한대의 단체 관광 손님들이 호텔에 찾아와 빈 방이 있는지 물었다.

하지만 호텔은 여전히 모든 객실이 가득 찬 상태였다. 종업원은 다시 한 번 객실로 올라가 손님들에게 부탁을 한다.

"다시 한 번 죄송하지만 손님들께서는 현재 묵고 계신 객실 호수에 곱하기 2를 한 객실로 이동해 주시기 바랍니다."

손님들은 다시 방을 옮겨갔고 종업원은 새로 온 손님들을 빈 방으로 안내했다. 어떻게 가능한 것일까?

기존에 묵고 있던 손님들은 1호 → 2호, 2호 → 4호, 3호 → 6호, …처럼 본인이 머물던 객실 호수에 곱하기 2를 한 객실로 이동을 하였고, 결과적으로 모두 짝수 번호의 객실로 가게 된 것이다. 때문에 호텔에는 다시 무한개의 빈 객실이 추가로 생긴 셈이 된 것이다.

즉, 무한대에 2를 곱해도 여전히 무한대라는 것을 설명할 수가 있다.

힐베르트의 호텔은 무한의 성질을 보여주기 위하여 수학자 다비드 힐베르트(Hilbert, D., 1862~ 1943)가 만든 예제이다.

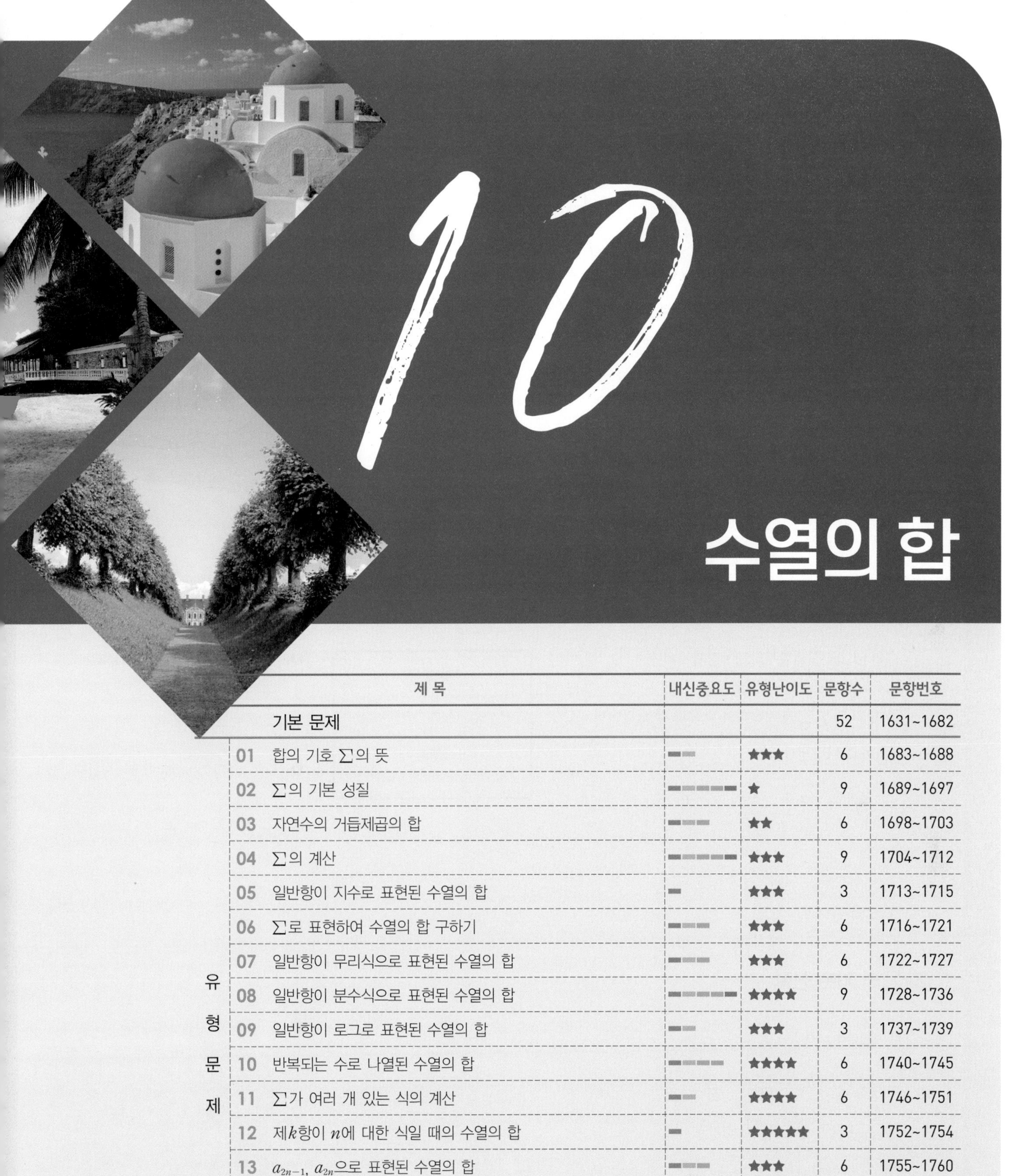

10 수열의 합

		제 목	내신중요도	유형난이도	문항수	문항번호
		기본 문제			52	1631~1682
유형 문제	01	합의 기호 $\sum$의 뜻	■■	★★★	6	1683~1688
	02	$\sum$의 기본 성질	■■■■■	★	9	1689~1697
	03	자연수의 거듭제곱의 합	■■■	★★	6	1698~1703
	04	$\sum$의 계산	■■■■■	★★★	9	1704~1712
	05	일반항이 지수로 표현된 수열의 합	■	★★★	3	1713~1715
	06	$\sum$로 표현하여 수열의 합 구하기	■■■	★★★	6	1716~1721
	07	일반항이 무리식으로 표현된 수열의 합	■■■	★★★	6	1722~1727
	08	일반항이 분수식으로 표현된 수열의 합	■■■■■	★★★★	9	1728~1736
	09	일반항이 로그로 표현된 수열의 합	■■	★★★	3	1737~1739
	10	반복되는 수로 나열된 수열의 합	■■■■	★★★★	6	1740~1745
	11	$\sum$가 여러 개 있는 식의 계산	■■	★★★★	6	1746~1751
	12	제k항이 n에 대한 식일 때의 수열의 합	■	★★★★★	3	1752~1754
	13	a_{2n-1}, a_{2n}으로 표현된 수열의 합	■■■	★★★	6	1755~1760
	14	수열의 합과 일반항 사이의 관계	■■■	★★★★	6	1761~1766
	15	조건으로 표현된 수열의 합 (1)	■■■■	★★★★★	7	1767~1773
	16	조건으로 표현된 수열의 합 (2)	■■■■	★★★★★	7	1774~1780
	17	표로 나타낸 수열의 합의 응용	■	★★★★★	2	1781~1782
	18	여러 가지 수열의 합의 응용	■■■■■	★★★★★	7	1783~1789
		적중 문제			12	1790~1801
		고난도 문제			21	1802~1822

수열의 합

1. 합의 기호 $\sum$의 뜻

수열 $\{a_n\}$의 첫째항부터 제n항까지의 합

$$a_1+a_2+a_3+\cdots+a_n$$

을 합의 기호 $\sum$를 사용하여 다음과 같이 간단히 $\sum_{k=1}^{n} a_k$로 나타낸다. 즉,

$$a_1+a_2+a_3+\cdots+a_n=\sum_{k=1}^{n} a_k$$

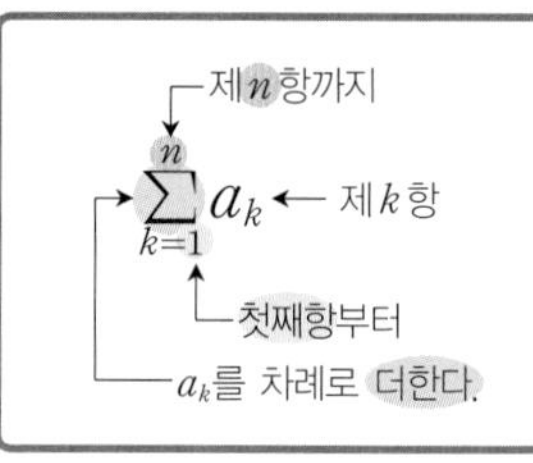

- $\sum_{k=1}^{n} a_k$에서 k 대신 다른 문자를 써서 나타내기도 한다. 즉,
  $\sum_{k=1}^{n} a_k=\sum_{i=1}^{n} a_i=\sum_{j=1}^{n} a_j$
- 수열 $\{a_n\}$의 제m항부터 제n항까지의 합은
  $\sum_{k=m}^{n} a_k=\sum_{k=1}^{n} a_k-\sum_{k=1}^{m-1} a_k$ (단, $m\le n$)

2. $\sum$의 기본 성질

(1) $\sum_{k=1}^{n} (a_k+b_k)=\sum_{k=1}^{n} a_k+\sum_{k=1}^{n} b_k$

(2) $\sum_{k=1}^{n} (a_k-b_k)=\sum_{k=1}^{n} a_k-\sum_{k=1}^{n} b_k$

(3) $\sum_{k=1}^{n} ca_k=c\sum_{k=1}^{n} a_k$ (단, c는 상수)

(4) $\sum_{k=1}^{n} c=cn$ (단, c는 상수)

참고 $\sum_{k=1}^{n} (pa_k+qb_k)=p\sum_{k=1}^{n} a_k+q\sum_{k=1}^{n} b_k$ (단, p, q는 상수)

- $\sum$의 성질을 혼동하지 않도록 주의한다.

① $\left(\sum_{k=1}^{n} k\right)^2\neq\sum_{k=1}^{n} k^2$

② $\sum_{k=1}^{n} a_kb_k\neq\sum_{k=1}^{n} a_k\times\sum_{k=1}^{n} b_k$

③ $\sum_{k=1}^{n} \frac{a_k}{b_k}\neq\frac{\sum_{k=1}^{n} a_k}{\sum_{k=1}^{n} b_k}$

④ $\sum_{k=1}^{2n} a_k\neq\sum_{k=1}^{n} a_{2k}$

3. 자연수의 거듭제곱의 합

(1) $\sum_{k=1}^{n} k=1+2+3+\cdots+n=\frac{n(n+1)}{2}$

(2) $\sum_{k=1}^{n} k^2=1^2+2^2+3^2+\cdots+n^2=\frac{n(n+1)(2n+1)}{6}$

(3) $\sum_{k=1}^{n} k^3=1^3+2^3+3^3+\cdots+n^3=\left\{\frac{n(n+1)}{2}\right\}^2=\left\{\sum_{k=1}^{n} k\right\}^2$

4. 일반항이 지수로 표현된 식인 수열의 합

$\sum_{k=1}^{n} a_k$에서 a_k가 지수에 k가 포함된 등비수열일 때, 첫째항 a, 공비 r를 구하여 등비수열의 합을 구하는 공식을 이용한다.

$$S_n=\frac{a(r^n-1)}{r-1}=\frac{a(1-r^n)}{1-r}$$

5. 일반항이 분수식인 수열의 합

(1) $\sum_{k=1}^{n} \frac{1}{k(k+a)}=\frac{1}{a}\sum_{k=1}^{n}\left(\frac{1}{k}-\frac{1}{k+a}\right)$

(2) $\sum_{k=1}^{n} \frac{1}{(k+a)(k+b)}=\frac{1}{b-a}\sum_{k=1}^{n}\left(\frac{1}{k+a}-\frac{1}{k+b}\right)$

참고 부분분수로의 변형

① $\frac{1}{AB}=\frac{1}{B-A}\left(\frac{1}{A}-\frac{1}{B}\right)$

② $\frac{B}{A(A+B)}=\frac{1}{A}-\frac{1}{A+B}$

● 등차수열이나 등비수열이 아닌 수열의 합을 구하는 방법은 다음과 같다.
① 주어진 수열의 제k항인 a_k를 구한다.
② $S_n=\sum_{k=1}^{n} a_k$임을 이용하여 주어진 수열의 합을 구한다.

● 여러 가지 수열의 합

① $\sum_{k=1}^{n}$(k에 대한 다항식)
⇨ $\sum_{k=1}^{n} k$, $\sum_{k=1}^{n} k^2$, $\sum_{k=1}^{n} k^3$을 이용

② $\sum_{k=1}^{n}$(지수로 표현된 식)
⇨ 등비수열의 합의 공식을 이용

③ $\sum_{k=1}^{n}$(분수식) ⇨ 부분분수로 변형

④ $\sum_{k=1}^{n}$(무리식) ⇨ 분모를 유리화

⑤ $\sum_{k=1}^{n}$(로그로 표현된 식)
⇨ 로그의 성질을 이용

1 $\sum$의 뜻

[1631-1637] 다음을 합의 기호 $\sum$를 사용하여 나타내시오.

1631 $a_1+a_2+a_3+\cdots+a_{15}$

1632 $1+3+5+\cdots+(2n-1)$

1633 $1+\frac{1}{2}+\frac{1}{3}+\cdots+\frac{1}{n}$

1634 $1\times2+2\times3+3\times4+\cdots+n(n+1)$

1635 $1^2+2^2+3^2+\cdots+10^2$

1636 $3+3^2+3^3+\cdots+3^7$

1637 $\frac{1}{1\times2}+\frac{1}{2\times3}+\frac{1}{3\times4}+\cdots+\frac{1}{99\times100}$

[1638-1640] 다음 $\square$ 안에 알맞은 것을 써넣으시오.

1638 $\sum_{k=1}^{50} a_k=\sum_{i=\square}^{50} a_i=\sum_{j=1}^{\square}\square$

1639 $\sum_{k=1}^{5}(2k+3)=\sum_{i=1}^{5}(\boxed{})=\sum_{j=\square}^{\square}(2j+3)$

1640 $\sum_{k=1}^{5} a_k+\sum_{k=6}^{10} a_k=\sum_{k=\square}^{\square} a_k$

[1641-1644] 다음을 덧셈 기호 $+$를 사용하여 합의 꼴로 나타내시오.

1641 $\sum_{k=1}^{5} 2k$

1642 $\sum_{k=1}^{5} 5$

1643 $\sum_{i=1}^{5}(-1)^i$

1644 $\sum_{i=1}^{20} 5^i$

2 ∑의 기본 성질

[1645-1648] 다음 □ 안에 알맞은 것을 써넣으시오.

1645 $\sum_{k=1}^{5} k^2+\sum_{k=1}^{5} 2k=\sum_{k=1}^{5} (\square)$

1646 $\sum_{k=1}^{20} (k^2-4k+4)=\sum_{k=1}^{\square} k^2-\sum_{k=1}^{\square} \square+\sum_{k=1}^{20} \square$

1647 $\sum_{k=1}^{8} 3k^2=3\sum_{k=1}^{8} \square$

1648 $\sum_{k=1}^{6} 7=\square$

[1649-1651] $\sum_{k=1}^{10} a_k=5$, $\sum_{k=1}^{10} b_k=-3$일 때, 다음 식의 값을 구하시오.

1649 $\sum_{k=1}^{10} (a_k+b_k)$

1650 $\sum_{k=1}^{10} (3a_k-b_k)$

1651 $\sum_{k=1}^{10} (a_k+2b_k-1)$

[1652-1654] $\sum_{k=1}^{7} {a_k}^2=6$, $\sum_{k=1}^{7} a_k=3$일 때, 다음 식의 값을 구하시오.

1652 $\sum_{k=1}^{7} (a_k+1)^2$

1653 $\sum_{k=1}^{7} a_k(a_k-1)$

1654 $\sum_{k=1}^{7} (a_k+1)(a_k-1)$

3 자연수의 거듭제곱의 합

[1655-1657] 다음을 자연수의 거듭제곱의 합의 공식을 이용하여 구하시오.

1655 $1+2+3+\cdots+20$

1656 $1^2+2^2+3^2+\cdots+10^2$

1657 $1^3+2^3+3^3+\cdots+10^3$

[1658-1664] 다음 합을 구하시오.

1658 $\sum_{k=1}^{20} 5$

1659 $\sum_{k=1}^{15} 2k$

1660 $\sum_{k=1}^{12} (k+5)$

1661 $\sum_{k=1}^{9} (3k-10)$

1662 $\sum_{k=1}^{10} (k^2+3)$

1663 $\sum_{k=1}^{6} (k+1)(k+2)$

1664 $\sum_{k=1}^{10} (k^3+1)$

[1665-1666] 수열 $\{a_n\}$의 일반항이 다음과 같을 때, 첫째항부터 제n항까지의 합을 합의 기호 $\sum$를 사용하여 나타내시오.

1665 $a_n=2n-1$

1666 $a_n=3-5n$

[1667-1670] 다음을 합의 기호 $\sum$를 이용하여 구하시오.

1667 $3+7+11+15+\cdots+39$

1668 $-4-1+2+5+\cdots+14$

1669 $20+18+16+14+\cdots+6$

1670 $-2-7-12-17-\cdots-47$

4 $\sum$로 표현된 수열의 합과 일반항 사이의 관계

[1671-1673] 수열 $\{a_n\}$의 첫째항부터 제n항까지의 합이 다음과 같을 때, a_n을 구하시오.

1671 $\sum_{k=1}^{n} a_k = n^2 + 2n$

1672 $\sum_{k=1}^{n} a_k = n^2 + 2n + 1$

1673 $\sum_{k=1}^{n} a_k = 2n^2 - n + 3$

5 여러 가지 수열의 합

[1674-1678] 다음 합을 구하시오.

1674 $\sum_{k=1}^{20} \left(\frac{1}{k} - \frac{1}{k+1} \right)$

1675 $\sum_{k=1}^{5} \left(\frac{1}{2k-1} - \frac{1}{2k+1} \right)$

1676 $\sum_{k=1}^{6} \left(\frac{1}{k} - \frac{1}{k+2} \right)$

1677 $\sum_{k=1}^{8} (\sqrt{k} - \sqrt{k+1})$

1678 $\sum_{k=1}^{12} (\sqrt{2k-1} - \sqrt{2k+1})$

[1679-1680] 다음 공식을 이용하여 $\square$ 안에 알맞은 것을 써넣으시오.

$$\frac{1}{AB} = \frac{1}{B-A} \left(\frac{1}{A} - \frac{1}{B} \right)$$

1679 $\frac{1}{x(x+1)} = \frac{1}{x} - \frac{1}{\square}$

1680 $\frac{1}{x(x+3)} = \frac{1}{\square} \left(\frac{1}{x} - \frac{1}{\square} \right)$

[1681-1682] 다음 합을 구하시오.

1681 $\sum_{k=1}^{4} \frac{1}{k(k+1)}$

1682 $\sum_{k=1}^{5} \frac{2}{k(k+2)}$

유형 01 합의 기호 $\sum$의 뜻

내신 중요도 ▬▬▬▬▬ 유형 난이도 ★★★★★

수열 $\{a_n\}$의 첫째항부터 제n항까지의 합을 합의 기호 $\sum$와 일반항 a_k를 써서 나타낼 수 있다. 즉,

$$a_1+a_2+a_3+\cdots+a_{n-1}+a_n=\sum_{k=1}^{n} a_k$$

1683 ●○○○

$\sum_{k=1}^{8} a_k-\sum_{k=1}^{7} a_k=5$일 때, a_8의 값을 구하시오.

1684 ●●○○

함수 $f(x)$가 $f(10)=50$, $f(1)=3$을 만족시킬 때,

$$\sum_{k=1}^{9} f(k+1)-\sum_{k=2}^{10} f(k-1)$$

의 값을 구하시오.

1685 ●●○○

수열 $\{a_n\}$에 대하여 $a_1=2$, $a_{10}=45$일 때, $\sum_{k=1}^{9} a_{k+1}-\sum_{k=2}^{10} a_{k-1}$의 값은?

① 41 ② 43 ③ 45
④ 47 ⑤ 49

1686 중요 평가원 기출 ●●●○

수열 $\{a_n\}$은 $a_1=15$이고,

$$\sum_{k=1}^{n} (a_{k+1}-a_k)=2n+1 \ (n\geq 1)$$

을 만족시킨다. a_{10}의 값을 구하시오.

1687 ●●●○

수열 $\{a_n\}$이 $\sum_{k=1}^{20} ka_k=400$, $\sum_{k=1}^{19} ka_{k+1}=250$을 만족할 때, $\sum_{k=1}^{20} a_k$의 값을 구하시오.

1688 중요 ●●●○

수열 $\{a_n\}$에 대하여 $a_{100}=\frac{1}{9}$, $\sum_{k=1}^{99} k(a_k-a_{k+1})=50$일 때, $\sum_{k=1}^{99} a_k$의 값을 구하시오.

유형 02 $\sum$의 기본 성질

내신 중요도 ■■■■■ 유형 난이도 ★★★★★

(1) $\sum_{k=1}^{n}(a_k+b_k)=\sum_{k=1}^{n}a_k+\sum_{k=1}^{n}b_k$

(2) $\sum_{k=1}^{n}(a_k-b_k)=\sum_{k=1}^{n}a_k-\sum_{k=1}^{n}b_k$

(3) $\sum_{k=1}^{n}ca_k=c\sum_{k=1}^{n}a_k$ (단, c는 상수)

(4) $\sum_{k=1}^{n}c=cn$ (단, c는 상수)

1689 ●○○○

$\sum_{k=1}^{10}a_k=30$, $\sum_{k=1}^{10}b_k=12$일 때, $\sum_{k=1}^{10}(a_k-2b_k)$의 값을 구하시오.

1690 짱중요 ●○○○

두 수열 $\{a_n\}$, $\{b_n\}$에 대하여

$$\sum_{n=1}^{10}a_n=9,\ \sum_{n=1}^{10}b_n=7$$

일 때, $\sum_{n=1}^{10}(3a_n+b_n-2)$의 값은?

① 11 ② 12 ③ 13
④ 14 ⑤ 15

1691 ●●○○

$\sum_{k=1}^{7}{a_k}^2=3$일 때, $\sum_{k=1}^{7}(a_k+1)(a_k-1)$의 값은?

① -7 ② -4 ③ 1
④ 5 ⑤ 10

1692 짱중요 ●●○○

$\sum_{k=1}^{10}a_k=-10$, $\sum_{k=1}^{10}(a_k+1)^2=35$일 때, $\sum_{k=1}^{10}{a_k}^2$의 값은?

① 35 ② 40 ③ 45
④ 50 ⑤ 55

1693 중요 ●●○○

$\sum_{k=1}^{20}a_k=10$, $\sum_{k=1}^{20}{a_k}^2=20$일 때, $\sum_{k=1}^{20}(2a_k-c)^2=240$을 만족시키는 양수 c의 값은?

① 2 ② 3 ③ 4
④ 5 ⑤ 6

1694 ●●○○

$\sum_{k=1}^{10}(a_k+b_k)^2=40$, $\sum_{k=1}^{10}a_kb_k=5$일 때, $\sum_{k=1}^{10}({a_k}^2+{b_k}^2)$의 값은?

① 10 ② 15 ③ 20
④ 25 ⑤ 30

1695 짱중요 ●●●○

수열 $\{a_n\}$에 대하여

$$\sum_{k=1}^{100}(a_k+1)^2=500,\ \sum_{k=1}^{100}(a_k+2)^2=1000$$

일 때, $\sum_{k=1}^{100}a_k$의 값은?

① 40 ② 60 ③ 80
④ 100 ⑤ 120

1696 ●●●○

등차수열 $\{a_n\}$에 대하여 $a_1+a_3+a_5=20$, $a_4+a_6+a_8=56$이 성립할 때, $\sum_{k=1}^{10}(a_{k+1}-a_k)$의 값은?

① 39 ② 40 ③ 41
④ 42 ⑤ 43

1697 ●●●○

$\sum_{k=1}^{10}(a_k+2b_k)^2=300$, $\sum_{k=1}^{10}(2a_k-b_k)^2=100$일 때, $\sum_{k=1}^{10}(a_k^2+b_k^2+4)$의 값을 구하시오.

유형 03 자연수의 거듭제곱의 합

내신 중요도 ■■■■■ 유형 난이도 ★★★★★

(1) $\sum_{k=1}^{n}k=\frac{n(n+1)}{2}$

(2) $\sum_{k=1}^{n}k^2=\frac{n(n+1)(2n+1)}{6}$

(3) $\sum_{k=1}^{n}k^3=\left\{\frac{n(n+1)}{2}\right\}^2$

1698 ●○○○

$\sum_{k=1}^{10}(3k-4)$의 값은?

① 120 ② 125 ③ 130
④ 135 ⑤ 140

1699 중요 ●●○○

$\sum_{k=1}^{n}(2k-2)=210$을 만족하는 n의 값은?

① 13 ② 14 ③ 15
④ 16 ⑤ 17

1700 ●●●○

$\sum_{k=1}^{20}\frac{1+2+3+\cdots+k}{k}$의 값은?

① 105 ② 110 ③ 115
④ 120 ⑤ 125

1701 중요

●○○○

$\sum_{k=1}^{10}(k-1)(k+2)$의 값을 구하시오.

1702

●●●○

$\sum_{k=1}^{n}(4k^2+2k)=406$을 만족하는 n의 값은?

① 6 ② 7 ③ 8
④ 9 ⑤ 10

1703

●●○○

$\sum_{k=1}^{4}(k-1)(k^2+k+1)$의 값은?

① 92 ② 96 ③ 100
④ 104 ⑤ 108

유형 04 Σ의 계산

내신 중요도 ▬▬▬▬▬ 유형 난이도 ★★★★★

Σ의 기본 성질을 이용하여 식을 정리한 후, 자연수의 거듭제곱의 합의 공식을 이용한다.

참고 $f(k)=$(k에 대한 다항식)이라 하면

① $\sum_{k=0}^{n}f(k)=f(0)+\{f(1)+f(2)+\cdots+f(n)\}$

② $\sum_{k=0}^{n-1}f(k)=\sum_{k=1}^{n}f(k)+\{f(0)-f(n)\}$

③ $\sum_{k=n+1}^{2n}f(k)=\sum_{k=1}^{2n}f(k)-\sum_{k=1}^{n}f(k)$

1704 중요

●○○○

$\sum_{k=1}^{5}(k+2)^2-\sum_{k=1}^{5}(k^2+1)$의 값은?

① 35 ② 45 ③ 55
④ 65 ⑤ 75

1705

●●○○

$\sum_{k=1}^{10}(k^2-2k+3)+\sum_{i=1}^{10}(i^2+i-3)$의 값은?

① 700 ② 705 ③ 710
④ 715 ⑤ 720

1706

●●○○

$\sum_{k=6}^{10}k^2$의 값은?

① 300 ② 310 ③ 320
④ 330 ⑤ 340

1707 짱중요

$\sum_{k=0}^{9}(2k+1)^2+\sum_{k=1}^{10}(2k)^2$의 값은?

① 2850 ② 2860 ③ 2870
④ 2880 ⑤ 2890

1708

$\sum_{k=1}^{n}(k^2-2)-\sum_{k=1}^{n-1}(k^2+3)=53$을 만족하는 자연수 n의 값을 구하시오.

1709 중요

$\sum_{k=1}^{10}2k+\sum_{k=2}^{10}2k+\sum_{k=3}^{10}2k+\cdots+\sum_{k=10}^{10}2k$의 값은?

① 770 ② 810 ③ 880
④ 930 ⑤ 990

1710 중요

자연수 n에 대하여 x에 대한 이차방정식
$x^2-(n+1)x-(n+2)=0$의 두 근을 α_n, β_n이라 할 때,
$\sum_{n=1}^{10}({\alpha_n}^2+{\beta_n}^2)$의 값을 구하시오.

1711 짱중요

$\sum_{k=1}^{7}(k-a)^2$의 값이 최소가 되도록 하는 상수 a의 값은?

① 3 ② 4 ③ 5
④ 6 ⑤ 7

1712

함수 $f(x)=\sum_{k=1}^{10}\left(kx-\frac{1}{k}\right)^2$은 $x=\alpha$에서 최솟값을 갖는다. 이때, α의 값은?

① $\frac{1}{77}$ ② $\frac{2}{77}$ ③ $\frac{3}{77}$
④ $\frac{4}{77}$ ⑤ $\frac{5}{77}$

유형 05 일반항이 지수로 표현된 수열의 합

내신 중요도 / 유형 난이도 ★★★☆☆

$$\sum_{k=1}^{n} r^k = r+r^2+r^3+\cdots+r^n$$
$$= \frac{r(1-r^n)}{1-r} = \frac{r(r^n-1)}{r-1}$$

1713 ●○○○

$\sum_{k=1}^{5}(2^k+k)$의 값은?

① 44 ② 55 ③ 66 ④ 77 ⑤ 88

1714 ●●○○

$\sum_{k=1}^{5}\left(\frac{1}{5}k^2-3^{k+1}\right)$의 값은?

① -1080 ② -1078 ③ -1074 ④ -1072 ⑤ -1064

1715 교육청 기출 ●●●○

모든 항이 양의 실수인 등비수열 $\{a_n\}$의 첫째항부터 제n항까지의 합을 S_n이라 하자. $S_3=7a_3$일 때, $\sum_{n=1}^{8}\frac{S_n}{a_n}$의 값을 구하시오.

유형 06 Σ로 표현하여 수열의 합 구하기

내신 중요도 / 유형 난이도 ★★★☆☆

등차수열이나 등비수열이 아닌 수열의 합을 구할 때에는 다음과 같은 방법으로 구한다.

① 주어진 수열의 제 k항인 a_k를 구한다.

② 수열의 합을 Σ를 써서 나타낸 후, Σ의 기본 성질을 이용하여 계산한다.

1716 ●○○○

$8^2+9^2+10^2+\cdots+15^2$의 값은?

① 1000 ② 1100 ③ 1200 ④ 1300 ⑤ 1400

1717 ●●○○

수열 $1+1^2,\ 2+2^2,\ 3+3^2,\ \cdots$의 첫째항부터 제10항까지의 합은?

① 420 ② 425 ③ 430 ④ 435 ⑤ 440

1718 짱중요 ●●●○

다음 수열의 첫째항부터 제n항까지의 합을 구하시오.

$$1\cdot1,\ 2\cdot3,\ 3\cdot5,\ 4\cdot7,\ \cdots$$

1719 중요

다음 수열의 첫째항부터 제10항까지의 합을 구하시오.

$2^2 \cdot 1,\ 3^2 \cdot 2,\ 4^2 \cdot 3,\ \cdots$

1720 중요

$1+(1+2)+(1+2+3)+\cdots+(1+2+3+\cdots+10)$의 값은?

① 190 ② 200 ③ 210
④ 220 ⑤ 230

1721

수열 $1,\ 2+4,\ 3+6+9,\ 4+8+12+16,\ \cdots$의 첫째항부터 제10항까지의 합은?

① 1505 ② 1605 ③ 1705
④ 1805 ⑤ 1905

유형 07 일반항이 무리식으로 표현된 수열의 합

내신 중요도 ■■■■■ 유형 난이도 ★★★☆☆

(1) $k=1,\ 2,\ 3,\ \cdots,\ n$을 순서대로 대입하여 항을 연쇄적으로 소거한 후, 주어진 식을 간단히 한다.
(2) 분모에 근호가 있을 경우, 분모를 유리화한다.

1722

$\sum_{k=1}^{8}(\sqrt{k+1}-\sqrt{k})$의 값을 구하시오.

1723 중요

$\sum_{k=1}^{12}\frac{1}{\sqrt{2k-1}+\sqrt{2k+1}}$의 값은?

① 1 ② 2 ③ 3
④ 4 ⑤ 5

1724 짱중요

첫째항이 3, 공차가 2인 등차수열 $\{a_n\}$에 대하여
$\sum_{k=1}^{15}\frac{\sqrt{2}}{\sqrt{a_k-1}+\sqrt{a_{k+1}-1}}$의 값을 구하시오.

1725 중요

$a_1=1+\sqrt{2}$, $a_2=\sqrt{2}+\sqrt{3}$, $a_3=\sqrt{3}+\sqrt{4}$, $\cdots$인 수열 $\{a_n\}$에서 $\sum_{k=1}^{n}\frac{1}{a_k}=5$를 만족하는 자연수 n의 값은?

① 35 ② 36 ③ 37 ④ 38 ⑤ 39

1726

수열 $\{a_n\}$은 첫째항이 1, 공차가 1인 등차수열일 때,

$$\frac{1}{\sqrt{a_2}+\sqrt{a_1}}+\frac{1}{\sqrt{a_3}+\sqrt{a_2}}+\frac{1}{\sqrt{a_4}+\sqrt{a_3}}+\cdots+\frac{1}{\sqrt{a_{100}}+\sqrt{a_{99}}}$$

의 값은?

① 6 ② 7 ③ 8 ④ 9 ⑤ 10

1727

수열 $\{a_n\}$의 일반항 a_n이 $a_n=\frac{1}{\sqrt{n+1}+\sqrt{n+2}}$이고, 첫째항부터 제$n$항까지의 합이 $\sqrt{2}$일 때, n의 값은?

① 5 ② 6 ③ 7 ④ 8 ⑤ 9

유형 08 일반항이 분수식으로 표현된 수열의 합

내신 중요도 ■■■■■ 유형 난이도 ★★★★☆

일반항이 분수식인 수열의 합은 부분분수로 분리한 후, 항을 연쇄적으로 소거하여 구한다.

$$\frac{1}{AB}=\frac{1}{B-A}\left(\frac{1}{A}-\frac{1}{B}\right)$$

1728

$\sum_{k=2}^{n}\frac{1}{k(k-1)}$의 값은?

① $\frac{n}{n-1}$ ② $\frac{n-1}{n}$ ③ $\frac{n+1}{n}$ ④ $\frac{n}{n+1}$ ⑤ $\frac{n+1}{n+2}$

1729 중요

$\sum_{k=2}^{10}\frac{1}{k^2-1}$의 값은?

① $\frac{9}{55}$ ② $\frac{18}{55}$ ③ $\frac{36}{55}$ ④ $\frac{41}{55}$ ⑤ $\frac{9}{11}$

1730 짱중요

이차방정식 $x^2-x+n(n+1)=0$의 두 근을 α_n, β_n이라 할 때, $\sum_{n=1}^{100}\left(\frac{1}{\alpha_n}+\frac{1}{\beta_n}\right)$의 값은?

① $\frac{1}{101}$ ② $\frac{99}{100}$ ③ $\frac{100}{101}$ ④ $\frac{102}{101}$ ⑤ $\frac{101}{100}$

1731 짱중요

수열 $\{a_n\}$의 첫째항부터 제n항까지의 합이 $S_n=n^2+2n$일 때, $\sum_{k=1}^{50} \frac{1}{a_{k-1}a_k}$의 값을 구하시오.

1732 중요

$\sum_{k=1}^{n} a_k=2n^2+n$일 때, $\sum_{k=1}^{10} \frac{1}{a_k a_{k+1}}=\frac{q}{p}$이다. 서로소인 자연수 p, q에 대하여 $p+q$의 값은?

① 139 ② 142 ③ 145
④ 148 ⑤ 151

1733

자연수 n에 대하여 다항식 $f(x)=x^2+4x+3$을 $x-n$으로 나눈 나머지를 a_n이라 할 때, $\sum_{k=1}^{7} \frac{90}{a_k}$의 값을 구하시오.

1734

다음 수열의 합이 $\frac{b}{a}$일 때, $a+b$의 값은?

(단, a, b는 서로소인 자연수이다.)

$$\frac{1}{1\cdot 2}+\frac{1}{2\cdot 3}+\frac{1}{3\cdot 4}+\cdots+\frac{1}{10\cdot 11}$$

① 17 ② 18 ③ 19
④ 20 ⑤ 21

1735 짱중요

수열 $1, \frac{1}{1+2}, \frac{1}{1+2+3}, \cdots, \frac{1}{1+2+3+\cdots+n}, \cdots$
의 첫째항부터 제20항까지의 합은?

① $\frac{39}{19}$ ② $\frac{40}{21}$ ③ $\frac{41}{23}$
④ $\frac{42}{25}$ ⑤ $\frac{43}{27}$

1736 중요

$\frac{2}{3^2-1}+\frac{2}{5^2-1}+\frac{2}{7^2-1}+\cdots+\frac{2}{21^2-1}$의 값은?

① $\frac{1}{11}$ ② $\frac{3}{11}$ ③ $\frac{5}{11}$
④ $\frac{7}{11}$ ⑤ $\frac{9}{11}$

유형 09 일반항이 로그로 표현된 수열의 합

내신 중요도 유형 난이도 ★★★☆☆

(1) 일반항이 로그를 포함한 식일 때는 로그의 성질을 이용한다.
⇨ $a>0$, $a\neq1$, $x>0$, $y>0$일 때,
$\log_a x+\log_a y=\log_a xy$
(2) $k=1, 2, 3, \cdots, n$을 차례로 대입하여 주어진 식을 간단히 한다.

1737 교육청 기출

수열 $\{a_n\}$의 일반항은 $a_n=\log\left(1+\frac{1}{n}\right)$이다. $\sum_{n=1}^{99} a_n$의 값은?

① 1　② 2　③ 3
④ 4　⑤ 5

1738

$\sum_{k=1}^{n} \log_3\left(1+\frac{2}{2k-1}\right)=5$일 때, 자연수 n의 값을 구하시오.

1739

$\sum_{k=2}^{255} \log_2\{\log_k (k+1)\}$의 값을 구하시오.

유형 10 반복되는 수로 나열된 수열의 합

내신 중요도 유형 난이도 ★★★★☆

① a_1, a_2, a_3, $\cdots$을 차례로 구하여 반복되는 규칙을 파악한다.
② 문제에서 주어진 항까지의 합을 구한다.

1740 중요

$f(n)=(3^n$의 일의 자리수)라 할 때, $\sum_{k=1}^{50} f(k)$의 값은?

① 240　② 243　③ 247
④ 252　⑤ 259

1741

수열 $\{a_n\}$이 다음 조건을 만족시킬 때, $\sum_{k=1}^{40} a_k$의 값을 구하시오.

(가) $a_1=1$
(나) $a_{k+1}=a_k+3$ $(k=1, 2, 3, \cdots, 11)$
(다) $a_{m+12}=a_m$ $(m=1, 2, 3, \cdots)$

1742 중요

자연수 n에 대하여 n^2을 3으로 나눈 나머지를 a_n이라 할 때, $\sum_{k=1}^{m} a_k=21$을 만족하는 m의 값을 구하시오.

1743 ●●●○

임의의 자연수 n에 대하여 $\frac{n}{3}$의 정수 부분을 a_n이라 하자. 이때, $\sum_{n=1}^{99}\left(\frac{n}{3}-a_n\right)$의 값을 구하시오.

1744 교육청 기출 ●●●○

$a_n=\cos\frac{2n\pi}{3}$ 일 때, $\sum_{n=1}^{10}\frac{a_{2n}}{a_{2n-1}+a_{2n+1}}$ 의 값은?

① -10　② -5　③ 1
④ 5　⑤ 10

1745 교육청 기출 ●●●●

수열 $\{a_n\}$에서 $a_n=\sin\frac{n\pi}{4}$ 일 때, $\sum_{n=1}^{32}n{a_n}^2$의 값을 구하시오.

유형 11 Σ가 여러 개 있는 식의 계산

내신 중요도 ▬▬▬▬▬ 유형 난이도 ★★★★☆

① Σ가 중복되어 있을 때에는 상수인 것과 상수가 아닌 것을 구별하여 계산한다.

$\sum_{k=a}^{b}\square$의 꼴 ⇨ k를 제외한 $\square$ 안의 문자는 상수로 취급한다.

② 괄호 안부터 순서대로 Σ의 기본 성질을 이용하여 계산한다.

1746 ●●●○

$\sum_{i=1}^{5}\left(\sum_{j=1}^{10}2ij\right)$의 값을 구하시오.

1747 중요 ●●○○

$\sum_{k=1}^{5}\left\{\sum_{i=1}^{k}(i-1)\right\}$의 값은?

① 16　② 17　③ 18
④ 19　⑤ 20

1748 ●●●○

$\sum_{l=1}^{10}\left\{\sum_{k=1}^{4}(k+l+1)\right\}$의 값은?

① 355　② 360　③ 365
④ 370　⑤ 375

1749

$\sum_{i=1}^{n}\left(\sum_{j=1}^{7} ij\right)=420$일 때, 자연수 n의 값은?

① 3　② 4　③ 5
④ 6　⑤ 7

1750 중요

$\sum_{n=1}^{8}\left\{\sum_{k=1}^{n} k(n-k)\right\}$의 값을 구하시오.

1751

$\sum_{m=1}^{n}\left\{\sum_{l=1}^{m}\left(\sum_{k=1}^{l} 2\right)\right\}$를 간단히 하면?

① $\frac{1}{3}n(n+1)(n+2)$　② $\frac{1}{3}n(n+1)(n+3)$
③ $\frac{1}{3}n(n+1)(2n+1)$　④ $\frac{1}{3}n(n+1)(2n+3)$
⑤ $\frac{1}{3}(n+1)(n+2)(n+3)$

유형 12 제k항이 n에 대한 식일 때의 수열의 합

내신 중요도 ■■■■■　유형 난이도 ★★★★★

① 주어진 수열의 제k항을 k와 n에 대한 식으로 나타낸다.
② $\sum_{k=1}^{n} a_k$에서 n은 상수로 취급한다.

1752

$\sum_{k=1}^{n} k(n+k-1)$을 간단히 하면?

① $n(n+1)\left(n+\frac{2}{3}\right)$　② $\left\{\frac{n(n+1)}{2}\right\}^2$
③ $\frac{1}{6}n(n+1)(5n-2)$　④ $\frac{1}{6}n(n+1)(2n+1)$
⑤ $\frac{1}{3}n(n+1)(5n-1)$

1753 중요

$(n-1)+2(n-2)+3(n-3)+\cdots+(n-2)2+(n-1)$
$=\frac{n(n+a)(n+b)}{6}$가 성립할 때, $a+b$의 값을 구하시오.
(단, a, b는 상수이다.)

1754

수열

$1\times n,\ 2\times(n-1),\ 3\times(n-2),\ \cdots,\ (n-1)\times 2,\ n\times 1$

의 첫째항부터 제n항까지의 합을 $f(n)$이라 할 때, $f(12)$의 값을 구하시오.

유형 13 내신 중요도 유형 난이도 ★★★☆☆

a_{2n-1}, a_{2n}으로 표현된 수열의 합

(1) $\sum_{k=1}^{n} a_{2k-1}=a_1+a_3+a_5+\cdots+a_{2n-1}$

(2) $\sum_{k=1}^{n} a_{2k}=a_2+a_4+a_6+\cdots+a_{2n}$

(3) $\sum_{k=1}^{n} (a_{2k-1}+a_{2k})=\sum_{k=1}^{n} a_{2k-1}+\sum_{k=1}^{n} a_{2k}=\sum_{k=1}^{2n} a_k$

참고 $\sum_{k=1}^{n} (a_{3k-2}+a_{3k-1}+a_{3k})=\sum_{k=1}^{3n} a_k$

1755 중요

$\sum_{k=1}^{n} (a_{2k-1}+a_{2k})=n^2$일 때, $\sum_{k=1}^{10} a_k$의 값은?

① 5 ② 10 ③ 25
④ 50 ⑤ 100

1756 중요

등차수열 $\{a_n\}$이

$$\sum_{k=1}^{n} a_{2k-1}=2n^2+n$$

을 만족시킬 때, a_{12}의 값을 구하시오.

1757

등차수열 $\{a_n\}$에 대하여 $\sum_{k=1}^{n} a_{2k-1}=4n^2-3n$을 만족시킬 때, $\sum_{k=1}^{10} a_{2k}$의 값을 구하시오.

1758 중요

$\sum_{k=1}^{10} a_k=16$, $\sum_{k=1}^{5} a_{2k}=7$일 때, $\sum_{k=1}^{5} a_{2k-1}$의 값은?

① 3 ② 5 ③ 7
④ 9 ⑤ 11

1759 교육청 기출

수열 $\{a_n\}$이 모든 자연수 n에 대하여

$$\sum_{k=1}^{n} a_{2k-1}=3n^2-n,\ \sum_{k=1}^{2n} a_k=6n^2+n$$

을 만족시킬 때, $\sum_{k=1}^{24} (-1)^k a_k$의 값은?

① 18 ② 24 ③ 30
④ 36 ⑤ 42

1760

수열 $\{a_n\}$에 대하여 $\sum_{k=1}^{20} (a_k+a_{k+1})=40$, $\sum_{k=1}^{10} (a_{2k-1}+a_{2k})=30$일 때, $a_{21}-a_1$의 값은?

① -20 ② -10 ③ 10
④ 20 ⑤ 30

유형 14 수열의 합과 일반항 사이의 관계

내신 중요도 유형 난이도 ★★★★☆

수열 $\{a_n\}$에 대하여 $S_n=\sum_{k=1}^{n} a_k$가 주어질 때,

$a_1=S_1,\ a_n=S_n-S_{n-1}$ (단, $n\geq 2$)

1761

$\sum_{k=1}^{n} a_k=n^2+4n$일 때, a_{13}의 값은?

① 21 ② 23 ③ 25
④ 27 ⑤ 29

1762

$\sum_{k=1}^{n} a_k=n^2+2n$일 때, $\sum_{k=1}^{10} a_{2k}$의 값은?

① 200 ② 210 ③ 220
④ 230 ⑤ 240

1763 중요

수열 $\{a_n\}$에 대하여 $\sum_{k=1}^{n} a_k=n^2+2n$일 때, $\sum_{k=1}^{10} ka_{3k}$의 값은?

① 2365 ② 2366 ③ 2367
④ 2368 ⑤ 2369

1764 중요

수열 $\{a_n\}$에 대하여 $\sum_{k=1}^{n} a_k=n^2$일 때, $\sum_{k=1}^{10} {a_k}^2$의 값은?

① 1290 ② 1310 ③ 1330
④ 1350 ⑤ 1370

1765

수열 $\{a_n\}$에 대하여

$$\frac{a_1}{2}+\frac{a_2}{3}+\frac{a_3}{4}+\cdots+\frac{a_n}{n+1}=\frac{6n}{n+1}\ (n=1, 2, 3, \cdots)$$

일 때, $\sum_{k=1}^{12} k^2a_k$의 값을 구하시오.

1766

수열 $\{a_n\}$의 첫째항부터 제n항까지의 합을 S_n이라 할 때,

$$\sum_{k=1}^{n} \frac{S_k}{2k-1}=n^2+2n\ (n=1, 2, 3, \cdots)$$

이 성립한다. 이때, a_{10}의 값은?

① 74 ② 75 ③ 76
④ 77 ⑤ 78

10 수열의 합

유형 15 내신 중요도 유형 난이도 ★★★★★

합으로 표현된 조건을 만족하는 수열

$\sum$의 성질과 주어진 조건을 이용하여 주어진 수열의 특징을 찾자.

1767 중요 교육청 기출

첫째항이 3인 등차수열 $\{a_n\}$에 대하여 $\sum_{n=1}^{10}(a_{5n}-a_n)=440$일 때, $\sum_{n=1}^{10}a_n$의 값을 구하시오.

1768 교육청 기출

첫째항이 2, 공차가 4인 등차수열 $\{a_n\}$에 대하여 $\sum_{k=1}^{n}a_kb_k=4n^3+3n^2-n$일 때, b_5의 값을 구하시오.

1769 교육청 기출

첫째항이 양수이고 공비가 -2인 등비수열 $\{a_n\}$에 대하여

$$\sum_{k=1}^{9}(|a_k|+a_k)=66$$

일 때, a_1의 값을 구하시오.

1770 교육청 기출

첫째항이 자연수이고 공차가 음수인 등차수열 $\{a_n\}$이 다음 조건을 만족시킬 때, a_1의 값을 구하시오.

(가) $|a_5|+|a_6|=|a_5+a_6|+2$
(나) $\sum_{n=1}^{6}|a_n|=37$

1771 평가원 기출

첫째항이 2이고 공비가 정수인 등비수열 $\{a_n\}$과 자연수 m이 다음 조건을 만족시킬 때, a_m의 값을 구하시오.

(가) $4<a_2+a_3\le 12$
(나) $\sum_{k=1}^{m}a_k=122$

1772 교육청 기출

자연수로 이루어진 수열 $\{a_n\}$이 다음 조건을 만족시킬 때, a_1의 최댓값은?

(가) $a_{10} \le 5120$
(나) n이 2 이상의 자연수일 때, $a_n = 8 + \sum_{k=1}^{n-1} a_k$이다.

① 9 ② 10 ③ 11
④ 12 ⑤ 13

1773

수열 $\{a_n\}$은 다음 조건을 모두 만족한다.

(가) $a_1 = 10$
(나) $a_1 + 2a_2 + \cdots + na_n = \frac{1}{2}n(n+1)a_{n+1} + 1$
$(n = 1, 2, 3, \cdots)$

이때, a_{100}의 값을 구하시오.

유형 16 조건으로 표현된 수열의 합

내신 중요도 ■■■■□ 유형 난이도 ★★★★★

주어진 조건에 맞는 수열 또는 함수를 찾아서 수열의 합의 성질을 이용하자.

1774 교육청 기출

자연수 n에 대하여 2^{n-1}의 모든 양의 약수의 합을 a_n이라 할 때, $\sum_{n=1}^{8} a_n$의 값을 구하시오.

1775 교육청 기출

수열 $\{a_n\}$은 다음과 같이 3으로 나누어떨어지지 않는 자연수를 작은 수부터 차례로 나열한 것이다.

1, 2, 4, 5, 7, 8, $\cdots$

이때 $\sum_{k=1}^{30} a_k$의 값을 구하시오.

1776

자연수 n에 대하여 10^n의 모든 약수 중에서 홀수인 약수의 개수를 $f(n)$, 짝수인 약수의 개수를 $g(n)$이라 할 때, $\sum_{n=1}^{10}\{g(n)-f(n)\}$의 값은?

① 372 ② 373 ③ 374
④ 375 ⑤ 376

1777 짱중요

수열 $a_1, a_2, a_3, \cdots, a_n$은 0, 1, 2 중 어느 하나의 값을 갖는다. $\sum_{k=1}^{n} a_k=40$, $\sum_{k=1}^{n} a_k^{\ 2}=70$일 때, $\sum_{k=1}^{n} a_k^{\ 3}$의 값은?

① 110 ② 120 ③ 130
④ 140 ⑤ 150

1778

이차함수 $f(x)=x^2+ax+b$가 모든 자연수 n에 대하여 $\frac{1}{n}\sum_{k=1}^{n} f(k)=\frac{1}{3}f(n)$을 만족할 때, 두 상수 a, b에 대하여 a^2+b^2의 값을 구하시오.

1779

집합

$S_n=\{(x, y)\,|\,x^2<y\le nx,\ x$와 y는 자연수$\}$

에 속하는 원소의 개수를 a_n $(n=1, 2, 3, \cdots)$이라 하자. 이때, $\sum_{k=2}^{10}\frac{1}{a_k}$의 값은?

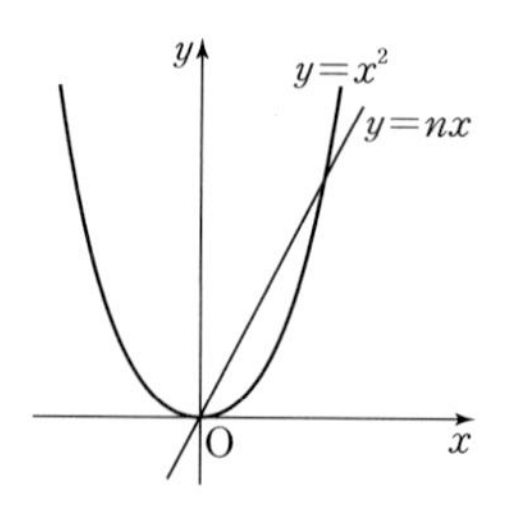

① $\frac{7}{5}$ ② $\frac{79}{55}$ ③ $\frac{81}{55}$
④ $\frac{83}{55}$ ⑤ $\frac{17}{11}$

1780

자연수 n에 대하여 직선 $x=n$과 원 $x^2+y^2=(n+1)^2$이 만나는 두 점 사이의 거리를 a_n이라 하자.

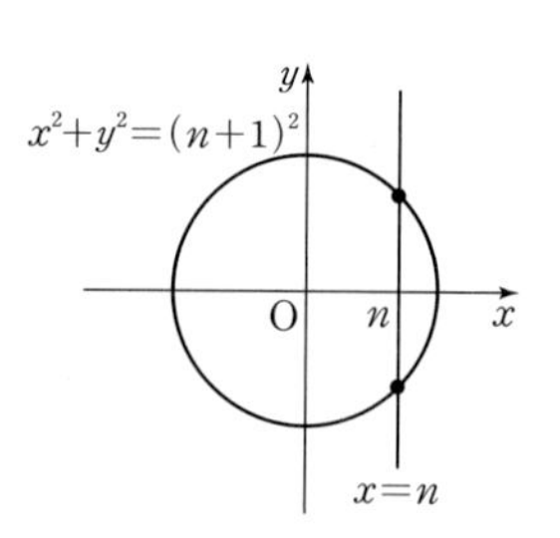

이때, $\sum_{n=2}^{37}\frac{1}{a_n+a_{n-1}}$의 값은?

① $\sqrt{2}$ ② $\sqrt{3}$ ③ 2
④ 3 ⑤ $2\sqrt{3}$

유형 17 표로 나타낸 수열의 합의 응용

내신 중요도 ■■■■■ 유형 난이도 ★★★★★

① 각 줄을 하나의 수열로 생각한다.
② 각 줄의 규칙성을 조사한다.

1781

아래 표와 같이 각 행에 일정한 간격으로 홀수들을 배열해 나간다. 이와 같은 규칙으로 계속 써 나갈 때, 자연수 51은 몇 번 나타나는지 구하시오.

1	1	1	1	1	⋯
1	3	5	7	9	⋯
1	5	9	13	17	⋯
1	7	13	19	25	⋯
1	9	17	25	33	⋯
⋮	⋮	⋮	⋮	⋮	⋱

1782

다음과 같이 가운데 1을 중심으로 사각형의 안쪽에서 바깥쪽으로, 맨 아래 왼쪽부터 시계반대 방향으로 숫자를 써 나가는 판이 있다. 이 같은 규칙으로 숫자를 배열할 때, 81을 둘러싸고 있는 8개의 칸에 적힌 수들의 합은?

⋱	⋯	⋯	⋯	⋯	⋯	⋰
⋯	22	21	20	19	18	⋯
⋯	23	8	7	6	17	⋯
⋯	24	9	1	5	16	⋯
⋯	25	2	3	4	15	⋯
⋯	10	11	12	13	14	⋯
⋰	⋯	⋯	⋯	⋯	⋯	⋱

① 587 ② 601 ③ 616
④ 632 ⑤ 648

유형 18 여러 가지 수열의 합의 응용

내신 중요도 ■■■■■ 유형 난이도 ★★★★★

문제에 주어진 규칙을 찾아 수열의 합으로 나타낸 후, 자연수의 거듭제곱의 합, $\sum$의 기본 성질 등을 이용하여 문제를 해결한다.

1783 중요

그림과 같은 3층 탑을 쌓을 때, 가장 아래층을 쌓는데 필요한 정육면체의 개수는 6이다. 이와 같은 규칙으로 탑을 15층까지 쌓을 때, 가장 아래층을 쌓는데 필요한 정육면체의 개수는?

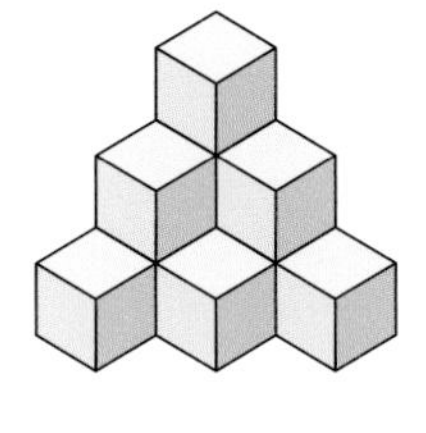

① 80 ② 90 ③ 100
④ 110 ⑤ 120

1784

한 변의 길이가 n인 정사각형을 한 변의 길이가 1인 정사각형으로 나누어 그림과 같이 색칠하였을 때, 한 변의 길이가 1인 정사각형 중 색칠된 것의 개수를 a_n이라 하자. 이때, $\sum_{n=1}^{20} a_n$의 값은?

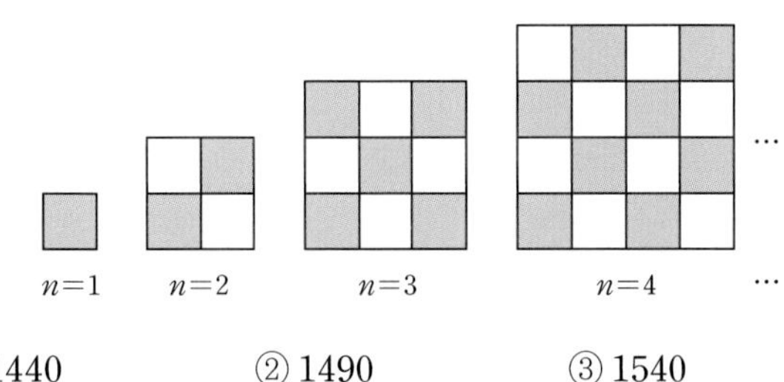

① 1440 ② 1490 ③ 1540
④ 1590 ⑤ 1640

1785

그림과 같이 좌표평면 위에 서로 다른 세 점 $A(x_1, y_1)$, $B(x_2, y_2)$, $C(x_3, y_3)$를 꼭짓점으로 하는 $\triangle ABC$의 무게중심의 좌표가 $(-1, 5)$일 때, $\sum_{k=1}^{3}(x_k+y_k)$의 값을 구하시오.

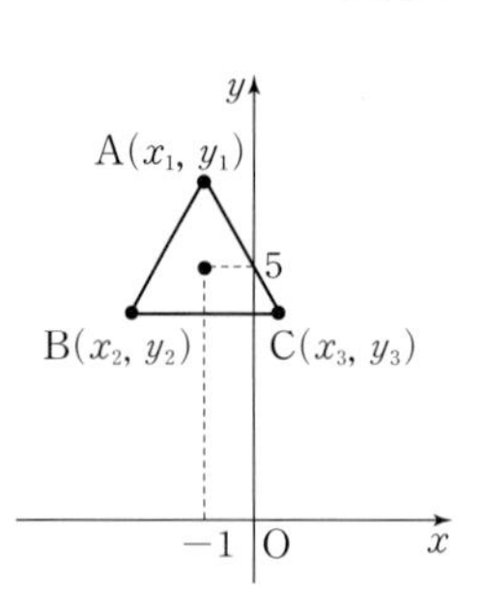

1786 중요

그림과 같이 두 곡선 $y=\sqrt{x+1}$과 $y=-\sqrt{x}$가 직선 $x=k$ $(k=1, 2, 3, \cdots)$와 만나는 점을 각각 P_k, Q_k라 할 때, $\sum_{k=1}^{35}\frac{1}{\overline{P_kQ_k}}$의 값은?

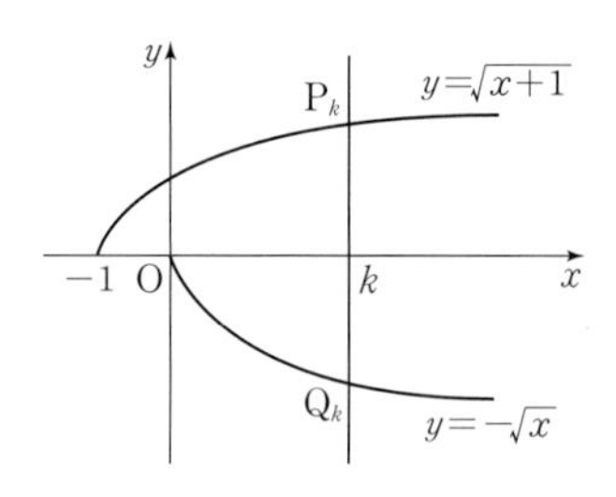

① $\sqrt{35}-1$ ② 5 ③ $\sqrt{35}$
④ 6 ⑤ $\sqrt{35}+1$

1787

자연수 n에 대하여 연립부등식 $\begin{cases} y\ge x^2 \\ y\le |x|+n^2-n \end{cases}$을 만족하는 좌표평면 위의 점 (x, y) 중에서 x좌표와 y좌표가 모두 정수인 점의 개수를 a_n이라 하자. 이때, a_{10}의 값을 구하시오.

1788

그림과 같이 두 분수함수 $y=\frac{1}{x}$, $y=\frac{1}{x+1}$의 그래프와 직선 $x=n$ $(n=1, 2, 3, \cdots, 20)$이 만나서 생기는 교점으로 이루어진 직각삼각형의 넓이의 합을 나타내는 식은?

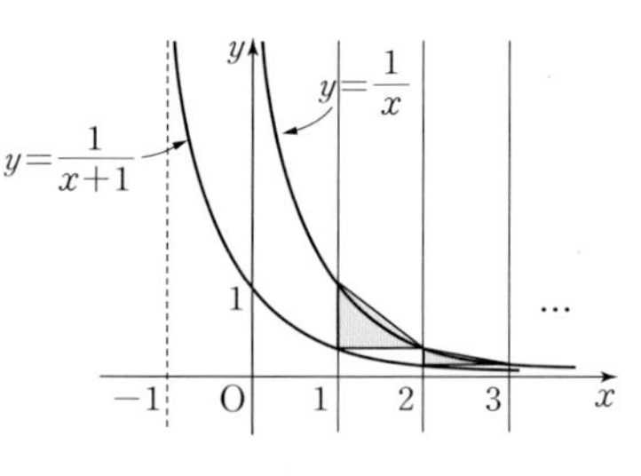

① $\sum_{k=1}^{20}\frac{1}{2k(k+1)}$ ② $\sum_{k=1}^{19}\frac{1}{2k(k+1)}$
③ $\sum_{k=1}^{20}\frac{1}{k(k+1)}$ ④ $\sum_{k=1}^{19}\frac{1}{k(k+1)}$
⑤ $\sum_{k=1}^{19}\frac{1}{(k+1)(k+2)}$

1789

그림과 같이 $\angle B=90°$, $\overline{AC}=1$인 직각삼각형 ABC에 대하여 선분 AC를 10등분하여 각 점을 차례로 $P_1, P_2, \cdots, P_9$라 할 때, $\overline{BP_1}^2+\overline{BP_2}^2+\cdots+\overline{BP_9}^2$의 값은?

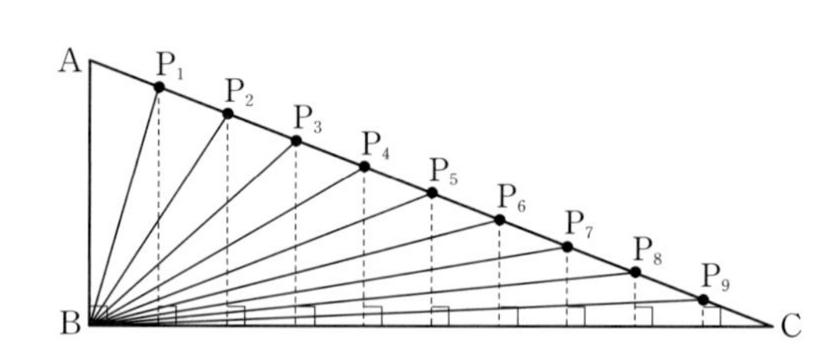

① $\frac{57}{20}$ ② $\frac{59}{20}$ ③ $\frac{61}{20}$
④ $\frac{63}{20}$ ⑤ $\frac{13}{4}$

해설 272쪽

1790

공차가 3인 등차수열 $\{a_n\}$에 대하여 $\sum_{k=5}^{8} a_k - \sum_{k=1}^{4} a_k$의 값은?

① 42 ② 44 ③ 46
④ 48 ⑤ 50

1791

$\sum_{k=1}^{7} a_k=10$, $\sum_{k=1}^{7} b_k=6$일 때, $\sum_{k=1}^{7} (a_k+2b_k-3)$의 값은?

① -8 ② -2 ③ 1
④ 5 ⑤ 10

1792

$\sum_{k=1}^{10} (4k+2)^2 - \sum_{k=1}^{10} (4k-1)^2$의 값은?

① 1250 ② 1300 ③ 1350
④ 1400 ⑤ 1450

1793

다음 수열의 첫째항부터 제12항까지의 합은?

$2^2,\ 5^2,\ 8^2,\ 11^2,\ 14^2,\ \cdots$

① 5394 ② 5395 ③ 5396
④ 5397 ⑤ 5398

1794

$\sum_{k=1}^{13} \frac{1}{\sqrt{k+3}+\sqrt{k+2}}$의 값은?

① $\sqrt{2}$ ② $\sqrt{3}$ ③ $4-\sqrt{3}$
④ 4 ⑤ $4+\sqrt{3}$

1795

수열 $\{a_n\}$에 대하여 $\sum_{k=1}^{n} a_k=\frac{1}{3}n(n+1)(n+2)$일 때, $\sum_{k=1}^{50} \frac{1}{a_k}$의 값을 구하시오.

해설 273쪽

1796

$\sum_{i=1}^{n}\left(\sum_{k=1}^{i} k\right)=35$일 때, n의 값은?

① 4 ② 5 ③ 6
④ 7 ⑤ 8

1797 서술형

$\sum_{k=1}^{n}(a_{2k-1}+a_{2k})=3n^2+n$일 때, $\sum_{k=11}^{20} a_k$의 값을 구하시오.

1798

수열 $\{a_n\}$에 대하여 $\sum_{k=1}^{n} a_k=n(n+1)$일 때, $\sum_{k=1}^{10} a_{2k-1}$의 값은?

① 200 ② 210 ③ 220
④ 230 ⑤ 240

1799

모든 자연수 n에 대하여 수열 $\{a_n\}$은 $\sum_{k=1}^{n} \frac{a_k}{k}=n^2+1$을 만족시킨다. 이때, $\sum_{k=1}^{10} a_k$의 값을 구하시오.

1800 서술형

$f(x)=\frac{1}{\sqrt{x+2}+\sqrt{x+1}}$을 만족하는 $f(x)$에 대하여 $\sum_{k=0}^{n} f(k)=g(n)$이다. $1\le n\le 400$일 때, $g(n)$이 정수가 되게 하는 자연수 n의 개수를 구하시오.

1801

그림과 같이 두 곡선 $y=\sqrt{x+1}$, $y=-\sqrt{x}$와 두 직선 $x=k$, $x=k+1$에 의해 만들어지는 직사각형을 A_k $(k=1, 2, 3, \cdots)$라 하자.

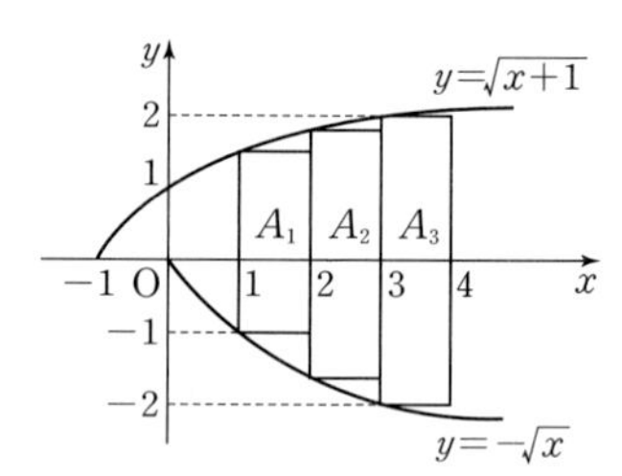

직사각형 A_k의 넓이를 S_k라고 할 때, $\sum_{k=1}^{24} \frac{1}{S_k}$의 값은?

① $2\sqrt{2}$ ② $2\sqrt{3}$ ③ 4
④ 5 ⑤ 6

해설 274쪽

Level 1

1802

첫째항이 0, 공차가 0이 아닌 등차수열 $\{a_n\}$에 대하여 수열 $\{b_n\}$이 $a_{n+1}b_n=\sum_{k=1}^{n}a_k$를 만족시킬 때, b_{27}의 값을 구하시오.

1803 교육청 기출

두 등차수열 $\{a_n\}$, $\{b_n\}$에 대하여 $a_1=6$이고

$\sum_{k=1}^{n}a_k=\frac{2n+1}{n+3}\sum_{k=1}^{n}b_k$를 만족시킬 때, b_{11}의 값을 구하시오.

1804

수열 $\{a_n\}$은 첫째항이 8, 공차가 2인 등차수열이고, 수열 $\{b_n\}$은 $b_1=6$, $b_{n+1}-a_{n+1}=b_n$ $(n=1, 2, 3, \cdots)$을 만족시킨다. 이때, b_{20}의 값을 구하시오.

1805

$S=10\cdot1+9\cdot2+8\cdot2^2+\cdots+1\cdot2^9$일 때, S의 값은?

① 1012 ② 1028 ③ 2012
④ 2036 ⑤ 2060

1806

자연수 전체의 집합을 정의역으로 하는 두 함수

$f(n)=(n-1)(n+1),\ g(n)=2n+1$

이 있다. $h(n)=(f \circ g)(n)$일 때, $\sum_{n=1}^{10} \frac{1}{h(n)}$의 값을 구하시오.

1807

그림과 같은 모양의 4층 탑을 쌓았을 때, 크기가 같은 44개의 정육면체가 필요하였다. 이와 같은 규칙으로 10층 탑을 쌓으려고 할 때, 필요한 정육면체의 총 개수는?

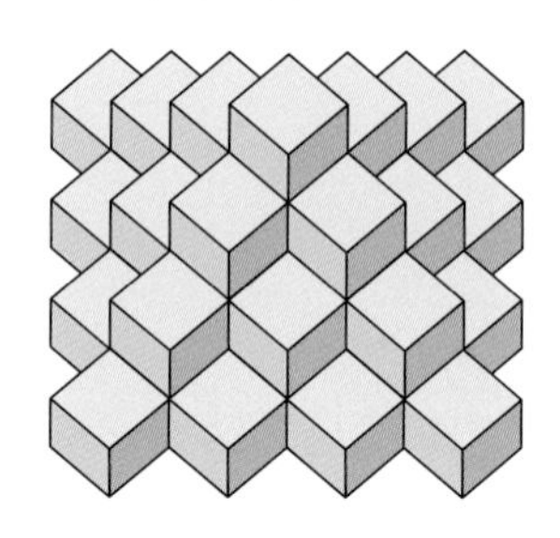

① 650 ② 670 ③ 690
④ 710 ⑤ 730

Level 2

1808

수열 $\{a_n\}$에 대하여 $a_1+a_2+\cdots+a_n=10n-n^2\ (n=1, 2, 3, \cdots)$이 성립할 때, $\sum_{k=1}^{25} |a_k|$의 값은?

① 410 ② 415 ③ 420
④ 425 ⑤ 430

1809

수열 $\{a_n\}$이 모든 자연수 n에 대하여 다음 조건을 만족시킨다.

> (가) a_n은 자연수이다.
> (나) $|a_n-\sqrt{n}|<\frac{1}{2}$

이때, $\sum_{n=1}^{90} a_n$의 값을 구하시오.

1810

수열 $\{a_n\}$을 다음과 같이 정의하자.

$$a_n=(-1)^n\cdot n^2\ (n=1, 2, 3, \cdots)$$

수열 $\{a_n\}$의 첫째항부터 제n항까지의 합을 S_n이라 할 때, $\dfrac{S_{2n}-S_{2n-1}}{S_{2n}+S_{2n-1}}=100$을 만족시키는 자연수 n의 값은?

① 48 ② 49 ③ 50
④ 51 ⑤ 52

1811

다음 〈보기〉 중 옳은 것을 모두 고른 것은?

보기

ㄱ. $\left(\sum_{k=1}^{n} a_k\right)^2=\sum_{k=1}^{n} a_k^2$

ㄴ. $\sum_{k=1}^{n} a_k b_k=\sum_{k=1}^{n} a_k \sum_{k=1}^{n} b_k$

ㄷ. $\sum_{k=1}^{2n} a_k=\sum_{k=1}^{n} a_k+\sum_{k=n+1}^{2n} a_k$

① ㄱ ② ㄴ ③ ㄷ
④ ㄱ, ㄴ ⑤ ㄴ, ㄷ

1812

교육청 기출

모든 항이 양수인 등차수열 $\{a_n\}$은

$$a_{26}=30,\ \sum_{n=1}^{13}\{(a_{2n})^2-(a_{2n-1})^2\}=260$$

을 만족시킨다. a_{11}의 값을 구하시오.

1813

교육청 기출

공차가 0이 아닌 등차수열 $\{a_n\}$이 다음 조건을 만족시킨다.

(가) $\sum_{n=1}^{5} a_n=2\left|\sum_{n=1}^{10} a_n\right|$

(나) $a_3a_6>0$

$\dfrac{a_{21}}{a_1}$의 값은?

① -5 ② $-\dfrac{17}{4}$ ③ $-\dfrac{7}{2}$
④ $-\dfrac{11}{4}$ ⑤ -2

1814

수열 $\{a_n\}$은 첫째항이 2, 공비가 2인 등비수열일 때, 수열 $\{b_n\}$은 다음 조건을 만족시킨다.

> (가) $b_1=-1$
> (나) 곡선 $y=x^2$ 위의 한 점 $\mathrm{P}(b_k, b_k^2)$을 지나고 기울기가 a_k인 직선과 곡선 $y=x^2$의 교점 중 점 P가 아닌 점의 x좌표는 b_{k+1}이다.

이때, $\sum_{k=1}^{20} b_k$의 값은?

① $\frac{2}{3}(4^{10}-1)$　② $\frac{3}{4}(4^{10}-1)$
③ $\frac{4}{5}(4^{10}-1)$　④ $\frac{2}{3}(2^{10}-1)$
⑤ $\frac{3}{4}(2^{10}-1)$

1815

자연수 n에 대하여 점 P_n을 다음 규칙에 따라 정한다.

> (가) 점 P_1의 좌표는 $(1, 1)$이다.
> (나) 점 P_n의 좌표가 (a, b)일 때, $b<2^a$이면 점 P_{n+1}의 좌표는 $(a, b+1)$이고, $b=2^a$이면 점 P_{n+1}의 좌표는 $(a+1, 1)$이다.

점 P_n의 좌표가 $(10, 2^{10})$일 때, n의 값은?

① $2^{10}-2$　② $2^{10}+2$　③ $2^{11}-2$
④ 2^{11}　⑤ $2^{11}+2$

1816

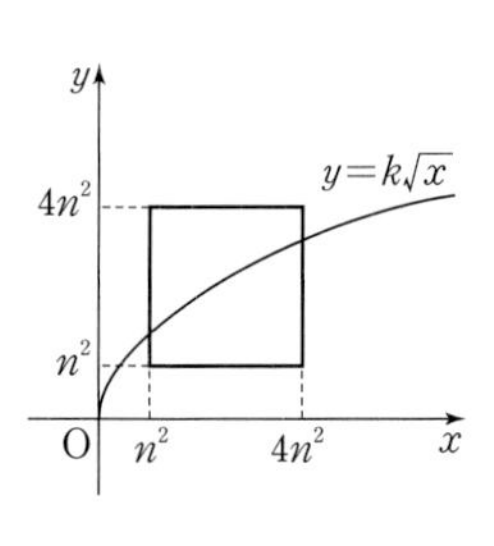

그림과 같이 좌표평면에서 자연수 n에 대하여 A_n을 4개의 점 (n^2, n^2), $(4n^2, n^2)$, $(4n^2, 4n^2)$, $(n^2, 4n^2)$을 꼭짓점으로 하는 정사각형이라 하자. 정사각형 A_n과 함수 $y=k\sqrt{x}$의 그래프가 만나도록 하는 자연수 k의 개수를 a_n이라 할 때, 〈보기〉에서 옳은 것만을 있는 대로 고른 것은?

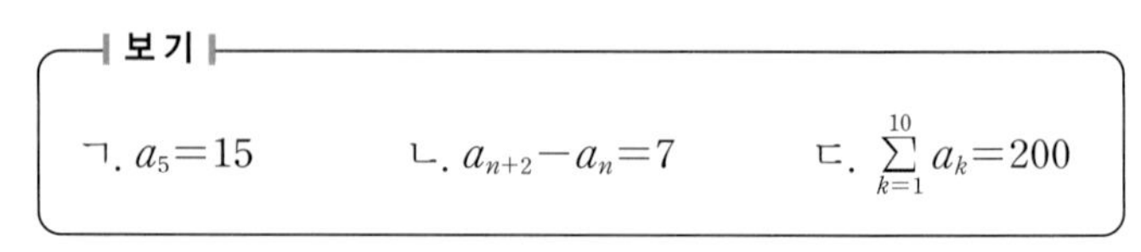
보기

ㄱ. $a_5=15$　ㄴ. $a_{n+2}-a_n=7$　ㄷ. $\sum_{k=1}^{10} a_k=200$

① ㄴ　② ㄷ　③ ㄱ, ㄴ
④ ㄴ, ㄷ　⑤ ㄱ, ㄴ, ㄷ

1817

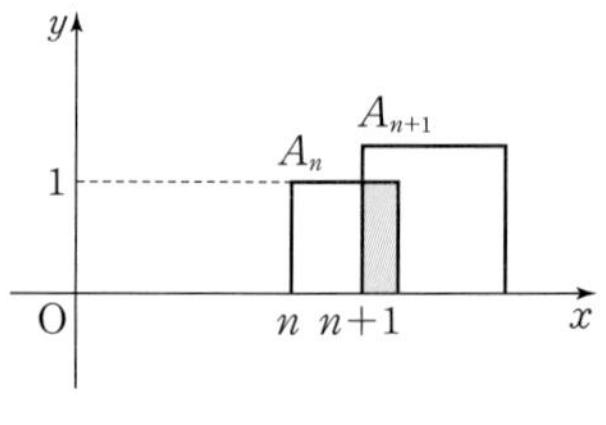

n이 3 이상인 자연수일 때, 네 점 $(n, 0)$, $\left(\frac{3n}{2}, 0\right)$, $\left(\frac{3n}{2}, \frac{n}{2}\right)$, $\left(n, \frac{n}{2}\right)$을 꼭짓점으로 하는 정사각형을 A_n이라 하자.
그림과 같이 두 정사각형 A_n, A_{n+1}이 겹치는 부분(색칠한 부분)의 넓이를 a_n이라 할 때, $\sum_{n=3}^{10} \frac{1}{a_n}$의 값은?

① $\frac{113}{45}$　② $\frac{116}{45}$　③ $\frac{118}{45}$
④ $\frac{121}{45}$　⑤ $\frac{124}{45}$

Level 3

1818

교육청 기출

첫째항이 양수인 등차수열 $\{a_n\}$에 대하여

$$S_n=\sum_{k=1}^{n}(-1)^k a_k,\ T_n=\sum_{k=1}^{n}\frac{1}{a_k a_{k+1}}$$

이다. $S_{10}=25$, $\frac{1}{T_5}=\frac{54}{5}$일 때, a_6의 값을 구하시오.

1819

교육청 기출

첫째항이 1인 등차수열 $\{a_n\}$에 대하여 수열 $\{b_n\}$을

$$b_n=a_1+2a_2+3a_3+\cdots+na_n\ (n\ge1)$$

이라 하자. $b_{10}=715$일 때, $\sum_{n=1}^{10}\frac{b_n}{n(n+1)}$의 값은?

① 30 ② 35 ③ 40 ④ 45 ⑤ 50

1820

교육청 기출

수열 $\{a_n\}$이 다음 조건을 만족시킨다.

(가) $|a_n|+a_{n+1}=n+6\ (n\ge1)$

(나) $\sum_{n=1}^{40}a_n=520$

$\sum_{n=1}^{30}a_n$의 값을 구하시오.

해설 280쪽

1821 교육청 기출

공차가 양수인 등차수열 $\{a_n\}$이 다음 조건을 만족시킬 때, a_{14}의 값은?

> (가) $\sum_{n=1}^{2m-1} a_n=0$을 만족시키는 자연수 m이 존재한다.
>
> (나) $2\sum_{n=1}^{15} a_n=\sum_{n=1}^{15} |a_n|=90$

① 6　　② 8　　③ 10　　④ 12　　⑤ 14

1822 교육청 기출

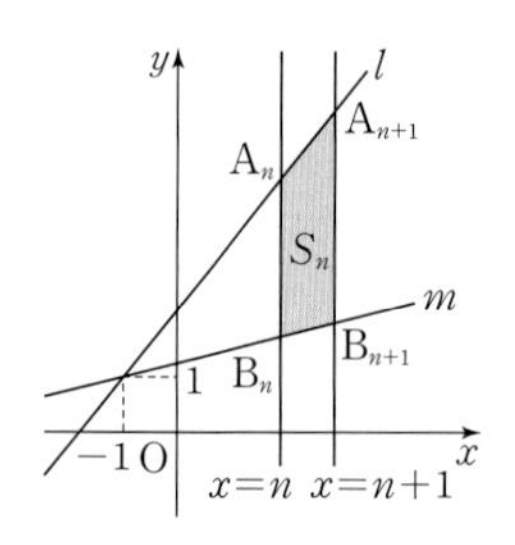

그림과 같이 좌표평면에 점 $(-1, 1)$을 지나는 서로 다른 두 직선 l, m이 있다. 자연수 n에 대하여 직선 $x=n$이 두 직선 l, m과 만나는 점을 각각 A_n, B_n이라 하자.
사각형 $A_nB_nB_{n+1}A_{n+1}$의 넓이를 S_n이라 할 때, $\sum_{k=1}^{10} S_{2k-1}=115$이다. $\sum_{k=1}^{10} S_{2k}$의 값을 구하시오.

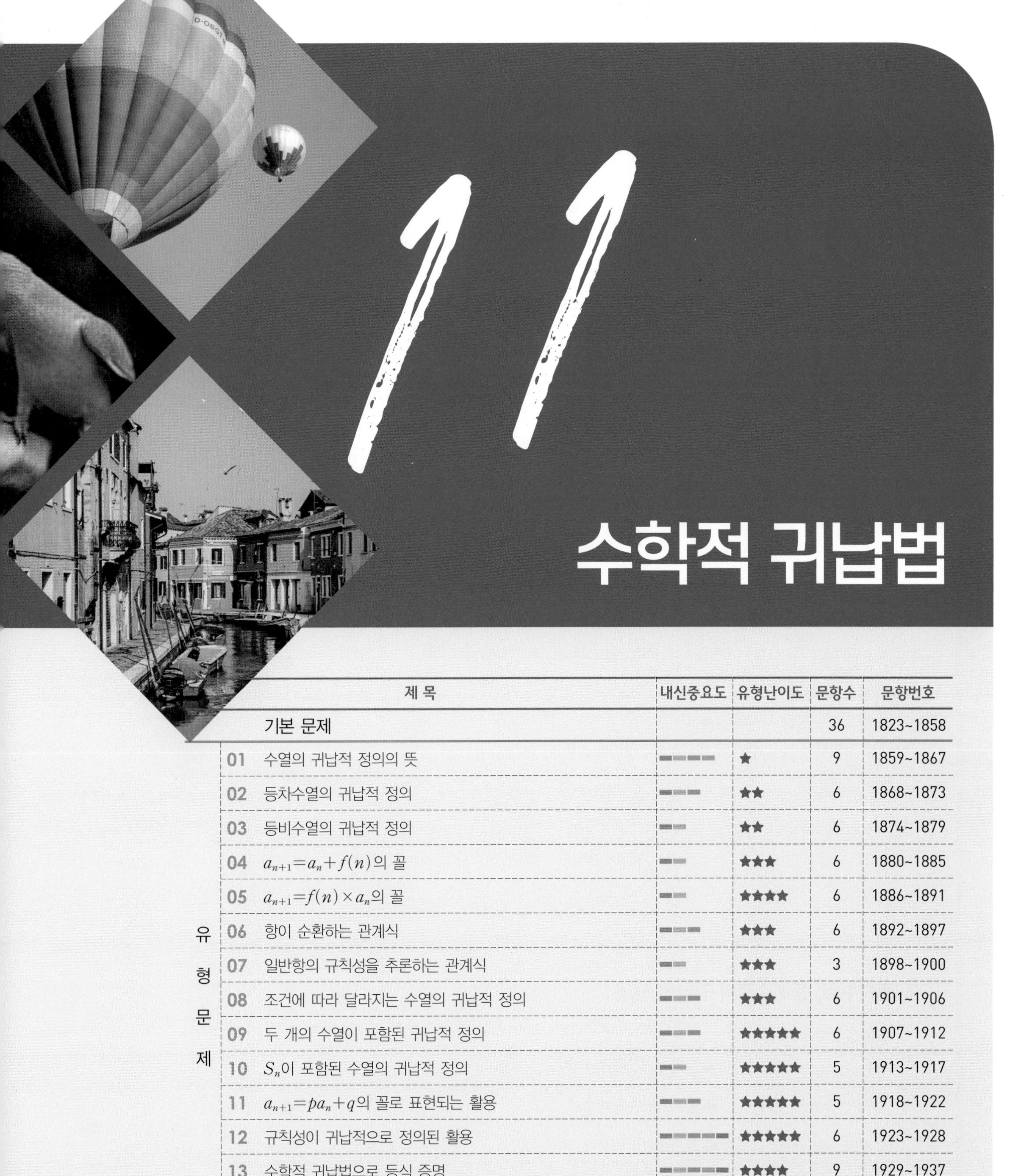

11 수학적 귀납법

		제 목	내신중요도	유형난이도	문항수	문항번호
		기본 문제			36	1823~1858
유형문제	01	수열의 귀납적 정의의 뜻	■■■■	★	9	1859~1867
	02	등차수열의 귀납적 정의	■■■	★★	6	1868~1873
	03	등비수열의 귀납적 정의	■■	★★	6	1874~1879
	04	$a_{n+1}=a_n+f(n)$의 꼴	■■	★★★	6	1880~1885
	05	$a_{n+1}=f(n)\times a_n$의 꼴	■■	★★★★	6	1886~1891
	06	항이 순환하는 관계식	■■■	★★★	6	1892~1897
	07	일반항의 규칙성을 추론하는 관계식	■■	★★★	3	1898~1900
	08	조건에 따라 달라지는 수열의 귀납적 정의	■■■	★★★	6	1901~1906
	09	두 개의 수열이 포함된 귀납적 정의	■■■	★★★★★	6	1907~1912
	10	S_n이 포함된 수열의 귀납적 정의	■■	★★★★★	5	1913~1917
	11	$a_{n+1}=pa_n+q$의 꼴로 표현되는 활용	■■■	★★★★★	5	1918~1922
	12	규칙성이 귀납적으로 정의된 활용	■■■■■	★★★★★	6	1923~1928
	13	수학적 귀납법으로 등식 증명	■■■■■	★★★★	9	1929~1937
	14	수학적 귀납법으로 배수의 증명	■■	★★★★	2	1938~1939
	15	수학적 귀납법으로 부등식 증명	■■■■■	★★★★★	5	1940~1944
		적중 문제			12	1945~1956
		고난도 문제			19	1957~1975

수학적 귀납법

1. 수열의 귀납적 정의

수열 $\{a_n\}$을
① 처음 몇 개 항의 값
② 이웃하는 항들 사이의 관계식
으로 정의하는 것을 수열 $\{a_n\}$의 귀납적 정의라고 한다.

수열의 이웃하는 항들 사이의 관계식을 점화식이라고 한다.

$2a_{n+1}=a_n+a_{n+2}$
$\Longleftrightarrow$ a_{n+1}이 a_n과 a_{n+2}의 등차중항
$\Longleftrightarrow$ 수열 $\{a_n\}$은 등차수열

2. 등차수열, 등비수열의 귀납적 정의

수열 $\{a_n\}$에 대하여
(1) $a_{n+1}-a_n=d$ (일정) ➡ 공차가 d인 등차수열
(2) $\dfrac{a_{n+1}}{a_n}=r$ (일정) ➡ 공비가 r인 등비수열
(3) $2a_{n+1}=a_n+a_{n+2}$ ➡ 등차수열
(4) $a_{n+1}{}^2=a_na_{n+2}$ ➡ 등비수열

${a_{n+1}}^2=a_na_{n+2}$
$\Longleftrightarrow$ a_{n+1}이 a_n과 a_{n+2}의 등비중항
$\Longleftrightarrow$ 수열 $\{a_n\}$은 등비수열

3. 여러 가지 수열의 귀납적 정의

(1) $a_{n+1}=a_n+f(n)$ 꼴

주어진 관계식의 n에 1, 2, 3, ⋯, $n-1$을 차례로 대입한 식들을 변끼리 더하면

$$a_n=a_1+f(1)+f(2)+\cdots+f(n-1)$$
$$=a_1+\sum_{k=1}^{n-1}f(k)$$

(2) $a_{n+1}=f(n)\times a_n$ 꼴

주어진 관계식의 n에 1, 2, 3, ⋯, $n-1$을 차례로 대입한 식들을 변끼리 곱하면

$$a_n=a_1\times f(1)\times f(2)\times\cdots\times f(n-1)$$

(3) $a_{n+1}=pa_n+q$ 꼴

주어진 관계식을 $a_n-\alpha=(a_1-\alpha)p^{n-1}$로 변형하여 정리하면

$$a_n=\alpha+(a_1-\alpha)p^{n-1}$$ (단, α는 상수이다.)

(4) $a_{n+1}=\dfrac{ra_n}{pa_n+q}$ 꼴

양변을 역수를 취하여 $\dfrac{1}{a_n}=b_n$으로 놓고 b_n을 구한 후 a_n을 구한다.

● $a_{n+1}=a_n+f(n)$의 꼴

$a_2=a_1+f(1)$
$a_3=a_2+f(2)$
$a_4=a_3+f(3)$
⋮
$+)\ a_n=a_{n-1}+f(n-1)$

$a_n=a_1+\{f(1)+f(2)+f(3)+\cdots+f(n-1)\}$
$=a_1+\sum_{k=1}^{n-1}f(k)$

● $a_{n+1}=f(n)\times a_n$의 꼴

$a_2=f(1)\times a_1$
$a_3=f(2)\times a_2$
$a_4=f(3)\times a_3$
⋮
$\times)\ a_n=f(n-1)\times a_{n-1}$

$a_n=a_1\times f(1)\times f(2)\times f(3)\times\cdots\times f(n-1)$

4. 수학적 귀납법

자연수 n에 대한 명제 $p(n)$이 모든 자연수 n에 대하여 성립함을 증명하려면 다음 (i), (ii)를 보이면 된다.

(i) $n=1$일 때, 명제 $p(n)$이 성립한다.

(ii) $n=k$일 때, 명제 $p(n)$이 성립한다고 가정하면
$n=k+1$일 때에도 명제 $p(n)$이 성립한다.

이와 같은 증명 방법을 수학적 귀납법이라고 한다.

참고 $n\geq a$ (a는 자연수)인 모든 자연수 n에 대하여 부등식이 성립함을 증명할 때에는

(i) $n=a$일 때, 부등식이 성립함을 보인다.

(ii) $n=k$ $(k\geq a)$일 때, 부등식이 성립한다고 가정한다.

(iii) $n=k+1$일 때에도 부등식이 성립함을 보인다.

● (i)에 의하여 $p(1)$이 참이다.
(ii)에 의하여 $p(1+1)$, 즉 $p(2)$가 참이다.
(ii)에 의하여 $p(2+1)$, 즉 $p(3)$이 참이다.
⋮
따라서 모든 자연수 n에 대하여 명제 $p(n)$이 참임을 알 수 있다.

1 수열의 귀납적 정의

[1823-1829] 다음과 같이 정의된 수열 $\{a_n\}$에 대하여 a_2, a_3, a_4를 구하시오. (단, $n=1, 2, 3, \cdots$)

1823 $a_1=4$, $a_{n+1}-a_n=2$

1824 $a_1=15$, $a_{n+1}-a_n=-3$

1825 $a_1=1$, $a_{n+1}=a_n+2$

1826 $a_1=-3$, $\dfrac{a_{n+1}}{a_n}=-1$

1827 $a_1=24$, $\dfrac{a_{n+1}}{a_n}=\dfrac{1}{2}$

1828 $a_1=4$, $a_{n+1}=3a_n$

1829 $a_1=-4$, $a_{n+1}=-2a_n$

[1830-1835] 다음과 같이 정의된 수열 $\{a_n\}$에 대하여 a_2, a_3, a_4를 구하시오. (단, $n=1, 2, 3, \cdots$)

1830 $a_1=1$, $a_{n+1}=a_n+n$

1831 $a_1=3$, $a_{n+1}-a_n=2n+1$

1832 $a_1=2$, $a_{n+1}=a_n+2^n$

1833 $a_1=1$, $a_{n+1}=(n+1)a_n$

1834 $a_1=1$, $a_{n+1}=2a_n+1$

1835 $a_1=2$, $a_{n+1}=3a_n-1$

[1836-1838] 다음과 같이 정의된 수열 $\{a_n\}$에 대하여 a_2, a_3, a_4를 구하시오. (단, $n=1, 2, 3, \cdots$)

1836 $a_1=1$, $a_{n+1}=\dfrac{a_n}{a_n+1}$

1837 $a_1=2$, $a_{n+1}=\dfrac{2a_n}{1+a_n}$

1838 $a_1=1$, $a_{n+1}=\dfrac{a_n}{a_n+2}$

[1839-1845] 다음과 같이 정의된 수열 $\{a_n\}$에 대하여 제4항을 구하시오. (단, $n=1, 2, 3, \cdots$)

1839 $a_1=1$, $a_2=4$, $a_{n+1}-a_n=a_{n+2}-a_{n+1}$

1840 $a_1=3$, $a_2=5$, $2a_{n+1}=a_n+a_{n+2}$

1841 $a_1=1$, $a_2=3$, $\dfrac{a_{n+1}}{a_n}=\dfrac{a_{n+2}}{a_{n+1}}$

1842 $a_1=4$, $a_2=2$, ${a_{n+1}}^2=a_na_{n+2}$

1843 $a_1=1$, $a_2=2$, $a_{n+2}=a_{n+1}+a_n$

1844 $a_1=1$, $a_2=2$, $a_{n+2}-3a_{n+1}+2a_n=0$

1845 $a_1=0$, $a_2=1$, $3a_{n+2}-2a_{n+1}-a_n=0$

[1846-1847] 〈보기〉는 수열 $\{a_n\}$의 연속하는 두 항 또는 세 항 사이의 관계를 나타낸 것이다. 다음 물음에 답하시오.
(단, $n=1, 2, 3, \cdots$)

보기

ㄱ. $2a_{n+1}=a_n+a_{n+2}$
ㄴ. $a_{n+1}-a_n=d$ (일정)
ㄷ. $\dfrac{a_{n+1}}{a_n}=r$ (일정)
ㄹ. $\dfrac{a_{n+1}}{a_n}=\dfrac{a_{n+2}}{a_{n+1}}$
ㅁ. ${a_{n+1}}^2=a_na_{n+2}$
ㅂ. $a_{n+1}=a_n+a_{n+2}$
ㅅ. $a_{n+1}-a_n=a_{n+2}-a_{n+1}$
ㅇ. $a_{n+2}-2a_{n+1}+a_n=0$

1846 등차수열을 나타낸 것만을 있는 대로 고르시오.

1847 등비수열을 나타낸 것만을 있는 대로 고르시오.

[1848-1851] 다음 수열을 $\{a_n\}$이라 할 때, 수열 $\{a_n\}$을 귀납적으로 정의하시오.

1848 $1, 4, 7, 10, 13, \cdots$

1849 $5, 7, 9, 11, 13, \cdots$

1850 $6, 2, -2, -6, -10, \cdots$

1851 $-1, -6, -11, -16, -21, \cdots$

[1852-1854] 다음 수열을 $\{a_n\}$이라 할 때, 수열 $\{a_n\}$을 귀납적으로 정의하시오.

1852 $1, 2, 4, 8, 16, \cdots$

1853 $3, -3, 3, -3, 3, \cdots$

1854 $-5, 10, -20, 40, -80, \cdots$

2 수학적 귀납법

1855 다음은 수학적 귀납법에 대한 설명이다. □ 안에 알맞은 것을 순서대로 써넣으시오.

> 명제 $p(n)$이 모든 자연수 n에 대하여 성립함을 증명하려면 다음 (i), (ii)를 보이면 된다.
> (i) □일 때, 명제 $p(n)$이 성립한다.
> (ii) $n=k$일 때, 명제 $p(n)$이 성립한다고 가정하면 $n=$□일 때에도 명제 $p(n)$이 성립한다.
> 이와 같은 증명 방법을 □이라고 한다.

1856 자연수 n에 대한 명제 $P(n)$이 다음 두 조건을 만족시킨다.

> (가) $P(2)$가 참이다.
> (나) $P(n)$이 참이면 $P(n+3)$이 참이다.

명제 $P(1)$, $P(2)$, $P(3)$, $\cdots$, $P(80)$ 중에서 참인 명제의 개수를 구하시오.

1857 명제 $P(n)$이 모든 짝수 n에 대하여 참임을 수학적 귀납법으로 증명하려고 한다. 〈보기〉에서 반드시 증명해야 할 것만을 있는 대로 고르시오. (단, k는 자연수이다.)

> **보기**
> ㄱ. $P(1)$이 참이다.
> ㄴ. $P(2)$가 참이다.
> ㄷ. $P(2k)$가 참이라 가정할 때, $P(2k+1)$이 참이다.
> ㄹ. $P(2k)$가 참이라 가정할 때, $P(2k+2)$가 참이다.

1858 모든 자연수 n에 대하여 등식

$$2+4+6+\cdots+2n=n(n+1)$$

이 성립함을 수학적 귀납법으로 증명한 것이다. (가)~(라)에 알맞은 것을 순서대로 써넣으시오.

> **증명**
> (i) (가)일 때,
> (좌변)$=2$, (우변)$=1\times2=2$
> 따라서 주어진 등식이 성립한다.
> (ii) $n=k$일 때, 주어진 등식이 성립한다고 가정하면
> $2+4+6+\cdots+2k=k(k+1)$
> 이 식의 양변에 (나)을 더하면
> $2+4+6+\cdots+2k+$(나)
> $=k(k+1)+$(나)
> $=(k+1)($(다)$)$
> 따라서 $n=$(라)일 때에도 주어진 등식이 성립한다.
> (i), (ii)에 의하여 모든 자연수 n에 대하여 주어진 등식이 성립한다.

유형 01 수열의 귀납적 정의의 뜻

내신 중요도 ■■■■■ 유형 난이도 ★☆☆☆☆

수열 $\{a_n\}$에 대하여
① 첫째항 a_1의 값
② 이웃하는 두 항 a_n, a_{n+1} 사이의 관계식 $(n=1, 2, 3, \cdots)$
이때, ①의 값과 함께 ②의 관계식에 $n=1, 2, 3, \cdots$을 대입하면 수열 $\{a_n\}$의 모든 항을 구할 수 있다.

1859 ●○○○

수열 $\{a_n\}$을 $a_1=3$, $a_{n+1}=a_n+3n\ (n\ge1)$으로 정의할 때, a_5의 값은?

① 21 ② 27 ③ 33
④ 39 ⑤ 45

1860 ●○○○

수열 $\{a_n\}$에서 $a_1=2$, $a_{n+1}=a_n+2^n\ (n=1, 2, 3, \cdots)$일 때, $\sum_{k=1}^{4} a_k$의 값을 구하시오.

1861 ●○○○

$\begin{cases} a_1=1 \\ a_{n+1}=a_n+n^2 \end{cases}$ $(n=1, 2, 3, \cdots)$으로 정의된 수열 $\{a_n\}$에서 a_5의 값은?

① 29 ② 31 ③ 33
④ 35 ⑤ 37

1862 ●●●○

$a_1=1$, $(n+2)^2a_{n+1}=n(n+1)a_n\ (n=1, 2, 3, \cdots)$으로 정의된 수열 $\{a_n\}$에 대하여 $a_4=\frac{q}{p}$일 때, $p+q$의 값을 구하시오.

(단, p, q는 서로소인 자연수이다.)

1863 ●○○○

수열 $\{a_n\}$을 $\begin{cases} a_1=1 \\ a_{n+1}=-3a_n+2 \end{cases}$로 정의할 때, a_6의 값은?

① -121 ② -118 ③ -115
④ -112 ⑤ -109

1864 ●●○○

수열 $\{a_n\}$에서 $a_2=2$, $a_{n+1}=\frac{1}{2}a_n-1\ (n=1, 2, 3, \cdots)$일 때, a_5-a_6의 값을 구하시오.

1865

수열 $\{a_n\}$에 대하여 $a_1=2$, $a_{n+1}=2a_n+2$일 때, $\sum_{k=1}^{5} a_k$의 값은?

① 104 ② 114 ③ 124
④ 134 ⑤ 144

1866

$a_1=1$, $\frac{1}{a_{n+1}}=\frac{1}{a_n}+2$ $(n=1, 2, 3, \cdots)$로 정의되는 수열 $\{a_n\}$에 대하여 $\frac{1}{a_5}$의 값을 구하시오.

1867

$a_1=4$, $3a_{n+1}-2a_n=3$ $(n=1, 2, 3, \cdots)$으로 정의된 수열 $\{a_n\}$에 대하여 $a_1+a_2+a_3+a_4+a_5$의 값을 구하시오.

유형 02 등차수열의 귀납적 정의

내신 중요도 유형 난이도 ★★☆☆☆

수열 $\{a_n\}$에 대하여

(1) $a_{n+1}-a_n=d$ (일정) ⇨ 공차가 d인 등차수열

(2) $2a_{n+1}=a_n+a_{n+2}$ ⇨ 등차수열

1868 중요

수열 $\{a_n\}$을 $\begin{cases} a_1=2 \\ a_{n+1}=a_n-2 \ (n=1, 2, 3, \cdots) \end{cases}$ 로 정의할 때, a_{10}의 값은?

① -16 ② -14 ③ -12
④ -10 ⑤ -8

1869

$a_1=2$, $a_{n+1}=a_n+d$ $(n=1, 2, 3, \cdots)$로 정의된 수열 $\{a_n\}$에서 $a_3=8$일 때, a_{20}의 값은? (단, d는 상수)

① 55 ② 57 ③ 59
④ 61 ⑤ 63

1870 짱중요

수열 $\{a_n\}$이 $a_1=1$, $a_2=4$, $2a_{n+1}=a_n+a_{n+2}$ $(n=1, 2, 3, \cdots)$로 정의될 때, $\sum_{k=1}^{10} a_k$의 값은?

① 135 ② 145 ③ 150
④ 155 ⑤ 160

1871 ●●○○

수열 $\{a_n\}$이 $a_{n+1}=\dfrac{a_n+a_{n+2}}{2}$ $(n=1, 2, 3, \cdots)$을 만족하고, $a_1=3$, $a_3+a_5=0$일 때, $\sum_{k=1}^{10} a_k$의 값은?

① -20 ② -15 ③ -10
④ -5 ⑤ -1

1872 ●●●○

수열 $\{a_n\}$에 대하여 $a_1=3$, $a_{n+1}=a_n+3$ $(n=1, 2, 3, \cdots)$일 때, $\sum_{k=1}^{n} \dfrac{1}{a_k a_{k+1}}$을 구하면?

① $\dfrac{1}{2(n+1)}$ ② $\dfrac{n}{2(n+1)}$ ③ $\dfrac{n}{3(n+1)}$
④ $\dfrac{n}{4(n+1)}$ ⑤ $\dfrac{n}{9(n+1)}$

1873 ●●●●

수열 $\{a_n\}$은

$a_{n+2}-a_{n+1}=a_{n+1}-a_n$ $(n=1, 2, 3, \cdots)$

을 만족하고, $a_2=-19$, $a_5=-10$이다. 이때, 첫째항부터 제n항까지의 합 S_n의 값이 최소가 되도록 하는 n의 값을 구하시오.

유형 03 등비수열의 귀납적 정의

내신 중요도 ■■■■■ 유형 난이도 ★★☆☆☆

수열 $\{a_n\}$에 대하여

(1) $\dfrac{a_{n+1}}{a_n}=r$ (일정) ⇨ 공비가 r인 등비수열

(2) $a_{n+1}{}^2=a_n a_{n+2}$ ⇨ 등비수열

1874 ●○○○

$a_1=1$, $a_{n+1}=2a_n$ $(n=1, 2, 3, \cdots)$으로 정의된 수열 $\{a_n\}$의 a_8의 값은?

① 64 ② 128 ③ 256
④ 512 ⑤ 1024

1875 ●●○○

수열 $\{a_n\}$이 다음과 같이 정의될 때, a_{15}의 값은?

$$a_1=4,\ a_2=6,\ a_{n+1}{}^2=a_n a_{n+2}\ (n=1, 2, 3, \cdots)$$

① $4\left(\dfrac{3}{2}\right)^{11}$ ② $4\left(\dfrac{3}{2}\right)^{12}$ ③ $4\left(\dfrac{3}{2}\right)^{13}$
④ $4\left(\dfrac{3}{2}\right)^{14}$ ⑤ $4\left(\dfrac{3}{2}\right)^{15}$

1876 중요 ●●○○

$a_1+a_1=a_2$, $a_5=48$이고,

$a_{n+1}{}^2=a_n a_{n+2}$ $(n=1, 2, 3, \cdots)$

를 만족하는 수열 $\{a_n\}$에 대하여 $\sum_{n=1}^{8} a_n$의 값을 구하시오.

해설 285쪽

1877

●●○○

$a_1=3$, $a_4=24$이고 $a_{n+1}=\sqrt{a_n a_{n+2}}$ ($n=1$, 2, 3, $\cdots$)를 만족할 때, $\sum_{n=1}^{10} a_n$의 값은?

① $3\cdot2^9-3$　② $3\cdot2^9+3$　③ $3\cdot2^{10}-3$
④ $3\cdot2^{10}$　⑤ $3\cdot2^{10}+3$

1878 중요 교육청 기출

●●●○

모든 항이 양수인 수열 $\{a_n\}$이 $a_1=2$이고,

$$\log_2 a_{n+1}=1+\log_2 a_n\ (n\ge1)$$

을 만족시킨다. $a_1\times a_2\times a_3\times\ \cdots\ \times a_8=2^k$일 때 상수 k의 값은?

① 36　② 40　③ 44
④ 48　⑤ 52

1879

●●●●

수열 $\{a_n\}$이 $a_1=1$, $a_2=3$이고

$$\log a_{n+2}=2\log a_{n+1}-\log a_n\ (n=1,\ 2,\ 3,\ \cdots)$$

인 관계를 만족시킬 때, $\sum_{k=1}^{10} a_{2k-1}$의 값은?

① $\frac{1}{9}(3^{10}-1)$　② $\frac{1}{9}(9^{10}-1)$　③ $\frac{1}{8}(9^{10}-1)$
④ $\frac{1}{8}(3^{10}+1)$　⑤ $\frac{1}{8}(9^{10}+1)$

유형 04 $a_{n+1}=a_n+f(n)$의 꼴

내신 중요도 ▬▬▬▬▬ 유형 난이도 ★★★☆☆

$a_{n+1}=a_n+f(n)$ 또는 $a_{n+1}-a_n=f(n)$의 n에 1, 2, 3, $\cdots$, $n-1$을 차례로 대입하여 변끼리 더한다.

⇨ $a_n=a_1+f(1)+f(2)+\cdots+f(n-1)=a_1+\sum_{k=1}^{n-1} f(k)$

1880 중요

●●○○

$a_1=2$, $a_{n+1}=a_n+3n$ ($n=1$, 2, 3, $\cdots$)으로 정의된 수열 $\{a_n\}$에 대하여 a_5의 값은?

① 29　② 30　③ 31
④ 32　⑤ 33

1881

●●○○

$a_1=-3$, $a_{n+1}=a_n+4n-3$ ($n=1$, 2, 3, $\cdots$)으로 정의된 수열 $\{a_n\}$에 대하여 $\sum_{n=1}^{4} a_n$의 값은?

① 4　② 6　③ 8
④ 10　⑤ 12

1882 중요

●●●○

$a_1=1$, $a_{n+1}=a_n+3^n$ ($n=1$, 2, 3, $\cdots$)으로 정의된 수열 $\{a_n\}$의 일반항이 $a_n=\frac{p^n-q}{2}$일 때, 상수 p, q의 곱 pq의 값을 구하시오.

1883

●●●○

$a_1=-2$, $a_{n+1}=a_n+\dfrac{1}{n(n+1)}$ $(n=1, 2, 3, \cdots)$으로 정의된 수열 $\{a_n\}$에 대하여 a_5의 값은?

① $-\dfrac{5}{4}$　② $-\dfrac{6}{5}$　③ 0
④ $\dfrac{6}{5}$　⑤ $\dfrac{5}{4}$

1884 중요

●●●○

$a_1=\dfrac{1}{2}$, $a_{n+1}=a_n+\dfrac{1}{(2n-1)(2n+1)}$ $(n=1, 2, 3, \cdots)$로 정의되는 수열 $\{a_n\}$에 대하여 $a_{10}=\dfrac{q}{p}$이다. p, q는 서로소인 자연수일 때, $p+q$의 값을 구하시오.

1885

●●●●

$a_1=1$, $a_{n+1}=a_n+f(n)$ $(n=1, 2, 3, \cdots)$으로 정의되는 수열 $\{a_n\}$에서 $\sum_{k=1}^{n} f(k)=n^2-1$일 때, a_{100}의 값은?

① 99^2　② 100^2-1　③ 100^2
④ 101^2-1　⑤ 101^2

유형 05 $a_{n+1}=f(n)\times a_n$의 꼴

내신 중요도 ▬▬▬▬▬ 유형 난이도 ★★★★☆

$a_{n+1}=f(n)\times a_n$의 n에 $1, 2, 3, \cdots, n-1$을 차례로 대입하여 변끼리 곱한다.
⇨ $a_n=a_1f(1)f(2)\cdots f(n-1)$

1886 짱중요

●●○○

$a_1=1$, $a_{n+1}=\dfrac{n+2}{n}a_n$ $(n=1, 2, 3, \cdots)$으로 정의된 수열 $\{a_n\}$에서 a_{10}의 값을 구하시오.

1887

●●○○

$a_1=32$, $a_{n+1}=2^n a_n$ $(n=1, 2, 3, \cdots)$으로 정의된 수열 $\{a_n\}$에서 a_5의 값은?

① 2^{13}　② 2^{14}　③ 2^{15}
④ 2^{16}　⑤ 2^{17}

1888

●●○○

$a_1=1$, $a_{n+1}=3^n a_n$ (n은 자연수)으로 정의된 수열 $\{a_n\}$에서 $a_n=3^{45}$일 때, n의 값을 구하시오.

1889

$a_1=3$, $\sqrt{n}\,a_{n+1}=\sqrt{n+1}\,a_n$ $(n=1, 2, 3, \cdots)$으로 정의된 수열 $\{a_n\}$에서 a_{100}의 값을 구하시오.

1890 중요 교육청 기출

수열 $\{a_n\}$이 $a_1=1$이고, 모든 자연수 n에 대하여

$$\frac{a_{n+1}}{a_n}=1-\frac{1}{(n+1)^2}$$

을 만족시킬 때, $100a_{10}$의 값을 구하시오.

1891 짱중요

수열 $\{a_n\}$을

$$a_1=1,\ a_{n+1}=(n+1)a_n\ (n=1, 2, 3, \cdots)$$

과 같이 정의할 때, $\sum_{n=1}^{50} a_n$을 30으로 나누었을 때의 나머지를 구하시오.

유형 06 항이 순환하는 관계식

내신 중요도 ■■■■□ 유형 난이도 ★★★☆☆

주어진 관계식의 n에 1, 2, 3, …을 차례로 대입하여 수열의 항이 반복되는 규칙을 찾는다.

1892

$a_1=-1$, $a_{n+1}=\frac{1}{1-a_n}$ $(n=1, 2, 3, \cdots)$로 정의된 수열 $\{a_n\}$에서 a_{46}의 값을 구하시오.

1893 중요

$a_1=2$, $a_{n+1}=\frac{a_n-1}{a_n}$ $(n=1, 2, 3, \cdots)$으로 정의된 수열 $\{a_n\}$에 대하여 $a_{102}\times a_{103}+a_{104}$의 값을 구하시오.

1894 짱중요 평가원 기출

수열 $\{a_n\}$은 $a_1=7$이고, 다음 조건을 만족시킨다.

> (가) $a_{n+2}=a_n-4$ $(n=1, 2, 3, 4)$
> (나) 모든 자연수 n에 대하여 $a_{n+6}=a_n$이다.

$\sum_{k=1}^{50} a_k=258$일 때, a_2의 값을 구하시오.

11 수학적 귀납법

1895 중요

$a_1=1$인 수열 $\{a_n\}$이 다음 조건을 만족시킬 때, a_9의 값을 구하시오.

> (가) $a_{n+2}=2a_n-4$ $(n=1, 2, 3)$
> (나) 모든 자연수 n에 대하여 $a_{n+5}=a_n$이다.
> (다) $\sum_{k=1}^{10} a_k=4$

1896

수열 $\{a_n\}$을 다음과 같이 정의한다.

> $a_1=1$
> $a_{n+1}=((a_n+1)^2$을 10으로 나눈 나머지) $(n=1, 2, 3, \cdots)$

이때, a_{100}의 값을 구하시오.

1897

수열 $\{a_n\}$을 다음과 같이 정의할 때, $\sum_{k=1}^{17} a_k$의 값을 구하시오.

> $a_1=6$, $a_2=1$
> $a_{n+2}=\dfrac{1+a_{n+1}}{a_n}$ $(n=1, 2, 3, \cdots)$

유형 07 일반항의 규칙성을 추론하는 관계식

내신 중요도 유형 난이도 ★★★☆☆

주어진 관계식의 n에 1, 2, 3, …을 차례로 대입하여 규칙성을 찾는다.

1898

$a_1=100$, $a_{n+1}=a_n^2$ $(n=1, 2, 3, \cdots)$으로 정의된 수열 $\{a_n\}$에서 a_8의 값은?

① 10^{64} ② 10^{128} ③ 10^{256}
④ 10^{512} ⑤ 10^{1024}

1899 교육청 기출

수열 $\{a_n\}$이

$$\begin{cases} a_1=1,\ a_2=3,\ a_3=5,\ a_4=7 \\ a_{k+4}=2a_k\ (k=1, 2, 3, \cdots) \end{cases}$$

으로 정의될 때, $\sum_{k=1}^{20} a_k$의 값을 구하시오.

1900

$a_1=1$, $a_2=3$, $a_{n+2}=a_{n+1}+a_n$ $(n=1, 2, 3, \cdots)$으로 정의된 수열 $\{a_n\}$에서 a_{2022}의 값을 5로 나눈 나머지는?

① 0 ② 1 ③ 2
④ 3 ⑤ 4

유형 08 내신 중요도 유형 난이도 ★★★☆☆

조건에 따라 달라지는 수열의 귀납적 정의

n 또는 a_n의 조건에 맞게 $n=1, 2, 3, \cdots$을 차례로 대입하여 항을 직접 구하거나 규칙성을 찾는다.

1901 중요 평가원 기출 ●●○○

수열 $\{a_n\}$은 $a_1=2$이고, 모든 자연수 n에 대하여

$$a_{n+1}=\begin{cases} a_n-1 & (a_n\text{이 짝수인 경우}) \\ a_n+n & (a_n\text{이 홀수인 경우}) \end{cases}$$

를 만족시킨다. a_7의 값은?

① 7　② 9　③ 11　④ 13　⑤ 15

1902 평가원 기출 ●●○○

수열 $\{a_n\}$은 $a_1=2$이고, 모든 자연수 n에 대하여

$$a_{n+1}=\begin{cases} \dfrac{a_n}{2-3a_n} & (n\text{이 홀수인 경우}) \\ 1+a_n & (n\text{이 짝수인 경우}) \end{cases}$$

를 만족시킨다. $\sum_{n=1}^{40} a_n$의 값은?

① 30　② 35　③ 40　④ 45　⑤ 50

1903 중요 ●●●○

수열 $\{a_n\}$은 모든 자연수 n에 대하여

$$a_1=\frac{1}{5},\ a_{n+1}=\begin{cases} 2a_n & (a_n<1) \\ a_n-1 & (a_n\ge1) \end{cases}$$

을 만족시킨다. $\sum_{n=1}^{60} a_n$의 값을 구하시오.

1904 ●●●○

수열 $\{a_n\}$이 모든 자연수 n에 대하여

$$a_1=1,\ a_{n+1}=\begin{cases} \dfrac{1}{2}a_n & (a_n\ge2) \\ \sqrt[3]{2}a_n & (a_n<2) \end{cases}$$

을 만족시킬 때, a_{115}의 값은?

① 1　② $\sqrt[3]{2}$　③ $\sqrt{2}$　④ $\sqrt[3]{4}$　⑤ 2

1905 중요 평가원 기출 ●●●●

첫째항이 a인 수열 $\{a_n\}$은 모든 자연수 n에 대하여

$$a_{n+1}=\begin{cases} a_n+(-1)^n\times2 & (n\text{이 3의 배수가 아닌 경우}) \\ a_n+1 & (n\text{이 3의 배수인 경우}) \end{cases}$$

를 만족시킨다. $a_{15}=43$일 때, a의 값은?

① 35　② 36　③ 37　④ 38　⑤ 39

1906 평가원 기출 ●●●●

수열 $\{a_n\}$은 $a_1=1$이고, 모든 자연수 n에 대하여

$$\begin{cases} a_{3n-1}=2a_n+1 \\ a_{3n}=-a_n+2 \\ a_{3n+1}=a_n+1 \end{cases}$$

을 만족시킨다. $a_{11}+a_{12}+a_{13}$의 값을 구하시오.

유형 09 두 개의 수열이 포함된 귀납적 정의

내신 중요도 유형 난이도 ★★★★★

a_n과 b_n으로 정의된 귀납적 정의 문제는 a_n과 b_n의 관계식에 각각 $n=1, 2, 3, \cdots$을 차례로 대입하여 규칙성을 찾은 후 문제 조건에 맞는 항을 계산하여 답을 구한다.

1907 평가원 기출

두 수열 $\{a_n\}$, $\{b_n\}$이 자연수 n에 대하여
$a_n=5n+1$, $b_1=1$, $b_{n+1}-b_n=n+1$을 만족시킨다. 10 이하인 두 자연수 k, l에 대하여 a_k와 b_l의 곱이 홀수가 되는 순서쌍 (k, l)의 개수를 구하시오.

1908

두 수열 $\{a_n\}$, $\{b_n\}$이 모든 자연수 n에 대하여 다음을 만족시킨다.

- $a_{n+1}=a_n+2$
- $b_{n+1}=b_n-2$
- $a_1=b_1$, $a_3=2b_3$

$\sum_{k=1}^{10}(a_kb_k+4k^2)$의 값을 구하시오.

1909 교육청 기출

두 수열 $\{a_n\}$, $\{b_n\}$은 첫째항이 모두 1이고

$$a_{n+1}=3a_n,\ b_{n+1}=(n+1)b_n\ (n=1, 2, 3, \cdots)$$

을 만족시킨다. 수열 $\{c_n\}$을

$c_n=\begin{cases} a_n & (a_n<b_n) \\ b_n & (a_n\ge b_n) \end{cases}$ 이라 할 때, $\sum_{n=1}^{50}2c_n$의 값은?

① $3^{50}-20$ ② $3^{50}-19$ ③ $3^{50}-15$
④ $3^{50}-11$ ⑤ $3^{50}-7$

1910 평가원 기출

공차가 0이 아닌 등차수열 $\{a_n\}$이 있다. 수열 $\{b_n\}$은

$$b_1=a_1$$

이고, 2 이상의 자연수 n에 대하여

$$b_n=\begin{cases} b_{n-1}+a_n & (n\text{이 3의 배수가 아닌 경우}) \\ b_{n-1}-a_n & (n\text{이 3의 배수인 경우}) \end{cases}$$

이다. $b_{10}=a_{10}$일 때, $\frac{b_8}{b_{10}}=\frac{q}{p}$이다. $p+q$의 값을 구하시오.
(단, p와 q는 서로소인 자연수이다.)

1911

두 수열 $\{a_n\}$, $\{b_n\}$을 다음과 같이 정의한다. $(n=1, 2, 3, \cdots)$

- $a_n=\frac{1}{9}(10^n-1)$
- $b_1=1$, $b_{n+1}=b_n+a_{n+1}$

a_9와 b_9의 각 자리의 숫자의 합을 각각 a, b라 할 때, $a+b$의 값을 구하시오.

1912 평가원 기출

두 수열 $\{a_n\}$, $\{b_n\}$은 $a_1=a_2=1$, $b_1=k$이고, 모든 자연수 n에 대하여

$$a_{n+2}=(a_{n+1})^2-(a_n)^2,\ b_{n+1}=a_n-b_n+n$$

을 만족시킨다. $b_{20}=14$일 때, k의 값을 구하시오.

유형 10 S_n이 포함된 수열의 귀납적 정의

내신 중요도 ■■■■■ 유형 난이도 ★★★★★

$a_{n+1}=S_{n+1}-S_n(n\geq 1)$임을 이용하여 주어진 관계식을 a_n 또는 S_n에 대한 식으로 변형한 후 귀납적 정의를 이용하여 푼다.

1913 중요 ●●●○

수열 $\{a_n\}$에서 첫째항부터 제n항까지의 합을 S_n이라 할 때,

$$a_1=\frac{1}{2},\ a_{n+1}=2S_n+n\ (n=1,\ 2,\ 3,\ \cdots)$$

을 만족한다. 이때, a_1+a_5의 값을 구하시오.

1914 중요 ●●●●

수열 $\{a_n\}$의 첫째항부터 제n항까지의 합을 S_n이라 할 때, 모든 자연수 n에 대하여 $a_1=4$, $S_n=n^2a_n$을 만족한다. 이때, S_7의 값을 구하시오.

1915 ●●●○

수열 $\{a_n\}$에 대하여 첫째항부터 제n항까지의 합을 S_n이라 할 때,

$$a_1=1,\ a_2=3$$
$$(S_{n+1}-S_{n-1})^2=4a_na_{n+1}+4\ (n=2,\ 3,\ 4,\ \cdots)$$

가 성립한다. 이때, a_{20}의 값을 구하시오.

(단, $a_1<a_2<a_3<\cdots<a_n<\cdots$이다.)

1916 ●●●○

수열 $\{a_n\}$의 첫째항부터 제n항까지의 합을 S_n이라 할 때, $a_1=1$, $2S_n=a_na_{n+1}$ $(n=1,\ 2,\ 3,\ \cdots)$이 성립한다. 이때, 〈보기〉에서 옳은 것을 모두 고른 것은?

보기
ㄱ. $a_2=2$
ㄴ. $a_{n+1}+a_{n-1}=2\ (n\geq 2)$
ㄷ. 수열 $\{a_n\}$은 등차수열이다.

① ㄱ ② ㄴ ③ ㄱ, ㄴ
④ ㄱ, ㄷ ⑤ ㄱ, ㄴ, ㄷ

1917 ●●●●

수열 $\{a_n\}$에 대하여 $a_1=-1$, $2\sum_{k=1}^{n}a_k=3a_{n+1}-2a_n-1\ (n\geq 1)$이 성립할 때, 〈보기〉에서 옳은 것을 모두 고른 것은?

보기
ㄱ. $a_2=-1$
ㄴ. $3a_{n+2}=7a_{n+1}+2a_n$
ㄷ. 수열 $\{3a_{n+1}-a_n\}$은 공비가 2인 등비수열이다.

① ㄱ ② ㄴ ③ ㄱ, ㄷ
④ ㄴ, ㄷ ⑤ ㄱ, ㄴ, ㄷ

유형 11 내신 중요도 유형 난이도 ★★★★★

$a_{n+1}=pa_n+q$의 꼴로 표현되는 활용

① 제n항과 제$(n+1)$항 사이의 관계를 식으로 나타낸다.
② ①식을 이용하거나 n에 1, 2, 3, …을 대입한다.

1918

그림은 직선 $y=x$와 함수 $f(x)=3x+2$의 그래프이다. 그림과 같은 방법으로 수열 $\{a_n\}$을 만들어 갈 때, 일반항 a_n은? (단, $a_1=2$)

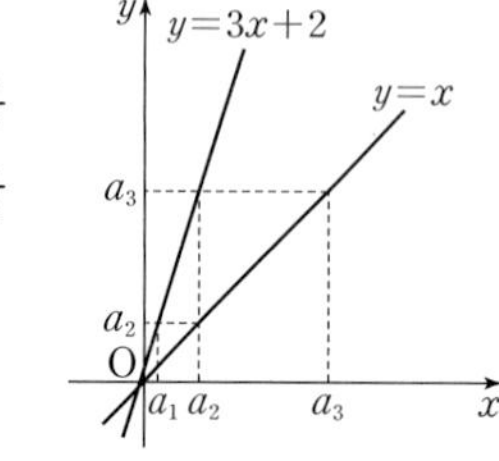

① 3^n-2 ② 3^n-1
③ 3^n ④ 3^n+1
⑤ 3^n+2

1919 교육청 기출

한 개의 정삼각형에서 각 변의 중점을 선분으로 이으면 4개의 작은 정삼각형이 생긴다. 이때, 가운데 정삼각형 하나를 잘라내면 3개의 정삼각형이 남는다. 남은 3개의 각 정삼각형에서 같은 과정을 반복하면 모두 9개의 정삼각형이 남고, 다시 9개의 각 정삼각형에서 같은 과정을 계속하여 만들어지는 도형을 그림과 같이 나타낸 것이다.

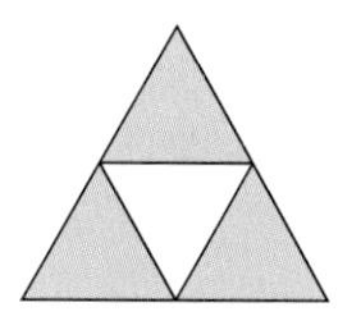
[첫 번째]

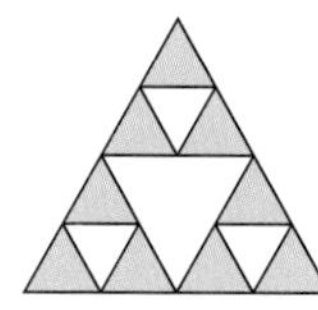
[두 번째]

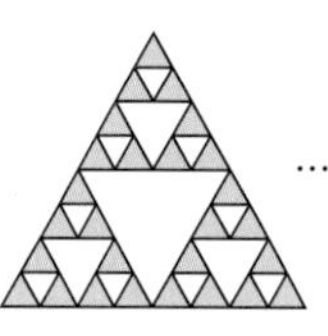
[세 번째]

…

두 정삼각형이 공유하는 꼭짓점은 한 개의 꼭짓점으로 셀 때, n번째 도형에서 남은 정삼각형들의 꼭짓점의 개수를 a_n이라 하자. 예를 들면, $a_1=6$, $a_2=15$이다. 이때, a_5의 값은?

① 366 ② 376 ③ 386
④ 396 ⑤ 406

1920

시험관 속에는 10마리의 배양균이 들어있다. 이 배양균은 1분마다 3마리가 죽고 남은 배양균은 각각 2배로 증식한다고 한다. 처음부터 5분 후 이 배양균의 개체 수는?

① 128마리 ② 130마리 ③ 132마리
④ 134마리 ⑤ 136마리

1921

축구선수 K군의 올해 연봉은 5000만 원이다. 매년 전년도의 연봉에서 20 % 인상된 금액보다 400만 원씩 덜 받기로 한다면, 축구선수 K군의 n년 후의 연봉을 a_n(만 원)이라 할 때, $a_{n+1}=pa_n+q$가 성립한다. pq의 값은? (단 p, q는 상수)

① -620 ② -540 ③ -480
④ -400 ⑤ -320

1922 중요

어느 용기에 18 L의 물이 들어있다. 이 용기의 물의 $\frac{1}{3}$을 사용한 다음 2 L의 물을 다시 넣는 시행을 5번 하였을 때 용기에 남아있는 물의 양은 $\left(\frac{a}{3^4}+b\right)$L이다. 이때, $a+b$의 값을 구하시오.

(단, $0<a<3^4$, b는 자연수)

해설 295쪽

유형 12 내신 중요도 ■■■■■ 유형 난이도 ★★★★★

규칙이 귀납적으로 정의된 활용

① 제n항과 제$(n+1)$항 사이의 관계를 식으로 나타낸다.
② ①식을 이용하여 일반항 a_n을 구한다.

1923

그림과 같이 관람석이 전체 15열로 이루어진 극장이 있다. 제n열의 좌석 수를 a_n이라 하면, 수열 $\{a_n\}$은 $a_{n+1}=a_n+1$을 만족한다. 제1열의 좌석수가 30일 때, 이 극장의 총 좌석 수는?

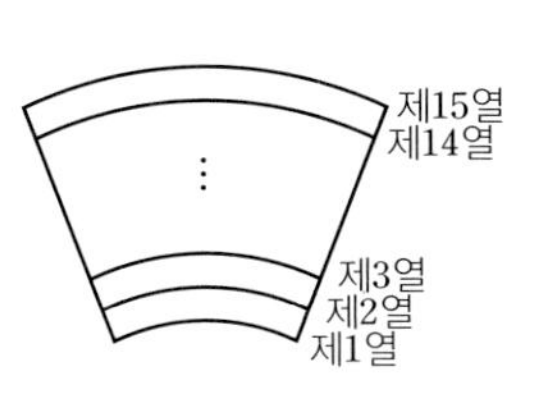

(단, $n=1, 2, \cdots, 14$)

① 290 ② 330 ③ 430
④ 555 ⑤ 1100

1924

다음은 제품 P_n을 만드는 방법과 소요 시간에 대한 설명이다.

> (가) 제품 P_1을 한 개 만드는 데 걸리는 시간은 1시간이다.
> (나) 제품 P_1을 차례로 두 개 만든 다음에 이를 연결하면 제품 P_2가 만들어진다.
> (다) 제품 P_n을 차례로 두 개 만든 다음에 이를 연결하면 제품 P_{2n}이 한 개 만들어진다. 이때, 제품 P_n 두 개를 연결하는 데 걸리는 시간은 $2n$시간이다.

이때, 제품 P_{16}을 한 개 만드는 데 걸리는 시간은?

(단, $n=2^k$, $k=0, 1, 2, 3, \cdots$)

① 32시간 ② 64시간 ③ 80시간
④ 96시간 ⑤ 112시간

1925

농도가 10 %인 설탕물 400 g이 들어 있는 그릇에서 설탕물 40 g을 덜어 내고 물 40 g을 넣고 잘 섞는다. 이와 같은 과정을 n번 반복한 후 설탕물의 농도를 a_n %라고 할 때, $\sum_{n=1}^{10} a_n$의 값은?

① $90-\frac{9^{10}}{10^9}$ ② $90-\frac{9^{11}}{10^9}$ ③ $90-\frac{9^9}{10^{11}}$
④ $90-\frac{9^{11}}{10^{10}}$ ⑤ $90-\frac{9^9}{10^{10}}$

1926

좌표평면 위의 제1사분면에 중심이 존재하는 원 A_n의 방정식이 $(x-a_n)^2+(y-a_n)^2=a_n^2$이고, 원 A_n과 A_{n+1}이 외접할 때, 수열 $\{a_n\}$에 대한 설명으로 옳은 것은?

(단, $a_n>a_{n+1}$, $n=1, 2, 3, \cdots$)

① 공차가 $\sqrt{2}$인 등차수열이다.
② 공차가 -2인 등차수열이다.
③ 공차가 -4인 등차수열이다.
④ 공비가 $3-2\sqrt{2}$인 등비수열이다.
⑤ 공비가 $4-\sqrt{2}$인 등비수열이다.

1927 교육청 기출

좌표평면에서 점 $A_n(n=1, 2, 3, \cdots)$을 다음 규칙에 따라 정한다.

(가) 점 A_1의 좌표는 $(0, 0)$이다.
(나) 점 A_{4n-3}을 x축의 양의 방향으로 $(4n-3)$만큼 평행이동시킨 점은 A_{4n-2}이다.
(다) 점 A_{4n-2}를 y축의 음의 방향으로 $(4n-2)$만큼 평행이동시킨 점은 A_{4n-1}이다.
(라) 점 A_{4n-1}을 x축의 음의 방향으로 $(4n-1)$만큼 평행이동시킨 점은 A_{4n}이다.
(마) 점 A_{4n}을 y축의 양의 방향으로 $4n$만큼 평행이동시킨 점은 A_{4n+1}이다.

그림은 위의 규칙대로 정한 점 A_1, A_2, A_3, $\cdots$의 일부를 나타낸 것이다. 점 A_{50}의 좌표를 (p, q)라 할 때, $p+q$의 값을 구하시오.

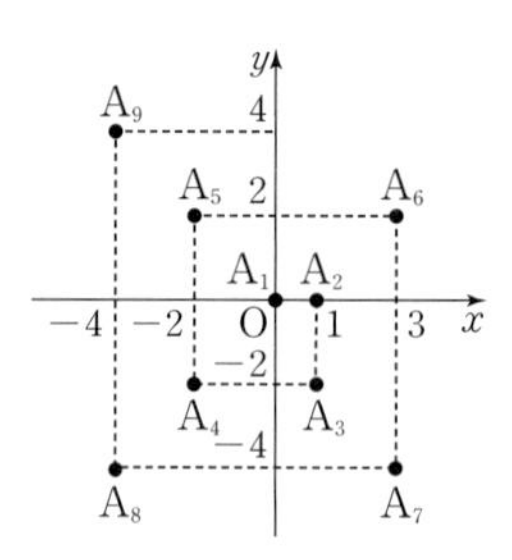

1928

자연수 n에 대하여 점 A_n이 x축 위의 점일 때, 점 A_{n+1}을 다음 규칙에 따라 정한다.

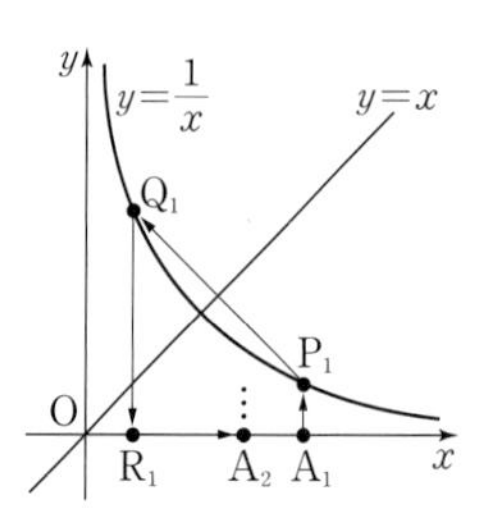

(가) 점 A_1의 좌표는 $(2, 0)$이다.
(나) (1) 점 A_n을 지나고 y축에 평행한 직선이 곡선 $y=\frac{1}{x}\ (x>0)$과 만나는 점을 P_n이라 한다.
(2) 점 P_n을 직선 $y=x$에 대하여 대칭이동한 점을 Q_n이라 한다.
(3) 점 Q_n을 지나고 y축에 평행한 직선이 x축과 만나는 점을 R_n이라 한다.
(4) 점 R_n을 x축의 방향으로 1만큼 평행이동한 점을 A_{n+1}이라 한다.

점 A_n의 x좌표를 x_n이라 하자. $x_5=\frac{q}{p}$일 때, $p+q$의 값을 구하시오. (단, p, q는 서로소인 자연수이다.)

유형 13 수학적 귀납법으로 등식 증명

내신 중요도 ▬▬▬▬▬ 유형 난이도 ★★★★☆

모든 자연수 n에 대하여 등식이 성립함을 증명할 때에는
① $n=1$일 때, 등식이 성립함을 확인한다.
② $n=k$일 때, 등식이 성립한다고 가정한다.
③ $n=k$일 때의 등식의 양변에 적당한 식을 더하여 $n=k+1$일 때에도 등식이 성립함을 보인다.

1929

다음은 모든 자연수 n에 대하여 등식

$$1+2+3+\cdots+n=\frac{n(n+1)}{2}$$

이 성립함을 수학적 귀납법으로 증명한 것이다.

증명

(i) $n=1$일 때,

(좌변)$=1$, (우변)$=\frac{1\cdot 2}{2}=1$

따라서 주어진 등식이 성립한다.

(ii) $n=k$일 때, 주어진 등식이 성립한다고 가정하면

$$1+2+3+\cdots+k=\frac{k(k+1)}{2}$$

이 식의 양변에 (가) 을(를) 더하면

$$1+2+3+\cdots+k+\boxed{(가)}=\frac{k(k+1)}{2}+\boxed{(가)}$$

$$=\frac{\boxed{(나)}}{2}$$

따라서 $n=k+1$일 때도 주어진 등식이 성립한다.

그러므로 (i), (ii)에 의하여 주어진 등식은 모든 자연수 n에 대하여 성립한다.

위의 증명에서 (가), (나)에 알맞은 것을 차례대로 적은 것은?

① k, $k(k+1)$
② k, $(k+1)(k+2)$
③ $k+1$, $k(k+1)$
④ $k+1$, $(k+1)(k+2)$
⑤ $k+1$, $(k+2)(k+3)$

1930 중요

●●○○

다음은 임의의 자연수 n에 대하여 등식

$$\frac{1}{1\cdot3}+\frac{1}{3\cdot5}+\cdots+\frac{1}{(2n-1)(2n+1)}=\frac{n}{2n+1}$$

이 성립함을 수학적 귀납법으로 증명한 것이다.

증명

(i) $n=1$일 때,

(좌변)$=\frac{1}{1\cdot3}=\frac{1}{3}$, (우변)$=\frac{1}{2+1}=\frac{1}{3}$

따라서 주어진 등식이 성립한다.

(ii) $n=k$일 때, 주어진 등식이 성립한다고 가정하면

$$\frac{1}{1\cdot3}+\frac{1}{3\cdot5}+\cdots+\frac{1}{(2k-1)(2k+1)}=\boxed{\text{(가)}}$$

이 식의 양변에 $\frac{1}{(2k+1)(2k+3)}$을 더하면

$$\frac{1}{1\cdot3}+\frac{1}{3\cdot5}+\cdots+\frac{1}{(2k-1)(2k+1)}+\frac{1}{(2k+1)(2k+3)}=\boxed{\text{(나)}}$$

따라서 $n=k+1$일 때도 주어진 등식이 성립한다.

그러므로 (i), (ii)에 의하여 주어진 등식은 모든 자연수 n에 대하여 성립한다.

위의 증명에서 (가), (나)에 알맞은 식을 각각 $f(k)$, $g(k)$라 할 때, $f(2)+g(1)$의 값을 구하시오.

1931

●●●○

모든 자연수 n에 대하여 다음 등식이 성립함을 수학적 귀납법으로 증명하시오.

$$\frac{1}{1\cdot2}+\frac{1}{2\cdot3}+\frac{1}{3\cdot4}+\cdots+\frac{1}{n(n+1)}=\frac{n}{n+1}$$

1932

●●○○

다음은 임의의 자연수 n에 대하여 등식

$$1+3+5+\cdots+(2n-1)=n^2$$

이 성립함을 수학적 귀납법으로 증명한 것이다.

증명

(i) $n=1$일 때,

(좌변)$=2-1=1$, (우변)$=1^2=1$

따라서 주어진 등식이 성립한다.

(ii) $n=k$일 때, 주어진 등식이 성립한다고 가정하면

$1+3+5+\cdots+(2k-1)=k^2$

이 식의 양변에 $\boxed{\text{(가)}}$을 더하면

$$1+3+5+\cdots+(2k-1)+\boxed{\text{(가)}}=k^2+\boxed{\text{(가)}}=\boxed{\text{(나)}}$$

따라서 $n=k+1$일 때도 주어진 등식이 성립한다.

그러므로 (i), (ii)에 의하여 주어진 등식은 모든 자연수 n에 대하여 성립한다.

위의 증명에서 (가), (나)에 알맞은 것을 순서대로 적은 것은?

① $k+1$, $k+1$
② $k+1$, $(k+1)^2$
③ $2k+1$, $k+1$
④ $2k+1$, $(k+1)^2$
⑤ $2k+1$, k^2

1933

●●●○

모든 자연수 n에 대하여 등식

$$1+4+7+\cdots+(3n-2)=\frac{n(3n-1)}{2}$$

이 성립함을 수학적 귀납법으로 증명하시오.

1934 ●●●○

다음은 모든 자연수 n에 대하여 등식

$$1^3+2^3+3^3+\cdots+n^3=\left\{\frac{n(n+1)}{2}\right\}^2$$

이 성립함을 수학적 귀납법으로 증명한 것이다.

증명

(i) $n=1$일 때,

(좌변)$=1^3=1$, (우변)$=\left(\frac{1\cdot 2}{2}\right)^2=1$

따라서 주어진 등식이 성립한다.

(ii) $n=k$일 때, 주어진 등식이 성립한다고 가정하면

$$1^3+2^3+3^3+\cdots+k^3=\left\{\frac{k(k+1)}{2}\right\}^2$$

이 식의 양변에 $\boxed{(가)}$을 더하면

$1^3+2^3+3^3+\cdots+k^3+\boxed{(가)}$

$=\left\{\frac{k(k+1)}{2}\right\}^2+\boxed{(가)}$

$=\left(\frac{k+1}{2}\right)^2\times\boxed{(나)}$

$=\left[\frac{(k+1)\{(k+1)+1\}}{2}\right]^2$

따라서 $n=k+1$일 때도 주어진 등식이 성립한다.

그러므로 (i), (ii)에 의하여 주어진 등식은 모든 자연수 n에 대하여 성립한다.

위의 증명에서 (가), (나)에 알맞은 식을 각각 $f(k)$, $g(k)$라 할 때, $f(2)+g(2)$의 값은?

① 41　② 43　③ 45　④ 47　⑤ 49

1935 교육청 기출 ●●●●

다음은 모든 자연수 n에 대하여

$$\sum_{k=1}^{n}(2k-1)(2n+1-2k)^2=\frac{n^2(2n^2+1)}{3}$$

이 성립함을 수학적 귀납법으로 증명한 것이다.

증명

(i) $n=1$일 때, (좌변)$=1$, (우변)$=1$이므로 주어진 등식은 성립한다.

(ii) $n=m$일 때, 등식

$$\sum_{k=1}^{m}(2k-1)(2m+1-2k)^2=\frac{m^2(2m^2+1)}{3}$$

이 성립한다고 가정하자.

$n=m+1$일 때,

$\sum_{k=1}^{m+1}(2k-1)(2m+3-2k)^2$

$=\sum_{k=1}^{m}(2k-1)(2m+3-2k)^2+\boxed{(가)}$

$=\sum_{k=1}^{m}(2k-1)(2m+1-2k)^2$

$+\boxed{(나)}\times\sum_{k=1}^{m}(2k-1)(m+1-k)+\boxed{(가)}$

$=\frac{(m+1)^2\{2(m+1)^2+1\}}{3}$

이다. 따라서 $n=m+1$일 때도 주어진 등식이 성립한다.

(i), (ii)에 의하여 모든 자연수 n에 대하여 주어진 등식이 성립한다.

위의 (가)에 알맞은 식을 $f(m)$, (나)에 알맞은 수를 p라 할 때, $f(3)+p$의 값은?

① 11　② 13　③ 15　④ 17　⑤ 19

1936 중요 교육청 기출

다음은 모든 자연수 n에 대하여

$$1\cdot n+2\cdot(n-1)+3\cdot(n-2)+\cdots+(n-1)\cdot 2+n\cdot 1$$
$$=\frac{n(n+1)(n+2)}{6}$$

가 성립함을 수학적 귀납법으로 증명한 것이다.

증명

(i) $n=1$일 때, (좌변)$=1$, (우변)$=1$이므로 주어진 식은 성립한다.

(ii) $n=k$일 때 성립한다고 가정하면

$$1\cdot k+2\cdot(k-1)+3\cdot(k-2)+\cdots+k\cdot 1$$
$$=\frac{k(k+1)(k+2)}{6}$$

이다. $n=k+1$일 때 성립함을 보이자.

$$1\cdot(k+1)+2\cdot k+3\cdot(k-1)+\cdots+(k+1)\cdot 1$$
$$=1\cdot k+2\cdot(k-1)+3\cdot(k-2)+\cdots+k\cdot 1+(1+2+3+\cdots+k)+\boxed{(가)}$$
$$=\frac{k(k+1)(k+2)}{6}+\boxed{(나)}$$
$$=\boxed{(다)}$$

그러므로 $n=k+1$ 일 때도 성립한다.

따라서 모든 자연수 n에 대하여 주어진 등식은 성립한다.

위의 증명에서 (가), (나), (다)에 알맞은 것을 차례로 나열한 것은?

	(가)	(나)	(다)
①	k	$\frac{k(k+1)}{2}$	$\frac{(k+1)(k+2)(k+3)}{6}$
②	k	$\frac{k(k+3)}{2}$	$\frac{(k+1)(k+2)(k+3)}{6}$
③	k	$\frac{(k+1)(k+2)}{2}$	$\frac{k(k+1)(k+2)}{6}$
④	$k+1$	$\frac{(k+1)(k+2)}{2}$	$\frac{(k+1)(k+2)(k+3)}{6}$
⑤	$k+1$	$\frac{(k+1)(k+2)}{2}$	$\frac{k(k+1)(k+2)}{6}$

1937

다음은 $n\ge 2$인 자연수 n에 대하여 등식

$$\left(1-\frac{1}{2^2}\right)\left(1-\frac{1}{3^2}\right)\left(1-\frac{1}{4^2}\right)\times\cdots\times\left(1-\frac{1}{n^2}\right)=\frac{n+1}{2n}$$

이 성립함을 수학적 귀납법으로 증명한 것이다.

증명

(i) $n=2$일 때,

(좌변)$=1-\frac{1}{2^2}=\frac{3}{4}$, (우변)$=\frac{2+1}{2\cdot 2}=\frac{3}{4}$

따라서 주어진 등식이 성립한다.

(ii) $n=k\ (k\ge 2)$일 때, 주어진 등식이 성립한다고 가정하면

$$\left(1-\frac{1}{2^2}\right)\left(1-\frac{1}{3^2}\right)\left(1-\frac{1}{4^2}\right)\times\cdots\times\left(1-\frac{1}{k^2}\right)=\frac{k+1}{2k}$$

이 식의 양변에 $\boxed{(가)}$을 곱하면

$$\left(1-\frac{1}{2^2}\right)\left(1-\frac{1}{3^2}\right)\left(1-\frac{1}{4^2}\right)\times\cdots\times\left(1-\frac{1}{k^2}\right)\left\{\boxed{(가)}\right\}$$
$$=\left(\frac{k+1}{2k}\right)\left\{\boxed{(가)}\right\}$$
$$=\boxed{(나)}$$

따라서 $n=k+1$일 때도 주어진 등식이 성립한다.

그러므로 (i), (ii)에 의하여 주어진 등식은 $n\ge 2$인 모든 자연수 n에 대하여 성립한다.

위의 증명에서 (가), (나)에 알맞은 것을 순서대로 적은 것은?

① $\frac{1}{(k+1)^2}$, $\frac{k+2}{k+1}$

② $\frac{k+2}{2(k+1)}$, $\frac{k+2}{2(k+1)}$

③ $1-\frac{1}{(k+1)^2}$, $\frac{k+2}{2(k+1)}$

④ $1-\frac{1}{(k+1)^2}$, $\frac{k+2}{k+1}$

⑤ $1-\frac{1}{(k+1)^2}$, $\frac{k+1}{k+2}$

유형 14 수학적 귀납법으로 배수의 증명

내신 중요도 ■■■■■ 유형 난이도 ★★★★☆

$n \geq a$ (a는 자연수)인 모든 자연수 n에 대하여 $f(n)$이 p의 배수임을 증명할 때에는

① $f(a)$가 p의 배수임을 확인한다.
② $f(k)$ $(k \geq a)$가 p의 배수라 가정한다.
③ $f(k+1)=p(\bigcirc+\triangle)$ 꼴로 정리하여 $f(k+1)$도 p의 배수임을 보인다.

1938 중요

다음은 모든 자연수 n에 대하여 $3^{2n}-1$이 8의 배수임을 수학적 귀납법으로 증명한 것이다.

증명

(i) $n=$ (가) 일 때 $3^2-1=8$은 8의 배수이다.

(ii) $n=k$일 때 $3^{2k}-1$이 8의 배수라 가정하면

$3^{2k}-1=8m$ (m은 자연수)

이므로 $3^{2k}=8m+1$

$n=k+1$일 때

$3^{2(k+1)}-1=$ (나) $\times 3^{2k}-1$

$=$ (다) $(9m+1)$

이므로 $n=k+1$일 때도 $3^{2n}-1$은 8의 배수이다.

(i), (ii)에 의하여 모든 자연수 n에 대하여 $3^{2n}-1$은 8의 배수이다.

위의 증명에서 (가), (나), (다)에 알맞은 수를 각각 a, b, c라 할 때, $a+b+c$의 값을 구하시오.

1939

다음은 모든 자연수 n에 대하여 $2^{4n+2}+3^{n+2}$은 13의 배수임을 증명한 것이다.

증명

(i) $n=1$일 때,

$2^{4+2}+3^{1+2}=91=13\times 7$이므로 13의 배수이다.

(ii) $n=k$ (k는 자연수)일 때, 성립한다고 가정하면

$2^{4k+2}+3^{k+2}=13m$ (m은 자연수)

$n=k+1$ (k는 자연수)일 때

$2^{4(k+1)+2}+3^{(k+1)+2}$

$=$ (가) $\times 2^{4k+2}+$ (나) $\times 3^{k+2}$

$=$ (가) $\times 13m+$ (다) $\times 3^{k+2}$

따라서 $n=k+1$일 때에도 $2^{4n+2}+3^{n+2}$은 13의 배수이다.

(i), (ii)에 의해 모든 자연수 n에 대하여 $2^{4n+2}+3^{n+2}$은 13의 배수이다.

위의 증명에서 (가), (나), (다)에 알맞은 수를 각각 a, b, c라 할 때, $a+b+c$의 값을 구하시오.

해설 302쪽

유형 15 수학적 귀납법으로 부등식 증명

내신 중요도 ■■■■■ 유형 난이도 ★★★★★

$n \geq a$ (a는 자연수)인 모든 자연수 n에 대하여 부등식이 성립함을 증명할 때에는

① $n=a$일 때, 부등식이 성립함을 확인한다.

② $n=k$ $(k \geq a)$일 때, 부등식이 성립한다고 가정한다.

③ $A>B>C$이면 $A>C$임을 이용하여 $n=k+1$일 때에도 부등식이 성립함을 보인다.

1940 ●●●○

다음은 모든 자연수 n에 대하여 부등식

$$1+\frac{1}{2}+\cdots+\frac{1}{n} \geq 2\left\{\frac{1}{1\cdot 2}+\frac{1}{2\cdot 3}+\cdots+\frac{1}{n(n+1)}\right\}$$

이 성립함을 수학적 귀납법으로 증명한 것이다.

증명

(i) $n=1$일 때,

(좌변)$=1$, (우변)$=2\cdot\frac{1}{1\cdot 2}$

따라서 주어진 등식이 성립한다.

(ii) $n=k$ $(k \geq 1)$일 때, 주어진 부등식이 성립한다고 가정하면

$$1+\frac{1}{2}+\cdots+\frac{1}{k} \geq 2\left\{\frac{1}{1\cdot 2}+\frac{1}{2\cdot 3}+\cdots+\frac{1}{k(k+1)}\right\}$$

이 식의 양변에 $\frac{1}{k+1}$을 더하면

$$1+\frac{1}{2}+\cdots+\frac{1}{k}+\frac{1}{k+1}$$
$$\geq 2\left\{\frac{1}{1\cdot 2}+\frac{1}{2\cdot 3}+\cdots+\frac{1}{k(k+1)}\right\}+\frac{1}{k+1}$$
$$>2\left\{\frac{1}{1\cdot 2}+\frac{1}{2\cdot 3}+\cdots+\frac{1}{k(k+1)}\right\}+\frac{1}{k+2}$$
$$=2\left\{\frac{1}{1\cdot 2}+\frac{1}{2\cdot 3}+\cdots+\frac{1}{k(k+1)}\right\}+\frac{1}{k+1}\cdot\boxed{(가)}$$
$$\geq 2\left\{\frac{1}{1\cdot 2}+\frac{1}{2\cdot 3}+\cdots+\frac{1}{k(k+1)}\right\}+\frac{\boxed{(나)}}{(k+1)(k+2)}$$
$$=2\left\{\frac{1}{1\cdot 2}+\frac{1}{2\cdot 3}+\cdots+\frac{1}{(k+1)(k+2)}\right\}$$

$$\therefore 1+\frac{1}{2}+\cdots+\frac{1}{k+1}$$
$$\geq 2\left\{\frac{1}{1\cdot 2}+\frac{1}{2\cdot 3}+\cdots+\frac{1}{(k+1)(k+2)}\right\}$$

따라서 $n=k+1$일 때도 주어진 부등식이 성립한다.

그러므로 (i), (ii)에 의하여 주어진 부등식은 모든 자연수 n에 대하여 성립한다.

위의 증명에서 (가), (나)에 알맞은 것을 써넣으시오.

1941 중요 ●●●○

다음은 2 이상인 자연수 n에 대하여 부등식

$$1+\frac{1}{2^2}+\frac{1}{3^2}+\cdots+\frac{1}{n^2}<2-\frac{1}{n}$$

이 성립함을 수학적 귀납법으로 증명한 것이다.

증명

(i) $n=2$일 때,

(좌변)$=1+\frac{1}{2^2}=\frac{5}{4}$, (우변)$=2-\frac{1}{2}=\frac{3}{2}$

따라서 주어진 부등식이 성립한다.

(ii) $n=k$ $(k \geq 2)$일 때, 주어진 부등식이 성립한다고 가정하면

$$1+\frac{1}{2^2}+\frac{1}{3^2}+\cdots+\frac{1}{k^2}<2-\frac{1}{k}$$

이 식의 양변에 $\frac{1}{(k+1)^2}$을 더하면

$$1+\frac{1}{2^2}+\frac{1}{3^2}+\cdots+\frac{1}{k^2}+\frac{1}{(k+1)^2}$$
$$<2-\frac{1}{k}+\frac{1}{(k+1)^2}$$

이때,

$$\left\{2-\frac{1}{k}+\frac{1}{(k+1)^2}\right\}-(\boxed{(가)})=-\frac{1}{k(k+1)^2}$$
$$<\boxed{(나)}$$

$$\therefore 1+\frac{1}{2^2}+\frac{1}{3^2}+\cdots+\frac{1}{k^2}+\frac{1}{(k+1)^2}<\boxed{(가)}$$

따라서 $n=k+1$일 때도 주어진 부등식이 성립한다.

그러므로 (i), (ii)에 의하여 주어진 부등식은 2이상의 모든 자연수에 대하여 성립한다.

위의 증명에서 (가), (나)에 알맞은 것을 순서대로 적은 것은?

① $1-\frac{1}{k+1}$, 0
② $1-\frac{1}{k+1}$, 1
③ $2-\frac{1}{k+1}$, 0
④ $2-\frac{1}{k+1}$, 1
⑤ $2-\frac{1}{k+2}$, 0

11 수학적 귀납법

1942 짱중요 교육청 기출

다음은 2 이상의 자연수 n에 대하여 부등식

$$\frac{1}{\sqrt{1}}+\frac{1}{\sqrt{2}}+\frac{1}{\sqrt{3}}+\cdots+\frac{1}{\sqrt{n}}>\sqrt{n}$$

이 성립함을 증명하는 과정이다.

증명

(i) $n=2$일 때, $\frac{1}{\sqrt{1}}+\frac{1}{\sqrt{2}}=\frac{2+\sqrt{2}}{2}$에서

$\frac{1}{\sqrt{1}}+\frac{1}{\sqrt{2}}>$ (가)

(ii) $n=k(k\ge 2)$일 때, 주어진 부등식이 성립한다고 가정하면

$\frac{1}{\sqrt{1}}+\frac{1}{\sqrt{2}}+\frac{1}{\sqrt{3}}+\cdots+\frac{1}{\sqrt{k}}>\sqrt{k}$

$\sqrt{k+1}-\left(\frac{1}{\sqrt{1}}+\frac{1}{\sqrt{2}}+\frac{1}{\sqrt{3}}+\cdots+\frac{1}{\sqrt{k}}+\frac{1}{\sqrt{k+1}}\right)$

$=\sqrt{k+1}-\left(\frac{1}{\sqrt{1}}+\frac{1}{\sqrt{2}}+\frac{1}{\sqrt{3}}+\cdots+\frac{1}{\sqrt{k}}\right)-\frac{1}{\sqrt{k+1}}$

$<\sqrt{k+1}-$ (나) $-\frac{1}{\sqrt{k+1}}=\frac{\text{(다)}}{\sqrt{k+1}}<0$

$\therefore \frac{1}{\sqrt{1}}+\frac{1}{\sqrt{2}}+\frac{1}{\sqrt{3}}+\cdots+\frac{1}{\sqrt{k}}+\frac{1}{\sqrt{k+1}}>\sqrt{k+1}$

따라서 $n=k+1$일 때도 주어진 부등식이 성립한다.

(i), (ii)에서 2 이상의 자연수 n에 대하여 주어진 부등식이 성립한다.

위의 증명에서 (가), (나), (다)에 알맞은 것은?

	(가)	(나)	(다)
①	$\sqrt{2}$	$\sqrt{k+1}$	$\sqrt{k}-\sqrt{k+1}$
②	$\sqrt{2}$	$\sqrt{k}$	$\sqrt{k+1}-\sqrt{k+2}$
③	$\sqrt{2}$	$\sqrt{k}$	$k-\sqrt{k(k+1)}$
④	2	$\sqrt{k}$	$k-\sqrt{k(k+1)}$
⑤	2	$\sqrt{k+1}$	$\sqrt{k+1}-\sqrt{k+2}$

1943

다음은 $n\ge 4$인 모든 자연수 n에 대하여 부등식 $2^n\ge n^2$이 성립함을 수학적 귀납법으로 증명한 것이다.

증명

(i) $n=4$일 때, (좌변)$=16$, (우변)$=16$이므로 주어진 부등식이 성립한다.

(ii) $n=k\ (k\ge 4)$일 때, 주어진 부등식이 성립한다고 가정하면

$2^k\ge k^2$

이 식의 양변에 2를 곱하면 $2^{k+1}\ge 2k^2$이고,

$2k^2-$ (가) $=(k-1)^2-$ (나) $\ge 0\ (\because k\ge 4)$

$\therefore 2^{k+1}\ge$ (가)

그러므로 (i), (ii)에 의하여 주어진 부등식은 $n\ge 4$인 모든 자연수 n에 대하여 성립한다.

위의 증명에서 (가), (나)에 알맞은 것을 차례대로 적은 것은?

① $(k-1)^2$, 1 ② $(k-1)^2$, 2 ③ $(k+1)^2$, 1
④ $(k+1)^2$, 2 ⑤ $(k+1)^2$, 3

1944 중요

다음은 $h>0$이고, n이 (가) 이상의 자연수일 때, 부등식 $(1+h)^n>1+nh$가 성립함을 수학적 귀납법으로 증명한 것이다.

증명

(i) $n=$ (가) 일 때, (좌변)$-$(우변)>0이므로 주어진 부등식이 성립한다.

(ii) $n=k$일 때, 주어진 부등식이 성립한다고 가정하면

$(1+h)^k>1+kh$

이 식의 양변에 $1+h$를 곱하면

$(1+h)^k(1+h)>(1+kh)(1+h)$

$>1+($ (나) $)h$

$\therefore (1+h)^{k+1}>1+($ (나) $)h$

이것은 주어진 부등식에 $n=$ (나) 을(를) 대입한 부등식과 같으므로 $n=$ (나) 일 때도 부등식은 성립한다.

따라서 (i), (ii)로부터 (가) 이상인 모든 자연수 n에 대하여 부등식은 성립한다.

위의 증명에서 (가), (나)에 알맞은 것을 차례대로 적은 것은?

① 1, k ② 1, $k+1$ ③ 1, $k+2$
④ 2, $k+1$ ⑤ 2, $k+2$

해설 305쪽

1945

수열 $\{a_n\}$에서 $a_1=1$, $a_{n+1}=2a_n+3$ $(n=1, 2, 3, \cdots)$일 때, a_4의 값을 구하시오.

1946

수열 $\{a_n\}$이 모든 자연수 n에 대하여

$$2a_{n+1}=a_n+a_{n+2}$$

를 만족시킨다. $a_2=-1$, $a_3=2$일 때, 수열 $\{a_n\}$의 첫째항부터 제10항까지의 합은?

① 75 ② 80 ③ 85
④ 90 ⑤ 95

1947

모든 항이 양수인 수열 $\{a_n\}$을 $a_1=1$, $a_6=6$, ${a_{n+1}}^2=a_n a_{n+2}$ $(n=1, 2, 3, \cdots)$와 같이 정의할 때,

$\frac{a_{11}}{a_1}+\frac{a_{12}}{a_2}+\frac{a_{13}}{a_3}+\cdots+\frac{a_{20}}{a_{10}}$의 값을 구하시오.

1948

$a_1=1$, $a_{n+1}=a_n+2n$ $(n=1, 2, 3, \cdots)$으로 정의된 수열 $\{a_n\}$에서 $a_k=31$을 만족시키는 자연수 k의 값을 구하시오.

1949

수열 $\{a_n\}$을

$$a_1=1,\ (2n-1)a_{n+1}=(2n+1)a_n\ (n=1,\ 2,\ 3,\ \cdots)$$

으로 정의할 때, a_5의 값은?

① 7 ② 9 ③ 11
④ 13 ⑤ 15

1950 서술형

첫째항이 16인 수열 $\{a_n\}$이 다음 조건을 만족시킨다.

> (가) $a_{n+1}=-\dfrac{1}{2}a_n\ (n=1,\ 2,\ 3,\ 4,\ 5)$
> (나) 모든 자연수 n에 대하여 $a_{n+6}=a_n$이다.

$a_{10}+a_{20}$의 값을 구하시오.

1951

수열 $\{a_n\}$이

$$a_1=6,\ a_{n+1}=\begin{cases}\dfrac{1}{2}a_n & (a_n\text{이 짝수})\\ 3a_n+1 & (a_n\text{이 홀수})\end{cases}\ (n=1,\ 2,\ 3,\ \cdots)$$

로 정의될 때, a_{50}을 구하시오.

1952

두 수열 $\{a_n\}$, $\{b_n\}$이 모든 자연수 n에 대하여 $a_1=3$, $b_1=1$이고,

$$\begin{cases}a_{n+1}=2a_n+b_n-1\\ b_{n+1}=a_n+2b_n-1\end{cases}$$

을 만족할 때, a_5의 값은?

① 121 ② 123 ③ 125
④ 127 ⑤ 129

1953

어느 공장에 용량이 100 L인 물탱크가 있다. 이 공장에서는 매일 처음 물탱크에 있던 전체 물의 양의 $\frac{1}{2}$이 사용되고 다시 10 L의 물을 채운다. 물이 가득 채워진 날로부터 6일 후에 남아 있는 물탱크의 물에서 다시 20 L를 사용하였을 때, 남아 있는 물의 양을 a L라 하자. 이때, 다음 중 옳은 것은?

① $0<a<\frac{1}{2}$ ② $\frac{1}{2}<a<1$ ③ $1<a<2$
④ $2<a<5$ ⑤ $5<a<10$

1954

자연수 n에 대하여 다음 조건을 만족시키는 삼각형 $A_nB_nA_{n+1}$의 넓이를 S_n이라 할 때, 부등식 $\sum_{k=1}^{m} S_k>2000$을 만족시키는 자연수 m의 최솟값을 구하시오.

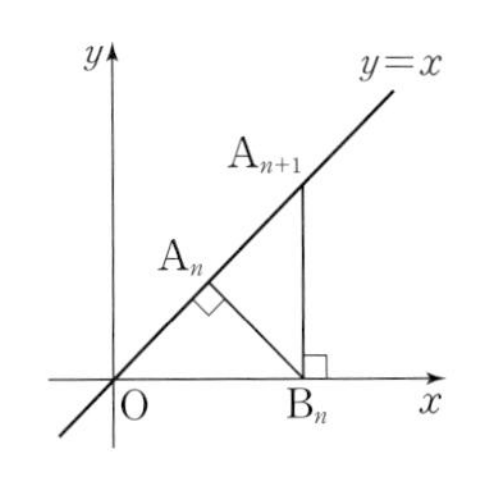

(가) 점 A_1의 좌표는 $(1, 1)$이다.
(나) 점 A_n을 지나고 직선 $y=x$에 수직인 직선이 x축과 만나는 점을 B_n이라 하고, 점 B_n을 지나고 y축에 평행한 직선이 직선 $y=x$와 만나는 점을 A_{n+1}이라 하자.

1955 서술형

모든 자연수 n에 대하여 다음 등식이 성립함을 수학적 귀납법으로 증명하시오.

$$1^2+2^2+3^2+\cdots+n^2=\frac{n(n+1)(2n+1)}{6}$$

1956

$x>0$이고, 2 이상의 자연수 n에 대하여 부등식 $(1+x)^n>1+nx$가 성립함을 수학적 귀납법으로 증명한 것이다.

증명

(i) $n=2$일 때, (좌변)−(우변)= (가) >0
따라서 주어진 부등식이 성립한다.
(ii) $n=k$ $(k\geq 2)$일 때, 주어진 부등식이 성립한다고 가정하면
$(1+x)^k>1+kx$
이 식의 양변에 $1+x$를 곱하면 $1+x>0$이므로
$(1+x)^{k+1}>(1+kx)(1+x)$
$=$ (나) $+kx^2>$ (나)
따라서 $n=k+1$일 때도 주어진 부등식이 성립한다.
그러므로 (i), (ii)에 의하여 주어진 부등식은 2 이상의 모든 자연수에 대하여 성립한다.

위의 증명에서 (가), (나)에 알맞은 것을 적으시오.

Level 1

1957

다음과 같이 정의된 수열 $\{a_n\}$이 있다.

> $a_1=1$, $a_2=2$, $a_3=4$이고,
> $a_{n-1}a_{n+1}=a_na_{n+2}$ $(n=2, 3, 4, \cdots)$

이때, $\sum_{k=1}^{12} a_k$의 값은?

① 27　② 28　③ 29　④ 30　⑤ 31

1958

$a_1=1$인 수열 $\{a_n\}$은 모든 자연수 n에 대하여 다음 조건을 만족시킨다.

> (가) $a_{2n}=2a_n-1$
> (나) $a_{2n+1}=2a_n+1$

이때, $a_{127}+a_{128}$의 값을 구하시오.

1959

수열 $\{a_n\}$에서 $S_n=\sum_{k=1}^{n} a_k$라 할 때, $S_1=1$, $S_{n+1}=2S_n+3$ $(n\geq1)$이 성립한다. 이때, 수열 $\{a_n\}$의 제12항은?

① $2^{11}+3$　② 2^{12}　③ $2^{12}+3$　④ 2^{13}　⑤ $2^{13}+3$

1960

$a_1=1$, $\frac{1}{a_{n+1}}=\frac{1}{a_n}+d$ $(n=1, 2, 3, \cdots)$로 정의되는 수열 $\{a_n\}$에 대하여 $a_1=1$, $a_{11}=\frac{1}{21}$이다. 이때, $\sum_{n=1}^{10} a_na_{n+1}$의 값을 구하시오.

1961

다음은 모든 자연수 n에 대하여 등식

$$\sum_{k=1}^{n}(5k-3)\left(\frac{1}{k}+\frac{1}{k+1}+\frac{1}{k+2}+\cdots+\frac{1}{n}\right)=\frac{n(5n+3)}{4}$$

이 성립함을 수학적 귀납법으로 증명한 것이다.

증명

(i) $n=1$일 때,

(좌변)$=2$, (우변)$=2$

따라서 주어진 등식이 성립한다.

(ii) $n=m$일 때, 주어진 등식이 성립한다고 가정하면

$$\sum_{k=1}^{m}(5k-3)\left(\frac{1}{k}+\frac{1}{k+1}+\frac{1}{k+2}+\cdots+\frac{1}{m}\right)=\frac{m(5m+3)}{4}$$

$n=m+1$일 때,

$$\sum_{k=1}^{m+1}(5k-3)\left(\frac{1}{k}+\frac{1}{k+1}+\frac{1}{k+2}+\cdots+\frac{1}{m+1}\right)$$

$$=\sum_{k=1}^{m}(5k-3)\left(\frac{1}{k}+\frac{1}{k+1}+\frac{1}{k+2}+\cdots+\frac{1}{m+1}\right)+\frac{\boxed{(가)}}{m+1}$$

$$=\sum_{k=1}^{m}(5k-3)\left(\frac{1}{k}+\frac{1}{k+1}+\frac{1}{k+2}+\cdots+\frac{1}{\boxed{(나)}}\right)+\frac{1}{m+1}\sum_{k=1}^{m}(5k-3)+\frac{\boxed{(가)}}{m+1}$$

$$=\frac{m(5m+3)}{4}+\frac{1}{m+1}\sum_{k=1}^{m+1}\left(\boxed{(다)}\right)$$

$$=\frac{(m+1)(5m+8)}{4}$$

따라서 $n=m+1$일 때도 주어진 등식이 성립한다.

그러므로 (i), (ii)에 의하여 주어진 등식은 모든 자연수 n에 대하여 성립한다.

위의 증명에서 (가), (나), (다)에 알맞은 것을 순서대로 적은 것은?

① $5m-3$, m, $5k+2$

② $5m-3$, $m+1$, $5k+2$

③ $5m+2$, m, $5k-3$

④ $5m+2$, m, $5k+2$

⑤ $5m+2$, $m+1$, $5k-3$

Level 2

1962

수열 $\{a_n\}$은

$$a_1=1,\ n^2a_n=(n^2-1)a_{n-1}\ (n=2,\ 3,\ 4,\ \cdots)$$

로 정의한다. $a_{100}=\frac{q}{p}$ (p, q는 서로소인 자연수)라 할 때, $p+q$의 값을 구하시오.

1963

수열 $\{a_n\}$이

$$a_1=1,\ a_2=3,\ 3a_{n+2}-2a_{n+1}-a_n=0\ (n=1,\ 2,\ 3,\ \cdots)$$

으로 정의될 때, 수열 $\{b_n\}$을 $b_n=a_{n+1}-a_n$이라 하면 b_5의 값을 구하시오.

1964

$a_1=\frac{1}{2}$, $(n+1)a_n-na_{n+1}=a_na_{n+1}$ $(n=1,\ 2,\ 3,\ \cdots)$로 정의된 수열 $\{a_n\}$에 대하여 $a_1\times a_2\times a_3\times\cdots\times a_{99}$의 값을 구하시오.

1965

수열 $\{a_n\}$이

$a_1=1,\ a_{2n}=a_n,\ a_{2n+1}=a_n+1\ (n=1,\ 2,\ 3,\ \cdots)$

로 정의된다. 〈보기〉에서 옳은 것만을 있는 대로 고른 것은?

보기

ㄱ. $a_7=4$

ㄴ. $n=2^k$ (k는 자연수)이면 $a_n=1$이다.

ㄷ. $n=2^k-1$ (k는 자연수)이면 $a_n=k$이다.

① ㄱ ② ㄴ ③ ㄷ
④ ㄱ, ㄴ ⑤ ㄴ, ㄷ

1966

모든 자연수 n에 대하여

$f(1)=1,\ f(1)+f(2)+f(3)+\cdots+f(n)=n^2f(n)$

일 때, 〈보기〉에서 옳은 것만을 있는 대로 고른 것은?

보기

ㄱ. $f(3)=\frac{1}{6}$

ㄴ. $f(n)=\frac{n-1}{n+1}f(n-1)\ (n\ge 2)$

ㄷ. $f(n)=\frac{2}{n(n+1)}$

① ㄱ ② ㄴ ③ ㄱ, ㄴ
④ ㄱ, ㄷ ⑤ ㄱ, ㄴ, ㄷ

1967

50 %의 소금물 100 g과 10 %의 소금물 100 g을 섞은 농도를 a_1(%), a_1(%)의 소금물 100 g에 10 %의 소금물 100 g을 섞은 농도를 a_2(%), a_2(%)의 소금물 100 g에 10 %의 소금물 100 g을 섞은 농도를 a_3(%), …이라 하자. 이와 같이 반복하면 $a_{10}=p\left(2+\frac{1}{2^q}\right)$(%)이다. $p+q$의 값을 고르시오.

1968

직선 $y=-\frac{2}{3}x+2$ 위의 점 $\mathrm{P}_1(0,\ 2)$를 지나고 x축에 평행한 직선이 직선 $y=x$와 만나는 점을 Q_1이라 하고, 점 Q_1을 지나고 y축에 평행한 직선이 직선 $y=-\frac{2}{3}x+2$와 만나는 점을 P_2라 하자. 이와 같은 방법으로 Q_2, P_3, Q_3, …을 한없이 만들 때, 점 $\mathrm{P}_n(x_n,\ y_n)$에 대하여 $y_{n+1}-a=-\frac{2}{3}(y_n-a)$가 성립한다. 이때, a의 값을 구하시오.

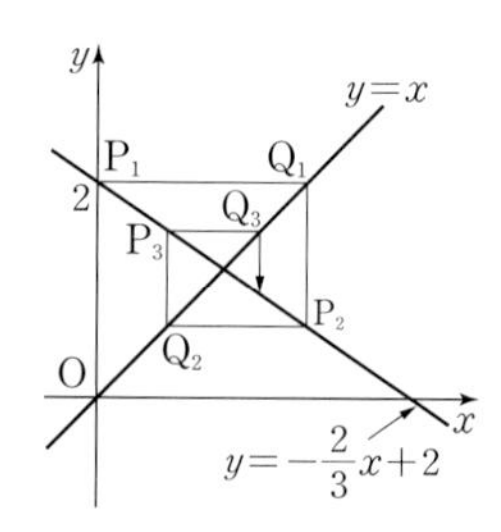

1969

평가원 기출

흰 바둑돌과 검은 바둑돌이 있다. 이 바둑돌 n개를 일렬로 나열할 때, 흰 바둑돌끼리는 이웃하지 않도록 나열하는 방법의 수를 a_n이라 하자. 예를 들면, $a_1=2$, $a_2=3$이다. 이때, a_{10}의 값은?

○, ●	○●, ●○, ●●
$a_1=2$	$a_2=3$

① 141 ② 142 ③ 143
④ 144 ⑤ 145

1970

교육청 기출

수직선 위에 점 P_n ($n=1, 2, 3, \cdots$)을 다음 규칙에 따라 정한다.

> (가) 점 P_1의 좌표는 $P_1(0)$이다.
> (나) $\overline{P_1P_2}=1$이다.
> (다) $\overline{P_nP_{n+1}}=\dfrac{n-1}{n+1}\times\overline{P_{n-1}P_n}$ ($n=2, 3, 4, \cdots$)

선분 P_nP_{n+1}을 밑변으로 하고 높이가 1인 직각삼각형의 넓이를 S_n이라 하자. $S_1+S_2+S_3+\cdots+S_{50}=\dfrac{q}{p}$일 때, $p+q$의 값을 구하시오. (단, p, q는 서로소인 자연수이다.)

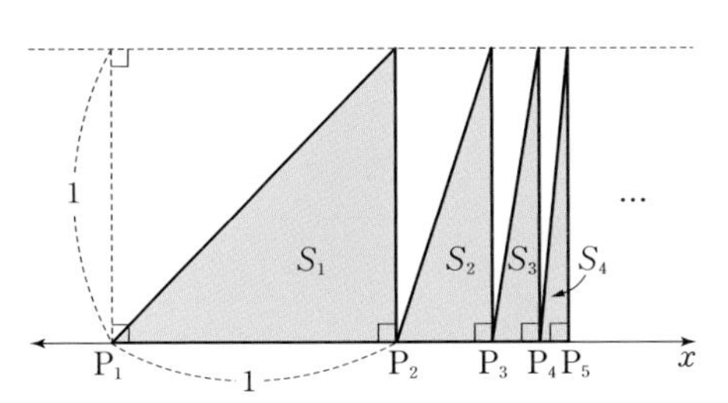

1971

다음은 모든 자연수 n에 대하여 부등식

$$\frac{1}{n+1}+\frac{1}{n+2}+\cdots+\frac{1}{3n+1}>1$$

이 성립함을 수학적 귀납법으로 증명한 것이다.

증명

모든 자연수 n에 대하여

$a_n=\dfrac{1}{n+1}+\dfrac{1}{n+2}+\cdots+\dfrac{1}{3n+1}$이라 할 때, $a_n>1$임을 보이면 된다.

(i) $n=1$일 때,

$$a_1=\frac{1}{2}+\frac{1}{3}+\frac{1}{4}>1$$

따라서 주어진 부등식이 성립한다.

(ii) $n=k$일 때, 주어진 부등식이 성립한다고 가정하면

$$a_k=\frac{1}{k+1}+\frac{1}{k+2}+\cdots+\frac{1}{3k+1}>1$$

$n=k+1$일 때,

$$a_{k+1}=\frac{1}{k+2}+\frac{1}{k+3}+\cdots+\frac{1}{3k+4}$$

$$=a_k+\left(\frac{1}{3k+2}+\frac{1}{3k+3}+\frac{1}{3k+4}\right)-\boxed{(가)}$$

한편, $(3k+2)(3k+4)\,\boxed{(나)}\,(3k+3)^2$이므로

$$\frac{1}{3k+2}+\frac{1}{3k+4}>\boxed{(다)}$$

$$\therefore a_{k+1}>a_k+\left(\frac{1}{3k+3}+\boxed{(다)}\right)-\boxed{(가)}>1$$

따라서 $n=k+1$일 때도 주어진 부등식이 성립한다.

그러므로 (i), (ii)에 의하여 모든 자연수 n에 대하여 주어진 부등식은 성립한다.

위의 증명에서 (가), (나), (다)에 알맞은 것은?

	(가)	(나)	(다)
①	$\dfrac{1}{k+1}$	$>$	$\dfrac{2}{3k+3}$
②	$\dfrac{1}{k+1}$	$<$	$\dfrac{2}{3k+3}$
③	$\dfrac{1}{k+1}$	$<$	$\dfrac{4}{3k+3}$
④	$\dfrac{2}{k+1}$	$>$	$\dfrac{4}{3k+3}$
⑤	$\dfrac{2}{k+1}$	$<$	$\dfrac{1}{k+1}$

해설 313쪽

Level 3

1972

수열 $\{a_n\}$이 $a_2=2a_1$, $2a_{n+2}-3a_{n+1}+a_n=0$ $(n=1, 2, 3, \cdots)$을 만족하고, $a_8=191$일 때, a_1의 값은?

① 64　② 60　③ 56
④ 52　⑤ 48

1973

교육청 기출

그림과 같이 자연수를 다음 규칙에 따라 나열하였다.

> [규칙1] 1행에는 2, 3, 6의 3개의 수를 차례대로 나열한다.
> [규칙2] $n+1$행에 나열된 수는 1열에 2, 2열부터는 n행에 나열된 각 수에 2를 곱하여 차례대로 나열한다.

	[1열]	[2열]	[3열]	[4열]	[5열]	$\cdots$
[1행]	2	3	6			
[2행]	2	4	6	12		
[3행]	2	4	8	12	24	
$\vdots$			$\vdots$			

10행에 나열된 모든 자연수의 합을 S라 할 때, $S=p\times 2^9-2$이다. 이때, p의 값을 구하시오.

1974

$p\geq 2$인 자연수 p에 대하여 수열 $\{a_n\}$이 다음 세 조건을 만족시킨다.

> (가) $a_1=0$
> (나) $a_{k+1}=a_k+1$ $(1\leq k\leq p-1)$
> (다) $a_{k+p}=a_k$ $(k=1, 2, 3, \cdots)$

이때, 〈보기〉에서 옳은 것을 모두 고른 것은?

보기

ㄱ. $a_{2k}=2a_k$

ㄴ. $a_1+a_2+a_3+\cdots+a_p=\dfrac{p(p-1)}{2}$

ㄷ. $a_p+a_{2p}+a_{3p}+\cdots+a_{kp}=k(p-1)$

① ㄱ　② ㄴ　③ ㄷ
④ ㄴ, ㄷ　⑤ ㄱ, ㄴ, ㄷ

1975

한 환경보호단체에서는 호수 A의 오염물질에 대한 다음과 같은 내용의 보고서를 작성하였다.

> 현재 호수 A에는 산업폐기물에 의한 250톤의 오염물질이 있다. 또한 매년 초에 $\frac{50}{3}$톤의 오염물질이 새로 쌓인다. 이때, 이 오염물질들은 매년 광산화(햇빛에 의한 자연 정화)에 의하여 10 % 씩 줄어든다.
> … (이하 생략)

이 보고서에 의하면 지금부터 10년 후 이 호수에 남아 있는 오염물질의 양은? (단, $0.9^9=0.4$로 계산한다.)

① 150톤　② 165톤　③ 177톤
④ 186톤　⑤ 197톤

빠른 정답 확인

01 지수

본책 004~029쪽

0001 a^5

0002 x^{30}

0003 x^8y^{12}

0004 $\frac{y^6}{x^{15}}$

0005 a^2b^3

0006 a^2b^3

0007 a^4

0008 1

0009 -2, 2

0010 $-\sqrt{3}$, $\sqrt{3}$

0011 없다.

0012 2

0013 5

0014 -1

0015 -4

0016 $\sqrt[3]{5}$

0017 $\sqrt[3]{-12}$

0018 -2, 2

0019 $-\frac{1}{3}$, $\frac{1}{3}$

0020 $\sqrt[4]{3}$, $-\sqrt[4]{3}$

0021 없다.

0022 $\sqrt[3]{10}$

0023 4

0024 $\sqrt[3]{4}$

0025 3

0026 2

0027 $\sqrt[3]{5}$

0028 1

0029 1

0030 $\frac{1}{27}$

0031 16

0032 $a^{\frac{1}{3}}$

0033 $a^{\frac{1}{2}}$

0034 $a^{\frac{3}{7}}$

0035 $a^{-\frac{2}{5}}$

0036 $2^{\frac{7}{2}}$

0037 $\frac{1}{5}$

0038 4

0039 8

0040 2

0041 $3^{\frac{7}{6}}$

0042 a^4b^{10}

0043 $a^{\frac{1}{2}}$

0044 $7^{2\sqrt{2}}$

0045 8

0046 $5^{5\sqrt{2}}$

0047 $a^{3\sqrt{2}}$

0048 $c^6<a^6<b^6$

0049 $b^{12}<c^{12}<a^{12}$

0050 7

0051 $\sqrt{5}$

0052 18

0053 $\frac{a^{2x}-1}{a^{2x}+1}$

0054 $\frac{a^{6x}+1}{a^{3x}-1}$

0055 ⑤

0056 ⑤

0057 6

0058 ①

0059 ⑤

0060 ④

0061 ③

0062 ㄴ, ㄷ

0063 ③

0064 ③

0065 3

0066 ④

0067 51

0068 ①

0069 ③

0070 ②

0071 ①

0072 ②

0073 ④

0074 ②

0075 $\frac{1}{4}$

0076 ⑤

0077 ④

0078 4

0079 ⑤

0080 ②

0081 174

0082 ②

0083 5

0084 ①

0085 ⑤

0086 3

0087 ③, ⑤

0088 5

0089 ①

0090 ②

0091 ②

0092 ②

0093 15

0094 ①

0095 17

0096 3

0097 ②

0098 11

0099 ⑤

0100 ④

0101 ④

0102 16

0103 ④

0104 ①

0105 31

0106 ⑤

0107 96

0108 ①

0109 ①

0110 ①

0111 ②

0112 2

0113 ②

0114 ③

0115 ④

0116 -2

0117 ④

0118 3

0119 ④

0120 ①

0121 $2\sqrt{5}$

0122 ⑤

0123 ③

0124 ④

0125 ④

0126 26

0127 ⑤

0128 ④

0129 ③

0130 ①

0131 64

0132 ②

0133 ①

0134 ②

0135 25

0136 1

0137 ③

0138 ②

0139 ③

0140 12

0141 ④

0142 ③

0143 15

0144 $\sqrt{30}$

0145 ②

0146 $\sqrt[3]{25}$

0147 ①

0148 ②

0149 ④

0150 ③

0151 ③

0152 ③

0153 ⑤

0154 ④

0155 550

0156 ④

0157 3

0158 ⑤

0159 1

0160 ③

0161 $25\sqrt{5}$ 배

0162 ③

0163 200

0164 ③

0165 ④

0166 ③

0167 ①

0168 ②

0169 ③

0170 15

0171 ①

0172 ②

0173 ④

0174 ④

0175 ③

0176 ①

02 로그

본책 034~064쪽

0177 $4=\log_2 16$

0178 $\frac{1}{2}=\log_9 3$

0179 $2^5=32$

0180 $4^{\frac{3}{2}}=8$

0181 $3^{\frac{1}{2}}=\sqrt{3}$

0182 3

0183 $\frac{1}{3}$

0184 -1

0185 81

0186 2

0187 $\sqrt{3}$

0188 $\frac{1}{5}$

0189 $\log_3 10$

0190 $\log_{10} 15$

0191 $-\log_7 2$

0192 $x>5$

0193 $x<-2$ 또는 $x>2$

0194 $5<x<6$ 또는 $x>6$

0195 $0<x<1$ 또는 $1<x<5$

0196 0

0197 1

0198 1

0199 1

0200 1

0201 3

0202 $\frac{1}{2}$

0203 2

0204 2

0205 4
0206 4
0207 5
0208 2
0209 $\frac{\log \boxed{2}\, 5}{\log_2 \boxed{3}}$
0210 $\frac{1}{\log_2 \boxed{5}}$
0211 $\log_5 \boxed{7}$
0212 $\log_{\boxed{6}} 4$
0213 2
0214 5
0215 3
0216 2
0217 $\boxed{\frac{n}{m}} \log_a b$
0218 $\boxed{b}^{\log_c \boxed{a}}$
0219 b
0220 $\boxed{\frac{3}{2}} \log_3 2$
0221 $\boxed{6}^{\log_3 \boxed{5}}$
0222 7
0223 $\frac{7}{3}$
0224 6
0225 $\log_2 15$
0226 5
0227 5
0228 $2a+b$
0229 $b-a$
0230 $-2b$
0231 $\frac{b}{a}$
0232 $\frac{2b}{3a}$
0233 $\frac{2a+b}{a+b}$
0234 2
0235 -1
0236 -3
0237 $\frac{1}{3}$
0238 $\frac{3}{2}$
0239 $2a$
0240 $1-a$
0241 $a+b$
0242 3.3522
0243 -0.6289
0244 4.5340
0245 2.5340
0246 -0.4660
0247 -1.4660
0248 $2+\log 2.54$
0249 $-2+\log 2.54$
0250 $1+\log 4.56$
0251 $-3+\log 4.56$
0252 3
0253 -1
0254 0.3892
0255 0.8854
0256 3.7738
0257 -0.2262
0258 -2.2262
0259 59400
0260 59.4
0261 0.000594
0262 ②
0263 ⑤
0264 2
0265 ④
0266 ③
0267 ①
0268 ③
0269 ③
0270 2
0271 ①
0272 ③
0273 5
0274 ①
0275 30
0276 ③
0277 ⑤
0278 ④
0279 ③
0280 ④
0281 ①
0282 ①
0283 31
0284 ②
0285 98
0286 ②
0287 ⑤
0288 2
0289 ④
0290 24
0291 $\frac{4}{5}$
0292 ②
0293 ②
0294 4
0295 ④
0296 ④
0297 ⑤
0298 ②
0299 ①
0300 ③
0301 ①
0302 ③
0303 ②
0304 ②
0305 ③
0306 ⑤
0307 ③
0308 ②
0309 ⑤
0310 ③
0311 ②
0312 $\frac{9}{20}$
0313 ②
0314 ③
0315 ③
0316 $-\frac{12}{11}$
0317 ②
0318 ③
0319 3
0320 2
0321 32
0322 36
0323 ③
0324 ⑤
0325 $\frac{33}{119}$
0326 ②
0327 ⑤
0328 ④
0329 11.2608
0330 ③
0331 ①
0332 ③
0333 ④
0334 7.91
0335 9.4768
0336 ②
0337 0.00142
0338 138
0339 ④
0340 ③
0341 4893
0342 ③
0343 ②
0344 ②
0345 ④
0346 ③
0347 ④
0348 ③
0349 ⑤
0350 ④
0351 ①
0352 ⑤
0353 ②
0354 ①
0355 ②
0356 $\frac{8}{3}$
0357 ⑤
0358 32.5 ℃
0359 7.4시간
0360 ③
0361 ③
0362 ②
0363 ④
0364 ①
0365 ④
0366 ④
0367 ⑤
0368 ①
0369 ②
0370 -4542
0371 ④
0372 ①
0373 ⑤
0374 10
0375 20 lx
0376 ③
0377 ①
0378 ④
0379 42
0380 58
0381 ④
0382 2
0383 ③
0384 ②
0385 ③
0386 6
0387 ②
0388 12
0389 ⑤
0390 ①
0391 53
0392 ①
0393 127

03 지수함수

본책 068~094쪽

0394 x축
0395 0
0396 모든 실수
0397 $y>0$
0398 $<$
0399 $>$
0400 해설 참조
0401 해설 참조
0402 해설 참조
0403 해설 참조
0404 해설 참조
0405 해설 참조
0406 $y=5^{x-3}$
0407 $y=5^x-2$
0408 $y=5^{x+1}+4$
0409 $y=-5^x$
0410 $y=\left(\frac{1}{5}\right)^x$
0411 $y=-\left(\frac{1}{5}\right)^x$
0412 1, 2, 2
0413 $y=0$
0414 $y=5$
0415 $y=1$
0416 최댓값: 81, 최솟값: 3
0417 최댓값: 4, 최솟값: $\frac{1}{8}$
0418 최댓값: 3, 최솟값: $\frac{1}{9}$
0419 $x=6$
0420 $x=5$
0421 $x=3$
0422 $x=-7$
0423 $x=\frac{1}{2}$
0424 $x=-\frac{1}{4}$
0425 $x=1$ 또는 $x=2$
0426 $x=2$ 또는 $x=5$
0427 $t^2-5t+4=0$
0428 $t=1$ 또는 $t=4$
0429 $x=0$ 또는 $x=2$

0430 $x=2$
0431 $x=2$
0432 $<$
0433 $>$
0434 $x>1$
0435 $x>4$
0436 $x\le -1$
0437 $x>2$
0438 $x>-\frac{4}{3}$
0439 $x\le -\frac{1}{3}$
0440 $t^2-6t+8<0$
0441 $2<t<4$
0442 $1<x<2$
0443 $x>2$
0444 $x\le 2$
0445 ⑤
0446 ㄱ, ㄴ
0447 ㄱ, ㄴ
0448 29
0449 -2
0450 ⑤
0451 -3
0452 3
0453 16
0454 ④
0455 4
0456 16
0457 -9
0458 6
0459 ③
0460 13
0461 3
0462 $3\sqrt{2}$
0463 ①
0464 20
0465 ④
0466 ②
0467 ②
0468 ⑤
0469 ①
0470 3
0471 6
0472 ④
0473 ④
0474 ②
0475 20
0476 17
0477 $\frac{3}{2}$
0478 8
0479 14
0480 3
0481 2
0482 ④
0483 64
0484 9
0485 ⑤
0486 11
0487 ②
0488 1
0489 ②
0490 $\frac{1}{2}$
0491 $-\frac{4}{9}$
0492 ④
0493 12
0494 ②
0495 3
0496 5
0497 ④
0498 $x=3$
0499 128
0500 ⑤
0501 7
0502 ③
0503 ②
0504 ④
0505 ③
0506 ②
0507 11
0508 -3
0509 5
0510 6
0511 28
0512 31
0513 ②
0514 ②
0515 ⑤
0516 5
0517 ⑤
0518 7
0519 ①
0520 ⑤
0521 ④
0522 ②
0523 4
0524 ①
0525 ③
0526 5
0527 81
0528 $\frac{1}{2}$
0529 ②
0530 4
0531 13
0532 ②
0533 3
0534 ④
0535 ②
0536 9
0537 ⑤
0538 ⑤
0539 5
0540 15
0541 3
0542 ③
0543 5
0544 3
0545 5
0546 18
0547 ⑤
0548 ①
0549 ①
0550 101
0551 ②
0552 12시간 전
0553 ③
0554 49
0555 ①
0556 4
0557 ②
0558 ④
0559 ③
0560 ⑤
0561 ①
0562 9
0563 9
0564 60

04 로그함수

본책 098~128쪽

0565 $\{x|x>0\}$
0566 $\{x|x>5\}$
0567 $\{x|x<3\}$
0568 $\{x|x\neq 0$인 모든 실수$\}$
0569 y축
0570 1
0571 $x>0$
0572 모든 실수
0573 $y=\log_5(x-1)$
0574 $y=\log_5 x-2$
0575 $y=\log_5(x+3)+4$
0576 $y=-\log_5 x$
0577 $y=\log_5(-x)$
0578 $y=-\log_5(-x)$
0579 2, -1, 2
0580 $x=5$
0581 $x=0$
0582 $x=-3$
0583 최댓값: 4, 최솟값: 0
0584 최댓값: 1, 최솟값: -2
0585 $y=\log_2 x$ (단, $x>0$)
0586 $y=\log_2 x-3$ (단, $x>0$)
0587 $y=5^x+2$
0588 4, 16
0589 3, 9
0590 2
0591 1
0592 $\frac{1}{9}$
0593 $\frac{1}{8}$
0594 2
0595 3
0596 $x=3$
0597 $x=9$
0598 $x=1$
0599 $x=8$
0600 4, $\frac{1}{2}$, 2, 2, 2, 4, 8
0601 $x=3$
0602 $x=4$
0603 t^2-4t+4, 2, 2, 2, 9, 9
0604 $x=2$ 또는 $x=4$
0605 $x=\frac{1}{4}$ 또는 $x=2$
0606 $x>4$
0607 $x\ge 2$
0608 $0<x<3$
0609 $x>8$
0610 $2<x<5$
0611 $\frac{2}{3}<x\le 3$
0612 $2<x<6$
0613 $\frac{3}{2}<x\le 6$
0614 $1<x\le \frac{9}{8}$
0615 $1<x<4$
0616 $4<x\le 8$
0617 $2\le x\le 8$
0618 $\frac{1}{3}<x<9$
0619 ⑤
0620 19
0621 512
0622 ③
0623 7
0624 ⑤
0625 ④
0626 ③
0627 ③
0628 ①
0629 -3
0630 ④
0631 -8
0632 ④
0633 ⑤
0634 ④
0635 ④
0636 ⑤
0637 8
0638 ①
0639 ③
0640 ③
0641 64
0642 ⑤
0643 ⑤
0644 ③
0645 ⑤
0646 ①
0647 -7
0648 -1
0649 4
0650 0
0651 2
0652 11
0653 $-\frac{1}{4}$
0654 8
0655 ④
0656 ④
0657 ③
0658 84
0659 9
0660 64
0661 3
0662 ③
0663 2
0664 ②
0665 31
0666 3
0667 ③
0668 24
0669 ②

0670 6
0671 9
0672 $12\sqrt{3}$
0673 ③
0674 ④
0675 ㄱ, ㄴ, ㄷ
0676 ㄱ, ㄴ
0677 $\frac{1}{6}$
0678 10
0679 1
0680 259
0681 6
0682 ①
0683 38
0684 580
0685 ④
0686 20
0687 125
0688 ③
0689 7
0690 ②
0691 -12
0692 ⑤
0693 ④
0694 $\frac{1}{27}$ 또는 27
0695 ①
0696 20
0697 ③
0698 101
0699 $\frac{1}{2}<x<\frac{3}{2}$
0700 ⑤
0701 ③
0702 ④
0703 18
0704 ④
0705 2
0706 ③
0707 ②
0708 ①
0709 ③
0710 $\frac{1}{9}<x<1$
0711 ④
0712 $\frac{1}{2}\le x\le 2$
0713 ⑤
0714 ⑤
0715 ⑤
0716 ②
0717 ③
0718 ①
0719 44
0720 $0<a\le\frac{1}{8}$ 또는 $a\ge\frac{1}{2}$
0721 ④
0722 ⑤
0723 20데시벨
0724 ①
0725 ②
0726 12
0727 ②
0728 ④
0729 ①
0730 4
0731 ⑤
0732 2
0733 ④
0734 13
0735 ⑤
0736 ①
0737 ②
0738 32
0739 26
0740 15
0741 ③
0742 ①
0743 16
0744 20
0745 19
0746 ②
0747 6
0748 5
0749 7.2
0750 5
0751 $\frac{5}{2}$
0752 1100
0753 ②
0754 10
0755 3
0756 16
0757 ⑤
0758 ②
0759 24

05 삼각함수의 뜻

본책 132~155쪽

0760 ㉠
0761 ㉣
0762 ㉡
0763 ㉢
0764 45
0765 135
0766 240
0767 $360^\circ\times n+100^\circ$ (n은 정수)
0768 $360^\circ\times n+30^\circ$ (n은 정수)
0769 $360^\circ\times n+60^\circ$ (n은 정수)
0770 제2사분면
0771 제3사분면
0772 제4사분면
0773 제1사분면
0774 제3사분면
0775 $\frac{\pi}{6}$
0776 $\frac{\pi}{4}$
0777 $\frac{\pi}{3}$
0778 $\frac{\pi}{2}$
0779 $\frac{2}{3}\pi$
0780 $\frac{3}{4}\pi$
0781 π
0782 $\frac{4}{3}\pi$
0783 $\frac{11}{6}\pi$
0784 2π
0785 30°
0786 45°
0787 60°
0788 90°
0789 150°
0790 210°
0791 240°
0792 315°
0793 360°
0794 π
0795 6π
0796 $\frac{4}{3}\pi$
0797 12
0798 6π
0799 8π
0800 $\frac{3}{5}$
0801 $\frac{4}{5}$
0802 $\frac{3}{4}$
0803 $\frac{2\sqrt{5}}{5}$
0804 $-\frac{\sqrt{5}}{5}$
0805 -2
0806 $\sin\theta>0$
0807 $\cos\theta<0$
0808 $\tan\theta<0$
0809 $\sin\theta<0$
0810 $\cos\theta<0$
0811 $\tan\theta>0$
0812 $\frac{1}{2}$
0813 $\frac{\sqrt{3}}{2}$
0814 $\frac{\sqrt{3}}{3}$
0815 $\frac{\sqrt{2}}{2}$
0816 $\frac{\sqrt{2}}{2}$
0817 1
0818 $\frac{\sqrt{3}}{2}$
0819 $\frac{1}{2}$
0820 $\sqrt{3}$
0821 $-\sqrt{3}$
0822 1
0823 $\cos\theta=\frac{4}{5}$, $\tan\theta=\frac{3}{4}$
0824 $\cos\theta=-\frac{3}{5}$, $\tan\theta=-\frac{4}{3}$
0825 $\sin\theta=-\frac{\sqrt{5}}{5}$, $\cos\theta=-\frac{2\sqrt{5}}{5}$
0826 $\sin\theta=-\frac{\sqrt{2}}{2}$, $\tan\theta=-1$
0827 $-\frac{3}{8}$
0828 $-\frac{4}{9}$
0829 $\frac{4}{9}$
0830 ④
0831 ③
0832 ②
0833 ④
0834 ③
0835 ④
0836 ④
0837 2
0838 ⑤

0839 제2사분면 또는 제4사분면
0840 ③
0841 ⑤
0842 ④
0843 ④
0844 ③
0845 $\frac{1}{2}$
0846 ⑤
0847 ④
0848 7
0849 ③
0850 3π
0851 $\frac{5}{2}\pi$
0852 ⑤
0853 ③
0854 ③
0855 $8+7\pi$
0856 ①
0857 $\frac{\sqrt{3}}{2}$
0858 $S=2\pi-4$, $\theta=\pi-2$
0859 $(12+4\pi)$cm
0860 ⑤
0861 $\frac{4}{3}$
0862 $8+2\pi$
0863 ②
0864 $\frac{10}{13}\pi$
0865 $660\,\text{m}^2$
0866 $\frac{8}{3}\pi-2\sqrt{3}$
0867 ⑤
0868 ③
0869 $\frac{400}{3}\pi-100\sqrt{3}$
0870 24
0871 ②
0872 25
0873 17
0874 20
0875 ⑤
0876 0
0877 ①
0878 $-\frac{1}{2}-\frac{\sqrt{3}}{2}$
0879 ③
0880 $\frac{\sqrt{34}}{3}$
0881 $-\frac{4}{3}$
0882 ④
0883 2
0884 $\sqrt{3}$
0885 $2\cos\theta$
0886 ⑤
0887 ⑤
0888 ④
0889 ①
0890 ②
0891 ④
0892 ⑤
0893 ㄴ, ㄷ
0894 $\frac{3}{10}$
0895 ④
0896 ③
0897 $2\sqrt{2}$
0898 $\frac{\sqrt{6}}{2}$
0899 ⑤
0900 3
0901 $\frac{6}{5}$
0902 ⑤
0903 $\frac{2\sqrt{15}}{9}$
0904 4
0905 11
0906 $-\frac{4}{3}$
0907 $2\sqrt{2}$
0908 8
0909 $-\frac{3}{10}$
0910 ②
0911 $x^2+4x+1=0$
0912 ③
0913 ④
0914 $72°$
0915 $\frac{5}{4}\pi$
0916 50π
0917 4
0918 $\frac{1}{5}$
0919 $-\frac{1}{5}$
0920 ②
0921 $\frac{5}{3}$
0922 ④
0923 -192
0924 ④
0925 2
0926 2
0927 $\sqrt{6}-2$
0928 $\cos\theta$
0929 ④
0930 -52
0931 ②
0932 ⑤
0933 $\frac{1}{2}$
0934 제1사분면
0935 ③
0936 $\frac{3\sqrt{5}}{5}$
0937 ①

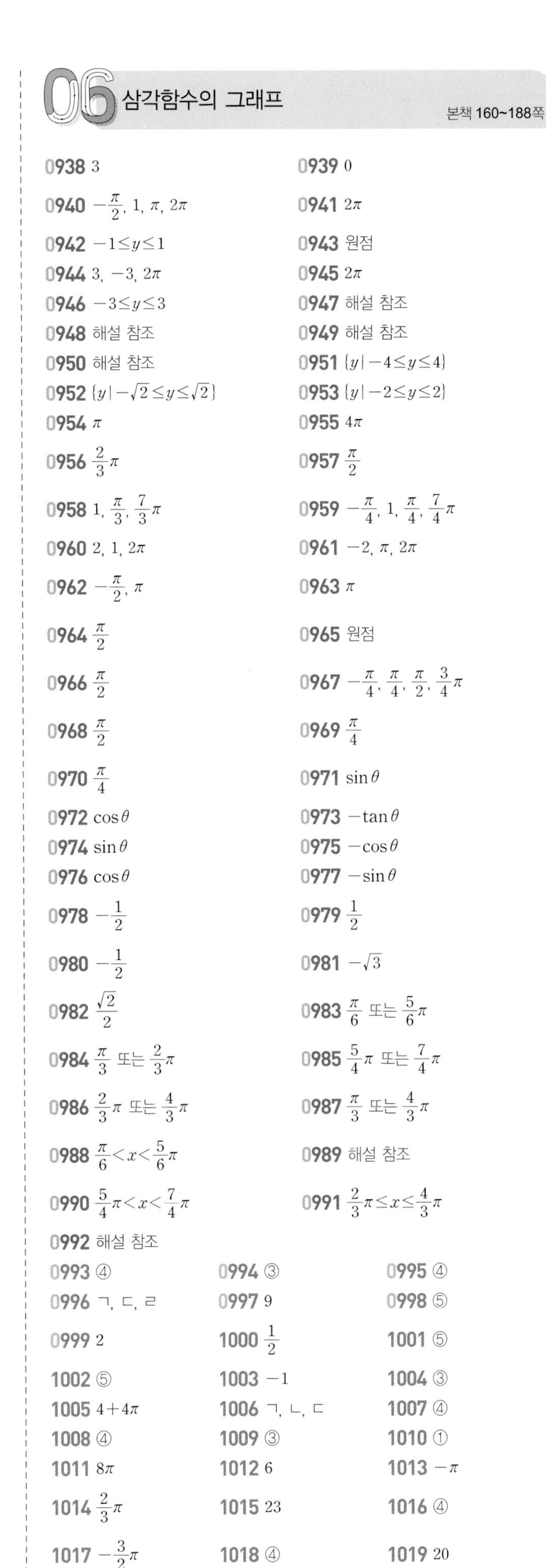

06 삼각함수의 그래프

본책 160~188쪽

0938 3
0939 0
0940 $-\frac{\pi}{2}$, 1, π, 2π
0941 2π
0942 $-1\le y\le 1$
0943 원점
0944 3, -3, 2π
0945 2π
0946 $-3\le y\le 3$
0947 해설 참조
0948 해설 참조
0949 해설 참조
0950 해설 참조
0951 $\{y\mid -4\le y\le 4\}$
0952 $\{y\mid -\sqrt{2}\le y\le \sqrt{2}\}$
0953 $\{y\mid -2\le y\le 2\}$
0954 π
0955 4π
0956 $\frac{2}{3}\pi$
0957 $\frac{\pi}{2}$
0958 1, $\frac{\pi}{3}$, $\frac{7}{3}\pi$
0959 $-\frac{\pi}{4}$, 1, $\frac{\pi}{4}$, $\frac{7}{4}\pi$
0960 2, 1, 2π
0961 -2, π, 2π
0962 $-\frac{\pi}{2}$, π
0963 π
0964 $\frac{\pi}{2}$
0965 원점
0966 $\frac{\pi}{2}$
0967 $-\frac{\pi}{4}$, $\frac{\pi}{4}$, $\frac{\pi}{2}$, $\frac{3}{4}\pi$
0968 $\frac{\pi}{2}$
0969 $\frac{\pi}{4}$
0970 $\frac{\pi}{4}$
0971 $\sin\theta$
0972 $\cos\theta$
0973 $-\tan\theta$
0974 $\sin\theta$
0975 $-\cos\theta$
0976 $\cos\theta$
0977 $-\sin\theta$
0978 $-\frac{1}{2}$
0979 $\frac{1}{2}$
0980 $-\frac{1}{2}$
0981 $-\sqrt{3}$
0982 $\frac{\sqrt{2}}{2}$
0983 $\frac{\pi}{6}$ 또는 $\frac{5}{6}\pi$
0984 $\frac{\pi}{3}$ 또는 $\frac{2}{3}\pi$
0985 $\frac{5}{4}\pi$ 또는 $\frac{7}{4}\pi$
0986 $\frac{2}{3}\pi$ 또는 $\frac{4}{3}\pi$
0987 $\frac{\pi}{3}$ 또는 $\frac{4}{3}\pi$
0988 $\frac{\pi}{6}<x<\frac{5}{6}\pi$
0989 해설 참조
0990 $\frac{5}{4}\pi<x<\frac{7}{4}\pi$
0991 $\frac{2}{3}\pi\le x\le\frac{4}{3}\pi$
0992 해설 참조
0993 ④
0994 ③
0995 ④
0996 ㄱ, ㄷ, ㄹ
0997 9
0998 ⑤
0999 2
1000 $\frac{1}{2}$
1001 ⑤
1002 ⑤
1003 -1
1004 ③
1005 $4+4\pi$
1006 ㄱ, ㄴ, ㄷ
1007 ④
1008 ④
1009 ③
1010 ①
1011 8π
1012 6
1013 $-\pi$
1014 $\frac{2}{3}\pi$
1015 23
1016 ④
1017 $-\frac{3}{2}\pi$
1018 ④
1019 20
1020 ④
1021 ③
1022 -6

1023 -1
1024 $\frac{2}{3}$
1025 -1
1026 $-\frac{1}{3}$
1027 ③
1028 95π
1029 ⑤
1030 ⑤
1031 ③
1032 $-\frac{3}{4}$
1033 ③
1034 ④
1035 ①
1036 1
1037 ③
1038 ④
1039 $\frac{91}{2}$
1040 ③
1041 4
1042 0
1043 4
1044 4
1045 ①
1046 -1
1047 ③
1048 ②
1049 5
1050 $\frac{19}{6}$
1051 ①
1052 ④
1053 ⑤
1054 ⑤
1055 $\frac{4}{5}$
1056 ①
1057 ⑤
1058 2π
1059 $\sqrt{3}$
1060 ①
1061 ⑤
1062 ④
1063 ③
1064 ②
1065 ⑤
1066 ③
1067 ⑤
1068 7
1069 ④
1070 $\frac{7}{6}\pi$ 또는 $\frac{11}{6}\pi$
1071 ②
1072 $\frac{\pi}{6}$
1073 ④
1074 $\frac{7}{6}\pi$
1075 $\frac{5}{3}\pi \leq \theta < \frac{7}{4}\pi$
1076 ②
1077 ④
1078 ④
1079 ④
1080 ①
1081 7
1082 $\frac{\pi}{2} \leq x \leq \frac{7}{6}\pi$
1083 ④
1084 ①
1085 $0 \leq x \leq \frac{\pi}{4}$
1086 0
1087 ③
1088 ③
1089 $k \leq -2$
1090 $a \geq 1$
1091 6
1092 -1
1093 $-2 \leq a \leq \frac{5}{2}$
1094 ⑤
1095 ③
1096 4
1097 1
1098 ②
1099 ⑤
1100 ③
1101 9
1102 -1
1103 ④
1104 ④
1105 $\frac{13}{4}$
1106 ⑤
1107 ①
1108 ③
1109 $0 \leq x < \frac{\pi}{12}$ 또는 $\frac{\pi}{4} < x \leq \pi$
1110 ①
1111 ②
1112 1
1113 ②
1114 ③
1115 ②
1116 $\frac{9}{8}$
1117 5
1118 13
1119 π
1120 ③
1121 49
1122 $\frac{\pi}{4} < \theta < \frac{3}{4}\pi$
1123 $\frac{25}{3}$
1124 358
1125 ②
1126 110
1127 ①

07 삼각함수의 활용

본책 192~220쪽

1128 해설 참조
1129 45
1130 $3\sqrt{2}$
1131 $3\sqrt{3}$
1132 $8\sqrt{2}$
1133 $(\overline{AC}=)3$, $(\overline{BC}=)3\sqrt{3}$
1134 3
1135 $4\sqrt{3}$
1136 2
1137 $\frac{3}{8}$
1138 $\frac{1}{3}$
1139 $60°$
1140 2, 2, $2\sqrt{3}$
1141 1
1142 $\sqrt{5}$
1143 $\sqrt{7}$
1144 b, a, 2
1145 $\frac{2}{3}$
1146 $-\frac{1}{3}$
1147 $45°$ (또는 $\frac{\pi}{4}$)
1148 $\sin C$, $\sin A$, c, a
1149 7
1150 $\frac{15\sqrt{3}}{2}$
1151 $\sqrt{3}$
1152 $\sin\theta$
1153 14
1154 $12\sqrt{3}$
1155 $15\sqrt{2}$
1156 $20\sqrt{3}$
1157 $2\sqrt{2}$
1158 ③
1159 ②
1160 $90°$
1161 $24\sqrt{2}$
1162 $\frac{5}{4}$
1163 ③
1164 ②
1165 9π
1166 12
1167 ③
1168 2
1169 4
1170 $\frac{\pi}{3}$
1171 ⑤
1172 ①
1173 ④
1174 $\frac{4}{3}$
1175 ②
1176 $3:2:4$
1177 ⑤
1178 ①
1179 ①
1180 ③
1181 ③
1182 ⑤
1183 ④
1184 ②
1185 $2\sqrt{3}$
1186 ④
1187 ③
1188 $2\sqrt{3}$
1189 41
1190 $8+4\sqrt{3}$
1191 $\frac{1}{2}$
1192 6
1193 50
1194 0
1195 ①
1196 $120°$ (또는 $\frac{2}{3}\pi$)
1197 $120°$ (또는 $\frac{2}{3}\pi$)
1198 ⑤
1199 ③
1200 $\sqrt{17}$
1201 $\frac{2}{5}$
1202 ⑤
1203 $\frac{\sqrt{7}}{4}$
1204 $\frac{8\sqrt{7}}{7}$
1205 $\sqrt{7}$
1206 ③
1207 33
1208 $\frac{3}{2}\pi$
1209 ①
1210 $a=b$인 이등변삼각형
1211 ④
1212 ①
1213 ①
1214 2.646 km
1215 $\frac{8\sqrt{15}}{15}$
1216 ②
1217 $100\sqrt{13}$ m
1218 ⑤
1219 ③
1220 8
1221 24
1222 ②
1223 10
1224 ②
1225 ①
1226 ②
1227 $\frac{3\sqrt{6}}{2}$
1228 $\frac{4}{3}$배
1229 25

1230 $\frac{15}{4}\sqrt{3}$
1231 ④
1232 $\frac{9\sqrt{3}}{8}$
1233 $\frac{5\sqrt{3}}{2}$
1234 103
1235 $\frac{21\sqrt{3}}{4}$
1236 $\frac{15\sqrt{3}}{4}+6\sqrt{5}$
1237 ⑤
1238 $\frac{\sqrt{5}}{3}$
1239 ④
1240 4
1241 ⑤
1242 $3+8\sqrt{2}$
1243 $\sqrt{3}$
1244 ①
1245 $2\sqrt{20}$
1246 49π
1247 $\frac{\pi}{6}$
1248 68
1249 $5\sqrt{3}$
1250 $4\sqrt{3}$
1251 $\sqrt{21}$
1252 ②
1253 16π
1254 ④
1255 6
1256 ③
1257 ①
1258 $4\sqrt{7}$
1259 10
1260 ④
1261 (1) $\frac{9}{4}\sqrt{3}$ (2) 9π
1262 ④
1263 $\frac{7}{2}$
1264 ③
1265 ③
1266 21
1267 $\sqrt{7}$
1268 ④
1269 125π m^2
1270 ③
1271 $\frac{5}{6}$
1272 6
1273 $\frac{3}{5}$
1274 ②
1275 ③
1276 13
1277 ③
1278 ②
1279 ③
1280 192

08 등차수열

본책 224~250쪽

1281 $a_1=2$, $a_2=4$, $a_3=6$
1282 $a_1=3$, $a_2=7$, $a_3=11$
1283 $a_1=6$, $a_2=12$, $a_3=24$
1284 $a_1=-1$, $a_2=2$, $a_3=-3$
1285 34
1286 $2^{11}(=2048)$
1287 3
1288 $\frac{3}{5}$
1289 첫째항: 2, 공차: 4
1290 첫째항: -1, 공차: 5
1291 첫째항: $\frac{1}{2}$, 공차: $\frac{1}{2}$
1292 9, 7, 5, 3
1293 -15, -12, -9, -6
1294 8, 14, 20, 26
1295 10, 7, 4, 1
1296 $a_n=2n+3$
1297 $a_n=-4n+14$
1298 $a_n=3n-4$
1299 $a_n=n+1$
1300 $a_n=2n-1$
1301 $a_n=2n-6$
1302 $a_n=-2n+14$
1303 $a_n=-3n+10$
1304 3
1305 3
1306 4
1307 5
1308 8
1309 3
1310 -12
1311 13, 29
1312 -2, 6
1313 6, -12
1314 155
1315 -72
1316 54
1317 -28
1318 970
1319 410
1320 -130
1321 -370
1322 5050
1323 240
1324 100
1325 5
1326 10
1327 10
1328 9
1329 7
1330 19
1331 $a_1=3$, $a_n=6n-3$
1332 $a_1=2$, $a_n=2n$
1333 $a_1=4$, $a_n=6n-2$
1334 $a_1=4$, $a_n=2n-1$ (단, $n\geq2$)
1335 $a_1=2$, $a_n=2n+1$ (단, $n\geq2$)
1336 $a_1=4$, $a_n=-2n+1$ (단, $n\geq2$)
1337 ⑤
1338 28
1339 ④
1340 ③
1341 $a_n=\frac{2n-1}{n^2}$
1342 ⑤
1343 ③
1344 ②
1345 ④
1346 ③
1347 ①
1348 27
1349 ①
1350 90
1351 ⑤
1352 19
1353 ④
1354 ③
1355 ④
1356 ③
1357 ①
1358 ①
1359 ④
1360 ⑤
1361 ②
1362 34
1363 50
1364 $c_n=6n-2$
1365 ②
1366 ⑤
1367 ⑤
1368 15
1369 ①
1370 ③
1371 18
1372 ④
1373 ③
1374 ①
1375 ②
1376 ③
1377 ④
1378 $\frac{7}{25}$
1379 ②
1380 ②
1381 15
1382 -6
1383 ①
1384 60
1385 18
1386 150
1387 ④
1388 ④
1389 ③
1390 ①
1391 ④
1392 ②
1393 ⑤
1394 ②
1395 ③
1396 ①
1397 210
1398 288
1399 ④
1400 ①
1401 ③
1402 16
1403 7
1404 ④
1405 ①
1406 ④
1407 1717
1408 제5항
1409 ③
1410 ⑤
1411 1457
1412 ③
1413 ②
1414 600
1415 8
1416 ②
1417 27
1418 ④
1419 제9항
1420 ③
1421 -14
1422 ⑤
1423 ③
1424 ④
1425 99
1426 ⑤
1427 420
1428 ④
1429 ③
1430 ④
1431 제34항
1432 ②
1433 ①
1434 ④
1435 164
1436 -40
1437 ②
1438 100
1439 ②
1440 ②
1441 641
1442 ③
1443 2
1444 ④
1445 10
1446 ④
1447 ②
1448 ⑤
1449 ①
1450 ②
1451 ③
1452 ④
1453 ⑤
1454 85
1455 273
1456 61
1457 125

09 등비수열

본책 254~281쪽

1458 첫째항: 2, 공비: 2
1459 첫째항: 1, 공비: $-\frac{1}{2}$
1460 첫째항: 1, 공비: $\sqrt{3}$
1461 첫째항: 3, 공비: 3
1462 첫째항: $\frac{1}{5}$, 공비: $\frac{1}{5}$
1463 첫째항: -12, 공비: -4
1464 첫째항: $\frac{2}{5}$, 공비: 2
1465 3, 6, 12, 24
1466 5, -10, 20, -40
1467 4, 8, 16, 32
1468 -5, 5, -5, 5
1469 $a_n=5^{n-1}$, $a_5=5^4(=625)$
1470 $a_n=4\times(-9)^{n-1}$, $a_5=4\times(-9)^4(=26244)$
1471 $a_n=16\times\left(\frac{1}{2}\right)^{n-1}$, $a_5=1$
1472 $a_n=6\times2^{n-1}$
1473 $a_n=3\times(-2)^{n-1}$
1474 $a_n=\frac{1}{3}\times(-3)^{n-1}$
1475 $a_n=54\times\left(\frac{1}{3}\right)^{n-1}$
1476 $a_n=(0.1)^n$
1477 $a_n=(\sqrt{5})^{n-1}$
1478 4
1479 3
1480 $\frac{1}{4}$
1481 $\sqrt{2}$
1482 -2
1483 -2 또는 2
1484 -9 또는 9
1485 -6 또는 6
1486 -30 또는 30
1487 $-2\sqrt{2}$ 또는 $2\sqrt{2}$
1488 -12, -108 또는 12, 108
1489 -1, $-\frac{1}{9}$ 또는 1, $\frac{1}{9}$
1490 682
1491 244
1492 $2-\left(\frac{1}{2}\right)^7$
1493 2046
1494 $\frac{2}{3}(4^{10}-1)$
1495 $4\left\{1-\left(\frac{1}{2}\right)^{10}\right\}$
1496 $\frac{1}{16}(2^7-1)$
1497 -255
1498 $6\left\{1-\left(\frac{1}{2}\right)^5\right\}$
1499 18
1500 512
1501 50
1502 16
1503 162
1504 $a_1=2$, $a_n=2\times3^{n-1}$
1505 $a_1=2$, $a_n=2^n$
1506 $a_1=7$, $a_n=2^{n-1}$ (단, $n\geq2$)
1507 $a_1=5$, $a_n=4\times3^{n-1}$ (단, $n\geq2$)

1508 ① **1509** ② **1510** ④
1511 ③ **1512** 128 **1513** ②
1514 ⑤ **1515** ② **1516** ②
1517 3072 **1518** 64 **1519** ①
1520 25 **1521** 96 **1522** 108
1523 ④ **1524** ④ **1525** $\frac{21}{4}$
1526 ② **1527** ④ **1528** ③
1529 10 **1530** ⑤ **1531** ②
1532 ④ **1533** 6 **1534** ②
1535 ⑤ **1536** $\frac{28}{27}$ **1537** 26
1538 ④ **1539** ④ **1540** ③
1541 ③ **1542** ① **1543** 15
1544 ④ **1545** 216 **1546** ③
1547 ① **1548** ④ **1549** ②
1550 ④ **1551** ④ **1552** $\frac{1}{16}$

1553 ① **1554** ② **1555** 11
1556 ② **1557** ③ **1558** ②
1559 ③ **1560** ③ **1561** ④
1562 ④ **1563** ① **1564** 189
1565 ⑤ **1566** ② **1567** ③
1568 ① **1569** 510 **1570** ②
1571 64 **1572** ⑤ **1573** ②
1574 ⑤ **1575** 7 **1576** ②
1577 48 **1578** ① **1579** ③
1580 ③ **1581** ② **1582** ③
1583 ⑤ **1584** 199 **1585** ②
1586 ④ **1587** ② **1588** ⑤
1589 ④ **1590** ④ **1591** ④
1592 161만 원 **1593** ④ **1594** ②
1595 ③ **1596** ② **1597** ①
1598 128000원 **1599** ④ **1600** 3억 2천만 원
1601 ② **1602** 64 **1603** 39
1604 -25 **1605** 5 **1606** ⑤
1607 ③ **1608** ④ **1609** 26
1610 ④ **1611** ② **1612** 424000원
1613 ③ **1614** 45 **1615** ②
1616 ③ **1617** ① **1618** ③
1619 ⑤ **1620** 54 **1621** 156
1622 496 **1623** ③ **1624** 40
1625 ② **1626** ④ **1627** 84
1628 25 **1629** ③ **1630** 67

수열의 합

본책 286~316쪽

1631 $\sum_{k=1}^{15} a_k$	**1632** $\sum_{k=1}^{n} (2k-1)$
1633 $\sum_{k=1}^{n} \frac{1}{k}$	**1634** $\sum_{k=1}^{n} k(k+1)$
1635 $\sum_{k=1}^{10} k^2$	**1636** $\sum_{k=1}^{7} 3^k$
1637 $\sum_{k=1}^{99} \frac{1}{k(k+1)}$	**1638** 1, 50, a_j
1639 $2i+3$, 5, 1	**1640** 10, 1
1641 $2+4+6+8+10$	**1642** $5+5+5+5+5$
1643 $-1+1-1+1-1$	**1644** $5^1+5^2+5^3+\cdots+5^{20}$
1645 k^2+2k	**1646** 20, 20, $4k$, 4
1647 k^2	**1648** 42
1649 2	**1650** 18
1651 -11	**1652** 19
1653 3	**1654** -1
1655 210	**1656** 385
1657 3025	**1658** 100
1659 240	**1660** 138
1661 45	**1662** 415
1663 166	**1664** 3035
1665 $\sum_{k=1}^{n} (2k-1)$	**1666** $\sum_{k=1}^{n} (3-5k)$
1667 210	**1668** 35
1669 104	**1670** -245
1671 $a_n=2n+1$	**1672** $a_1=4$, $a_n=2n+1$ (단, $n\geq 2$)
1673 $a_1=4$, $a_n=4n-3$ (단, $n\geq 2$)	**1674** $\frac{20}{21}$
1675 $\frac{10}{11}$	**1676** $\frac{69}{56}$
1677 -2	**1678** -4
1679 $x+1$	**1680** 3, $x+3$
1681 $\frac{4}{5}$	**1682** $\frac{25}{21}$

1683 5	**1684** 47	**1685** ②
1686 34	**1687** 150	**1688** 61
1689 6	**1690** ④	**1691** ②
1692 ③	**1693** ③	**1694** ⑤
1695 ④	**1696** ②	**1697** 120
1698 ②	**1699** ③	**1700** ③
1701 420	**1702** ①	**1703** ②
1704 ⑤	**1705** ④	**1706** ④
1707 ③	**1708** 10	**1709** ①
1710 655	**1711** ②	**1712** ②
1713 ④	**1714** ②	**1715** 502
1716 ②	**1717** ⑤	
1718 $\frac{1}{6}n(n+1)(4n-1)$		**1719** 3850
1720 ④	**1721** ③	**1722** 2
1723 ②	**1724** 3	**1725** ①
1726 ④	**1727** ②	**1728** ②
1729 ③	**1730** ③	**1731** $\frac{50}{101}$
1732 ①	**1733** 28	**1734** ⑤
1735 ②	**1736** ③	**1737** ②
1738 121	**1739** 3	**1740** ④
1741 652	**1742** 31	**1743** 33
1744 ①	**1745** 256	**1746** 1650
1747 ⑤	**1748** ②	**1749** ③
1750 210	**1751** ①	**1752** ③
1753 0	**1754** 364	**1755** ③
1756 25	**1757** 410	**1758** ④
1759 ④	**1760** ①	**1761** ⑤
1762 ④	**1763** ①	**1764** ③
1765 468	**1766** ③	**1767** 120
1768 15	**1769** $\frac{3}{31}$	**1770** 13
1771 162	**1772** ④	**1773** 9
1774 502	**1775** 675	**1776** ④
1777 ③	**1778** 13	**1779** ③
1780 ②	**1781** 3번	**1782** ③
1783 ⑤	**1784** ①	**1785** 12
1786 ②	**1787** 1251	**1788** ①
1789 ①		
1790 ④	**1791** ③	**1792** ③
1793 ①	**1794** ③	**1795** $\frac{50}{51}$
1796 ②	**1797** 230	**1798** ①
1799 716	**1800** 19	**1801** ③
1802 13	**1803** 48	**1804** 538
1805 ④	**1806** $\frac{5}{22}$	**1807** ②
1808 ④	**1809** 570	**1810** ③
1811 ③	**1812** 24	**1813** ④
1814 ①	**1815** ③	**1816** ④
1817 ②	**1818** 27	**1819** ②
1820 315	**1821** ④	**1822** 125

11 수학적 귀납법

본책 320~350쪽

1823 $a_2=6$, $a_3=8$, $a_4=10$
1824 $a_2=12$, $a_3=9$, $a_4=6$
1825 $a_2=3$, $a_3=5$, $a_4=7$
1826 $a_2=3$, $a_3=-3$, $a_4=3$
1827 $a_2=12$, $a_3=6$, $a_4=3$
1828 $a_2=12$, $a_3=36$, $a_4=108$
1829 $a_2=8$, $a_3=-16$, $a_4=32$
1830 $a_2=2$, $a_3=4$, $a_4=7$
1831 $a_2=6$, $a_3=11$, $a_4=18$
1832 $a_2=4$, $a_3=8$, $a_4=16$
1833 $a_2=2$, $a_3=6$, $a_4=24$
1834 $a_2=3$, $a_3=7$, $a_4=15$
1835 $a_2=5$, $a_3=14$, $a_4=41$
1836 $a_2=\frac{1}{2}$, $a_3=\frac{1}{3}$, $a_4=\frac{1}{4}$
1837 $a_2=\frac{4}{3}$, $a_3=\frac{8}{7}$, $a_4=\frac{16}{15}$
1838 $a_2=\frac{1}{3}$, $a_3=\frac{1}{7}$, $a_4=\frac{1}{15}$
1839 10
1840 9
1841 27
1842 $\frac{1}{2}$
1843 5
1844 8
1845 $\frac{7}{9}$
1846 ㄱ, ㄴ, ㅅ, ㅇ
1847 ㄷ, ㄹ, ㅁ
1848 $a_1=1$, $a_{n+1}=a_n+3$ (단, $n=1, 2, 3, \cdots$)
1849 $a_1=5$, $a_{n+1}=a_n+2$ (단, $n=1, 2, 3, \cdots$)
1850 $a_1=6$, $a_{n+1}=a_n-4$ (단, $n=1, 2, 3, \cdots$)
1851 $a_1=-1$, $a_{n+1}=a_n-5$ (단, $n=1, 2, 3, \cdots$)
1852 $a_1=1$, $a_{n+1}=2a_n$ (단, $n=1, 2, 3, \cdots$)
1853 $a_1=3$, $a_{n+1}=-a_n$ (단, $n=1, 2, 3, \cdots$)
1854 $a_1=-5$, $a_{n+1}=-2a_n$ (단, $n=1, 2, 3, \cdots$)
1855 $n=1$, $k+1$, 수학적 귀납법
1856 27
1857 ㄴ, ㄹ
1858 (가): $n=1$, (나): $2(k+1)$, (다): $k+2$, (라): $k+1$

1859 ③ **1860** 30 **1861** ②
1862 26 **1863** ① **1864** $\frac{1}{4}$
1865 ② **1866** 9 **1867** $\frac{1426}{81}$
1868 ① **1869** ③ **1870** ②
1871 ② **1872** ⑤ **1873** 8
1874 ② **1875** ④ **1876** 765
1877 ③ **1878** ① **1879** ③
1880 ④ **1881** ④ **1882** 3
1883 ② **1884** 75 **1885** ①
1886 55 **1887** ③ **1888** 10
1889 30 **1890** 55 **1891** 3
1892 -1 **1893** $-\frac{3}{2}$ **1894** 11
1895 6 **1896** 6 **1897** 54
1898 ③ **1899** 496 **1900** ④
1901 ② **1902** ① **1903** 48
1904 ④ **1905** ⑤ **1906** 8
1907 30 **1908** 1840 **1909** ③
1910 13 **1911** 54 **1912** -3
1913 $\frac{135}{2}$ **1914** 7 **1915** 39
1916 ④ **1917** ③ **1918** ②
1919 ① **1920** ④ **1921** ③
1922 54 **1923** ④ **1924** ③
1925 ② **1926** ④ **1927** 49
1928 21 **1929** ④ **1930** $\frac{4}{5}$
1931 해설 참조 **1932** ④ **1933** 해설 참조
1934 ② **1935** ③ **1936** ④
1937 ③ **1938** 18 **1939** 6
1940 (가): $\frac{k+1}{k+2}$, (나): 2 **1941** ③ **1942** ③
1943 ④ **1944** ④
1945 29 **1946** ⑤ **1947** 360
1948 6 **1949** ② **1950** -10
1951 2 **1952** ② **1953** ③
1954 7 **1955** 해설 참조
1956 (가): x^2, (나): $1+(k+1)x$
1957 ① **1958** 128 **1959** ②
1960 $\frac{10}{21}$ **1961** ③ **1962** 301
1963 $\frac{2}{81}$ **1964** $\frac{1}{100}$ **1965** ⑤
1966 ⑤ **1967** 12 **1968** $\frac{6}{5}$
1969 ④ **1970** 101 **1971** ②
1972 ① **1973** 13 **1974** ④
1975 ④

아름다운 샘 BOOK LIST

개념기본서 수학의 기본을 다지는 최고의 수학 개념기본서

❖ 수학의 샘

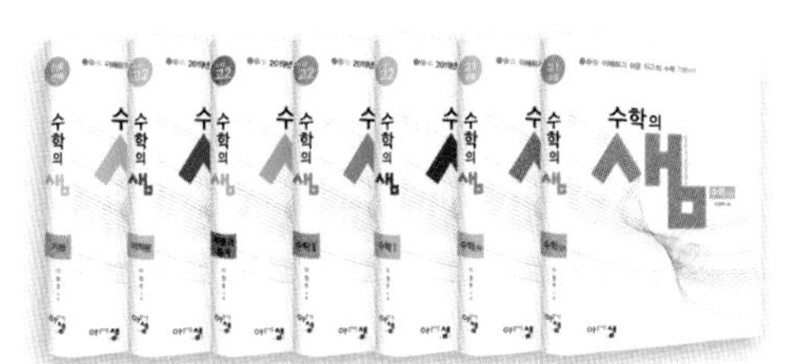

- 수학(상)
- 수학(하)
- 수학 Ⅰ
- 수학 Ⅱ
- 확률과 통계
- 미적분
- 기하

문제기본서 {기본, 유형}, {유형, 심화}로 구성된 수준별 문제기본서

❖ 아샘 Hi Math

- 수학(상)
- 수학(하)
- 수학 Ⅰ
- 수학 Ⅱ
- 확률과 통계
- 미적분
- 기하

❖ 아샘 Hi High

- 수학(상)
- 수학(하)
- 수학 Ⅰ
- 수학 Ⅱ
- 확률과 통계
- 미적분

예비 고1 교재 고교 수학의 기본을 다지는 참 쉬운 기본서

❖ 그래 할 수 있어

- 수학(상)
- 수학(하)

단기 특강 교재 유형을 다지는 단기특강 교재

❖ 10&2

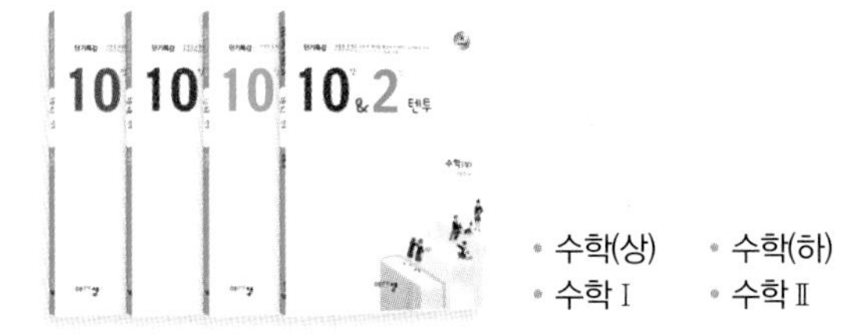

- 수학(상)
- 수학(하)
- 수학 Ⅰ
- 수학 Ⅱ

수능 기출유형 문제집 수능 대비하는 수준별·유형별 문제집

❖ 짱 쉬운 유형 / 확장판

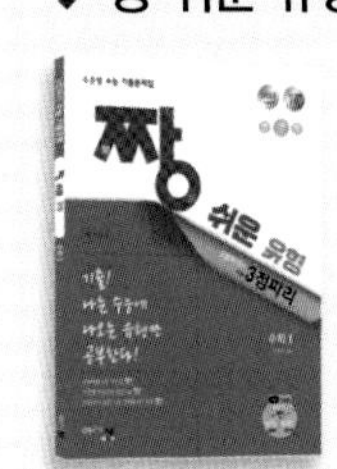

- 수학 Ⅰ
- 수학 Ⅱ
- 확률과 통계
- 미적분
- 기하

- 수학 Ⅰ
- 수학 Ⅱ
- 확률과 통계

❖ 짱 중요한 유형

- 수학 Ⅰ
- 수학 Ⅱ
- 확률과 통계
- 미적분
- 기하

❖ 짱 어려운 유형

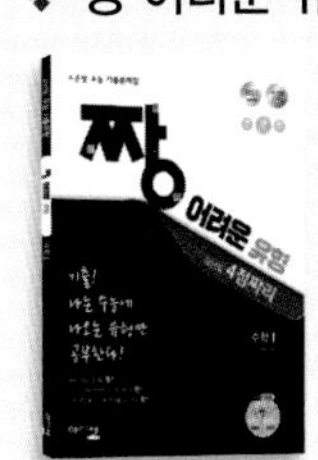

- 수학 Ⅰ
- 수학 Ⅱ
- 확률과 통계
- 미적분
- 기하

수능 실전모의고사 수능 대비 파이널 실전모의고사

❖ 짱 Final 실전모의고사

- 수학 영역

내신 기출유형 문제집 내신 대비하는 수준별·유형별 문제집

❖ 짱 쉬운 내신

- 수학(상)
- 수학(하)

❖ 짱 중요한 내신

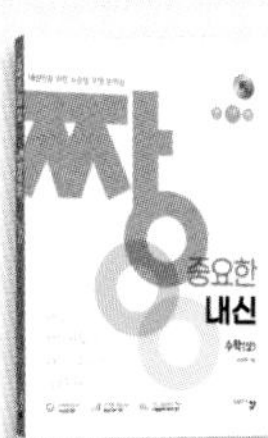

- 수학(상)
- 수학(하)

중간·기말고사 교재 학교 시험 대비 실전모의고사

❖ 아샘 내신 FINAL (고1 수학, 고2 수학 Ⅰ, 고2 수학 Ⅱ)

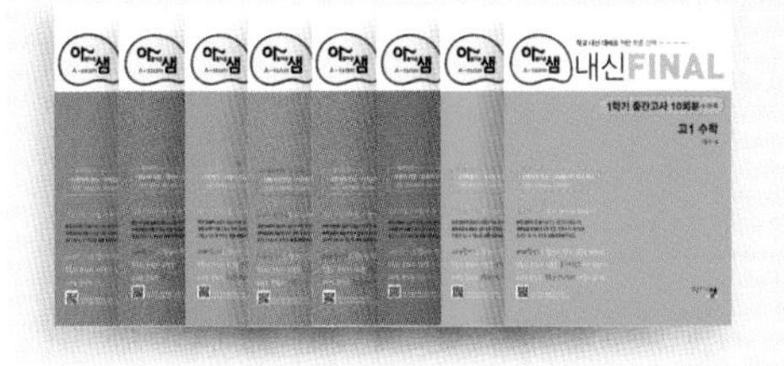

- 1학기 중간고사
- 1학기 기말고사
- 2학기 중간고사
- 2학기 기말고사

한 권으로 끝내는 내신 교재

Total 짱

아름다운샘 참고서 시리즈

개념기본서
수학의 샘

중간·기말고사 문제집

수능기출·유형 문제집
짱 쉬운 유형

수능기출·유형 문제집
짱 중요한 유형

수능기출·유형 문제집
짱 어려운 유형

펴낸이/펴낸곳 ㈜아름다운샘
펴낸날 2021년 12월
등록번호 제324-2013-41호
주소 서울시 강동구 상암로 257, 진승빌딩 3층
전화 02-892-7878
팩스 02-892-7874
홈페이지 www.a-ssam.co.kr
교재 내용 문의 02-892-7879 / assam7878@hanmail.net

한 권으로 끝내는 내신 교재

Total 짱

1975

수학 I

이창주 지음

정답 및 해설

아름다운샘

아름다운 샘과 함께
수학의 자신감과 최고 실력을 완성!!!

한 권으로 끝내는 내신 교재

Total짱

1975

정답 및 해설

수학 I

01 지수

본책 004~029쪽

0001

$a^2a^3=a^{2+3}=a^5$

답 a^5

0002

$(x^6)^5=x^{6\times5}=x^{30}$

답 x^{30}

0003

$(x^2y^3)^4=x^8y^{12}$

답 x^8y^{12}

0004

$\left(\dfrac{y^2}{x^5}\right)^3=\dfrac{y^6}{x^{15}}$

답 $\dfrac{y^6}{x^{15}}$

0005

$\dfrac{(ab)^5}{a^3b^2}=\dfrac{a^5b^5}{a^3b^2}=a^2b^3$

답 a^2b^3

0006

$a^5\left(\dfrac{b}{a}\right)^3=a^5\times\dfrac{b^3}{a^3}=a^2b^3$

답 a^2b^3

0007

$a^8\div a^4=a^{8-4}=a^4$

답 a^4

0008

$x^5\div x^5=1$

답 1

0009

4의 제곱근을 x라 하면 $x^2=4$에서

$x=-2$ 또는 $x=2$

따라서 4의 제곱근 중에서 실수인 것은 -2, 2이다.

답 -2, 2

0010

3의 제곱근을 x라 하면 $x^2=3$에서

$x=-\sqrt{3}$ 또는 $x=\sqrt{3}$

따라서 3의 제곱근 중에서 실수인 것은 $-\sqrt{3}$, $\sqrt{3}$이다.

답 $-\sqrt{3}$, $\sqrt{3}$

0011

-9의 제곱근을 x라 하면

$x^2=-9$에서 $x^2+9=0$

$(x+3i)(x-3i)=0$

$\therefore x=-3i$ 또는 $x=3i$

따라서 -9의 제곱근 중에서 실수인 것은 없다.

답 없다.

0012

8의 세제곱근을 x라 하면

$x^3=8$에서 $x^3-8=0$

$(x-2)(x^2+2x+4)=0$

$\therefore x=2$ 또는 $x=-1\pm\sqrt{3}i$

따라서 8의 세제곱근 중에서 실수인 것은 2이다.

답 2

0013

125의 세제곱근을 x라 하면

$x^3=125$에서 $x^3-125=0$

$(x-5)(x^2+5x+25)=0$

$\therefore x=5$ 또는 $x=\dfrac{-5\pm5\sqrt{3}i}{2}$

따라서 125의 세제곱근 중에서 실수인 것은 5이다.

답 5

0014

-1의 세제곱근을 x라 하면 $x^3=-1$에서

$x^3+1=0$, $(x+1)(x^2-x+1)=0$

$\therefore x=-1$ 또는 $x=\dfrac{1\pm\sqrt{3}i}{2}$

따라서 -1의 세제곱근 중에서 실수인 것은 -1이다.

답 -1

0015

-64의 세제곱근을 x라 하면 $x^3=-64$에서

$x^3+64=0$, $(x+4)(x^2-4x+16)=0$

$\therefore x=-4$ 또는 $x=2\pm2\sqrt{3}i$

따라서 -64의 세제곱근 중에서 실수인 것은 -4이다.

답 -4

0016

5의 세제곱근을 x라 하면 $x^3=5$를 만족시키는 실수 x는 $\sqrt[3]{5}$이므로 5의 세제곱근 중에서 실수인 것은 $\sqrt[3]{5}$이다.

답 $\sqrt[3]{5}$

참고 실수 a에 대하여 a의 n제곱근 중에서 실수인 것은 다음과 같다.

	$a>0$	$a=0$	$a<0$
n이 홀수	$\sqrt[n]{a}$	0	$\sqrt[n]{a}$
n이 짝수	$\sqrt[n]{a}$, $-\sqrt[n]{a}$	0	없다.

0017

-12의 세제곱근을 x라 하면 $x^3=-12$를 만족시키는 실수 x는 $\sqrt[3]{-12}$이므로 -12의 세제곱근 중에서 실수인 것은 $\sqrt[3]{-12}$이다.

답 $\sqrt[3]{-12}$

0018

16의 네제곱근을 x라 하면 $x^4=16$에서

$x^4-16=0$, $(x^2-4)(x^2+4)=0$

$(x+2)(x-2)(x^2+4)=0$

$\therefore x=-2$ 또는 $x=2$ 또는 $x=-2i$ 또는 $x=2i$

따라서 16의 네제곱근 중에서 실수인 것은 -2, 2이다.

답 -2, 2

0019

$\dfrac{1}{81}$의 네제곱근을 x라 하면 $x^4=\dfrac{1}{81}$에서

$x^4-\dfrac{1}{81}=0$, $\left(x^2-\dfrac{1}{9}\right)\left(x^2+\dfrac{1}{9}\right)=0$

$\left(x+\frac{1}{3}\right)\left(x-\frac{1}{3}\right)\left(x^2+\frac{1}{9}\right)=0$

$\therefore x=-\frac{1}{3}$ 또는 $x=\frac{1}{3}$ 또는 $x=-\frac{1}{3}i$ 또는 $x=\frac{1}{3}i$

따라서 $\frac{1}{81}$의 네제곱근 중에서 실수인 것은 $-\frac{1}{3}, \frac{1}{3}$이다.

답 $-\frac{1}{3}, \frac{1}{3}$

0020

3의 네제곱근을 x라 하면 $x^4=3$을 만족시키는 실수 x는 $\sqrt[4]{3}, -\sqrt[4]{3}$이므로 3의 네제곱근 중에서 실수인 것은 $\sqrt[4]{3}, -\sqrt[4]{3}$이다.

답 $\sqrt[4]{3}, -\sqrt[4]{3}$

0021

-16의 네제곱근을 x라 하면 $x^4=-16$을 만족시키는 실수 x는 없으므로 -16의 네제곱근 중에서 실수인 것은 없다.

답 없다.

0022

$\sqrt[3]{2}\sqrt[3]{5}=\sqrt[3]{2\times5}=\sqrt[3]{10}$

답 $\sqrt[3]{10}$

0023

$\sqrt[4]{32}\sqrt[4]{8}=\sqrt[4]{32\times8}=\sqrt[4]{4^4}=4$

답 4

0024

$\frac{\sqrt[3]{8}}{\sqrt[3]{2}}=\sqrt[3]{\frac{8}{2}}=\sqrt[3]{4}$

답 $\sqrt[3]{4}$

0025

$\frac{\sqrt[3]{54}}{\sqrt[3]{2}}=\sqrt[3]{\frac{54}{2}}=\sqrt[3]{27}=\sqrt[3]{3^3}=3$

답 3

0026

$\sqrt{\sqrt[3]{64}}=\sqrt[6]{2^6}=2$

답 2

0027

$\sqrt[6]{25}=\sqrt[3\times2]{5^2}=\sqrt[3]{5}$

답 $\sqrt[3]{5}$

0028

$7^0=1$

답 1

0029

$\left(-\frac{1}{4}\right)^0=1$

답 1

0030

$3^{-3}=\frac{1}{3^3}=\frac{1}{27}$

답 $\frac{1}{27}$

0031

$\left(-\frac{1}{2}\right)^{-4}=\frac{1}{\left(-\frac{1}{2}\right)^4}=\frac{1}{\frac{1}{16}}=16$

답 16

다른풀이 $\left(-\frac{1}{2}\right)^{-4}=(-2)^4=16$

0032

$\sqrt[3]{a}=a^{\frac{1}{3}}$

답 $a^{\frac{1}{3}}$

0033

$\sqrt[4]{a^2}=(a^2)^{\frac{1}{4}}=a^{\frac{1}{2}}$

답 $a^{\frac{1}{2}}$

0034

$\sqrt[7]{a^3}=(a^3)^{\frac{1}{7}}=a^{\frac{3}{7}}$

답 $a^{\frac{3}{7}}$

0035

$\frac{1}{\sqrt[5]{a^2}}=\frac{1}{a^{\frac{2}{5}}}=a^{-\frac{2}{5}}$

답 $a^{-\frac{2}{5}}$

0036

$(2^{\frac{3}{4}})^2\times2^2=2^{\frac{3}{2}}\times2^2=2^{\frac{3}{2}+2}=2^{\frac{7}{2}}$

답 $2^{\frac{7}{2}}$

0037

$5^{\frac{2}{3}}\times25^{-\frac{5}{6}}=5^{\frac{2}{3}}\times(5^2)^{-\frac{5}{6}}=5^{\frac{2}{3}}\times5^{-\frac{5}{3}}$

$=5^{\frac{2}{3}+\left(-\frac{5}{3}\right)}=5^{-1}$

$=\frac{1}{5}$

답 $\frac{1}{5}$

0038

$(2^{\frac{6}{5}})^2\times2^{\frac{3}{5}}\div(2^2)^{\frac{1}{2}}=2^{\frac{12}{5}}\times2^{\frac{3}{5}}\div2$

$=2^{\frac{12}{5}+\frac{3}{5}-1}=2^2=4$

답 4

0039

$8^{\frac{1}{3}}\times8^{-\frac{2}{3}}\times8^{\frac{4}{3}}=(2^3)^{\frac{1}{3}}\times(2^3)^{-\frac{2}{3}}\times(2^3)^{\frac{4}{3}}=2\times2^{-2}\times2^4$

$=2^{1-2+4}=2^3=8$

답 8

0040

$\sqrt{8}\div\sqrt[3]{4}\times\sqrt[6]{2}=2^{\frac{3}{2}}\div2^{\frac{2}{3}}\times2^{\frac{1}{6}}=2^{\frac{3}{2}-\frac{2}{3}+\frac{1}{6}}=2$

답 2

0041

$\sqrt[3]{9}\times\sqrt[6]{27}=3^{\frac{2}{3}}\times3^{\frac{1}{2}}=3^{\frac{2}{3}+\frac{1}{2}}=3^{\frac{7}{6}}$

답 $3^{\frac{7}{6}}$

0042

$(a^{\frac{1}{3}}b^{\frac{5}{6}})^{12}=a^{\frac{1}{3}\times12}b^{\frac{5}{6}\times12}=a^4b^{10}$

답 a^4b^{10}

0043

$\sqrt[3]{a^2}\div\sqrt[4]{a}\times\sqrt[12]{a}=a^{\frac{2}{3}}\div a^{\frac{1}{4}}\times a^{\frac{1}{12}}$

$=a^{\frac{2}{3}-\frac{1}{4}+\frac{1}{12}}=a^{\frac{1}{2}}$

답 $a^{\frac{1}{2}}$

0044

$7^{\sqrt{2}}\times7^{\sqrt{2}}=7^{\sqrt{2}+\sqrt{2}}=7^{2\sqrt{2}}$

답 $7^{2\sqrt{2}}$

0045

$(2^{\sqrt{3}})^{\sqrt{3}}=2^{\sqrt{3}\times\sqrt{3}}=2^3=8$

답 8

0046

$5^{\sqrt{32}}\times5^{\sqrt{8}}\div5^{\sqrt{2}}=5^{\sqrt{32}+\sqrt{8}-\sqrt{2}}$
$=5^{4\sqrt{2}+2\sqrt{2}-\sqrt{2}}=5^{5\sqrt{2}}$

답 $5^{5\sqrt{2}}$

0047

$a^{\sqrt{2}}a^{2\sqrt{2}}=a^{\sqrt{2}+2\sqrt{2}}=a^{3\sqrt{2}}$

답 $a^{3\sqrt{2}}$

0048

$a=2^{\frac{1}{2}}$, $b=3^{\frac{1}{3}}$, $c=6^{\frac{1}{6}}$이므로

$a^6=(2^{\frac{1}{2}})^6=2^3=8$

$b^6=(3^{\frac{1}{3}})^6=3^2=9$

$c^6=(6^{\frac{1}{6}})^6=6$

$\therefore c^6<a^6<b^6$

답 $c^6<a^6<b^6$

0049

$a=3^{\frac{1}{2}}$, $b=4^{\frac{1}{3}}$, $c=7^{\frac{1}{4}}$이므로

$a^{12}=(3^{\frac{1}{2}})^{12}=3^6=729$

$b^{12}=(4^{\frac{1}{3}})^{12}=4^4=256$

$c^{12}=(7^{\frac{1}{4}})^{12}=7^3=343$

$\therefore b^{12}<c^{12}<a^{12}$

답 $b^{12}<c^{12}<a^{12}$

0050

$x^2+x^{-2}=(x+x^{-1})^2-2=3^2-2=7$

답 7

0051

$(x-x^{-1})^2=(x+x^{-1})^2-4=3^2-4=5$

$\therefore x-x^{-1}=\sqrt{5}$ ($\because x>1$)

답 $\sqrt{5}$

0052

$x^3+x^{-3}=(x+x^{-1})^3-3(x+x^{-1})$
$=3^3-3\times3=18$

답 18

0053

$\frac{a^x-a^{-x}}{a^x+a^{-x}}$의 분모, 분자에 각각 a^x을 곱하면

$\frac{a^x(a^x-a^{-x})}{a^x(a^x+a^{-x})}=\frac{a^{2x}-a^x\times a^{-x}}{a^{2x}+a^x\times a^{-x}}=\frac{a^{2x}-1}{a^{2x}+1}$

답 $\frac{a^{2x}-1}{a^{2x}+1}$

0054

$\frac{a^{5x}+a^{-x}}{a^{2x}-a^{-x}}$의 분모, 분자에 각각 a^x을 곱하면

$\frac{a^x(a^{5x}+a^{-x})}{a^x(a^{2x}-a^{-x})}=\frac{a^{6x}+a^x\times a^{-x}}{a^{3x}-a^x\times a^{-x}}=\frac{a^{6x}+1}{a^{3x}-1}$

답 $\frac{a^{6x}+1}{a^{3x}-1}$

0055

> $\{(-3)^3\cdot27^2\}^4=(3^4)^n$이 성립할 때, 자연수 n의 값은?
> └ 밑을 3으로 같게 만들자.

$\{(-3)^3\cdot27^2\}^4=\{(-3)^3\times(3^3)^2\}^4=\{(-3)^3\times3^6\}^4$
$=(-3)^{12}\times3^{24}=3^{12}\times3^{24}=3^{36}$

즉, $3^{36}=(3^4)^n=3^{4n}$이므로 $36=4n$

$\therefore n=9$

답 ⑤

0056

> 1이 아닌 두 양수 a, b에 대하여 $(a^2b^3)^2\div a^3=a^xb^y$일 때, $x+y$의 값은?
> └ $A\div B=\frac{A}{B}$임을 이용하자.

$(a^2b^3)^2\div a^3=a^{2\times2}b^{3\times2}\div a^3=\frac{a^4b^6}{a^3}=ab^6$

따라서 $x=1$, $y=6$이므로 $x+y=7$

답 ⑤

0057

> 8의 제곱을 a, 9의 세제곱을 b라 할 때, $ab^3\times(a^4b^3)^2\div(ab)^8=6^n$이 성립한다. 자연수 n의 값을 구하시오.
> └ 좌변을 간단히 정리하자.

$ab^3\times(a^4b^3)^2\div(ab)^8=ab^3\times a^8b^6\div a^8b^8$
$=\frac{a^9b^9}{a^8b^8}=ab$

그런데 $a=8^2=(2^3)^2=2^6$, $b=9^3=(3^2)^3=3^6$이므로

$ab=2^6\cdot3^6=(2\cdot3)^6=6^6$

$\therefore n=6$

답 6

0058

> 2의 네제곱을 a, -8의 세제곱근을 b라 할 때, ab의 값은?
> └ 음수의 세제곱근은 음수이다.

$a=2^4=16$

$b=\sqrt[3]{-8}=\sqrt[3]{(-2)^3}=-2$

$\therefore ab=-32=-2^5$

답 ①

0059

> 다음 중 옳은 것은?
> ① 49의 제곱근은 7이다. (→ 7과 −7이다.)
> ② 제곱근 9는 ±3이다.
> ③ −1은 −1의 제곱근이다.
> ④ 81의 실수인 네제곱근은 3이다. (→ 3과 −3이다.)
> ⑤ −27의 세제곱근 중 실수인 것은 −3이다.

① 49의 제곱근을 x라 하면 $x^2=49$에서
$x^2-49=0$, $(x-7)(x+7)=0$
$\therefore x=7$ 또는 $x=-7$
즉, 49의 제곱근은 ±7이다.
② 제곱근 9는 $\sqrt{9}=3$
③ $(-1)^2=1\neq-1$이므로 -1은 -1의 제곱근이 아니다.
④ 81의 네제곱근을 x라 하면 $x^4=81$에서
$x^4-81=0$, $(x^2-9)(x^2+9)=0$
$(x-3)(x+3)(x^2+3^2)=0$
$\therefore x=3$ 또는 $x=-3$ 또는 $x=3i$ 또는 $x=-3i$
즉, 81의 네제곱근 중 실수인 것은 ±3이다.
⑤ -27의 세제곱근을 x라 하면 $x^3=-27$에서
$x^3+27=0$, $(x+3)(x^2-3x+9)=0$
$\therefore x=-3$ 또는 $x=\dfrac{3\pm3\sqrt{3}i}{2}$
즉, -27의 세제곱근 중 실수인 것은 -3이다.
따라서 옳은 것은 ⑤이다. 답 ⑤

0060

27의 세제곱근 중 실수인 것을 a, -8의 세제곱근 중 실수인 것을 b라 하면, $a+b$가 실수 x의 세제곱근일 때, x의 값은?
→ $(a+b)^3=x$를 의미한다.

a는 27의 세제곱근 중 실수인 것이므로
$a=\sqrt[3]{27}=\sqrt[3]{3^3}=3$ ······ ㉠
b는 -8의 세제곱근 중 실수인 것이므로
$b=\sqrt[3]{-8}=\sqrt[3]{(-2)^3}=-2$ ······ ㉡
㉠, ㉡에서 $a+b=3-2=1$
따라서 $a+b$는 x의 세제곱근이므로
$x=(a+b)^3=1^3=1$ 답 ④

0061

거듭제곱근에 대한 설명으로 〈보기〉에서 옳은 것만을 있는 대로 고른 것은?

보기
ㄱ. -4의 세제곱근 중 실수는 $\sqrt[3]{-4}$이다.
ㄴ. -125의 세제곱근 중 실수인 것은 $-\sqrt[3]{125}$이다.
ㄷ. 16의 네제곱근은 모두 실수이다.
→ $-\sqrt[3]{125}=\sqrt[3]{-125}$이다.

ㄱ. -4의 세제곱근 중 실수는 $x^3=-4$인 실수 x이므로 $\sqrt[3]{-4}$이다. (참)
ㄴ. -125의 세제곱근은 방정식 $x^3=-125$에서 실수인 근을 찾으면 $x=-5=-\sqrt[3]{125}$이므로 세제곱근 중 실수인 것은 $-\sqrt[3]{125}$이다. (참)
ㄷ. $x^4=16$에서 $(x^2-4)(x^2+4)=0$ $\therefore x=\pm2$ 또는 $\pm2i$
즉, 16의 네제곱근 중 실수는 2개이다. (거짓)
따라서 옳은 것은 ㄱ, ㄴ이다. 답 ③

0062

거듭제곱근에 대한 설명으로 〈보기〉에서 옳은 것만을 있는 대로 고르시오. (단, a는 실수이고, n은 2 이상의 자연수이다.)
→ $a>0$, $a=0$, $a<0$일 때로 나누어 생각하자.

보기
ㄱ. a의 네제곱근 중에서 실수인 것은 2개이다.
ㄴ. $a>0$이고, n이 홀수이면 $\sqrt[n]{a}=-\sqrt[n]{-a}$이다.
ㄷ. $a<0$일 때, a의 세제곱근 중에서 실수인 것은 $\sqrt[3]{a}$이다.

ㄱ. a의 네제곱근 중에서 실수인 것은 a가 양수일 때 2개이다. (거짓)
ㄴ. $a>0$이고 n이 홀수이면 $\sqrt[n]{-a}=-\sqrt[n]{a}$가 성립하므로 $\sqrt[n]{a}=-\sqrt[n]{-a}$도 성립한다. (참)
ㄷ. $a<0$일 때, a의 세제곱근 중에서 실수인 것은 $x^3=a$에서 하나의 실근 $\sqrt[3]{a}$만을 가진다. (참)
따라서 옳은 것은 ㄴ, ㄷ이다. 답 ㄴ, ㄷ

0063

다음 〈보기〉 중 옳은 것을 모두 고른 것은?

보기
ㄱ. 3의 다섯제곱근 중 실수인 것은 $\sqrt[5]{3}$이다.
ㄴ. 실수 a의 네제곱근 중 실수인 것은 $\sqrt[4]{a}$, $-\sqrt[4]{a}$이다.
ㄷ. 실수 a의 세제곱근은 모두 집합 $\{x|x^3=a,\ x$는 복소수$\}$의 원소이다.
→ $a>0$, $a=0$, $a<0$일 때로 나누어 생각하자.

ㄱ. 3의 다섯제곱근 중 실수인 것은 $\sqrt[5]{3}$ 하나뿐이다. (참)
ㄴ. $a<0$일 때, a의 네제곱근 중 실수인 것은 존재하지 않는다. (거짓)
ㄷ. 실수 a의 세제곱근은 방정식 $x^3=a$를 만족하는 근이므로 모든 집합 $\{x|x^3=a,\ x$는 복소수$\}$의 원소이다. (참)
따라서 옳은 것은 ㄱ, ㄷ이다. 답 ③

참고 실수 a의 세제곱근은 복소수 범위에서 3개가 존재하지만 고교과정에서는 일반적으로 실수 범위에서 다루므로 1개가 존재한다.

0064

→ 방정식 $x^3-3^3=0$의 세 근 중에서 실수는 -3뿐이다.

-27의 세제곱근 중 실수인 것의 개수를 m, 2의 네제곱근 중 실수인 것의 개수를 n이라 할 때, $m+n$의 값은?

-27의 세제곱근 중 실수인 것은 $\sqrt[3]{-27}=-3$이므로
$m=1$
2의 네제곱근 중 실수인 것은 $\sqrt[4]{2}$, $-\sqrt[4]{2}$이므로
$n=2$
$\therefore m+n=3$ 답 ③

0065

-32의 다섯제곱근 중 실수인 것의 개수를 m, 3의 네제곱근 중 실수인 것의 개수를 n이라 할 때, $m+n$의 값을 구하시오.
→ $x^4-3=(x^2-\sqrt{3})(x^2+\sqrt{3})$이므로 방정식 $x^2-\sqrt{3}=0$의 해와 같다.

-32의 다섯제곱근 중 실수인 것은 $\sqrt[5]{-32}=-2$이므로

$m=1$

3의 네제곱근 중 실수인 것은 $\sqrt[4]{3}$, $-\sqrt[4]{3}$이므로

$n=2$

$\therefore m+n=1+2=3$

답 3

0066

다음 중에서 옳은 것은?

① 0의 네제곱근은 없다. (→ 0의 n제곱근은 0이다.)

② -64의 제곱근 중에서 실수인 것은 1개이다. (→ 음수의 제곱근 중 실수는 없다.)

③ -256의 네제곱근 중에서 실수인 것은 1개이다.

④ n이 짝수일 때, -2의 n제곱근 중 실수인 것은 없다.

⑤ n이 홀수일 때, -2의 n제곱근 중 실수인 것은 2개이다.

① 0의 네제곱근은 1개이다. (거짓)

② -64의 제곱근 중 실수인 제곱근은 없다. (거짓)

③ $x^4=-256$에서 짝수 제곱해서 음수가 되는 실수는 없다. (거짓)

④ n이 짝수이면 -2의 n제곱근 중 실수인 것은 없다. (참)

⑤ n이 홀수이면 -2의 n제곱근 중 실수인 것은 1개이다. (거짓)

따라서 옳은 것은 ④이다.

답 ④

0067

2 이상의 자연수 n에 대하여 $(7-2n)^3$의 n제곱근 중에서 실수인 것의 개수를 $f(n)$이라 할 때, $f(2)+f(3)+f(4)+\cdots+f(100)$의 값을 구하시오. (→ $(7-2n)>0$, $(7-2n)<0$일 때로 나누어 생각하자.)

(i) $n=2$일 때

$(7-4)^3$의 제곱근 중에서 실수인 것의 개수는 2이므로 $f(2)=2$

(ii) $n=3$일 때

$(7-6)^3$의 세제곱근 중에서 실수인 것의 개수는 1이므로 $f(3)=1$

(iii) $n\geq4$일 때

$(7-2n)^3<0$이므로

$n=4, 6, 8, \cdots, 100$일 때, $f(n)=0$

$n=5, 7, 9, \cdots, 99$일 때, $f(n)=1$

$\therefore f(2)+f(3)+f(4)+\cdots+f(100)=51$

답 51

0068

실수 a에 대하여 a의 n제곱근 중 실수인 것의 개수를 $g(a, n)$이라 하자. 예를 들면, 16의 네제곱근 중 실수인 것은 2와 -2의 두 개이므로 $g(16, 4)=2$이다. 이때, $g(-1, 2)+g(-2, 3)+g(-3, 4)+\cdots+g(-99, 100)$의 값은? (→ 음수의 n제곱근은 n이 짝수와 홀수일 때로 나누어 생각하자.)

a의 제곱근 중 실수인 것은 방정식 $x^n=a$의 실근이다.

이때, $a<0$이면

(i) n이 홀수일 때, $x^n=a$의 실근은 한 개이므로

$g(a, n)=1$

(ii) n이 짝수일 때, $x^n=a$의 실근은 존재하지 않으므로

$g(a, n)=0$

따라서 (i), (ii)에 의하여

$g(-1, 2)+g(-2, 3)+g(-3, 4)+\cdots+g(-99, 100)$

$=0+1+0+1+\cdots+0+1+0=49$

답 ①

0069

자연수 n $(n\geq2)$에 대하여 실수 a의 n제곱근 중에서 실수인 것의 개수를 $f_n(a)$라 할 때, 〈보기〉에서 옳은 것만을 있는 대로 고른 것은? (→ a가 양수 또는 음수일 때로, n이 홀수와 짝수일 때로 나누어 생각하자.)

보기

ㄱ. $f_3(-3)+f_4(4)+f_5(0)=4$

ㄴ. n이 홀수일 때, $f_n(a)=f_n(-a)$

ㄷ. $ab>0$일 때, $f_2(a)\times f_2(b)=f_2(ab)$

ㄱ. $f_3(-3)=1$, $f_4(4)=2$, $f_5(0)=1$

$\therefore f_3(-3)+f_4(4)+f_5(0)=4$ (참)

ㄴ. $f_n(a)=f_n(-a)=1$ (참)

ㄷ. [반례] $a<0$, $b<0$인 경우 $f_2(a)=f_2(b)=0$, $f_2(ab)=2$ (거짓)

따라서 옳은 것은 ㄱ, ㄴ이다.

답 ③

0070

$\sqrt[4]{27}\times\sqrt[4]{3}$의 값은? (→ 공식 $\sqrt[n]{a}\sqrt[n]{b}=\sqrt[n]{ab}$를 이용하자.)

$\sqrt[4]{27}\times\sqrt[4]{3}=\sqrt[4]{3^4}=3$

답 ②

0071

$\sqrt[5]{32^2}\div(\sqrt[3]{2})^6-\sqrt[3]{\sqrt{64}}$의 값은? (→ 거듭제곱근의 계산 공식을 적용하자.)

$\sqrt[5]{32^2}\div(\sqrt[3]{2})^6-\sqrt[3]{\sqrt{64}}=\sqrt[5]{(2^5)^2}\div\sqrt[3]{2^6}-\sqrt[6]{2^6}$

$=\sqrt[5]{(2^2)^5}\div\sqrt[3]{4^3}-2$

$=2^2\div4-2$

$=1-2=-1$

답 ①

0072

$\sqrt[4]{\dfrac{\sqrt{2}}{\sqrt[8]{2}}}=\sqrt[32]{2^k}$을 만족하는 상수 k의 값은? (→ 공식 $\sqrt[n]{\dfrac{a}{b}}=\dfrac{\sqrt[n]{a}}{\sqrt[n]{b}}$을 이용하자.)

$\sqrt[4]{\dfrac{\sqrt{2}}{\sqrt[8]{2}}}=\dfrac{\sqrt[8]{2}}{\sqrt[32]{2}}=\dfrac{\sqrt[32]{2^4}}{\sqrt[32]{2}}=\sqrt[32]{\dfrac{2^4}{2}}=\sqrt[32]{2^3}$

즉, $\sqrt[32]{2^3}=\sqrt[32]{2^k}$이므로 $k=3$

답 ②

0073

$\sqrt[4]{(-3)^4}+\sqrt[5]{-32}+\sqrt[5]{9}\sqrt[5]{27}+\sqrt[3]{\sqrt{64}}$를 간단히 하면?

공식 $\sqrt[m]{\sqrt[n]{a}}=\sqrt[mn]{a}$를 이용하자.

$\sqrt[4]{(-3)^4}+\sqrt[5]{-32}+\sqrt[5]{9}\sqrt[5]{27}+\sqrt[3]{\sqrt{64}}$

$=|-3|+\sqrt[5]{(-2)^5}+\sqrt[5]{9\cdot 27}+\sqrt[6]{64}$

$=3+(-2)+\sqrt[5]{3^5}+\sqrt[6]{2^6}$

$=3+(-2)+3+2=6$

답 ④

0074

$\dfrac{\sqrt[6]{36}+\sqrt[3]{81}}{\sqrt{\sqrt[3]{4}}+\sqrt[3]{9}\sqrt[3]{3}}$을 간단히 하면?

$\sqrt[3]{9}=\sqrt[3]{3^2}$임을 이용하자.

$\dfrac{\sqrt[6]{36}+\sqrt[3]{81}}{\sqrt{\sqrt[3]{4}}+\sqrt[3]{9}\sqrt[3]{3}}=\dfrac{\sqrt[6]{6^2}+\sqrt[3]{3^3\times 3}}{\sqrt[6]{2^2}+\sqrt[3]{3^3}}=\dfrac{\sqrt[3]{6}+3\sqrt[3]{3}}{\sqrt[3]{2}+3}$

$=\dfrac{\sqrt[3]{3}(\sqrt[3]{2}+3)}{\sqrt[3]{2}+3}=\sqrt[3]{3}$

답 ②

0075

$a=\sqrt{\dfrac{\sqrt{16}}{\sqrt[3]{16}}}-\sqrt[4]{\dfrac{\sqrt[3]{16}}{16}}$일 때, a^3의 값을 구하시오.

공식 $\sqrt[n]{\dfrac{a}{b}}=\dfrac{\sqrt[n]{a}}{\sqrt[n]{b}}$을 이용하자.

$a=\sqrt{\dfrac{\sqrt{16}}{\sqrt[3]{16}}}-\sqrt[4]{\dfrac{\sqrt[3]{16}}{16}}=\dfrac{\sqrt[4]{16}}{\sqrt[6]{16}}-\dfrac{\sqrt[12]{16}}{\sqrt[4]{16}}$

$=\dfrac{\sqrt[4]{2^4}}{\sqrt[6]{2^4}}-\dfrac{\sqrt[12]{2^4}}{\sqrt[4]{2^4}}=\dfrac{2}{\sqrt[3]{2^2}}-\dfrac{\sqrt[3]{2}}{2}$

$=\dfrac{4-\sqrt[3]{2^3}}{2\sqrt[3]{2^2}}=\dfrac{1}{\sqrt[3]{2^2}}$

$\therefore a^3=\left(\dfrac{1}{\sqrt[3]{2^2}}\right)^3=\dfrac{1}{4}$

답 $\dfrac{1}{4}$

0076

양의 실수 a에 대하여 다음 〈보기〉 중 $\sqrt[8]{a^5}$과 같은 것을 모두 고른 것은?

$a^2=(\sqrt{a})^4$임을 이용하자.

보기

ㄱ. $(\sqrt[8]{a})^5$　　ㄴ. $\sqrt{\sqrt[4]{a^5}}$　　ㄷ. $\sqrt[4]{a^2\sqrt{a}}$

ㄱ. $(\sqrt[8]{a})^5=\sqrt[8]{a^5}$

ㄴ. $\sqrt{\sqrt[4]{a^5}}=\sqrt[8]{a^5}$

ㄷ. $\sqrt[4]{a^2\sqrt{a}}=\sqrt[4]{(\sqrt{a})^4\sqrt{a}}=\sqrt[4]{\sqrt{a^5}}=\sqrt[8]{a^5}$

따라서 $\sqrt[8]{a^5}$과 같은 것은 ㄱ, ㄴ, ㄷ이다.

답 ⑤

0077

$a>0$, $b>0$일 때, $\sqrt[12]{2a^3b^4}\times\sqrt[4]{2ab^2}\div\sqrt[6]{4a^2b}$를 간단히 하면?

$\sqrt[12]{}$의 꼴로 변형하자.

$\sqrt[12]{2a^3b^4}\times\sqrt[4]{2ab^2}\div\sqrt[6]{4a^2b}=\dfrac{\sqrt[12]{2a^3b^4}\times\sqrt[12]{2^3a^3b^6}}{\sqrt[12]{4^2a^4b^2}}$

$=\sqrt[12]{\dfrac{16a^6b^{10}}{16a^4b^2}}$

$=\sqrt[12]{a^2b^8}$

$=\sqrt[6]{ab^4}$

답 ④

0078

양의 실수 a에 대하여 $\sqrt{\dfrac{\sqrt[6]{a^5}}{\sqrt[4]{a}}}\times\sqrt[4]{\dfrac{\sqrt{a}}{\sqrt[3]{a}}}=\sqrt[12]{a^n}$이 성립할 때, 자연수 n의 값을 구하시오. (단, $a\neq 1$)

공식 $\sqrt[n]{\dfrac{a}{b}}=\dfrac{\sqrt[n]{a}}{\sqrt[n]{b}}$을 이용하자.

$\sqrt{\dfrac{\sqrt[6]{a^5}}{\sqrt[4]{a}}}\times\sqrt[4]{\dfrac{\sqrt{a}}{\sqrt[3]{a}}}=\dfrac{\sqrt{\sqrt[6]{a^5}}}{\sqrt{\sqrt[4]{a}}}\times\dfrac{\sqrt[4]{\sqrt{a}}}{\sqrt[4]{\sqrt[3]{a}}}$

$=\dfrac{\sqrt[12]{a^5}}{\sqrt[8]{a}}\times\dfrac{\sqrt[8]{a}}{\sqrt[12]{a}}$

$=\dfrac{\sqrt[12]{a^5}}{\sqrt[12]{a}}=\sqrt[12]{\dfrac{a^5}{a}}$

$=\sqrt[12]{a^4}$

$\therefore n=4$

답 4

0079

2, 3, 4의 최소공배수는 12이다.

$A=\sqrt{3}$, $B=\sqrt[3]{4}$, $C=\sqrt[4]{5}$라 할 때, 세 수 A, B, C의 대소 관계를 바르게 나타낸 것은?

2, 3, 4의 최소공배수가 12이므로

$A=\sqrt{3}=\sqrt[12]{3^6}=\sqrt[12]{729}$

$B=\sqrt[3]{4}=\sqrt[12]{4^4}=\sqrt[12]{256}$

$C=\sqrt[4]{5}=\sqrt[12]{5^3}=\sqrt[12]{125}$

이때, $125<256<729$이므로 $\sqrt[12]{125}<\sqrt[12]{256}<\sqrt[12]{729}$

$\therefore C<B<A$

답 ⑤

다른풀이 2, 3, 4의 최소공배수가 12이므로

$A^{12}=(\sqrt{3})^{12}=\sqrt{3^{12}}=3^6=729$

$B^{12}=(\sqrt[3]{4})^{12}=\sqrt[3]{4^{12}}=4^4=256$

$C^{12}=(\sqrt[4]{5})^{12}=\sqrt[4]{5^{12}}=5^3=125$

$\therefore C<B<A$

0080

세 수 $A=\sqrt[3]{\sqrt{10}}$, $B=\sqrt{5}$, $C=\sqrt[3]{\sqrt{28}}$의 대소 관계를 바르게 나타낸 것은?

$\sqrt[6]{28}$이다.

$A=\sqrt[3]{\sqrt{10}}=\sqrt[6]{10}$

$B=\sqrt{5}=\sqrt[6]{5^3}$

$C=\sqrt[3]{\sqrt{28}}=\sqrt[6]{28}$

이때, $10<28<5^3$이므로 $\sqrt[6]{10}<\sqrt[6]{28}<\sqrt[6]{5^3}$

$\therefore A<C<B$

답 ②

0081

세 수 $\sqrt[3]{3}$, $\sqrt[4]{5}$, $\sqrt[3]{\sqrt{7}}$ 중에서 가장 큰 수를 a, 가장 작은 수를 b라 할 때, $a^{12}+b^{12}$의 값을 구하시오.

→ 3, 4, 6의 최소공배수는 12이다.

$A=\sqrt[3]{3}$, $B=\sqrt[4]{5}$, $C=\sqrt[3]{\sqrt{7}}=\sqrt[6]{7}$이라 하면 3, 4, 6의 최소공배수는 12이므로

$A=\sqrt[3]{3}=\sqrt[12]{3^4}=\sqrt[12]{81}$

$B=\sqrt[4]{5}=\sqrt[12]{5^3}=\sqrt[12]{125}$

$C=\sqrt[6]{7}=\sqrt[12]{7^2}=\sqrt[12]{49}$

따라서 $\sqrt[12]{49}<\sqrt[12]{81}<\sqrt[12]{125}$이므로

$C<A<B$

$\therefore a=\sqrt[4]{5}$, $b=\sqrt[6]{7}$

$\therefore a^{12}+b^{12}=(\sqrt[4]{5})^{12}+(\sqrt[6]{7})^{12}=\sqrt[4]{5^{12}}+\sqrt[6]{7^{12}}$

$=5^3+7^2=125+49=174$

답 174

0082

$5^0+\left(\frac{1}{3}\right)^{-2}$의 값은?

→ $a^{-n}=\frac{1}{a^n}$임을 이용하자.

$5^0+\left(\frac{1}{3}\right)^{-2}=5^0+3^2=1+9=10$

답 ②

0083

$(5^3)^{-2}\div5^{-3}\times5^4$의 값을 구하시오.

→ a가 0이 아니고 m, n이 정수일 때 $a^m\div a^n=a^{m-n}$임을 이용하자.

$(5^3)^{-2}\div5^{-3}\times5^4=5^{-6}\div5^{-3}\times5^4$

$=5^{-6-(-3)+4}=5^1=5$

답 5

0084

$\frac{7^{-10}+7^{-100}}{7^{10}+7^{100}}=7^k$일 때, 상수 k의 값은?

→ $\frac{7^{-10}+7^{-100}}{7^{10}+7^{100}}=\frac{7^{-100}(7^{90}+1)}{7^{10}(1+7^{90})}$이다.

$$\frac{7^{-10}+7^{-100}}{7^{10}+7^{100}}=\frac{\frac{1}{7^{10}}+\frac{1}{7^{100}}}{7^{10}+7^{100}}$$

$$=\frac{\frac{7^{10}+7^{100}}{7^{10}\times7^{100}}}{7^{10}+7^{100}}=\frac{1}{7^{10}\times7^{100}}=7^{-110}$$

$\therefore k=-110$

답 ①

0085

$16^{-\frac{3}{4}}+81^{-0.25}$의 값은?

→ $a^{\frac{m}{n}}=\sqrt[n]{a^m}$임을 이용하자.

$16^{-\frac{3}{4}}+81^{-0.25}=(2^4)^{-\frac{3}{4}}+(3^4)^{-\frac{1}{4}}$

$=2^{-3}+3^{-1}$

$=\frac{1}{8}+\frac{1}{3}=\frac{11}{24}$

답 ⑤

0086

$\left(\frac{3^{\sqrt{5}}}{9}\right)^{\sqrt{5}+2}$의 값을 구하시오.

→ $\frac{3^{\sqrt{5}}}{3^2}=3^{\sqrt{5}-2}$임을 이용하자.

$\left(\frac{3^{\sqrt{5}}}{9}\right)^{\sqrt{5}+2}=(3^{\sqrt{5}-2})^{\sqrt{5}+2}=3^{5-4}=3$

답 3

0087

다음 중 옳은 것을 모두 고르면? (정답 2개)

① $\sqrt[4]{(-6)^4}+\sqrt[3]{-2^6}=-2$

→ $\sqrt[3]{(-1)^3\times2^6}$이다.

② $\{(-2)^6\}^{\frac{1}{2}}=-8$

→ m과 n이 정수일 때 $(a^m)^n=a^{mn}$이다. $(a\neq0)$

③ $2^{\frac{\sqrt{5}}{2}}\times2^{\frac{3\sqrt{5}}{2}}=4^{\sqrt{5}}$

④ $(5^{3\sqrt{2}})^{\frac{\sqrt{2}}{3}}=5^{\sqrt{2}}$

⑤ $2^{-2}(2^{\frac{3}{2}}3^{-\frac{5}{4}})^{\frac{4}{3}}=3^{-\frac{5}{3}}$

① $\sqrt[4]{(-6)^4}+\sqrt[3]{-2^6}=\sqrt[4]{6^4}+\sqrt[3]{(-1)^3\times2^6}$

$=6+\sqrt[3]{(-1)^3}\times\sqrt[3]{4^3}=6-4=2$

② $\{(-2)^6\}^{\frac{1}{2}}=(2^6)^{\frac{1}{2}}=2^{6\times\frac{1}{2}}=2^3=8$

③ $2^{\frac{\sqrt{5}}{2}}\times2^{\frac{3\sqrt{5}}{2}}=2^{\frac{\sqrt{5}}{2}+\frac{3\sqrt{5}}{2}}=2^{2\sqrt{5}}=4^{\sqrt{5}}$

④ $(5^{3\sqrt{2}})^{\frac{\sqrt{2}}{3}}=5^{3\sqrt{2}\times\frac{\sqrt{2}}{3}}=5^2=25$

⑤ $2^{-2}(2^{\frac{3}{2}}3^{-\frac{5}{4}})^{\frac{4}{3}}=2^{-2}\times2^2\times3^{-\frac{5}{3}}=2^0\times3^{-\frac{5}{3}}=3^{-\frac{5}{3}}$

따라서 옳은 것은 ③, ⑤이다.

답 ③, ⑤

0088

$(a^{\sqrt{3}})^{2\sqrt{3}}\div a^3\times(\sqrt[3]{a})^6=a^k$일 때, k의 값을 구하시오. (단, $a>0$, $a\neq1$)

→ $a^{\sqrt{3}\times2\sqrt{3}}$이다.

$(a^{\sqrt{3}})^{2\sqrt{3}} \div a^3 \times (\sqrt[3]{a})^6 = a^6 \div a^3 \times a^2$
$= a^5 = a^k$

$\therefore k=5$ 답 5

0089

공식 $(a+b)(a-b)=a^2-b^2$을 이용하자.

다음 중 $\{3^{\sqrt{2}}+(\sqrt{3})^{\sqrt{2}}\}\{3^{\sqrt{2}}-(\sqrt{3})^{\sqrt{2}}\}$의 값과 같은 것은?

① $3^{\sqrt{2}}(3^{\sqrt{2}}-1)$ ② $3^{\sqrt{2}}(2^{\sqrt{2}}+1)$ ③ $3^{\sqrt{2}}-1$
④ $(\sqrt{3})^{\sqrt{2}}-1$ ⑤ 3

$\{3^{\sqrt{2}}+(\sqrt{3})^{\sqrt{2}}\}\{3^{\sqrt{2}}-(\sqrt{3})^{\sqrt{2}}\} = (3^{\sqrt{2}})^2 - \{(\sqrt{3})^{\sqrt{2}}\}^2$
$= 3^{2\sqrt{2}} - (\sqrt{3^2})^{\sqrt{2}}$
$= 3^{\sqrt{2}+\sqrt{2}} - 3^{\sqrt{2}}$
$= 3^{\sqrt{2}} \cdot 3^{\sqrt{2}} - 3^{\sqrt{2}}$
$= 3^{\sqrt{2}}(3^{\sqrt{2}}-1)$ 답 ①

0090

$P_n = 3^{\frac{1}{n(n+1)}}$에 대하여 $P_1 \times P_2 \times P_3 \times \cdots \times P_{2014} = 3^k$일 때, 상수 k의 값은? (단, n은 자연수)

$\frac{1}{n(n+1)} = \frac{1}{n} - \frac{1}{n+1}$임을 이용하자.

$3^{\frac{1}{n(n+1)}} = 3^{\frac{1}{n}-\frac{1}{n+1}}$이므로
$P_1 \times P_2 \times P_3 \times \cdots \times P_{2014}$
$= 3^{\left(1-\frac{1}{2}\right)+\left(\frac{1}{2}-\frac{1}{3}\right)+\left(\frac{1}{3}-\frac{1}{4}\right)+\cdots+\left(\frac{1}{2014}-\frac{1}{2015}\right)} = 3^{1-\frac{1}{2015}} = 3^{\frac{2014}{2015}}$

$\therefore k = \frac{2014}{2015}$ 답 ②

0091

$\left\{\left(\frac{2\sqrt{2}}{3\sqrt{3}}\right)^{-\frac{3}{2}}\right\}^{\frac{4}{9}}$의 값은?

$3\sqrt{3} = 3^1 \times 3^{\frac{1}{2}} = 3^{1+\frac{1}{2}} = 3^{\frac{3}{2}}$

$\frac{2\sqrt{2}}{3\sqrt{3}} = \frac{2^{\frac{3}{2}}}{3^{\frac{3}{2}}} = \left(\frac{2}{3}\right)^{\frac{3}{2}}$

$\therefore \left\{\left(\frac{2\sqrt{2}}{3\sqrt{3}}\right)^{-\frac{3}{2}}\right\}^{\frac{4}{9}} = \left[\left\{\left(\frac{2}{3}\right)^{\frac{3}{2}}\right\}^{-\frac{3}{2}}\right]^{\frac{4}{9}}$
$= \left(\frac{2}{3}\right)^{\frac{3}{2}\times\left(-\frac{3}{2}\right)\times\frac{4}{9}}$
$= \left(\frac{2}{3}\right)^{-1} = \frac{3}{2}$ 답 ②

0092

$9^{\frac{5}{4}} \times 32^{\frac{7}{10}} \div \sqrt{216}$을 간단히 하면?

큰 수는 소인수분해하여 간단히 하자.

$9^{\frac{5}{4}} \times 32^{\frac{7}{10}} \div \sqrt{216} = (3^2)^{\frac{5}{4}} \times (2^5)^{\frac{7}{10}} \div (2^3 \times 3^3)^{\frac{1}{2}}$
$= (3^{\frac{5}{2}} \times 2^{\frac{7}{2}}) \div (2^{\frac{3}{2}} \times 3^{\frac{3}{2}})$
$= 2^{\frac{7}{2}-\frac{3}{2}} \times 3^{\frac{5}{2}-\frac{3}{2}}$
$= 2^2 \times 3 = 12$ 답 ②

0093

$(a^{\sqrt{3}})^{2\sqrt{3}} \div a^3 \times (\sqrt[3]{a})^{36} = a^k$일 때, k의 값을 구하시오. (단, $a>0$, $a \neq 1$)

$\sqrt[3]{a} = a^{\frac{1}{3}}$이다.

$(a^{\sqrt{3}})^{2\sqrt{3}} \div a^3 \times (\sqrt[3]{a})^{36} = a^6 \div a^3 \times a^{12} = a^{6-3+12}$
$= a^{15} = a^k$

$\therefore k=15$ 답 15

0094

$\sqrt{(\sqrt{2^{\sqrt{2}}})^{\sqrt{2}}} = 2^k$일 때, 상수 k의 값은?

$\sqrt{2^{\sqrt{2}}} = 2^{\frac{\sqrt{2}}{2}}$이다.

$\sqrt{(\sqrt{2^{\sqrt{2}}})^{\sqrt{2}}} = (\sqrt{2^{\sqrt{2}}})^{\frac{\sqrt{2}}{2}} = (2^{\frac{\sqrt{2}}{2}})^{\frac{\sqrt{2}}{2}} = 2^{\frac{1}{2}}$

$\therefore k = \frac{1}{2}$ 답 ①

0095

$a>0$, $a \neq 1$에 대하여 $\left\{\frac{\sqrt{a^3}}{\sqrt{\sqrt[3]{a^4}}} \times \sqrt{\left(\frac{1}{a}\right)^{-4}}\right\}^6 = a^k$일 때, 상수 k의 값을 구하시오.

$\sqrt{\sqrt[3]{a^4}} = (a^{\frac{4}{3}})^{\frac{1}{2}}$이다.

$a>0$, $a \neq 1$에 대하여
$\left\{\frac{\sqrt{a^3}}{\sqrt{\sqrt[3]{a^4}}} \times \sqrt{\left(\frac{1}{a}\right)^{-4}}\right\}^6 = \left\{\frac{a^{\frac{3}{2}}}{(a^{\frac{4}{3}})^{\frac{1}{2}}} \times (a^4)^{\frac{1}{2}}\right\}^6$
$= (a^{\frac{3}{2}-\frac{2}{3}+2})^6 = (a^{\frac{17}{6}})^6 = a^{17}$

$\therefore k=17$ 답 17

0096

두 유리수 a, b에 대하여
$\sqrt[3]{6} \times \sqrt[3]{9} \times \frac{\sqrt[3]{\sqrt[4]{2^6}}}{\sqrt[3]{4}} = 2^a \times 3^b$
일 때, $6a+2b$의 값을 구하시오.

좌변을 밑이 2 또는 3이 되는 지수의 표현으로 바꾸자.

$\sqrt[3]{6} \times \sqrt[3]{9} \times \frac{\sqrt[3]{\sqrt[4]{2^6}}}{\sqrt[3]{4}} = (2\times3)^{\frac{1}{3}} \times 3^{\frac{2}{3}} \times (2^{\frac{3}{2}})^{\frac{1}{3}} \div 2^{\frac{2}{3}}$
$= 2^{\frac{1}{3}+\frac{1}{2}-\frac{2}{3}} \times 3^{\frac{1}{3}+\frac{2}{3}}$
$= 2^{\frac{1}{6}} \times 3$

$a = \frac{1}{6}$, $b=1$이므로 $6a+2b = 1+2 = 3$ 답 3

0097

$a=\sqrt[4]{2}$, $b^3=\sqrt{3}$일 때, $(a^2b)^2$의 값은? (단, b는 실수이다.)

$b^3=3^{\frac{1}{2}}$이므로 $b=3^{\frac{1}{6}}$이다.

$a=\sqrt[4]{2}=2^{\frac{1}{4}}$

$b^3=\sqrt{3}=3^{\frac{1}{2}}$에서 $b=3^{\frac{1}{6}}$

$(a^2b)^2=a^4b^2$

$=(2^{\frac{1}{4}})^4(3^{\frac{1}{6}})^2$

$=2\times3^{\frac{1}{3}}$

답 ②

0098

$\sqrt[m]{a^n\sqrt[l]{a^l\sqrt{a}}}=a^{\frac{1}{m}}\times a^{\frac{1}{mn}}\times a^{\frac{1}{mnl}}$ 임을 이용하자.

1이 아닌 양수 a에 대하여 $\sqrt[4]{a\sqrt[3]{a\sqrt{a}}}=a^{\frac{n}{m}}$일 때, $m+n$의 값을 구하시오. (단, m과 n은 서로소인 자연수)

$\sqrt[4]{a\sqrt[3]{a\sqrt{a}}}=\sqrt[4]{a}\times\sqrt[4]{\sqrt[3]{a}}\times\sqrt[4]{\sqrt[3]{\sqrt{a}}}$

$=\sqrt[4]{a}\times\sqrt[12]{a}\times\sqrt[24]{a}$

$=a^{\frac{1}{4}}\times a^{\frac{1}{12}}\times a^{\frac{1}{24}}$

$=a^{\frac{1}{4}+\frac{1}{12}+\frac{1}{24}}=a^{\frac{3}{8}}$

$\therefore m+n=8+3=11$

답 11

0099

다음 〈보기〉 중 옳은 것을 모두 고른 것은?

$\sqrt[m]{a^n\sqrt[l]{a^l\sqrt{a}}}=a^{\frac{1}{m}}\times a^{\frac{1}{mn}}\times a^{\frac{1}{mnl}}$ 임을 이용하자.

보기

ㄱ. $16^{-0.25}=\frac{1}{2}$　　ㄴ. $\sqrt[3]{5\sqrt[4]{5\sqrt{5}}}=5^{\frac{11}{24}}$

ㄷ. $(\sqrt{3})^{3\sqrt{3}}=(3\sqrt{3})^{\sqrt{3}}$

ㄱ. $16^{-0.25}=(2^4)^{-\frac{1}{4}}=2^{-1}=\frac{1}{2}$ (참)

ㄴ. $\sqrt[3]{5\sqrt[4]{5\sqrt{5}}}=\sqrt[3]{5}\times\sqrt[12]{5}\times\sqrt[24]{5}$

$=5^{\frac{1}{3}}\times5^{\frac{1}{12}}\times5^{\frac{1}{24}}$

$=5^{\frac{1}{3}+\frac{1}{12}+\frac{1}{24}}=5^{\frac{11}{24}}$ (참)

ㄷ. $(\sqrt{3})^{3\sqrt{3}}=\{(\sqrt{3})^3\}^{\sqrt{3}}=(3\sqrt{3})^{\sqrt{3}}$ (참)

따라서 ㄱ, ㄴ, ㄷ 모두 옳다.

답 ⑤

0100

n이 1인 경우와 아닌 경우로 나누어 생각하자.

$1\le m\le3$, $1\le n\le8$인 두 자연수 m, n에 대하여 $\sqrt[3]{n^m}$이 자연수가 되도록 하는 순서쌍 (m, n)의 개수는?

$\sqrt[3]{n^m}=n^{\frac{m}{3}}$에서 $n^{\frac{m}{3}}$이 자연수가 되는 경우는

$n=1$인 경우에 $m=1, 2, 3$

$2\le n\le7$인 경우에 $m=3$

$n=8$인 경우에 $m=1, 2, 3$

따라서 순서쌍 (m, n)의 개수는 $3+6+3=12$

답 ④

0101

정수 n에 대하여 집합 A를 다음과 같이 정의한다.

$$A=\left\{n\,\middle|\,\left(\frac{1}{2^{12}}\right)^{\frac{1}{n}}\text{은 정수}\right\}$$

이때, 집합 A의 원소의 개수는? (단, $n\ne0$)

정리하면 $2^{-\frac{12}{n}}$이다.

$\left(\frac{1}{2^{12}}\right)^{\frac{1}{n}}=(2^{-12})^{\frac{1}{n}}=2^{-\frac{12}{n}}$이므로

$n=-1, -2, -3, -4, -6, -12$일 때

$2^{-\frac{12}{n}}$의 값은 각각 2^{12}, 2^6, 2^4, 2^3, 2^2, 2^1으로 정수가 된다.

따라서 집합 A의 원소의 개수는 6이다.

답 ④

0102

$a^{\frac{n}{m}}=a^{\frac{2n}{2m}}=a^{\frac{3n}{3m}}=a^{\frac{4n}{4m}}=\cdots$ 임을 이용하자.

$2\le n\le100$인 자연수 n에 대하여 $(\sqrt[3]{3^5})^{\frac{1}{2}}$이 어떤 자연수의 n제곱근이 되도록 하는 n의 개수를 구하시오.

$(\sqrt[3]{3^5})^{\frac{1}{2}}=(3^{\frac{5}{3}})^{\frac{1}{2}}=3^{\frac{5}{6}}$

이때,

$3^{\frac{5}{6}}=(3^5)^{\frac{1}{6}}=(3^{10})^{\frac{1}{12}}=(3^{15})^{\frac{1}{18}}=\cdots=(3^{80})^{\frac{1}{96}}$이므로

$(\sqrt[3]{3^5})^{\frac{1}{2}}$은 3^5의 6제곱근, 3^{10}의 12제곱근, 3^{15}의 18제곱근, $\cdots$,

3^{80}의 96제곱근과 같다.

따라서 구하는 n은 6, 12, 18, $\cdots$, 96이므로 16개이다.

답 16

다른풀이 $N=\{(\sqrt[3]{3^5})^{\frac{1}{2}}\}^n=3^{\frac{5}{6}n}$

여기서 N이 자연수이려면 $\frac{5}{6}n$은 0 이상의 정수이어야 한다.

$\therefore n=6k$ $(k=1, 2, 3, \cdots, 16)$

따라서 16개이다.

0103

두 수 $\sqrt{\frac{2^a\cdot5^b}{2}}$과 $\sqrt[3]{\frac{2^a\cdot5^b}{5}}$이 모두 자연수일 때, $a+b$의 최솟값은? (단, a, b는 자연수)

a와 $b-1$이 3의 배수여야 한다.

$a-1$과 b가 2의 배수여야 한다.

$\sqrt{\frac{2^a\cdot5^b}{2}}$은 a는 홀수, b는 짝수일 때 자연수가 되고,

$\sqrt[3]{\frac{2^a\cdot5^b}{5}}$은 a와 $b-1$이 3의 배수일 때 자연수가 된다.

따라서 a의 최솟값은 3이고, b의 최솟값은 4이므로 $a+b$의 최솟값은 $3+4=7$

답 ④

0104

x를 밑으로 하는 지수의 형태로 간단히 하자.

$N=\sqrt[3]{\frac{\sqrt{x^3}}{\sqrt[4]{x}}}\times\sqrt{\frac{\sqrt[6]{x}}{\sqrt[3]{x}}}$일 때, 다음 중 N의 값이 자연수가 되게 하는 양수 x의 값이 아닌 것은?

① 3^4　② 4^3　③ 5^6
④ 8^5　⑤ 10^9

$N=\sqrt[3]{\frac{\sqrt{x^3}}{\sqrt[4]{x}}}\times\sqrt{\frac{\sqrt[6]{x}}{\sqrt[3]{x}}}=\frac{\sqrt[3]{\sqrt{x^3}}}{\sqrt[3]{\sqrt[4]{x}}}\times\frac{\sqrt{\sqrt[6]{x}}}{\sqrt{\sqrt[3]{x}}}$

$=\frac{\sqrt[6]{x^3}}{\sqrt[12]{x}}\times\frac{\sqrt[12]{x}}{\sqrt[6]{x}}=\frac{\sqrt[6]{x^3}}{\sqrt[6]{x}}$

$=\sqrt[6]{x^2}=\sqrt[3]{x}=x^{\frac{1}{3}}$

이때, N의 값이 자연수가 되려면 $x=a^3$ (a는 자연수)의 꼴이어야 한다.
따라서 4^3, $5^6=(5^2)^3$, $8^5=(2^3)^5=(2^5)^3$, $10^9=(10^3)^3$은 x의 값이 될 수 있다.

답 ①

0105

$\sqrt{\frac{n}{2}}, \sqrt[3]{\frac{n}{3}}, \sqrt[5]{\frac{n}{5}}$ 이 모두 자연수가 되도록 하는 최소의 정수 n을 $2^a3^b5^c$ (a, b, c는 자연수)의 꼴로 나타낼 때, $a+b+c$의 값을 구하시오.

$\sqrt{\frac{n}{2}}$이 자연수가 되려면 a는 홀수(즉 $2k+1$꼴), b와 c는 짝수여야 한다.

$n=2^a3^b5^c$에서

$\sqrt{\frac{n}{2}}$이 자연수가 되려면 $a=2k_1+1$, b와 c는 짝수이어야 한다.

$\sqrt[3]{\frac{n}{3}}$이 자연수가 되려면 $b=3k_2+1$, a와 c는 3의 배수이어야 한다.

$\sqrt[5]{\frac{n}{5}}$이 자연수가 되려면 $c=5k_3+1$, a와 b는 5의 배수이어야 한다.

(단, k_1, k_2, k_3은 음이 아닌 정수)

따라서 최소의 a, b, c의 값은 $a=15$, $b=10$, $c=6$이므로
$a+b+c=31$

답 31

0106

세 양수 a, b, c에 대하여 $a^6=3$, $b^5=7$, $c^2=11$일 때 $(abc)^n$이 자연수가 되게 하는 최소의 자연수 n의 값은?

$a=3^{\frac{1}{6}}$이다.

$a=3^{\frac{1}{6}}$, $b=7^{\frac{1}{5}}$, $c=11^{\frac{1}{2}}$이므로

$(abc)^n=(3^{\frac{1}{6}}\times7^{\frac{1}{5}}\times11^{\frac{1}{2}})^n=3^{\frac{n}{6}}\times7^{\frac{n}{5}}\times11^{\frac{n}{2}}$

이때, $3^{\frac{n}{6}}\times7^{\frac{n}{5}}\times11^{\frac{n}{2}}$이 자연수가 되려면 $\frac{n}{6}$, $\frac{n}{5}$, $\frac{n}{2}$이 모두 자연수이어야 한다.
따라서 최소의 자연수 n은 6, 5, 2의 최소공배수이므로
$n=30$

답 ⑤

0107

$x^4=2$에서 $x=2^{\frac{1}{4}}$

2의 네제곱근 중 양수인 것을 x라 할 때, x^n이 세 자리의 자연수가 되도록 하는 모든 자연수 n의 값의 합을 구하시오.

$x=\sqrt[4]{2}=2^{\frac{1}{4}}$이므로
$x^n=2^{\frac{n}{4}}$이 세 자리의 자연수이려면
$2^{\frac{n}{4}}=2^7$, $2^{\frac{n}{4}}=2^8$, $2^{\frac{n}{4}}=2^9$이어야 한다.
따라서 구하는 자연수 n의 값은 4×7, 4×8, 4×9이므로 구하는 모든 자연수 n의 값의 합은 $4(7+8+9)=96$이다.

답 96

0108

$x^3=512^{\frac{1}{8}}$에서 $x=2^{\frac{3}{8}}$

$512^{\frac{1}{8}}$의 세제곱근 중 실수인 것을 x라 할 때, x^n이 1000 이하의 자연수가 되도록 하는 모든 자연수 n의 값의 합은?

$x^3=512^{\frac{1}{8}}=2^{\frac{9}{8}}$이므로 $x=2^{\frac{3}{8}}$
n이 자연수일 때, x^n이 자연수가 되려면 n은 8의 배수이어야 한다.
그런데 $x^{24}=2^9<1000<x^{32}=2^{12}$이므로 구하는 자연수 n의 값은 8, 16, 24이다.
따라서 모든 자연수 n의 값의 합은
$8+16+24=48$

답 ①

0109

$a>0$, $b>0$일 때, $(a^{\frac{1}{4}}-b^{\frac{1}{4}})(a^{\frac{1}{4}}+b^{\frac{1}{4}})(a^{\frac{1}{2}}+b^{\frac{1}{2}})$을 간단히 하면?

$(A-B)(A+B)=A^2-B^2$임을 이용하자.

$(a^{\frac{1}{4}}-b^{\frac{1}{4}})(a^{\frac{1}{4}}+b^{\frac{1}{4}})(a^{\frac{1}{2}}+b^{\frac{1}{2}})$
$=\{(a^{\frac{1}{4}})^2-(b^{\frac{1}{4}})^2\}(a^{\frac{1}{2}}+b^{\frac{1}{2}})$
$=(a^{\frac{1}{2}}-b^{\frac{1}{2}})(a^{\frac{1}{2}}+b^{\frac{1}{2}})$
$=a-b$

답 ①

0110

2^{xy}임을 이용하자.

$2^x\cdot2^y=8$, $(2^x)^y=16$일 때, $2^{x^2}\cdot2^{y^2}$의 값은?

2^{x+y}임을 이용하자.

$2^x\cdot2^y=2^{x+y}=8=2^3$에서 $x+y=3$
$(2^x)^y=2^{xy}=16=2^4$에서 $xy=4$
$\therefore 2^{x^2}\cdot2^{y^2}=2^{x^2+y^2}=2^{(x+y)^2-2xy}$
$=2^{3^2-2\cdot4}=2^{9-8}=2$

답 ①

0111

$(2^{\frac{1}{3}}+2^{-\frac{2}{3}})^3+(2^{\frac{1}{3}}-2^{-\frac{2}{3}})^3$을 간단히 하면?

$2^{\frac{1}{3}}=A$, $2^{-\frac{2}{3}}=B$로 치환하자.

$2^{\frac{1}{3}}=A$, $2^{-\frac{2}{3}}=B$로 놓으면

$$\begin{aligned}(2^{\frac{1}{3}}+2^{-\frac{2}{3}})^3+(2^{\frac{1}{3}}-2^{-\frac{2}{3}})^3&=(A+B)^3+(A-B)^3\\&=2(A^3+3AB^2)\\&=2\{(2^{\frac{1}{3}})^3+3\times2^{\frac{1}{3}}\times(2^{-\frac{2}{3}})^2\}\\&=2(2+3\times2^{\frac{1}{3}-\frac{4}{3}})\\&=2\left(2+\frac{3}{2}\right)=7\end{aligned}$$

답 ②

0112

> $x=\sqrt[3]{4}-\sqrt[3]{2}$ 일 때, x^3+6x의 값을 구하시오.
> └• x^3을 먼저 구하자.

$$\begin{aligned}x^3&=(\sqrt[3]{4}-\sqrt[3]{2})^3\\&=4-2-3\sqrt[3]{8}(\sqrt[3]{4}-\sqrt[3]{2})\\&=2-3\cdot2x\\&=2-6x\end{aligned}$$

$\therefore x^3+6x=2-6x+6x=2$

답 2

0113

> $2^x-2^{-x}=2$일 때, 8^x의 값은?
> └• 2^{3x}임을 이용하자.

$$\begin{aligned}(2^x-2^{-x})^3&=2^{3x}-2^{-3x}-3\cdot2^x\cdot2^{-x}(2^x-2^{-x})\\&=8^x-8^{-x}-6\ (\because 2^x-2^{-x}=2)\\&=8\end{aligned}$$

$\therefore 8^x-8^{-x}=14$

이때, $8^x=t\ (t>0)$라 하면

$t-\frac{1}{t}=14$, $t^2-14t-1=0$

$\therefore t=7+\sqrt{50}=7+5\sqrt{2}$

답 ②

0114

> $a=4+2\sqrt{3}$, $b=4-2\sqrt{3}$ 일 때, $\dfrac{10^{\sqrt{a}}}{2^{\sqrt{b}}\times5^{\sqrt{b}}}$의 값은?
> └• $2^{\sqrt{b}}\times5^{\sqrt{b}}=10^{\sqrt{b}}$이다.

$\dfrac{10^{\sqrt{a}}}{2^{\sqrt{b}}\times5^{\sqrt{b}}}=\dfrac{10^{\sqrt{a}}}{10^{\sqrt{b}}}=10^{\sqrt{a}-\sqrt{b}}$ ……㉠

이때, $(\sqrt{a}-\sqrt{b})^2=a+b-2\sqrt{ab}$

$$\begin{aligned}&=(4+2\sqrt{3})+(4-2\sqrt{3})-2\sqrt{(4+2\sqrt{3})(4-2\sqrt{3})}\\&=8-2\sqrt{4}=4\end{aligned}$$

$\therefore \sqrt{a}-\sqrt{b}=2$ ……㉡

㉡을 ㉠에 대입하면

$10^{\sqrt{a}-\sqrt{b}}=10^2=100$

답 ③

다른풀이 $a=4+2\sqrt{3}$, $b=4-2\sqrt{3}$에서

$\sqrt{a}=\sqrt{4+2\sqrt{3}}=\sqrt{3+1+2\sqrt{3\cdot1}}=\sqrt{3}+1$

$\sqrt{b}=\sqrt{4-2\sqrt{3}}=\sqrt{3+1-2\sqrt{3\cdot1}}=\sqrt{3}-1$

이므로 $\sqrt{a}-\sqrt{b}=2$

$$\begin{aligned}\therefore \frac{10^{\sqrt{a}}}{2^{\sqrt{b}}\times5^{\sqrt{b}}}&=\frac{10^{\sqrt{a}}}{10^{\sqrt{b}}}\\&=10^{\sqrt{a}-\sqrt{b}}\\&=10^2=100\end{aligned}$$

참고 $a>b>0$일 때,

$\sqrt{a+b+2\sqrt{ab}}=\sqrt{a}+\sqrt{b}$

$\sqrt{a+b-2\sqrt{ab}}=\sqrt{a}-\sqrt{b}$

0115

> $f(x)=\dfrac{1+x+x^2+\cdots+x^{10}}{x^{-2}+x^{-3}+\cdots+x^{-12}}$ 일 때, $f(\sqrt[6]{2})$의 값은?
> └• 분모를 x^{-12}로 묶어 보자.

$$\begin{aligned}f(x)&=\frac{1+x+x^2+\cdots+x^{10}}{x^{-12}(x^{10}+x^9+\cdots+1)}\\&=\frac{1}{x^{-12}}=x^{12}\end{aligned}$$

$\therefore f(\sqrt[6]{2})=(\sqrt[6]{2})^{12}=\{(\sqrt[6]{2})^6\}^2$

$=2^2=4$

답 ④

0116

> $\dfrac{1}{1-5^{\frac{1}{8}}}+\dfrac{1}{1+5^{\frac{1}{8}}}+\dfrac{2}{1+5^{\frac{1}{4}}}+\dfrac{4}{1+5^{\frac{1}{2}}}$ 의 값을 구하시오.
> └• 앞의 두 항을 먼저 계산하자.

$$\begin{aligned}&\frac{1}{1-5^{\frac{1}{8}}}+\frac{1}{1+5^{\frac{1}{8}}}+\frac{2}{1+5^{\frac{1}{4}}}+\frac{4}{1+5^{\frac{1}{2}}}\\&=\frac{2}{(1-5^{\frac{1}{8}})(1+5^{\frac{1}{8}})}+\frac{2}{1+5^{\frac{1}{4}}}+\frac{4}{1+5^{\frac{1}{2}}}\\&=\frac{2}{1-5^{\frac{1}{4}}}+\frac{2}{1+5^{\frac{1}{4}}}+\frac{4}{1+5^{\frac{1}{2}}}\\&=\frac{4}{(1-5^{\frac{1}{4}})(1+5^{\frac{1}{4}})}+\frac{4}{1+5^{\frac{1}{2}}}\\&=\frac{4}{1-5^{\frac{1}{2}}}+\frac{4}{1+5^{\frac{1}{2}}}\\&=\frac{8}{(1-5^{\frac{1}{2}})(1+5^{\frac{1}{2}})}\\&=\frac{8}{1-5}=-2\end{aligned}$$

답 -2

0117

> 다음 식의 값은? • 분모, 분자에 2^{100}을 각각 곱하면 $\dfrac{2^{100}}{1+2^{100}}$이다.
>
> $$\frac{1}{2^{-100}+1}+\frac{1}{2^{-99}+1}+\cdots+\frac{1}{2^{-1}+1}+\frac{1}{2^0+1}+\frac{1}{2^1+1}+\cdots+\frac{1}{2^{99}+1}+\frac{1}{2^{100}+1}$$

임의의 자연수 n에 대하여

$$\frac{1}{2^{-n}+1}+\frac{1}{2^n+1}=\frac{2^n}{2^n+1}+\frac{1}{2^n+1}=1$$

$\therefore$ (주어진 식)$=1\times100+\frac{1}{2^0+1}=\frac{201}{2}$ 답 ④

0118

> $a^{\frac{1}{2}}+a^{-\frac{1}{2}}=\sqrt{5}$일 때, $a+a^{-1}$의 값을 구하시오. (단, $a>0$)
> └ 양변을 제곱해 보자.

$a^{\frac{1}{2}}+a^{-\frac{1}{2}}=\sqrt{5}$의 양변을 제곱하면

$(a^{\frac{1}{2}})^2+2a^{\frac{1}{2}}a^{-\frac{1}{2}}+(a^{-\frac{1}{2}})^2=(\sqrt{5})^2$

$a+2+a^{-1}=5$

$\therefore a+a^{-1}=3$ 답 3

0119

> $a^{2x}=4$일 때, $(a^x-a^{-x})^2$의 값은?
> └ 식을 전개해 보자.

$(a^x-a^{-x})^2=a^{2x}-2\cdot a^x\cdot a^{-x}+a^{-2x}$

$=a^{2x}-2+\frac{1}{a^{2x}}$

$=4-2+\frac{1}{4}=\frac{9}{4}$ 답 ④

0120

> $a^x+a^{-x}=4$일 때, $\frac{a^{3x}+a^{-3x}}{2}$의 값은? (단, $a>0$)
> └ 양변을 세제곱해 보자.

$a^{3x}+a^{-3x}=(a^x+a^{-x})^3-3\cdot a^x\cdot a^{-x}(a^x+a^{-x})$

$=4^3-3\cdot1\cdot4=52$

$\therefore \frac{a^{3x}+a^{-3x}}{2}=\frac{52}{2}=26$ 답 ①

0121

> $x^2-3x+1=0$일 때, $x^{\frac{3}{2}}+x^{-\frac{3}{2}}$의 값을 구하시오. (단, $x>0$)
> └ $x>0$이므로 양변을 x로 나누어 $x+\frac{1}{x}$을 구하자.

$x^2-3x+1=0$의 양변을 x로 나누면

$x+x^{-1}=3$이다.

$(x^{\frac{1}{2}}+x^{-\frac{1}{2}})^2=x+x^{-1}+2=5$이므로

$x^{\frac{1}{2}}+x^{-\frac{1}{2}}=\sqrt{5}$

$x^{\frac{3}{2}}+x^{-\frac{3}{2}}=(x^{\frac{1}{2}}+x^{-\frac{1}{2}})^3-3(x^{\frac{1}{2}}+x^{-\frac{1}{2}})$

$=5\sqrt{5}-3\sqrt{5}=2\sqrt{5}$

답 $2\sqrt{5}$

0122

> $a>1$이고, $a^{\frac{1}{2}}+a^{-\frac{1}{2}}=3$일 때, $a^{\frac{3}{2}}-a^{-\frac{3}{2}}$의 값은?
> └ 양변을 제곱하여 $a^{\frac{1}{2}}-a^{-\frac{1}{2}}$의 값을 구하자.

$(a^{\frac{1}{2}}-a^{-\frac{1}{2}})^2=(a^{\frac{1}{2}}+a^{-\frac{1}{2}})^2-4=3^2-4=5$

이때, $a>1$이므로 $a^{\frac{1}{2}}=\sqrt{a}>1$, $a^{-\frac{1}{2}}=\frac{1}{\sqrt{a}}<1$

즉, $a^{\frac{1}{2}}-a^{-\frac{1}{2}}>0$이므로 $a^{\frac{1}{2}}-a^{-\frac{1}{2}}=\sqrt{5}$

$\therefore a^{\frac{3}{2}}-a^{-\frac{3}{2}}=(a^{\frac{1}{2}}-a^{-\frac{1}{2}})^3+3(a^{\frac{1}{2}}-a^{-\frac{1}{2}})$

$=5\sqrt{5}+3\sqrt{5}=8\sqrt{5}$ 답 ⑤

0123

> $\sqrt{x}+\frac{1}{\sqrt{x}}=3$일 때, $\frac{x^{\frac{3}{2}}+x^{-\frac{3}{2}}+7}{x^2+x^{-2}+3}$의 값은?
> └ $\sqrt{x}+\frac{1}{\sqrt{x}}=x^{\frac{1}{2}}+x^{-\frac{1}{2}}$임을 이용하여 양변을 세제곱하자.

(i) $\sqrt{x}+\frac{1}{\sqrt{x}}=3$에서 양변을 세제곱하면

$x\sqrt{x}+3\sqrt{x}\cdot\frac{1}{\sqrt{x}}\left(\sqrt{x}+\frac{1}{\sqrt{x}}\right)+\frac{1}{x\sqrt{x}}=27$

$x\sqrt{x}+3\cdot3+\frac{1}{x\sqrt{x}}=27$, $x\sqrt{x}+\frac{1}{x\sqrt{x}}=18$

$\therefore x^{\frac{3}{2}}+x^{-\frac{3}{2}}=18$

(ii) $\sqrt{x}+\frac{1}{\sqrt{x}}=3$에서 양변을 제곱하면

$x+2\sqrt{x}\cdot\frac{1}{\sqrt{x}}+\frac{1}{x}=9$ $\quad\therefore x+\frac{1}{x}=7$

이 식의 양변을 다시 제곱하면

$x^2+2x\cdot\frac{1}{x}+\frac{1}{x^2}=49$, $x^2+\frac{1}{x^2}=47$

$\therefore x^2+x^{-2}=47$

(i), (ii)에 의하여

$\frac{x^{\frac{3}{2}}+x^{-\frac{3}{2}}+7}{x^2+x^{-2}+3}=\frac{18+7}{47+3}=\frac{25}{50}=\frac{1}{2}$ 답 ③

0124

> ┌ 분모, 분자에 a^x를 곱하여 a^{2x}의 꼴로 나타내자.
> $a^{2x}=7$일 때, $\frac{a^{3x}-a^{-x}}{a^x+a^{-x}}$의 값은?

주어진 식의 분모, 분자에 a^x을 곱하면

$\frac{a^{3x}-a^{-x}}{a^x+a^{-x}}=\frac{a^x(a^{3x}-a^{-x})}{a^x(a^x+a^{-x})}=\frac{a^{4x}-1}{a^{2x}+1}$

$=\frac{7^2-1}{7+1}=6$ 답 ④

0125

> ┌ $2^{4x}=3$임을 이용하자.
> $2^{8x}=9$일 때, $\frac{2^{6x}-2^{-6x}}{2^{2x}+2^{-2x}}$의 값은?

$2^{8x}=9$에서 $(2^{4x})^2=9$

$\therefore 2^{4x}=3\ (\because 2^{4x}>0)$

주어진 식의 분모, 분자에 2^{2x}을 곱하면

$$\frac{2^{6x}-2^{-6x}}{2^{2x}+2^{-2x}}=\frac{2^{2x}(2^{6x}-2^{-6x})}{2^{2x}(2^{2x}+2^{-2x})}=\frac{2^{8x}-2^{-4x}}{2^{4x}+1}$$

$$=\frac{9-\frac{1}{3}}{3+1}=\frac{13}{6}$$

답 ④

0126

> $4^x=5$일 때, $\frac{8^x+8^{-x}}{2^x+2^{-x}}=\frac{b}{a}$ (단, a, b는 서로소인 자연수)이다.
> 이때, $a+b$의 값을 구하시오.
> • $2^{2x}=5$임을 이용하자.

$4^x=2^{2x}=5$

주어진 식의 좌변의 분모, 분자에 2^x을 곱하면

$$\frac{8^x+8^{-x}}{2^x+2^{-x}}=\frac{2^x(2^{3x}+2^{-3x})}{2^x(2^x+2^{-x})}$$

$$=\frac{2^{4x}+2^{-2x}}{2^{2x}+1}=\frac{(2^{2x})^2+(2^{2x})^{-1}}{2^{2x}+1}$$

$$=\frac{5^2+\frac{1}{5}}{5+1}=\frac{\frac{126}{5}}{6}=\frac{21}{5}$$

따라서 $a=5$, $b=21$이므로

$a+b=26$

답 26

다른풀이

$$\frac{8^x+8^{-x}}{2^x+2^{-x}}=\frac{(2^x+2^{-x})(4^x-1+4^{-x})}{2^x+2^{-x}}=4^x-1+4^{-x}$$

$$=5-1+\frac{1}{5}=\frac{21}{5}$$

따라서 $a=5$, $b=21$이므로 $a+b=26$

0127

> $\frac{2^x-2^{-x}}{2^x+2^{-x}}=\frac{1}{2}$일 때, 4^x-4^{-x}의 값은?
> • 분모, 분자에 2^x을 곱하여 2^{2x}의 꼴로 나타내자.

주어진 식의 좌변의 분모, 분자에 2^x을 곱하면

$$\frac{2^x-2^{-x}}{2^x+2^{-x}}=\frac{2^x(2^x-2^{-x})}{2^x(2^x+2^{-x})}=\frac{2^{2x}-1}{2^{2x}+1}$$

$$=\frac{4^x-1}{4^x+1}=\frac{1}{2}$$

$2\cdot 4^x-2=4^x+1$

$\therefore 4^x=3$

이때, $4^{-x}=(4^x)^{-1}=3^{-1}=\frac{1}{3}$이므로

$4^x-4^{-x}=3-\frac{1}{3}=\frac{8}{3}$

답 ⑤

0128

> $\frac{a^x+a^{-x}}{a^x-a^{-x}}=3$일 때, $(a^x+a^{-x})(a^x-a^{-x})$의 값은? (단, $a>0$, $a\neq 1$)
> • $a^{2x}-a^{-2x}$임을 이용하자.
> • 분모, 분자에 a^x을 곱하여 a^{2x}의 꼴로 나타내자.

주어진 식의 분모, 분자에 a^x을 곱하면

$$\frac{a^x+a^{-x}}{a^x-a^{-x}}=\frac{a^x(a^x+a^{-x})}{a^x(a^x-a^{-x})}=\frac{a^{2x}+1}{a^{2x}-1}=3$$

$a^{2x}+1=3(a^{2x}-1)$

$2a^{2x}=4$, $a^{2x}=2$

$\therefore (a^x+a^{-x})(a^x-a^{-x})=a^{2x}-a^{-2x}$

$$=2-\frac{1}{2}=\frac{3}{2}$$

답 ④

0129

> $a>0$이고 $\frac{a^x-2a^{-x}}{a^x+2a^{-x}}=\frac{1}{3}$일 때, $(a^{2x}+a^{-2x})^{\frac{1}{2}}$의 값은?
> • a^{2x}을 직접 구해 보자.

주어진 식의 분모, 분자에 a^x을 곱하면

$$\frac{a^x-2a^{-x}}{a^x+2a^{-x}}=\frac{a^x(a^x-2a^{-x})}{a^x(a^x+2a^{-x})}=\frac{a^{2x}-2}{a^{2x}+2}=\frac{1}{3}$$

$3a^{2x}-6=a^{2x}+2$, $a^{2x}=4$ $\quad\therefore a^x=2\ (\because a>0)$

$$\therefore (a^{2x}+a^{-2x})^{\frac{1}{2}}=\left\{(a^x)^2+\frac{1}{(a^x)^2}\right\}^{\frac{1}{2}}$$

$$=\left(4+\frac{1}{4}\right)^{\frac{1}{2}}=\left(\frac{17}{4}\right)^{\frac{1}{2}}=\frac{\sqrt{17}}{2}$$

답 ③

0130

> 실수 x, y에 대하여 $15^x=25$, $375^y=125$일 때, $\frac{2}{x}-\frac{3}{y}$의 값은?
> • $15=5^{\frac{2}{x}}$임을 이용하자.

$15^x=25$에서 $(15^x)^{\frac{1}{x}}=(5^2)^{\frac{1}{x}}=5^{\frac{2}{x}}$

$\therefore 15=5^{\frac{2}{x}}$ ……㉠

$375^y=125$에서 $(375^y)^{\frac{1}{y}}=(5^3)^{\frac{1}{y}}=5^{\frac{3}{y}}$

$\therefore 375=5^{\frac{3}{y}}$ ……㉡

㉠÷㉡을 하면 $\frac{15}{375}=\frac{5^{\frac{2}{x}}}{5^{\frac{3}{y}}}$

$5^{-2}=5^{\frac{2}{x}-\frac{3}{y}}$

$\therefore \frac{2}{x}-\frac{3}{y}=-2$

답 ①

0131

> $80^x=2$, $\left(\frac{1}{10}\right)^y=4$, $a^z=8$을 만족시키는 세 실수 x, y, z에 대하여
> $\frac{1}{x}+\frac{2}{y}-\frac{1}{z}=1$이 성립할 때, 양수 a의 값을 구하시오.
> • $\frac{1}{10}=2^{\frac{2}{y}}$임을 이용하자.

$2^{\frac{1}{x}}=80$ ……㉠, $2^{\frac{2}{y}}=\frac{1}{10}$ ……㉡, $2^{\frac{1}{z}}=a^{\frac{1}{3}}$ ……㉢

㉠×㉡÷㉢을 하면

$$2^{\frac{1}{x}+\frac{2}{y}-\frac{1}{z}}=\frac{80\times\frac{1}{10}}{\sqrt[3]{a}}$$

$$\frac{80\times\frac{1}{10}}{\sqrt[3]{a}}=2,\ \sqrt[3]{a}=4$$

$\therefore a=4^3=64$ 답 64

다른풀이

$$\frac{1}{x}=\log_2 80,\ \frac{2}{y}=\log_2\frac{1}{10},\ \frac{1}{z}=\log_2 a^{\frac{1}{3}}$$

$$\frac{1}{x}+\frac{2}{y}-\frac{1}{z}=\log_2\frac{80\times\frac{1}{10}}{\sqrt[3]{a}}=1$$

$$2^1=\frac{80\times\frac{1}{10}}{\sqrt[3]{a}},\ \sqrt[3]{a}=4$$

$\therefore a=4^3=2^6=64$

0132

실수 a, b에 대하여 $5^a=c$, $5^b=d$일 때, $\left(\frac{1}{5}\right)^{a-2b}$을 c, d로 나타내면?

→ $5^{-a}5^{2b}$임을 이용하자.

$$\left(\frac{1}{5}\right)^{a-2b}=\left(\frac{1}{5}\right)^a\cdot\left(\frac{1}{5}\right)^{-2b}$$

$5^a=c$에서 $\left(\frac{1}{5}\right)^a=\frac{1}{c}$

$5^b=d$에서 $\left(\frac{1}{5}\right)^{-b}=d$, $\left(\frac{1}{5}\right)^{-2b}=d^2$

$\therefore \left(\frac{1}{5}\right)^{a-2b}=\frac{1}{c}\cdot d^2=\frac{d^2}{c}$ 답 ②

0133

$2^a=c$, $2^b=d$일 때, $\left(\frac{1}{4}\right)^{\frac{1}{2}a-b}$과 같은 것은?

→ 2^{-a+2b}임을 이용하자.

① $\frac{d^2}{c}$ ② $\frac{c^2}{d}$ ③ $\frac{1}{cd^2}$

④ $-c^2d$ ⑤ $-2cd^2$

$$\left(\frac{1}{4}\right)^{\frac{1}{2}a-b}=(2^{-2})^{\frac{1}{2}a-b}=2^{-a+2b}$$
$$=2^{-a}\times2^{2b}=(2^a)^{-1}\times(2^b)^2$$
$$=c^{-1}d^2\ (\because 2^a=c,\ 2^b=d)$$
$$=\frac{d^2}{c}$$

답 ①

0134

→ $25=\frac{100}{4}=\frac{100}{100^a}$임을 이용하자.

$100^a=4$, $100^b=5$일 때, $25^{\frac{2-a-b}{2(1-a)}}$의 값은?

$25=\frac{100}{4}=\frac{100}{100^a}=100^{1-a}$이므로

$$25^{\frac{2-a-b}{2(1-a)}}=(100^{1-a})^{\frac{2-a-b}{2(1-a)}}=100^{\frac{2-a-b}{2}}$$
$$=\sqrt{\frac{100^2}{100^a\cdot100^b}}=\sqrt{\frac{100^2}{4\cdot5}}=10\sqrt{5}$$

답 ②

0135

두 실수 a, b가 $3^{a+b}=4$, $2^{a-b}=5$를 만족할 때, $3^{a^2-b^2}$의 값을 구하시오.

→ 양변을 $(a-b)$제곱하자.

$3^{a+b}=4$의 양변을 $(a-b)$제곱하면 $(3^{a+b})^{a-b}=4^{a-b}$

$3^{(a+b)(a-b)}=(2^2)^{a-b}$

$\therefore 3^{a^2-b^2}=(2^{a-b})^2=5^2=25$ 답 25

0136

$2^x=3^y=6$일 때, $\frac{1}{x}+\frac{1}{y}$의 값을 구하시오.

→ $2=6^{\frac{1}{x}}$, $3=6^{\frac{1}{y}}$이다.

$2^x=6$에서 $2=6^{\frac{1}{x}}$ ……㉠

$3^y=6$에서 $3=6^{\frac{1}{y}}$ ……㉡

㉠×㉡을 하면

$2\times3=6^{\frac{1}{x}}\cdot6^{\frac{1}{y}}=6^{\frac{1}{x}+\frac{1}{y}}$

$6=6^{\frac{1}{x}+\frac{1}{y}}$

$\therefore \frac{1}{x}+\frac{1}{y}=1$ 답 1

0137

$2^x=9^y=18^z$일 때, $\frac{1}{x}+\frac{1}{y}-\frac{1}{z}$의 값은? (단, $xyz\neq0$)

→ $=k$로 놓고 2, 9, 18을 k에 관하여 정리하자.

$2^x=9^y=18^z=k$ $(k>0)$로 놓으면 $xyz\neq0$에서 $k\neq1$

$2^x=k$에서 $2=k^{\frac{1}{x}}$ ……㉠

$9^y=k$에서 $9=k^{\frac{1}{y}}$ ……㉡

$18^z=k$에서 $18=k^{\frac{1}{z}}$ ……㉢

㉠×㉡÷㉢을 하면

$2\times9\div18=k^{\frac{1}{x}}\times k^{\frac{1}{y}}\div k^{\frac{1}{z}}$

$\therefore k^{\frac{1}{x}+\frac{1}{y}-\frac{1}{z}}=1$

그런데 $k\neq1$이므로 $\frac{1}{x}+\frac{1}{y}-\frac{1}{z}=0$ 답 ③

0138

→ $a=3^{\frac{4}{x}}$임을 이용하자.

두 양수 a, b가 $ab=27$, $a^x=b^y=81$을 만족할 때, $\frac{1}{x}+\frac{1}{y}$의 값은?

$a^x=3^4$에서 $(a^x)^{\frac{1}{x}}=(3^4)^{\frac{1}{x}}=3^{\frac{4}{x}}$ $\therefore a=3^{\frac{4}{x}}$

$b^y=3^4$에서 $(b^y)^{\frac{1}{y}}=(3^4)^{\frac{1}{y}}=3^{\frac{4}{y}}$ $\therefore b=3^{\frac{4}{y}}$

$ab=3^{\frac{4}{x}+\frac{4}{y}}=3^{4\left(\frac{1}{x}+\frac{1}{y}\right)}=3^3$

$\therefore \frac{1}{x}+\frac{1}{y}=\frac{3}{4}$

답 ②

0139

두 실수 x, y가 $2^{2x}=5^{2y}=k$를 만족하고 $x+y-2xy=0$일 때, $2k$의 값은? (단, $xy\neq0$)

양변을 xy로 나누면 $\frac{1}{y}+\frac{1}{x}-2=0$임을 이용하자.

$x+y-2xy=0$의 양변을 xy로 나누면

$\frac{1}{y}+\frac{1}{x}-2=0$ $\therefore \frac{1}{x}+\frac{1}{y}=2$ ……㉠

$2^{2x}=4^x=k$에서 $4=k^{\frac{1}{x}}$ ……㉡

$5^{2y}=25^y=k$에서 $25=k^{\frac{1}{y}}$ ……㉢

㉡×㉢을 하면

$100=k^{\frac{1}{x}+\frac{1}{y}}$

$k^2=100$ ($\because$ ㉠)

$\therefore k=10$ ($\because k>0$)

$\therefore 2k=20$

답 ③

0140

세 양수 a, b, c가 $a^x=b^{2y}=c^{3z}=7$, $abc=49$를 만족할 때, $\frac{6}{x}+\frac{3}{y}+\frac{2}{z}$의 값을 구하시오.

$a^{6xyz}=7^{6yz}$이다.

$a^{6xyz}=7^{6yz}$, $b^{6xyz}=7^{3xz}$, $c^{6xyz}=7^{2xy}$

$(abc)^{6xyz}=7^{12xyz}=7^{6yz+3xz+2xy}$

$12xyz=6yz+3xz+2xy$이므로

$\frac{6}{x}+\frac{3}{y}+\frac{2}{z}=12$

답 12

0141

$x^a=y^b=xy$인 관계가 성립할 때, $\frac{2(a+b)}{ab}$의 값은?

$x=(xy)^{\frac{1}{a}}$임을 이용하자. (단, x, y는 1이 아닌 양수, $xy\neq1$)

$x=(xy)^{\frac{1}{a}}$, $y=(xy)^{\frac{1}{b}}$이므로

$xy=(xy)^{\frac{1}{a}}(xy)^{\frac{1}{b}}=(xy)^{\frac{1}{a}+\frac{1}{b}}=(xy)^{\frac{a+b}{ab}}$

따라서 $\frac{a+b}{ab}=1$이므로 $\frac{2(a+b)}{ab}=2$

답 ④

0142

0이 아닌 실수 x, y, z가 다음 두 식을 만족할 때, 상수 a의 값은?

=k로 놓고 2, 3과 k를 이용하여 정리하자.

(가) $4^x=9^y=24^z$ (나) $\frac{a}{x}+\frac{1}{y}=\frac{2}{z}$

$4^x=9^y=24^z=k$, 즉 $2^{2x}=3^{2y}=(2^3\cdot3)^z=k$라 하면

$2^{2x}=k$에서 $2^2=k^{\frac{1}{x}}$

$3^{2y}=k$에서 $3^2=k^{\frac{1}{y}}$

$(2^3\cdot3)^z=k$에서 $2^3\cdot3=k^{\frac{1}{z}}$

이때, $\frac{a}{x}+\frac{1}{y}=\frac{2}{z}$이므로

$k^{\frac{a}{x}}\cdot k^{\frac{1}{y}}=k^{\frac{2}{z}}$, $(k^{\frac{1}{x}})^a\cdot k^{\frac{1}{y}}=(k^{\frac{1}{z}})^2$

$(2^2)^a\cdot3^2=(2^3\cdot3)^2$, $2^{2a}\cdot3^2=2^6\cdot3^2$

$2a=6$ $\therefore a=3$

답 ③

0143

0이 아닌 두 실수 a, b가 다음 두 조건을 만족할 때, 3^b의 값을 구하시오.

=k로 놓고 5, 3과 k를 이용하여 정리하자.

(가) $\frac{1}{a}+\frac{1}{2b}=\frac{1}{2}$ (나) $5^a=9^b$

$5^a=9^b=k$ ($k>0$)로 놓으면

$5^a=k$에서 $5=k^{\frac{1}{a}}$ ……㉠

$9^b=3^{2b}=k$에서 $3=k^{\frac{1}{2b}}$ ……㉡

㉠×㉡을 하면 $15=k^{\frac{1}{a}+\frac{1}{2b}}$

$\frac{1}{a}+\frac{1}{2b}=\frac{1}{2}$이므로 $15=k^{\frac{1}{2}}$

$\therefore k=15^2$

따라서 $9^b=(3^b)^2=15^2$이므로

$3^b=15$

답 15

0144

$2^x=3^y=5^z=a$, $\frac{1}{x}+\frac{1}{y}+\frac{1}{z}=2$일 때, 상수 a의 값을 구하시오. (단, $xyz\neq0$)

2, 3, 5를 a의 거듭제곱으로 나타내자.

$a>0$이고, x, y, z는 0이 아니므로

$a^{\frac{1}{x}}=2$, $a^{\frac{1}{y}}=3$, $a^{\frac{1}{z}}=5$

위의 세 식을 곱하면

$a^{\frac{1}{x}+\frac{1}{y}+\frac{1}{z}}=2\cdot3\cdot5=30$

$\frac{1}{x}+\frac{1}{y}+\frac{1}{z}=2$이므로 $a^2=30$

$\therefore a=\sqrt{30}$ ($\because a>0$)

답 $\sqrt{30}$

0145

어떤 바이러스는 그 수가 2배로 늘어나는 데 t시간이 걸린다고 한다. 이 바이러스 한 마리가 16시간 후에 8마리로 늘어난다고 할 때, 한 마리의 바이러스가 32시간 후에는 몇 마리가 되는가?
└ 16시간의 2배이다.

2배로 늘어나는 데 t시간이 걸리므로 n시간 후의 바이러스의 수는 $2^{\frac{n}{t}}$이다.
따라서 $2^{\frac{16}{t}}=8$이므로
$2^{\frac{32}{t}}=\left(2^{\frac{16}{t}}\right)^2=8^2=64$
즉, 한 마리의 바이러스가 32시간 후에는 64마리가 된다. 답 ②

0146

그림과 같이 세 모서리의 길이가 각각 $\sqrt{10}$, $\sqrt[3]{10^2}$, $\sqrt[6]{10^5}$인 직육면체 모양의 금속 덩어리가 있다.
└ 부피는 $\sqrt{10}\times\sqrt[3]{10^2}\times\sqrt[6]{10^5}$이다.

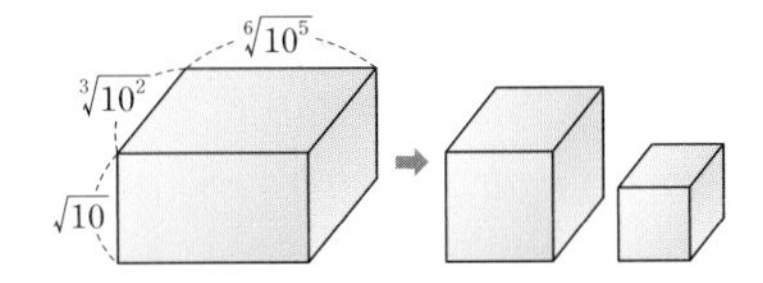

이 금속 덩어리를 녹여 부피의 비가 3 : 1인 정육면체 모양의 금속 덩어리 두 개로 만들었을 때, 부피가 작은 것의 한 모서리의 길이를 구하시오.

직육면체 모양의 금속 덩어리의 부피는
$\sqrt{10}\cdot\sqrt[3]{10^2}\cdot\sqrt[6]{10^5}=10^{\frac{1}{2}}\cdot10^{\frac{2}{3}}\cdot10^{\frac{5}{6}}=10^{\frac{1}{2}+\frac{2}{3}+\frac{5}{6}}$
$=10^2=100$
따라서 부피가 작은 정육면체 모양의 금속 덩어리의 부피는
$100\cdot\frac{1}{3+1}=100\cdot\frac{1}{4}=25$이므로 이 정육면체의 한 모서리의 길이는 $\sqrt[3]{25}$이다. 답 $\sqrt[3]{25}$

다른풀이 부피가 큰 정육면체의 한 모서리의 길이를 a, 작은 정육면체의 한 모서리의 길이를 b라 하면
$a^3 : b^3=3 : 1$에서 $a^3=3b^3$ ……㉠
$a^3+b^3=\sqrt{10}\cdot\sqrt[3]{10^2}\cdot\sqrt[6]{10^5}=100$ ……㉡
이때, ㉠을 ㉡에 대입하면 $4b^3=100$에서 $b^3=25$
$\therefore b=\sqrt[3]{25}$

0147

어떤 종을 100 dB(데시벨)의 크기로 타종한 후 t초가 지났을 때 소리의 크기를 $f(t)$ dB이라고 하면 관계식

$f(t)=100\cdot a^{-\frac{t}{5}}$ (a는 상수)

이 성립한다고 한다. 이 종을 100 dB의 크기로 타종한 후 5초가 지났을 때 소리의 크기는 이 종을 100 dB의 크기로 타종한 후 10초가 지났을 때 소리의 크기의 몇 배인가?
└ $f(5)$
└ $f(10)$

$f(5)=100\cdot a^{-\frac{5}{5}}=100a^{-1}=\frac{100}{a}$

$f(10)=100\cdot a^{-\frac{10}{5}}=100a^{-2}=\frac{100}{a^2}$

$\therefore \frac{f(5)}{f(10)}=\frac{\frac{100}{a}}{\frac{100}{a^2}}=a$

따라서 타종한 후 5초가 지났을 때 소리의 크기는 이 종을 타종한 후 10초가 지났을 때 소리의 크기의 a배이다. 답 ①

0148

어떤 호수에서 수면에서의 빛의 세기가 I_0일 때 수심이 d m인 곳에서의 빛의 세기 I_d는 다음과 같이 나타내어진다고 한다.

$I_d=I_0\cdot2^{-0.25d}$

이 호수에서 빛의 세기가 수면에서의 빛의 세기의 25 %인 곳의 수심은?
└ $\frac{1}{4}=2^{-0.25d}$이다.

빛의 세기가 수면에서의 빛의 세기의 25%, 즉
$I_0\times\frac{25}{100}=\frac{1}{4}I_0$인 곳의 수심을 d m라 하면
$\frac{1}{4}I_0=I_0\cdot2^{-0.25d}$
$2^{-0.25d}=\frac{1}{4}=2^{-2}$이므로 $-0.25d=-2$
$\therefore d=8$(m) 답 ②

0149

어떤 특정 방사능 핵종의 원자수가 방사성 붕괴에 의해서 원래의 수의 반으로 줄어드는 데 걸리는 시간을 반감기라고 한다. 따라서 반감기가 T(시간)인 어떤 방사능 핵종의 원래의 원자수가 M_0일 때, t시간 후의 원자수 M은

$M=M_0\left(\frac{1}{2}\right)^{\frac{t}{T}}$

으로 계산된다. 현재 원자수가 N_0인 어떤 핵종의 200시간 후의 원자수와 500시간 후의 원자수의 비가 8 : 1일 때, 이 핵종의 반감기는?
└ $N_0\left(\frac{1}{2}\right)^{\frac{500}{T}}$이다.
└ $N_0\left(\frac{1}{2}\right)^{\frac{200}{T}}$이다.

$N_0\left(\frac{1}{2}\right)^{\frac{200}{T}}\div N_0\left(\frac{1}{2}\right)^{\frac{500}{T}}=8$이므로

$\left(\frac{1}{2}\right)^{\frac{200}{T}-\frac{500}{T}}=\left(\frac{1}{2}\right)^{-3}$, $\frac{200}{T}-\frac{500}{T}=-3$

$\therefore T=100$(시간) 답 ④

0150

다음 중 옳지 않은 것은?

① 네제곱근 64는 $\sqrt{8}$이다.
② 6은 216의 세제곱근이다.
③ 4의 네제곱근은 2개이다. — 4의 네제곱근 중 실수는 2개이다.
④ -27의 세제곱근 중 실수인 것은 -3이다.
⑤ n이 2보다 큰 홀수일 때, -5의 n제곱근 중 실수인 것은 $-\sqrt[n]{5}$이다.

① 네제곱근 64는 $\sqrt[4]{64}=\sqrt[2\cdot 2]{8^2}=\sqrt{8}$이다. (참)
② $6^3=216$이므로 6은 216의 세제곱근이다. (참)
③ $x^4=4$에서 $(x^2-2)(x^2+2)=0$
$(x-\sqrt{2})(x+\sqrt{2})(x^2+2)=0$
$\therefore x=\pm\sqrt{2}$ 또는 $x=\pm\sqrt{2}i$
따라서 4의 네제곱근은 4개이다. (거짓)
④ $x^3=-27$에서 $x^3+27=0$
$(x+3)(x^2-3x+9)=0$
$\therefore x=-3$ 또는 $x=\dfrac{3\pm3\sqrt{3}i}{2}$
따라서 -27의 세제곱근 중 실수인 것은 -3이다. (참)
⑤ n이 2보다 큰 홀수일 때, -5의 n제곱근은 $\sqrt[n]{-5}=-\sqrt[n]{5}$이다. (참)

답 ③

0151

다음 설명 중 옳은 것은?

① -2의 제곱근은 없다. — $\pm\sqrt{2}i$
② -27의 세제곱근 중에서 실수인 것은 2개이다. — -3
③ 8의 세제곱근 중 실수인 것의 개수는 1이다.
④ n이 홀수일 때, 5의 n제곱근 중에서 실수인 것은 없다. — $\sqrt[n]{5}$
⑤ n이 짝수일 때, -2의 n제곱근 중에서 실수인 것은 2개이다.

① -2의 제곱근은 $\pm\sqrt{2}i$이므로 2개이다.
② -27의 세제곱근 중에서 실수인 것은 1개이다.
③ 8의 세제곱근은 2 또는 $-1\pm\sqrt{3}i$이다.
④ n이 홀수이면 5의 n제곱근 중 실수인 것은 $\sqrt[n]{5}$이다.
⑤ n이 짝수이면 -2의 n제곱근 중 실수인 것은 없다.
따라서 옳은 것은 ③이다.

답 ③

0152

$a>0$, $b>0$일 때, $\sqrt[4]{\dfrac{\sqrt{b}}{\sqrt[3]{a}}}\times\sqrt{\dfrac{\sqrt[6]{a}}{\sqrt[4]{b}}}$을 간단히 하면?

— $a>0$, $b>0$일 때, $\sqrt[n]{\dfrac{a}{b}}=\dfrac{\sqrt[n]{a}}{\sqrt[n]{b}}$임을 이용하자.

$$\sqrt[4]{\frac{\sqrt{b}}{\sqrt[3]{a}}}\times\sqrt{\frac{\sqrt[6]{a}}{\sqrt[4]{b}}}=\frac{\sqrt[4]{\sqrt{b}}}{\sqrt[4]{\sqrt[3]{a}}}\times\frac{\sqrt{\sqrt[6]{a}}}{\sqrt{\sqrt[4]{b}}}$$
$$=\frac{\sqrt[8]{b}}{\sqrt[12]{a}}\times\frac{\sqrt[12]{a}}{\sqrt[8]{b}}=1$$

답 ③

0153

$\left\{\left(\dfrac{8}{125}\right)^{-\frac{1}{3}}\right\}^{\frac{3}{2}}\times\left(\dfrac{8}{5}\right)^{\frac{1}{2}}$의 값은?

— $\dfrac{8}{125}$는 $\dfrac{2^3}{5^3}$이다.

$$\left\{\left(\frac{8}{125}\right)^{-\frac{1}{3}}\right\}^{\frac{3}{2}}\times\left(\frac{8}{5}\right)^{\frac{1}{2}}=\left(\frac{8}{125}\right)^{-\frac{1}{2}}\times\left(\frac{8}{5}\right)^{\frac{1}{2}}$$
$$=\left\{\left(\frac{2}{5}\right)^3\right\}^{-\frac{1}{2}}\times\left(\frac{8}{5}\right)^{\frac{1}{2}}$$
$$=\left(\frac{2}{5}\right)^{-\frac{3}{2}}\times\left(\frac{8}{5}\right)^{\frac{1}{2}}$$
$$=2^{-\frac{3}{2}}\times5^{\frac{3}{2}}\times2^{\frac{3}{2}}\times5^{-\frac{1}{2}}$$
$$=2^{-\frac{3}{2}+\frac{3}{2}}\times5^{\frac{3}{2}-\frac{1}{2}}=5$$

답 ⑤

0154

$\sqrt{ab^3}\div\sqrt[3]{a^2b^4}\times(ab^5)^{\frac{1}{6}}$을 간단히 하면? (단, $a>0$, $b>0$)

— $\sqrt[3]{a^2b^4}$은 $a^{\frac{2}{3}}b^{\frac{4}{3}}$이다.

$$\sqrt{ab^3}\div\sqrt[3]{a^2b^4}\times(ab^5)^{\frac{1}{6}}=(ab^3)^{\frac{1}{2}}\div(a^2b^4)^{\frac{1}{3}}\times(ab^5)^{\frac{1}{6}}$$
$$=a^{\frac{1}{2}}b^{\frac{3}{2}}\div a^{\frac{2}{3}}b^{\frac{4}{3}}\times a^{\frac{1}{6}}b^{\frac{5}{6}}$$
$$=a^{\frac{1}{2}-\frac{2}{3}+\frac{1}{6}}b^{\frac{3}{2}-\frac{4}{3}+\frac{5}{6}}$$
$$=a^0b^1=b$$

답 ④

0155 서술형

두 양수 a, b가 $a^5=3$, $b^{12}=9$일 때, 100 이하의 자연수 n에 대하여 $(\sqrt[7]{ab^3})^n$이 자연수가 되는 n의 값의 합을 구하시오.

— $3^{\frac{n}{m}}$이 자연수가 되려면 n은 m의 배수여야 한다.

$a=3^{\frac{1}{5}}$, $b=9^{\frac{1}{12}}=3^{\frac{1}{6}}$이므로

$(\sqrt[7]{ab^3})^n=(ab^3)^{\frac{n}{7}}$ …… 30%

$=\{3^{\frac{1}{5}}\times(3^{\frac{1}{6}})^3\}^{\frac{n}{7}}=(3^{\frac{1}{5}}\times3^{\frac{1}{2}})^{\frac{n}{7}}=3^{\frac{n}{10}}$ …… 50%

이때, $3^{\frac{n}{10}}$이 자연수가 되려면 n은 10의 배수이어야 한다.
따라서 100 이하의 모든 자연수 n의 값의 합은
$10+20+30+\cdots+100=550$ …… 20%

답 550

0156

$x+x^{-1}=7$일 때, $x^{\frac{1}{2}}+x^{-\frac{1}{2}}$의 값은? (단, $x>0$)

— 주어진 식을 제곱해 보자.

$x+x^{-1}=7$에서 $x>0$이므로 $x^{\frac{1}{2}}+x^{-\frac{1}{2}}>0$
$(x^{\frac{1}{2}}+x^{-\frac{1}{2}})^2=x+2+x^{-1}=9$
$\therefore x^{\frac{1}{2}}+x^{-\frac{1}{2}}=\sqrt{9}=3$

답 ④

0157

$x=2^{\frac{1}{3}}-2^{-\frac{1}{3}}$일 때, $2x^3+6x$의 값을 구하시오.

양변을 세제곱해 보자.

$x^3=(2^{\frac{1}{3}}-2^{-\frac{1}{3}})^3$

$=(2^{\frac{1}{3}})^3-3(2^{\frac{1}{3}}-2^{-\frac{1}{3}})-(2^{-\frac{1}{3}})^3$

$=2-3x-2^{-1}$ ($\because x=2^{\frac{1}{3}}-2^{-\frac{1}{3}}$)

$=\frac{3}{2}-3x$

따라서 $x^3+3x=\frac{3}{2}$이므로 $2x^3+6x=2\cdot\frac{3}{2}=3$

답 3

0158

$a^{2x}=4$일 때, $\frac{a^{3x}+a^{-3x}}{a^x+a^{-x}}$의 값은?

분모, 분자에 a^x을 곱하여 a^{2x}의 꼴로 나타내자.

주어진 식의 분모, 분자에 a^x을 곱하면

$$\frac{a^{3x}+a^{-3x}}{a^x+a^{-x}}=\frac{a^x(a^{3x}+a^{-3x})}{a^x(a^x+a^{-x})}$$

$$=\frac{a^{4x}+a^{-2x}}{a^{2x}+1}=\frac{(a^{2x})^2+(a^{2x})^{-1}}{a^{2x}+1}$$

$$=\frac{4^2+\frac{1}{4}}{4+1}=\frac{\frac{65}{4}}{5}=\frac{13}{4}$$

답 ⑤

0159 서술형

실수 a, b에 대하여 $2^a=100$, $20^b=1000$일 때, $\frac{3}{b}-\frac{2}{a}$의 값을 구하시오.

$2=10^{\frac{2}{a}}$이다.

$2^a=100$에서 $(2^a)^{\frac{1}{a}}=(10^2)^{\frac{1}{a}}$

$\therefore 2=10^{\frac{2}{a}}$ ……㉠ …… 30%

$20^b=1000$에서 $(20^b)^{\frac{1}{b}}=(10^3)^{\frac{1}{b}}$

$\therefore 20=10^{\frac{3}{b}}$ ……㉡ …… 30%

㉡÷㉠을 하면 $10=10^{\frac{3}{b}-\frac{2}{a}}$

$\therefore \frac{3}{b}-\frac{2}{a}=1$ …… 40%

답 1

0160

$a^x=b^y=2^z$이고, $\frac{1}{x}+\frac{1}{y}=\frac{3}{z}$일 때, ab의 값은? (단, $xyz\neq0$이고 $a>0$, $b>0$)

$a=2^{\frac{z}{x}}$, $b=2^{\frac{z}{y}}$이다.

$a^x=2^z$에서 $a=2^{\frac{z}{x}}$

$b^y=2^z$에서 $b=2^{\frac{z}{y}}$

$\therefore ab=2^{\frac{z}{x}+\frac{z}{y}}=2^{z\left(\frac{1}{x}+\frac{1}{y}\right)}=2^{z\times\frac{3}{z}}=2^3=8$

답 ③

0161

처음 개체 수가 n인 어떤 박테리아를 최적의 조건하에서 배양하였을 때 t시간 후의 개체 수를 N이라 하면

$N=n\cdot2^{kt}$ (단, k는 상수)

인 관계가 성립한다고 한다. 배양한 지 2시간 후 박테리아의 개체 수가 $5n$일 때, 배양한 지 5시간 후의 개체 수는 처음 개체 수의 몇 배인지 구하시오.

$t=2$이므로 $5n=n\times2^{2k}$이다.

배양한 지 2시간 후의 박테리아의 개체 수가 $5n$이므로

$5n=n\cdot2^{2k}$, $2^{2k}=5$ $\quad\therefore 2^k=\sqrt{5}$

배양한 지 5시간 후의 박테리아 개체 수 N은

$N=n\cdot2^{5k}=n(2^k)^5=n(\sqrt{5})^5=25\sqrt{5}n$ (배)

따라서 배양한 지 5시간 후의 개체 수는 처음 개체 수의 $25\sqrt{5}$배이다.

답 $25\sqrt{5}$ 배

0162

a가 양수 또는 음수일 때로, n이 홀수와 짝수일 때로 나누어 생각하자.

실수 a와 2 이상의 자연수 m에 대하여 $N(a, m)$을

$N(a, m)=$(a의 m제곱근 중 실수인 것의 개수)

로 정의할 때, 다음 〈보기〉 중 옳은 것만을 있는 대로 고른 것은?

보기

ㄱ. $N(4, 2)=2$

ㄴ. $a<0$이면 $N(a, m)=0$

ㄷ. $a>0$이면 $N(a, m)+N(a, m+1)=3$

ㄱ. 4의 제곱근 중 실수인 것의 개수는 2이므로

$N(4, 2)=2$ (참)

ㄴ. $a<0$이면

(i) m이 홀수일 때, $N(a, m)=1$

(ii) m이 짝수일 때, $N(a, m)=0$ (거짓)

ㄷ. $a>0$이면

(i) m이 홀수일 때, $m+1$은 짝수이므로

$N(a, m)=1$, $N(a, m+1)=2$

(ii) m이 짝수일 때, $m+1$은 홀수이므로

$N(a, m)=2$, $N(a, m+1)=1$

(i), (ii)에 의하여 $N(a, m)+N(a, m+1)=3$ (참)

따라서 옳은 것은 ㄱ, ㄷ이다.

답 ③

0163

$x+y=2$를 만족하는 두 실수 x, y에 대하여 $f(a)$를 다음과 같이 정의한다.

우변을 간단히 정리하자.

$$f(a)=(a^x+a^y)^2-(a^x-a^y)^2$$

이때, $f(3)+f(4)+f(5)$의 값을 구하시오.

$f(a)=(a^x+a^y)^2-(a^x-a^y)^2$

$=(a^{2x}+2a^xa^y+a^{2y})-(a^{2x}-2a^xa^y+a^{2y})$

$=4a^x a^y=4a^{x+y}$

$=4a^2$ ($\because x+y=2$)

$\therefore f(3)+f(4)+f(5)=4(3^2+4^2+5^2)$

$=200$

답 200

0164

> 2의 세제곱을 a, 3의 제곱을 b라 할 때,
> $(a^2b)^3\times(a^4b^3)^2\div(a^2b)^6$의 n제곱근이 정수가 되게 하는 n의 값의 개수는? (단, $n\geq 2$)
> • 6^k의 n제곱근이 정수이려면 n은 k의 약수이어야 한다.

$(a^2b)^3\times(a^4b^3)^2\div(a^2b)^6=a^6b^3\times a^8b^6\div a^{12}b^6$

$=a^{14}b^9\div a^{12}b^6$

$=a^2b^3$

그런데 2의 세제곱이 a, 3의 제곱이 b이므로 $a=2^3$, $b=3^2$

$\therefore a^2b^3=(2^3)^2\cdot(3^2)^3=2^6\cdot 3^6=6^6$

따라서 6^6의 n제곱근이 정수가 되려면 n은 $n\geq 2$인 6의 약수이어야 하므로 n의 값은 2, 3, 6의 3개이다.

답 ③

0165

> $2^x=\sqrt{\sqrt{3}+\sqrt{2}}+\sqrt{\sqrt{3}-\sqrt{2}}$를 만족하는 실수 x에 대하여 $2^{2x-1}+2^{-2x+2}$의 값은?
> • 양변을 제곱해 보자.

$2^{2x}=(\sqrt{\sqrt{3}+\sqrt{2}}+\sqrt{\sqrt{3}-\sqrt{2}})^2$

$=(\sqrt{3}+\sqrt{2})+(\sqrt{3}-\sqrt{2})+2\sqrt{(\sqrt{3})^2-(\sqrt{2})^2}$

$=2\sqrt{3}+2$

이므로

$2^{2x-1}=\frac{2^{2x}}{2}=\frac{2\sqrt{3}+2}{2}=\sqrt{3}+1$

$2^{-2x+2}=\frac{2^2}{2^{2x}}=\frac{4}{2\sqrt{3}+2}=\frac{2(\sqrt{3}-1)}{(\sqrt{3}+1)(\sqrt{3}-1)}=\sqrt{3}-1$

$\therefore 2^{2x-1}+2^{-2x+2}=\sqrt{3}+1+\sqrt{3}-1=2\sqrt{3}$

답 ④

0166

> $2^x+2^y=3-k$, $x+y=0$을 만족시키는 두 실수 x, y에 대하여 $(1+k\cdot 2^x+2^{2x})(1+k\cdot 2^y+2^{2y})$의 값은? (단, $k\leq 1$)
> • $2^x\cdot 2^y=2^{x+y}=2^0=1$임을 알 수 있다.

$2^x+2^y=3-k$이고, $x+y=0$에서

$2^x\cdot 2^y=2^{x+y}=1$이므로

2^x, 2^y은 이차방정식 $t^2-(3-k)t+1=0$의 두 근이다.

즉, $t^2+kt+1=3t$이므로

$2^{2x}+k\cdot 2^x+1=3\cdot 2^x$

$2^{2y}+k\cdot 2^y+1=3\cdot 2^y$

$\therefore (1+k\cdot 2^x+2^{2x})(1+k\cdot 2^y+2^{2y})=3\cdot 2^x\times 3\cdot 2^y$

$=9\cdot 2^{x+y}=9$

답 ③

0167

> 어떤 용기에 뜨거운 물을 부어 처음 온도를 잰 후, t분 후에 물의 온도 T(℃)와 실험실 안의 온도 R(℃)의 관계를 조사하였더니 다음 식이 성립함을 알았다.
>
> $T=R+k\cdot 10^{tm}$ (m, k, R는 상수)
>
> 뜨거운 물을 이 용기에 담고, 1분 후에 온도를 재어 보니 물의 온도가 80℃였고, 그로부터 5분 후에 다시 재었더니 50℃이었다. 실험실 온도가 20℃로 일정할 때, 처음 물의 온도는 약 몇 ℃인가? (단, $\sqrt[5]{0.5}=0.87$로 계산한다.)
> • $50=20+k\cdot 10^{6m}$
> • $80=20+k\cdot 10^m$

$R=20$이면 $t=1$일 때 $T=80$이고, $t=6$일 때 $T=50$이므로

$80=20+k\cdot 10^m$에서 $60=k\cdot 10^m$ ······㉠

$50=20+k\cdot 10^{6m}$에서 $30=k\cdot 10^{6m}$ ······㉡

㉡÷㉠을 하면 $10^{5m}=\frac{1}{2}$

$\therefore 10^m=\sqrt[5]{\frac{1}{2}}=0.87$

㉠에서 $k=\frac{60}{0.87}\fallingdotseq 69$

따라서 처음 물의 온도는 $R+k=20+69=89$(℃)

답 ①

0168

> $a>1$이고, $x>2$, $y>2$일 때,
>
> $A=\frac{a^x+a^y}{2}$, $B=\sqrt{a^x\cdot a^y}$, $C=(a^{\sqrt{x}})^{\sqrt{y}}$, $D=a^{\sqrt{x+y}}$
>
> 의 대소 관계로 옳은 것은?
> • $(x-1)(y-1)>1$
> • 산술평균과 기하평균의 관계를 이용하자.

(i) $a^x>0$, $a^y>0$이므로 산술평균과 기하평균의 관계에 의하여

$\frac{a^x+a^y}{2}\geq\sqrt{a^x\cdot a^y}$ $\quad\therefore A\geq B$ (단, 등호는 $x=y$일 때 성립)

(ii) $B=a^{\frac{x+y}{2}}$, $C=a^{\sqrt{xy}}$, $D=a^{\sqrt{x+y}}$에서

$x>2$, $y>2$이므로 산술평균과 기하평균의 관계에 의하여

$\frac{x+y}{2}\geq\sqrt{xy}$ (단, 등호는 $x=y$일 때 성립) ······㉠

또한, $(x-1)(y-1)>1$ ($\because x>2$, $y>2$)이므로

$xy>x+y$

$\therefore \sqrt{xy}>\sqrt{x+y}$ ······㉡

㉠, ㉡에서 $\frac{x+y}{2}\geq\sqrt{xy}>\sqrt{x+y}$이고, $a>1$이므로

$B\geq C>D$

따라서 (i), (ii)에 의하여 $A\geq B\geq C>D$

답 ②

0169

> $a=2^n$ (n은 자연수)일 때, $6^2\times 12^3\div a^2=x$를 만족하는 x의 값이 자연수가 되도록 하는 a의 개수는?
> • a에 2^n을 대입하여 정리하자.

$a=2^n$ (n은 자연수)이므로

$6^2\times(12)^3\div a^2=(2\times 3)^2\times(2^2\times 3)^3\div(2^n)^2$

$=2^2\times 3^2\times 2^6\times 3^3\div 2^{2n}$

$=3^5\times\dfrac{2^8}{2^{2n}}=x$

따라서 x의 값이 자연수가 되려면 $\dfrac{2^8}{2^{2n}}$의 값이 자연수가 되어야 하므로 n의 값은 1, 2, 3, 4이다.
즉, a의 값은 $2, 2^2, 2^3, 2^4$의 4개이다. 답 ③

0170

$a^2-1=\left\{\frac{1}{2}(8^{40}+8^{-40})\right\}^2-1=\frac{1}{4}(8^{80}-2+8^{-80})=\left\{\frac{1}{2}(8^{40}-8^{-40})\right\}^2$

> $a=\dfrac{1}{2}(8^{40}+8^{-40})$일 때, $\sqrt[n]{a+\sqrt{a^2-1}}$의 값이 정수가 되도록 하는 2 이상의 자연수 n의 개수를 구하시오.

$$a^2-1=\left\{\frac{1}{2}(8^{40}+8^{-40})\right\}^2-1$$
$$=\frac{1}{4}(8^{80}+2+8^{-80})-1$$
$$=\frac{1}{4}(8^{80}-2+8^{-80})$$
$$=\left\{\frac{1}{2}(8^{40}-8^{-40})\right\}^2$$

이므로

$$a+\sqrt{a^2-1}=\frac{1}{2}(8^{40}+8^{-40})+\frac{1}{2}(8^{40}-8^{-40})$$
$$=8^{40}=(2^3)^{40}=2^{120}$$

$\therefore \sqrt[n]{a+\sqrt{a^2-1}}=\sqrt[n]{2^{120}}=2^{\frac{120}{n}}$ ……㉠

㉠이 정수가 되려면 n은 120의 약수이어야 한다.
이때, $120=2^3\times3\times5$이고, n은 2 이상의 자연수이므로 구하는 n의 개수는

$(3+1)\times(1+1)\times(1+1)-1$
$=4\times2\times2-1=15$ 답 15

0171

> $\dfrac{27^{20}}{27^{-20}-1}+\dfrac{9^{-15}}{9^{15}-9^{-15}}$을 간단히 하면?
>
> 밑을 3으로 하여 정리하자.

$$\frac{27^{20}}{27^{-20}-1}=\frac{(3^3)^{20}}{(3^3)^{-20}-1}=\frac{3^{60}}{3^{-60}-1}$$
$$=\frac{3^{60}\cdot3^{60}}{(3^{-60}-1)\cdot3^{60}}=\frac{3^{120}}{1-3^{60}}$$
$$\frac{9^{-15}}{9^{15}-9^{-15}}=\frac{(3^2)^{-15}}{(3^2)^{15}-(3^2)^{-15}}=\frac{3^{-30}}{3^{30}-3^{-30}}$$
$$=\frac{3^{-30}\cdot3^{30}}{(3^{30}-3^{-30})\cdot3^{30}}=\frac{1}{3^{60}-1}$$
$$\therefore \frac{27^{20}}{27^{-20}-1}+\frac{9^{-15}}{9^{15}-9^{-15}}=\frac{3^{120}}{1-3^{60}}+\frac{1}{3^{60}-1}$$
$$=\frac{-(3^{120}-1)}{3^{60}-1}$$
$$=-(3^{60}+1)=-3^{60}-1$$

답 ①

0172

$3^a=x,\ 3^b=y,\ 3^c=z$라 하면 $xyz=3^{a+b+c}=\frac{1}{3}$

> $a+b+c=-1$, $3^a+3^b+3^c=\dfrac{13}{3}$, $3^{-a}+3^{-b}+3^{-c}=\dfrac{11}{2}$을 동시에 만족하는 세 실수 a, b, c에 대하여 $9^a+9^b+9^c$의 값은?

$3^a=x,\ 3^b=y,\ 3^c=z$라 하면

$xyz=3^a\cdot3^b\cdot3^c=3^{a+b+c}=3^{-1}=\dfrac{1}{3}$ ……㉠

$x+y+z=\dfrac{13}{3}$ ……㉡

또한, $\dfrac{1}{x}+\dfrac{1}{y}+\dfrac{1}{z}=\dfrac{11}{2}$이므로

$$\frac{1}{x}+\frac{1}{y}+\frac{1}{z}=\frac{xy+yz+zx}{xyz}$$
$$=3(xy+yz+zx)=\frac{11}{2}\ (\because ㉠)$$
$$\therefore xy+yz+zx=\frac{11}{6}$$
$$\therefore 9^a+9^b+9^c=x^2+y^2+z^2$$
$$=(x+y+z)^2-2(xy+yz+zx)$$
$$=\frac{169}{9}-\frac{11}{3}$$
$$=\frac{136}{9}$$

답 ②

다른풀이

$$(3^a+3^b+3^c)^2=9^a+9^b+9^c+2(3^{a+b}+3^{b+c}+3^{c+a})$$
$$=9^a+9^b+9^c+2(3^{-1-c}+3^{-1-a}+3^{-1-b})$$
$$=9^a+9^b+9^c+\frac{2}{3}(3^{-c}+3^{-a}+3^{-b})$$
$$\therefore 9^a+9^b+9^c=(3^a+3^b+3^c)^2-\frac{2}{3}(3^{-a}+3^{-b}+3^{-c})$$
$$=\left(\frac{13}{3}\right)^2-\frac{2}{3}\cdot\frac{11}{2}=\frac{136}{9}$$

0173

각 식을 전개하여 연립하자.

> $(2^x+2^{-x})(2^y+2^{-y})=100$, $(2^x-2^{-x})(2^y-2^{-y})=50$을 만족하는 실수 x, y에 대하여 $(2^{x+y}+2^{-x-y})(2^{x-y}+2^{-x+y})$의 값은?

$(2^x+2^{-x})(2^y+2^{-y})=100$에서
$2^{x+y}+2^{x-y}+2^{-x+y}+2^{-x-y}=100$ ……㉠
$(2^x-2^{-x})(2^y-2^{-y})=50$에서
$2^{x+y}-2^{x-y}-2^{-x+y}+2^{-x-y}=50$ ……㉡
㉠+㉡을 하면 $2(2^{x+y}+2^{-x-y})=150$에서
$2^{x+y}+2^{-x-y}=75$
㉠−㉡을 하면 $2(2^{x-y}+2^{-x+y})=50$에서
$2^{x-y}+2^{-x+y}=25$
$\therefore (2^{x+y}+2^{-x-y})(2^{x-y}+2^{-x+y})=75\times25=1875$ 답 ④

0174

> 양의 실수 x, y가 $\sqrt{x}+\sqrt{2y}=4$를 만족시킬 때, $2^x\cdot4^y$의 최솟값은?
>
> 2^{x+2y}이므로 $x+2y$가 최소일 때 최솟값을 가진다.

$2^x\cdot4^y=2^{x+2y}$이므로 $x+2y$가 최소일 때 $2^x\cdot4^y$은 최솟값을 갖는다.

$\sqrt{x}+\sqrt{2y}=4$에서 $\sqrt{2y}=4-\sqrt{x}$ ······ ㉠

양변을 제곱하면 $2y=16-8\sqrt{x}+x$이므로

$$x+2y=x+16-8\sqrt{x}+x$$
$$=2(\sqrt{x})^2-8\sqrt{x}+16$$
$$=2(\sqrt{x}-2)^2+8$$

㉠에서 $4-\sqrt{x}>0$이므로 $0<\sqrt{x}<4$

따라서 $x+2y$는 $\sqrt{x}=2$일 때 최솟값 8을 가지므로 $2^x\cdot4^y$의 최솟값은 $2^8=256$이다.

답 ④

다른풀이 코시-슈바르츠 부등식에서

$(x+2y)(1^2+1^2)\ge(\sqrt{x}+\sqrt{2y})^2$

$2(x+2y)\ge4^2$, $x+2y\ge8$

따라서 $2^x\cdot4^y$의 최솟값은 $2^8=256$이다.

다른풀이 $x>0$, $y>0$이므로 산술평균과 기하평균의 관계에서

$x+2y\ge2\sqrt{x\cdot2y}$ ······ ㉠

(단, 등호는 $x=2y$일 때 성립)

한편 $\sqrt{x}+\sqrt{2y}=4$에서 $x=2y$이면

$\sqrt{x}=\sqrt{2y}=2$

㉠에서 $x+2y\ge2\sqrt{x\cdot2y}=2\cdot\sqrt{x}\cdot\sqrt{2y}=8$

따라서 $2^x\cdot4^y$의 최솟값은 $2^8=256$이다.

0175

$f(x)=\dfrac{3^x-3^{-x}}{3^x+3^{-x}}$이고, $f(2\alpha)=\dfrac{3}{5}$, $f(2\beta)=\dfrac{4}{5}$일 때, $f(\alpha+\beta)f(\alpha-\beta)$의 값은?

$\dfrac{3^{2\alpha}-3^{-2\alpha}}{3^{2\alpha}+3^{-2\alpha}}=\dfrac{3}{5}$에서 $3^{2\alpha}$값을 구할 수 있다.

$f(2\alpha)=\dfrac{3^{2\alpha}-3^{-2\alpha}}{3^{2\alpha}+3^{-2\alpha}}=\dfrac{3}{5}$에서

$5(3^{2\alpha}-3^{-2\alpha})=3(3^{2\alpha}+3^{-2\alpha})$

$5\cdot3^{2\alpha}-5\cdot3^{-2\alpha}=3\cdot3^{2\alpha}+3\cdot3^{-2\alpha}$

$2\cdot3^{2\alpha}=8\cdot3^{-2\alpha}$, $3^{2\alpha}=4\cdot3^{-2\alpha}$

양변에 $3^{2\alpha}$을 곱하면 $(3^{2\alpha})^2=4$

$\therefore 3^{2\alpha}=2$ ($\because 3^{2\alpha}>0$)

$f(2\beta)=\dfrac{3^{2\beta}-3^{-2\beta}}{3^{2\beta}+3^{-2\beta}}=\dfrac{4}{5}$에서

$5(3^{2\beta}-3^{-2\beta})=4(3^{2\beta}+3^{-2\beta})$

$5\cdot3^{2\beta}-5\cdot3^{-2\beta}=4\cdot3^{2\beta}+4\cdot3^{-2\beta}$

$3^{2\beta}=9\cdot3^{-2\beta}$

양변에 $3^{2\beta}$을 곱하면 $(3^{2\beta})^2=9$

$\therefore 3^{2\beta}=3$ ($\because 3^{2\beta}>0$)

$$\therefore f(\alpha+\beta)f(\alpha-\beta)=\frac{3^{(\alpha+\beta)}-3^{-(\alpha+\beta)}}{3^{(\alpha+\beta)}+3^{-(\alpha+\beta)}}\cdot\frac{3^{(\alpha-\beta)}-3^{-(\alpha-\beta)}}{3^{(\alpha-\beta)}+3^{-(\alpha-\beta)}}$$
$$=\frac{(3^{2\alpha}+3^{-2\alpha})-(3^{2\beta}+3^{-2\beta})}{(3^{2\alpha}+3^{-2\alpha})+(3^{2\beta}+3^{-2\beta})}$$
$$=\frac{\left(2+\frac{1}{2}\right)-\left(3+\frac{1}{3}\right)}{\left(2+\frac{1}{2}\right)+\left(3+\frac{1}{3}\right)}$$
$$=-\frac{1}{7}$$

답 ③

0176

원유가 가득 들어 있는 어느 원유 저장 탱크의 밑바닥에 균열이 생기는 사고가 발생해 원유가 유출되기 시작하였다. 사고가 발생한 지 t시간 후 저장 탱크의 밑바닥으로부터 원유의 표면까지의 높이를 x m라 하면

$t=1$, $x=10$을 대입하여 k값을 구하자.

$$kt=\pi(x^{\frac{5}{2}}-35x^{\frac{3}{2}}+300\sqrt{10})\ (k\text{는 상수})$$

인 관계가 성립한다고 한다. 사고 발생 1시간 후에 $x=10$이 되었고 이후 같은 속도로 원유가 계속 유출될 때, 원유가 모두 유출되는 것은 사고 발생 후 최소 몇 시간째부터인가?

$x=0$일 때 t값을 구하자.

사고가 발생한 지 1시간 후에 $x=10$이 되었으므로 주어진 관계식에 $t=1$, $x=10$을 대입하면

$$k=\pi(10^{\frac{5}{2}}-35\cdot10^{\frac{3}{2}}+300\sqrt{10})$$
$$=\pi(\sqrt{10^5}-35\cdot\sqrt{10^3}+300\sqrt{10})$$
$$=\pi(100\sqrt{10}-350\sqrt{10}+300\sqrt{10})=50\sqrt{10}\pi$$

$$\therefore \frac{\pi}{k}=\frac{1}{50\sqrt{10}}$$

원유가 모두 유출되는 것은 $x=0$일 때이므로 주어진 관계식에 $x=0$을 대입하면

$$t=\frac{\pi}{k}\cdot300\sqrt{10}=\frac{300\sqrt{10}}{50\sqrt{10}}=6(\text{시간})$$

답 ①

로그

본책 034~064쪽

0177

$2^4=16 \Longleftrightarrow 4=\log_2 16$ 답 $4=\log_2 16$

0178

$9^{\frac{1}{2}}=3 \Longleftrightarrow \frac{1}{2}=\log_9 3$ 답 $\frac{1}{2}=\log_9 3$

0179

$\log_2 32=5 \Longleftrightarrow 2^5=32$ 답 $2^5=32$

0180

$\log_4 8=\frac{3}{2} \Longleftrightarrow 4^{\frac{3}{2}}=8$ 답 $4^{\frac{3}{2}}=8$

0181

$\log_3 \sqrt{3}=\frac{1}{2} \Longleftrightarrow 3^{\frac{1}{2}}=\sqrt{3}$ 답 $3^{\frac{1}{2}}=\sqrt{3}$

0182

$\log_2 8=x$라 하면 로그의 정의에 의하여

$2^x=8,\ 2^x=2^3$

$\therefore x=3$ 답 3

0183

$\log_{27} 3=x$라 하면 로그의 정의에 의하여

$27^x=3,\ 3^{3x}=3$이므로

$3x=1 \qquad \therefore x=\frac{1}{3}$ 답 $\frac{1}{3}$

0184

$\log_{\frac{1}{3}} 3=x$라 하면 로그의 정의에 의하여

$\left(\frac{1}{3}\right)^x=3,\ 3^{-x}=3$이므로

$-x=1 \qquad \therefore x=-1$ 답 -1

0185

$\log_3 x=4 \Longleftrightarrow x=3^4$

$\therefore x=81$ 답 81

0186

$\log_x 8=3 \Longleftrightarrow 8=x^3$

$\therefore x=2$ 답 2

0187

$\log_3 x=\frac{1}{2} \Longleftrightarrow x=3^{\frac{1}{2}}$

$\therefore x=\sqrt{3}$ 답 $\sqrt{3}$

0188

$\log_5 x=-1 \Longleftrightarrow x=5^{-1}$

$\therefore x=\frac{1}{5}$ 답 $\frac{1}{5}$

0189

$3^x=10 \Longleftrightarrow x=\log_3 10$ 답 $\log_3 10$

0190

$10^x=15 \Longleftrightarrow x=\log_{10} 15$ 답 $\log_{10} 15$

0191

$7^x=\frac{1}{2} \Longleftrightarrow x=\log_7 \frac{1}{2}=-\log_7 2$ 답 $-\log_7 2$

0192

진수의 조건에서 $x-5>0 \qquad \therefore x>5$ 답 $x>5$

0193

진수의 조건에서 $x^2-4>0$

$(x+2)(x-2)>0$

$\therefore x<-2$ 또는 $x>2$

답 $x<-2$ 또는 $x>2$

0194

밑의 조건에서 $x-5>0,\ x-5\neq 1$

$x>5,\ x\neq 6$

$\therefore 5<x<6$ 또는 $x>6$ 답 $5<x<6$ 또는 $x>6$

0195

밑의 조건에서 $x>0,\ x\neq 1$ ······ ㉠

진수의 조건에서 $5-x>0 \qquad \therefore x<5$ ······ ㉡

㉠, ㉡의 공통 범위를 구하면

$0<x<1$ 또는 $1<x<5$ 답 $0<x<1$ 또는 $1<x<5$

0196

$\log_3 1=0$ 답 0

0197

$\log_3 3=1$ 답 1

0198

$\log_2 2=1,\ \log_2 1=0$이므로

$\log_2 2-\log_2 1=1$ 답 1

0199

$\log_2 \frac{2}{3}+\log_2 3=\log_2\left(\frac{2}{3}\times 3\right)$

$=\log_2 2=1$ 답 1

0200

$\log_3 12-\log_3 4=\log_3 \frac{12}{4}$

$=\log_3 3=1$ 답 1

0201

$\log_5 125=\log_5 5^3$

$=3\log_5 5=3$ 답 3

0202

$\log_3\sqrt{3}=\log_3 3^{\frac{1}{2}}=\frac{1}{2}\log_3 3=\frac{1}{2}$ 답 $\frac{1}{2}$

0203

$\log_6 3+\log_6 12=\log_6(3\times 12)=\log_6 36$
$=\log_6 6^2=2\log_6 6=2$ 답 2

0204

$\log_5 10-\log_5\frac{2}{5}=\log_5\left(10\times\frac{5}{2}\right)=\log_5 25$
$=\log_5 5^2=2\log_5 5=2$ 답 2

0205

$\log_2\frac{4}{3}+2\log_2\sqrt{12}=\log_2\frac{4}{3}+\log_2(\sqrt{12})^2$
$=\log_2\left(\frac{4}{3}\times 12\right)=\log_2 16$
$=\log_2 2^4=4\log_2 2=4$ 답 4

0206

$\log_2 8+\log_2 2\sqrt{2}-\log_2\sqrt{2}=\log_2\frac{8\times 2\sqrt{2}}{\sqrt{2}}$
$=\log_2 16=\log_2 2^4$
$=4\log_2 2=4$ 답 4

0207

$\log_3 18-\log_3\frac{4}{9}+\log_3 6=\log_3\left(18\times\frac{9}{4}\times 6\right)$
$=\log_3 243=\log_3 3^5$
$=5\log_3 3=5$ 답 5

0208

$\log_4 3+5\log_4 2-\log_4 6=\log_4 3+\log_4 2^5-\log_4 6$
$=\log_4\frac{3\times 32}{6}=\log_4 16$
$=\log_4 4^2=2\log_4 4=2$

답 2

0209

로그의 밑의 변환 공식에 의하여

$\log_3 5=\frac{\log_{\boxed{2}} 5}{\log_2\boxed{3}}$ 답 $\frac{\log_{\boxed{2}} 5}{\log_2\boxed{3}}$

0210

로그의 밑의 변환 공식에 의하여

$\log_5 2=\frac{\log_2 2}{\log_2 5}=\frac{1}{\log_2\boxed{5}}$ 답 $\frac{1}{\log_2\boxed{5}}$

0211

로그의 밑의 변환 공식에 의하여

$\frac{\log_3 7}{\log_3 5}=\log_5\boxed{7}$ 답 $\log_5\boxed{7}$

0212

로그의 밑의 변환 공식에 의하여

$\frac{1}{\log_4 6}=\frac{\log_4 4}{\log_4 6}=\log_{\boxed{6}} 4$ 답 $\log_{\boxed{6}} 4$

0213

$\frac{\log_7 9}{\log_7 3}=\log_3 9=\log_3 3^2=2\log_3 3=2$ 답 2

0214

$\frac{1}{\log_{32} 2}=\log_2 32=\log_2 2^5=5\log_2 2=5$ 답 5

0215

$\log_2 3\times\log_3 8=\frac{\log_{10} 3}{\log_{10} 2}\times\frac{\log_{10} 8}{\log_{10} 3}$
$=\frac{\log_{10} 8}{\log_{10} 2}=\frac{3\log_{10} 2}{\log_{10} 2}=3$ 답 3

0216

$\log_3 2\times\log_2 5\times\log_5 9=\frac{\log_{10} 2}{\log_{10} 3}\times\frac{\log_{10} 5}{\log_{10} 2}\times\frac{\log_{10} 9}{\log_{10} 5}$
$=\frac{\log_{10} 9}{\log_{10} 3}=\frac{2\log_{10} 3}{\log_{10} 3}=2$ 답 2

0217

$\log_{a^m} b^n=\boxed{\frac{n}{m}}\log_a b$ 답 $\boxed{\frac{n}{m}}\log_a b$

0218

$a^{\log_c b}=\boxed{b}^{\log_c\boxed{a}}$ 답 $\boxed{b}^{\log_c\boxed{a}}$

0219

$a^{\log_a b}=\boxed{b}$ 답 b

0220

$\log_9 8=\log_{3^2} 2^3=\boxed{\frac{3}{2}}\log_3 2$ 답 $\boxed{\frac{3}{2}}\log_3 2$

0221

$5^{\log_3 6}=\boxed{6}^{\log_3\boxed{5}}$ 답 $\boxed{6}^{\log_3\boxed{5}}$

0222

$3^{\log_3 7}=\boxed{7}$ 답 7

0223

$\log_8 128=\log_{2^3} 2^7$
$=\frac{7}{3}\log_2 2=\frac{7}{3}$ 답 $\frac{7}{3}$

0224

$\log_{\sqrt{3}} 27=\log_{3^{\frac{1}{2}}} 3^3$
$=6\log_3 3=6$ 답 6

0225

$\log_2 5+\log_4 9=\log_2 5+\log_{2^2} 3^2$
$=\log_2 5+\log_2 3$
$=\log_2 15$ 답 $\log_2 15$

0226

$2^{\log_2 5}=5^{\log_2 2}=5$ 답 5

0227

$9^{\log_3 \sqrt{5}}=(\sqrt{5})^{\log_3 3^2}=(\sqrt{5})^{2\log_3 3}$
$=(\sqrt{5})^2=5$ 답 5

0228

$\log_{10} 12=\log_{10}(2^2\times 3)$
$=2\log_{10} 2+\log_{10} 3$
$=2a+b$ 답 $2a+b$

0229

$\log_{10}\frac{3}{2}=\log_{10} 3-\log_{10} 2$
$=b-a$ 답 $b-a$

0230

$\log_{10}\frac{1}{9}=\log_{10} 1-\log_{10} 9=-\log_{10} 3^2$
$=-2\log_{10} 3$
$=-2b$ 답 $-2b$

0231

$\log_2 5=\frac{\log_3 5}{\log_3 2}=\frac{b}{a}$ 답 $\frac{b}{a}$

0232

$\log_8 25=\frac{\log_3 25}{\log_3 8}=\frac{\log_3 5^2}{\log_3 2^3}$
$=\frac{2\log_3 5}{3\log_3 2}=\frac{2b}{3a}$ 답 $\frac{2b}{3a}$

0233

$\log_{10} 20=\frac{\log_3 20}{\log_3 10}=\frac{\log_3(2^2\times 5)}{\log_3(2\times 5)}$
$=\frac{2\log_3 2+\log_3 5}{\log_3 2+\log_3 5}=\frac{2a+b}{a+b}$ 답 $\frac{2a+b}{a+b}$

0234

$\log 100=\log 10^2=2$ 답 2

0235

$\log 0.1=\log\frac{1}{10}=\log 10^{-1}=-1$ 답 -1

0236

$\log\frac{1}{1000}=\log 10^{-3}=-3$ 답 -3

0237

$\log\sqrt[3]{10}=\log 10^{\frac{1}{3}}=\frac{1}{3}$ 답 $\frac{1}{3}$

0238

$\log\sqrt{1000}=\log(10^3)^{\frac{1}{2}}=\log 10^{\frac{3}{2}}=\frac{3}{2}$ 답 $\frac{3}{2}$

0239

$\log 4=\log 2^2=2\log 2=2a$ 답 $2a$

0240

$\log 5=\log\frac{10}{2}=\log 10-\log 2=1-a$ 답 $1-a$

0241

$\log 6=\log(2\times 3)=\log 2+\log 3$
$=a+b$ 답 $a+b$

0242

$\log 2250=\log(2.25\times 10^3)$
$=\log 10^3+\log 2.25$
$=3+0.3522$
$=3.3522$ 답 3.3522

0243

$\log 0.235=\log(2.35\times 10^{-1})$
$=\log 10^{-1}+\log 2.35$
$=-1+0.3711$
$=-0.6289$ 답 -0.6289

0244

$\log 34200=\log(3.42\times 10^4)$
$=\log 10^4+\log 3.42$
$=4+0.5340$
$=4.5340$ 답 4.5340

0245

$\log 342=\log(3.42\times 10^2)$
$=\log 10^2+\log 3.42$
$=2+0.5340$
$=2.5340$ 답 2.5340

0246

$\log 0.342=\log(3.42\times 10^{-1})$
$=\log 10^{-1}+\log 3.42$
$=-1+0.5340$
$=-0.4660$ 답 -0.4660

0247

$\log 0.0342=\log(3.42\times 10^{-2})$
$=\log 10^{-2}+\log 3.42$
$=-2+0.5340$
$=-1.4660$ 답 -1.4660

0248

$\log 254=\log(2.54\times10^2)$
$=\log10^2+\log2.54$
$=2+\log2.54$ 답 $2+\log2.54$

0249

$\log 0.0254=\log(2.54\times10^{-2})$
$=\log10^{-2}+\log2.54$
$=-2+\log2.54$ 답 $-2+\log2.54$

0250

$\log 45.6=\log(4.56\times10)$
$=\log10+\log4.56$
$=1+\log4.56$ 답 $1+\log4.56$

0251

$\log 0.00456=\log(4.56\times10^{-3})$
$=\log10^{-3}+\log4.56$
$=-3+\log4.56$ 답 $-3+\log4.56$

[0252-0255] $f(N)$은 $\log N$의 정수 부분, $g(N)$은 $\log N$의 소수 부분을 나타낸다.

0252

1500은 정수 부분이 네 자리이므로
$f(1500)=3$ 답 3

0253

0.604는 소수점 아래 첫째 자리에서 처음으로 0이 아닌 숫자가 나타나므로
$f(0.604)=-1$ 답 -1

0254

$\log2.45=0.3892$이므로
$g(24500)=g(2.45)=0.3892$ 답 0.3892

0255

$\log7.68=0.8854$이므로
$g(0.768)=g(7.68)=0.8854$ 답 0.8854

0256

$\log5940=\log(5.94\times10^3)$
$=\log10^3+\log5.94$
$=3+0.7738$
$=3.7738$
$\therefore x=3.7738$ 답 3.7738

0257

$\log0.594=\log(5.94\times10^{-1})$
$=\log10^{-1}+\log5.94$
$=-1+0.7738$
$=-0.2262$
$\therefore x=-0.2262$ 답 -0.2262

0258

$\log0.00594=\log(5.94\times10^{-3})$
$=\log10^{-3}+\log5.94$
$=-3+0.7738$
$=-2.2262$
$\therefore x=-2.2262$ 답 -2.2262

0259

상용로그의 정수 부분이 4이고, 소수 부분이 0.7738이므로
x는 정수 부분이 5자리이고, 숫자의 배열은 5, 9, 4이다.
$\therefore x=59400$ 답 59400

0260

상용로그의 정수 부분이 1이고, 소수 부분이 0.7738이므로
x는 정수 부분이 2자리이고, 숫자의 배열은 5, 9, 4이다.
$\therefore x=59.4$ 답 59.4

0261

$\log x=-3.2262=-4+0.7738$이므로
x는 소수점 아래 넷째 자리에서 처음으로 0이 아닌 숫자가 나타나고, 숫자의 배열은 5, 9, 4이다.
$\therefore x=0.000594$ 답 0.000594

0262

다음 〈보기〉 중 옳은 것을 모두 고른 것은?

보기

ㄱ. $3^{-2}=\frac{1}{9}\Longleftrightarrow\frac{1}{2}=\log_3\frac{1}{9}$ — $a^x=N\Longleftrightarrow x=\log_a N$

ㄴ. $\log_{16}2=\frac{1}{4}\Longleftrightarrow\sqrt[4]{16}=2$

ㄷ. $\log_{\frac{1}{2}}4=-2\Longleftrightarrow(-2)^{\frac{1}{2}}=4$

ㄱ. $3^{-2}=\frac{1}{9}$에서 $-2=\log_3\frac{1}{9}$ (거짓)

ㄴ. $\log_{16}2=\frac{1}{4}$에서 $16^{\frac{1}{4}}=2$
$\therefore \sqrt[4]{16}=2$ (참)

ㄷ. $\log_{\frac{1}{2}}4=-2$에서 $\left(\frac{1}{2}\right)^{-2}=4$ (거짓)

따라서 옳은 것은 ㄴ뿐이다. 답 ②

0263

$b=\log_2 a$일 때, 다음 중 8^b과 같은 것은? (단, $a\neq1$)

① a ② $2a$ ③ $3a$
④ a^2 ⑤ a^3

로그의 정의에 의해 $a=2^b$

$b=\log_2 a$에서 $a=2^b$
$\therefore 8^b=(2^3)^b=(2^b)^3=a^3$ 답 ⑤

0264

> $\log_2 x=2$, $\log_y \frac{1}{8}=3$을 만족하는 x, y에 대하여 xy의 값을 구하시오.
> └ 로그의 정의에 의해 $\frac{1}{8}=y^3$

$\log_2 x=2$에서 $x=2^2$ $\quad \therefore x=4$

$\log_y \frac{1}{8}=3$에서 $y^3=\frac{1}{8}$ $\quad \therefore y=\frac{1}{2}$

$\therefore xy=4\times\frac{1}{2}=2$

답 2

0265

> $\log_5(\log_4(\log_3 x))=0$을 만족하는 x의 값은?
> └ $=X$로 두면 $\log_5 X=0$에서 $X=1$

$\log_5(\log_4(\log_3 x))=0$에서 로그의 정의에 의하여

$\log_4(\log_3 x)=5^0=1$, $\log_3 x=4^1=4$

$\therefore x=3^4=81$

답 ④

0266

> $x=\log_2 3$일 때, 2^x+2^{-x}의 값은?
> └ 로그의 정의에 의해 $2^x=3$

$x=\log_2 3$에서 $2^x=3$

$\therefore 2^x+2^{-x}=2^x+\frac{1}{2^x}=3+\frac{1}{3}=\frac{10}{3}$

답 ③

0267

> $x=\log_2\sqrt{2-\sqrt{3}}$일 때, 4^x-4^{-x}의 값은?
> └ 로그의 정의에 의해 $2^x=\sqrt{2-\sqrt{3}}$이고, $4^x=2-\sqrt{3}$

$x=\log_2\sqrt{2-\sqrt{3}}$에서 $2^x=\sqrt{2-\sqrt{3}}$

$4^x=(2^x)^2=2-\sqrt{3}$

$4^{-x}=\frac{1}{4^x}=\frac{1}{2-\sqrt{3}}=\frac{2+\sqrt{3}}{(2-\sqrt{3})(2+\sqrt{3})}=2+\sqrt{3}$

$\therefore 4^x-4^{-x}=(2-\sqrt{3})-(2+\sqrt{3})=-2\sqrt{3}$

답 ①

0268

> 다음 〈보기〉 중 그 값이 존재하는 것을 모두 고른 것은?
>
> **보기**
>
> ㄱ. $\log_{2^{-1}} 3^{-1}$ ㄴ. $\log_5 0$ (└ 진수는 양수이어야 한다.)
>
> ㄷ. $\log_{2^0} 4$ ㄹ. $\log_3 \frac{1}{100}$
>
> └ 밑은 1이 아닌 양수이어야 한다.

ㄱ, ㄹ. 밑이 1이 아닌 양수이고, 진수는 양수이므로 그 값이 존재한다.

ㄴ. 진수가 0이므로 그 값이 존재하지 않는다.

ㄷ. 밑이 $2^0=1$이므로 그 값이 존재하지 않는다.

따라서 값이 존재하는 것은 ㄱ, ㄹ이다.

답 ③

0269

> $\log_2(-x^2+4x+12)$가 정의되도록 하는 정수 x의 개수는?
> └ 진수는 양수이어야 한다.

진수의 조건에서 $-x^2+4x+12>0$

$x^2-4x-12<0$, $(x+2)(x-6)<0$

$\therefore -2<x<6$

따라서 구하는 정수 x는 $-1, 0, 1, 2, 3, 4, 5$의 7개이다.

답 ③

0270

> ┌ 진수는 양수이어야 한다.
> $\log_{x+1}(3-x)$가 정의되도록 하는 정수 x의 개수를 구하시오.
> └ 밑은 1이 아닌 양수이어야 한다.

밑의 조건에서 $x+1>0$, $x+1\neq1$

$\therefore x>-1$, $x\neq0$ ······㉠

진수의 조건에서 $3-x>0$

$\therefore x<3$ ······㉡

㉠, ㉡의 공통 범위를 구하면 $-1<x<0$ 또는 $0<x<3$

따라서 구하는 정수 x는 1, 2의 2개이다.

답 2

0271

> ┌ 진수는 양수이어야 한다.
> $\log_{x-3}(-x^2+6x-8)$이 정의되도록 하는 실수 x의 값의 범위는?
> └ 밑은 1이 아닌 양수이어야 한다.

밑의 조건에서 $x-3>0$, $x-3\neq1$

$\therefore x>3$, $x\neq4$ ······㉠

진수의 조건에서 $-x^2+6x-8>0$

$x^2-6x+8<0$, $(x-2)(x-4)<0$

$\therefore 2<x<4$ ······㉡

㉠, ㉡의 공통 범위를 구하면 $3<x<4$

답 ①

0272

> $\log_{|x-2|}(10+3x-x^2)$이 정의되도록 x의 값을 정할 때, 정수 x의 개수는?
> └ $|x-2|\geq0$이므로 $|x-2|\neq0$, $|x-2|\neq1$이어야 한다.

밑의 조건에서 $|x-2|>0$, $|x-2|\neq1$

$\therefore x\neq1$, $x\neq2$, $x\neq3$ ······㉠

진수의 조건에서 $10+3x-x^2>0$

$x^2-3x-10<0$, $(x-5)(x+2)<0$

$\therefore -2<x<5$ ······㉡

㉠, ㉡에서 구하는 정수 x는 $-1, 0, 4$의 3개이다.

답 ③

0273 모든 실수에 대하여 양수이어야 하므로 판별식 $D<0$이다.

> 모든 실수 x에 대하여 $\log_{|a-1|}(x^2+ax+2a)$가 정의되기 위한 정수 a의 개수를 구하시오.

밑의 조건에서 $|a-1|>0$이고 $|a-1|\neq1$이므로
$a\neq0,\ a\neq1,\ a\neq2$
진수 조건에서 $x^2+ax+2a>0$이므로
$D=a^2-8a<0$
$\therefore 0<a<8$
따라서 구하는 정수 a의 개수는 5이다. 답 5

0274 모든 실수에 대하여 양수이어야 하므로 판별식 $D<0$이다.

> 모든 실수 x에 대하여 $\log_a(x^2+2ax+5a)$가 정의되기 위한 모든 정수 a의 값의 합은?

a가 밑이므로 $a>0,\ a\neq1$ …… ㉠
진수 $x^2+2ax+5a$는 모든 실수 x에 대하여 $x^2+2ax+5a>0$이므로
판별식 $\frac{D}{4}=a^2-5a=a(a-5)<0$
$0<a<5$ …… ㉡
㉠, ㉡에서 $0<a<5,\ a\neq1$
따라서 정수 a는 2, 3, 4이고 합은 9이다. 답 ①

0275

> $\log_2(-x^2+ax+4)$의 값이 자연수가 되도록 하는 실수 x의 개수가 6일 때, 모든 자연수 a의 값의 곱을 구하시오.
> └• 개수가 6개이고 좌우대칭이므로 2^1 또는 2^2 또는 2^3이다.

$f(x)=-x^2+ax+4$라 하면
로그의 진수 조건에 의해 $f(x)>0$

$$f(x)=-x^2+ax+4$$
$$=-\left(x^2-ax+\frac{a^2}{4}-\frac{a^2}{4}\right)+4$$
$$=-\left(x-\frac{a}{2}\right)^2+\frac{a^2}{4}+4$$

$\log_2(-x^2+ax+4)$의 값이 자연수가 되는 실수 x의 개수가 6이므로 $y=f(x)$의 그래프는 그림과 같이 직선 $y=2^1,\ y=2^2,\ y=2^3$과 각각 2개의 점에서 만나고 $y=2^n\ (n\geq4)$과는 만나지 않는다.

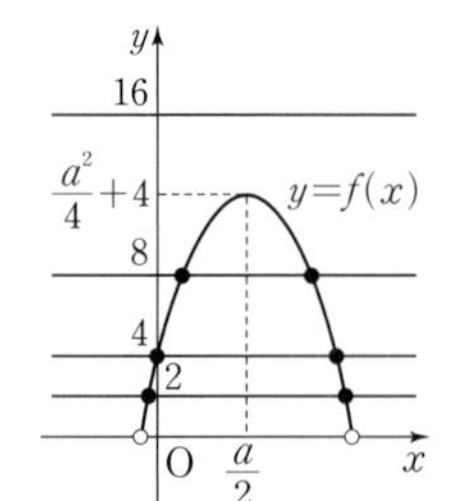

즉, $2^3<\frac{a^2}{4}+4<2^4$
$16<a^2<48$이고, a가 자연수이므로 $a=5,\ 6$
따라서 $5\times6=30$ 답 30

0276

> 모든 실수 x에 대하여 $\log_{(k-2)^2}(kx^2+kx+2)$가 정의되기 위한 정수 k의 개수는?
> $k=0$일 때와 $k>0$일 때로 나누어 생각하자.

밑의 조건에서 $(k-2)^2>0,\ (k-2)^2\neq1$
$\therefore k\neq1,\ k\neq2,\ k\neq3$ …… ㉠
진수의 조건에서 $kx^2+kx+2>0$
이 부등식이 모든 실수 x에 대하여 항상 성립하려면
(i) $k=0$일 때, $2>0$이므로 항상 성립한다.
(ii) $k>0$일 때, 이차방정식 $kx^2+kx+2=0$의 판별식을 D라 하면 $D<0$이어야 한다.
$D=k^2-8k<0,\ k(k-8)<0$
$\therefore 0<k<8$
(i), (ii)에 의하여 $0\leq k<8$ …… ㉡
㉠, ㉡에서 구하는 정수 k는 0, 4, 5, 6, 7의 5개이다. 답 ③

0277

> $\log_2 6-\log_2\frac{3}{2}$의 값은?
> └• 로그의 성질 $\log_a M-\log_a N=\log_a\frac{M}{N}$을 이용하자.

$$\log_2 6-\log_2\frac{3}{2}=\log_2\frac{6}{\frac{3}{2}}=\log_2 4$$
$$=\log_2 2^2=2$$
답 ⑤

0278

> $\log_3 6+\log_3 27-\log_3 2$의 값은?
> └• 로그의 성질에 의해 $\log_3 6=\log_3 3+\log_3 2=1+\log_3 2$

$$\log_3 6+\log_3 27-\log_3 2=\log_3\frac{6\cdot27}{2}$$
$$=\log_3 3^4=4$$
답 ④

0279

> $\log_2\frac{4}{3}+2\log_2\sqrt{6}$의 값은?
> └• 로그의 성질 $\log_a M^k=k\log_a M$을 이용하자.

$$\log_2\frac{4}{3}+2\log_2\sqrt{6}=\log_2\frac{4}{3}+\log_2(\sqrt{6})^2$$
$$=\log_2\left(\frac{4}{3}\times6\right)$$
$$=\log_2 8=\log_2 2^3=3$$
답 ③

0280

> $\frac{1}{3}\log_2\frac{5}{4}-\log_2\frac{\sqrt[3]{10}}{8}-\frac{1}{3}\log_2 4$의 값은?
> └• $\frac{1}{3}\log_2 10-3$이다.

$$\frac{1}{3}\log_2\frac{5}{4}-\log_2\frac{\sqrt[3]{10}}{8}-\frac{1}{3}\log_2 4$$
$$=\frac{1}{3}(\log_2 5-2)-\left(\frac{1}{3}\log_2 10-3\right)-\frac{2}{3}$$

$=\frac{1}{3}\log_2 5-\frac{2}{3}-\frac{1}{3}(\log_2 5+\log_2 2)+3-\frac{2}{3}$

$=-\frac{2}{3}-\frac{1}{3}+3-\frac{2}{3}=\frac{4}{3}$

답 ④

0281

$(\log_6 3)^3+\log_6 27\cdot\log_6 2+(\log_6 2)^3$의 값은?

└• $\log_6 3=A$, $\log_6 2=B$라 하고, A, B로 나타내보자.

$\log_6 3=A$, $\log_6 2=B$라 하면

$A+B=\log_6 3+\log_6 2=\log_6(3\times 2)$

$=\log_6 6=1$

$\log_6 27=\log_6 3^3=3\log_6 3=3A$이므로

$(\log_6 3)^3+\log_6 27\cdot\log_6 2+(\log_6 2)^3$

$=A^3+3AB+B^3$

$=A^3+3AB(A+B)+B^3$ ($\because A+B=1$)

$=(A+B)^3=1$

답 ①

0282

$\log_7\left(1-\frac{1}{2}\right)+\log_7\left(1-\frac{1}{3}\right)+\log_7\left(1-\frac{1}{4}\right)+\cdots+\log_7\left(1-\frac{1}{49}\right)$

의 값은?

└• $\log_7\frac{1}{2}+\log_7\frac{2}{3}+\log_7\frac{3}{4}\cdots$

$\log_7\left(1-\frac{1}{2}\right)+\log_7\left(1-\frac{1}{3}\right)+\log_7\left(1-\frac{1}{4}\right)+\cdots+\log_7\left(1-\frac{1}{49}\right)$

$=\log_7\frac{1}{2}+\log_7\frac{2}{3}+\log_7\frac{3}{4}+\cdots+\log_7\frac{48}{49}$

$=\log_7\left(\frac{1}{2}\times\frac{2}{3}\times\frac{3}{4}\times\cdots\times\frac{48}{49}\right)$

$=\log_7\frac{1}{49}=\log_7 7^{-2}=-2$

답 ①

0283

함수 $f(x)=\log_2\left(1+\frac{1}{x}\right)$에 대하여

$f(1)+f(2)+f(3)+\cdots+f(n)=5$

일 때, 자연수 n의 값을 구하시오.

└• $\log_2\frac{x+1}{x}$이다.

$f(x)=\log_2\left(1+\frac{1}{x}\right)=\log_2\frac{x+1}{x}$이므로

$f(1)+f(2)+f(3)+\cdots+f(n)$

$=\log_2\frac{2}{1}+\log_2\frac{3}{2}+\log_2\frac{4}{3}+\cdots+\log_2\frac{n+1}{n}$

$=\log_2\left(\frac{2}{1}\times\frac{3}{2}\times\frac{4}{3}\times\cdots\times\frac{n+1}{n}\right)$

$=\log_2(n+1)=5$

따라서 $n+1=2^5$이므로 $n=31$

답 31

0284

a, x, y가 양의 실수이고

$A=\log_a\frac{x^2}{y^3}$, $B=\log_a\frac{y^2}{x^3}$

일 때, $3A+2B$와 같은 것은? (단, $a\neq1$, $x\neq1$, $y\neq1$)

└• 로그의 성질 $\log_a M^k=k\log_a M$을 이용하자.

① $\log_a\frac{1}{x^5}$ ② $\log_a\frac{1}{y^5}$ ③ $\log_a\frac{1}{xy}$

④ $\log_a\frac{x^5}{y^5}$ ⑤ $\log_a\frac{x^5}{y^7}$

$3A+2B=3\log_a\frac{x^2}{y^3}+2\log_a\frac{y^2}{x^3}$

$=\log_a\left(\frac{x^2}{y^3}\right)^3+\log_a\left(\frac{y^2}{x^3}\right)^2$

$=\log_a\left(\frac{x^6}{y^9}\times\frac{y^4}{x^6}\right)=\log_a\frac{1}{y^5}$

답 ②

0285

$f(n)=\log_2\left(\frac{1}{n+3}+1\right)$에 대하여

$f(1)+f(2)+f(3)+\cdots+f(2^{100}-4)$의 값을 구하시오.

• $\log_2\left(\frac{n+4}{n+3}\right)$

$f(n)=\log_2\left(\frac{1}{n+3}+1\right)=\log_2\left(\frac{n+4}{n+3}\right)$이므로

$f(1)+f(2)+f(3)+\cdots+f(2^{100}-4)$

$=\log_2\frac{5}{4}+\log_2\frac{6}{5}+\log_2\frac{7}{6}+\cdots+\log_2\frac{2^{100}}{2^{100}-1}$

$=\log_2\left(\frac{5}{4}\times\frac{6}{5}\times\frac{7}{6}\times\cdots\times\frac{2^{100}}{2^{100}-1}\right)$

$=\log_2\frac{2^{100}}{4}=\log_2 2^{98}=98$

답 98

0286

$\log_4 5\cdot\log_5 7\cdot\log_7 16$의 값은?

└• $\log_a b\cdot\log_b c\cdot\log_c a=1$임을 이용하자.

$\log_4 5\cdot\log_5 7\cdot\log_7 16=\frac{\log_2 5}{\log_2 4}\cdot\frac{\log_2 7}{\log_2 5}\cdot\frac{\log_2 16}{\log_2 7}$

$=\frac{\log_2 16}{\log_2 4}=\log_4 16=\log_4 4^2=2$

답 ②

0287

$x=2\log_3 4+\frac{1}{2}\log_3 100-\frac{3}{\log_2 3}$일 때, 3^x의 값은?

└• 로그의 밑의 변환 공식에 의해 $3\times\log_3 2$이다.

$x=2\log_3 4+\frac{1}{2}\log_3 100-\frac{3}{\log_2 3}$

$=\log_3 4^2+\frac{1}{2}\log_3 10^2-3\cdot\frac{1}{\log_2 3}$

$=\log_3 16+\frac{2}{2}\log_3 10-3\log_3 2$

$=\log_3 16+\log_3 10-\log_3 8$

$=\log_3 \frac{16\times 10}{8}=\log_3 20$

$\therefore 3^x=20$

답 ⑤

0288

> $\log_5 35-\frac{\log_7 14}{\log_7 5}+\frac{1}{\log_{10} 5}$의 값을 구하시오.
>
> • 로그의 밑의 변환 공식에 의해 $\log_5 14$이다.

$\log_5 35-\frac{\log_7 14}{\log_7 5}+\frac{1}{\log_{10} 5}$

$=\log_5 35-\log_5 14+\log_5 10$

$=\log_5 \frac{35\times 10}{14}=\log_5 25=\log_5 5^2=2$

답 2

0289

> $\log_a 3\cdot\log_3 5\cdot\log_5 b=12$일 때, $\frac{\log_2\sqrt{b}}{\log_2 a}$의 값은?
>
> • $\frac{\log_c 3}{\log_c a}\cdot\frac{\log_c 5}{\log_c 3}\cdot\frac{\log_c b}{\log_c 5}$ (단, c는 1이 아닌 임의의 양수)

$\log_a 3\cdot\log_3 5\cdot\log_5 b=\frac{\log_{10} 3}{\log_{10} a}\times\frac{\log_{10} 5}{\log_{10} 3}\times\frac{\log_{10} b}{\log_{10} 5}$

$=\frac{\log_{10} b}{\log_{10} a}=\log_a b=12$

$\therefore \frac{\log_2\sqrt{b}}{\log_2 a}=\log_a\sqrt{b}=\frac{1}{2}\log_a b=\frac{1}{2}\times 12=6$

답 ④

0290

> 다음 등식이 성립할 때, k의 값을 구하시오. (단, $x>0$, $x\neq 1$)
>
> $$\frac{1}{\log_2 x}+\frac{1}{\log_3 x}+\frac{1}{\log_4 x}=\frac{1}{\log_k x}$$
>
> • 진수가 같으므로 밑의 변환 공식을 써서 밑을 같게 하자.

$\frac{1}{\log_2 x}+\frac{1}{\log_3 x}+\frac{1}{\log_4 x}=\log_x 2+\log_x 3+\log_x 4$

$=\log_x (2\times 3\times 4)=\log_x 24$

$=\frac{1}{\log_{24} x}=\frac{1}{\log_k x}$

$\therefore k=24$

답 24

0291

> $\sum_{n=2}^{31}(\log_n 2-\log_{n+1} 2)$의 값을 구하시오.
>
> • 진수가 같으므로 밑의 변환 공식을 써서 밑을 같게 하자.

$\sum_{n=2}^{31}(\log_n 2-\log_{n+1} 2)$

$=\sum_{n=2}^{31}\left\{\frac{1}{\log_2 n}-\frac{1}{\log_2 (n+1)}\right\}$

$=\left(\frac{1}{\log_2 2}-\frac{1}{\log_2 3}\right)+\left(\frac{1}{\log_2 3}-\frac{1}{\log_2 4}\right)+\cdots$

$+\left(\frac{1}{\log_2 31}-\frac{1}{\log_2 32}\right)$

$=\frac{1}{\log_2 2}-\frac{1}{\log_2 32}$

$=1-\frac{1}{5}=\frac{4}{5}$

답 $\frac{4}{5}$

0292

> $\log_{\sqrt{3}} 3+\log_4 \frac{1}{2}$의 값은?
>
> • 로그의 성질 $\log_{a^m} b^n=\frac{n}{m}\log_a b$를 이용하자.

$\log_{\sqrt{3}} 3+\log_4 \frac{1}{2}=\log_{3^{\frac{1}{2}}} 3+\log_{2^2} 2^{-1}$

$=\frac{1}{\frac{1}{2}}\log_3 3+\left(-\frac{1}{2}\right)\log_2 2$

$=2-\frac{1}{2}=\frac{3}{2}$

답 ②

0293

> $(\log_2 3+\log_4 9)(\log_3 4+\log_9 2)$의 값은?
>
> • 로그의 성질 $\log_{a^m} b^n=\frac{n}{m}\log_a b$를 이용하자.

$(\log_2 3+\log_4 9)(\log_3 4+\log_9 2)$

$=(\log_2 3+\log_{2^2} 3^2)(\log_3 2^2+\log_{3^2} 2)$

$=\left(\log_2 3+\frac{2}{2}\log_2 3\right)\left(2\log_3 2+\frac{1}{2}\log_3 2\right)$

$=2\log_2 3\cdot\frac{5}{2}\log_3 2$

$=2\cdot\frac{5}{2}\log_2 3\cdot\frac{1}{\log_2 3}$

$=5$

답 ②

0294

> $\log_{\sqrt{2}}\frac{4}{\sqrt{3}}+\log_2 9+\frac{1}{2}\log_4\frac{1}{81}$의 값을 구하시오.
>
> • 로그의 성질 $\log_{a^m} b^n=\frac{n}{m}\log_a b$를 이용하자.

$\log_{\sqrt{2}}\frac{4}{\sqrt{3}}+\log_2 9+\frac{1}{2}\log_4\frac{1}{81}$

$=\log_{2^{\frac{1}{2}}}\frac{4}{\sqrt{3}}+\log_2 9+\frac{1}{2}\log_{2^2} 81^{-1}$

$=2\log_2\frac{4}{\sqrt{3}}+\log_2 9-\frac{1}{4}\log_2 81$

$=\log_2\left(\frac{4}{\sqrt{3}}\right)^2+\log_2 9-\log_2 (3^4)^{\frac{1}{4}}$

$=\log_2 \frac{16}{3}+\log_2 9-\log_2 3$

$=\log_2\left(\frac{16}{3}\times 9\div 3\right)$

$=\log_2 16=\log_2 2^4=4$ 답 4

0295

> $\log_a(\log_2 4)+\log_a(\log_4 8)+\log_a(\log_8 16)=4$를 만족하는 실수 a의 값은? (단, $a>0$, $a\neq 1$)
>
> → $\log_a(\log_2 4\cdot\log_4 8\cdot\log_8 16)$

$\log_a(\log_2 4)+\log_a(\log_4 8)+\log_a(\log_8 16)$

$=\log_a(\log_2 4\cdot\log_4 8\cdot\log_8 16)$

$=\log_a\left(\frac{\log_2 4}{\log_2 2}\cdot\frac{\log_2 8}{\log_2 4}\cdot\frac{\log_2 16}{\log_2 8}\right)$

$=\log_a(\log_2 16)$

$=\log_a 4$

이므로 주어진 조건에서

$\log_a 4=4$, $a^4=4$, $(a^2-2)(a^2+2)=0$

$(a-\sqrt{2})(a+\sqrt{2})(a^2+2)=0$

따라서 구하는 실수 a는 $\sqrt{2}$이다. 답 ④

0296

> $2^{\log_2 4}\times 8^{\frac{2}{3}}$의 값은?
>
> → 로그의 성질 $a^{\log_c b}=b^{\log_c a}$을 이용하자.

$2^{\log_2 4}\times 8^{\frac{2}{3}}=4\times(2^3)^{\frac{2}{3}}=4\times 4=16$ 답 ④

0297

> $7^{2\log_7 4+4\log_7 3-3\log_7 6}$의 값은?
>
> → 지수가 복잡할 때는 먼저 간단히 하자.

$7^{2\log_7 4+4\log_7 3-3\log_7 6}$의 지수 부분을 간단히 하면

$2\log_7 4+4\log_7 3-3\log_7 6=\log_7 4^2+\log_7 3^4-\log_7 6^3$

$=\log_7\left(\frac{4^2\times 3^4}{6^3}\right)=\log_7 6$

$\therefore 7^{2\log_7 4+4\log_7 3-3\log_7 6}=7^{\log_7 6}=6$ 답 ⑤

0298

> $T=\log_5\left(1+\frac{1}{1}\right)+\log_5\left(1+\frac{1}{2}\right)+\log_5\left(1+\frac{1}{3}\right)+\cdots+\log_5\left(1+\frac{1}{25}\right)$
>
> 이라 할 때, 25^T의 값은?
>
> → 먼저 T를 간단히 하자.

$T=\log_5\left(1+\frac{1}{1}\right)+\log_5\left(1+\frac{1}{2}\right)+\log_5\left(1+\frac{1}{3}\right)+\cdots+\log_5\left(1+\frac{1}{25}\right)$

$=\log_5 2+\log_5\frac{3}{2}+\log_5\frac{4}{3}+\cdots+\log_5\frac{26}{25}$

$=\log_5\left(2\times\frac{3}{2}\times\frac{4}{3}\times\cdots\times\frac{26}{25}\right)$

$=\log_5 26$

$\therefore 25^T=5^{2T}=5^{2\log_5 26}=5^{\log_5 26^2}=26^2$ 답 ②

0299

> 세 수 A, B, C에 대하여 $A=\log_3 2$, $B=\log_4 8$, $C=\log_2 3$일 때, A, B, C의 대소 관계로 옳은 것은?
>
> → 1보다 작다. → 밑을 같게 한 뒤 비교하자.

$A=\log_3 2<\log_3 3=1$

$B=\log_4 8=\log_{2^2} 2^3=\frac{3}{2}\log_2 2=\frac{3}{2}$

$\therefore B>A$

$C=\log_2 3>\log_2 2=1$

$B=\log_4 8=\frac{1}{2}\log_2 8=\log_2 2\sqrt{2}$이므로

$C=\log_2 3>\log_2 2\sqrt{2}=B$ $\quad\therefore C>B$

$\therefore A<B<C$ 답 ①

0300

> $\log_a\frac{1}{a}<\log_a x<\log_a 1$일 때,
>
> $A=(\log_a x)^2$, $B=\log_a x^2$, $C=\log_{\frac{1}{a}} x$의 대소 관계는?
>
> → -1이다. → 0이다.

$\log_a\frac{1}{a}<\log_a x<\log_a 1$에서 $-1<\log_a x<0$

$\log_a x=X$로 놓으면 $-1<X<0$이고,

$A=X^2$, $B=2X$, $C=-X$이므로

(i) $A-B=X^2-2X=X(X-2)>0$ $\quad\therefore A>B$

(ii) $A-C=X^2+X=X(X+1)<0$ $\quad\therefore A<C$

(i), (ii)에 의하여 $B<A<C$ 답 ③

0301

> 다음은 양수 a, x에 대하여
>
> $\log_a x^n=n\log_a x$ (단, $a\neq 1$, n은 실수)
>
> 가 성립함을 증명한 것이다.
>
> **증명**
>
> $\log_a x=k$로 놓으면 $x=$ (가) 이므로
>
> $x^n=a^{kn}$ → 로그의 정의를 이용하자.
>
> 따라서 $\log_a x^n=$ (나) 이므로
>
> $\log_a x^n=n\log_a x$ → 양변에 밑이 a인 로그를 취한 것으로 $\log_a a^{kn}$이다.
>
> 위의 증명에서 (가), (나)에 알맞은 것을 순서대로 적은 것은?

$\log_a x=k$로 놓으면 로그의 정의에 의하여

$x=\boxed{a^k}$이므로 $x^n=a^{kn}$

따라서 $\log_a x^n=\log_a a^{kn}=\boxed{kn}$이므로

$\log_a x^n=n\log_a x$

$\therefore$ (가): a^k, (나): kn

답 ①

0302

다음은 로그의 성질 $\log_p q^r = r\log_p q$를 이용하여 m이 0이 아닌 실수일 때,

$$\log_{a^m} b^n = \frac{n}{m}\log_a b \text{ (단, } a\neq 1,\ a>0,\ b>0,\ n\text{은 실수)}$$

가 성립함을 증명한 것이다.

증명

$x = \log_{a^m} b^n$으로 놓으면 $b^n =$ (가) $= (a^x)^{\text{(나)}}$

(다) $= a^x$

따라서 $x = \log_a$ (다) $= \dfrac{n}{m}\log_a b$가 성립한다.

(로그의 정의를 이용하자. / 로그의 성질 $\log_a M^k = k\log_a M$을 이용하자.)

위의 증명에서 (가), (나), (다)에 알맞은 것은?

$x = \log_{a^m} b^n$으로 놓으면 로그의 정의에 의하여

$b^n = \boxed{(a^m)^x} = (a^x)^{\boxed{m}}$

위의 식의 양변을 $\dfrac{1}{m}$ 제곱하면 $\boxed{b^{\frac{n}{m}}} = a^x$

따라서 $x = \log_a \boxed{b^{\frac{n}{m}}} = \dfrac{n}{m}\log_a b$가 성립한다.

$\therefore$ (가): $(a^m)^x$, (나): m, (다): $b^{\frac{n}{m}}$

답 ③

0303

다음은 양수 a, b, c에 대하여

$$\log_a b = \frac{\log_c b}{\log_c a} \text{ (단, } a\neq 1,\ c\neq 1)$$

가 성립함을 증명한 것이다.

증명

$\log_a b = x$, $\log_c a = y$라 하면 로그의 정의에 의하여

$a^x = b$, $c^y = a$ ($b = (a^x) = (c^y)^x$)

이때, $b =$ (가) 이므로 (나) $= \log_c b$

즉, $\log_a b \cdot \log_c a = \log_c b$이다. ($xy$이다.)

여기서 (다) 이므로 $\log_c a \neq 0$이다. (0이 아니므로 양변을 $\log_c a$로 나눌 수 있다.)

$\therefore \log_a b = \dfrac{\log_c b}{\log_c a}$

위의 증명에서 (가), (나), (다)에 알맞은 것을 순서대로 적은 것은?

$\log_a b = x$, $\log_c a = y$라 하면 로그의 정의에 의하여

$a^x = b$, $c^y = a$

이때, $b = a^x = (c^y)^x = \boxed{c^{xy}}$이므로

$\boxed{xy} = \log_c b$

$\therefore \log_a b \cdot \log_c a = \log_c b$

여기서 $\boxed{a\neq 1}$이므로 $\log_c a \neq \log_c 1 = 0$이다.

따라서 양변을 $\log_c a$로 나누면

$$\log_a b = \frac{\log_c b}{\log_c a}$$

$\therefore$ (가): c^{xy}, (나): xy, (다): $a\neq 1$

답 ②

0304

다음은 $a^{\log_b c} = c^{\log_b a}$ (a, b, c는 1이 아닌 양수)임을 증명한 것이다.

증명

주어진 등식의 좌변에 밑이 c인 로그를 취하여 정리하면

$\log_c$ (가) $=$ (나) $\cdot \log_c a =$ (나) $\cdot \dfrac{\log_b a}{\text{(나)}}$

$=$ (다)

$\therefore a^{\log_b c} = c^{\log_b a}$

(로그의 성질 $\log_a M^k = k\log_a M$을 이용하자. / 로그의 밑의 변환 공식을 이용하였다.)

위의 증명에서 (가), (나), (다)에 알맞은 것을 순서대로 적은 것은?

주어진 등식의 좌변에 밑이 c인 로그를 취하여 정리하면

$\log_c \boxed{a^{\log_b c}} = \boxed{\log_b c} \cdot \log_c a$

$= \boxed{\log_b c} \cdot \dfrac{\log_b a}{\boxed{\log_b c}}$

$= \boxed{\log_b a}$

$\therefore a^{\log_b c} = c^{\log_b a}$

$\therefore$ (가): $a^{\log_b c}$, (나): $\log_b c$, (다): $\log_b a$

답 ②

0305

$\log_{10} 2 = a$, $\log_{10} 3 = b$라 할 때, 다음 중 옳지 않은 것은?

($\log_{10}\dfrac{10}{2} = 1 - \log_{10} 2$이다. / 11은 소수이다.)

① $\log_{10} 5 = 1 - a$　② $\log_{10} 24 = 3a + b$

③ $\log_{10} 11 = a + 3b$　④ $\log_5 6 = \dfrac{a+b}{1-a}$

⑤ $\log_2 3 = \dfrac{b}{a}$

① $\log_{10} 5 = \log_{10}\dfrac{10}{2} = \log_{10} 10 - \log_{10} 2$

$= 1 - a$

② $\log_{10} 24 = \log_{10}(2^3 \cdot 3)$

$= 3\log_{10} 2 + \log_{10} 3 = 3a + b$

③ $\log_{10} 11$에서 11은 소수이므로 2와 3의 곱의 형태로 나타낼 수 없다.

④ $\log_5 6 = \dfrac{\log_{10} 6}{\log_{10} 5} = \dfrac{\log_{10} 2 + \log_{10} 3}{\log_{10} 10 - \log_{10} 2} = \dfrac{a+b}{1-a}$

⑤ $\log_2 3 = \dfrac{\log_{10} 3}{\log_{10} 2} = \dfrac{b}{a}$

따라서 옳지 않은 것은 ③이다.

답 ③

0306

$5^a = 2$, $5^b = 3$이라 할 때, $\log_6 72$를 a와 b의 식으로 바르게 나타낸 것은?

(6과 72를 소인수분해하여 2와 3의 거듭제곱을 이용하여 나타내어 보자.)

$a=\log_5 2$, $b=\log_5 3$이므로

$$\log_6 72=\frac{\log_5 72}{\log_5 6}=\frac{\log_5 8+\log_5 9}{\log_5 2+\log_5 3}=\frac{3\log_5 2+2\log_5 3}{\log_5 2+\log_5 3}=\frac{3a+2b}{a+b}$$

답 ⑤

0307

log₂ 3 = 1/b이다.

$\log_2 5=a$, $\log_3 2=b$일 때, $\log_6 15$를 a, b로 나타낸 식을 $f(a, b)$라 하자. 이때, $f(8, 9)$의 값은?

$\log_3 2=b$에서 $\log_2 3=\frac{1}{b}$

$$\therefore \log_6 15=\frac{\log_2 15}{\log_2 6}=\frac{\log_2 3+\log_2 5}{\log_2 2+\log_2 3}=\frac{\frac{1}{b}+a}{1+\frac{1}{b}}=\frac{\frac{1+ab}{b}}{\frac{b+1}{b}}=\frac{ab+1}{b+1}$$

따라서 $f(a, b)=\frac{ab+1}{b+1}$이므로

$$f(8, 9)=\frac{8\times 9+1}{9+1}=\frac{73}{10}=7.3$$

답 ③

0308

$\log_5 2=a$, $\log_5 3=b$일 때, $\log_{12}\sqrt{24}$를 a, b를 사용하여 나타내면?

$\frac{\frac{1}{2}\log_5 24}{\log_5 12}$임을 이용하자.

$\log_{12}\sqrt{24}=\frac{\log_5\sqrt{24}}{\log_5 12}$에서

$$\log_5\sqrt{24}=\frac{1}{2}\log_5 24=\frac{1}{2}\log_5(2^3\times 3)=\frac{1}{2}(3\log_5 2+\log_5 3)=\frac{1}{2}(3a+b)$$

$\log_5 12=\log_5(2^2\times 3)=2\log_5 2+\log_5 3=2a+b$

$$\therefore \log_{12}\sqrt{24}=\frac{\log_5\sqrt{24}}{\log_5 12}=\frac{\frac{1}{2}(3a+b)}{2a+b}=\frac{3a+b}{2(2a+b)}$$

답 ②

0309

$2^a=x$, $4^b=y$, $8^c=z$일 때, $\log_x y^3z^4$을 a, b, c로 나타내면? (단, $abc\neq 0$)

로그의 정의에 의하여 $\log_2 x=a$이다.

$2^a=x$에서 $\log_2 x=a$

$4^b=y$에서 $2^{2b}=y$ $\therefore \log_2 y=2b$

$8^c=z$에서 $2^{3c}=z$ $\therefore \log_2 z=3c$

$$\therefore \log_x y^3z^4=\frac{\log_2 y^3z^4}{\log_2 x}=\frac{3\log_2 y+4\log_2 z}{\log_2 x}=\frac{6b+12c}{a}$$

답 ⑤

0310

두 양수 a, b에 대하여 $a^x=b^y=3$일 때, $\log_{ab} b^3$을 x, y로 나타내면? (단, $ab\neq 1$)

$\log_3 a=\frac{1}{x}$, $\log_3 b=\frac{1}{y}$

$a^x=b^y=3$의 각 변에 밑이 3인 로그를 취하면

$\log_3 a^x=\log_3 b^y=\log_3 3$, $x\log_3 a=y\log_3 b=1$

$\therefore \log_3 a=\frac{1}{x}$, $\log_3 b=\frac{1}{y}$

$$\therefore \log_{ab} b^3=\frac{\log_3 b^3}{\log_3 ab}=\frac{3\log_3 b}{\log_3 a+\log_3 b}=\frac{\frac{3}{y}}{\frac{1}{x}+\frac{1}{y}}=\frac{\frac{3}{y}}{\frac{x+y}{xy}}=\frac{3x}{x+y}$$

답 ③

0311

근과 계수의 관계에 의하여 $\alpha+\beta=12$, $\alpha\beta=16$

이차방정식 $x^2-12x+16=0$의 두 근을 α, β라 할 때, $\log_2\alpha+\log_2\beta$의 값은?

이차방정식 $x^2-12x+16=0$의 두 근이 α, β이므로

근과 계수의 관계에 의하여

$\alpha+\beta=12$, $\alpha\beta=16$

$$\therefore \log_2\alpha+\log_2\beta=\log_2\alpha\beta=\log_2 16=\log_2 2^4=4$$

답 ②

0312

이차방정식 $x^2+x\log_2 20+2\log_2 5=0$의 두 근을 α, β라 할 때, $2^\alpha+2^\beta$의 값을 구하시오.

인수분해하여 근을 직접 구하자.

$\log_2 20=\log_2(2^2\times 5)=2+\log_2 5$이므로

주어진 이차방정식은

$x^2+(2+\log_2 5)x+2\log_2 5=0$

$(x+2)(x+\log_2 5)=0$

$\therefore x=-2$ 또는 $x=-\log_2 5$

$$\therefore 2^\alpha+2^\beta=2^{-2}+2^{-\log_2 5}=\frac{1}{4}+\frac{1}{5}=\frac{9}{20}$$

답 $\frac{9}{20}$

0313

근과 계수의 관계에 의하여 $\alpha+\beta=5$, $\alpha\beta=3$

x에 대한 이차방정식 $x^2-5x+3=0$의 두 근을 α, β라 할 때, $\log_2(\alpha+\beta^{-1})+\log_2(\beta+\alpha^{-1})+\log_2\alpha\beta$의 값은?

이차방정식 $x^2-5x+3=0$의 두 근이 α, β이므로 근과 계수의 관계에 의하여

$\alpha+\beta=5$, $\alpha\beta=3$

$\therefore \log_2(\alpha+\beta^{-1})+\log_2(\beta+\alpha^{-1})+\log_2\alpha\beta$

$=\log_2\left(\alpha+\frac{1}{\beta}\right)+\log_2\left(\beta+\frac{1}{\alpha}\right)+\log_2\alpha\beta$

$=\log_2\left(\frac{\alpha\beta+1}{\beta}\right)\left(\frac{\alpha\beta+1}{\alpha}\right)\alpha\beta=\log_2(\alpha\beta+1)^2$

$=\log_2 4^2=\log_2 2^4=4$

답 ②

0314 근과 계수의 관계에 의하여 $2+\log_2 3=a$, $2\times\log_2 3=b$

> 이차방정식 $x^2-ax+b=0$의 두 근이 2, $\log_2 3$일 때, 실수 a, b에 대하여 $\frac{b}{a}$의 값은?

이차방정식 $x^2-ax+b=0$의 두 근이 2, $\log_2 3$이므로 근과 계수의 관계에 의하여

$2+\log_2 3=a$, $2\cdot\log_2 3=b$

$\therefore \frac{b}{a}=\frac{2\cdot\log_2 3}{2+\log_2 3}=\frac{\log_2 9}{\log_2 12}=\log_{12}9=2\log_{12}3$

답 ③

0315 근과 계수의 관계에 의하여 $\log_{10}a+\log_{10}b=8$, $\log_{10}a\times\log_{10}b=2$

> 이차방정식 $x^2-8x+2=0$의 두 근이 $\log_{10}a$, $\log_{10}b$일 때, $\log_a b+\log_b a$의 값은?

이차방정식 $x^2-8x+2=0$의 두 근이 $\log_{10}a$, $\log_{10}b$이므로

근과 계수의 관계에 의하여

$\log_{10}a+\log_{10}b=8$, $\log_{10}a\cdot\log_{10}b=2$

$\therefore \log_a b+\log_b a$

$=\frac{\log_{10}b}{\log_{10}a}+\frac{\log_{10}a}{\log_{10}b}$

$=\frac{(\log_{10}a)^2+(\log_{10}b)^2}{\log_{10}a\cdot\log_{10}b}$

$=\frac{(\log_{10}a+\log_{10}b)^2-2\log_{10}a\cdot\log_{10}b}{\log_{10}a\cdot\log_{10}b}$

$=\frac{8^2-2\cdot2}{2}=30$

답 ③

0316 근과 계수의 관계에 의하여 $\log_5 a+\log_5 b=2$, $\log_5 a\times\log_5 b=-22$

> 이차방정식 $x^2-2x-22=0$의 두 근을 $\log_5 a$, $\log_5 b$라 할 때, $\log_a\sqrt{b}+\log_b\sqrt{a}$의 값을 구하시오.

이차방정식 $x^2-2x-22=0$의 두 근이 $\log_5 a$, $\log_5 b$이므로 근과 계수의 관계에 의하여

$\log_5 a+\log_5 b=2$, $\log_5 a\cdot\log_5 b=-22$

$\therefore \log_a\sqrt{b}+\log_b\sqrt{a}$

$=\frac{\frac{1}{2}\log_5 b}{\log_5 a}+\frac{\frac{1}{2}\log_5 a}{\log_5 b}$

$=\frac{\frac{1}{2}\{(\log_5 a)^2+(\log_5 b)^2\}}{\log_5 a\cdot\log_5 b}$

$=\frac{\frac{1}{2}\{(\log_5 a+\log_5 b)^2-2\log_5 a\cdot\log_5 b\}}{\log_5 a\cdot\log_5 b}$

$=\frac{\frac{1}{2}\{2^2-2(-22)\}}{-22}=-\frac{12}{11}$

답 $-\frac{12}{11}$

0317

> $150^x=25$, $6^y=125$일 때, $\frac{2}{x}-\frac{3}{y}$의 값은?
>
> 양변에 밑이 5인 로그를 취하자.

$150^x=25$에서 양변에 밑이 5인 로그를 취하면

$\log_5 150^x=\log_5 25$, $x\log_5 150=\log_5 5^2$

$x\log_5 150=2$

$\therefore \log_5 150=\frac{2}{x}$

$6^y=125$에서 양변에 밑이 5인 로그를 취하면

$\log_5 6^y=\log_5 125$, $y\log_5 6=\log_5 5^3$

$y\log_5 6=3$

$\therefore \log_5 6=\frac{3}{y}$

$\therefore \frac{2}{x}-\frac{3}{y}=\log_5 150-\log_5 6=\log_5\frac{150}{6}$

$=\log_5 25=\log_5 5^2=2$

답 ②

0318

> $2^x=9^y=18^z$일 때, $\frac{1}{x}+\frac{1}{y}-\frac{1}{z}$의 값은? (단, $xyz\neq0$)
>
> $=k$로 두고 밑이 10 (1이 아닌 임의의 양수)인 로그를 취하자.

$2^x=9^y=18^z=k$로 놓고, 각 변에 밑이 10인 로그를 취하면

$\log_{10}2^x=\log_{10}9^y=\log_{10}18^z=\log_{10}k$

$x\log_{10}2=y\log_{10}9=z\log_{10}18=\log_{10}k$

$\therefore \frac{1}{x}=\frac{\log_{10}2}{\log_{10}k}$, $\frac{1}{y}=\frac{\log_{10}9}{\log_{10}k}$, $\frac{1}{z}=\frac{\log_{10}18}{\log_{10}k}$

$\therefore \frac{1}{x}+\frac{1}{y}-\frac{1}{z}=\frac{\log_{10}2}{\log_{10}k}+\frac{\log_{10}9}{\log_{10}k}-\frac{\log_{10}18}{\log_{10}k}$

$=\frac{\log_{10}2+\log_{10}9-\log_{10}18}{\log_{10}k}$

$=\frac{\log_{10}1}{\log_{10}k}=0$

답 ③

0319

> 세 양수 a, b, c에 대하여
>
> $a^x=b^y=c^z=27$, $xy+yz+zx=xyz$
>
> 일 때, $\log_3 abc$의 값을 구하시오.
>
> 왼쪽 식에 의하여 $xyz\neq0$이므로 양변을 xyz로 나누자.

$a^x=b^y=c^z=27$에서

$a=27^{\frac{1}{x}}$, $b=27^{\frac{1}{y}}$, $c=27^{\frac{1}{z}}$

$xy+yz+zx=xyz$의 양변을 xyz로 나누면

$\frac{1}{x}+\frac{1}{y}+\frac{1}{z}=1$

$\therefore abc=27^{\frac{1}{x}}\cdot 27^{\frac{1}{y}}\cdot 27^{\frac{1}{z}}=27^{\frac{1}{x}+\frac{1}{y}+\frac{1}{z}}=27$

$\therefore \log_3 abc=\log_3 27=\log_3 3^3=3$ 답 3

0320

> 1이 아닌 세 양수 a, b, c에 대하여
> $a^x=(\sqrt{b})^y=(\sqrt[3]{c})^z=32$, $abc=1024$일 때, $\frac{1}{x}+\frac{2}{y}+\frac{3}{z}$의 값을 구하시오.
> ($a^x=32=2^5$에서 $x=\log_a 2^5=5\log_a 2$)

$a^x=32$에서 $a^x=2^5$, $x=\log_a 2^5=5\log_a 2$

$\therefore \frac{1}{x}=\frac{1}{5}\log_2 a$

$(\sqrt{b})^y=32$에서 $b^{\frac{y}{2}}=2^5$, $\frac{y}{2}=\log_b 2^5=5\log_b 2$

$\therefore \frac{2}{y}=\frac{1}{5}\log_2 b$

$(\sqrt[3]{c})^z=32$에서 $c^{\frac{z}{3}}=2^5$, $\frac{z}{3}=\log_c 2^5=5\log_c 2$

$\therefore \frac{3}{z}=\frac{1}{5}\log_2 c$

$$\begin{aligned}\therefore \frac{1}{x}+\frac{2}{y}+\frac{3}{z}&=\frac{1}{5}\log_2 a+\frac{1}{5}\log_2 b+\frac{1}{5}\log_2 c\\&=\frac{1}{5}\log_2 abc\\&=\frac{1}{5}\log_2 2^{10}\ (\because abc=1024)\\&=2\end{aligned}$$

답 2

0321

> 두 양수 a, b에 대하여
> $ab=27$, $\log_3\frac{b}{a}=5$
> 가 성립할 때, $4\log_3 a+9\log_3 b$의 값을 구하시오.
> ($\log_3 ab=\log_3 a+\log_3 b=3$)

$\log_3 ab=\log_3 a+\log_3 b=\log_3 27=\log_3 3^3=3$

$\log_3\frac{b}{a}=\log_3 b-\log_3 a=5$

이때, $\log_3 a=X$, $\log_3 b=Y$라 하면

$X+Y=3$ ……㉠

$Y-X=5$ ……㉡

㉠, ㉡을 연립하여 풀면 $X=-1$, $Y=4$

$$\begin{aligned}\therefore 4\log_3 a+9\log_3 b&=4X+9Y\\&=4\cdot(-1)+9\cdot 4=32\end{aligned}$$

답 32

0322

숫자가 크다고 당황하지 말고 소인수분해하자. $392=2^3\times 7^2$

> $\log_3\frac{1}{\sqrt[3]{2}}=a$, $\log_3\frac{1}{\sqrt{7}}=b$일 때, $\frac{\log_{10}392}{\log_{10}3}=ma+nb$라 한다. 두 정수 m, n의 곱 mn의 값을 구하시오.

$\log_3\frac{1}{\sqrt[3]{2}}=a\Longleftrightarrow \log_3 2^{-\frac{1}{3}}=a$

$\Longleftrightarrow -\frac{1}{3}\log_3 2=a$

$\Longleftrightarrow \log_3 2=-3a$

$\log_3\frac{1}{\sqrt{7}}=b\Longleftrightarrow \log_3 7^{-\frac{1}{2}}=b$

$\Longleftrightarrow -\frac{1}{2}\log_3 7=b$

$\Longleftrightarrow \log_3 7=-2b$

$$\begin{aligned}\therefore \frac{\log_{10}392}{\log_{10}3}&=\log_3 392\\&=\log_3(2^3\times 7^2)\\&=3\log_3 2+2\log_3 7\\&=-9a-4b\end{aligned}$$

따라서 $m=-9$, $n=-4$이므로

$mn=36$ 답 36

0323

> $\log_3 13$의 정수 부분을 a, 소수 부분을 b라 할 때, 2^a+3^b의 값은? (단, $0\le b<1$)
> ($\log_3 9<\log_3 13<\log_3 27$)

$\log_3 9<\log_3 13<\log_3 27$에서 $2<\log_3 13<3$이므로

$a=2$

$b=\log_3 13-2=\log_3 13-\log_3 9=\log_3\frac{13}{9}$

$\therefore 2^a+3^b=2^2+3^{\log_3\frac{13}{9}}=4+\frac{13}{9}=\frac{49}{9}$ 답 ③

0324

> $\log_2 9=n+\alpha$ (n은 정수, $0\le\alpha<1$)일 때, $\frac{n-2^\alpha}{n+2^\alpha}$의 값은?
> ($\log_2 8<\log_2 9<\log_2 16$)

$\log_2 8<\log_2 9<\log_2 16$에서 $3<\log_2 9<4$이므로 $n=3$

$\alpha=\log_2 9-3=\log_2 9-\log_2 8=\log_2\frac{9}{8}$

$\therefore \frac{n-2^\alpha}{n+2^\alpha}=\frac{3-2^{\log_2\frac{9}{8}}}{3+2^{\log_2\frac{9}{8}}}=\frac{3-\frac{9}{8}}{3+\frac{9}{8}}=\frac{5}{11}$ 답 ⑤

0325

> $\log_2 7$의 정수 부분을 x, 소수 부분을 y라 할 때,
> $\frac{2^y-2^{-y}}{2^x+2^{-x}}$의 값을 구하시오.
> ($\log_2 4<\log_2 7<\log_2 8$)

$\log_2 4<\log_2 7<\log_2 8$, 즉 $2<\log_2 7<3$이므로

$x=2$

$y=\log_2 7-2=\log_2 7-\log_2 4=\log_2\frac{7}{4}$

$\therefore \frac{2^y-2^{-y}}{2^x+2^{-x}}=\frac{2^{\log_2\frac{7}{4}}-2^{-\log_2\frac{7}{4}}}{2^2+2^{-2}}=\frac{\frac{7}{4}-\frac{4}{7}}{4+\frac{1}{4}}=\frac{\frac{33}{28}}{\frac{17}{4}}=\frac{33}{119}$

답 $\frac{33}{119}$

0326

$\log 2.38=0.3766$일 때, $\log 0.00238$의 값은?
└ $0.00238=2.38\times10^{-3}$

$$\begin{aligned}\log 0.00238&=\log(2.38\times10^{-3})\\&=\log 2.38+\log 10^{-3}\\&=0.3766-3\\&=-2.6234\end{aligned}$$

답 ②

0327

$\log 425+\log 0.0425$의 값은? (단, $\log 4.25=0.6284$)
└ $\log(4.25\times10^{-2})$

$$\begin{aligned}\log 425+\log 0.0425&=\log(4.25\times10^{2})+\log(4.25\times10^{-2})\\&=(2+\log 4.25)+(-2+\log 4.25)\\&=2\log 4.25\\&=1.2568\end{aligned}$$

답 ⑤

0328

$\log 6.21=0.7931$일 때, 다음 중 옳지 않은 것은?

① $\log 621=2.7931$
② $\log 0.0621=-1.2069$ ← $\log(6.21\times10^{-2})=0.7931+(-2)$
③ $\log 62.1=1.7931$
④ $\log 62100=5.7931$
⑤ $\log 0.00621=-2.2069$

① $\log 621=\log(6.21\times10^{2})=\log 6.21+\log 10^{2}$
$=0.7931+2=2.7931$
② $\log 0.0621=\log(6.21\times10^{-2})=\log 6.21+\log 10^{-2}$
$=0.7931-2=-1.2069$
③ $\log 62.1=\log(6.21\times10)=\log 6.21+\log 10$
$=0.7931+1=1.7931$
④ $\log 62100=\log(6.21\times10^{4})=\log 6.21+\log 10^{4}$
$=0.7931+4=4.7931$
⑤ $\log 0.00621=\log(6.21\times10^{-3})=\log 6.21+\log 10^{-3}$
$=0.7931-3=-2.2069$

답 ④

0329

$\log 3.18=0.5024$일 때, $\log 318^4+\log\sqrt{318}$의 값을 구하시오.
└ $\frac{1}{2}\log(3.18\times10^{2})$

$$\begin{aligned}\log 318^4+\log\sqrt{318}&=4\log 318+\frac{1}{2}\log 318\\&=\frac{9}{2}\log 318=\frac{9}{2}(2+\log 3.18)\\&=\frac{9}{2}\times2.5024=11.2608\end{aligned}$$

답 11.2608

0330

$\log 13.5=1.1303$일 때, $\log x=-2+0.1303$을 만족하는 x의 값은?
└ $(-3)+1.1303$

$$\begin{aligned}\log x&=-2+0.1303\\&=-3+1.1303\\&=\log 10^{-3}+\log 13.5\\&=\log(13.5\times10^{-3})\\&=\log 0.0135\end{aligned}$$

$\therefore x=0.0135$

답 ③

0331

$\log 25.6=1.4082$일 때, $\log x=2.4082$, $\log y=-2.5918$이다. $\log_2(x+10^5y)$의 값은? $(-3)+0.4082$임을 이용하자.

$\log 25.6=1.4082$에서 $\log 2.56=0.4082$
$\log x=2.4082=2+0.4082=\log 10^2+\log 2.56$
$=\log(10^2\times2.56)=\log 256$
$\therefore x=256$
$\log y=-2.5918=-3+0.4082=\log 10^{-3}+\log 2.56$
$=\log(10^{-3}\times2.56)=\log 0.00256$
$\therefore y=0.00256$
$\therefore \log_2(x+10^5y)=\log_2(256+256)=\log_2 512$
$=\log_2 2^9=9$

답 ①

0332

$\log 2=a$, $\log 3=b$일 때, $\log_{12}54$의 값을 a, b로 나타내면?
└ $\frac{\log 54}{\log 12}$이고, $12=2^2\times3$, $54=2\times3^3$이다.

$$\log_{12}54=\frac{\log 54}{\log 12}=\frac{\log 2+3\log 3}{2\log 2+\log 3}=\frac{a+3b}{2a+b}$$

답 ③

0333

$\log 2=0.3010$, $\log 3=0.4771$일 때, $\log 24$의 값은?
└ $\log(2^3\times3)$

$$\begin{aligned}\log 24&=\log(2^3\times3)=3\log 2+\log 3\\&=3\times0.3010+0.4771\\&=0.9030+0.4771\\&=1.3801\end{aligned}$$

답 ④

0334

$\log 2=0.3010$, $\log 3=0.4771$일 때, $\log\left(\frac{6}{5}\right)^{100}$의 값을 구하시오.
$\log\frac{6}{5}=\log\frac{12}{10}=\log 12-\log 10$

$\log\frac{6}{5}=\log\frac{12}{10}=\log 12-\log 10$

$=\log(2^2\times 3)-1=2\log 2+\log 3-1$

$=2\times 0.3010+0.4771-1=0.0791$

$\therefore \log\left(\frac{6}{5}\right)^{100}=100\log\frac{6}{5}=7.91$

답 7.91

0335

$4\log(2.34\times 10^2)$

다음 상용로그표를 이용하여 $\log 234^4$의 값을 구하시오.

수	0	1	2	3	4	⋯
⋮	⋮	⋮	⋮	⋮	⋮	⋰
2.2	.3424	.3444	.3464	.3483	.3502	⋯
2.3	.3617	.3636	.3655	.3674	.3692	⋯
2.4	.3802	.3820	.3838	.3856	.3874	⋯
⋮	⋮	⋮	⋮	⋮	⋮	⋱

$\log 234^4=4\log(2.34\times 10^2)$

$=4\times(0.3692+2)=9.4768$

답 9.4768

0336

$\frac{1}{3}\log(2.18\times 10^{-1})$

다음 상용로그표를 이용하여 $\log\sqrt[3]{0.218}$의 값을 구하면?

수	⋯	5	6	7	8	9
⋮	⋱	⋮	⋮	⋮	⋮	⋮
2.1	⋯	.3324	.3345	.3365	.3385	.3404
2.2	⋯	.3522	.3541	.3560	.3579	.3598
2.3	⋯	.3711	.3729	.3747	.3766	.3784
⋮	⋰	⋮	⋮	⋮	⋮	⋮

$\log\sqrt[3]{0.218}=\frac{1}{3}\log 0.218=\frac{1}{3}\log(2.18\times 10^{-1})$

$=\frac{1}{3}(\log 2.18-1)$

$=\frac{1}{3}(0.3385-1)=-0.2205$

답 ②

0337

$(-3)+0.1523$임을 이용하자.

다음 상용로그표를 이용하여 $\log x=-2.8477$을 만족하는 x의 값을 구하시오.

수	0	1	2	3	4	⋯
⋮	⋮	⋮	⋮	⋮	⋮	⋰
1.2	.0792	.0828	.0864	.0899	.0934	⋯
1.3	.1139	.1173	.1206	.1239	.1271	⋯
1.4	.1461	.1492	.1523	.1553	.1584	⋯
⋮	⋮	⋮	⋮	⋮	⋮	⋱

$\log x=-2.8477=-3+0.1523$

$=\log 10^{-3}+\log 1.42=\log 0.00142$

$\therefore x=0.00142$

답 0.00142

0338

$\log x=2.1399$일 때, x의 값을 상용로그표를 이용하여 구하시오.

상용로그표에서 $\log A=0.1399$인 A를 찾자.

상용로그표에서 $\log 1.38=0.1399$이므로

$\log x=2.1399$

$=2+\log 1.38$

$=\log(10^2\times 1.38)=\log 138$

$\therefore x=138$

답 138

0339

$10^{2.4082}$의 값을 상용로그표를 이용하여 구한 값은?

$x=10^{2.4082}$으로 놓고 양변에 상용로그를 취하자.

$x=10^{2.4082}$으로 놓고, 양변에 상용로그를 취하면

$\log x=2.4082$

상용로그표에서 $\log 2.56=0.4082$

$\log(10^2\times 2.56)=2.4082$

$\therefore x=10^2\times 2.56=256$

답 ④

0340

양수 A는 정수 부분이 다섯 자리인 수일 때, $\log A$의 값의 범위는?

$10000\leq A<100000$이고 여기에 상용로그를 취하자.

정수 부분이 다섯 자리인 수 A에 대하여 $\log A$의 정수 부분은 4이므로

$4\leq\log A<5$

답 ③

0341

예를 들어 $f(8)=f(9)=0$이고 $f(10)=f(11)=1$이다.

$f(x)$가 $\log x$의 정수 부분을 나타낸다고 할 때, $f(1)+f(2)+f(3)+\cdots+f(2000)$의 값을 구하시오.

(i) $1\leq x<10$일 때, $f(x)=0$

(ii) $10\leq x<100$일 때, $f(x)=1$

(iii) $100\leq x<1000$일 때, $f(x)=2$

(iv) $1000\leq x\leq 2000$일 때, $f(x)=3$

(i)~(iv)에서

$f(1)+f(2)+f(3)+\cdots+f(2000)$

$=0\times 9+1\times 90+2\times 900+3\times 1001$

$=4893$

답 4893

0342

$\log N$의 정수부분이 n이면 N은 $(n+1)$자리인 수이다.

$\log 3=0.4771$일 때, 3^{20}은 몇 자리 정수인가?

$\log 3^{20}=20\log 3=20\times 0.4771=9.542$

따라서 $\log 3^{20}$의 정수 부분이 9이므로 3^{20}은 10자리 정수이다.

답 ③

0343

> 부등식 $10^n < 24^{10} < 10^{n+1}$을 만족시키는 자연수 n의 값은?
> (단, $\log 2=0.3010$, $\log 3=0.4771$로 계산한다.)
>
> → 양변에 상용로그를 취하자.

$\log 10^n=n$, $\log 10^{n+1}=n+1$

$\log 24^{10}=10\log 24$
$=10(3\log 2+\log 3)$
$=13.801$

$n<13.801<n+1$이므로 $n=13$ 답 ②

0344

> 정수 n에 대하여 양의 실수 x가 $n\le\log x<n+1$일 때, $f(x)=n$이라 하자. $f(x)+f(x^2)+f(x^3)=14$를 만족시키는 $f(x)$의 값은?
>
> → $\log x=n+\alpha$ (단 n은 정수, $0\le\alpha<1$)라 놓자.

$\log x=n+\alpha$ (n은 정수, $0\le\alpha<1$)라 하면

$\log x+\log x^2+\log x^3=6\log x=6n+6\alpha$

$6n\le f(x)+f(x^2)+f(x^3)<6n+6$

$f(x)+f(x^2)+f(x^3)=14$이므로

$6n\le 14<6n+6$ $\therefore f(x)=n=2$ 답 ②

0345

> 자연수 a, b에 대하여 $a^5\times b^5$은 24자리 수이고, $\frac{a^5}{b^5}$은 정수 부분이 16자리 수이다. 이때, a는 몇 자리 수인가?
>
> → $23\le\log a^5b^5<24$
> → $15\le\log\frac{a^5}{b^5}<16$

$a^5\times b^5$이 24자리 수이므로

$23\le\log a^5b^5<24$

$\therefore \frac{23}{5}\le\log a+\log b<\frac{24}{5}$ ……㉠

또 $\frac{a^5}{b^5}$의 정수 부분이 16자리 수이므로

$15\le\log\frac{a^5}{b^5}<16$

$\therefore 3\le\log a-\log b<\frac{16}{5}$ ……㉡

㉠+㉡을 하면

$\frac{38}{5}\le 2\log a<8$, $\frac{19}{5}\le\log a<4$

$3.8\le\log a<4$

따라서 a는 4자리 수이다. 답 ④

0346

> $\log 200$의 소수 부분을 α라 할 때, 1000^α의 값은?
>
> → $\log 200$의 정수부분을 n이라 하면 소수부분 $\alpha=\log 200-n$이다.

$\log 100<\log 200<\log 1000$, 즉 $2<\log 200<3$이므로

$\log 200$의 정수 부분은 2이다.

따라서 $\log 200$의 소수 부분은

$\log 200-2=\log 200-\log 100=\log 2$

$\therefore 1000^\alpha=1000^{\log 2}=2^{\log 1000}=2^3=8$ 답 ③

0347

> x는 네 자리 자연수이고, $\log x$의 소수 부분이 0.6022일 때, $\log x^2+\log\sqrt{x}$의 값은?
>
> → 정수부분이 3, 소수부분이 0.6022이므로 $\log x=3.6022$

x는 네 자리 자연수이고, $\log x$의 소수 부분이 0.6022이므로

$\log x=3.6022$

$\therefore \log x^2+\log\sqrt{x}=2\log x+\frac{1}{2}\log x$
$=\frac{5}{2}\log x$
$=\frac{5}{2}\times 3.6022$
$=9.0055$ 답 ④

0348

> $10<x<100$이고, $\log x$와 $\log\frac{1}{x}$의 소수 부분이 같을 때, $\log x$의 값은?
>
> → $\log x-\log\frac{1}{x}=$(정수)이다.

$10<x<100$이므로

$1<\log x<2$ ……㉠

$\log x$의 소수 부분이 $\log\frac{1}{x}$의 소수 부분과 같으므로

$\log x-\log\frac{1}{x}=$(정수)

$2\log x=$(정수)

$2<2\log x<4$ (∵ ㉠)이므로

$2\log x=3$

$\therefore \log x=\frac{3}{2}$ 답 ③

0349

> $10<x<1000$인 실수 x에 대하여 $\log x$와 $\log\sqrt[3]{x}$의 소수 부분이 서로 같을 때, x의 값은?
>
> → $\log x-\frac{1}{3}\log x=$(정수)이다.

$\log x$와 $\log\sqrt[3]{x}$의 소수 부분이 같으므로

$\log x-\log\sqrt[3]{x}=\log x-\frac{1}{3}\log x=\frac{2}{3}\log x=$(정수)이다.

$10<x<1000$에서 $\log 10<\log x<\log 1000$

이므로 $1<\log x<3$

따라서 $\frac{2}{3}<\frac{2}{3}\log x<2$이므로 $\frac{2}{3}\log x=1$이다.

$\therefore \log x=\frac{3}{2}$

$\therefore x=10^{\frac{3}{2}}$ 답 ⑤

0350

정수 부분이 4자리인 실수 x에 대하여 $\log x$의 소수 부분과 $\log x\sqrt{x}$의 소수 부분의 합이 1일 때, $\log x$의 소수 부분들의 합은?

→ $\log x+\frac{3}{2}\log x=$(정수)이다.

실수 x의 정수 부분이 4자리이므로

$\log x=3+\alpha\ (0\le\alpha<1)$라 하면

$\log x\sqrt{x}=\log x^{\frac{3}{2}}=\frac{3}{2}\log x=\frac{3}{2}(3+\alpha)=4+\left(\frac{1+3\alpha}{2}\right)$

이때, $\frac{1}{2}\le\frac{1+3\alpha}{2}<2$이므로

(i) $\frac{1}{2}\le\frac{1+3\alpha}{2}<1$, 즉 $0\le\alpha<\frac{1}{3}$일 때,

$\alpha+\frac{1+3\alpha}{2}=1\quad\therefore\ \alpha=\frac{1}{5}$

(ii) $1\le\frac{1+3\alpha}{2}<2$, 즉 $\frac{1}{3}\le\alpha<1$일 때,

$\alpha+\left(\frac{1+3\alpha}{2}-1\right)=1\quad\therefore\ \alpha=\frac{3}{5}$

따라서 $\log x$의 소수 부분들의 합은 $\frac{1}{5}+\frac{3}{5}=\frac{4}{5}$

답 ④

0351

$\log N=f(N)+g(N)$ ($f(N)$은 정수, $0\le g(N)<1$)이라 하고, 다음 두 조건을 만족하는 모든 x의 값들의 곱을 X라 할 때, $\log X$의 값은? (단, $g(x)\ne0$)

→ x는 정수가 아니다.

(가) $4\le\log x<5$ → x는 5자리의 수이다.

(나) $g(x^2)=g(x^{-1})$

→ $\log x^2-\log x^{-1}=$(정수)이다.

$\log x$의 정수 부분은 4이므로

$4\le\log x<5$ ······㉠

$g(x^2)=g(x^{-1})$이므로

$\log x^2-\log x^{-1}=$(정수)

$3\log x=$(정수)

$12\le3\log x<15$ (∵ ㉠)이므로

$3\log x$의 값은 12, 13, 14가 될 수 있다.

이때, $g(x)\ne0$이므로 x의 값은

$10^{\frac{13}{3}}$, $10^{\frac{14}{3}}$

따라서 모든 x의 값의 곱 X는

$X=10^{\frac{13}{3}}\times10^{\frac{14}{3}}=10^9$

$\therefore\ \log X=\log10^9=9$

답 ①

0352

지진 발생 시 에너지의 세기를 나타내는 척도인 리히터 규모 M과 그 에너지 E 사이에는

$\log E=11.8+1.5M$

인 관계식이 성립한다. 어느 해안에서 처음 발생한 규모 9.0인 지진의 에너지를 E_1, 며칠 후 발생한 규모 5.0인 지진의 에너지를 E_2라 할 때, $\frac{E_1}{E_2}$의 값은?

→ $\log E_1=11.8+1.5\times9$이다.

$\log\frac{E_1}{E_2}=\log E_1-\log E_2$

$=(11.8+1.5\times9)-(11.8+1.5\times5)=6$

$\therefore\ \frac{E_1}{E_2}=10^6$

답 ⑤

0353

어느 도시의 인구가 P_0명에서 P명이 될 때까지 걸리는 시간 T(년)은 다음 식을 만족시킨다고 한다.

$$T=C\log\frac{P(K-P_0)}{P_0(K-P)}$$

(단, C는 상수, K는 최대 인구 수용 능력이다.)

이 도시의 최대 인구 수용 능력이 30만 명이고, 인구가 6만 명에서 10만 명이 될 때까지 10년이 걸렸다고 한다. 인구가 처음으로 15만 명 이상이 되는 것은 인구가 6만 명일 때부터 몇 년 후인가?

→ $T=10$, $K=30$, $P_0=6$, $P=10$을 대입하여 C를 구하자.

$T=C\log\frac{P(K-P_0)}{P_0(K-P)}$에

$T=10$, $K=300000$, $P_0=60000$, $P=100000$을 대입하면

$10=C\log2$에서 $C=\frac{10}{\log2}$

$P=150000$인 경우는

$T=\frac{10}{\log2}\cdot\log4=20$

따라서 인구가 처음으로 15만 명 이상이 되는 것은 20년 후이다.

답 ②

0354

용액 1 L 속에 존재하는 수소 이온의 몰(mol) 수를 기호 $[H^+]$로 나타내고 수소 이온 지수를 나타내는 pH는 $\mathrm{pH}=\log_{10}\frac{1}{[H^+]}$로 정의한다. 이때, 수소 이온의 몰수가 10% 증가하면 pH는 얼마만큼 감소하는가?

→ 원래 수소이온의 몰수를 a라 하면, 증가한 몰수는 $1.1a$이다.

수소 이온의 몰수를 a라 하면 10% 증가한 몰수는 $(1+0.1)a$이므로 그때의 pH는

$\mathrm{pH}=\log_{10}\frac{1}{1.1a}$

$=\log_{10}\frac{1}{a}+\log_{10}\frac{1}{1.1}$

$=\log_{10}\frac{1}{a}-\log_{10}1.1$

따라서 수소 이온의 몰수가 10 % 증가하면 pH는 $\log_{10}1.1$만큼 감소한다. 답 ①

0355

> 어떤 물질의 양이 반으로 줄어드는 데 걸리는 시간을 반감기라고 한다. 현재의 질량을 a, 반감기를 h년이라 할 때, t년 후에 남아 있는 물질의 양 m은
>
> $m=a\cdot 2^{-\frac{t}{h}}$
>
> 인 관계가 성립한다. 반감기가 h년인 어떤 물질 ag이 mg으로 변하려면 몇 년이 지나야 하는가?
>
> └• 주어진 식에 상용로그를 취하여 t에 대한 식으로 정리하자.

반감기가 h년인 어떤 물질 ag이 t년 후에 mg으로 변하므로

$m=a\cdot 2^{-\frac{t}{h}}$에서

양변에 상용로그를 취하면

$\log m=\log(a\cdot 2^{-\frac{t}{h}})=\log a-\frac{t}{h}\log 2$

$\frac{t}{h}\log 2=\log a-\log m=\log\frac{a}{m}$

$\therefore t=\frac{h}{\log 2}\cdot\log\frac{a}{m}$ 답 ②

0356

> 어떤 물질이 녹아 있는 용액에 단색광을 투과시킬 때 투과 전 단색광의 세기에 대한 투과 후 단색광의 세기의 비를 그 단색광의 투과도라고 한다. 투과도를 T, 단색광이 투과한 길이를 l, 용액의 농도를 d라 할 때, 다음 관계가 성립한다.
>
> $\log_{10}T=-kld$ (단, k는 양의 상수이다.)
>
> 이 물질에 대하여 투과 길이가 l_0 ($l_0>0$)이고 용액의 농도가 $3d_0$ ($d_0>0$)일 때의 투과도를 T_1, 투과 길이가 $2l_0$이고 용액의 농도가 $4d_0$일 때의 투과도를 T_2라 하자. $T_2=T_1^{\ n}$을 만족시키는 n의 값을 구하시오.
>
> └• $\log T_1=-k\cdot l_0\cdot 3d_0$
>
> $\log T_2=-k\cdot 2l_0\cdot 4d_0$

투과 길이가 l_0이고 용액의 농도가 $3d_0$일 때의 투과도가 T_1이므로

$\log_{10}T_1=-k\cdot l_0\cdot 3d_0=-3kl_0d_0$

또 투과 길이가 $2l_0$이고 용액의 농도가 $4d_0$일 때의 투과도가 T_2이므로

$\log_{10}T_2=-k\cdot 2l_0\cdot 4d_0=-8kl_0d_0$

$\therefore \log_{10}T_2=\frac{8}{3}\log_{10}T_1$

$\therefore T_2=T_1^{\frac{8}{3}}$

$\therefore n=\frac{8}{3}$ 답 $\frac{8}{3}$

0357

> 소리가 건물의 벽을 통과할 때, 일정 비율만 실내로 투과되고 나머지는 반사되거나 흡수된다. 이때, 실내로 투과되는 소리의 비율을 투과율이라 한다. 확성기의 음향출력이 W(와트)일 때, 투과율이 α인 건물에서 r(m)만큼 떨어진 지점에 있는 확성기로부터 실내로 투과되는 소리의 세기 P(데시벨)는 다음과 같다.
>
> $P=10\log\frac{\alpha W}{I_0}-20\log r-11$
>
> (단, $I_0=10^{-12}$ (와트/m^2)이고 $r>1$이다.)
>
> 확성기에서 음향출력이 100(와트)인 소리가 나오고 있다. 투과율이 $\frac{1}{100}$인 건물의 실내로 투과되는 소리의 세기가 59(데시벨) 이하가 되게 할 때, 확성기와 건물 사이의 최소 거리는? (단, 소리는 공간으로 골고루 퍼져나가고, 투과율 이외의 다른 요인은 고려하지 않는다고 가정한다.)
>
> • $\alpha=\frac{1}{100}$로 상수이다.
>
> └• $P\le 59$를 만족하는 r의 최솟값을 구하자.
>
> 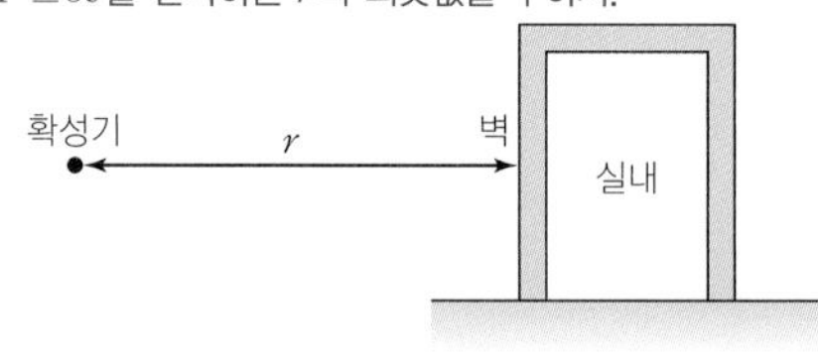
>

$P=10\log\frac{\alpha W}{I_0}-20\log r-11$ ($I_0=10^{-12}$, $r>1$)에서

$W=100$, $\alpha=\frac{1}{100}$이고, 소리의 세기가 59 이하가 되게 하려고 하므로

$10\log\frac{\frac{1}{100}\times 100}{10^{-12}}-20\log r-11\le 59$

$10\times\log 10^{12}-20\log r\le 70$

$120-20\log r\le 70$

$\log r\ge\frac{5}{2}$

$\therefore r\ge 10^{\frac{5}{2}}$

따라서 확성기와 건물 사이의 최소 거리는 $10^{\frac{5}{2}}$ m이다. 답 ⑤

0358

> 어떤 물체와 그것을 둘러싸고 있는 공기의 온도차의 변화를 나타내는 뉴턴의 냉각법칙은 다음과 같다.
>
> $\log D(t)=-kt+\log D_0$
>
> $D(t)$: t시간 후 물체와 공기의 온도 차
>
> D_0 : 처음 상태에서 물체와 공기의 온도 차
>
> k : 비례상수
>
> • $D_0=20$, $D(1)=10$이다.
>
> 공기의 온도가 35 ℃인 상태에서 처음 온도가 15 ℃인 물체가 25 ℃로 되는 데 1시간이 걸렸다. 처음 온도가 15 ℃이던 이 물체의 3시간이 지난 후의 온도를 구하시오.
>
> └• 먼저 $\log D(3)$의 값을 구하자.

$D_0=20$(℃)이므로

$\log D(t) = -kt + \log 20$ ⋯⋯ ㉠
$D(1) = 10(℃)$이므로
㉠의 양변에 $t=1$을 대입하면
$\log D(1) = -k + \log 20$
즉, $\log 10 = -k + \log 20$ $\quad \therefore k = \log 2$
$\therefore \log D(t) = (-\log 2) \times t + \log 20$
이 식의 양변에 $t=3$을 대입하면
$\log D(3) = (-\log 2) \times 3 + \log 20$
$= \log \frac{20}{8} = \log \frac{5}{2}$
$\therefore D(3) = \frac{5}{2} = 2.5(℃)$
따라서 3시간 후 물체의 온도는
$35 - 2.5 = 32.5(℃)$ 답 32.5 ℃

0359

n시간 후의 박테리아의 수는 2×3^n이다.

실험실에서 어떤 박테리아의 번식력을 측정하였더니 1시간마다 3배로 증가하였다. 처음에 2마리의 박테리아로 번식력을 측정하였다면 10000마리 이상이 되기까지 걸리는 시간을 구하시오.
(단, $\log 2 = 0.3$, $\log 3 = 0.5$로 계산한다.)

n시간 후의 박테리아의 수는 2×3^n이다.
$2 \times 3^n \geq 10000$
$\log 2 + n \log 3 \geq 4 \log 10$
$0.5n \geq 4 - 0.3$
$\therefore n \geq 7.4$
따라서 10000마리 이상이 되는 것은 7.4시간 후이다. 답 7.4시간

0360

현재의 인구수를 a라 하면 n개월 후의 인구수는 $a \times 1.01^n$이다.

A 도시의 인구증가율이 매월 1 %일 때, 현재 인구의 2배 이상이 되는 것은 몇 개월 후부터인가?
(단, $\log 1.01 = 0.0043$, $\log 2 = 0.3010$)

현재의 인구수를 a라 하면 n개월 후의 인구수는 $a \times 1.01^n$이다.
$a \times 1.01^n \geq 2a$에서 $1.01^n \geq 2$
$n \log 1.01 \geq \log 2$
$\therefore n \geq \frac{0.3010}{0.0043} = 70$
따라서 현재 인구의 2배 이상 되는 것은 70개월 후부터이다. 답 ③

0361

빛이 어떤 유리창을 통과할 때마다 그 밝기가 8 %씩 감소한다고 한다. 밝기가 1000 lx인 빛이 같은 유리창 10개를 통과하였을 때 빛의 밝기는?
처음 밝기를 a라 하면 n개의 유리창을 통과하고 난 뒤 밝기는 $a \times 0.92^n$이다.
(단, $\log 9.2 = 0.9638$, $\log 4.345 = 0.6380$으로 계산한다.)

10개의 유리창을 통과하고 난 후의 빛의 밝기를 k라 하면
$k = 1000 \times \left(\frac{92}{100}\right)^{10}$
양변에 상용로그를 취하면
$\log k = 3 + 10 \log\left(\frac{92}{100}\right) = 3 + 10(\log 9.2 - 1)$
$= 3 + 10 \times (-0.0362)$
$= 2 + 0.638 = 2 + \log 4.345$
$\therefore k = 4.345 \times 10^2 = 434.5(\text{lx})$ 답 ③

0362

n일 후 물의 양은 $100 \times (0.95)^n$이다.

100 L의 물이 매일 전날의 5 %가 감소한다. 남아 있는 물이 처음 양의 절반 이하가 되는 것은 며칠 후인가?
(단, $\log 9.5 = 0.9777$, $\log 2 = 0.3010$)

n일 후의 물의 양은 $100 \times (1-0.05)^n$이므로 남아 있는 물이 처음 양의 절반 이하가 되려면
$100 \times (1-0.05)^n \leq 100 \times \frac{1}{2}$
$(1-0.05)^n \leq \frac{1}{2}$
양변에 상용로그를 취하면
$n \log 0.95 \leq -\log 2$
$n \times (-1 + 0.9777) \leq -0.3010$
$n \geq \frac{0.3010}{0.0223} = 13.4 \times\times\times$
따라서 남아 있는 물이 처음 양의 절반 이하가 되는 것은 14일 후이다.
답 ②

0363

n년후 총인구를 S_n이라 하면 $S_n = 1000 \times (1.003)^n$

총인구에서 65세 이상 인구가 차지하는 비율이 20 % 이상인 사회를 초고령화 사회라고 한다. 2000년 어느 나라의 총인구는 1000만 명, 65세 이상 인구는 50만 명이었다. 이 나라의 총인구는 매년 전년도보다 0.3 %씩 증가하고, 65세 이상 인구는 매년 전년도보다 4 %씩 증가한다고 가정할 때, 처음으로 초고령화 사회가 되는 시기는?
n년후 65세 이상의 인구를 T_n이라 하면 $T_n = 50 \times (1.004)^n$
(단, $\log 1.003 = 0.0013$, $\log 1.04 = 0.0170$, $\log 2 = 0.3010$)

① 2008년 ~ 2010년 ② 2018년 ~ 2020년
③ 2028년 ~ 2030년 ④ 2038년 ~ 2040년
⑤ 2048년 ~ 2050년

2000년으로부터 n년 후의 총인구를 S_n(만 명), 65세 이상의 인구를 T_n(만 명)이라 하면
$S_n = 1000 \times (1+0.003)^n$
$T_n = 50 \times (1+0.04)^n$
이므로 n년 후에 초고령화 사회로 진입한다고 하면
$\frac{T_n}{S_n} = \frac{50 \times 1.04^n}{1000 \times 1.003^n} \geq 0.2$
$\therefore \left(\frac{1.04}{1.003}\right)^n \geq 4$ ⋯⋯ ㉠
㉠의 양변에 상용로그를 취하여 정리하면
$n(\log 1.04 - \log 1.003) \geq 2 \log 2$
$n(0.0170 - 0.0013) \geq 2 \times 0.3010$

$\therefore n \geq \frac{0.6020}{0.0157} = 38.3\times\times\times$

따라서 ④ 2038년 ~ 2040년에 초고령화 사회가 된다. 답 ④

0364

> $\log_{(x-3)}(-x^2+8x-12)$가 정의되도록 하는 정수 x의 개수는?
> - 진수는 양수
> - 밑은 1이 아닌 양수

밑의 조건에서 $x-3>0$, $x-3\neq1$

$\therefore x>3$, $x\neq4$ ······ ㉠

진수의 조건에서 $-x^2+8x-12>0$

$x^2-8x+12<0$, $(x-2)(x-6)<0$

$\therefore 2<x<6$ ······ ㉡

㉠, ㉡의 공통 범위를 구하면

$3<x<4$ 또는 $4<x<6$

따라서 구하는 정수 x는 5의 1개이다. 답 ①

0365

> $\log_2 5\sqrt{3}+\log_2\frac{24}{5}-\log_2 3\sqrt{3}$의 값은?
> - 로그의 성질 $\log_a M+\log_a N=\log_a MN$, $\log_a M-\log_a N=\log_a\frac{M}{N}$을 이용하자.

$\log_2 5\sqrt{3}+\log_2\frac{24}{5}-\log_2 3\sqrt{3}$

$=\log_2\left(5\sqrt{3}\times\frac{24}{5}\right)-\log_2 3\sqrt{3}$

$=\log_2 24\sqrt{3}-\log_2 3\sqrt{3}=\log_2\frac{24\sqrt{3}}{3\sqrt{3}}$

$=\log_2 8=\log_2 2^3=3$ 답 ④

0366

> $\log_a x=\frac{1}{3}$, $\log_b x=\frac{1}{4}$, $\log_c x=\frac{1}{5}$일 때, $\frac{1}{\log_{abc}x}$의 값은?
> - $\log_x a=3$이다.
> - $\log_x abc$이다.

$\log_a x=\frac{1}{3}$, $\log_b x=\frac{1}{4}$, $\log_c x=\frac{1}{5}$에서

$\log_x a=3$, $\log_x b=4$, $\log_x c=5$

$\therefore \frac{1}{\log_{abc}x}=\log_x abc=\log_x a+\log_x b+\log_x c$

$=3+4+5=12$ 답 ④

0367

> $x=2\log_3\frac{2\sqrt{2}}{3}+\log_3\sqrt{162}-\frac{1}{2}\log_3 32$일 때, 3^x의 값은?
> - $\log_3 9\sqrt{2}$
> - $\log_3\sqrt{32}$

$x=2\log_3\frac{2\sqrt{2}}{3}+\log_3\sqrt{162}-\frac{1}{2}\log_3 32$

$=\log_3\left(\frac{2\sqrt{2}}{3}\right)^2+\log_3\sqrt{162}-\log_3\sqrt{32}$

$=\log_3\frac{8}{9}+\log_3 9\sqrt{2}-\log_3 4\sqrt{2}$

$=\log_3\left(\frac{8}{9}\times9\sqrt{2}\times\frac{1}{4\sqrt{2}}\right)$

$=\log_3 2$

$\therefore 3^x=3^{\log_3 2}=2$ 답 ⑤

0368

> $\log_{10}5=a$, $\log_2 6=b$일 때, $\log_4 0.12$를 a, b를 사용하여 나타내면?
> - $\frac{\log_{10}2+\log_{10}3}{\log_{10}2}=b$
> - $1-\log_{10}2=a$

$a=\log_{10}5=\log_{10}\frac{10}{2}=1-\log_{10}2$

$\therefore \log_{10}2=1-a$

$b=\log_2 6=\frac{\log_{10}6}{\log_{10}2}=\frac{\log_{10}2+\log_{10}3}{\log_{10}2}$

$=\frac{1-a+\log_{10}3}{1-a}$

$\therefore \log_{10}3=-ab+a+b-1$

$\therefore \log_4 0.12=\frac{\log_{10}0.12}{\log_{10}4}=\frac{\log_{10}\frac{12}{100}}{\log_{10}4}$

$=\frac{\log_{10}12-\log_{10}100}{\log_{10}2^2}$

$=\frac{2\log_{10}2+\log_{10}3-\log_{10}10^2}{2\log_{10}2}$

$=\frac{2(1-a)+(-ab+a+b-1)-2}{2(1-a)}$

$=\frac{ab+a-b+1}{2(a-1)}$ 답 ①

0369

> 세 양수 a, b, c가 다음 조건을 모두 만족한다.
>
> (가) $a^x=b^y=c^z=256$ (나) $abc=16$
>
> 이때, $\frac{1}{x}+\frac{1}{y}+\frac{1}{z}$의 값은?
> - $256=2^8$이므로 $x=8\log_a 2$

$a^x=b^y=c^z=256=2^8$에서

$x=8\log_a 2$, $y=8\log_b 2$, $z=8\log_c 2$

$\therefore \frac{1}{x}+\frac{1}{y}+\frac{1}{z}=\frac{1}{8\log_a 2}+\frac{1}{8\log_b 2}+\frac{1}{8\log_c 2}$

$=\frac{1}{8}(\log_2 a+\log_2 b+\log_2 c)$

$=\frac{1}{8}\log_2 abc=\frac{1}{8}\log_2 16$ ($\because$ (나))

$=\frac{1}{8}\log_2 2^4=\frac{1}{8}\cdot4=\frac{1}{2}$ 답 ②

0370 서술형

$(-2)+0.5132$

> $\log 3.26=0.5132$일 때, $a=\log 0.326$, $\log b=-1.4868$을 만족하는 a, b에 대하여 $10000(a+b)$의 값을 구하시오.

$a=\log 0.326=\log(3.26\times 10^{-1})$
$=\log 10^{-1}+\log 3.26$
$=-1+0.5132$
$=-0.4868$ …… 30%

$\log b=-1.4868$
$=-2+0.5132$
$=\log 10^{-2}+\log 3.26$
$=\log(3.26\times 10^{-2})$
$=\log 0.0326$

$\therefore b=0.0326$ …… 40%

$\therefore 10000(a+b)=10000(-0.4868+0.0326)$
$=-4542$ …… 30%

답 -4542

0371

> $\log(453\times k)=2.3291$일 때, 상용로그표를 이용하여 구한 k의 값은?
>
> $\log 453+\log k$

수	0	1	2	3	…
⋮	⋮	⋮	⋮	⋮	⋰
4.5	.6532	.6542	.6551	.6561	…
4.6	.6628	.6637	.6646	.6656	…
4.7	.6721	.6730	.6739	.6749	…
⋮	⋮	⋮	⋮	⋮	⋱

$\log(453\times k)=2.3291$에서 $\log 453+\log k=2.3291$

$\log k=2.3291-\log 453=2.3291-\log(4.53\times 10^2)$
$=2.3291-(2+0.6561)$
$=-0.3270=-1+0.6730$

따라서 주어진 상용로그표로부터 $\log 4.71=0.6730$이므로

$\log k=-1+\log 4.71$
$=\log(4.71\times 10^{-1})$
$=\log 0.471$

$\therefore k=0.471$

답 ④

0372

> 양수 N에 대하여
> $\log N=f(N)+g(N)$ ($f(N)$은 정수, $0\le g(N)<1$)으로 나타낼 때, $f(7230)+f(0.235)$의 값은?
>
> $f(N)$은 $\log N$의 정수부분, $g(N)$은 소수부분이다.

7230은 네 자리수이므로

$f(7230)=3$

0.235는 소수점 아래 첫째 자리에서 처음으로 0이 아닌 숫자가 나타나므로

$f(0.235)=-1$

$\therefore f(7230)+f(0.235)=3+(-1)=2$

답 ①

0373

> $10^3<x<10^4$이고, $\log x$의 소수 부분과 $\log x^3$의 소수 부분이 같을 때, $\log x^2$의 값은?
>
> $3\log x-\log x=$(정수)이다.

$10^3<x<10^4$이므로

$3<\log x<4$ ……㉠

$\log x$의 소수 부분과 $\log x^3$의 소수 부분이 같으므로

$\log x^3-\log x=$(정수)

$2\log x=$(정수)

㉠에 의해 $6<2\log x<8$이므로

$2\log x=7$

$\therefore \log x^2=2\log x=7$

답 ⑤

0374 서술형

> 어느 물탱크에 서식하고 있는 박테리아를 제거하기 위하여 약품을 투여하려고 한다. 물탱크에 있는 물 1 mL당 초기 박테리아 수를 C_0, 약품을 투여한지 t시간이 지나는 순간 1 mL당 박테리아 수를 C라 할 때, 다음 관계식이 성립한다고 하자.
>
> $\log\dfrac{C}{C_0}=-kt$ (k는 양의 상수)
>
> 물 1 mL당 초기 박테리아 수가 8×10^5이고, 약품을 투여한 지 3시간이 지나는 순간 1 mL당 박테리아 수는 2×10^5이 된다고 한다. 약품을 투여한 지 a시간 후에 처음으로 1 mL당 박테리아 수가 8×10^3 이하가 되었다. 이때, a의 값을 구하시오.
>
> (단, $\log 2=0.3$으로 계산한다.)
>
> $C_0=8\times 10^5$
>
> $t=3$, $C=2\times 10^5$을 주어진 식에 대입하여 k를 구하자.

물 1 mL당 초기 박테리아 수가 8×10^5이고, 약품을 투여한 지 3시간이 지나는 순간 1 mL당 박테리아 수는 2×10^5이 되므로

$\log\dfrac{C}{C_0}=-kt$에 $C_0=8\times 10^5$, $t=3$, $C=2\times 10^5$을 대입하면

$\log\dfrac{2\times 10^5}{8\times 10^5}=-3k$, $\log 2^{-2}=-3k$

$-2\log 2=-3k$

$\therefore k=0.2$ …… 40%

또 약품을 투여한 지 a시간 후에 처음으로

1 mL당 박테리아 수가 8×10^3 이하가 되므로

$\log\dfrac{C}{C_0}=-0.2t$에 $C_0=8\times 10^5$, $t=a$, $C=8\times 10^3$을 대입하면

$\log\dfrac{8\times 10^3}{8\times 10^5}=-0.2a$, $\log 10^{-2}=-0.2a$ …… 40%

$-2=-0.2a$ $\therefore a=10$ …… 20%

답 10

0375

$2\,\text{m}$씩 n번 내려갔을 때 빛의 양은 $100\times(0.85)^n$이다.

> 어느 호수는 수면 아래로 $2\,\text{m}$씩 내려갈 때마다 빛의 양이 15 % 씩 줄어든다고 한다. 호수 면에 비친 처음 빛의 양을 100 lx라고 할 때, 수심 $20\,\text{m}$인 곳에서의 빛의 양을 구하시오. (단, lx는 빛의 단위이고, $\log 8.5=0.93$, $\log 2.0=0.30$으로 계산한다.)
>
> $2\,\text{m}$씩 10번 내려간 것이다.

수심 $20\,\text{m}$는 $2\,\text{m}$씩 10번 내려간 것이므로 수심 $20\,\text{m}$인 곳에서의 빛의 양을 k라 하면

$k=100\times(0.85)^{10}$

양변에 상용로그를 취하면

$\log k=\log 100+10\log 0.85$

$=2+10\log 0.85$

$=2+10(-1+0.93)=2-0.7$

$=1+0.3=1+\log 2=\log 20$

$k=20$이므로 구하는 빛의 양은 20 lx이다. 답 20 lx

0376

> 1보다 큰 두 양수 a, b에 대하여 $\log_a 8=\log_{\sqrt{b}} 4$인 관계가 성립할 때, $\log_a\sqrt{b}+\log_{ab}\sqrt[3]{a^2b^2}$의 값은?
>
> $3\log_a 2=4\log_b 2$

$\log_a 8=\log_{\sqrt{b}} 4 \iff \log_a 2^3=\log_{\sqrt{b}} 2^2$

$\iff 3\log_a 2=\dfrac{2}{\frac{1}{2}}\log_b 2$

$\iff 3\log_a 2=4\log_b 2$

우변에 밑이 a인 로그를 취하면 $3\log_a 2=\dfrac{4\log_a 2}{\log_a b}$

$3\log_a 2=\dfrac{4\log_a 2}{\log_a b}$에서 $\log_a b=\dfrac{4}{3}$

$\log_a\sqrt{b}=\dfrac{1}{2}\log_a b=\dfrac{2}{3}$

$\log_{ab}\sqrt[3]{a^2b^2}=\log_{ab}\sqrt[3]{(ab)^2}=\log_{ab}(ab)^{\frac{2}{3}}=\dfrac{2}{3}\log_{ab} ab=\dfrac{2}{3}$

$\therefore \log_a\sqrt{b}+\log_{ab}\sqrt[3]{a^2b^2}=\dfrac{2}{3}+\dfrac{2}{3}=\dfrac{4}{3}$ 답 ③

0377

> 0이 아닌 세 실수 a, b, c에 대하여
>
> $a+b+c=0$, $3^a=x$, $3^b=y$, $3^c=z$
>
> 일 때, $\log_x yz+\log_y zx+\log_z xy$의 값은?
>
> $xyz=3^a\cdot 3^b\cdot 3^c=3^{a+b+c}=3^0=1$임을 이용하자.

$xyz=3^a\cdot 3^b\cdot 3^c=3^{a+b+c}=3^0=1$

이때, $yz=\dfrac{1}{x}$, $zx=\dfrac{1}{y}$, $xy=\dfrac{1}{z}$이므로

$\log_x yz+\log_y zx+\log_z xy$

$=\log_x\dfrac{1}{x}+\log_y\dfrac{1}{y}+\log_z\dfrac{1}{z}$

$=\log_x x^{-1}+\log_y y^{-1}+\log_z z^{-1}=-3$ 답 ①

0378

> 두 양수 a, b에 대하여 $\dfrac{b}{a}$의 정수 부분이 10자리일 때, $10^n\cdot a\le b<10^{n+2}\cdot a$를 만족시키는 모든 자연수 n의 값의 합은?
>
> $a\le 10^{-n}\cdot b<100a$

$10^n\cdot a\le b<10^{n+2}\cdot a$에서

$a\le 10^{-n}\cdot b<100a$

$\dfrac{a}{b}\le 10^{-n}<\dfrac{100a}{b}$

$\dfrac{b}{100a}<10^n\le\dfrac{b}{a}$

$\therefore \log\dfrac{b}{a}-2<n\le\log\dfrac{b}{a}$

그런데 $\dfrac{b}{a}$의 정수 부분이 10자리이므로

$\log\dfrac{b}{a}=9+\alpha$ $(0\le\alpha<1)$로 놓을 수 있다.

$\therefore 7+\alpha<n\le 9+\alpha$에서 $n=8, 9$

따라서 구하는 모든 자연수 n의 값의 합은 $8+9=17$ 답 ④

0379

> 어떤 암석에 포함되어 있는 물질 A는 시간이 지남에 따라 점차적으로 물질 B로 변한다. 따라서 물질 A와 B의 양을 측정함으로써 그 암석의 생성연도를 알 수 있다. 암석이 생성된 t억 년 후의 A의 양과 B의 양을 각각 a, b라 하면 상수 k에 대하여
>
> $t=k\log\left(\dfrac{9b}{a}+1\right)$
>
> 이 성립한다. 처음에 물질 B는 없고 물질 A만 있는 암석이 25.2억 년이 지난 후 A의 양과 B의 양의 비가 $3:1$이 되었다. 암석이 생성되어 x억 년이 지난 후 A의 양과 B의 양이 같아질 때, x의 값을 구하시오. (단, $\log 2=0.3$으로 계산한다.)
>
> $t=25.2$, $a=3b$를 주어진 식에 대입하여 k값을 구하자.

$t=25.2$, $a:b=3:1$이므로

$25.2=k\log\left(\dfrac{9b}{3b}+1\right)=k\log 4$

$k=\dfrac{25.2}{2\log 2}=42$

$\therefore x=k\log\left(\dfrac{9a}{a}+1\right)=k\log 10=k=42$ 답 42

0380

> 다음 조건을 만족시키는 세 정수 a, b, c에 대하여 $a+b+c=k$라 할 때, k의 최댓값과 최솟값의 합을 구하시오.
>
> (가) $1\le a\le 5$
>
> (나) $\log_2(b-a)=3$ → $b-a=2^3$
>
> (다) $\log_2(c-b)=2$ → $c-b=2^2$

(나)에서 $b-a=2^3$ $\quad\therefore b=a+2^3$

(다)에서 $c-b=2^2$ $\quad \therefore c=b+2^2=a+2^3+2^2$

$\therefore a+b+c=3a+20$

(가)에서 $1\le a\le 5$이므로 $23\le 3a+20\le 35$

$\therefore$ (최댓값)+(최솟값)$=35+23=58$ 답 58

0381

자연수 n에 대하여 $f(n)=2^n-\log_2 n$이라 할 때, 〈보기〉에서 옳은 것을 모두 고른 것은?

보기

ㄱ. $f(2)=3$

ㄴ. $f(8)=-f(\log_2 8)$ — $-2^{\log_2 8}+\log_2(\log_2 8)$

ㄷ. $f(2^n)+n=\{f(2^{n-1})+n-1\}^2$ — $2^{2^n}-\log_2 2^n+n=2^{2^n}$

ㄱ. $f(2)=2^2-\log_2 2=4-1=3$ (참)

ㄴ. $f(8)=2^8-\log_2 8=2^8-3$

$-f(\log_2 8)=-2^{\log_2 8}+\log_2(\log_2 8)=-8+\log_2 3$

$\therefore f(8)\ne -f(\log_2 8)$ (거짓)

ㄷ. $f(2^n)+n=2^{2^n}-\log_2 2^n+n=2^{2^n}-n+n=2^{2^n}$

$f(2^{n-1})+n-1=2^{2^{n-1}}-\log_2 2^{n-1}+n-1$

$=2^{2^{n-1}}-(n-1)+n-1=2^{2^{n-1}}$

$\therefore \{f(2^{n-1})+n-1\}^2=2^{2^n}$

$\therefore f(2^n)+n=\{f(2^{n-1})+n-1\}^2$ (참)

따라서 옳은 것은 ㄱ, ㄷ이다. 답 ④

0382

세 양수 a, b, c에 대하여 $a^2+b^2=c^2$일 때,

$$\log_{b+c} a+\log_{c-b} a=k(\log_{b+c} a\times\log_{c-b} a)$$

를 만족시키는 상수 k의 값을 구하시오.

— $\dfrac{\log_2 a}{\log_2(b+c)}+\dfrac{\log_2 a}{\log_2(c-a)}$임을 이용하자.

$\log_{b+c} a+\log_{c-b} a$

$=\dfrac{\log_2 a}{\log_2(b+c)}+\dfrac{\log_2 a}{\log_2(c-b)}$

$=\log_2 a\times\dfrac{\log_2(c-b)+\log_2(b+c)}{\log_2(b+c)\times\log_2(c-b)}$

$=\log_2 a\times\dfrac{\log_2(c^2-b^2)}{\log_2(b+c)\times\log_2(c-b)}$

$=\dfrac{\log_2 a\times\log_2 a^2}{\log_2(b+c)\times\log_2(c-b)}$

$=\dfrac{2(\log_2 a)^2}{\log_2(b+c)\times\log_2(c-b)}$

$=2\times\dfrac{\log_2 a}{\log_2(b+c)}\times\dfrac{\log_2 a}{\log_2(c-b)}$

$=2\log_{b+c} a\times\log_{c-b} a$

$\therefore k=2$ 답 2

0383

$k=1, 2, 3, 4, \cdots$에 대하여 b_k가 0 또는 1이고

$$\log_7 2=\frac{b_1}{2}+\frac{b_2}{2^2}+\frac{b_3}{2^3}+\frac{b_4}{2^4}+\cdots$$

일 때, b_1, b_2, b_3의 값을 순서대로 적은 것은?

— 양변에 2를 곱하면 $\log_7 4=b_1+\frac{b_2}{2}+\frac{b_3}{2^2}+\cdots$

주어진 식의 양변에 2를 곱하면

(좌변)$=2\log_7 2=\log_7 2^2=\log_7 4$

(우변)$=b_1+\dfrac{b_2}{2}+\dfrac{b_3}{2^2}+\dfrac{b_4}{2^3}+\cdots$

$\therefore \log_7 4=b_1+\dfrac{b_2}{2}+\dfrac{b_3}{2^2}+\dfrac{b_4}{2^3}+\cdots$ ……㉠

$\log_7 4<1$이므로 $b_1=0$

㉠$\times 2$를 하면

(좌변)$=2\log_7 4=\log_7 4^2=\log_7 16$

(우변)$=b_2+\dfrac{b_3}{2}+\dfrac{b_4}{2^2}+\cdots$

$\therefore \log_7 16=b_2+\dfrac{b_3}{2}+\dfrac{b_4}{2^2}+\cdots$ ……㉡

$1<\log_7 16<2$이므로 $b_2=1$

㉡$\times 2$를 하면

(좌변)$=2\log_7 16=\log_7 16^2=\log_7 256$

(우변)$=2+b_3+\dfrac{b_4}{2}+\cdots$

$\therefore \log_7 256=2+b_3+\dfrac{b_4}{2}+\cdots$

$2<\log_7 256<3$이므로 $b_3=0$

$\therefore b_1=0, b_2=1, b_3=0$ 답 ③

0384

a, b, x, y는 1이 아닌 양수이고

$$\log_a x+\log_b y=4,\ \log_x\sqrt{a}+\log_y\sqrt{b}=-1$$

일 때, $(\log_a\sqrt{x})^2+(\log_b\sqrt{y})^2$의 값은?

— $\log_a x=X$, $\log_b y=Y$라 하면 $X+Y=4$

$\log_a x=X$, $\log_b y=Y$라 하면 $X+Y=4$

$\log_x a=\dfrac{1}{X}$, $\log_y b=\dfrac{1}{Y}$이므로

$\log_x\sqrt{a}+\log_y\sqrt{b}=\dfrac{1}{2}(\log_x a+\log_y b)=-1$

$\log_x a+\log_y b=-2$

$\dfrac{1}{X}+\dfrac{1}{Y}=\dfrac{X+Y}{XY}=\dfrac{4}{XY}=-2$

$\therefore XY=-2$

$\therefore (\log_a\sqrt{x})^2+(\log_b\sqrt{y})^2=\left(\dfrac{1}{2}X\right)^2+\left(\dfrac{1}{2}Y\right)^2$

$=\dfrac{1}{4}(X^2+Y^2)$

$=\dfrac{1}{4}\{(X+Y)^2-2XY\}$

$=\dfrac{1}{4}\{4^2-2\cdot(-2)\}$

$=\dfrac{1}{4}\cdot 20=5$ 답 ②

0385

→ $\log_2 x$의 정수부분이다.

자연수 x에 대하여 두 함수 f, g를

→ $\log_2 x$의 소수부분이다.

$$f(x)=[\log_2 x],\ g(x)=\log_2 x-[\log_2 x]$$

로 정의할 때, 〈보기〉에서 옳은 것만을 있는 대로 고른 것은?

(단, $[x]$는 x보다 크지 않은 최대의 정수이다.)

보기

→ $4\le6<8$이므로 $\log_2 6-2$이다.

ㄱ. $f(10)=f(12)$

ㄴ. $g(6)<g(20)$

ㄷ. $g(a)=g(5)$를 만족시키는 두 자리의 자연수 a의 개수는 4이다.

ㄱ. $\log_2 8<\log_2 10<\log_2 16$, $\log_2 8<\log_2 12<\log_2 16$이므로

$f(10)=[\log_2 10]=3$, $f(12)=[\log_2 12]=3$

$\therefore f(10)=f(12)$ (참)

ㄴ. $\log_2 4<\log_2 6<\log_2 8$이므로

$g(6)=\log_2 6-[\log_2 6]=\log_2 6-2$

$=\log_2 \frac{6}{4}=\log_2 \frac{3}{2}$

$\log_2 16<\log_2 20<\log_2 32$이므로

$g(20)=\log_2 20-[\log_2 20]=\log_2 20-4$

$=\log_2 \frac{20}{16}=\log_2 \frac{5}{4}$

$g(6)-g(20)=\log_2 \frac{3}{2}-\log_2 \frac{5}{4}=\log_2 \frac{6}{5}>0$

$\therefore g(6)>g(20)$ (거짓)

ㄷ. $\log_2 4<\log_2 5<\log_2 8$이므로

$g(5)=\log_2 5-[\log_2 5]=\log_2 5-2=\log_2 \frac{5}{4}$

$g(a)=\log_2 \frac{5}{4}$를 만족시키는 자연수 a는

$a=\frac{5}{4}\times 2^n$ (n은 자연수) 꼴이고, a가 두 자리의 자연수이므로

$10\le\frac{5}{4}\times2^n<100$, $8\le2^n<80$

즉, 자연수 n의 값이 3, 4, 5, 6일 때, 두 자리의 자연수 a의 개수는 10, 20, 40, 80의 4이다. (참)

따라서 옳은 것은 ㄱ, ㄷ이다.

답 ③

0386

정수 부분이 세 자리인 두 실수 x, y가 다음 두 조건을 만족한다.

→ $\log x$와 $\log y$의 소수부분의 합은 0또는 1이다.

(가) $\log x+\log y$는 정수이다.

(나) $\log x-\log y=0.4$

→ $\log x$와 $\log y$의 소수부분의 합은 0이 아니다.

x의 최고 자리의 숫자를 a, y의 최고 자리의 숫자를 b라 할 때, $a+b$의 값을 구하시오. (단, $\log 2=0.3010$, $\log 3=0.4771$)

$\log x=2+\alpha$, $\log y=2+\beta$ $(0\le\alpha<1,\ 0\le\beta<1)$라 하자.

(가)에서 $\log x+\log y=4+(\alpha+\beta)$의 값이 정수이므로

$\alpha+\beta=0$ 또는 $\alpha+\beta=1$

$\therefore \alpha=\beta=0$ 또는 $\beta=1-\alpha$ …… ㉠

(나)에서 $\log x-\log y=\alpha-\beta=0.4$ …… ㉡

㉠, ㉡에 의해

$\alpha=0.7$, $\beta=0.3$

$\log x=2.7$에서 $\log 500<\log x<\log 600$이므로 x의 최고자리의 숫자는 5이다.

$\therefore a=5$

$\log y=2.3$에서 $\log 100<\log y<\log 200$이므로 y의 최고자리의 숫자는 1이다.

$\therefore b=1$

$\therefore a+b=6$

답 6

0387

실외 공기 중의 이산화탄소 농도가 0.03 %일 때, 실내 공간에서 공기 중의 초기 이산화탄소 농도 $c(0)$(%)를 측정한 후, t시간 뒤의 실내 공간의 이산화탄소 농도 $c(t)$(%)와 환기량 Q(m^3/시)의 관계는 다음과 같다.

$$Q=k\times\frac{V}{t}\log\frac{c(0)-0.03}{c(t)-0.03}$$

→ $c(0)=0.83$

(단, k는 양의 상수이고, V(m^3)는 실내 공간의 부피이다.)

실외 공기 중의 이산화탄소 농도가 0.03 %이고 환기량이 일정할 때, 초기 이산화탄소 농도가 0.83 %인 빈 교실에서 환기를 시작한 후 1시간 뒤의 이산화탄소 농도를 측정하였더니 0.43 %이었다. 환기를 시작한 후 t시간 뒤에 이산화탄소 농도가 0.08 %가 되었다고 할 때, t의 값은?

→ $t=1$, $c(1)=0.43$을 대입하여 Q를 구하자.

초기 이산화탄소 농도 $c(0)=0.83$이고, 1시간 뒤

즉 $t=1$일 때 이산화탄소 농도 $c(1)=0.43$이므로

주어진 식에 $t=1$을 대입하면 환기량 Q는

$$Q=k\times\frac{V}{1}\log\frac{0.83-0.03}{0.43-0.03}=kV\log2$$

이산화탄소 농도가 0.08 %일 때 환기량 Q는

$$Q=k\times\frac{V}{t}\log\frac{0.83-0.03}{0.08-0.03}=\frac{4kV\log2}{t}$$

그런데 환기량이 일정하므로

$$kV\log2=\frac{4kV\log2}{t}$$

$\frac{4}{t}=1$ $\quad\therefore t=4$

답 ②

0388

세 등식

$$xyz\cdot\log x=2\log y,$$
$$(xyz+1)\cdot\log y=3\log z,$$
$$(xyz+2)\cdot\log z=4\log x$$

를 모두 만족시키는 1이 아닌 세 양수 x, y, z에 대하여 $x^6+y^6+z^6$의 값을 구하시오.

→ 세 등식을 모두 곱해 보자.

$xyz\cdot\log x=2\log y$ …… ㉠

$(xyz+1)\cdot\log y=3\log z$ …… ㉡

$(xyz+2)\cdot\log z=4\log x$ …… ㉢

각 변끼리 곱하면

$xyz(xyz+1)(xyz+2)\log x\cdot\log y\cdot\log z$

$=24\log x\cdot\log y\cdot\log z$

$\log x\cdot\log y\cdot\log z\neq 0$이므로

$xyz(xyz+1)(xyz+2)=24$

$xyz=t$로 놓으면 $t(t+1)(t+2)-24=0$

$t^3+3t^2+2t-24=0$, $(t-2)(t^2+5t+12)=0$

$\therefore t=2\ (\because t>0)\qquad \therefore xyz=2$

$xyz=2$를 ㉠, ㉡, ㉢에 각각 대입하면

$\log x=\log y=\log z$이므로

$x=y=z=\sqrt[3]{2}$

$\therefore x^6+y^6+z^6=2^2+2^2+2^2=12$ 답 12

0389

임의의 양수 x에 대하여

$\log x=n+f(x)$ (n은 정수, $0\le f(x)<1$)

로 나타낼 때, 다음 〈보기〉 중 옳은 것을 모두 고른 것은?

(• $f(x)$는 $\log x$의 소수부분)

보기

ㄱ. $f(a)=f(a^2)$이면 $f(a)=0$이다.

ㄴ. $f(a)=f(a^3)$이면 $f(a)=0$ 또는 $f(a)=\frac{1}{2}$이다.

ㄷ. $f(a)=f(b)$이면 $a=10^n\cdot b$인 정수 n이 존재한다.

$\log a=m+\alpha$(m은 정수 $0\le\alpha<1$)라 하면 $\log a^2=2\log a=2m+2\alpha$

$\log a=m+\alpha$ (m은 정수, $0\le\alpha<1$)라 하면

ㄱ. $\log a^2=2\log a=2m+2\alpha$

(i) $0\le\alpha<\frac{1}{2}$일 때

$\alpha=2\alpha\qquad\therefore \alpha=0$

$\therefore f(a)=0$

(ii) $\frac{1}{2}\le\alpha<1$일 때

$\alpha=2\alpha-1\qquad\therefore \alpha=1$ (모순)

(i), (ii)에 의해 $f(a)=f(a^2)$이면 $f(a)=0$이다. (참)

ㄴ. $\log a^3=3\log a=3m+3\alpha$

(i) $0\le\alpha<\frac{1}{3}$일 때

$\alpha=3\alpha\qquad\therefore \alpha=0$

$\therefore f(a)=0$

(ii) $\frac{1}{3}\le\alpha<\frac{2}{3}$일 때

$\alpha=3\alpha-1\qquad\therefore \alpha=\frac{1}{2}$

$\therefore f(a)=\frac{1}{2}$

(iii) $\frac{2}{3}\le\alpha<1$일 때

$\alpha=3\alpha-2\qquad\therefore \alpha=1$ (모순)

(i), (ii), (iii)에 의해 $f(a)=f(a^3)$이면

$f(a)=0$ 또는 $f(a)=\frac{1}{2}$이다. (참)

ㄷ. $\log b$의 정수 부분을 m', 소수 부분을 α'이라 하면

$\log a=m+\alpha$, $\log b=m'+\alpha'$에서

$\alpha=\alpha'$이면

$\log a-\log b=\log\frac{a}{b}=m-m'$은 정수이다.

즉, $\frac{a}{b}=10^{m-m'}$, $a=b\cdot 10^{m-m'}$이므로

$a=10^n\cdot b$인 정수 n이 존재한다. (참)

따라서 ㄱ, ㄴ, ㄷ 모두 옳다. 답 ⑤

0390

자연수 k에 대하여 $f(k)$가 다음과 같다.

$$f(k)=\begin{cases}\log_3 k\ (k\text{가 홀수})\\ \log_2 k\ (k\text{가 짝수})\end{cases}$$

20 이하의 두 자연수 m, n에 대하여 $f(mn)=f(m)+f(n)$을 만족시키는 순서쌍 (m, n)의 개수는?

(• m과 n이 홀수 또는 짝수일 때로 나누어 생각하자.)

(i) m, n이 모두 홀수이면 mn도 홀수이므로

$f(mn)=\log_3 mn=\log_3 m+\log_3 n$

$=f(m)+f(n)$

순서쌍 (m, n)의 개수는

$10\times10=100$

(ii) m, n이 모두 짝수이면 mn도 짝수이므로

$f(mn)=\log_2 mn$

$=\log_2 m+\log_2 n$

$=f(m)+f(n)$

순서쌍 (m, n)의 개수는 $10\times10=100$

(iii) m이 짝수, n이 홀수이면 mn은 짝수이므로

$f(mn)=\log_2 mn=\log_2 m+\log_2 n$

$f(m)+f(n)=\log_2 m+\log_3 n$

$f(mn)=f(m)+f(n)$을 만족시키려면

$\log_2 n=\log_3 n$이어야 하므로 $n=1$

순서쌍 (m, n)의 개수는 $10\times1=10$

(iv) m이 홀수, n이 짝수인 경우도 (iii)과 마찬가지이므로

순서쌍 (m, n)의 개수는 $10\times1=10$

(i)~(iv)에서 조건을 만족시키는 순서쌍 (m, n)의 개수는

$100+100+20=220$ 답 ①

0391

자연수 n에 대하여 $\log_3 n$의 정수 부분을 $f(n)$이라 할 때, $f(2n)=f(n)+1$을 만족시키는 두 자리의 자연수 n의 개수를 구하시오.

(• $\log_3 n$의 소수부분을 α라 하면 $\log_3 2n=\log_3 2+\log_3 n=\log_3 2+f(n)+\alpha$ $=\{f(n)+1\}+(\log_3 2+\alpha-1)$)

$\log_3 n=f(n)+\alpha$ ($f(n)$은 정수, $0\le\alpha<1$)라 하면

$\log_3 2n=\log_3 2+\log_3 n$

$=\log_3 2+f(n)+\alpha\qquad\cdots\cdots$ ㉠

$f(2n)=f(n)+1$이 성립하려면 ㉠에서

$f(n)+\log_3 2+\alpha=\{f(n)+1\}+(\log_3 2+\alpha-1)$

이어야 하므로

$0\le\log_3 2+a-1<1$, $1-\log_3 2\le a<2-\log_3 2$

$\therefore \log_3\frac{3}{2}\le a<1$

$f(n)+\log_3\frac{3}{2}\le f(n)+a<f(n)+1$

$f(n)+\log_3\frac{3}{2}\le \log_3 n<f(n)+1$

$3^{f(n)+\log_3\frac{3}{2}}\le n<3^{f(n)+1}$

$\therefore \frac{3}{2}\times 3^{f(n)}\le n<3\times 3^{f(n)}$

(ⅰ) $f(n)=2$일 때,

$\frac{3}{2}\times 3^2\le n<3\times 3^2$에서 $13.5\le n<27$

$n=14, 15, \cdots, 26$

따라서 n의 개수는 13이다.

(ⅱ) $f(n)=3$일 때,

$\frac{3}{2}\times 3^3\le n<3\times 3^3$에서 $40.5\le n<81$

$n=41, 42, \cdots, 80$

따라서 n의 개수는 40이다.

(ⅲ) $f(n)=4$일 때,

$\frac{3}{2}\times 3^4\le n<3\times 3^4$에서 $121.5\le n<243$

$f(n)$이 4 이상일 때에는 조건을 만족시키는 두 자리의 자연수가 존재하지 않는다.

(ⅰ), (ⅱ), (ⅲ)에서 조건을 만족시키는 두 자리의 자연수 n의 개수는

$13+40=53$ 답 53

0392

> $4<a<b<200$인 두 자연수 a, b에 대하여
> 집합 $A=\{k\mid k=\log_a b, k$는 유리수$\}$라 하자. $n(A)$의 값은?
> $\log_a b=\frac{q}{p}$ (p, q는 서로소인 자연수)라 하면, $b=a^{\frac{q}{p}}$

$\log_a b=\frac{q}{p}$ (p, q는 서로소인 자연수)라 하면

서로 다른 유리수 $\frac{q}{p}$의 개수는

서로 다른 순서쌍 (p, q)의 개수와 같다.

$\log_a b=\frac{q}{p}$이므로 $b=a^{\frac{q}{p}}$, $a^q=b^p$

a, b, p, q가 모두 자연수이므로 어떤 자연수 c에 대하여

$a=c^p$, $b=c^q$이다.

$4<a<b<200$이므로 $4<c^p<c^q<200$이다.

(ⅰ) $c=2$일 때

$4<2^p<2^q<200$이고 이를 만족시키는

p, q의 순서쌍을 구하면 (p, q)는

$(3, 4)$, $(3, 5)$, $(3, 7)$, $(4, 5)$, $(4, 7)$, $(5, 6)$, $(5, 7)$, $(6, 7)$이므로 8개

(ⅱ) $c=3$일 때

$4<3^p<3^q<200$이고 이를 만족시키는

p, q의 순서쌍을 구하면 (p, q)는

$(2, 3)$, $(3, 4)$이므로 2개

(ⅲ) $c=4$일 때

$4<4^p<4^q<200$이고 이를 만족시키는

p, q의 순서쌍을 구하면 (p, q)는

$(2, 3)$이므로 1개

(ⅳ) $c=5$일 때

$4<5^p<5^q<200$이고 이를 만족시키는

p, q의 순서쌍을 구하면 (p, q)는

$(1, 2)$, $(1, 3)$, $(2, 3)$이므로 3개

(ⅴ) $6\le c\le 14$일 때

$4<c^p<c^q<200$이고 이를 만족시키는

p, q의 순서쌍을 구하면 (p, q)는

$(1, 2)$뿐이므로 모두 (ⅳ)의 경우에 포함된다.

(ⅰ), (ⅱ), (ⅲ), (ⅳ)에서 $(2, 3)$이 세 번, $(3, 4)$가 두 번 중복되었으므로

서로 다른 순서쌍 (p, q)의 개수는

$(8+2+1+3)-2-1=11$

$\therefore n(A)=11$ 답 ①

다른풀이 $\log_a b=\frac{q}{p}$ (p, q는 서로소인 자연수)라 하면

$b=a^{\frac{q}{p}}$이고 $n(A)$는 서로 다른 $\frac{q}{p}$의 개수와 같다.

(ⅰ) $p=1$일 때

a는 $4<a<200$을 만족하는 자연수이고

4보다 큰 자연수 중 가장 작은 수는 5이므로

$4<a<a^q<200$을 만족하는 모든 자연수 q는

$4<5<5^q<200$을 만족한다.

따라서 $\frac{q}{p}$는 2, 3이다.

(ⅱ) $p\ge 2$일 때

$a^{\frac{q}{p}}$이 자연수이므로 $a^{\frac{1}{p}}$은 자연수이다.

따라서 a가 될 수 있는 가장 작은 자연수는 2^p

(단, $p=2$일 때 $4<a$에서 $a=3^2$)

따라서 $4<a<200$이고 $a^{\frac{1}{p}}$이 자연수인 모든 자연수 a에 대하여

$4<a<a^{\frac{q}{p}}<200$을 만족하는 모든 자연수 q는

$4<2^p<(2^p)^{\frac{q}{p}}<200$을 만족한다.

따라서 서로 다른 유리수 $\frac{q}{p}$의 개수는

$4<2^p<2^q<200$을 만족시키는 $\frac{q}{p}$의 개수와 같다.

① $p=2$일 때

$4<3^2<3^q<200$을 만족하는 p와 서로소인 자연수 q는 3이다.

따라서 $\frac{q}{p}$는 $\frac{3}{2}$이다.

② $p=3$일 때

$4<2^3<2^q<200$을 만족하는 p와 서로소인 자연수 q는 4, 5, 7이다.

따라서 $\frac{q}{p}$는 $\frac{4}{3}$, $\frac{5}{3}$, $\frac{7}{3}$이다.

③ $p=4$일 때

$4<2^4<2^q<200$을 만족하는 p와 서로소인 자연수 q는 5, 7이다.

따라서 $\frac{q}{p}$는 $\frac{5}{4}$, $\frac{7}{4}$이다.

④ $p=5$일 때

$4<2^5<2^q<200$을 만족하는 p와 서로소인 자연수 q는 6, 7이다.

따라서 $\frac{q}{p}$는 $\frac{6}{5}$, $\frac{7}{5}$이다.

⑤ $p=6$일 때

$4<2^6<2^q<200$을 만족하는 p와 서로소인 자연수 q는 7이다.

따라서 $\frac{q}{p}$는 $\frac{7}{6}$이다.

$4<2^7<200<2^8$이므로 $p\geq7$일 때 조건을 만족하지 않는다.

(i), (ii)에서 $\frac{q}{p}$의 개수는 11이다.

$\therefore n(A)=11$

0393

> 자연수 m에 대하여 집합 A_m을 (a^2b는 4의 거듭제곱꼴이다.)
>
> $A_m=\{ab \mid \log_2 a+\log_4 b$는 100 이하의 자연수, $a\ (1\leq a\leq m)$은 자연수, $b=2^k$(k는 정수)$\}$
>
> 라 하자. $n(A_m)=205$가 되도록 하는 m의 최댓값을 구하시오.
>
> (밑을 4로 같게 해주면 $\log_4 a^2b$이다.)

집합 A_m에서 $\log_2 a+\log_4 b=\log_4 a^2b$가 100 이하의 자연수이므로 $\log_4 a^2b=\alpha$ ($1\leq\alpha\leq100$, α는 자연수)라 하면 $a^2b=4^\alpha$이다.

따라서 $a^2b=4^1, 4^2, 4^3, \cdots, 4^{100}$이어야 한다.

(i) $a=1$일 때

$b=4^1, 4^2, 4^3, \cdots, 4^{100}$이므로 $b=2^k$(k는 정수)을 만족시킨다.

$ab=4^1, 4^2, \cdots, 4^{100}$

따라서 $m=1$일 때 $a=1$이므로

$ab=4^1, 4^2, 4^3, \cdots, 4^{100}$

$\therefore A_1=\{4^1, 4^2, 4^3, \cdots, 4^{100}\}$

$\therefore n(A_1)=100$

(ii) $a=2$일 때

$b=4^0, 4^1, 4^2, \cdots, 4^{99}$이므로 $b=2^k$(k는 정수)을 만족시킨다.

$ab=2\times4^0, 2\times4^1, \cdots, 2\times4^{99}$

따라서 $m=2$일 때 $a=1$, $a=2$이므로

$ab=4^1, 4^2, \cdots, 4^{100}, 2\times4^0, 2\times4^1, \cdots, 2\times4^{99}$

$\therefore A_2=\{4^1, 4^2, 4^3, \cdots, 4^{100}, 2\times4^0, \cdots, 2\times4^{99}\}$

$\therefore n(A_2)=200$

(iii) $a=3$일 때

$b=\frac{4^1}{9}, \frac{4^2}{9}, \frac{4^3}{9}, \cdots, \frac{4^{100}}{9}$이므로

$b=2^k$(k는 정수)을 만족시키지 못한다.

따라서 $a=3$일 때 조건을 만족하는 ab는 존재하지 않는다.

따라서 $m=3$일 때 $a=1$, $a=2$, $a=3$이므로 집합 A_3의 원소의 개수는 A_2의 원소의 개수와 같다.

$\therefore n(A_3)=200$

(iv) $a=4$일 때

$b=4^{-1}, 4^0, 4^1, \cdots, 4^{98}$이므로 $b=2^k$(k는 정수)을 만족시킨다.

$ab=4^0, 4^1, \cdots, 4^{99}$

따라서 $m=4$일 때 $a=1$, $a=2$, $a=3$, $a=4$이므로

$ab=4^1, 4^2, \cdots, 4^{100}, 2\times4^0, 2\times4^1, \cdots, 2\times4^{99}, 4^0$

$\therefore A_4=\{4^0, 4^1, \cdots, 4^{100}, 2\times4^0, \cdots, 2\times4^{99}\}$

$\therefore n(A_4)=201$

(v) $a=5$, $a=6$, $a=7$일 때

$b=2^k$(k는 정수)을 만족시키지 못한다.

이와 같이 $a\neq2^\beta$ (β는 자연수)일 때 $b=2^k$(k는 정수)을 만족시키지 못한다.

따라서 $a=5$, $a=6$, $a=7$일 때 조건을 만족하는 ab는 존재하지 않으므로 $m=5$, $m=6$, $m=7$일 때의 집합 A_m의 원소의 개수는 집합 A_4의 원소의 개수와 같다.

$\therefore n(A_m)=201$(단, $m=5, 6, 7$)

(vi) $a=8$일 때

$b=4^{-2}, 4^{-1}, 4^0, \cdots, 4^{97}$이므로 $b=2^k$(k는 정수)을 만족시킨다.

$ab=2\times4^{-1}, 2\times4^0, \cdots, 2\times4^{98}$

따라서 $m=8$일 때 $a=1$, $a=2$, $\cdots$, $a=8$이므로

$ab=4^1, 4^2, \cdots, 4^{100}, 2\times4^0, 2\times4^1, \cdots, 2\times4^{99}, 4^0, 2\times4^{-1}$

$\therefore A_8=\{4^0, \cdots, 4^{100}, 2\times4^{-1}, 2\times4^0, \cdots, 2\times4^{99}\}$

$\therefore n(A_8)=202$

⋮

(vii) $a=64$일 때

$b=4^{-5}, 4^{-4}, 4^{-3}, \cdots, 4^{94}$이므로 $b=2^k$(k는 정수)을 만족시킨다.

$ab=4^{-2}, 4^{-1}, \cdots, 4^{97}$

따라서 $m=64$일 때 $a=1$, $a=2$, $\cdots$, $a=64$이므로

$ab=4^1, 4^2, \cdots, 4^{100}, 2\times4^0, 2\times4^1, \cdots, 2\times4^{99}, 4^0, 2\times4^{-1}, 4^{-1}, 2\times4^{-2}, 4^{-2}$

$\therefore A_{64}=\{4^{-2}, 4^{-1}, \cdots, 4^{100}, 2\times4^{-2}, 2\times4^{-1}, \cdots, 2\times4^{99}\}$

$\therefore n(A_{64})=205$

⋮

(viii) $a=128$일 때

$b=4^{-6}, 4^{-5}, 4^{-4}, \cdots, 4^{93}$이므로 $b=2^k$(k는 정수)을 만족시킨다.

$ab=2\times4^{-3}, 2\times4^{-2}, \cdots, 2\times4^{96}$

따라서 $m=128$일 때 $a=1$, $a=2$, $\cdots$, $a=128$이므로

$ab=4^1, 4^2, \cdots, 4^{100}, 2\times4^0, 2\times4^1, \cdots, 2\times4^{99}, 4^0, 2\times4^{-1}, 4^{-1}, 2\times4^{-2}, 4^{-2}, 2\times4^{-3}$

$\therefore A_{128}=\{4^{-2}, \cdots, 4^{100}, 2\times4^{-3}, 2\times4^{-2}, \cdots, 2\times4^{99}\}$

$\therefore n(A_{128})=206$

⋮

이와 같이 임의의 두 자연수 p, $q\,(p<q)$에 대하여 $n(A_p)\leq n(A_q)$가 성립한다.

따라서 $n(A_m)=205$가 되도록 하는 자연수 m의 최댓값은 127이다.

답 127

03 지수함수

본책 068~094쪽

0394

그래프의 점근선은 $\boxed{x\text{축}}$이다. 답 x축

0395

그래프는 반드시 점 $(\boxed{0}, 1)$을 지난다. 답 0

0396

정의역은 $\{x | x$는 $\boxed{\text{모든 실수}}\}$이다. 답 모든 실수

0397

치역은 $\{y | \boxed{y>0}\}$이다. 답 $y>0$

0398

$a>1$일 때, $f(x_1)<f(x_2)$이면 $x_1 \boxed{<} x_2$이다. 답 $<$

0399

$0<a<1$일 때, $f(x_1)<f(x_2)$이면 $x_1 \boxed{>} x_2$이다. 답 $>$

0400

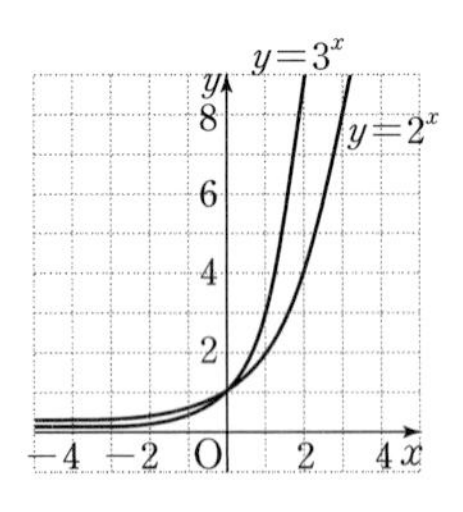

답 풀이 참조

0401

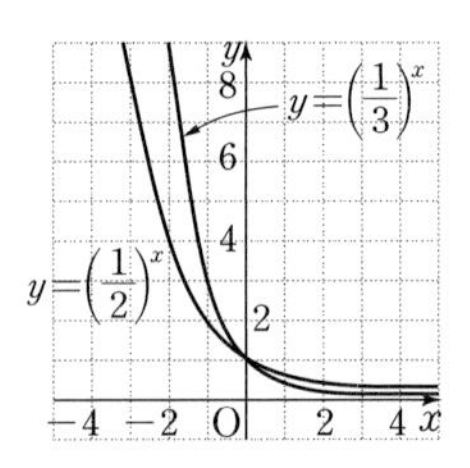

답 풀이 참조

[0402-0405] 지수함수 $y=a^x$의 그래프에 대하여 네 함수 $y=a^{x-2}$, $y=a^{x-1}+1$, $y=\left(\dfrac{1}{a}\right)^x$, $y=-a^x$의 그래프는 그림과 같다.

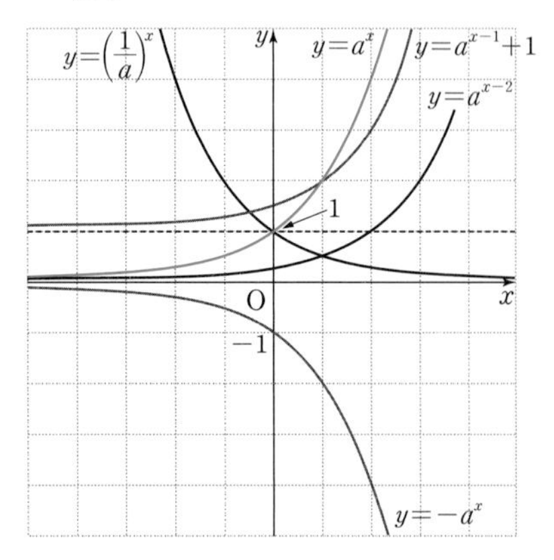

답 풀이 참조

0406

지수함수 $y=5^x$의 그래프를 x축의 방향으로 3만큼 평행이동하면

$y=5^{x-3}$ 답 $y=5^{x-3}$

0407

지수함수 $y=5^x$의 그래프를 y축의 방향으로 -2만큼 평행이동하면

$y+2=5^x$

$\therefore y=5^x-2$ 답 $y=5^x-2$

0408

지수함수 $y=5^x$의 그래프를 x축의 방향으로 -1만큼, y축의 방향으로 4만큼 평행이동하면

$y-4=5^{x+1}$

$\therefore y=5^{x+1}+4$ 답 $y=5^{x+1}+4$

0409

지수함수 $y=5^x$의 그래프를 x축에 대하여 대칭이동하면

$-y=5^x$

$\therefore y=-5^x$ 답 $y=-5^x$

0410

지수함수 $y=5^x$의 그래프를 y축에 대하여 대칭이동하면

$y=5^{-x}=\left(\dfrac{1}{5}\right)^x$ 답 $y=\left(\dfrac{1}{5}\right)^x$

0411

지수함수 $y=5^x$의 그래프를 원점에 대하여 대칭이동하면

$-y=5^{-x}$

$\therefore y=-\left(\dfrac{1}{5}\right)^x$ 답 $y=-\left(\dfrac{1}{5}\right)^x$

0412

함수 $y=3^{x-1}+2$의 그래프는 지수함수 $y=3^x$의 그래프를 x축의 방향으로 $\boxed{1}$만큼, y축의 방향으로 $\boxed{2}$만큼 평행이동한 것이다. 이때, 점근선의 방정식은 $y=\boxed{2}$이다. 답 1, 2, 2

참고 두 함수 $y=3^x$, $y=3^{x-1}+2$의 그래프는 그림과 같다.

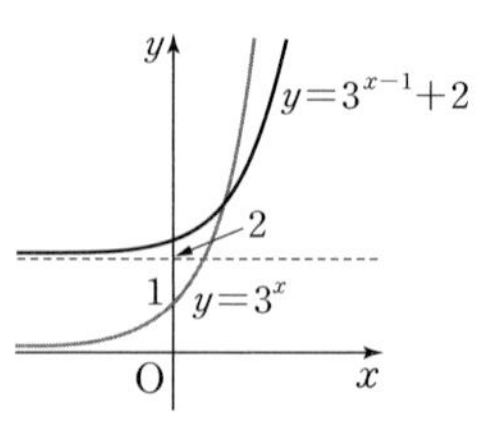

0413

함수 $y=2^{x-3}$의 그래프는 지수함수 $y=2^x$의 그래프를 x축의 방향으로 3만큼 평행이동한 것이므로 점근선의 방정식은 $y=0$ 답 $y=0$

0414

함수 $y=\left(\dfrac{1}{2}\right)^x+5$의 그래프는 지수함수 $y=\left(\dfrac{1}{2}\right)^x$의 그래프를 y축의 방향으로 5만큼 평행이동한 것이므로 점근선의 방정식은 $y=5$

답 $y=5$

0415

함수 $y=2^{x+2}+1$의 그래프는 지수함수 $y=2^x$의 그래프를 x축의 방향으로 -2만큼, y축의 방향으로 1만큼 평행이동한 것이므로 점근선의 방정식은 $y=1$

답 $y=1$

0416

그림과 같이 지수함수 $y=3^x$은 $1\le x\le 4$에서 증가하므로

$x=1$일 때 최소이고, 최솟값은 $y=3$

$x=4$일 때 최대이고, 최댓값은 $y=3^4=81$

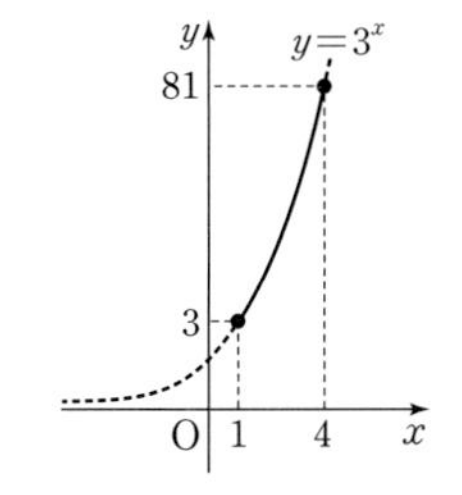

답 최댓값: 81, 최솟값: 3

0417

그림과 같이 함수 $y=2^{x-1}$은 $-2\le x\le 3$에서 증가하므로

$x=-2$일 때 최소이고, 최솟값은 $y=2^{-3}=\frac{1}{8}$

$x=3$일 때 최대이고, 최댓값은 $y=2^2=4$

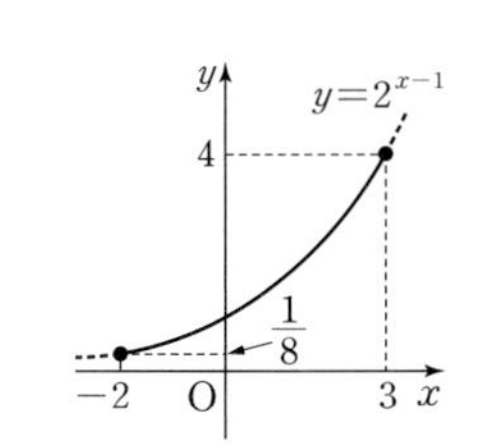

답 최댓값: 4, 최솟값: $\frac{1}{8}$

0418

그림과 같이 함수 $y=\left(\frac{1}{3}\right)^{x+1}$은 $-2\le x\le 1$에서 감소하므로

$x=-2$일 때 최대이고, 최댓값은 $y=\left(\frac{1}{3}\right)^{-1}=3$

$x=1$일 때 최소이고, 최솟값은 $y=\left(\frac{1}{3}\right)^2=\frac{1}{9}$

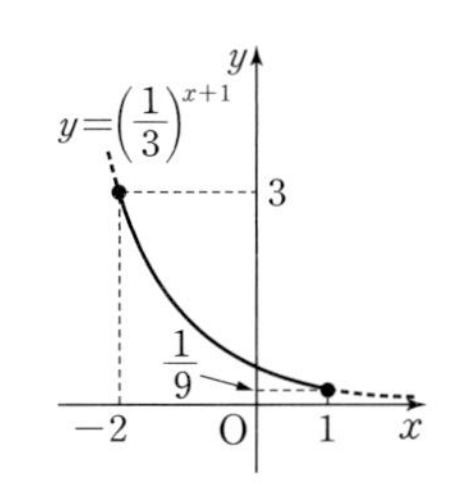

답 최댓값: 3, 최솟값: $\frac{1}{9}$

0419

$2^x=64=2^6$이므로 $x=6$

답 $x=6$

0420

$3^{x-1}=81=3^4$이므로 $x-1=4$

$\therefore x=5$

답 $x=5$

0421

$2\times 3^x=54$에서 $3^x=27$

$3^x=27=3^3$이므로 $x=3$

답 $x=3$

0422

$2^{x+2}=\frac{1}{32}=2^{-5}$이므로 $x+2=-5$

$\therefore x=-7$

답 $x=-7$

0423

$8^x=2\sqrt{2}$에서 $2^{3x}=2^{\frac{3}{2}}$이므로

$3x=\frac{3}{2}$ $\therefore x=\frac{1}{2}$

답 $x=\frac{1}{2}$

0424

$\left(\frac{1}{9}\right)^x=\sqrt{3}$에서 $\left(\frac{1}{3}\right)^{2x}=3^{\frac{1}{2}}$

$3^{-2x}=3^{\frac{1}{2}}$이므로 $-2x=\frac{1}{2}$

$\therefore x=-\frac{1}{4}$

답 $x=-\frac{1}{4}$

0425

양변의 밑이 x로 같으므로 지수가 같거나 밑이 1이어야 한다.

(i) $x\ne 1$일 때, $3=x+1$이면 $x=2$

(ii) $x=1$일 때, 주어진 방정식은 $1^3=1^2$이므로 성립한다.

$\therefore x=1$

(i), (ii)에 의하여 $x=1$ 또는 $x=2$

답 $x=1$ 또는 $x=2$

참고 $x^{f(x)}=x^{g(x)} \Longleftrightarrow f(x)=g(x)$ 또는 $x=1$

0426

지수가 $x-2$로 같으므로 밑이 같거나 지수가 0이어야 한다.

(i) $x-1=4$이면 $x=5$

(ii) $x-2=0$, 즉 $x=2$이면 주어진 방정식은 $1^0=4^0$이므로 성립한다.

(i), (ii)에 의하여 $x=2$ 또는 $x=5$

답 $x=2$ 또는 $x=5$

0427

$2^{2x}-5\times 2^x+4=0$에서 $(2^x)^2-5\times 2^x+4=0$

$2^x=t\ (t>0)$로 놓으면

$t^2-5t+4=0$

답 $t^2-5t+4=0$

0428

$t^2-5t+4=0$에서

$(t-1)(t-4)=0$

$\therefore t=1$ 또는 $t=4$

답 $t=1$ 또는 $t=4$

0429

$t=1$ 또는 $t=4$이므로

$2^x=1$ 또는 $2^x=4$

$\therefore x=0$ 또는 $x=2$

답 $x=0$ 또는 $x=2$

0430

$(3^x)^2-6\times 3^x-27=0$에서 $3^x=t\ (t>0)$로 놓으면

$t^2-6t-27=0$

$(t+3)(t-9)=0$

$\therefore t=-3$ 또는 $t=9$

$t=3^x>0$이므로 $t=9$

즉, $3^x=9$에서 $3^x=3^2$

$\therefore x=2$

답 $x=2$

0431

$4^x-2\times2^x-8=0$에서 $(2^x)^2-2\times2^x-8=0$

$2^x=t\ (t>0)$로 놓으면

$t^2-2t-8=0$

$(t+2)(t-4)=0$

$\therefore t=-2$ 또는 $t=4$

$t=2^x>0$이므로 $t=4$

즉, $2^x=4$에서 $2^x=2^2$

$\therefore x=2$ 답 $x=2$

0432

밑 3은 1보다 크므로

$3^{x_1}<3^{x_2}$이면 $x_1\boxed{<}x_2$ 답 $<$

0433

밑 $\frac{1}{5}$은 0보다 크고 1보다 작으므로

$\left(\frac{1}{5}\right)^{x_1}<\left(\frac{1}{5}\right)^{x_2}$이면 $x_1\boxed{>}x_2$ 답 $>$

0434

밑 2는 1보다 크므로

$x+1>3-x,\ 2x>2$

$\therefore x>1$ 답 $x>1$

0435

$\left(\frac{1}{10}\right)^{x-2}<\frac{1}{100}$에서 $\left(\frac{1}{10}\right)^{x-2}<\left(\frac{1}{10}\right)^2$

밑 $\frac{1}{10}$은 0보다 크고 1보다 작으므로

$x-2>2$

$\therefore x>4$ 답 $x>4$

0436

$\left(\frac{2}{3}\right)^{3x}\ge\left(\frac{3}{2}\right)^{2-x}$에서 $\left(\frac{2}{3}\right)^{3x}\ge\left(\frac{2}{3}\right)^{x-2}$

밑 $\frac{2}{3}$는 0보다 크고 1보다 작으므로

$3x\le x-2,\ 2x\le-2$

$\therefore x\le-1$ 답 $x\le-1$

0437

$5^{2x-1}>125$에서 $5^{2x-1}>5^3$

밑 5는 1보다 크므로

$2x-1>3,\ 2x>4$

$\therefore x>2$ 답 $x>2$

0438

$\left(\frac{1}{8}\right)^{2x+1}<32$에서 $(2^{-3})^{2x+1}<2^5$

$2^{-6x-3}<2^5$

밑 2는 1보다 크므로

$-6x-3<5,\ -6x<8$

$\therefore x>-\frac{4}{3}$ 답 $x>-\frac{4}{3}$

0439

$7^{x+1}\le\left(\frac{1}{49}\right)^x$에서 $7^{x+1}\le7^{-2x}$

밑 7은 1보다 크므로

$x+1\le-2x,\ 3x\le-1$

$\therefore x\le-\frac{1}{3}$ 답 $x\le-\frac{1}{3}$

0440

$2^{2x}-6\times2^x+8<0$에서 $(2^x)^2-6\times2^x+8<0$

$2^x=t\ (t>0)$로 놓으면

$t^2-6t+8<0$ 답 $t^2-6t+8<0$

0441

$t^2-6t+8<0$에서

$(t-2)(t-4)<0$

$\therefore 2<t<4$ 답 $2<t<4$

0442

$2<t<4$, 즉 $2<2^x<4$이므로

$2^1<2^x<2^2$

밑 2는 1보다 크므로

$1<x<2$ 답 $1<x<2$

0443

$(2^x)^2+4\times2^x-32>0$에서 $2^x=t\ (t>0)$로 놓으면

$t^2+4t-32>0$

$(t+8)(t-4)>0$

$\therefore t<-8$ 또는 $t>4$

$t=2^x>0$이므로 $t>4$

$2^x>4$에서 $2^x>2^2$

밑 2는 1보다 크므로

$x>2$ 답 $x>2$

0444

$9^x-6\times3^x-27\le0$에서 $(3^x)^2-6\times3^x-27\le0$

$3^x=t\ (t>0)$로 놓으면

$t^2-6t-27\le0$

$(t+3)(t-9)\le0$ $\therefore -3\le t\le9$

$t=3^x>0$이므로 $0<t\le9$

즉, $0<3^x\le9$에서 $0<3^x\le3^2$

밑 3은 1보다 크므로 $x\le2$ 답 $x\le2$

0445

지수함수 $f(x)=a^x\ (a>0,\ a\ne1)$에 대한 설명으로 옳지 않은 것은?

① 정의역은 실수 전체의 집합이다.

② 치역은 양의 실수 전체의 집합이다.

③ $f(x_1)=f(x_2)$이면 $x_1=x_2$이다. → 일대일함수를 뜻한다.

④ $0<a<1$일 때, $f(x_1)<f(x_2)$이면 $x_1>x_2$이다. → 감소함수를 뜻한다.

⑤ 그래프의 점근선은 $x=0$이고, 점 $(0,\ 1)$을 지난다.

① 정의역은 실수 전체의 집합이다. (참)
② 치역은 양의 실수 전체의 집합이다. (참)
③ $f(x)=a^x$은 일대일함수이므로 $x_1 \neq x_2$이면 $f(x_1) \neq f(x_2)$이다. 즉 $f(x_1)=f(x_2)$이면 $x_1=x_2$이다. (참)
④ $0<a<1$이면 감소하는 그래프이므로 $f(x_1)<f(x_2)$이면 $x_1>x_2$이다. (참)
⑤ 점근선의 방정식은 $y=0$이다. (거짓)
따라서 옳지 않은 것은 ⑤이다. 답 ⑤

0446

> 지수함수 $f(x)=2^x$에 대하여 〈보기〉에서 옳은 것만을 있는 대로 고르시오.
>
> **보기**
> ㄱ. 임의의 실수 x에 대하여 $f(x)>0$이다.
> ㄴ. 함수 $y=f(x)$의 그래프는 지수함수 $y=\left(\frac{1}{2}\right)^x$의 그래프와 y축에 대하여 대칭이다.
> ㄷ. x의 값이 증가하면 y의 값은 감소한다.
>
> • (밑)$=2>1$이므로 증가한다.

ㄱ. $a>0$일 때, a^x은 항상 양수이므로 임의의 실수 x에 대하여 $f(x)=2^x>0$이다. (참)
ㄴ. $\left(\frac{1}{2}\right)^x=2^{-x}$이므로 지수함수 $y=2^x$의 그래프는 지수함수 $y=\left(\frac{1}{2}\right)^x$의 그래프와 y축에 대하여 대칭이다. (참)
ㄷ. 지수함수 $f(x)=2^x$의 밑 2는 1보다 크므로 x의 값이 증가하면 y의 값도 증가한다. (거짓)
따라서 옳은 것은 ㄱ, ㄴ이다. 답 ㄱ, ㄴ

0447

> 지수함수 $f(x)=\left(\frac{1}{3}\right)^x$에 대한 〈보기〉의 설명 중에서 옳은 것만을 있는 대로 고르시오.
>
> **보기**
> ㄱ. 그래프는 점 $(0, 1)$을 지난다.
> ㄴ. 그래프의 점근선의 방정식은 $y=0$이다.
> ㄷ. 두 실수 a, b에 대하여 $a<b$이면 $f(a)<f(b)$이다.
>
> • $0<\frac{1}{3}<1$이므로 감소한다.

지수함수 $f(x)=\left(\frac{1}{3}\right)^x$의 그래프는 그림과 같다.

y, $y=f(x)$, 1, O, x

ㄱ. $f(0)=\left(\frac{1}{3}\right)^0=1$이므로 그래프는 점 $(0, 1)$을 지난다. (참)
ㄴ. 그래프의 점근선의 방정식은 $y=0$이다. (참)
ㄷ. x의 값이 증가할 때, y의 값은 감소하므로 두 실수 a, b에 대하여 $a<b$이면 $f(a)>f(b)$이다. (거짓)
따라서 옳은 것은 ㄱ, ㄴ이다. 답 ㄱ, ㄴ

0448

> 지수함수 $y=2^x$의 그래프를 x축의 방향으로 2만큼, y축의 방향으로 -3만큼 평행이동한 함수의 그래프가 점 $(7, a)$를 지날 때, a의 값을 구하시오.
>
> • $y=2^{x-2}-3$

지수함수 $y=2^x$의 그래프를 x축의 방향으로 2만큼, y축의 방향으로 -3만큼 평행이동하면
$y=2^{x-2}-3$
이 함수의 그래프가 점 $(7, a)$를 지나므로
$a=2^5-3=29$ 답 29

0449

> 함수 $y=8\times2^x+1$의 그래프는 지수함수 $y=2^x$의 그래프를 x축의 방향으로 a만큼, y축의 방향으로 b만큼 평행이동한 것이다. $a+b$의 값을 구하시오.
>
> • $y=2^3\times2^x+1=2^{x+3}+1$

$y=8\times2^x+1=2^3\times2^x+1=2^{x+3}+1$
이므로 함수 $y=8\times2^x+1$의 그래프는 지수함수 $y=2^x$의 그래프를 x축의 방향으로 -3만큼, y축의 방향으로 1만큼 평행이동한 것이다.
$\therefore a=-3, b=1$
$\therefore a+b=-2$ 답 -2

0450

> 다음 〈보기〉의 함수 중에서 평행이동 또는 대칭이동하여 지수함수 $y=3^x$의 그래프와 일치하는 것만을 있는 대로 고른 것은?
>
> **보기**
> ㄱ. $y=3^{x+1}$ ㄴ. $y=3^{2x-2}$
> ㄷ. $y=-3^{-x}$ ㄹ. $y=9\times3^x$
>
> • $y=(3^2)^{x-1}=9^{x-1}$

ㄱ. 함수 $y=3^{x+1}$의 그래프를 x축의 방향으로 1만큼 평행이동하면 지수함수 $y=3^x$의 그래프와 일치한다.
ㄴ. 함수 $y=3^{2x-2}=3^{2(x-1)}$이므로 평행이동 또는 대칭이동하여 지수함수 $y=3^x$의 그래프와 일치할 수 없다.
ㄷ. 함수 $y=-3^{-x}$의 그래프를 원점에 대하여 대칭이동하면 지수함수 $y=3^x$의 그래프와 일치한다.
ㄹ. 함수 $y=9\times3^x=3^2\times3^x=3^{x+2}$의 그래프를 x축의 방향으로 2만큼 평행이동하면 지수함수 $y=3^x$의 그래프와 일치한다.
따라서 평행이동 또는 대칭이동하여 지수함수 $y=3^x$의 그래프와 일치하는 것은 ㄱ, ㄷ, ㄹ이다. 답 ⑤

0451

> 함수 $y=2^{2x}$의 그래프를 x축의 방향으로 m만큼, y축의 방향으로 n만큼 평행이동하였더니 함수 $y=4\times2^{2x}-2$의 그래프와 일치하였다. $m+n$의 값을 구하시오.
>
> • $y=2^{2(x-m)}+n$이다.

$y=4\times2^{2x}-2$
$=2^2\times2^{2x}-2$
$=2^{2(x+1)}-2$
이므로 함수 $y=2^{2x}$의 그래프를 x축의 방향으로 -1만큼, y축의 방향으로 -2만큼 평행이동한 것이다.
$\therefore m=-1, n=-2$
$\therefore m+n=-3$

답 -3

0452

• $y=2^{-x}$이다.

그림은 지수함수 $y=2^x$의 그래프를 y축에 대하여 대칭이동한 후, x축의 방향으로 a만큼, y축의 방향으로 b만큼 평행이동한 그래프와 그 점근선을 나타낸 것이다. $a-b$의 값을 구하시오.

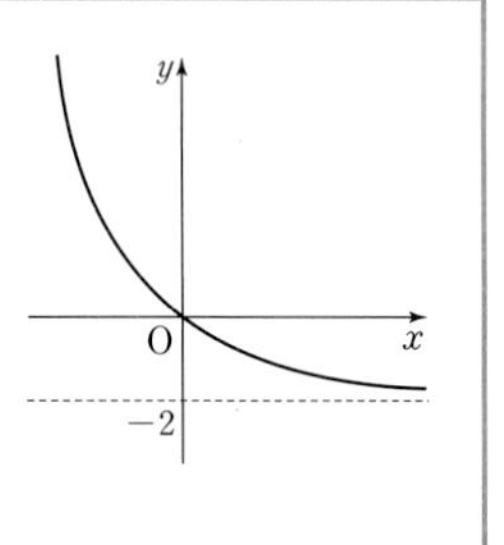

지수함수 $y=2^x$의 그래프를 y축에 대하여 대칭이동하면 $y=2^{-x}$이고, x축의 방향으로 a만큼, y축의 방향으로 b만큼 평행이동하면
$y=2^{-(x-a)}+b$
점근선이 $y=-2$이므로
$b=-2$
그래프가 원점을 지나므로
$2^a-2=0 \qquad \therefore a=1$
$\therefore a-b=1-(-2)=3$

답 3

0453

좌표평면에서 지수함수 $f(x)=2^x$에 대하여 함수 $y=f(x)$의 그래프를 y축에 대하여 대칭이동시킨 후, x축의 방향으로 m만큼 평행이동시킨 함수를 $y=g(x)$라 하자. 이때, 두 함수 $y=f(x)$의 그래프와 $y=g(x)$의 그래프가 직선 $x=2$에 대하여 대칭이 되는 양수 m에 대하여 $f(m)$의 값을 구하시오.

• $f(2)=g(2)$임을 이용하자.

$f(x)=2^x$을 y축에 대하여 대칭이동하면 $y=2^{-x}$
다시 x축의 방향으로 m만큼 평행이동하면 $g(x)=2^{-(x-m)}$
이 함수가 $f(x)=2^x$과 $x=2$에 대하여 대칭이므로 $f(2)=g(2)$
$2^2=2^{-(2-m)}$, $2=-(2-m)$
$\therefore m=4$
$\therefore f(m)=f(4)=2^4=16$

답 16

0454

다음 중 함수 $y=3^{-x}+1$에 대한 설명으로 옳지 않은 것은?

① 그래프는 점 $(0, 2)$를 지난다.
② 점근선은 직선 $y=1$이다.
③ 함수 $y=-\left(\frac{1}{3}\right)^x+1$의 그래프와 만나지 않는다.
④ x의 값이 증가하면 y의 값도 증가한다.
⑤ 그래프는 제1사분면과 제2사분면을 지난다.

• 실제로 그래프를 그려보자.

① 그래프는 점 $(0, 2)$를 지난다. (참)
② 점근선은 직선 $y=1$이다. (참)
③ 함수 $y=-\left(\frac{1}{3}\right)^x+1$의 그래프와 만나지 않는다. (참)
④ $y=3^{-x}+1=\left(\frac{1}{3}\right)^x+1$이므로 x의 값이 증가하면 y의 값은 감소한다. (거짓)
⑤ 그래프는 제1사분면과 제2사분면을 지난다. (참)
따라서 옳지 않은 것은 ④이다.

답 ④

0455

• $y=a^{x-m}+n$의 그래프는 a의 값에 관계없이 $(m, n+1)$을 지난다.

함수 $y=a^{x-1}+3$의 그래프가 a의 값에 관계없이 점 (p, q)를 지날 때, pq의 값을 구하시오. (단, $a>0$, $a\neq1$)

함수 $y=a^{x-1}+3$의 그래프는 지수함수 $y=a^x$의 그래프를 x축의 방향으로 1만큼, y축의 방향으로 3만큼 평행이동한 것이다.
그런데 지수함수 $y=a^x$의 그래프는 a의 값에 관계없이 점 $(0, 1)$을 지나므로 함수 $y=a^{x-1}+3$의 그래프는 a의 값에 관계없이 점 $(1, 4)$를 지난다.
$\therefore p=1, q=4$
$\therefore pq=4$

답 4

0456

함수 $f(x)=-2^{4-3x}+k$의 그래프가 제2사분면을 지나지 않도록 하는 자연수 k의 최댓값을 구하시오.

• 그래프를 그린 후 $f(0)$의 부호를 판별하자.

$f(x)=-2^{4-3x}+k$
$=-\left(\frac{1}{8}\right)^{x-\frac{4}{3}}+k$
이므로 함수 $y=f(x)$의 그래프는 함수 $y=\left(\frac{1}{8}\right)^x$의 그래프를 x축에 대하여 대칭이동한 후 x축의 방향으로 $\frac{4}{3}$만큼, y축의 방향으로 k만큼 평행이동한 것이다.
한편, 함수 $y=f(x)$의 그래프가 제2사분면을 지나지 않아야 하므로 함수 $y=f(x)$의 그래프는 그림과 같다.
$f(0)\le0$이어야 하므로
$f(0)=-2^4+k\le0$
$\therefore k\le16$
따라서 자연수 k의 최댓값은 16이다.

답 16

0457

함수 $y=\left(\frac{1}{2}\right)^{|x-1|}-10$의 그래프와 직선 $y=k$가 만나게 되는 실수 k의 최댓값을 구하시오.

• y의 값의 범위를 구하자.

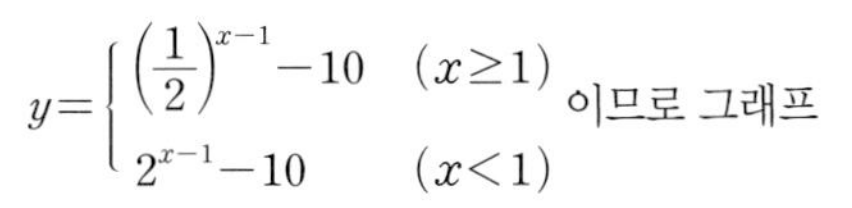

$y=\begin{cases} \left(\frac{1}{2}\right)^{x-1}-10 & (x\ge 1) \\ 2^{x-1}-10 & (x<1) \end{cases}$ 이므로 그래프는 그림과 같다.

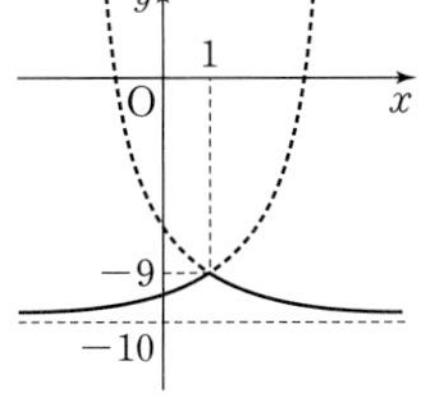

주어진 함수는 $x=1$에 대하여 대칭이고 점근선은 $y=-10$이다.

$x=1$일 때, 최댓값 -9를 가진다.

$y=k$와 교점이 존재할 때 k의 값의 범위는 $-10<k\le -9$이므로 실수 k의 최댓값은 -9이다.

답 -9

0458

> 좌표평면 위의 두 함수 $y=\left(\frac{1}{3}\right)^{x-4}-3$, $y=2^{x+n}$의 그래프가 제1사분면에서 만나도록 하는 자연수 n의 개수를 구하시오.

- y축과의 교점은 $(0, 78)$이다.
- y축과의 교점은 $(0, 2^n)$이다.

함수 $y=\left(\frac{1}{3}\right)^{x-4}-3$의 그래프는 함수 $y=\left(\frac{1}{3}\right)^{x}$의 그래프를 x축의 방향으로 4만큼, y축의 방향으로 -3만큼 평행이동한 것이므로 그림에서 x축과 y축의 교점의 좌표는 $(3, 0)$, $(0, 78)$이다.

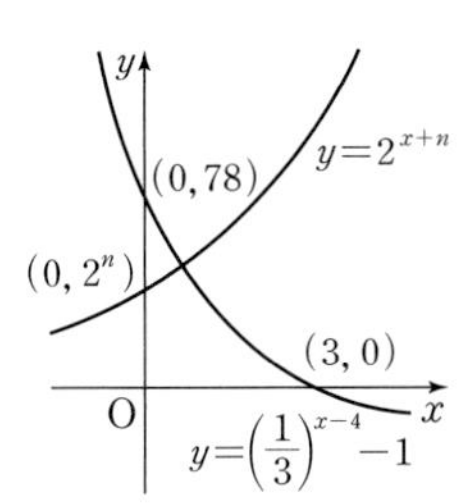

함수 $y=2^{x+n}$의 그래프와 y축의 교점이 $(0, 2^n)$이므로 두 함수의 그래프가 제1사분면에서 만나기 위해서는 $0<2^n<78$이어야 한다.

따라서 조건을 만족하는 자연수 n은 1, 2, 3, 4, 5, 6으로 6개이다.

답 6

0459

> 함수 $f(x)=2^x-1$에 대하여 〈보기〉에서 옳은 것만을 있는 대로 고른 것은?

- $(0, 0)$을 지남을 이용하자.

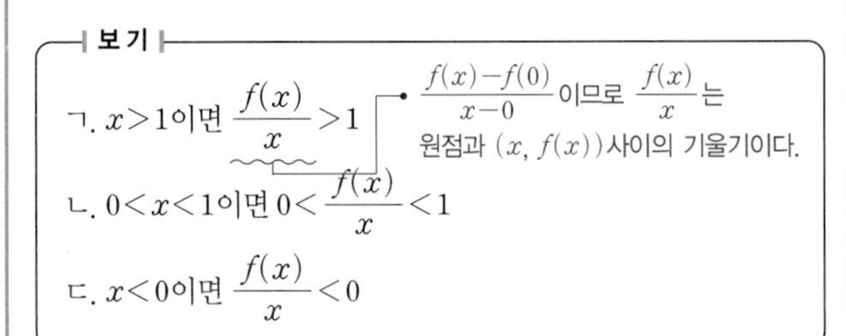

보 기

ㄱ. $x>1$이면 $\frac{f(x)}{x}>1$

ㄴ. $0<x<1$이면 $0<\frac{f(x)}{x}<1$

ㄷ. $x<0$이면 $\frac{f(x)}{x}<0$

- $\frac{f(x)-f(0)}{x-0}$이므로 $\frac{f(x)}{x}$는 원점과 $(x, f(x))$사이의 기울기이다.

그림과 같이 함수 $y=f(x)$의 그래프는 원점과 점 $\mathrm{A}(1, 1)$을 지나며, 직선 OA의 기울기는 1이다.

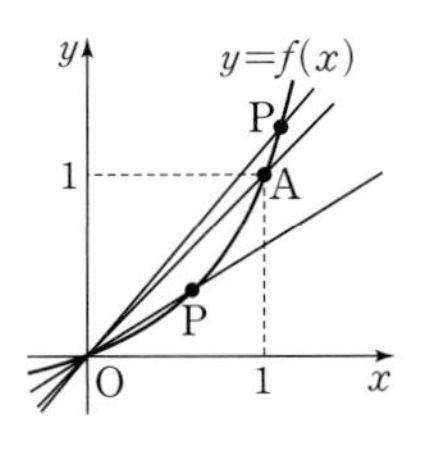

곡선 $y=f(x)$ 위를 움직이는 점 P에 대하여 직선 OP의 기울기를 비교하면

ㄱ. $x>1$이면 직선 OP의 기울기는 $\frac{f(x)}{x}>1$ (참)

ㄴ. $0<x<1$이면 직선 OP의 기울기는 $0<\frac{f(x)}{x}<1$ (참)

ㄷ. $x<0$이면 직선 OP의 기울기는 $\frac{f(x)}{x}>0$ (거짓)

따라서 옳은 것은 ㄱ, ㄴ이다.

답 ③

0460

> 함수 $f(x)=2^{ax+b}$이고 $f(1)=2$, $f(2)=16$일 때, a^2+b^2의 값을 구하시오. (단, a, b는 상수이다.)

- 주어진 함수에 $x=1$, $y=2$를 대입하자.

$f(1)=2^{a+b}$

$=2^a\times 2^b=2$ ······ ㉠

$f(2)=2^{2a+b}=2^{2a}\times 2^b$

$=(2^a)^2\times 2^b=16$ ······ ㉡

㉡÷㉠을 하면 $2^a=8$

$2^a=8$을 ㉠에 대입하면 $2^b=\frac{1}{4}$이므로

$a=3$, $b=-2$

$\therefore a^2+b^2=9+4=13$

답 13

0461

> 함수 $f(x)=a^x+b$에 대하여 $f(1)=3$, $f^{-1}(1)=0$일 때, a의 값을 구하시오. (단, $a>0$, b는 상수이다.)

- $f(0)=1$임을 이용하자.

$f(1)=3$이므로

$a+b=3$ ······ ㉠

$f^{-1}(1)=0$에서 $f(0)=1$이므로

$1+b=1$ $\therefore b=0$

$b=0$을 ㉠에 대입하면

$a=3$

답 3

0462

> 그림과 같은 지수함수 $f(x)=a^x$의 그래프에서 $f(b)=3$, $f(c)=6$일 때, $f\left(\frac{b+c}{2}\right)$의 값을 구하시오.

- $a^{\frac{b+c}{2}}=(a^b\cdot a^c)^{\frac{1}{2}}$임을 이용하자.

지수함수 $f(x)=a^x$의 그래프에서 $f(b)=3$, $f(c)=6$이므로

$a^b=3$, $a^c=6$

$a^b\times a^c=a^{b+c}=18$

$f\left(\frac{b+c}{2}\right)=a^{\frac{b+c}{2}}=(a^{b+c})^{\frac{1}{2}}=\sqrt{18}=3\sqrt{2}$

답 $3\sqrt{2}$

0463

> 함수 $f(x)=a^x$ $(0<a<1)$에 대하여 $f(2)+f(-2)=11$일 때, $f(2)-f(-2)$의 값은?

- 곱셈공식을 이용하자.

$f(2)+f(-2)=a^2+a^{-2}=(a+a^{-1})^2-2=11$에서

$(a+a^{-1})^2=13$

$\therefore a+a^{-1}=\sqrt{13}$ $(\because a+a^{-1}>0)$

$(a-a^{-1})^2=a^2+a^{-2}-2=11-2=9$이므로

$a-a^{-1}=-3$ ($\because a<a^{-1}$)

$\therefore f(2)-f(-2)=a^2-a^{-2}$

$=(a+a^{-1})(a-a^{-1})$

$=-3\sqrt{13}$

답 ①

0464

> 지수함수 $f(x)=a^x$이 임의의 실수 x에 대하여
>
> $f(x+2)+3f(x)=4f(x+1)$
>
> 을 만족시킬 때, $\log_3 f(20)$의 값을 구하시오. (단, $a>0$, $a\neq1$)
>
> • $a^x>0$
>
> • $a^{x+2}+3a^x=4a^{x+1}>0$이고, 양변을 a^x로 나누자.

$f(x+2)+3f(x)=4f(x+1)$에서

$a^{x+2}+3a^x=4a^{x+1}$

양변을 a^x으로 나누면

$a^2+3=4a$

$a^2-4a+3=0$, $(a-1)(a-3)=0$

$\therefore a=3$ ($\because a>0$, $a\neq1$)

따라서 $f(x)=3^x$이므로

$\log_3 f(20)=\log_3 3^{20}=20$

답 20

0465

> 지수함수 $f(x)=3^x$에 대하여 다음 중 옳지 않은 것은?
>
> (단, m, n은 실수이다.)
>
> ① $f(0)=1$
>
> ② $f(-2)=\dfrac{1}{f(2)}$
>
> ③ $f(m+n)=f(m)f(n)$ → $3^{m+n}=3^m\cdot3^n$
>
> ④ $f(2m)=2f(m)$ → $f(2m)=f(m+m)=f(m)\cdot f(m)$
>
> ⑤ $f(m-n)=\dfrac{f(m)}{f(n)}$

$f(x)=3^x$이므로

① $f(0)=3^0=1$ (참)

② $f(-2)=3^{-2}=\dfrac{1}{3^2}=\dfrac{1}{f(2)}$ (참)

③ $f(m+n)=3^{m+n}=3^m\times3^n=f(m)f(n)$ (참)

④ $f(2m)=3^{2m}$, $2f(m)=2\times3^m$이므로

$f(2m)\neq2f(m)$ (거짓)

⑤ $f(m-n)=3^{m-n}=3^m\div3^n=\dfrac{3^m}{3^n}=\dfrac{f(m)}{f(n)}$ (참)

따라서 옳지 않은 것은 ④이다.

답 ④

0466

> 다음 세 수의 대소 관계를 바르게 나타낸 것은?
>
> $A=\sqrt{\dfrac{1}{9}}$, $B=\sqrt[3]{\dfrac{1}{3}}$, $C=\sqrt[5]{\dfrac{1}{81}}$ → $\left(\dfrac{1}{3}\right)^{\frac{4}{5}}$
>
> • 밑이 $\dfrac{1}{3}$인 지수로 표현하자.

$A=\sqrt{\dfrac{1}{9}}=\left(\dfrac{1}{3}\right)^1$

$B=\sqrt[3]{\dfrac{1}{3}}=\left(\dfrac{1}{3}\right)^{\frac{1}{3}}$

$C=\sqrt[5]{\dfrac{1}{81}}=\left(\dfrac{1}{3^4}\right)^{\frac{1}{5}}=\left(\dfrac{1}{3}\right)^{\frac{4}{5}}$

지수함수 $y=\left(\dfrac{1}{3}\right)^x$에서 밑 $\dfrac{1}{3}$은 0보다 크고 1보다 작으므로 x의 값이 증가하면 y의 값은 감소한다.

세 수 A, B, C의 지수의 크기를 비교하면

$\dfrac{1}{3}<\dfrac{4}{5}<1$이므로

$\left(\dfrac{1}{3}\right)^1<\left(\dfrac{1}{3}\right)^{\frac{4}{5}}<\left(\dfrac{1}{3}\right)^{\frac{1}{3}}$

$\therefore A<C<B$

답 ②

0467

> 세 수 $A=\sqrt{2}$, $B=\sqrt[3]{4}$, $C=\left(\dfrac{1}{2}\right)^{-0.6}$의 대소 관계를 바르게 나타낸 것은?
>
> • 밑이 2인 지수로 표현하자.
>
> • $2^{0.6}=2^{\frac{3}{5}}$

$A=\sqrt{2}=2^{\frac{1}{2}}$

$B=\sqrt[3]{4}=\sqrt[3]{2^2}=2^{\frac{2}{3}}$

$C=\left(\dfrac{1}{2}\right)^{-0.6}=(2^{-1})^{-0.6}=2^{0.6}=2^{\frac{3}{5}}$

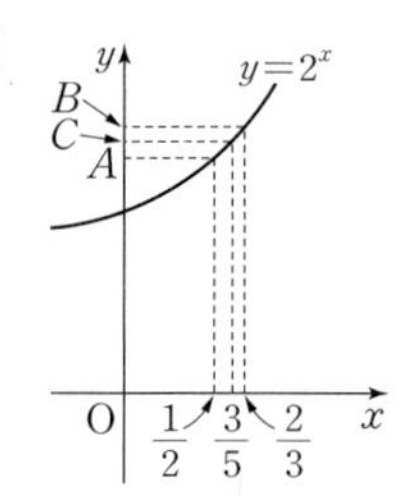

지수함수 $y=2^x$의 밑 2는 1보다 크므로 x의 값이 증가하면 y의 값도 증가한다.

세 수 A, B, C의 지수의 크기를 비교하면

$\dfrac{1}{2}<\dfrac{3}{5}<\dfrac{2}{3}$이므로

$2^{\frac{1}{2}}<2^{\frac{3}{5}}<2^{\frac{2}{3}}$

$\therefore A<C<B$

답 ②

0468

> $0<a<1$일 때, 〈보기〉에서 옳은 것만을 있는 대로 고른 것은?
>
> • 각 변에 a를 곱하면 $0<a^2<a$
>
> **보기**
>
> ㄱ. $a<a^a$　　ㄴ. $a^a<a^{a^2}$　　ㄷ. $a<a^{a^2}$

먼저 a, a^a, a^{a^2}의 지수 1, a, a^2의 크기를 비교하자.

$0<a<1$의 각 변에 a를 곱하면 $0<a^2<a$이므로

$a^2<a<1$

세 수 a, a^a, a^{a^2}의 밑 a는 $0<a<1$이므로

$a<a^a<a^{a^2}$

따라서 ㄱ, ㄴ, ㄷ 모두 옳다.

답 ⑤

0469

그림과 같이 지수함수 $y=4^x$의 그래프 위의 점 $A(a, b)$에서 x축, y축에 내린 수선의 발을 각각 B, C라 하자.
점 $D(0, 1)$에 대하여 삼각형 ADO와 삼각형 AOB의 넓이의 비가 $1:2$일 때, 삼각형 ACD의 넓이는? (단, $a>0$이고, O는 원점이다.)

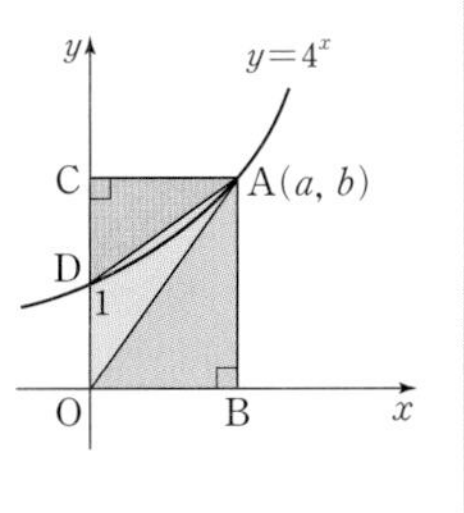

- 넓이는 $\frac{a}{2}$
- 넓이는 $\frac{ab}{2}$

$\overline{OB}=a$, $\overline{AB}=b$, $\overline{OD}=1$이므로

삼각형 ADO의 넓이는 $\frac{1}{2}\times1\times a=\frac{a}{2}$

삼각형 AOB의 넓이는 $\frac{1}{2}ab$

즉, 삼각형 ADO와 삼각형 AOB의 넓이의 비는

$\frac{a}{2}:\frac{ab}{2}=1:2$이므로 $b=2$

$b=4^a=2$에서 $a=\frac{1}{2}$

따라서 삼각형 ACD의 넓이는

$\frac{1}{2}\times a\times(b-1)=\frac{1}{2}\times\frac{1}{2}\times1=\frac{1}{4}$

답 ①

0470

- $y=2^{x-a}$은 $y=2^x$을 x축의 방향으로 a만큼 평행이동한 것이므로 $\overline{CD}=a$

그림과 같이 x축 위의 두 점 A, B와 두 함수 $y=2^x$, $y=2^{x-a}$의 그래프 위의 두 점 D, C를 연결한 도형은 직사각형이다. 이 직사각형 ABCD의 넓이가 24일 때, 점 A의 x좌표 a의 값을 구하시오. (단, a는 자연수이다.)

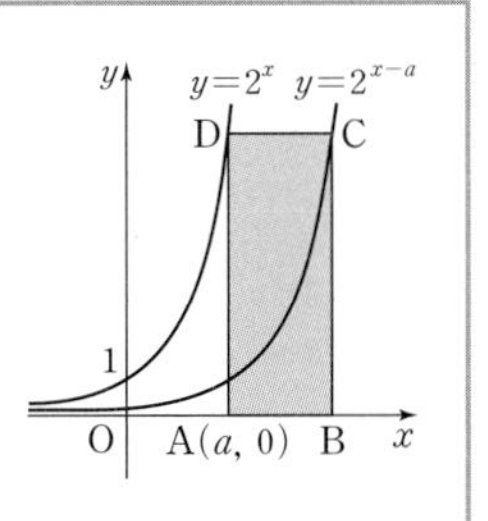

함수 $y=2^{x-a}$의 그래프는 지수함수 $y=2^x$의 그래프를 x축의 방향으로 a만큼 평행이동한 것이다.

점 A의 좌표가 $(a, 0)$이므로 점 D의 좌표는 $(a, 2^a)$

점 C의 좌표는 $(2a, 2^a)$

$\overline{AD}=2^a$, $\overline{CD}=a$이고, 직사각형 ABCD의 넓이가 24이므로

$a\times2^a=24=3\times2^3$

$\therefore a=3$

답 3

0471

좌표평면 위의 두 지수함수 $y=2^x$, $y=4^x$의 그래프와 직선 $y=8$이 만나는 서로 다른 두 점을 각각 A, B라 하고 원점을 O라 할 때, 삼각형 OAB의 넓이를 구하시오.

- $4^x=2^{2x}=8=2^3$에서 $x=\frac{3}{2}$, 따라서 점 B의 좌표는 $\left(\frac{3}{2}, 8\right)$이다.

두 지수함수 $y=2^x$, $y=4^x$의 그래프와 직선 $y=8$의 교점의 x좌표를 각각 구하면

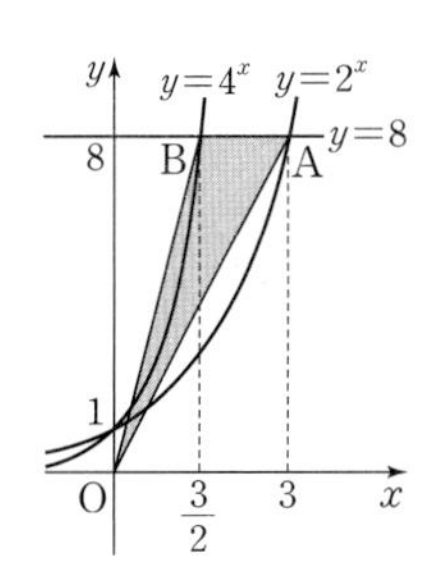

$2^x=8=2^3$에서 $x=3$이므로

점 A의 x좌표는 3, $4^x=8$에서 $2^{2x}=2^3$

즉, $2x=3$에서 $x=\frac{3}{2}$이므로

점 B의 x좌표는 $\frac{3}{2}$

$\therefore \overline{AB}=3-\frac{3}{2}=\frac{3}{2}$

따라서 삼각형 OAB의 넓이는

$\frac{1}{2}\times\frac{3}{2}\times8=6$

답 6

0472

그림과 같이 직선 $y=4$가 y축과 만나는 점을 B, 점 A를 지나는 두 지수함수 $y=2^x$, $y=a^x$의 그래프와 만나는 점을 각각 C, D라 하자. 삼각형 ACB와 삼각형 ADC의 넓이의 비가 $2:1$일 때, 상수 a의 값은? (단, $1<a<2$)

- $2^x=4$에서 $x=2$, 따라서 점 C의 좌표는 $(2, 4)$이다.

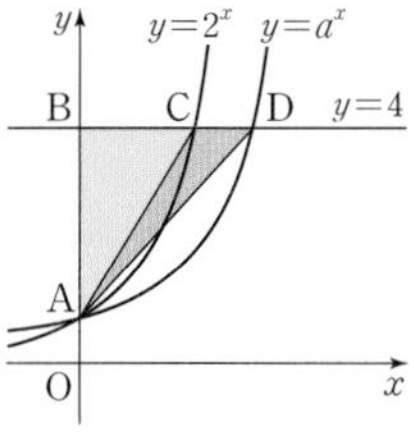

삼각형 ACB와 삼각형 ADC의 넓이의 비가 $2:1$이므로

$\overline{BC}:\overline{CD}=2:1$

두 점 C, D에서 x축에 내린 수선의 발의 x좌표를 각각 $2p$, $3p$ $(p>0)$라 하면 두 점 C, D는 각각 $C(2p, 4)$, $D(3p, 4)$

$2^{2p}=4$에서 $p=1$이므로

$a^{3p}=a^3=4$

$\therefore a=4^{\frac{1}{3}}=\sqrt[3]{4}$

답 ④

0473

그림과 같이 곡선 $y=3^x$ 위의 두 점 B, E에서 x축, y축에 내린 수선의 발을 각각 A, D, C, F라 하자. 점 A의 x좌표가 3일 때, 사각형 ODEF의 넓이는 사각형 OABC의 넓이의 몇 배인가?

- 점 C의 y좌표는 3^3이고, 이것은 점 D의 x좌표와 같다.

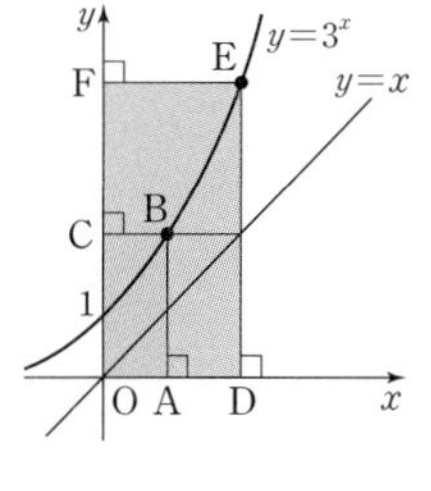

점 A의 x좌표가 3이므로 점 B의 y좌표는 3^3이다.

즉, 사각형 OABC의 넓이는

$3\times3^3=3^4$ ······ ㉠

점 D의 x좌표는 점 B의 y좌표와 같으므로 3^3이고,

점 E의 y좌표는 $3^{3^3}=3^{27}$

즉, 사각형 ODEF의 넓이는

$3^3\times3^{27}=3^{30}$ ······ ㉡

㉠, ㉡에서 사각형 ODEF의 넓이는 사각형 OABC의 넓이의

$\frac{3^{30}}{3^4}=3^{26}$(배)이다. 답 ④

0474

그림과 같이 지수함수 $y=2^x$의 그래프 위에 점 $P(\alpha, 2^\alpha)$, 함수 $y=-2^{-x}$의 그래프 위에 점 $Q(\beta, -2^{-\beta})$이 있다. $\beta-\alpha=2$일 때, 두 점 P, Q에서 x축, y축과 각각 평행한 직선을 그어 만들어지는 직사각형 PRQS의 넓이의 최솟값은?

→ 가로의 길이는 $(\beta-\alpha)$, 세로의 길이는 $\{2^\alpha-(-2^{-\beta})\}$

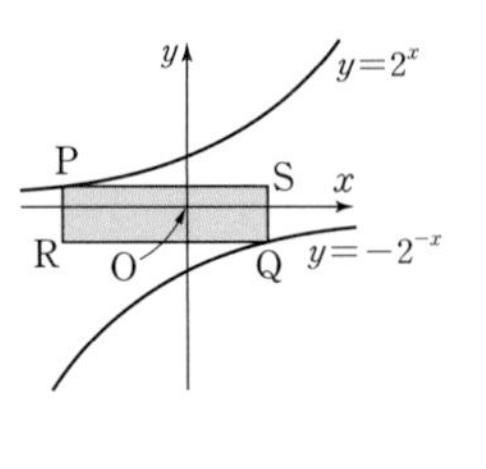

직사각형의 넓이를 S라 하면

$S=(\beta-\alpha)\times\{2^\alpha-(-2^{-\beta})\}=2(2^\alpha+2^{-\beta})$

$2^\alpha>0$, $2^{-\beta}>0$이므로 산술평균과 기하평균의 관계에 의하여

$2^\alpha+2^{-\beta}\ge2\sqrt{2^\alpha\times2^{-\beta}}=2\sqrt{2^{\alpha-\beta}}$

등호는 $2^\alpha=2^{-\beta}$일 때 성립하므로

$\alpha=-\beta$

$\therefore \alpha+\beta=0$ ······ ㉠

$\beta-\alpha=2$이므로 ㉠에서

$2\alpha+2=0$ $\therefore \alpha=-1$

㉠에 대입하면

$\beta=1$

즉, $2^\alpha+2^{-\beta}$은 $\alpha=-1$, $\beta=1$일 때, 최솟값 1을 갖는다.

따라서 $S=2(2^\alpha+2^{-\beta})\ge2$이므로 S의 최솟값은 2이다.

답 ②

0475

→ $k\cdot3^\alpha=3^{-\alpha}$, $k\cdot3^{2\alpha}=-4\cdot3^{2\alpha}+8$

함수 $y=k\cdot3^x(0<k<1)$의 그래프가 두 함수 $y=3^{-x}$, $y=-4\cdot3^x+8$의 그래프와 만나는 점을 각각 P, Q라 하자. 점 P와 점 Q의 x좌표의 비가 $1:2$일 때, $35k$의 값을 구하시오.

→ 점 P의 x좌표를 α라 하면 점 Q의 x좌표는 2α이다.

점 P의 x좌표를 α라 하면 $k\cdot3^\alpha=3^{-\alpha}$

양변에 3^α을 곱하여 정리하면

$(3^\alpha)^2=3^{2\alpha}=\frac{1}{k}$

점 Q의 x좌표는 2α이므로

$k\cdot3^{2\alpha}=-4\cdot3^{2\alpha}+8$

$3^{2\alpha}=\frac{1}{k}$이므로 $k\cdot\frac{1}{k}=-4\cdot\frac{1}{k}+8$

$k>0$이므로 $1=-\frac{4}{k}+8$

$\therefore k=\frac{4}{7}$

$\therefore 35k=20$ 답 20

0476

→ 밑이 $2>1$이므로 x의 값이 증가하면 y의 값도 증가한다.

정의역이 $\{x\,|\,1\le x\le3\}$인 지수함수 $y=2^{x-3}+3$의 최댓값을 M, 최솟값을 m이라 할 때, $M+4m$의 값을 구하시오.

함수 $y=2^{x-3}+3$은 밑이 2이므로 x의 값이 증가하면 y의 값도 증가한다.

따라서 $1\le x\le3$에서

최솟값은 $m=2^{-2}+3=\frac{13}{4}$

최댓값은 $M=2^0+3=4$

$\therefore M+4m=4+4\times\frac{13}{4}=17$ 답 17

0477

→ 밑이 $\frac{2}{3}<1$이므로 x의 값이 증가하면 y의 값은 감소한다.

$-2\le x\le1$에서 정의된 함수 $y=\left(\frac{2}{3}\right)^x$의 최댓값을 M, 최솟값을 m이라 할 때, Mm의 값을 구하시오.

$-2\le x\le1$에서 함수 $y=\left(\frac{2}{3}\right)^x$의 밑 $\frac{2}{3}$는 0보다 크고 1보다 작으므로 x의 값이 증가하면 y의 값은 감소한다.

$x=-2$일 때 최대이고, 최댓값은 $\left(\frac{2}{3}\right)^{-2}=\frac{9}{4}$

$x=1$일 때 최소이고, 최솟값은 $\frac{2}{3}$

따라서 $M=\frac{9}{4}$, $m=\frac{2}{3}$이므로

$Mm=\frac{3}{2}$ 답 $\frac{3}{2}$

0478

정의역이 $\{x\,|\,-1\le x\le3\}$인 두 지수함수 $f(x)=4^x$, $g(x)=\left(\frac{1}{2}\right)^x$에 대하여 $f(x)$의 최댓값을 M, $g(x)$의 최솟값을 m이라 할 때, Mm의 값을 구하시오.

→ 밑이 $\frac{1}{2}<1$이므로 x의 값이 증가하면 y의 값은 감소한다.

$-1\le x\le3$에서 지수함수 $y=f(x)$는 증가하므로 $x=3$일 때 최대이고 최댓값은

$M=4^3=64$

$-1\le x\le3$에서 지수함수 $y=g(x)$는 감소하므로 $x=3$일 때 최소이고 최솟값은

$m=\left(\frac{1}{2}\right)^3=\frac{1}{8}$

$\therefore Mm=64\times\frac{1}{8}=8$ 답 8

0479

정의역이 $\{x|-1\le x\le 1\}$인 함수 $y=2^x\times 5^{-x}+1$의 치역이 $\{y|a\le y\le b\}$일 때, $5a+2b$의 값을 구하시오.

$y=\left(\frac{2}{5}\right)^x+1$ 임을 이용하자.

$y=2^x\times 5^{-x}+1=2^x\times\left(\frac{1}{5}\right)^x+1=\left(\frac{2}{5}\right)^x+1$이고, $y=\left(\frac{2}{5}\right)^x$은 밑이 0보다 크고 1보다 작으므로 x의 값이 증가할 때 y의 값은 감소하는 함수이다.

즉, 함수 $y=2^x\times 5^{-x}+1=\left(\frac{2}{5}\right)^x+1$은 $x=-1$일 때 최댓값 b를, $x=1$일 때 최솟값 a를 가지므로

$b=\left(\frac{2}{5}\right)^{-1}+1=\frac{5}{2}+1=\frac{7}{2}$

$a=\frac{2}{5}+1=\frac{7}{5}$

$\therefore 5a+2b=5\times\frac{7}{5}+2\times\frac{7}{2}$

$=14$

답 14

0480

$a\le x\le 3$에서 정의된 함수 $y=3^{x-1}+b$의 최댓값이 11, 최솟값이 3일 때, $a+b$의 값을 구하시오. (단, b는 상수이다.)

밑이 3이므로 $x=a$에서 최솟값 3, $x=3$에서 최댓값 11을 가진다.

지수함수 $y=3^x$의 밑 3이 1보다 크므로 함수 $y=3^{x-1}+b$는 x의 값이 증가할 때, y의 값도 증가한다.

즉, 이 함수는 $x=3$일 때 최댓값 11, $x=a$일 때 최솟값 3을 가지므로

$11=3^{3-1}+b$ ...... ㉠

$3=3^{a-1}+b$ ...... ㉡

㉠에서 $b=2$

㉡에 대입하면

$3^{a-1}=1=3^0$, $a-1=0$

$\therefore a=1$

$\therefore a+b=3$

답 3

0481

정의역이 $\{x|0\le x\le 2\}$인 함수 $f(x)=3^{a-x}-1$의 최댓값과 최솟값의 차는 8이다. 이때, $f(1)$의 값을 구하시오. (단, a는 상수이다.)

$f(x)=3^{-(x-a)}-1=\left(\frac{1}{3}\right)^{x-a}-1$임을 이용하자.

$f(x)=3^{a-x}-1=3^{-(x-a)}-1=\left(\frac{1}{3}\right)^{x-a}-1$이므로

함수 $y=f(x)$는 $0\le x\le 2$에서 감소한다.

주어진 정의역에서 $f(x)$의 최댓값은 $f(0)=3^a-1$

$f(x)$의 최솟값은 $f(2)=3^{a-2}-1$

이므로 $f(0)-f(2)=8$

$3^a-3^{a-2}=8$에서 $a=2$

$f(x)=3^{2-x}-1$이므로

$f(1)=3^{2-1}-1=2$

답 2

0482

함수 $y=\left(\frac{1}{2}\right)^{x^2-4x+1}$의 최댓값은?

밑이 $\frac{1}{2}$이므로 x^2-4x+1이 최소일 때, 최댓값을 가진다.

$f(x)=x^2-4x+1$로 놓으면

함수 $y=\left(\frac{1}{2}\right)^{f(x)}$의 밑 $\frac{1}{2}$은 0보다 크고 1보다 작으므로 x의 값이 증가하면 y의 값은 감소한다.

즉, $f(x)$가 최소일 때, 함수 $y=\left(\frac{1}{2}\right)^{f(x)}$은 최댓값을 가진다.

$f(x)=x^2-4x+1$

$=(x-2)^2-3$

에서 $f(x)$의 최솟값은 -3이므로

함수 $y=\left(\frac{1}{2}\right)^{x^2-4x+1}$의 최댓값은

$\left(\frac{1}{2}\right)^{-3}=2^3=8$

답 ④

0483

$0\le x\le 3$에서 $-x^2+4x+a$의 최솟값을 구하자.

$0\le x\le 3$에서 함수 $f(x)=2^{-x^2+4x+a}$의 최솟값이 4일 때, $f(x)$의 최댓값을 구하시오. (단, a는 상수이다.)

$f(x)=2^{-x^2+4x+a}$에서

$-x^2+4x+a=-(x-2)^2+a+4$이므로

$f(x)=2^{-(x-2)^2+a+4}$

$t=-(x-2)^2+a+4$ $(0\le x\le 3)$라 하면

t의 최솟값은 $x=0$일 때, a이므로

$2^a=4$

$\therefore a=2$

한편, t의 최댓값은 $x=2$일 때, $a+4=6$이므로 $f(x)$의 최댓값은 $2^6=64$이다.

답 64

0484

$-2\le x\le 4$일 때, 지수함수 $y=3^{x^2-4x-3}$의 최댓값과 최솟값의 곱을 구하시오.

$x^2-4x-3=t$라 하자.

$y=3^{x^2-4x-3}$에서

$x^2-4x-3=t$라 하면

$t=x^2-4x-3$

$=(x-2)^2-7$ $(-2\le x\le 4)$

$x=2$일 때 최솟값 $t=-7$

$x=-2$일 때 최댓값 $t=9$

지수함수 $y=3^t$은 증가함수이므로 $3^{-7}\le 3^t\le 3^9$

따라서 최댓값은 3^9, 최솟값은 3^{-7}이다.

$\therefore 3^9\times 3^{-7}=3^2=9$

답 9

0485

> $2^x=t(t>0)$라 하면 $y=t^2-4t+5$

> $-1\le x\le 3$에서 정의된 함수 $y=4^x-2^{x+2}+5$의 최댓값을 M, 최솟값을 m이라 할 때, $M-m$의 값은?

$y=4^x-2^{x+2}+5$

$=(2^x)^2-4\times 2^x+5$

에서 $2^x=t\ (t>0)$로 놓으면

$y=t^2-4t+5$

$=(t-2)^2+1$

$-1\le x\le 3$이므로

$2^{-1}\le 2^x\le 2^3 \quad \therefore \frac{1}{2}\le t\le 8$

따라서 $t=2$일 때 최솟값은 1이고, $t=8$일 때 최댓값은 37이다.

$\therefore M=37,\ m=1$

$\therefore M-m=36$

답 ⑤

0486

> 함수 $f(x)=4^x-2^{x+1}+a$가 $x=b$에서 최솟값 10을 가질 때, 두 상수 a, b의 합 $a+b$의 값을 구하시오.
>
> $2^x=t(t>0)$라 하면 $f(x)=t^2-2t+a$

$f(x)=4^x-2^{x+1}+a$에서

$2^x=t\ (t>0)$로 놓으면

$f(x)=t^2-2t+a=(t-1)^2+a-1$

$t=1$일 때, 즉 $x=0$일 때 $f(x)$는 최솟값 $a-1$을 가지므로 $a-1=10$

$\therefore a=11,\ b=0$

$\therefore a+b=11$

답 11

0487

> $1\le x\le 2$에서 함수 $y=9^x-2\times 3^{x+1}+a$의 최댓값이 18일 때, 상수 a의 값은?
>
> $3^x=t(t>0)$라 하고 $1\le x\le 2$에서 t의 값의 범위를 구하자.

$y=9^x-2\times 3^{x+1}+a=(3^x)^2-6\times 3^x+a$에서

$3^x=t\ (t>0)$로 놓으면

$y=t^2-6t+a$

$=(t-3)^2-9+a \quad \cdots\cdots ㉠$

$1\le x\le 2$이므로 $3\le 3^x\le 3^2$

$\therefore 3\le t\le 9$

즉, ㉠은 $t=9$일 때, 최댓값이 18이므로

$(9-3)^2-9+a=18$

$\therefore a=-9$

답 ②

0488

> 함수 $y=4^x+4^{-x}-2(2^x+2^{-x})+3$의 최솟값을 구하시오.
>
> $2^x+2^{-x}=t$라 하면 $t=2^x+2^{-x}\ge 2\sqrt{2^x\times 2^{-x}}=2$

$y=4^x+4^{-x}-2(2^x+2^{-x})+3$

$=(2^x+2^{-x})^2-2(2^x+2^{-x})+1$

에서 $2^x+2^{-x}=t$로 놓으면

$y=t^2-2t+1$

$=(t-1)^2 \quad \cdots\cdots ㉠$

$2^x>0,\ 2^{-x}>0$이므로 산술평균과 기하평균의 관계에 의하여

$t=2^x+2^{-x}\ge 2\sqrt{2^x\times 2^{-x}}=2$

(단, 등호는 $2^x=2^{-x}$, 즉 $x=0$일 때 성립한다.)

따라서 $t\ge 2$에서 ㉠은 $t=2$일 때 최솟값 1을 가지므로 주어진 함수의 최솟값은 1이다.

답 1

0489

> 함수 $y=9^x+9^{-x}-2(3^x+3^{-x})+5$의 최솟값은?
>
> $3^x+3^{-x}=t$라 하면 $t=3^x+3^{-x}\ge 2\sqrt{3^x\times 3^{-x}}=2$

$y=9^x+9^{-x}-2(3^x+3^{-x})+5$

$=\{(3^x+3^{-x})^2-2\}-2(3^x+3^{-x})+5$

$=(3^x+3^{-x})^2-2(3^x+3^{-x})+3$

에서 $3^x+3^{-x}=t$로 놓으면

$y=t^2-2t+3$

$=(t-1)^2+2 \quad \cdots\cdots ㉠$

$3^x>0,\ 3^{-x}>0$이므로 산술평균과 기하평균의 관계에 의하여

$t=3^x+3^{-x}\ge 2\sqrt{3^x\times 3^{-x}}=2$

(단, 등호는 $3^x=3^{-x}$, 즉 $x=0$일 때 성립한다.)

즉, $t\ge 2$이므로 ㉠에 $t=2$를 대입하면

$y=(2-1)^2+2=1+2=3$

따라서 주어진 함수는 $t=2$일 때, 즉 $x=0$일 때 최솟값은 3이다.

답 ②

0490

> 함수 $f(x)=2^{2x}+2^{-2(x+1)}$이 $x=a$에서 최솟값 b를 가질 때, $a+b$의 값을 구하시오.
>
> $2^{2x}>0,\ 2^{-2(x+1)}>0$이므로 산술평균과 기하평균의 관계를 이용하자.

$2^{2x}>0,\ 2^{-2(x+1)}>0$이므로 산술평균과 기하평균의 관계에 의하여

$f(x)=2^{2x}+2^{-2(x+1)}$

$\ge 2\sqrt{2^{2x}\times 2^{-2(x+1)}}$

$=2\times\sqrt{\frac{1}{4}}=1$

등호는 $2^{2x}=2^{-2(x+1)}$일 때 성립하므로

$2x=-2(x+1)$에서

$x=-\frac{1}{2}$

즉, 함수 $y=f(x)$는 $x=-\frac{1}{2}$에서 최솟값 1을 가지므로

$a=-\frac{1}{2},\ b=1$

$\therefore a+b=\frac{1}{2}$

답 $\frac{1}{2}$

0491

> 방정식 $8^{2x+1}=\sqrt[3]{2}$를 만족시키는 x의 값을 구하시오.
> └• $(2^3)^{2x+1}=2^{6x+3}$이다.

$8^{2x+1}=(2^3)^{2x+1}=2^{6x+3}$, $\sqrt[3]{2}=2^{\frac{1}{3}}$이므로

$8^{2x+1}=\sqrt[3]{2}$, $2^{6x+3}=2^{\frac{1}{3}}$

$6x+3=\frac{1}{3}$, $6x=-\frac{8}{3}$

$\therefore x=-\frac{4}{9}$ 답 $-\frac{4}{9}$

0492

> 방정식 $2^{-x+6}=4^{x-1}$의 근을 a라 할 때, $3a$의 값은?
> └• $(2^2)^{x-1}=2^{2x-2}$이다.

$2^{-x+6}=4^{x-1}$에서 $2^{-x+6}=(2^2)^{x-1}$

$2^{-x+6}=2^{2(x-1)}$, $2^{-x+6}=2^{2x-2}$

$-x+6=2x-2$이므로 $x=\frac{8}{3}$

$\therefore 3a=3\times\frac{8}{3}=8$ 답 ④

0493

> 방정식 $\left(\frac{1}{\sqrt{3}}\right)^{3x}=9^{3-x}$의 해를 구하시오.
> └• $(3^{-\frac{1}{2}})^{3x}=3^{-\frac{3}{2}x}$

$\left(\frac{1}{\sqrt{3}}\right)^{3x}=9^{3-x}$에서 $3^{-\frac{3}{2}x}=3^{6-2x}$

$-\frac{3}{2}x=6-2x$

$\therefore x=12$ 답 12

0494

> 방정식 $\left(\frac{4}{3}\right)^{2x^2-5}=\left(\frac{3}{4}\right)^{2-x}$을 만족시키는 모든 근의 합은?
> └• $\left(\frac{4}{3}\right)^{x-2}$이다.

$\left(\frac{4}{3}\right)^{2x^2-5}=\left(\frac{3}{4}\right)^{2-x}$에서 $\left(\frac{4}{3}\right)^{2x^2-5}=\left(\frac{4}{3}\right)^{x-2}$

즉, $2x^2-5=x-2$이므로

$2x^2-x-3=0$, $(x+1)(2x-3)=0$

$\therefore x=-1$ 또는 $x=\frac{3}{2}$

따라서 모든 근의 합은

$(-1)+\frac{3}{2}=\frac{1}{2}$ 답 ②

다른풀이 $2x^2-x-3=0$에서 근과 계수의 관계에 의하여

(두 근의 합)$=\frac{1}{2}$

0495

> 방정식 $(x-1)^{x+1}=2^{x+1}$을 만족시키는 x의 값을 구하시오.
> └• 밑이 같은 경우와 지수가 0인 경우를 살펴보자. (단, $x>1$)

지수가 $x+1$로 같으므로 밑이 같거나 지수가 0이어야 한다.

(i) $x-1=2$이면 $x=3$

(ii) $x+1=0$이면 $x=-1$

$x>1$이므로 -1은 x의 값이 될 수 없다.

(i), (ii)에 의하여 주어진 방정식을 만족시키는 x의 값은 3이다. 답 3

0496

> 방정식 $(x-1)^{2(x+2)}=(x-1)^{x^2+1}$의 모든 근의 합을 구하시오.
> └• 밑이 같으므로 지수가 같거나, 밑이 1인 경우로 나누어 생각하자. (단, $x>1$)

$(x-1)^{2(x+2)}=(x-1)^{x^2+1}$에서 양변의 밑이 $x-1$로 같으므로 지수가 같거나 밑이 1이어야 한다.

(i) $2(x+2)=x^2+1$일 때,

$x^2-2x-3=0$

$(x+1)(x-3)=0$

$\therefore x=3$ ($\because x>1$)

(ii) $x-1=1$, 즉 $x=2$일 때,

주어진 방정식은 $1^8=1^5$이므로 등식이 성립한다.

$\therefore x=2$

(i), (ii)에서 모든 근의 합은

$3+2=5$ 답 5

0497

> 방정식 $2^{2x}-9\times2^x+8=0$의 두 근을 α, β라 할 때, $\alpha+\beta$의 값은?
> └• $2^x=t\,(t>0)$로 놓으면 $t^2-9t+8=0$

$2^{2x}-9\times2^x+8=0$에서 $2^x=t$ $(t>0)$로 놓으면

$t^2-9t+8=0$

$(t-1)(t-8)=0$

$\therefore t=1$ 또는 $t=8$

즉, $2^x=1$ 또는 $2^x=8$이므로

$x=0$ 또는 $x=3$

$\therefore \alpha+\beta=3$ 답 ④

0498

> 방정식 $4^x+2^{x+3}-128=0$의 해를 구하시오.
> └• $2^x=t\,(t>0)$로 놓으면 $t^2+8t-128=0$

$4^x+2^{x+3}-128=0$에서 $(2^x)^2+2^3\times2^x-128=0$

$2^x=t$ $(t>0)$로 놓으면

$t^2+8t-128=0$, $(t+16)(t-8)=0$

$\therefore t=8$ ($\because t>0$)

따라서 $2^x=8=2^3$이므로 $x=3$ 답 $x=3$

0499

> x에 대한 방정식 $a^{2x}-a^{x}=2$의 해가 $x=\frac{1}{7}$이 되도록 하는 상수 a의 값을 구하시오. (단, $a>0$, $a\neq1$)
>
> → $a^{x}=t\,(t>0)$로 놓자.

$a^{2x}-a^{x}=2$에서 $(a^{x})^{2}-a^{x}-2=0$

$a^{x}=t\ (t>0)$로 놓으면

$t^{2}-t-2=0$, $(t+1)(t-2)=0$

$\therefore t=2\ (\because t>0)$

즉, $a^{x}=2$의 해가 $x=\frac{1}{7}$이므로 $a^{\frac{1}{7}}=2$

$\therefore a=2^{7}=128$

답 128

0500

> 방정식 $2^{x}+2^{2-x}=5$를 만족시키는 모든 x의 값의 합은?
>
> → $2^{x}=t\,(t>0)$로 놓으면 $t+\frac{4}{t}=5$

$2^{x}+2^{2-x}=5$에서 $2^{x}+2^{2}\times2^{-x}=5$

$2^{x}=t\ (t>0)$로 놓으면

$t+\frac{4}{t}=5$, $t^{2}-5t+4=0$

$(t-1)(t-4)=0\qquad\therefore t=1$ 또는 $t=4$

즉, $2^{x}=1$ 또는 $2^{x}=4$이므로

$x=0$ 또는 $x=2$

따라서 방정식을 만족시키는 모든 x의 값의 합은

$0+2=2$

답 ⑤

0501

> 연립방정식 $\begin{cases} x-y=-1 \\ 4^{x}-2^{y}=48 \end{cases}$을 만족시키는 두 실수 x, y에 대하여 $x+y$의 값을 구하시오.
>
> → $y=x+1$을 아래 식에 대입하자.

$x-y=-1$에서 $y=x+1$ ……㉠

$4^{x}-2^{y}=48$에 대입하면

$4^{x}-2^{x+1}=48$, $2^{2x}-2\times2^{x}-48=0$

$2^{x}=t\ (t>0)$로 놓으면

$t^{2}-2t-48=0$, $(t+6)(t-8)=0$

$\therefore t=8\ (\because t>0)$

즉, $2^{x}=8=2^{3}$이므로 $x=3$

㉠에서 $y=4$

$\therefore x+y=7$

답 7

0502

> 방정식 $4^{x}+4^{-x}-3(2^{x}+2^{-x})+4=0$의 해는?
>
> → $2^{x}+2^{-x}=X$로 놓으면 $X=2^{x}+2^{-x}\geq2\sqrt{2^{x}\times2^{-x}}=2$

$4^{x}+4^{-x}=(2^{x}+2^{-x})^{2}-2$이므로

$4^{x}+4^{-x}-3(2^{x}+2^{-x})+4=0$에서

$(2^{x}+2^{-x})^{2}-3(2^{x}+2^{-x})+2=0$

$2^{x}>0$, $2^{-x}>0$이므로 산술평균과 기하평균의 관계에 의하여

$2^{x}+2^{-x}\geq2\sqrt{2^{x}\times2^{-x}}=2$ (단, 등호는 $2^{x}=2^{-x}$일 때 성립한다.)

$2^{x}+2^{-x}=X$로 놓으면 주어진 방정식은

$X^{2}-3X+2=0$

$(X-1)(X-2)=0$

$\therefore X=2\ (\because X\geq2)$

즉, $2^{x}+2^{-x}=2$이므로 양변에 2^{x}을 곱하여 정리하면

$(2^{x})^{2}-2\times2^{x}+1=0$

$2^{x}=t\ (t>0)$로 놓으면

$t^{2}-2t+1=0$

$(t-1)^{2}=0\qquad\therefore t=1$

즉, $2^{x}=1$이므로 $x=0$

답 ③

0503

> 방정식 $3^{2x}-8\times3^{x}+9=0$의 두 근을 α, β라 할 때, $\alpha+\beta$의 값은?
>
> → 근과 계수의 관계에 의하여 $3^{\alpha}\times3^{\beta}=9$
>
> → $3^{x}=t$라 하자.

$3^{2x}-8\times3^{x}+9=0$에서

$(3^{x})^{2}-8\times3^{x}+9=0$ ……㉠

$3^{x}=t\ (t>0)$로 놓으면

$t^{2}-8t+9=0$ ……㉡

㉠의 두 근이 α, β이므로 ㉡의 두 근은 3^{α}, 3^{β}이다.

따라서 이차방정식의 근과 계수의 관계에 의하여

$3^{\alpha}\times3^{\beta}=9$, $3^{\alpha+\beta}=3^{2}$

$\therefore \alpha+\beta=2$

답 ②

0504

> x에 대한 방정식 $2^{2x+1}-5\times2^{x}+k=0$의 두 근의 합이 -1일 때, 상수 k의 값은?
>
> → 두 근을 α, β라 하면 $2^{\alpha}\times2^{\beta}=\frac{k}{2}$

$2^{2x+1}-5\times2^{x}+k=0$에서

$2\times2^{2x}-5\times2^{x}+k=0$

$2^{x}=t\ (t>0)$로 놓으면

$2t^{2}-5t+k=0$ ……㉠

주어진 방정식의 두 근을 α, β라 하면 $\alpha+\beta=-1$이고,

㉠의 두 근은 2^{α}, 2^{β}이다.

따라서 이차방정식의 근과 계수의 관계에 의하여

$2^{\alpha}\times2^{\beta}=2^{\alpha+\beta}=2^{-1}$

$=\frac{1}{2}=\frac{k}{2}$

$\therefore k=1$

답 ④

0505

> 방정식 $3^{2x}-3\times3^{x}+2=0$의 두 근을 α, β라 할 때, $3^{3\alpha}+3^{3\beta}$의 값은?
>
> → $3^{\alpha}+3^{\beta}=3$, $3^{\alpha}\times3^{\beta}=2$

$3^{2x}-3\times3^{x}+2=0$에서 $3^{x}=t\ (t>0)$로 놓으면

$t^2-3t+2=0 \quad \cdots\cdots$ ㉠

주어진 방정식의 두 근이 α, β이므로 ㉠의 두 근은 3^α, 3^β이다.

따라서 이차방정식의 근과 계수의 관계에 의하여

$3^\alpha+3^\beta=3$, $3^\alpha\times3^\beta=2$

$\therefore 3^{3\alpha}+3^{3\beta}=(3^\alpha+3^\beta)^3-3\times3^\alpha\times3^\beta\times(3^\alpha+3^\beta)$

$=3^3-3\times2\times3=9$

답 ③

0506

> 방정식 $4^{2x}-4^{x+1}+1=0$의 두 근을 α, β라 할 때, $2^\alpha+2^\beta$의 값은?
>
> → $4^\alpha+4^\beta=4$, $4^\alpha\times4^\beta=1$

$4^{2x}-4^{x+1}+1=0$에서 $4^x=t\ (t>0)$로 놓으면

$t^2-4t+1=0 \quad \cdots\cdots$ ㉠

주어진 방정식의 두 근이 α, β이므로 ㉠의 두 근은 4^α, 4^β이다.

따라서 이차방정식의 근과 계수의 관계에 의하여

$4^\alpha+4^\beta=4$, $4^\alpha\times4^\beta=1$

$\therefore (2^\alpha+2^\beta)^2=4^\alpha+4^\beta+2\times2^\alpha\times2^\beta$

$=4^\alpha+4^\beta+2\sqrt{4^\alpha\times4^\beta}$

$=4+2$

$=6$

$2^\alpha+2^\beta>0$이므로

$2^\alpha+2^\beta=\sqrt{6}$

답 ②

0507

> 방정식 $3^{2x}-k\times3^x+18=0$의 한 근이 $\log_3 2$일 때, 상수 k의 값을 구하시오.
>
> → $x=\log_3 2$이므로 $3^x=2$

$3^{2x}-k\times3^x+18=0$에서 $3^x=t\ (t>0)$로 놓으면

$t^2-kt+18=0$이고, 이 이차방정식의 두 근을 t_1, t_2라 하자.

그런데 $x=\log_3 2$에서 $3^x=2$이므로

즉, $t_1=2$라 하면 이차방정식의 근과 계수의 관계에 의하여

$t_1t_2=2t_2=18 \qquad \therefore t_2=9$

$\therefore k=t_1+t_2$

$=2+9=11$

답 11

다른풀이 $t=2$를 $t^2-kt+18=0$에 대입하면

$2^2-2k+18=0$

$2k=22 \qquad \therefore k=11$

0508

→ 방정식 $3^{2x}-3^{x+1}=k$가 서로 다른 두 실근을 가져야 한다.

> 곡선 $y=3^{2x}-3^{x+1}$과 직선 $y=k$가 서로 다른 두 점에서 만나도록 하는 모든 정수 k의 값의 합을 구하시오.

곡선 $y=3^{2x}-3^{x+1}$과 직선 $y=k$가 서로 다른 두 점에서 만나려면 방정식 $3^{2x}-3^{x+1}=k$가 서로 다른 두 실근을 가져야 한다.

위의 방정식에서 $3^x=t\ (t>0)$로 놓으면

$t^2-3t-k=0 \quad \cdots\cdots$ ㉠

㉠이 서로 다른 두 양수인 실근을 가져야 하므로

(i) 이차방정식 ㉠의 판별식을 D라 하면

$D=9+4k>0$

$\therefore k>-\frac{9}{4}$

(ii) 이차방정식의 근과 계수의 관계에 의하여

(두 근의 합)$=3>0$, (두 근의 곱)$=-k>0$

$\therefore k<0$

(i), (ii)에서

$-\frac{9}{4}<k<0$

따라서 정수 k의 값은 -2, -1이므로 그 합은

$(-2)+(-1)=-3$

답 -3

0509

→ $y=|3^x-5|$와 $y=k$의 교점이 한 개이다.

> x에 대한 방정식 $|3^x-5|-k=0$이 오직 한 개의 실근을 갖게 되는 자연수 k의 최솟값을 구하시오.

방정식 $|3^x-5|=k$의 실근의 개수는 곡선 $y=|3^x-5|$와 직선 $y=k$의 교점의 개수와 같고 곡선 $y=|3^x-5|$는 그림과 같다.

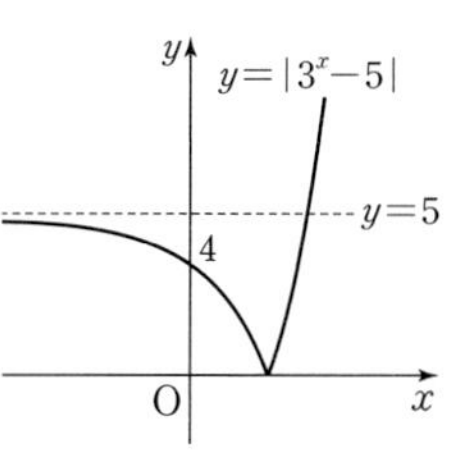

곡선 $y=|3^x-5|$의 점근선이 $y=5$이므로 $y=k$(k는 자연수)와 교점이 하나가 되려면 $k\geq5$이어야 한다.

따라서 자연수 k의 최솟값은 5이다.

답 5

0510

> 두 함수 $f(x)=|2^x-8|$, $g(x)=k+3$에 대하여 방정식 $f(x)-g(x)=0$이 서로 다른 두 개의 양의 실근을 갖게 되는 정수 k의 개수를 구하시오.
>
> → 그래프에서 $y=|2^x-8|$과 교점이 두 개가 되는 $y=k+3$의 위치를 찾자.

$y=|2^x-8|$의 그래프는 그림과 같다.

방정식 $f(x)-g(x)=0$의 실근은 $y=|2^x-8|$과 $y=k+3$의 교점의 x좌표와 같으므로

$0<k+3<7$

$-3<k<4$

따라서 구하는 정수 k의 개수는 6이다.

답 6

0511

→ 그래프에서 $y=|5^x-25|$와 교점이 두 개가 되는 $y=2^x+k$의 위치를 찾자.

> x에 대한 방정식 $|5^x-25|=2^x+k$가 서로 다른 두 실근을 갖도록 하는 정수 k의 개수를 구하시오.

$f(x)=|5^x-25|$, $g(x)=2^x+k$라 하면 $f(2)=0$이므로 $y=f(x)$의 그래프는 그림과 같다.

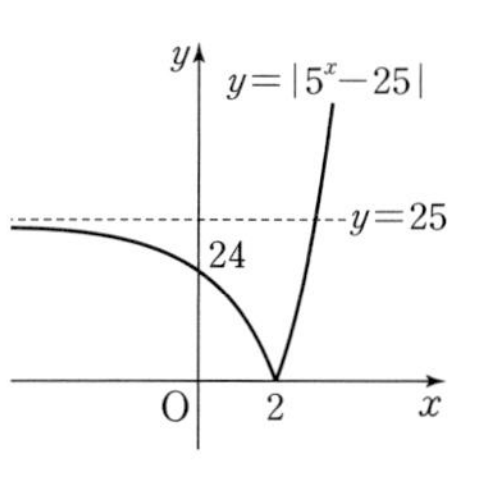

$f(x)=g(x)$가 서로 다른 두 실근을 가지기 위해서는 $g(0)<26$이고 $g(2)>0$이어야 한다.

즉, $\begin{cases} 2^0+k<26 \\ 2^2+k>0 \end{cases}$

$\therefore -4<k<25$

따라서 정수 k의 개수는 28이다. 답 28

0512

$x>0$일 때 $32<\left|\left(\frac{1}{2}\right)^{x-5}-64\right|<64$임을 이용하자.

> 함수 $f(x)=\left(\frac{1}{2}\right)^{x-5}-64$에 대하여 함수 $y=|f(x)|$의 그래프와 직선 $y=k$가 제1사분면에서 만나도록 하는 자연수 k의 개수를 구하시오. (단, 좌표축은 어느 사분면에도 속하지 않는다.)

함수 $f(x)=\left(\frac{1}{2}\right)^{x-5}-64$의 그래프는 함수 $y=\left(\frac{1}{2}\right)^{x}$의 그래프를 x축의 방향으로 5만큼, y축의 방향으로 -64만큼 평행이동시킨 것이다.

따라서 이 그래프가 y축과 만나는 점의 y좌표는

$f(0)=\left(\frac{1}{2}\right)^{-5}-64=2^5-64=-32$

점근선의 방정식은 $y=-64$이므로

$$|f(x)|=\begin{cases} \left(\frac{1}{2}\right)^{x-5}-64 & (x<-1) \\ -\left(\frac{1}{2}\right)^{x-5}+64 & (x\ge-1) \end{cases}$$

의 그래프는 그림과 같다.

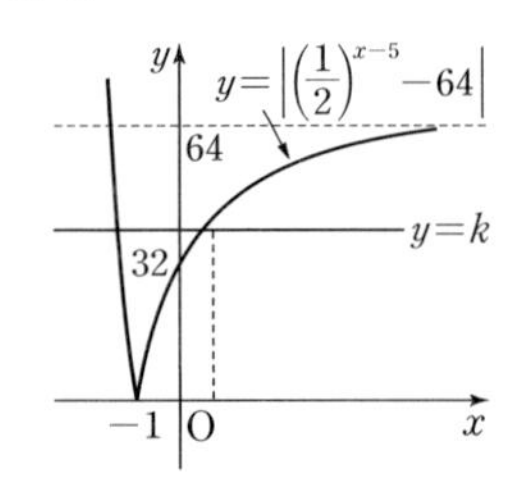

이때, 곡선 $y=|f(x)|$의 그래프와 직선 $y=k$가 제1사분면에서 만나기 위해서는 $32<k<64$이어야 한다.

따라서 구하는 자연수 k의 개수는

$64-32-1=31$ 답 31

0513

> 좌표평면 위의 두 곡선 $y=|9^x-3|$과 $y=2^{x+k}$이 만나는 서로 다른 두 점의 x좌표를 x_1, x_2 $(x_1<x_2)$라 할 때, $x_1<0$, $0<x_2<2$를 만족시키는 모든 자연수 k의 값의 합은?
>
> 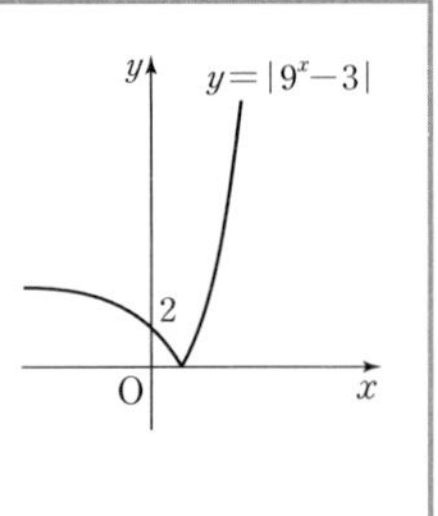
>

x가 2일 때, $2^{2+k}<|9^2-3|$

x가 0일 때, $2^{0+k}>2$

$|9^x-3|=0$에서 $9^x=3^{2x}=3$이므로

$x=\frac{1}{2}$

따라서 두 곡선 $y=|9^x-3|$, $y=2^{x+k}$이 만나는 서로 다른 두 점의 x좌표 x_1, x_2가 $x_1<0$, $0<x_2<2$를 만족시키는 경우는 그림과 같다.

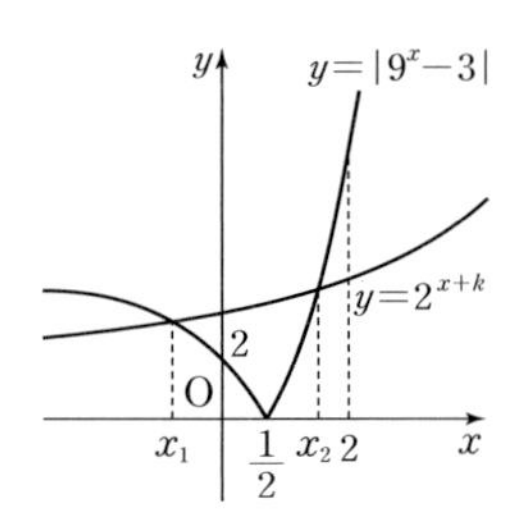

즉, $x=0$일 때,

$2^{0+k}=2^k>2$ …… ㉠

$x=2$일 때,

$2^{2+k}=4\times2^k<|9^2-3|=78$

$2^k<19.5$ …… ㉡

㉠, ㉡을 만족시키는 자연수 k는

2, 3, 4이므로 그 합은 $2+3+4=9$ 답 ②

0514

> 부등식 $3^{3-x}\le9^{x+6}$을 만족시키는 x의 값의 범위는?

밑이 3인 지수로 표현하자. 3^{2x+12}

$3^{3-x}\le9^{x+6}$에서 $3^{3-x}\le(3^2)^{x+6}$

$3^{3-x}\le3^{2x+12}$

밑 3은 1보다 크므로

$3-x\le2x+12$, $-3x\le9$

$\therefore x\ge-3$ 답 ②

0515

> 부등식 $\left(\frac{1}{5}\right)^{1-2x}\le5^{x+4}$을 만족시키는 모든 자연수 x의 값의 합은?

밑이 5인 지수로 표현하자. 5^{2x-1}

$\left(\frac{1}{5}\right)^{1-2x}\le5^{x+4}$에서 $5^{2x-1}\le5^{x+4}$

밑 5는 1보다 크므로

$2x-1\le x+4$ $\therefore x\le5$

따라서 부등식을 만족시키는 모든 자연수 x는 1, 2, 3, 4, 5이므로 그 합은

$1+2+3+4+5=15$ 답 ⑤

0516

> 부등식 $\left(\frac{1}{2}\right)^{x^2}>\left(\frac{1}{4}\right)^{x+4}$을 만족시키는 정수 x의 개수를 구하시오.

밑이 $\frac{1}{2}$인 지수로 표현하자. 이때 지수의 부등호는 반대가 된다.

$\left(\frac{1}{2}\right)^{x^2}>\left(\frac{1}{4}\right)^{x+4}$에서 $\left(\frac{1}{2}\right)^{x^2}>\left(\frac{1}{2}\right)^{2x+8}$

밑 $\frac{1}{2}$은 0보다 크고 1보다 작으므로

$x^2<2x+8$, $x^2-2x-8<0$

$(x+2)(x-4)<0$ $\therefore -2<x<4$

따라서 정수 x는 -1, 0, 1, 2, 3의 5개이다. 답 5

0517

부등식 $\left(\frac{\sqrt{3}}{3}\right)^{-2x-2}>9(\sqrt{3})^x$을 만족시키는 x의 값의 범위는?

└• 밑이 3인 지수로 표현하자. $\left(\frac{1}{\sqrt{3}}\right)^{-2x-2}=(\sqrt{3})^{2x+2}=3^{x+1}$

$\left(\frac{\sqrt{3}}{3}\right)^{-2x-2}>9(\sqrt{3})^x$에서

$(3^{-\frac{1}{2}})^{-2x-2}>3^{2+\frac{1}{2}x}$

$3^{x+1}>3^{2+\frac{1}{2}x}$

밑 3은 1보다 크므로

$x+1>2+\frac{1}{2}x$

$\therefore x>2$

답 ⑤

0518

연립부등식 $\begin{cases} 3^{x^2}\le 9^{x+4} \\ \left(\frac{1}{25}\right)^{x-3}\ge\left(\frac{1}{5}\right)^{3x-4} \end{cases}$ 을 만족시키는 정수 x의 개수를 구하시오.

└• 밑이 $\frac{1}{5}$인 지수로 표현하자. $\left(\frac{1}{5}\right)^{2x-6}$

$3^{x^2}\le 9^{x+4}$에서 $3^{x^2}\le(3^2)^{x+4}$이므로

$3^{x^2}\le 3^{2x+8}$

밑 3은 1보다 크므로

$x^2\le 2x+8$, $x^2-2x-8\le 0$

$(x+2)(x-4)\le 0$

$\therefore -2\le x\le 4$ ······ ㉠

$\left(\frac{1}{25}\right)^{x-3}\ge\left(\frac{1}{5}\right)^{3x-4}$에서 $\left\{\left(\frac{1}{5}\right)^2\right\}^{x-3}\ge\left(\frac{1}{5}\right)^{3x-4}$

$\left(\frac{1}{5}\right)^{2x-6}\ge\left(\frac{1}{5}\right)^{3x-4}$

밑 $\frac{1}{5}$은 0보다 크고 1보다 작으므로

$2x-6\le 3x-4$

$\therefore x\ge -2$ ······ ㉡

㉠, ㉡에 의하여 $-2\le x\le 4$이므로 구하는 정수 x는

$-2, -1, 0, 1, 2, 3, 4$의 7개이다.

답 7

0519

다음 부등식을 동시에 만족시키는 x의 값의 범위가 $a\le x\le b$일 때, $a+b$의 값은?

$$\frac{1}{81}\le 3^x\le\frac{1}{9},\quad \left(\frac{1}{2}\right)^{x+1}\le 64\le\left(\frac{1}{4}\right)^x$$

└• 밑이 3인 지수로 표현하자. $\left(\frac{1}{3^4}\right)=3^{-4}$

$\frac{1}{81}\le 3^x\le\frac{1}{9}$에서 $3^{-4}\le 3^x\le 3^{-2}$

밑 3은 1보다 크므로

$-4\le x\le -2$ ······ ㉠

$\left(\frac{1}{2}\right)^{x+1}\le 64\le\left(\frac{1}{4}\right)^x$에서 $\left(\frac{1}{2}\right)^{x+1}\le\left(\frac{1}{2}\right)^{-6}\le\left(\frac{1}{2}\right)^{2x}$

밑 $\frac{1}{2}$은 0보다 크고 1보다 작으므로

$2x\le -6\le x+1$

(i) $2x\le -6$이므로 $x\le -3$

(ii) $-6\le x+1$이므로 $x\ge -7$

(i), (ii)에서

$-7\le x\le -3$ ······ ㉡

㉠, ㉡에서 $-4\le x\le -3$

따라서 $a=-4$, $b=-3$이므로

$a+b=-7$

답 ①

0520

부등식 $x^x\le x^3$을 만족시키는 실수 x의 값의 범위는? (단, $x>0$)

└• 밑이 미지수인 경우 $0<x<1$, $x=1$, $x>1$일 때로 나누어 생각하자.

(i) $0<x<1$일 때,

$x^x\le x^3$에서 $x\ge 3$이므로 주어진 부등식을 만족시키는 실수 x의 값은 없다.

(ii) $x=1$일 때,

$x^x\le x^3$에서 $1^1=1^3$이므로 주어진 부등식은 성립한다.

$\therefore x=1$

(iii) $x>1$일 때,

$x^x\le x^3$에서 $x\le 3$ $\therefore 1<x\le 3$

(i), (ii), (iii)에 의하여 $1\le x\le 3$

답 ⑤

0521

부등식 $x^{x^x}\le x^{x^3}$을 만족시키는 x의 값의 범위는? (단, $x>0$)

└• 밑이 미지수인 경우 $0<x<1$, $x=1$, $x>1$일 때로 나누어 생각하자.

(i) $0<x<1$일 때,

$x^{x^x}\le x^{x^3}$에서 $x^x\ge x^3$

또 $x^x\ge x^3$에서 $x\le 3$

$\therefore 0<x<1$

(ii) $x=1$일 때,

$x^{x^x}\le x^{x^3}$에서 $1^{1^1}=1^{1^3}$이므로 부등식은 성립한다.

$\therefore x=1$

(iii) $x>1$일 때,

$x^{x^x}\le x^{x^3}$에서 $x^x\le x^3$

또 $x^x\le x^3$에서 $x\le 3$

$\therefore 1<x\le 3$

(i), (ii), (iii)에서 $0<x\le 3$

답 ④

0522

곡선 $y=f(x)$와 직선 $y=g(x)$가 그림과 같을 때, 부등식 $\left(\frac{1}{2}\right)^{f(x)}<\left(\frac{1}{2}\right)^{g(x)}$의 해는?

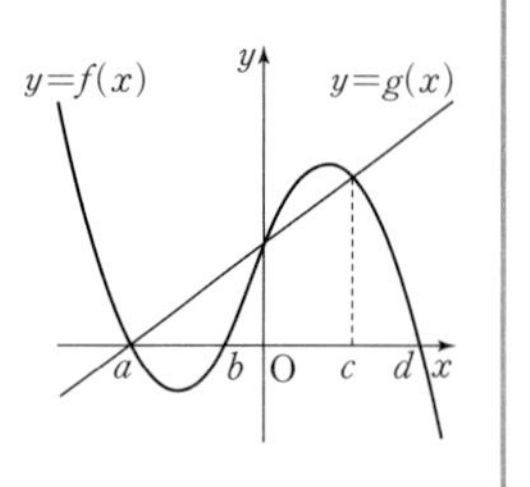

→ $0<\frac{1}{2}<1$이므로 $f(x)>g(x)$의 해를 구한다.

$\left(\frac{1}{2}\right)^{f(x)}<\left(\frac{1}{2}\right)^{g(x)}$에서 밑 $\frac{1}{2}$은 0보다 크고 1보다 작으므로

$f(x)>g(x)$

즉, 주어진 부등식의 해는 곡선 $y=f(x)$가 직선 $y=g(x)$보다 위쪽에 있는 부분의 x의 값의 범위이므로

$x<a$ 또는 $0<x<c$

답 ②

0523

부등식 $4^{x+1}-9\times 2^x+2\leq 0$을 만족시키는 정수 x의 개수를 구하시오.

→ $2^x=t(t>0)$라 하면 $4t^2-9t+2\leq 0$

$4^{x+1}-9\times 2^x+2\leq 0$에서 $4\times 2^{2x}-9\times 2^x+2\leq 0$

$2^x=t\ (t>0)$로 놓으면

$4t^2-9t+2\leq 0$

$(4t-1)(t-2)\leq 0$

$\therefore \frac{1}{4}\leq t\leq 2$

즉, $2^{-2}\leq 2^x\leq 2^1$이므로

$-2\leq x\leq 1$

따라서 구하는 정수 x는 $-2,\ -1,\ 0,\ 1$의 4개이다.

답 4

0524

→ $\left(\frac{1}{3}\right)^x=t(t>0)$라 하면 $t^2-12t+27\leq 0$

부등식 $\left(\frac{1}{9}\right)^x-12\left(\frac{1}{3}\right)^x+27\leq 0$을 만족시키는 x의 최댓값을 M, 최솟값을 m이라 할 때, $M+m$의 값은?

$\left(\frac{1}{9}\right)^x-12\left(\frac{1}{3}\right)^x+27\leq 0$에서

$\left(\frac{1}{3}\right)^{2x}-12\left(\frac{1}{3}\right)^x+27\leq 0$

$\left(\frac{1}{3}\right)^x=t\ (t>0)$로 놓으면

$t^2-12t+27\leq 0$

$(t-3)(t-9)\leq 0$

$\therefore 3\leq t\leq 9$

즉, $\left(\frac{1}{3}\right)^{-1}\leq\left(\frac{1}{3}\right)^x\leq\left(\frac{1}{3}\right)^{-2}$이므로

$-2\leq x\leq -1$

따라서 x의 최댓값 $M=-1$, 최솟값 $m=-2$이므로

$M+m=-3$

답 ①

0525

부등식 $2^x+2^{-x+3}<6$을 만족시키는 실수 x의 값의 범위가 $\alpha<x<\beta$일 때, $\alpha+\beta$의 값은?

→ 양변에 2^x을 곱하면 $2^{2x}-6\times 2^x+8<0$

$2^x+2^{-x+3}<6$에서

$2^x+8\times 2^{-x}<6$

양변에 2^x을 곱하면

$(2^x)^2-6\times 2^x+8<0$

$2^x=t\ (t>0)$로 놓으면

$t^2-6t+8<0$

$(t-2)(t-4)<0 \qquad \therefore 2<t<4$

즉, $2^1<2^x<2^2$이므로 $1<x<2$

따라서 $\alpha=1,\ \beta=2$이므로

$\alpha+\beta=3$

답 ③

0526

→ $2^x=t(t>0)$라 하면 $t^2-12t+32<0$

연립부등식 $\begin{cases} 4^x-3\times 2^{x+2}+32<0 \\ \left(\frac{1}{2}\right)^{3x+1}<\left(\frac{1}{2}\right)^{2x} \end{cases}$ 의 해가 $a<x<b$일 때, $a+b$의 값을 구하시오.

$4^x-3\times 2^{x+2}+32<0$에서

$(2^x)^2-12\times 2^x+32<0$

$2^x=t\ (t>0)$로 놓으면

$t^2-12t+32<0$

$(t-4)(t-8)<0$

$\therefore 4<t<8$

즉, $2^2<2^x<2^3$이므로

$2<x<3 \qquad \cdots\cdots ㉠$

$\left(\frac{1}{2}\right)^{3x+1}<\left(\frac{1}{2}\right)^{2x}$에서 $3x+1>2x$

$\therefore x>-1 \qquad \cdots\cdots ㉡$

㉠, ㉡에 의하여 $2<x<3$

따라서 $a=2,\ b=3$이므로

$a+b=5$

답 5

0527

x에 대한 부등식 $4^{x+1}+a\times 2^x+b<0$의 해가 $-2<x<4$일 때, 두 상수 $a,\ b$에 대하여 $b-a$의 값을 구하시오.

→ $2^{-2}<2^x<2^4$임을 이용하자.

$4^{x+1}+a\times 2^x+b<0$에서

$4(2^x)^2+a\times 2^x+b<0$

$2^x=t\ (t>0)$로 놓으면

$4t^2+at+b<0 \qquad \cdots\cdots ㉠$

해가 $-2<x<4$이므로 $2^{-2}<2^x<2^4$

$\therefore \frac{1}{4}<t<16$

즉, ㉠의 해가 $\frac{1}{4}<t<16$이므로

$4\left(t-\frac{1}{4}\right)(t-16)<0$, $4t^2-65t+16<0$

따라서 $a=-65$, $b=16$이므로

$b-a=81$

답 81

0528

• $a^x=t(t>0)$라 하면 $16t^2-17t+1<0$

> x에 대한 부등식 $16a^{2x}-17a^x+1<0$의 해가 $0<x<4$일 때, 상수 a의 값을 구하시오. (단, $0<a<1$)

$16a^{2x}-17a^x+1<0$에서 $a^x=t\ (t>0)$로 놓으면

$16t^2-17t+1<0$

$(16t-1)(t-1)<0$

$\therefore \frac{1}{16}<t<1$

즉, $\frac{1}{16}<a^x<1$ ...... ㉠

부등식의 해가 $0<x<4$이고 밑 a가 0보다 크고 1보다 작으므로

$a^4<a^x<a^0$ ...... ㉡

㉠, ㉡에서 $a^4=\frac{1}{16}$

$\therefore a=\frac{1}{2}$

답 $\frac{1}{2}$

0529

• $2^x=t(t>0)$라 하면 $t^2-2t-k>0$, 이 식이 $t>0$인 모든 실수 t에 대하여 성립하려면 $D<0$이다.

> x에 대한 부등식 $4^x-2^{x+1}-k>0$이 모든 실수 x에 대하여 성립하도록 하는 실수 k의 값의 범위는?

$4^x-2^{x+1}-k>0$에서 $(2^x)^2-2\times2^x-k>0$

$2^x=t\ (t>0)$로 놓으면

$t^2-2t-k>0$ ...... ㉠

주어진 부등식이 모든 실수 x에 대하여 성립하려면 ㉠은 $t>0$인 모든 실수 t에 대하여 성립해야 한다.

t에 대한 이차방정식 $t^2-2t-k=0$의 판별식을 D라 하면

$\frac{D}{4}=1+k<0$

$\therefore k<-1$

답 ②

0530

> 모든 실수 x에 대하여 부등식
>
> $2^x-2^{\frac{x+4}{2}}+a\geq0$
>
> 이 성립하도록 하는 실수 a의 최솟값을 구하시오.

• $2^{\frac{x}{2}}=t(t>0)$라 하면 $t^2-4t+a\geq0$

$2^{\frac{x}{2}}=t\ (t>0)$로 치환하면

$2^x=(2^{\frac{x}{2}})^2=t^2$,

$2^{\frac{x+4}{2}}=2^{\frac{x}{2}}\times2^2=4t$

이므로 주어진 부등식은

$t^2-4t+a\geq0$

$(t-2)^2+a-4\geq0$

이 부등식이 $t>0$일 때 항상 성립하기 위해서는 $a-4\geq0$이어야 한다.

$\therefore a\geq4$

따라서 구하는 실수 a의 최솟값은 4이다.

답 4

0531

• $0<\frac{1}{3}<1$이므로 $x^2+6\geq k(2x-1)$

> 모든 실수 x에 대하여 부등식 $\left(\frac{1}{3}\right)^{x^2+6}\leq3^{k(1-2x)}$이 성립하기 위한 정수 k의 최댓값을 M, 최솟값을 m이라 할 때, M^2+m^2의 값을 구하시오.

$\left(\frac{1}{3}\right)^{x^2+6}\leq3^{k(1-2x)}$에서 $\left(\frac{1}{3}\right)^{x^2+6}\leq\left(\frac{1}{3}\right)^{k(2x-1)}$

밑 $\frac{1}{3}$은 0보다 크고 1보다 작으므로

$x^2+6\geq k(2x-1)$

즉, $x^2-2kx+k+6\geq0$이 모든 실수 x에 대하여 성립해야 하므로 이차방정식 $x^2-2kx+k+6=0$의 판별식을 D라 하면

$\frac{D}{4}=k^2-k-6\leq0$

$(k+2)(k-3)\leq0$

$\therefore -2\leq k\leq3$

따라서 정수 k의 최댓값 $M=3$, 최솟값 $m=-2$이므로

$M^2+m^2=3^2+(-2)^2$

$=13$

답 13

0532

> 모든 실수 x에 대하여 이차부등식
>
> $x^2-2(2^a+1)x-3(2^a-5)>0$이 성립하도록 하는 실수 a의 값의 범위는?

• 판별식을 D라 하면 $D<0$임을 이용하자.

모든 실수 x에 대하여 주어진 부등식이 성립해야 하므로 x에 대한 이차방정식 $x^2-2(2^a+1)x-3(2^a-5)=0$의 판별식을 D라 하면 $D<0$이어야 한다. 즉,

$\frac{D}{4}=(2^a+1)^2+3(2^a-5)<0$

$2^a=t\ (t>0)$로 놓으면

$(t+1)^2+3(t-5)<0$, $t^2+5t-14<0$

$(t+7)(t-2)<0$

$\therefore 0<t<2\ (\because t>0)$

즉, $2^a<2$이므로 $a<1$

답 ②

0533

• $3^x=t(t>0)$라 하면 $t^2-2at+9\geq0$, 이때 $a>0$, $a=0$, $a<0$인 경우로 나누어 생각하자.

> 모든 실수 x에 대하여 부등식 $9^x-2a\cdot3^x+9\geq0$이 성립하도록 하는 자연수 a의 개수를 구하시오.

$9^x-2a\cdot3^x+9\geq0$에서

$(3^x)^2-2a\cdot3^x+9\geq0$

$3^x=t\ (t>0)$로 놓으면

$t^2-2at+9\geq 0$

$(t-a)^2+9-a^2\geq 0$

이 부등식이 $t>0$인 모든 실수 t에 대하여 성립하려면

(i) $a>0$일 때,

$-a^2+9\geq 0$에서

$(a+3)(a-3)\leq 0$, $-3\leq a\leq 3$

$\therefore 0<a\leq 3$

(ii) $a<0$일 때,

$t=0$이면 $9\geq 0$이므로 항상 성립한다.

(iii) $a=0$일 때,

$t^2+9>0$이므로 항상 성립한다.

(i), (ii), (iii)에서 조건을 만족시키는 a의 값의 범위는 $a\leq 3$이므로 자연수 a의 개수는 3이다.

답 3

0534

> 육안으로 본 별의 밝기를 겉보기 등급, 그 별이 10 (pc)의 거리에 있다고 가정했을 때의 밝기를 절대 등급이라고 한다. 어떤 별이 지구로부터 r (pc)만큼 떨어져 있을 때, 겉보기 등급 m과 절대 등급 M은
>
> $$\left(\frac{r}{10}\right)^2=100^{\frac{1}{5}(m-M)}$$
>
> 을 만족시킨다. '데네브'라는 별은 지구로부터 $10^{2.7}$ (pc)만큼 떨어져 있고 겉보기 등급은 1.3이다. 이 별의 절대 등급은?
>
> (단, pc은 거리를 나타내는 단위이다.)
>
> ($m=1.3$을 대입하여 정리하자. / $r=10^{2.7}$)

$r=10^{2.7}$, $m=1.3$이므로

$\left(\frac{10^{2.7}}{10}\right)^2=100^{\frac{1}{5}(1.3-M)}$

$10^{3.4}=10^{\frac{2}{5}(1.3-M)}$

즉, $3.4=\frac{2}{5}(1.3-M)$이므로

$2M=-14.4$

$\therefore M=-7.2$

답 ④

0535

> 아열대 해역에 서식하는 수명이 짧은 어류의 성장 정도를 알아보는 방법 중의 하나는 길이(cm)를 측정하는 것이다. 이 해역에 서식하는 어떤 물고기의 연령 t에 따른 길이 $f(t)$를 근사적으로 추정하면 다음과 같다고 한다.
>
> $$f(t)=20\{1-a^{-0.7(t+0.4)}\}$$
>
> 이 물고기의 길이가 16 cm 이상이 되기 위한 최소 연령은?
>
> (단, a는 $a>1$인 상수이고, $\log_a 5=1.4$로 계산한다.)
>
> ($f(t)\geq 16$에서 $20\{1-a^{-0.7(t+0.4)}\}\geq 16$, 식을 정리한 후 양변에 밑이 a인 로그를 취하자.)

$20\{1-a^{-0.7(t+0.4)}\}\geq 16$에서

$1-a^{-0.7(t+0.4)}\geq 0.8$

$0.2\geq a^{-0.7(t+0.4)}$

양변에 밑이 a인 로그를 취하면

$\log_a 0.2\geq -0.7(t+0.4)$

$-\log_a 5\geq -0.7(t+0.4)$

$-1.4\geq -0.7t-0.28$

$\therefore t\geq 1.6$

따라서 16 cm 이상이 되기 위한 최소 연령은 1.6이다.

답 ②

0536

> 지수함수 $y=\left(\frac{1}{3}\right)^x$의 그래프를 x축의 방향으로 1만큼 평행이동한 후 y축에 대하여 대칭이동하면 점 $(1, k)$를 지날 때, k의 값을 구하시오.
>
> (x대신 $x-1$을 대입하자. / x대신 $-x$를 대입하자.)

지수함수 $y=\left(\frac{1}{3}\right)^x$의 그래프를 x축의 방향으로 1만큼 평행이동하면

$y=\left(\frac{1}{3}\right)^{x-1}$ ……㉠

㉠의 그래프를 y축에 대하여 대칭이동하면

$y=\left(\frac{1}{3}\right)^{-x-1}$ ……㉡

㉡의 그래프가 점 $(1, k)$를 지나므로

$k=\left(\frac{1}{3}\right)^{-1-1}=3^2=9$

답 9

0537

> 지수함수 $y=3^{x+1}-3$에 대한 설명으로 옳지 않은 것은?
>
> ① 정의역은 실수 전체의 집합이다.
> ② 그래프는 원점을 지난다. ($x=0$을 대입해 보면 $y=0$이다.)
> ③ 그래프의 점근선은 $y=-3$이다.
> ④ x의 값이 증가하면 y의 값도 증가한다.
> ⑤ 그래프는 제4사분면을 지난다.

① 정의역은 실수 전체의 집합이다. (참)

② $x=0$일 때, $y=0$이므로 원점을 지난다. (참)

③ 그래프의 점근선은 $y=-3$이다. (참)

④ x의 값이 증가하면 y의 값도 증가한다. (참)

⑤ 그래프가 원점을 지나는 증가함수이므로, 제4사분면을 지나지 않는다. (거짓)

따라서 옳지 않은 것은 ⑤이다.

답 ⑤

0538

> 지수함수 $f(x)=2^x$의 그래프가 그림과 같다. $f(a)=m$, $f(b)=n$이고 $mn=64$일 때, $a+b$의 값은?
>
> ($2^a=m$ / $2^b=n$ / $mn=a^{m+n}$)

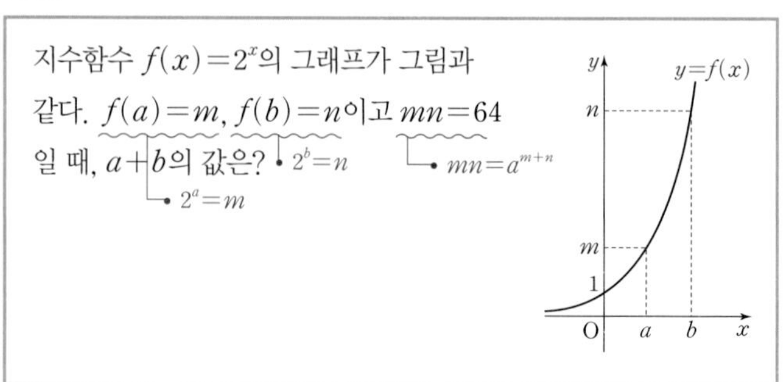

$f(a)=m$에서 $2^a=m$, $f(b)=n$에서 $2^b=n$
$mn=64$이므로
$2^a\times 2^b=64$, $2^{a+b}=2^6$
$\therefore a+b=6$ 답 ⑤

0539

그림과 같이 두 곡선 $y=2^{x-3}$, $y=2^{x+1}$ 위의 두 점 A, B와 x축 위의 두 점 C, D를 이어 만든 사각형 ABCD가 정사각형일 때, 점 D의 x좌표를 구하시오.

• $y=2^{x-3}$은 $y=2^{x+1}$을 x축 방향으로 4만큼 평행이동한 것이므로 $\overline{AB}=4$

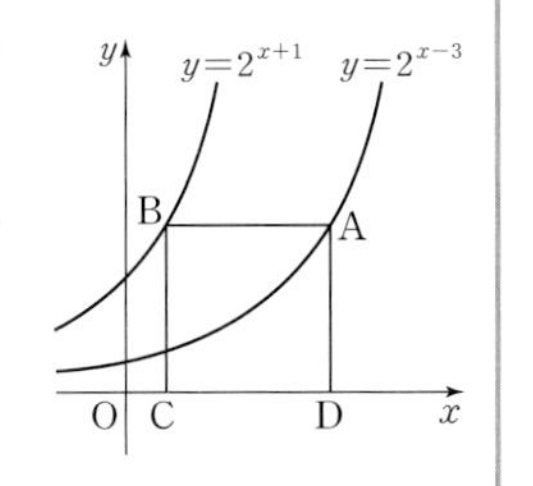

두 점 C, D를 각각 C$(a, 0)$, D$(b, 0)$이라 하면
A$(b, 2^{b-3})$, B$(a, 2^{a+1})$이다.
두 점 A, B의 y좌표는 서로 같으므로
$2^{a+1}=2^{b-3}$
$a+1=b-3$
$\therefore b=a+4$
즉, 정사각형 ABCD의 한 변의 길이는 4이다.
$2^{b-3}=4=2^2$이므로 $b=5$
따라서 점 D의 x좌표는 5이다. 답 5

다른풀이 두 곡선 $y=2^{x-3}$, $y=2^{x+1}$은 곡선 $y=2^x$을 x축의 방향으로 각각 3, -1만큼 평행이동한 것이므로
$\overline{AB}=4$
즉, 정사각형 ABCD의 한 변의 길이는 4이다.
점 D의 x좌표를 b라 하면
$2^{b-3}=4=2^2$
$\therefore b=5$

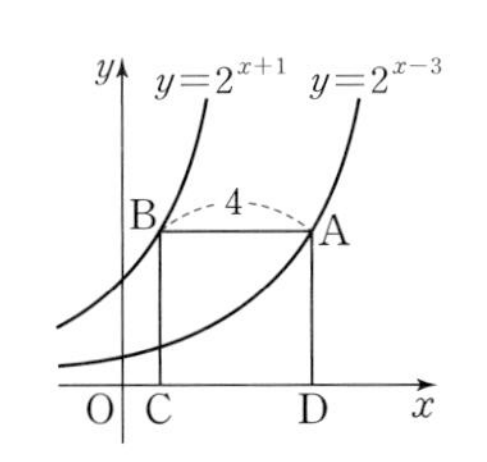

0540 서술형

• 밑이 $\frac{1}{2}$이므로 $x=-1$에서 최댓값, $x=2$에서 최솟값을 가진다.

정의역이 $\{x\mid -1\le x\le 2\}$인 함수 $y=\left(\frac{1}{2}\right)^{x-1}+2$의 최댓값을 α, 최솟값을 β라 할 때, $\alpha\beta$의 값을 구하시오.

함수 $y=\left(\frac{1}{2}\right)^{x-1}+2$는 밑이 $\frac{1}{2}$이므로 감소함수이다.
따라서
$x=-1$일 때 최댓값은 $\left(\frac{1}{2}\right)^{-2}+2=6$ …… 40%
$x=2$일 때 최솟값은 $\left(\frac{1}{2}\right)^{1}+2=\frac{5}{2}$ …… 40%
$\alpha=6,\ \beta=\frac{5}{2}$
$\therefore \alpha\beta=15$ …… 20%
답 15

0541

$1\le x\le 3$에서 정의된 함수 $y=4^x-4\times 2^x+a$의 최댓값이 35일 때, 상수 a의 값을 구하시오.

• $2^x=t\,(t>0)$라 하면 $2\le t\le 8$

$y=4^x-4\times 2^x+a=(2^x)^2-4\times 2^x+a$에서
$2^x=t\ (t>0)$로 놓으면
$y=t^2-4t+a$
$\ =(t-2)^2+a-4$
$1\le x\le 3$이므로 $2^1\le 2^x\le 2^3$
$\therefore 2\le t\le 8$
따라서 $t=8$일 때 최댓값 35를 가지므로
$(8-2)^2+a-4=35$
$32+a=35$
$\therefore a=3$

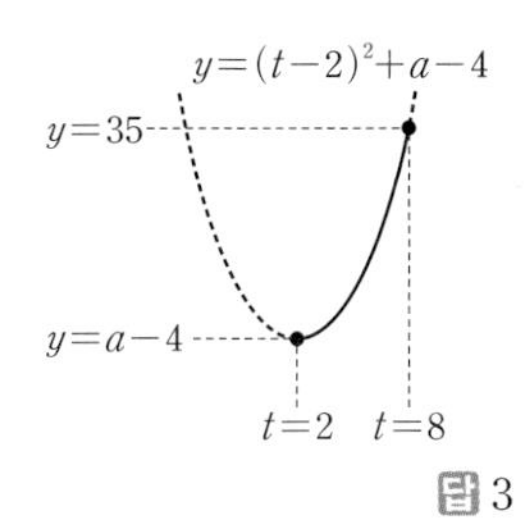

답 3

0542

방정식 $\left(\frac{1}{3}\right)^{-3x}=3^{x^2-4}$의 모든 근의 곱은?

• 밑이 3인 지수로 표현하자. $\left(\frac{1}{3}\right)^{-3x}=3^{3x}$

$\left(\frac{1}{3}\right)^{-3x}=3^{x^2-4}$에서 $3^{3x}=3^{x^2-4}$
즉, $3x=x^2-4$이므로 $x^2-3x-4=0$
$(x+1)(x-4)=0$
$\therefore x=-1$ 또는 $x=4$
따라서 모든 근의 곱은 -4이다. 답 ③

다른풀이 이차방정식 $x^2-3x-4=0$의 근과 계수의 관계에 의하여 모든 근의 곱은 -4이다.

0543

방정식 $4^x-6\times 2^x+8=0$의 두 근을 α, β라 할 때, $\alpha^2+\beta^2$의 값을 구하시오.

• $2^x=t\,(t>0)$라 하면 $t^2-6t+8=0$

$4^x-6\times 2^x+8=0$에서 $2^x=t\ (t>0)$로 놓으면
$t^2-6t+8=0$
$(t-2)(t-4)=0$
$\therefore t=2$ 또는 $t=4$
즉, $2^x=2$ 또는 $2^x=4$이므로
$x=1$ 또는 $x=2$
$\therefore \alpha^2+\beta^2=1^2+2^2=5$ 답 5

0544

• 근과 계수의 관계에 의하여 $2^{\alpha}\times2^{\beta}=8$

> 방정식 $4^x-7\times2^x+8=0$이 서로 다른 두 실근 α, β를 가질 때, $\alpha+\beta$의 값을 구하시오.

$4^x-7\times2^x+8=0$에서 $2^x=t$ $(t>0)$로 놓으면

$t^2-7t+8=0$ ……㉠

주어진 방정식의 두 근이 α, β이므로 ㉠의 두 근은 2^{α}, 2^{β}이다.

따라서 이차방정식의 근과 계수의 관계에 의하여

$2^{\alpha}\times2^{\beta}=8$, $2^{\alpha+\beta}=2^3$

$\therefore \alpha+\beta=3$

답 3

0545 서술형

> 부등식 $\left(\frac{1}{3}\right)^{x^2-2}>\left(\frac{1}{9}\right)^{x+3}$을 만족시키는 정수 x의 개수를 구하시오.
>
> • 밑이 $\frac{1}{3}$인 지수로 표현하자. 이때 지수의 부등호는 반대가 된다.

$\left(\frac{1}{3}\right)^{x^2-2}>\left(\frac{1}{9}\right)^{x+3}$에서 $\left(\frac{1}{3}\right)^{x^2-2}>\left(\frac{1}{3}\right)^{2x+6}$

밑 $\frac{1}{3}$은 0보다 크고 1보다 작으므로

$x^2-2<2x+6$, …… 40%

$x^2-2x-8<0$, $(x+2)(x-4)<0$

$\therefore -2<x<4$ …… 40%

따라서 정수 x의 개수는 $-1, 0, 1, 2, 3$의 5이다. …… 20%

답 5

0546

> 부등식 $9^x-3^{x+2}+18<0$의 해가 $\alpha<x<\beta$일 때, $3^{\alpha}\times3^{\beta}$의 값을 구하시오.
>
> • $3^x=t(t>0)$라 하면 $t^2-9t+18<0$

$9^x-3^{x+2}+18<0$에서

$(3^x)^2-9\times3^x+18<0$

$3^x=t$ $(t>0)$로 놓으면

$t^2-9t+18<0$

$(t-3)(t-6)<0$

$\therefore 3<t<6$

즉, $3<3^x<6$이고,

$\alpha<x<\beta$에서 $3^{\alpha}<3^x<3^{\beta}$이므로

$3^{\alpha}=3$, $3^{\beta}=6$

$\therefore 3^{\alpha}\times3^{\beta}=18$

답 18

0547

• 처음 불순물의 양을 a라 하면 여과기를 n번 통과한 불순물의 양은 $a\cdot\left(\frac{1}{2}\right)^n$

> 불순물을 포함하는 어느 물질이 여과기를 한 번 통과할 때마다 불순물의 양이 통과 전 양의 절반이 된다고 한다. 이 물질에 포함된 불순물의 양이 0.1% 이하가 되도록 하려면 이 여과기를 적어도 몇 번 통과해야 하는가?

처음 불순물의 양을 1이라 하면

여과기를 n번 통과한 불순물의 양은 $\left(\frac{1}{2}\right)^n$이므로

불순물의 양이 0.1 % 이하가 되도록 하려면

$\left(\frac{1}{2}\right)^n\le\frac{0.1}{100}=\frac{1}{1000}$

$2^n\ge1000$

$\therefore n\ge10$ ($\because 2^9=512,\ 2^{10}=1024$)

따라서 여과기를 적어도 10번 통과해야 한다.

답 ⑤

0548

> 집합 $A=\left\{(x, y)\,\middle|\,y=\left(\frac{1}{2}\right)^x,\ x\text{는 실수}\right\}$에 대하여 <보기>에서 옳은 것만을 있는 대로 고른 것은?
>
> • $\left(\frac{1}{2}\right)^a=b$라는 뜻이다.
>
> **보기**
>
> ㄱ. $(a, b)\in A$이면 $\left(a+1, \frac{b}{2}\right)\in A$
>
> • $\left(\frac{1}{2}\right)^{a+1}=\frac{1}{2}\cdot\left(\frac{1}{2}\right)^a$
>
> ㄴ. $(a, b)\in A$이면 $(2a, 2b)\in A$
>
> ㄷ. $(a, b)\in A$이면 $(-2a, \sqrt{b})\in A$

$(a, b)\in A$이면 $\left(\frac{1}{2}\right)^a=b$

ㄱ. $\left(\frac{1}{2}\right)^{a+1}=\frac{1}{2}\times\left(\frac{1}{2}\right)^a=\frac{b}{2}$

$\therefore \left(a+1, \frac{b}{2}\right)\in A$ (참)

ㄴ. $\left(\frac{1}{2}\right)^{2a}=\left\{\left(\frac{1}{2}\right)^a\right\}^2=b^2\ne2b$

$\therefore (2a, 2b)\notin A$ (거짓)

ㄷ. $\left(\frac{1}{2}\right)^{-2a}=\left\{\left(\frac{1}{2}\right)^a\right\}^{-2}=b^{-2}=\frac{1}{b^2}\ne\sqrt{b}$

$\therefore (-2a, \sqrt{b})\notin A$ (거짓)

따라서 옳은 것은 ㄱ뿐이다.

답 ①

0549

> 두 이차함수 $y=f(x)$, $y=g(x)$의 그래프가 그림과 같고,
>
> $f(a)=g(a)=f(c)=g(e)=0$,
>
> $f(0)=g(b)=f(d)=g(d)=1$
>
> 이다. 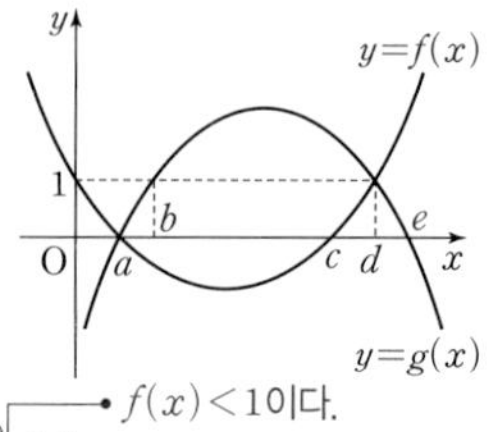
>
> 연립부등식 $\begin{cases}2^{f(x)}<2\\2^{f(x)}>2^{g(x)}\end{cases}$ 의 해는?
>
> • $f(x)<1$이다.
>
> • $f(x)>g(x)$이다.

$2^{f(x)}<2$에서 $f(x)<1$ ……㉠

$2^{f(x)}>2^{g(x)}$에서 $f(x)>g(x)$ ……㉡

주어진 그래프에서

부등식 ㉠의 해는 $0<x<d$ ······ ㉢

부등식 ㉡의 해는 $x<a$ 또는 $x>d$ ······ ㉣

㉢, ㉣을 동시에 만족시키는 x의 값의 범위는

$0<x<a$

따라서 주어진 연립부등식의 해는

$0<x<a$ 답 ①

0550

$2^{\log x}=t\ (t>0)$라 하면 $2^{\log 10x}=2^{1+\log x}=2\times 2^{\log x}=2t$, $x^{\log 2}=2^{\log x}=t$이다.

> 방정식 $2^{\log 10x}\times x^{\log 2}-\frac{1}{2}(2^{\log 10x}+16\times x^{\log 2})+4=0$의 두 근을 α, β라 할 때, $10\alpha+\beta$의 값을 구하시오. (단, $\alpha<\beta$)

$2^{\log 10x}\times x^{\log 2}-\frac{1}{2}(2^{\log 10x}+16\times x^{\log 2})+4=0$에서

$2^{\log x}=t\ (t>0)$로 놓으면 $x^{\log 2}=2^{\log x}=t$이고,

$2^{\log 10x}=2^{1+\log x}=2\times 2^{\log x}=2t$이므로 주어진 방정식은

$2t^2-\frac{1}{2}(2t+16t)+4=0$

$2t^2-9t+4=0$, $(2t-1)(t-4)=0$

$\therefore t=\frac{1}{2}$ 또는 $t=4$

즉, $2^{\log x}=\frac{1}{2}$ 또는 $2^{\log x}=4$이므로

$\log x=-1$ 또는 $\log x=2$

$\therefore x=\frac{1}{10}$ 또는 $x=100$

따라서 $\alpha=\frac{1}{10}$, $\beta=100$이므로

$10\alpha+\beta=1+100=101$ 답 101

0551

> 방정식 $2(2^x+2^{-x})^2-7(2^x+2^{-x})+5=0$의 모든 실근의 곱은?

$2^x+2^{-x}=X$라 하면 $X=2^x+2^{-x}\geq 2\sqrt{2^x\times 2^{-x}}=2$

$2(2^x+2^{-x})^2-7(2^x+2^{-x})+5=0$에서

$2^x+2^{-x}=X$로 놓으면 $2^x>0$, $2^{-x}>0$이므로 산술평균과 기하평균의 관계에 의하여

$X=2^x+2^{-x}\geq 2\sqrt{2^x\times 2^{-x}}=2$ (단, 등호는 $2^x=2^{-x}$일 때 성립한다.)

즉, $X\geq 2$이고, 주어진 방정식은

$2X^2-7X+5=0$

$(2X-5)(X-1)=0$

$\therefore X=\frac{5}{2}$ ($\because X\geq 2$)

$2^x+2^{-x}=\frac{5}{2}$이므로

양변에 2×2^x을 곱하여 정리하면

$2\times 2^{2x}-5\times 2^x+2=0$

$2^x=t\ (t>0)$로 놓으면

$2t^2-5t+2=0$

$(2t-1)(t-2)=0$

$\therefore t=\frac{1}{2}$ 또는 $t=2$

즉, $2^x=\frac{1}{2}$ 또는 $2^x=2$이므로

$x=-1$ 또는 $x=1$

따라서 방정식의 모든 실근의 곱은 -1이다. 답 ②

0552

$2k$시간이 지난 후의 잔류 농약은 $0.1\times\left(\frac{a}{100}\right)^k$

> 어떤 과일을 물에 담가 두면 과일의 표면에 묻은 잔류 농약이 일정한 비율로 줄어들어 2시간이 지나면 $a\ \%$만 남게 된다고 한다. 처음 잔류 농약이 0.1 mg인 과일을 물에 담가 두고, 6시간이 지난 후에 측정하였더니 0.01 mg이었다. 잔류 농약에 대한 안전 기준치가 0.001 mg 이하라고 할 때, 이 과일을 안전하게 섭취하려면 최소한 섭취하기 몇 시간 전에 이 과일을 물에 담가 두어야 하는지 구하시오.

처음 잔류 농약이 0.1 mg인 이 과일을 물에 담가 두고, 2시간이 지난 후의 잔류 농약은 $0.1\times\frac{a}{100}$ mg이고,

$2k$시간이 지난 후의 잔류 농약은 $0.1\times\left(\frac{a}{100}\right)^k$ mg이다.

6시간이 지난 후의 잔류 농약은

$2k=6$에서 $k=3$이므로

$0.1\times\left(\frac{a}{100}\right)^3$ mg

$0.1\times\left(\frac{a}{100}\right)^3=0.01$이므로

$\frac{a}{100}=\left(\frac{1}{10}\right)^{\frac{1}{3}}$

t시간이 지난 후의 잔류 농약은

$0.1\times\left(\frac{a}{100}\right)^{\frac{t}{2}}=0.1\times\left\{\left(\frac{1}{10}\right)^{\frac{1}{3}}\right\}^{\frac{t}{2}}$

$=0.1\times\left(\frac{1}{10}\right)^{\frac{t}{6}}$

즉, $0.1\times\left(\frac{1}{10}\right)^{\frac{t}{6}}\leq 0.001$에서

$\left(\frac{1}{10}\right)^{\frac{t}{6}}\leq\left(\frac{1}{10}\right)^2$, $\frac{t}{6}\geq 2$

$\therefore t\geq 12$

따라서 이 과일을 안전하게 섭취하려면 최소한 섭취하기 12시간 전에 물에 담가 두어야 한다. 답 12시간 전

0553

> 1이 아닌 두 양수 a, b $(a>b)$에 대하여
> 두 함수 $f(x)=a^x$, $g(x)=b^x$이라 하자. $x>0$일 때, 〈보기〉에서 옳은 것만을 있는 대로 고른 것은?
>
> **보기**
>
> ㄱ. $f(x)>g(x)$
>
> ㄴ. $f(x)<g(-x)$이면 $a>1$이다.
>
> ㄷ. $f(x)=g(-x)$이면 $f\left(\frac{1}{x}\right)=g\left(-\frac{1}{x}\right)$이다.

$0<b<a<1$일 때 $f(x)<g(-x)$

$a^x=b^{-x}$ 즉 $a=\frac{1}{b}$이다.

(i) $1<b<a$

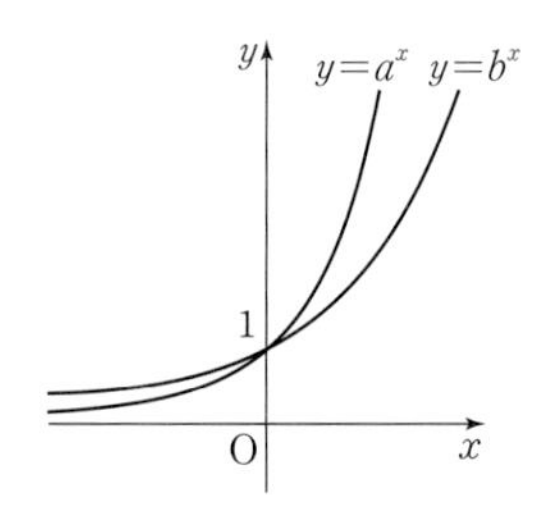

(ii) $0<b<1<a$

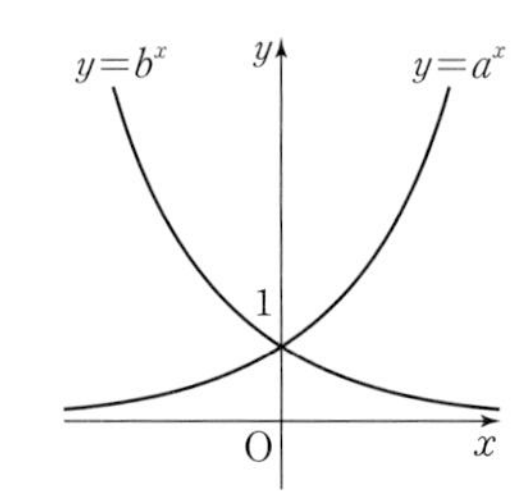

(iii) $0<b<a<1$

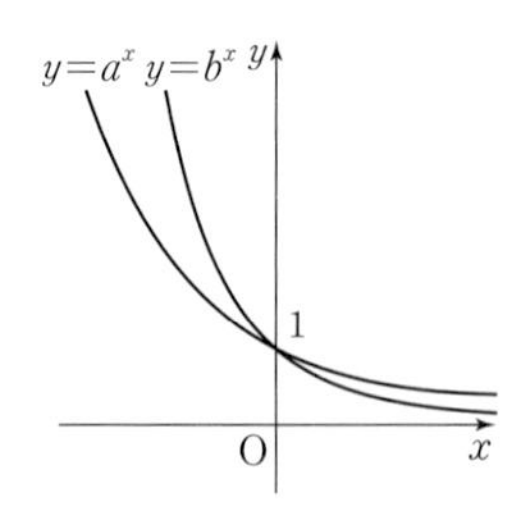

ㄱ. (i), (ii), (iii)에서 $x>0$일 때, $a^x>b^x$

$\therefore f(x)>g(x)$ (참)

ㄴ. [반례] $0<b<a<1$일 때, $f(x)<g(-x)$ (거짓)

ㄷ. $f(x)=g(-x)$이면 $a^x=b^{-x}$

$a=\frac{1}{b}$이므로

$a^{\frac{1}{x}}=\left(\frac{1}{b}\right)^{\frac{1}{x}}=(b^{-1})^{\frac{1}{x}}=b^{-\frac{1}{x}}$

$\therefore f\left(\frac{1}{x}\right)=g\left(-\frac{1}{x}\right)$ (참)

따라서 옳은 것은 ㄱ, ㄷ이다.

답 ③

0554

A$(a, 2^a)$이므로 점 B의 y좌표는 2^a, x좌표는 $2^a=15\times2^{-x}$에서 구할 수 있다.

그림과 같이 지수함수 $y=2^x$의 그래프 위의 한 점 A를 지나고 x축에 평행한 직선이 함수 $y=15\times2^{-x}$의 그래프와 만나는 점을 B라 하자. 점 A의 x좌표를 a라 할 때, $1<\overline{AB}<100$을 만족시키는 2 이상의 자연수 a의 개수를 구하시오.

(단, 점 A의 x좌표는 점 B의 x좌표보다 크다.)

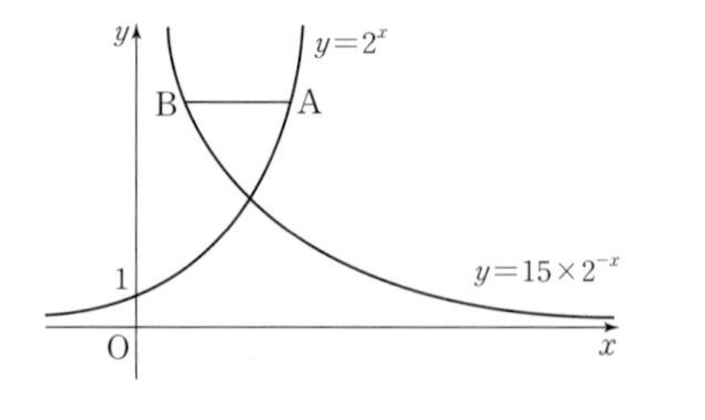

점 A의 좌표가 $(a, 2^a)$이므로 점 B의 y좌표는 2^a이다.

점 B의 x좌표는

$2^a=15\times2^{-x}$

$2^{x+a}=15$, $x+a=\log_2 15$

$\therefore x=\log_2 15-a$

즉, $\overline{AB}=2a-\log_2 15$이므로

$1<\overline{AB}<100$에서 $1<2a-\log_2 15<100$

$1+\log_2 15<2a<100+\log_2 15$

$\frac{1}{2}(1+\log_2 15)<a<\frac{1}{2}(100+\log_2 15)$

$\log_2 15=3.\times\times\times$이므로

$2.\times\times\times<a<51.\times\times\times$

따라서 구하는 자연수 a의 개수는 3, 4, …, 51의 49이다.

답 49

0555

두 함수 $f(x)=-x^2+2x+1$, $g(x)=a^x$ $(a>0, a\neq1)$이 있다. $-1\leq x\leq2$에서 두 함수 $y=f(g(x))$, $y=g(f(x))$의 최댓값이 같아지도록 하는 모든 a의 값의 합은?

($f(x)=-(x-1)^2+2$, $y=f(g(x))$ → $-(a^x-1)^2+2$, $y=g(f(x))$ → $a^{-(x-1)^2+2}$)

$f(x)=-x^2+2x+1$

$=-(x-1)^2+2$

$f(g(x))=f(a^x)$

$=-a^{2x}+2a^x+1$

$=-(a^x-1)^2+2$ $(-1\leq x\leq2)$

$g(f(x))=a^{f(x)}$

$=a^{-x^2+2x+1}$

$=a^{-(x-1)^2+2}$ $(-1\leq x\leq2)$

(i) $a>1$일 때,

$a^x=t$ $(t>0)$로 놓으면

$f(g(x))=-(t-1)^2+2$

$-1\leq x\leq2$에서 $\frac{1}{a}\leq t\leq a^2$

$0<\frac{1}{a}<1$이고 $a^2>1$이므로 $t=1$일 때 $f(g(x))$의 최댓값은 2이다.

한편, 함수 $g(f(x))=a^{f(x)}$은 $f(x)$가 최대일 때 최댓값을 가지므로 $x=1$일 때 최댓값은 a^2이다.

두 함수 $y=f(g(x))$, $y=g(f(x))$의 최댓값이 같으려면

$a^2=2$

$\therefore a=\sqrt{2}$ $(\because a>1)$

(ii) $0<a<1$일 때,

$a^x=s$ $(s>0)$로 놓으면

$f(g(x))=-(s-1)^2+2$

$-1\leq x\leq2$에서 $a^2\leq s\leq\frac{1}{a}$

$0<a^2<1$이고 $\frac{1}{a}>1$이므로 $s=1$일 때 $f(g(x))$의 최댓값은 2이다.

한편, 함수 $g(f(x))=a^{f(x)}$은 $f(x)$가 최소일 때 최댓값을 가지므로 $x=-1$일 때 최댓값은 a^{-2}이다.

두 함수 $y=f(g(x))$, $y=g(f(x))$의 최댓값이 같으려면

$a^{-2}=2$

$\therefore a=\frac{1}{\sqrt{2}}=\frac{\sqrt{2}}{2}$ $(\because 0<a<1)$

(i), (ii)에서 모든 a의 값의 합은

$\sqrt{2}+\frac{\sqrt{2}}{2}=\frac{3\sqrt{2}}{2}$ 답 ①

0556

하나는 양근, 다른 하나는 양수가 아닌 실근일 때와 양수인 중근일 때로 나눌 수 있다.

> x에 대한 방정식 $9^x=4\times3^x-k$가 오직 하나의 실근을 갖도록 하는 실수 k의 최댓값을 구하시오.
>
> $3^x=t(t>0)$라 하면 $t^2-4t+k=0$

$9^x=4\times3^x-k$에서 $9^x-4\times3^x+k=0$

$3^x=t\ (t>0)$로 놓으면

$t^2-4t+k=0$ ⋯⋯ ㉠

주어진 방정식이 오직 하나의 실근을 가지려면 ㉠은 오직 하나의 양수인 실근을 가져야 한다.

(i) 하나는 양수인 실근, 다른 하나는 양수가 아닌 실근일 때

이차방정식의 근과 계수의 관계에 의하여

(두 근의 곱)$=k\le0$ ⋯⋯ ㉡

이차방정식 ㉠의 판별식을 D라 하면

$\frac{D}{4}=4-k>0$ $\therefore k<4$ ⋯⋯ ㉢

㉡, ㉢에서 $k\le0$

(ii) 양수인 중근일 때

$\frac{D}{4}=4-k=0$ $\therefore k=4$

(i), (ii)에서 실수 k의 최댓값은 4이다. 답 4

0557

$2^x=t(t>0)$라 하면 $t^2-2t-k=0$

> x에 대한 방정식 $4^x=2^{x+1}+k$가 서로 다른 두 실근을 갖도록 하는 상수 k의 값의 범위는 $\alpha<k<\beta$이다. $\alpha+\beta$의 값은?
>
> 서로 다른 두 양의 실근을 가진다.

$4^x=2^{x+1}+k$에서 $4^x-2\times2^x-k=0$

$2^x=t\ (t>0)$로 놓으면

$t^2-2t-k=0$ ⋯⋯ ㉠

주어진 방정식이 서로 다른 두 실근을 가지려면 ㉠은 서로 다른 두 양의 실근을 가져야 한다.

(i) 이차방정식의 근과 계수의 관계에 의하여

(두 근의 합)$=2>0$, (두 근의 곱)$=-k>0$

$\therefore k<0$

(ii) 이차방정식 ㉠의 판별식을 D라 하면

$\frac{D}{4}=1+k>0$ $\therefore k>-1$

(i), (ii)에 의하여 $-1<k<0$

따라서 $\alpha=-1$, $\beta=0$이므로

$\alpha+\beta=-1$ 답 ②

다른풀이 $2^x=t\ (t>0)$로 놓으면 주어진 방정식은 $t^2=2t+k$

$t^2-2t=k$ ⋯⋯ ㉠

㉠이 서로 다른 두 양의 실근을 가지려면 함수 $y=t^2-2t\ (t>0)$의 그래프와 직선 $y=k$가 서로 다른 두 점에서 만나야 한다.

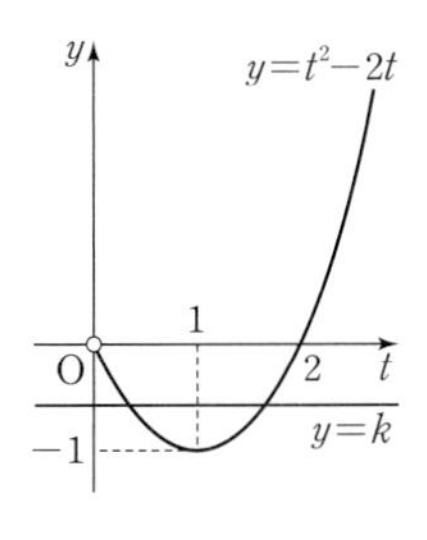

즉, 그림에서 k의 값의 범위는

$-1<k<0$

$\therefore \alpha+\beta=(-1)+0$

$=-1$

0558

대칭축이 양수일 때와 대칭축이 0 또는 음수일 때로 나누어 생각하자.

> 모든 실수 x에 대하여 부등식 $k\times2^x\le4^x-2^x+4$가 성립하도록 하는 실수 k의 값의 범위는?
>
> $2^x=t(t>0)$라 하면 $t^2-(k+1)t+4\ge0$

$k\times2^x\le4^x-2^x+4$에서

$4^x-(k+1)\times2^x+4\ge0$

$2^x=t\ (t>0)$로 놓으면

$t^2-(k+1)\times t+4\ge0$

$f(t)=t^2-(k+1)t+4$로 놓으면

$f(t)=\left(t-\frac{k+1}{2}\right)^2+4-\frac{(k+1)^2}{4}$

$t>0$인 실수 t에 대하여 $f(t)\ge0$이 성립하려면

(i) 함수 $y=f(t)$의 그래프의 대칭축이 양수일 때

$\frac{k+1}{2}>0$에서 $k>-1$ ⋯⋯ ㉠

$f(t)$는 $t=\frac{k+1}{2}$일 때 최솟값 $4-\frac{(k+1)^2}{4}$을 가지므로

$4-\frac{(k+1)^2}{4}\ge0$, $(k+1)^2-16\le0$

$k^2+2k-15\le0$, $(k+5)(k-3)\le0$

$\therefore -5\le k\le3$ ⋯⋯ ㉡

㉠, ㉡에서 $-1<k\le3$

(ii) 함수 $y=f(t)$의 그래프의 대칭축이 0 또는 음수일 때

$\frac{k+1}{2}\le0$에서 $k\le-1$

함수 $f(t)$는 $t=0$일 때 최솟값을 가지므로

$f(0)=4>0$

$f(t)\ge0$이 항상 성립하므로 $k\le-1$

(i), (ii)에서 $k\le3$ 답 ④

0559

> A라는 조건을 만족하는 환경에서 고여 있는 물은 시간이 지남에 따라 물의 오염도가 높아진다고 한다. 이 조건에서 고여 있는 물의 t주가 지난 후의 오염도 p는 다음과 같다고 한다.
>
> $p=\frac{1}{1+k\times10^{-\frac{1}{12}t}}$ (단, k는 상수이다.)
>
> 이 환경에서 처음 고인 물의 오염도가 0.1이었다고 한다. n주 후의 물의 오염도가 0.64 이상이 된다고 할 때, 자연수 n의 최솟값은?
>
> (단, $\log2=0.3010$으로 계산한다.)
>
> $t=0$일 때, $p=0.1$이므로 식에 대입하여 k값을 구하자.

$t=0$일 때, $p=0.1$이므로

$0.1=\frac{1}{1+k\times10^0}=\frac{1}{1+k}$

$1+k=10$ $\therefore k=9$

n주 후의 물의 오염도가 0.64 이상이 되므로

$$\frac{1}{1+9\times10^{-\frac{1}{12}n}}\geq0.64$$

$$1+9\times10^{-\frac{1}{12}n}\leq\frac{25}{16}$$

$$10^{-\frac{1}{12}n}\leq\frac{1}{16}$$

양변에 상용로그를 취하면

$$-\frac{1}{12}n\leq\log\frac{1}{16}$$

$\therefore n\geq48\log2=48\times0.3010=14.448$

따라서 자연수 n의 최솟값은 15이다. 답 ③

0560

> 실수 전체의 집합에서 정의된 함수 f가 다음 조건을 만족시킨다.
>
> (가) $-2\leq x\leq0$일 때, $f(x)=|x+1|-1$
> (나) 모든 실수 x에 대하여 $f(x)+f(-x)=0$ ← 원점 대칭인 함수이다.
> (다) 모든 실수 x에 대하여 $f(2-x)=f(2+x)$ ← $x=2$에 대하여 대칭이다.
>
> $-10\leq x\leq10$에서 두 함수 $y=f(x)$, $y=\left(\frac{1}{2}\right)^x$의 그래프가 만나는 점의 개수는?

조건 (가)에서

$-1\leq x\leq0$일 때, $f(x)=x+1-1=x$

$-2\leq x<-1$일 때, $f(x)=-(x+1)-1=-x-2$

$$\therefore f(x)=\begin{cases}x & (-1\leq x\leq0)\\ -x-2 & (-2\leq x<-1)\end{cases}$$

조건 (나)에서 $f(x)=-f(-x)$이므로 함수 f는 원점에 대하여 대칭인 기함수이다.

또한, 조건 (다)에서 함수 f는 $x=2$에 대하여 대칭이므로

두 함수 $y=f(x)$, $y=\left(\frac{1}{2}\right)^x$의 그래프는 그림과 같다.

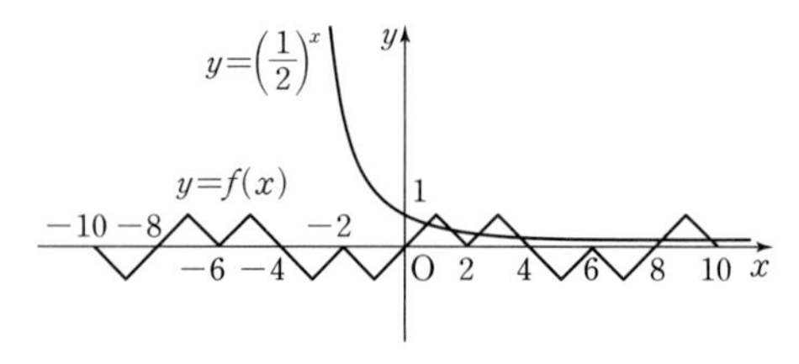

따라서 두 그래프가 만나는 점의 개수는 6이다. 답 ⑤

0561

$2^x=X$, $3^{-y}=Y(X, Y)$라 하고 정리하면 $(X-1)^2+(Y-3)^2=25$

> 방정식 $4^x-2^{x+1}+\frac{1}{9^y}-\frac{6}{3^y}=15$를 만족시키는 두 실수 x, y에 대하여 x의 최댓값을 α, y의 최솟값을 β라 할 때, $\alpha\beta$의 값은?

$4^x-2^{x+1}+\frac{1}{9^y}-\frac{6}{3^y}=15$에서

$(2^{2x}-2\times2^x+1)+(3^{-2y}-6\times3^{-y}+9)=25$

$\therefore (2^x-1)^2+(3^{-y}-3)^2=25$

$2^x=X$, $3^{-y}=Y$ $(X>0, Y>0)$로 놓으면

$(X-1)^2+(Y-3)^2=25$

이므로 좌표평면 위에 나타내면

그림과 같다.

$Y=3$일 때, $X=6$으로 최대이고, X가 최대이면 x의 값도 최대가 되므로

$2^x=6$에서 $x=\log_2 6$

$\therefore \alpha=\log_2 6$

$X=1$일 때, $Y=8$로 최대이고, Y가 최대이면 y의 값은 최소이므로

$3^{-y}=8$에서 $y=-\log_3 8$

$\therefore \beta=-3\log_3 2$

$\therefore \alpha\beta=\log_2 6\times(-3\log_3 2)$

$=\frac{\log_3 6}{\log_3 2}\times(-3\log_3 2)$

$=-3\log_3 6$ 답 ①

0562

$f(x)=4^x-5\times2^{x+2}$로 놓으면 $f(x)\geq f(\alpha)$ (단, $-3\leq x\leq2$)

> $-3\leq x\leq2$에서 x에 대한 부등식 $4^x-5\times2^{x+2}\geq4^\alpha-5\times2^{\alpha+2}$이 항상 성립하도록 하는 모든 정수 α의 값의 합을 구하시오.

$f(x)=4^x-5\times2^{x+2}$으로 놓으면

$f(\alpha)=4^\alpha-5\times2^{\alpha+2}$이므로

$-3\leq x\leq2$에서 $f(x)\geq f(\alpha)$가 항상 성립하도록 하는 정수 α의 값을 구하면 된다.

$4^x-5\times2^{x+2}$에서 $2^x=t$ $(t>0)$로 놓으면 t^2-20t

$-3\leq x\leq2$에서 $2^{-3}\leq2^x\leq2^2$이므로

$\frac{1}{8}\leq t\leq4$

$g(t)=t^2-20t$로 놓으면

$g(t)=(t-10)^2-100$

이므로 그림에서 $4\leq\beta\leq16$인 임의의 실수 β에 대하여 $g(t)\geq g(\beta)$가 항상 성립한다.

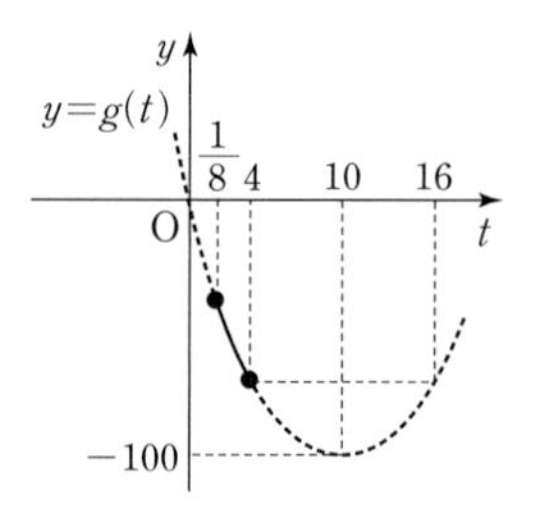

즉, $4\leq2^\alpha\leq16$이면 $f(x)\geq f(\alpha)$가 항상 성립하므로

$2\leq\alpha\leq4$

따라서 모든 정수 α의 값의 합은

$2+3+4=9$ 답 9

0563

> x에 대한 방정식 ─• $3^x+3^{-x}=t$라 하면 $t^2-nt+16=0$
> $9^x+9^{-x}-n(3^x+3^{-x})+18=0$
> 이 서로 다른 네 개의 실근을 갖도록 하는 자연수 n의 값을 구하시오. └• 이 방정식이 $t>2$인 범위에서 서로 다른 두 실근을 가져야 한다.

$3^x+3^{-x}=t$로 놓으면 $3^x>0$, $3^{-x}>0$이므로 산술평균과 기하평균의 관계에 의하여

$3^x+3^{-x}\ge 2\sqrt{3^x\times 3^{-x}}=2$ (단, 등호는 $3^x=3^{-x}$일 때 성립한다.)

따라서 $t\ge 2$이고, $9^x+9^{-x}=(3^x+3^{-x})^2-2=t^2-2$이므로

주어진 방정식은

$(t^2-2)-nt+18=0$

$t^2-nt+16=0$ ······ ㉠

이므로 $t>2$인 범위에서 이차방정식 ㉠이 서로 다른 두 실근을 가져야 한다.

$f(t)=t^2-nt+16$이라 하면

(i) 대칭축 $t=\dfrac{n}{2}>2$ $\quad\therefore n>4$

(ii) ㉠의 판별식을 D라 하면 $D=n^2-4\times 16>0$

$(n+8)(n-8)>0$

$\therefore n<-8$ 또는 $n>8$

(iii) $f(2)=4-2n+16=20-2n>0$ $\quad\therefore n<10$

(i), (ii), (iii)에서 $8<n<10$

따라서 구하는 자연수 n은 9이다.

답 9

0564

> $0\le x\le 8$에서 정의된 함수 $f(x)$가 다음 조건을 만족시킨다.
>
> ─• (가)의 그래프를 그려보자.
> (가) $f(x)=\begin{cases}2^x-1 & (0\le x\le 1)\\ 2-2^{x-1} & (1<x\le 2)\end{cases}$
> (나) $n=1, 2, 3$일 때, $\quad n=1$일 때, $f(x)=\frac{1}{2}f(x-2)\ (2<x\le 4)$
> $2^nf(x)=f(x-2n)\ (2n<x\le 2n+2)$
>
> 함수 $y=f(x)$의 그래프와 x축으로 둘러싸인 부분의 넓이를 S라 할 때, $32S$의 값을 구하시오.

조건 (가)에서

$$f(x)=\begin{cases}2^x-1 & (0\le x\le 1)\\ 2-2^{x-1} & (1<x\le 2)\end{cases}$$

이고, 조건 (나)에서

(i) $n=1$일 때, $2f(x)=f(x-2)\ (2<x\le 4)$

즉, $f(x)=\dfrac{1}{2}f(x-2)$이므로

$$f(x)=\begin{cases}2^{x-3}-\dfrac{1}{2} & (2<x\le 3)\\ 1-2^{x-4} & (3<x\le 4)\end{cases}$$

(ii) $n=2$일 때, $2^2f(x)=f(x-4)\ (4<x\le 6)$

즉, $f(x)=\dfrac{1}{4}f(x-4)$이므로

$$f(x)=\begin{cases}2^{x-6}-\dfrac{1}{4} & (4<x\le 5)\\ \dfrac{1}{2}-2^{x-7} & (5<x\le 6)\end{cases}$$

(iii) $n=3$일 때, $2^3f(x)=f(x-6)\ (6<x\le 8)$

즉, $f(x)=\dfrac{1}{8}f(x-6)$이므로

$$f(x)=\begin{cases}2^{x-9}-\dfrac{1}{8} & (6<x\le 7)\\ \dfrac{1}{4}-2^{x-10} & (7<x\le 8)\end{cases}$$

따라서 $0\le x\le 8$에서 함수 $y=f(x)$의 그래프는 다음과 같다.

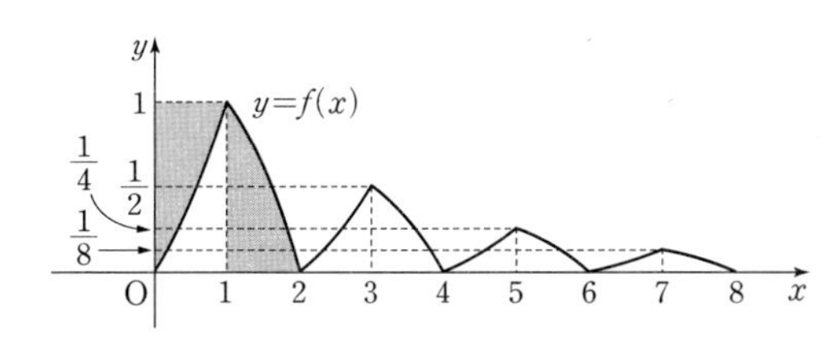

$0\le x\le 1$에서 함수 $y=2^x-1$의 그래프를 x축에 대하여 대칭이동한 후 x축의 방향으로 1만큼, y축의 방향으로 1만큼 평행이동한 그래프는 $1\le x\le 2$에서 함수 $y=2-2^{x-1}$의 그래프와 일치한다. 그림에서 색칠한 두 부분의 넓이가 서로 같으므로 $0\le x\le 2$에서 함수 $y=f(x)$의 그래프와 x축으로 둘러싸인 부분의 넓이는 1이다.

같은 방법으로 $2\le x\le 4$에서 함수 $y=f(x)$의 그래프와 x축으로 둘러싸인 부분의 넓이는 $\dfrac{1}{2}$,

$4\le x\le 6$에서 함수 $y=f(x)$의 그래프와 x축으로 둘러싸인 부분의 넓이는 $\dfrac{1}{4}$,

$6\le x\le 8$에서 함수 $y=f(x)$의 그래프와 x축으로 둘러싸인 부분의 넓이는 $\dfrac{1}{8}$이다.

따라서 $S=1+\dfrac{1}{2}+\dfrac{1}{4}+\dfrac{1}{8}=\dfrac{15}{8}$이므로

$32S=60$이다.

답 60

04 로그함수

본책 098~128쪽

0565

로그의 진수의 조건에서 $x>0$이므로 로그함수 $y=\log_4 x$의 정의역은
$\{x|x>0\}$ 답 $\{x|x>0\}$

0566

로그의 진수의 조건에서 $x-5>0$, 즉 $x>5$이므로
함수 $y=\log_3(x-5)$의 정의역은
$\{x|x>5\}$ 답 $\{x|x>5\}$

0567

로그의 진수의 조건에서 $3-x>0$, 즉 $x<3$이므로
함수 $y=\log_2(3-x)$의 정의역은
$\{x|x<3\}$ 답 $\{x|x<3\}$

0568

로그의 진수의 조건에서 $x^2>0$, 즉 $x\neq0$인 모든 실수이므로
함수 $y=\log_5 x^2$의 정의역은
$\{x|x\neq0$인 모든 실수$\}$ 답 $\{x|x\neq0$인 모든 실수$\}$

0569

그래프의 점근선은 [y축]이다. 답 y축

0570

그래프는 반드시 점 ([1], 0)을 지난다. 답 1

0571

정의역은 $\{x|$ [$x>0$]$\}$이다. 답 $x>0$

0572

치역은 $\{y|y$는 [모든 실수]$\}$이다. 답 모든 실수

0573

로그함수 $y=\log_5 x$의 그래프를 x축의 방향으로 1만큼 평행이동하면
$y=\log_5(x-1)$ 답 $y=\log_5(x-1)$

0574

로그함수 $y=\log_5 x$의 그래프를 y축의 방향으로 -2만큼 평행이동하면
$y+2=\log_5 x$
$\therefore y=\log_5 x-2$ 답 $y=\log_5 x-2$

0575

로그함수 $y=\log_5 x$의 그래프를 x축의 방향으로 -3만큼, y축의 방향으로 4만큼 평행이동하면
$y-4=\log_5(x+3)$
$\therefore y=\log_5(x+3)+4$ 답 $y=\log_5(x+3)+4$

0576

로그함수 $y=\log_5 x$의 그래프를 x축에 대하여 대칭이동하면
$-y=\log_5 x$
$\therefore y=-\log_5 x$ 답 $y=-\log_5 x$

0577

로그함수 $y=\log_5 x$의 그래프를 y축에 대하여 대칭이동하면
$y=\log_5(-x)$ 답 $y=\log_5(-x)$

0578

로그함수 $y=\log_5 x$의 그래프를 원점에 대하여 대칭이동하면
$-y=\log_5(-x)$
$\therefore y=-\log_5(-x)$ 답 $y=-\log_5(-x)$

0579

함수 $y=\log_3(x-2)-1$의 그래프는 로그함수 $y=\log_3 x$의 그래프를 x축의 방향으로 [2]만큼, y축의 방향으로 [-1]만큼 평행이동한 것이다. 이때, 점근선의 방정식은 $x=$[2]이다. 답 2, -1, 2

참고 두 함수 $y=\log_3 x$, $y=\log_3(x-2)-1$의 그래프는 그림과 같다.

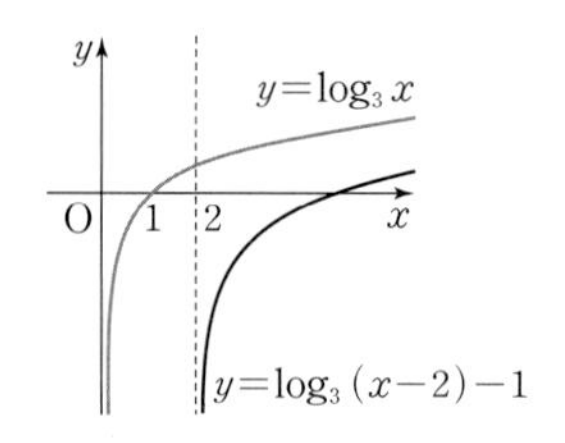

0580

함수 $y=\log_3(x-5)$의 그래프는 로그함수 $y=\log_3 x$의 그래프를 x축의 방향으로 5만큼 평행이동한 것이므로 점근선의 방정식은 $x=5$
답 $x=5$

0581

함수 $y=\log_2 x+2$의 그래프는 로그함수 $y=\log_2 x$의 그래프를 y축의 방향으로 2만큼 평행이동한 것이므로 점근선의 방정식은 $x=0$
답 $x=0$

0582

함수 $y=\log_5(x+3)+1$의 그래프는 로그함수 $y=\log_5 x$의 그래프를 x축의 방향으로 -3만큼, y축의 방향으로 1만큼 평행이동한 것이므로 점근선의 방정식은 $x=-3$ 답 $x=-3$

0583

그림과 같이 로그함수 $y=\log_2 x$는 $1\leq x\leq16$에서 증가한다.

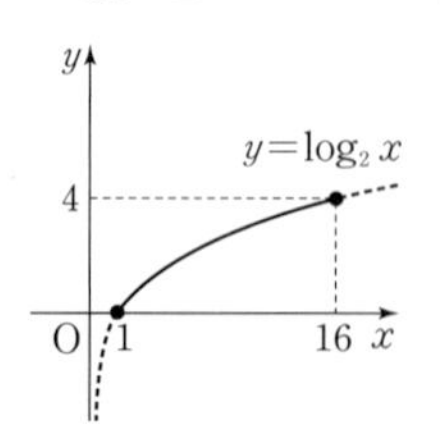

따라서 $x=1$일 때 최소이고, 최솟값은
$y=\log_2 1=0$
$x=16$일 때 최대이고, 최댓값은
$y=\log_2 16=4$
답 최댓값: 4, 최솟값: 0

0584

그림과 같이 함수 $y=\log_{\frac{1}{2}}(x+1)$은 $-\frac{1}{2}\le x\le 3$에서 감소한다.

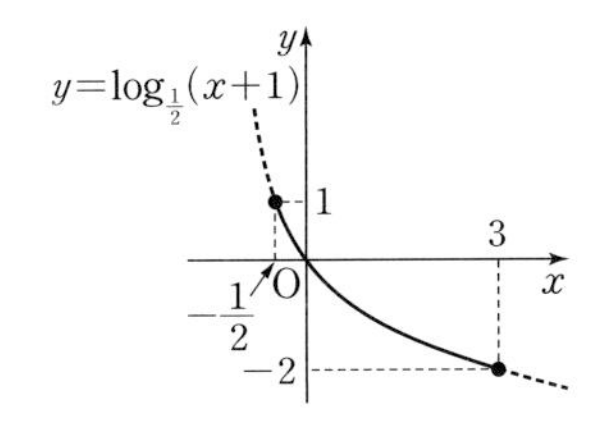

따라서 $x=-\frac{1}{2}$일 때 최대이고, 최댓값은

$y=\log_{\frac{1}{2}}\frac{1}{2}=1$

$x=3$일 때 최소이고, 최솟값은

$y=\log_{\frac{1}{2}}4=-2$

답 최댓값: 1, 최솟값: -2

0585

주어진 함수는 $\{x|x$는 모든 실수$\}$에서 $\{y|y>0\}$으로의 일대일 대응이다.

$y=2^x$에서 $x=\log_2 y$

x와 y를 서로 바꾸면 구하는 역함수는

$y=\log_2 x$ (단, $x>0$) 답 $y=\log_2 x$ (단, $x>0$)

0586

주어진 함수는 $\{x|x$는 모든 실수$\}$에서 $\{y|y>0\}$으로의 일대일 대응이다.

$y=2^{x+3}$에서 $x+3=\log_2 y$

$x=\log_2 y-3$

x와 y를 서로 바꾸면 구하는 역함수는

$y=\log_2 x-3$ (단, $x>0$) 답 $y=\log_2 x-3$ (단, $x>0$)

0587

주어진 함수는 $\{x|x>2\}$에서 $\{y|y$는 모든 실수$\}$로의 일대일대응이다.

$y=\log_5(x-2)$에서 $x-2=5^y$

$x=5^y+2$

x와 y를 서로 바꾸면 구하는 역함수는

$y=5^x+2$ 답 $y=5^x+2$

0588

$\log_2 x=4$에서 $x=2^{\boxed{4}}$

$\therefore x=\boxed{16}$ 답 4, 16

0589

$\log_3 x=2$에서 $x=\boxed{3}^2$

$\therefore x=\boxed{9}$ 답 3, 9

0590

$\log_2 x=1$에서 $x=2^1$

$\therefore x=2$ 답 2

0591

$\log_5 x=0$에서 $x=5^0$

$\therefore x=1$ 답 1

0592

$\log_{\frac{1}{3}}x=2$에서 $x=\left(\frac{1}{3}\right)^2$

$\therefore x=\frac{1}{9}$ 답 $\frac{1}{9}$

0593

$\log_2 x=-3$에서 $x=2^{-3}=\left(\frac{1}{2}\right)^3$

$\therefore x=\frac{1}{8}$ 답 $\frac{1}{8}$

0594

진수의 조건에서 $x+1>0$

$\therefore x>-1$ ······ ㉠

$\log_3(x+1)=1$에서 $x+1=3^1$

$x+1=3$

$\therefore x=2$

$x=2$는 ㉠을 만족하므로 구하는 해이다. 답 2

0595

진수의 조건에서 $3x-5>0$

$\therefore x>\frac{5}{3}$ ······ ㉠

$\log_2(3x-5)=2$에서 $3x-5=2^2$

$3x=4+5=9$

$\therefore x=3$

$x=3$은 ㉠을 만족하므로 구하는 해이다. 답 3

0596

진수의 조건에서 $x+2>0$

$\therefore x>-2$ ······ ㉠

$\log_3(x+2)=\log_3 5$에서 $x+2=5$

$\therefore x=3$

$x=3$은 ㉠을 만족하므로 구하는 해이다. 답 $x=3$

0597

진수의 조건에서 $x-3>0$

$\therefore x>3$ ······ ㉠

$\log_{\frac{1}{2}}(x-3)=\log_{\frac{1}{2}}6$에서 $x-3=6$

$\therefore x=9$

$x=9$는 ㉠을 만족하므로 구하는 해이다. 답 $x=9$

0598

진수의 조건에서 $3x-1>0$, $2x>0$

$\therefore x>\frac{1}{3}$ ······ ㉠

$\log_5(3x-1)=\log_5 2x$에서

$3x-1=2x$

$\therefore x=1$

$x=1$은 ㉠을 만족하므로 구하는 해이다. 답 $x=1$

0599

진수의 조건에서 $4x-3>0$, $3x+5>0$

$\therefore x>\frac{3}{4}$ ······ ㉠

$\log_{\frac{1}{2}}(4x-3)=\log_{\frac{1}{2}}(3x+5)$에서

$4x-3=3x+5$

$\therefore x=8$

$x=8$은 ㉠을 만족하므로 구하는 해이다. 답 $x=8$

0600

진수의 조건에서 $x-4>0$, $2x>0$

$\therefore x>\boxed{4}$ ...... ㉠

$\log_2(x-4)=\log_4 2x$에서

$\log_2(x-4)=\boxed{\frac{1}{2}}\log_2 2x$

$\boxed{2}\log_2(x-4)=\log_2 2x$

$\log_2(x-4)^{\boxed{2}}=\log_2 2x$

$(x-4)^{\boxed{2}}=2x$

$x^2-8x+16=2x$

$x^2-10x+16=0$

$(x-2)(x-8)=0$

$\therefore x=2$ 또는 $x=8$

그런데 ㉠에서 $x>\boxed{4}$이므로 $x=\boxed{8}$

답 $4, \frac{1}{2}, 2, 2, 2, 4, 8$

0601

진수의 조건에서 $x-1>0$, $x+1>0$

$\therefore x>1$ ...... ㉠

$\log_2(x-1)=\log_4(x+1)$에서

$\log_2(x-1)=\frac{1}{2}\log_2(x+1)$

$2\log_2(x-1)=\log_2(x+1)$

$\log_2(x-1)^2=\log_2(x+1)$

$x^2-2x+1=x+1$

$x^2-3x=0$

$x(x-3)=0$

$\therefore x=0$ 또는 $x=3$

그런데 ㉠에서 $x>1$이므로 $x=3$ 답 $x=3$

0602

진수의 조건에서 $x-3>0$, $5-x>0$

$\therefore 3<x<5$ ...... ㉠

$\log_3(x-3)=\log_9(5-x)$에서

$\log_3(x-3)=\frac{1}{2}\log_3(5-x)$

$2\log_3(x-3)=\log_3(5-x)$

$\log_3(x-3)^2=\log_3(5-x)$

$x^2-6x+9=5-x$

$x^2-5x+4=0$

$(x-1)(x-4)=0$

$\therefore x=1$ 또는 $x=4$

그런데 ㉠에서 $3<x<5$이므로 $x=4$ 답 $x=4$

0603

진수의 조건에서 $x>0$ ...... ㉠

$(\log_3 x)^2-4\log_3 x+4=0$에서

$\log_3 x=t$로 놓으면

$\boxed{t^2-4t+4}=0$, $(t-2)^2=0$

$\therefore t=\boxed{2}$

즉, $\log_3 x=\boxed{2}$이므로 $x=3^{\boxed{2}}=\boxed{9}$

$x=\boxed{9}$는 ㉠을 만족하므로 구하는 해이다.

답 $t^2-4t+4, 2, 2, 2, 9, 9$

0604

진수의 조건에서 $x>0$ ...... ㉠

$(\log_2 x)^2-3\log_2 x+2=0$에서

$\log_2 x=t$로 놓으면

$t^2-3t+2=0$, $(t-1)(t-2)=0$

$\therefore t=1$ 또는 $t=2$

즉, $\log_2 x=1$ 또는 $\log_2 x=2$

$\therefore x=2$ 또는 $x=4$

$x=2$, $x=4$는 모두 ㉠을 만족하므로 구하는 해이다.

답 $x=2$ 또는 $x=4$

0605

진수의 조건에서 $x>0$ ...... ㉠

$(\log_2 x)^2+\log_2 x-2=0$에서

$\log_2 x=t$로 놓으면

$t^2+t-2=0$, $(t+2)(t-1)=0$

$\therefore t=-2$ 또는 $t=1$

즉, $\log_2 x=-2$ 또는 $\log_2 x=1$

$\therefore x=\frac{1}{4}$ 또는 $x=2$

$x=\frac{1}{4}$, $x=2$는 모두 ㉠을 만족하므로 구하는 해이다.

답 $x=\frac{1}{4}$ 또는 $x=2$

0606

진수의 조건에서 $x>0$ ...... ㉠

$\log_3 x>\log_3 4$에서 (밑)$=3>1$이므로

$x>4$ ...... ㉡

㉠, ㉡의 공통 범위를 구하면

$x>4$ 답 $x>4$

0607

진수의 조건에서 $x+1>0$

$\therefore x>-1$ ...... ㉠

$\log_{\frac{1}{2}}(x+1)\le\log_{\frac{1}{2}}3$에서 (밑)$=\frac{1}{2}<1$이므로

$x+1\ge3$

$\therefore x\ge2$ ...... ㉡

㉠, ㉡의 공통 범위를 구하면

$x\ge2$ 답 $x\ge2$

0608

진수의 조건에서 $x>0$ ...... ㉠

$\log_5 x<\log_5 3$에서 (밑)$=5>1$이므로

$x<3$ ...... ㉡

㉠, ㉡의 공통 범위를 구하면

$0<x<3$ 답 $0<x<3$

0609

진수의 조건에서 $x-3>0$

$\therefore x>3$ ······ ㉠

$\log_{\frac{1}{3}}(x-3)<\log_{\frac{1}{3}}5$에서 (밑)$=\frac{1}{3}<1$이므로

$x-3>5$

$\therefore x>8$ ······ ㉡

㉠, ㉡의 공통 범위를 구하면

$x>8$ 답 $x>8$

0610

진수의 조건에서 $5-x>0$

$\therefore x<5$ ······ ㉠

$\log_2(5-x)<\log_2 3$에서 (밑)$=2>1$이므로

$5-x<3$

$\therefore x>2$ ······ ㉡

㉠, ㉡의 공통 범위를 구하면

$2<x<5$ 답 $2<x<5$

0611

진수의 조건에서 $3x-2>0$, $x+4>0$

$\therefore x>\frac{2}{3}$ ······ ㉠

$\log_2(3x-2)\le\log_2(x+4)$에서

(밑)$=2>1$이므로 $3x-2\le x+4$

$2x\le 6$

$\therefore x\le 3$ ······ ㉡

㉠, ㉡의 공통 범위를 구하면

$\frac{2}{3}<x\le 3$ 답 $\frac{2}{3}<x\le 3$

0612

진수의 조건에서 $3x-2>0$, $6-x>0$

$\therefore \frac{2}{3}<x<6$ ······ ㉠

$\log_{\frac{1}{5}}(3x-2)<\log_{\frac{1}{5}}(6-x)$에서

(밑)$=\frac{1}{5}<1$이므로 $3x-2>6-x$

$4x>8$

$\therefore x>2$ ······ ㉡

㉠, ㉡의 공통 범위를 구하면

$2<x<6$ 답 $2<x<6$

0613

진수의 조건에서 $2x-3>0$

$\therefore x>\frac{3}{2}$ ······ ㉠

$\log_3(2x-3)\le 2$의 밑을 같게 하면

$\log_3(2x-3)\le\log_3 3^2$에서

(밑)$=3>1$이므로 $2x-3\le 3^2$

$2x-3\le 9$

$2x\le 12$

$\therefore x\le 6$ ······ ㉡

㉠, ㉡의 공통 범위를 구하면

$\frac{3}{2}<x\le 6$ 답 $\frac{3}{2}<x\le 6$

0614

진수의 조건에서 $x-1>0$

$\therefore x>1$ ······ ㉠

$\log_{\frac{1}{2}}(x-1)\ge 3$의 밑을 같게 하면

$\log_{\frac{1}{2}}(x-1)\ge\log_{\frac{1}{2}}\left(\frac{1}{2}\right)^3$에서

(밑)$=\frac{1}{2}<1$이므로 $x-1\le\left(\frac{1}{2}\right)^3$

$x-1\le\frac{1}{8}$

$\therefore x\le\frac{9}{8}$ ······ ㉡

㉠, ㉡의 공통 범위를 구하면

$1<x\le\frac{9}{8}$ 답 $1<x\le\frac{9}{8}$

0615

진수의 조건에서 $x-1>0$, $2x+1>0$

$\therefore x>1$ ······ ㉠

$\log_2(x-1)<\log_4(2x+1)$에서

$\log_2(x-1)<\frac{1}{2}\log_2(2x+1)$

$2\log_2(x-1)<\log_2(2x+1)$

$\log_2(x-1)^2<\log_2(2x+1)$

(밑)$=2>1$이므로 $(x-1)^2<2x+1$

$x^2-2x+1<2x+1$

$x^2-4x<0$

$x(x-4)<0$

$\therefore 0<x<4$ ······ ㉡

㉠, ㉡의 공통 범위를 구하면

$1<x<4$ 답 $1<x<4$

0616

진수의 조건에서 $x-4>0$, $x+8>0$

$\therefore x>4$ ······ ㉠

$\log_3(x-4)\le\log_9(x+8)$에서

$\log_3(x-4)\le\frac{1}{2}\log_3(x+8)$

$2\log_3(x-4)\le\log_3(x+8)$

$\log_3(x-4)^2\le\log_3(x+8)$

(밑)$=3>1$이므로 $(x-4)^2\le x+8$

$x^2-8x+16\le x+8$

$x^2-9x+8\le 0$

$(x-1)(x-8)\le 0$

$\therefore 1\le x\le 8$ ······ ㉡

㉠, ㉡의 공통 범위를 구하면

$4<x\le 8$ 답 $4<x\le 8$

0617

진수의 조건에서 $x>0$ ······ ㉠

$(\log_2 x)^2-4\log_2 x+3\le 0$에서

$\log_2 x=t$로 놓으면 $t^2-4t+3\le 0$

$(t-1)(t-3) \le 0$

$\therefore 1 \le t \le 3$

즉 $1 \le \log_2 x \le 3$이므로

$2^1 \le x \le 2^3$

$\therefore 2 \le x \le 8$ ……㉡

㉠, ㉡의 공통 범위를 구하면

$2 \le x \le 8$ 답 $2 \le x \le 8$

0618

진수의 조건에서 $x>0$ ……㉠

$(\log_3 x)^2 - \log_3 x - 2 < 0$에서

$\log_3 x = t$로 놓으면 $t^2 - t - 2 < 0$

$(t+1)(t-2) < 0$

$\therefore -1 < t < 2$

즉 $-1 < \log_3 x < 2$이므로

$3^{-1} < x < 3^2$

$\therefore \frac{1}{3} < x < 9$ ……㉡

㉠, ㉡의 공통 범위를 구하면

$\frac{1}{3} < x < 9$ 답 $\frac{1}{3} < x < 9$

0619

로그함수 $y=\log_a x$ $(a>0, a\ne1)$에 대한 〈보기〉의 설명 중에서 옳은 것만을 있는 대로 고른 것은?

보기

ㄱ. 그래프는 점 $(1, 0)$을 지나고, 점근선의 방정식은 $x=0$이다.

ㄴ. $a>1$일 때, x의 값이 감소하면 y의 값도 감소한다.

ㄷ. 그래프는 지수함수 $y=a^x$의 그래프와 직선 $y=x$에 대하여 대칭이다.

• $y=\log_a x$와 $y=a^x$는 역함수 관계이다.

ㄱ. 로그함수 $y=\log_a x$의 그래프는 점 $(1, 0)$을 지나고, 점근선은 y축이므로 점근선의 방정식은 $x=0$이다. (참)

ㄴ. $a>1$일 때, x의 값이 증가하면 y의 값도 증가하고, x의 값이 감소하면 y의 값도 감소한다. (참)

ㄷ. 두 함수 $y=\log_a x$, $y=a^x$은 서로 역함수 관계이므로 두 함수의 그래프는 직선 $y=x$에 대하여 서로 대칭이다. (참)

따라서 ㄱ, ㄴ, ㄷ 모두 옳다. 답 ⑤

0620

• x의 값이 증가하면 y의 값도 증가하므로 $x=a$일 때 $y=2$, $x=b$일 때 $y=3$이다.

함수 $y=\log_3(2x-1)$의 치역이 $\{y \mid 2 \le y \le 3\}$이 되도록 정의역 $\{x \mid a \le x \le b\}$를 정할 때, $a+b$의 값을 구하시오.

함수 $y=\log_3(2x-1)$의 밑 3은 1보다 크므로 x의 값이 증가하면 y의 값도 증가한다.

즉, $x=a$일 때 $y=2$이고, $x=b$일 때 $y=3$이므로

$\log_3(2a-1)=2$에서

$2a-1=9 \quad \therefore a=5$

$\log_3(2b-1)=3$에서

$2b-1=27 \quad \therefore b=14$

$\therefore a+b=19$ 답 19

0621

두 로그함수 $f(x)=\log_2 x$, $g(x)=\log_3 x$에 대하여

$(f\circ g)(81)=(g\circ f)(k)$

를 만족시킬 때, 상수 k의 값을 구하시오. (단, $x>1$)

• $\log_2(\log_3 81)$이다.

$(f\circ g)(81)=f(g(81))$

$=\log_2(\log_3 81)$

$=\log_2 4=2$

$\therefore (g\circ f)(k)=2$

$(g\circ f)(k)=g(f(k))=\log_3(\log_2 k)=2$에서 $\log_2 k=3^2=9$

$\therefore k=2^9=512$ 답 512

0622

• $\log_a 4=2$, $\log_a b=3$임을 이용하자.

로그함수 $f(x)=\log_a x$ $(a>1)$의 그래프가 그림과 같을 때, $a+b$의 값은?

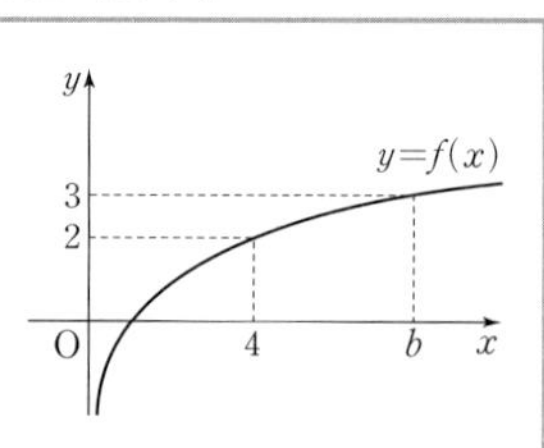

$\log_a 4=2$에서

$a^2=4$

$\therefore a=2$ ($\because a>1$)

$\log_2 b=3$에서

$b=2^3=8$

$\therefore a+b=10$ 답 ③

0623

다음은 직선 $y=x$와 로그함수 $y=\log_2 x$의 그래프이다. $x_1+x_2+x_3$의 값을 구하시오.

• $x_1=1$, $\log_2 x_2=x_1$, $\log_2 x_3=x_2$

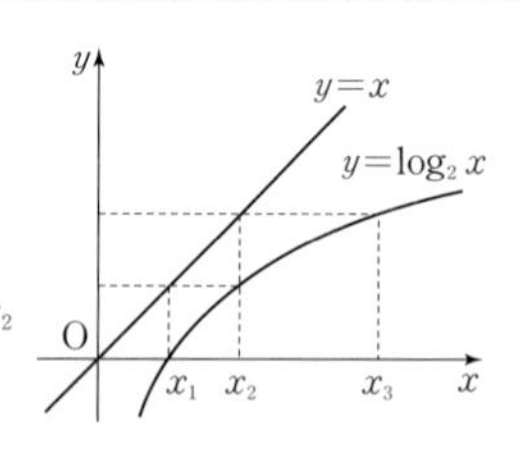

$x_1=1$, $\log_2 x_2=x_1$이고 $\log_2 x_3=x_2$이다.

$x_2=2^{x_1}$이고 $x_3=2^{x_2}$

$\therefore x_2=2^1=2$, $x_3=2^2=4$

$\therefore x_1+x_2+x_3=1+2+4=7$ 답 7

0624

그림은 두 함수 $y=\left(\frac{1}{2}\right)^x$, $y=\log_2 x$의 그래프와 직선 $y=x$를 나타낸 것이다. 옳은 것만을 〈보기〉에서 있는 대로 고른 것은?
(단, 점선은 모두 좌표축에 평행하다.)

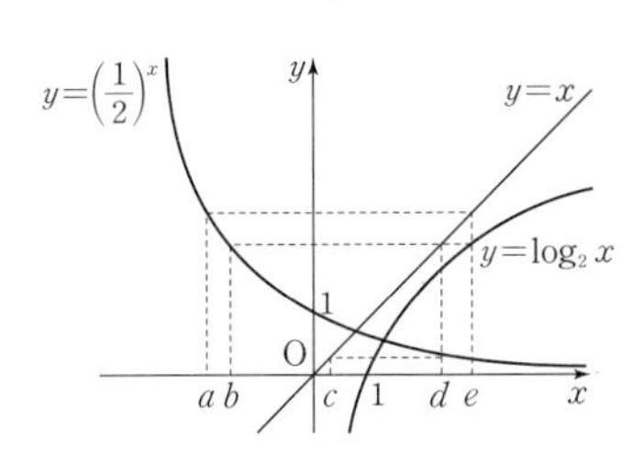

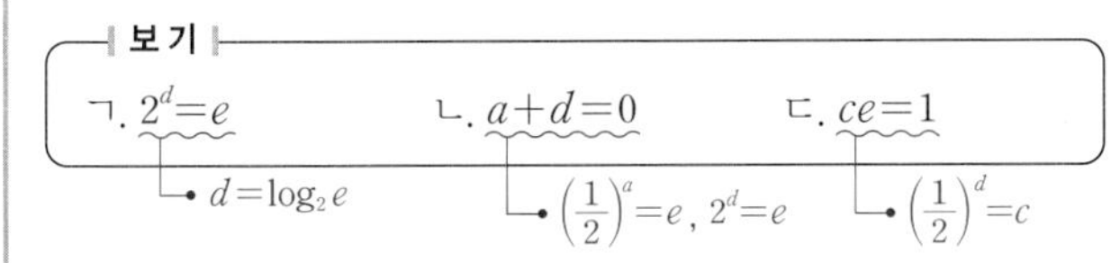

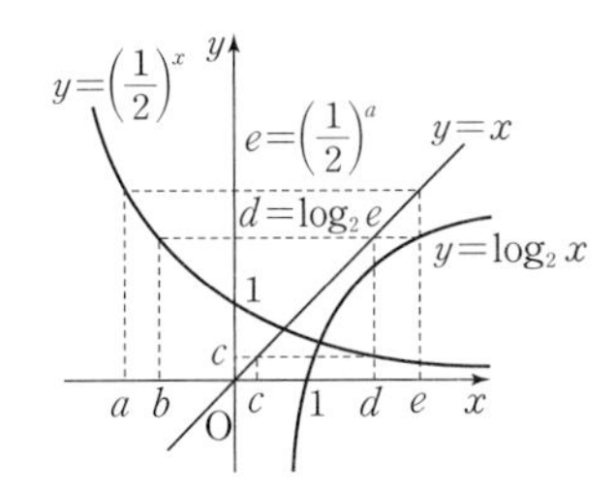

ㄱ. $d=\log_2 e$이므로 $2^d=e$ (참)

ㄴ. $\left(\frac{1}{2}\right)^a=e$이고 ㄱ에서 $2^d=e$이므로

$\left(\frac{1}{2}\right)^a=2^d$, $2^{-a}=2^d$

$\therefore a+d=0$ (참)

ㄷ. $\left(\frac{1}{2}\right)^d=c$이고 ㄱ에서 $2^d=e$이므로

$ce=\left(\frac{1}{2}\right)^d\times 2^d=1$ (참)

따라서 ㄱ, ㄴ, ㄷ 모두 옳다. 답 ⑤

0625

다음 〈보기〉의 함수 중에서 로그함수 $y=\log_2 x$와 같은 것만을 있는 대로 고른 것은?

보기

ㄱ. $y=-\log_2 \frac{1}{x}$ ㄴ. $y=\log_4 x^2$

ㄷ. $y=3\log_2 \sqrt[3]{x}$

($y=\log_4 x^2$의 정의역은 $x\neq 0$인 모든 실수이다.)

주어진 로그함수 $y=\log_2 x$의 정의역은 $\{x\,|\,x>0\}$이다.

ㄱ. $y=-\log_2 \frac{1}{x}=\log_2 x$이고 정의역은 $\frac{1}{x}>0$에서

$\{x\,|\,x>0\}$

ㄴ. $y=\log_4 x^2=\log_2 |x|$이고 정의역은 $x^2>0$에서

$\{x\,|\,x\neq 0$인 모든 실수$\}$

ㄷ. $y=3\log_2 \sqrt[3]{x}=\log_2 x$이고 정의역은 $\sqrt[3]{x}>0$에서

$\{x\,|\,x>0\}$

따라서 로그함수 $y=\log_2 x$와 같은 함수는 ㄱ, ㄷ이다. 답 ④

0626

양의 실수 전체의 집합에서 정의된 함수 $f(x)=\log 2x$에 대하여 〈보기〉에서 옳은 것만을 있는 대로 고른 것은?

보기

ㄱ. $f\left(\frac{1}{8}\right)=-f(2)$ ㄴ. $f(x)+f(y)=f(2xy)$

ㄷ. $f(x^2)=2f(x)$

($\log 2x+\log 2y=\log 2(2xy)$)

ㄱ. $f\left(\frac{1}{8}\right)=\log\left(2\times\frac{1}{8}\right)$

$=\log\frac{1}{4}$

$=-\log 4$

$=-f(2)$ (참)

ㄴ. $f(x)+f(y)=\log 2x+\log 2y$

$=\log 4xy$

$=f(2xy)$ (참)

ㄷ. $f(x^2)=\log 2x^2$,

$2f(x)=2\log 2x=\log(2x)^2$

$\therefore f(x^2)\neq 2f(x)$ (거짓)

따라서 옳은 것은 ㄱ, ㄴ이다. 답 ③

0627

집합 G를 $G=\{(x, y)\,|\,y=\log_2 x,\ x>0\}$으로 정의할 때, 〈보기〉에서 옳은 것만을 있는 대로 고른 것은?

($\log_2 a=b$, $a=2^b$이다.)
($\log_2 a^2=2\log_2 a=2b$)

보기

ㄱ. $(a, b)\in G$이면 $(a^2, 2b)\in G$

ㄴ. $(a, b)\in G$, $(c, d)\in G$이면 $(a+c, bd)\in G$

ㄷ. $(6\times 2^b, \log_2 3a)\in G$이면 $(a, b+1)\in G$

($\log_2 3a=\log_2(6\times 2^b)$)

ㄱ. $(a, b)\in G$이면

$b=\log_2 a$이므로

$2b=2\log_2 a=\log_2 a^2$

$\therefore (a^2, 2b)\in G$ (참)

ㄴ. $(a, b)\in G$, $(c, d)\in G$이면

$b=\log_2 a$, $d=\log_2 c$이므로

$bd=\log_2 a\times\log_2 c\neq\log_2(a+c)$

$\therefore (a+c, bd)\notin G$ (거짓)

ㄷ. $(6\times 2^b, \log_2 3a)\in G$이면

$\log_2 3a=\log_2(6\times 2^b)$

$3a=6\times 2^b$에서

$a=2\times 2^b=2^{b+1}$

$\therefore b+1=\log_2 a$

$\therefore (a, b+1)\in G$ (참)

따라서 옳은 것은 ㄱ, ㄷ이다. 답 ③

0628

> 곡선 $y=\log x$를 x축의 방향으로 3만큼, y축의 방향으로 2만큼 평행이동한 후, 직선 $y=x$에 대하여 대칭이동한 그래프의 식은?
>
> → x와 y를 서로 바꾸고 y에 관하여 정리하자.

곡선 $y=\log x$를 x축의 방향으로 3만큼, y축의 방향으로 2만큼 평행이동하면

$y-2=\log(x-3)$

이 함수의 그래프를 직선 $y=x$에 대하여 대칭이동하면

$x-2=\log(y-3)$, $y-3=10^{x-2}$

$\therefore y=10^{x-2}+3$

답 ①

0629

→ $\log_2 2(x+4)=\log_2(x+4)+1$

> 함수 $y=\log_2(2x+8)$의 그래프는 로그함수 $y=\log_2 x$의 그래프를 x축의 방향으로 a만큼, y축의 방향으로 b만큼 평행이동한 것이다. $a+b$의 값을 구하시오.

$y=\log_2(2x+8)$

$=\log_2 2(x+4)$

$=\log_2(x+4)+1$

이므로 로그함수 $y=\log_2 x$의 그래프를 x축의 방향으로 -4만큼, y축의 방향으로 1만큼 평행이동한 것이다.

$\therefore a+b=(-4)+1=-3$

답 -3

0630

→ $x=2^y$, $y=\log_2 x$

> 지수함수 $y=2^x$의 그래프를 직선 $y=x$에 대하여 대칭이동한 다음 x축의 방향으로 2만큼, y축의 방향으로 3만큼 평행이동한 그래프가 점 $(k, 6)$을 지날 때, k의 값은?

지수함수 $y=2^x$의 그래프를 직선 $y=x$에 대하여 대칭이동하면

$x=2^y$ $\quad\therefore y=\log_2 x$ ……㉠

㉠의 그래프를 다시 x축의 방향으로 2만큼, y축의 방향으로 3만큼 평행이동하면

$y=\log_2(x-2)+3$ ……㉡

㉡의 그래프가 점 $(k, 6)$을 지나므로

$6=\log_2(k-2)+3$, $3=\log_2(k-2)$

$k-2=2^3$ $\quad\therefore k=10$

답 ④

0631

→ $2=\log_a 9$ → $\log_a(3\times9+b)=2$

> 두 함수 $y=\log_a x$, $y=\log_a(3x+b)$의 그래프는 점 $(9, 2)$에서 만나고, 로그함수 $y=\log_a x$의 그래프를 x축의 방향으로 m만큼, y축의 방향으로 n만큼 평행이동하면 함수 $y=\log_a(3x+b)$의 그래프와 일치한다. $a+b+m+n$의 값을 구하시오.
>
> (단, a, b는 상수이다.)

로그함수 $y=\log_a x$의 그래프가 점 $(9, 2)$를 지나므로

$2=\log_a 9$, $a^2=9$

$\therefore a=3$ ($\because a>0$) ……㉠

함수 $y=\log_a(3x+b)$의 그래프가 점 $(9, 2)$를 지나므로

$2=\log_3(27+b)$, $27+b=9$

$\therefore b=-18$ ……㉡

$y=\log_a(3x+b)$에 ㉠, ㉡을 대입하면

$y=\log_3(3x-18)=\log_3 3(x-6)$

$=\log_3 3+\log_3(x-6)=\log_3(x-6)+1$

따라서 로그함수 $y=\log_3 x$의 그래프를 x축의 방향으로 6만큼, y축의 방향으로 1만큼 평행이동하면 함수 $y=\log_3(3x-18)$의 그래프와 일치하므로 $m=6$, $n=1$

$\therefore a+b+m+n=3+(-18)+6+1$

$=-8$

답 -8

0632

> 〈보기〉의 함수의 그래프 중에서 함수 $f(x)=\log_3(x-1)$의 그래프를 평행이동하여 일치시킬 수 있는 것만을 있는 대로 고른 것은?

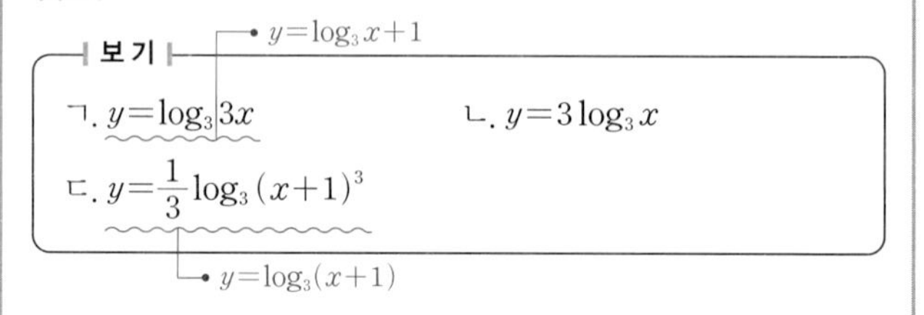

ㄱ. $y=\log_3 3x=\log_3 x+1$이므로 함수 $y=f(x)$의 그래프를 x축의 방향으로 -1만큼, y축의 방향으로 1만큼 평행이동하면 함수 $y=\log_3 3x$의 그래프와 일치한다.

ㄴ. $y=3\log_3 x$는 $y=\log_3(x-a)+b$ 꼴로 변형할 수 없으므로 평행이동하여도 함수 $y=f(x)$의 그래프와 일치하지 않는다.

ㄷ. $y=\frac{1}{3}\log_3(x+1)^3=\log_3(x+1)$이므로 함수 $y=f(x)$의 그래프를 x축의 방향으로 -2만큼 평행이동하면 함수 $y=\frac{1}{3}\log_3(x+1)^3$의 그래프와 일치한다.

따라서 함수 $f(x)=\log_3(x-1)$의 그래프를 평행이동하여 일치시킬 수 있는 그래프는 ㄱ, ㄷ이다.

답 ④

참고 함수 $y=3\log_3 x$의 그래프는 로그함수 $y=\log_3 x$의 그래프를 y축의 방향으로 3배 늘인 것이다.

0633

> 로그함수 $y=\log_3 x$의 그래프를 평행이동 또는 대칭이동하여 일치할 수 있는 것만을 〈보기〉에서 있는 대로 고른 것은?

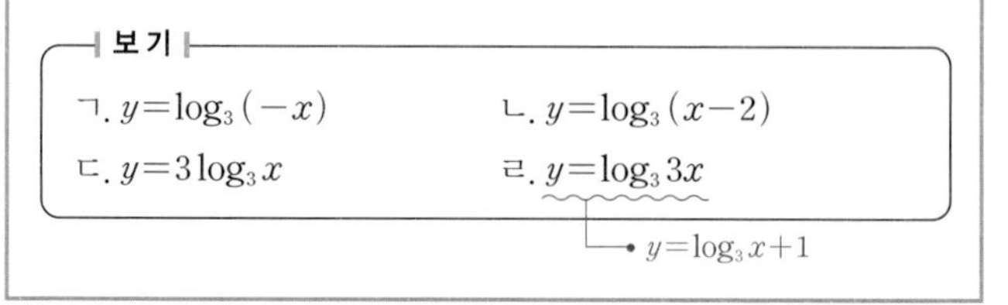

ㄱ. 함수 $y=\log_3(-x)$의 그래프는 로그함수 $y=\log_3 x$의 그래프를 y축에 대하여 대칭이동한 것이다.

ㄴ. 함수 $y=\log_3(x-2)$의 그래프는 로그함수 $y=\log_3 x$의 그래프를 x축의 방향으로 2만큼 평행이동한 것이다.

ㄷ. $y=3\log_3 x=\log_3 x^3$이므로 로그함수 $y=\log_3 x$의 그래프를 평행이동 또는 대칭이동하여 함수 $y=3\log_3 x$의 그래프와 일치할 수 없다.

ㄹ. $y=\log_3 3x=\log_3 x+1$이므로 로그함수 $y=\log_3 x$의 그래프를 y축의 방향으로 1만큼 평행이동한 것이다.

따라서 로그함수 $y=\log_3 x$의 그래프를 평행이동 또는 대칭이동하여 일치할 수 있는 것은 ㄱ, ㄴ, ㄹ이다. 답 ⑤

0634

다음 중 함수 $y=\log_2(x+2)+3$에 대한 설명으로 옳은 것은?

① 정의역은 $\{x|x\geq -2\}$이다.
② 치역은 $\{y|y>3\}$이다.
③ 그래프는 점 $(0, 3)$을 지난다. ← $x=0$을 대입해 보면 $y=4$이다.
④ 그래프의 점근선은 직선 $x=-2$이다.
⑤ x의 값이 증가하면 y의 값은 감소한다. ← 밑이 2이므로 증가한다.

함수 $y=\log_2(x+2)+3$의 그래프는 함수 $y=\log_2 x$의 그래프를 x축의 방향으로 -2만큼, y축의 방향으로 3만큼 평행이동한 것이다.
① 정의역은 $\{x|x>-2\}$이다. (거짓)
② 치역은 실수 전체이다. (거짓)
③ $x=0$일 때, $y=4$이다. (거짓)
④ 그래프의 점근선은 직선 $x=-2$이다. (참)
⑤ x의 값이 증가하면 y의 값도 증가한다. (거짓) 답 ④

0635

함수 $f(x)=\log_3(x-2)+3$에 대하여 〈보기〉에서 옳은 것만을 있는 대로 고른 것은?

보기
ㄱ. 정의역은 실수 전체의 집합이다.
ㄴ. $x_1<x_2$이면 $f(x_1)<f(x_2)$이다. ← x의 값이 증가하면 y의 값도 증가한다.
ㄷ. 그래프의 점근선의 방정식은 $x=2$이다.

ㄱ. 로그의 진수의 조건에서
$x-2>0$, 즉 $x>2$이므로 함수 $f(x)=\log_3(x-2)+3$의 정의역은 $\{x|x>2\}$이다. (거짓)

ㄴ. 로그함수 $y=\log_3 x$의 밑 3은 1보다 크므로 함수 $y=f(x)$는 x의 값이 증가하면 y의 값도 증가한다.
즉, $x_1<x_2$이면 $f(x_1)<f(x_2)$이다. (참)

ㄷ. 함수 $y=f(x)$의 그래프는 로그함수 $y=\log_3 x$의 그래프를 x축의 방향으로 2만큼, y축의 방향으로 3만큼 평행이동한 것이므로 점근선의 방정식은 $x=2$이다. (참)

따라서 옳은 것은 ㄴ, ㄷ이다. 답 ④

0636

다음 중 함수 $f(x)=2\log_4(x-1)+2$에 대한 설명으로 옳지 않은 것은? ← 정의역이 $x>1$이다.

① 점근선의 방정식은 $x=1$이다.
② $x_1<x_2$이면 $f(x_1)<f(x_2)$를 만족한다.
③ 점 $(3, 3)$을 지난다. ← $x=3$을 대입해 보면 $y=3$이다.
④ $y=\log_2 x$의 그래프를 x축의 방향으로 1만큼, y축의 방향으로 2만큼 평행이동한 것과 같다.
⑤ $y=f(x)$의 그래프는 제3사분면을 지난다.

$f(x)=2\log_4(x-1)+2=\log_{4^{\frac{1}{2}}}(x-1)+2$
$=\log_2(x-1)+2$
① 점근선의 방정식은 $x=1$이다. (참)
② (밑)$=2>1$이므로 증가함수이다. 그러므로 $x_1<x_2$이면 $f(x_1)<f(x_2)$를 만족한다. (참)
③ $f(3)=\log_2(3-1)+2=3$이므로 점 $(3, 3)$을 지난다. (참)
④ $y=\log_2 x$의 그래프를 x축으로 1만큼, y축으로 2만큼 평행이동하면 $y=\log_2(x-1)+2$이다. (참)
⑤ 정의역이 $x>1$이므로 그래프는 제1, 4사분면을 지난다. (거짓)
따라서 옳지 않은 것은 ⑤이다. 답 ⑤

0637

← 점근선이 $x=-3$이고 $(0, 6)$을 지난다.

함수 $y=\log_3(x+a)+b$의 그래프가 그림과 같을 때, $a+b$의 값을 구하시오. (단, a, b는 상수이고, $x=-3$은 점근선이다.)

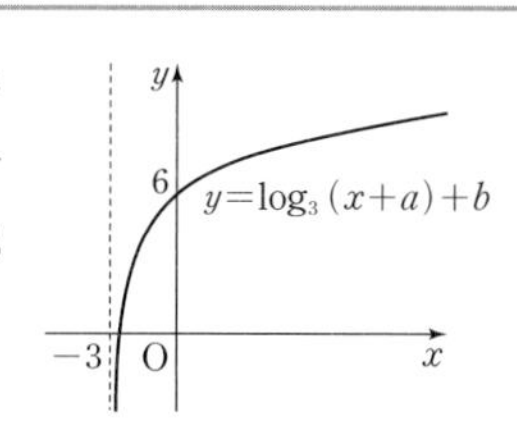

주어진 그래프의 점근선이 $x=-3$이고 점 $(0, 6)$을 지남을 알 수 있다.
즉, $y=\log_3(x+a)+b$에서 $x=-a$가 점근선이므로 $a=3$
$6=\log_3(0+a)+b=\log_3 3+b$이므로 $b=5$
$\therefore a+b=8$ 답 8

0638

← 감소함수이므로 $0<b<1$이고 x절편이 1보다 작기 때문에 $a>1$이다.

오른쪽 그림은 로그함수 $y=\log_b ax$의 그래프 개형이다. 로그함수 $y=\log_a bx$의 그래프 개형으로 옳은 것은?
(단, $a>0$, $a\neq1$, $b>0$, $b\neq1$인 실수)

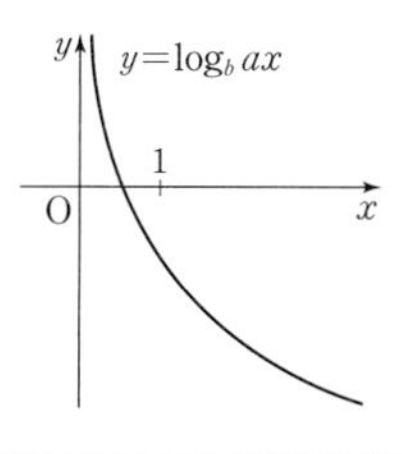

주어진 문제의 로그함수 $y=\log_b ax$가 감소함수이므로 밑의 조건이 $0<b<1$이고, x절편이 1보다 작기 때문에 $a>1$이다.
따라서 $y=\log_a bx$의 그래프는 밑이 $a>1$이므로 증가함수이고, 진수 조건에서 $0<b<1$이므로 x절편이 1보다 큰 그래프이다. 답 ①

0639

함수 $y=\log_a(x-b)+c$의 그래프가 제1사분면을 지나지 않을 때, 〈보기〉에서 옳은 것만을 있는 대로 고른 것은?

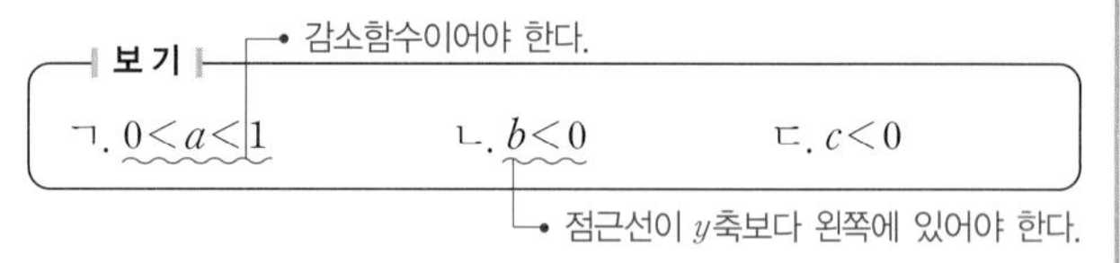

함수 $y=\log_a(x-b)+c$의 그래프는 로그함수 $y=\log_a x$의 그래프를 x축의 방향으로 b만큼, y축의 방향으로 c만큼 평행이동한 것이므로 점근선의 방정식은 $x=b$이다.

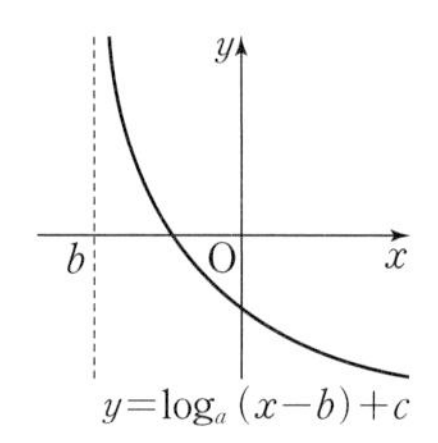

즉, 제1사분면을 지나지 않는 그래프는 그림과 같다.

ㄱ. $0<a<1$ (참)

ㄴ. $b<0$ (참)

ㄷ. [반례] 함수 $y=\log_{\frac{1}{2}}(x+4)+1$의 그래프는 점 $(0,\ -1)$을 지나므로 제1사분면을 지나지 않는다. (거짓)

따라서 옳은 것은 ㄱ, ㄴ이다.

답 ③

0640

함수 $y=\log_3 x$의 그래프가 x축과 만나는 점을 A라 하자.
$y=\log_3(x+a)$의 그래프가 선분 OA를 x축의 양의 방향으로 3만큼, y축의 양의 방향으로 2만큼 평행이동한 선분과 만날 때, a의 최댓값과 최솟값의 합은? (단, O는 원점이다.)

(y, $y=\log_3 x$, O, A, x)

두 점 O와 A가 평행이동한 점을 O′, A′라 하면 O′(3, 2), A′(4, 2)이다.

두 점 O와 A가 평행이동한 점을 각각 O′, A′라 하면
O′(3, 2), A′(4, 2)이다.
$y=\log_3(x+a)$가 선분 O′A′와 만나려면
$\log_3(3+a)\le2$, $3+a\le9$, $a\le6$이고,
$\log_3(4+a)\ge2$, $4+a\ge9$, $a\ge5$이다.
$\therefore 5\le a\le6$
따라서 a의 최댓값과 최솟값의 합은
$6+5=11$

답 ③

0641

a의 값에 관계 없이 $(2,\ -4)$를 지난다.

네 점 A(3, −1), B(5, −1), C(5, 2), D(3, 2)를 연결하여 만든 직사각형이 있다. 함수 $y=\log_a(x-1)-4$의 그래프가 직사각형 ABCD와 만나기 위한 상수 a의 최댓값을 M, 최솟값을 N이라 할 때, $\left(\frac{M}{N}\right)^{12}$의 값을 구하시오.

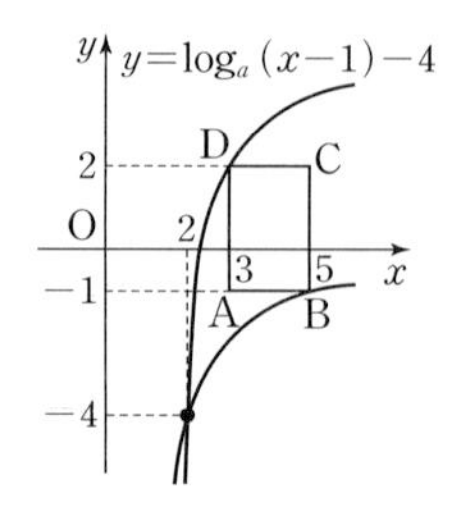

함수 $y=\log_a(x-1)-4$의 그래프는 a의 값에 관계없이 점 $(2,\ -4)$를 지나므로 직사각형 ABCD와 만나려면
$a>1$
즉, $y=\log_a(x-1)-4$는 x의 값이 증가하면 y의 값도 증가하므로 이 그래프가 점 B(5, −1)을 지날 때,
$\log_a 4-4=-1$, $\log_a 4=3$
$a^3=4$
$\therefore a=4^{\frac{1}{3}}$
점 D(3, 2)를 지날 때,
$\log_a 2-4=2$, $\log_a 2=6$
$a^6=2$
$\therefore a=2^{\frac{1}{6}}$
따라서 a의 최댓값 $M=2^{\frac{2}{3}}$, 최솟값 $N=2^{\frac{1}{6}}$이므로
$$\left(\frac{M}{N}\right)^{12}=\left(\frac{2^{\frac{2}{3}}}{2^{\frac{1}{6}}}\right)^{12}=(2^{\frac{1}{2}})^{12}$$
$$=2^6=64$$

답 64

0642

$y=\log_x k$에서 $0<x<1$이므로 k의 값이 증가하면 y의 값은 감소한다.

$0<x<1$일 때, 세 수 $A=\log_x 2$, $B=\log_x 5$, $C=\log_x 7$의 대소 관계를 바르게 나타낸 것은?

로그함수 $y=\log_x k$의 밑 x는 $0<x<1$이므로 k의 값이 증가하면 y의 값은 감소한다.
즉, $2<5<7$이므로
$\log_x 7<\log_x 5<\log_x 2$
$\therefore C<B<A$

답 ⑤

0643

$\log_{\frac{1}{3}}\frac{1}{2}<\log_{\frac{1}{3}}\frac{1}{3}=1$

다음 세 수 A, B, C의 대소 관계를 바르게 나타낸 것은?

$$A=2\log_5\sqrt{5},\ B=\log_{\frac{1}{3}}\frac{1}{2},\ C=\log_{\frac{1}{9}}2$$

$=1$

$\log_{\frac{1}{3}}\sqrt{2}$

$A=2\log_5\sqrt{5}=1=\log_{\frac{1}{3}}\frac{1}{3}$

$B=\log_{\frac{1}{3}}\frac{1}{2}$

$C=\log_{\frac{1}{9}}2=\frac{1}{2}\log_{\frac{1}{3}}2=\log_{\frac{1}{3}}\sqrt{2}$

로그함수 $y=\log_{\frac{1}{3}}x$의 밑 $\frac{1}{3}$은 0보다 크고 1보다 작으므로 x의 값이 증가하면 y의 값은 감소한다.

즉, $\frac{1}{3}<\frac{1}{2}<\sqrt{2}$이므로

$\log_{\frac{1}{3}}\sqrt{2}<\log_{\frac{1}{3}}\frac{1}{2}<\log_{\frac{1}{3}}\frac{1}{3}$

$\therefore C<B<A$

답 ⑤

0644

$1<x<2$일 때, 세 수 A, B, C의 대소 관계를 바르게 나타낸 것은? ⟶ $\log_2 1<\log_2 x<\log_2 2$에서 $0<\log_2 x<1$

$A=\log_2 x,\quad B=(\log_2 x)^2,\quad C=\log_x 2$ ⟶ $\frac{1}{\log_2 x}$

$1<x<2$에서 $\log_2 1<\log_2 x<\log_2 2$

$\therefore 0<\log_2 x<1$

(i) $0<\log_2 x<1$의 각 변에 $\log_2 x$를 곱하면

$0<(\log_2 x)^2<\log_2 x$ ($\because \log_2 x>0$)

$\therefore B<A$

(ii) $C=\log_x 2=\frac{1}{\log_2 x}$이므로 $0<\log_2 x<1$에서

$\frac{1}{\log_2 x}>1>\log_2 x>0 \qquad \therefore C>A$

(i), (ii)에 의하여

$B<A<C$

답 ③

다른풀이 A, B의 대소 관계는 다음과 같이 확인할 수도 있다.

$A-B=\log_2 x-(\log_2 x)^2=\log_2 x(1-\log_2 x)$

$0<\log_2 x<1$이므로

$\log_2 x>0$, $1-\log_2 x>0$

따라서 $A-B>0$이므로 $A>B$

0645

• 밑을 a로 하는 로그를 취하면 $\log_a b>\log_a a>\log_a 1$

$0<b<a<1$일 때, 세 수 $A=\log_a b$, $B=\log_b a$, $C=\log_a\frac{a}{b}$의 대소 관계를 바르게 나타낸 것은? ⟵ $1-\log_a b$

$0<b<a<1$에 밑을 a로 하는 로그를 취하면

$\log_a b>\log_a a>\log_a 1$

$\log_a a=1$이므로

$A=\log_a b>1$

$0<b<a<1$에 밑을 b로 하는 로그를 취하면

$\log_b b>\log_b a>\log_b 1$

$\log_b b=1$, $\log_b 1=0$이므로

$0<B=\log_b a<1$

$C=\log_a\frac{a}{b}=\log_a a-\log_a b$

$=1-\log_a b<0$

$\therefore C<B<A$

답 ⑤

0646

• 역함수 $y=\log_c x$의 그래프를 나타내어 보자.

다음은 1이 아닌 세 양수 a, b, c에 대하여 세 함수

$y=\log_a x$, $y=\log_b x$, $y=c^x$

의 그래프를 나타낸 것이다. 세 양수 a, b, c의 대소 관계를 옳게 나타낸 것은?

$y=c^x$의 역함수 $y=\log_c x$를 나타내어 직선 $y=1$과의 교점의 x좌표를 구하면 a, b, c의 위치는 그림과 같다.

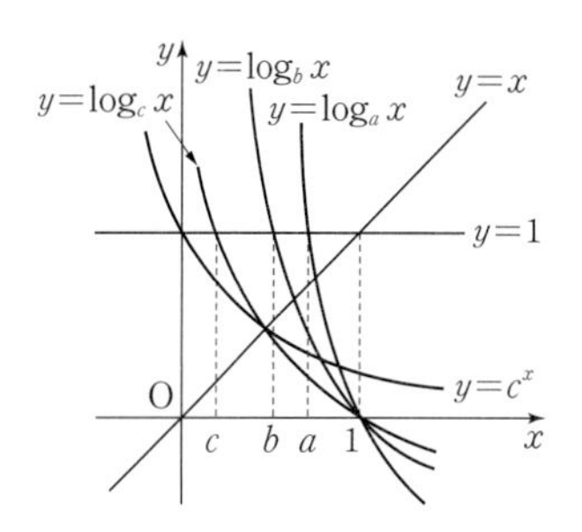

$\therefore a>b>c$

답 ①

0647

• (밑)>1이므로 증가함수이다. $x=0$에서 최솟값, $x=2$에서 최댓값을 가진다.

정의역이 $\{x|0\le x\le 2\}$일 때, 함수 $y=\log_2(x+2)-5$의 최솟값과 최댓값의 합을 구하시오.

함수 $y=\log_2(x+2)-5$는 (밑)>1이므로 증가함수이다. 따라서 y는 $x=0$에서 최솟값을 가지고 $x=2$에서 최댓값을 가진다.

(최솟값)$=\log_2(0+2)-5=1-5=-4$

(최댓값)$=\log_2(2+2)-5=2-5=-3$

따라서 최솟값과 최댓값의 합은

$-4+(-3)=-7$

답 -7

0648

$2\le x\le 3$일 때, 함수 $y=\log_{\frac{1}{3}}(x+1)$의 최댓값을 구하시오.

(밑)<1이므로 감소함수이다. $x=2$에서 최댓값을 가진다.

$2\le x\le 3$일 때, 함수 $y=\log_{\frac{1}{3}}(x+1)$은 감소하므로 $x=2$일 때 최대이고, 최댓값은

$y=\log_{\frac{1}{3}}3=-1$

답 -1

0649

(밑)<1이므로 감소함수이다. $x=8$에서 최솟값을 가진다.

정의역이 $\{x|5\le x\le 8\}$인 함수 $y=\log_{\frac{1}{2}}(x-a)$의 최솟값이 -2일 때, a의 값을 구하시오.

밑이 $\frac{1}{2}$인 로그함수의 그래프는 감소하는 그래프이므로 $x=8$일 때 최소가 된다.

$\log_{\frac{1}{2}}(8-a)=-2$

$8-a=4$

$\therefore a=4$

답 4

0650

$f(x)=x^2-2x+4$로 놓으면 $f(x)$의 값이 최소일 때, y는 최댓값을 가진다.

함수 $y=\log_{\frac{1}{3}}(x^2-2x+4)$는 $x=a$일 때, 최댓값 b를 갖는다. $a+b$의 값을 구하시오.

$f(x)=x^2-2x+4$로 놓으면 함수 $y=\log_{\frac{1}{3}}f(x)$의 밑 $\frac{1}{3}$은 0보다 크고 1보다 작으므로 $f(x)$의 값이 최소일 때 $\log_{\frac{1}{3}}f(x)$의 값은 최대이다.

$f(x)=x^2-2x+4=(x-1)^2+3$이므로 $f(x)$는 $x=1$일 때 최솟값 3을 갖는다.

따라서 함수 $y=\log_{\frac{1}{3}}(x^2-2x+4)$의 최댓값은

$\log_{\frac{1}{3}}3=-\log_3 3=-1$

$\therefore a=1,\ b=-1$

$\therefore a+b=0$

답 0

0651

$t=x^2-2x+4=(x-1)^2+3$으로 놓으면 t는 $x=1$일 때 최솟값 3, $x=4$일 때 최댓값 12를 가진다.

$0\le x\le 4$에서 함수 $y=\log_2(x^2-2x+4)$의 최댓값을 M, 최솟값을 m이라 할 때, $M-m$의 값을 구하시오.

$y=\log_2(x^2-2x+4)$에서

$t=x^2-2x+4=(x-1)^2+3$으로 놓으면

$0\le x\le 4$이므로 $x=1$일 때 t는 최솟값 3을 가지고, $x=4$일 때 t는 최댓값 12를 가진다.

따라서 주어진 함수 $y=\log_2(x^2-2x+4)$는

$x=1$일 때 최소이며 최솟값 $m=\log_2 3$

$x=4$일 때 최대이며 최댓값 $M=\log_2 12$

$\therefore M-m=\log_2 12-\log_2 3=\log_2 4=2$

답 2

0652

$(x-1)^2+64$이므로 진수의 최솟값은 64이고 최댓값은 없다.

로그함수 $y=\log_{a-3}(x^2-2x+65)$의 최솟값이 2일 때, 상수 a의 값을 구하시오. (단, $a>3$, $a\ne 4$)

$x^2-2x+65=(x-1)^2+64$이므로 진수의 최솟값은 64이고 최댓값은 없다.

$\log_{a-3}(x^2-2x+65)$의 최솟값이 2가 되려면

$\log_{a-3}64=2$이다.

$a-3=8 \qquad \therefore a=11$

답 11

0653

$\log_3 x=t$라 하면 $y=t^2-3t+1$

$3\le x\le 27$에서 함수 $y=(\log_3 x)^2-3\log_3 x+1$의 최댓값을 M, 최솟값을 m이라 할 때, $M+m$의 값을 구하시오.

$y=(\log_3 x)^2-3\log_3 x+1$에서 $\log_3 x=t$로 놓으면

$y=t^2-3t+1=\left(t-\frac{3}{2}\right)^2-\frac{5}{4}$ ······㉠

$3\le x\le 27$에서 $\log_3 3\le \log_3 x\le \log_3 27$

$\therefore 1\le t\le 3$

따라서 $1\le t\le 3$에서 ㉠은 $t=\frac{3}{2}$일 때 최솟값 $-\frac{5}{4}$를, $t=3$일 때 최댓값 1을 갖는다.

$\therefore M+m=1+\left(-\frac{5}{4}\right)=-\frac{1}{4}$

답 $-\frac{1}{4}$

0654

$\log_3 x=t$라 하면 $y=t^2+at+b$

함수 $y=(\log_3 x)^2+a\log_3 x+b$는 $x=\frac{1}{9}$일 때 최솟값 -2를 가진다. 두 상수 a, b에 대하여 ab의 값을 구하시오.

$\log_3 x=t$로 놓으면 $y=t^2+at+b$

$x=\frac{1}{9}$, 즉 $t=\log_3\frac{1}{9}=-2$일 때, 최솟값 -2를 가지므로

$y=t^2+at+b$

$=(t+2)^2-2$

$=t^2+4t+2$

따라서 $a=4$, $b=2$이므로

$ab=8$

답 8

0655

$\log_2 x=t$라 하면 $y=t^2-2t+3$

$1\le x\le 8$에서 정의된 함수 $y=(\log_2 x)^2-2\log_2 x+3$의 최댓값을 M, 최솟값을 m이라 할 때, $M+m$의 값은?

$y=(\log_2 x)^2-2\log_2 x+3$에서 $\log_2 x=t$로 놓으면

$y=t^2-2t+3$

$=(t-1)^2+2$ ······㉠

$1\le x\le 8$에서 $\log_2 1\le \log_2 x\le \log_2 8$

$\therefore 0\le t\le 3$

따라서 $0\le t\le 3$에서 ㉠은 $t=3$일 때 최댓값 6을 갖고 $t=1$일 때 최솟값 2를 가지므로

$M+m=6+2=8$

답 ④

0656

$1\le x\le 100$일 때, 함수 $y=10\times x^{4-\log x}$의 최댓값은?

양변에 상용로그를 취하면 $\log y=\log(10\times x^{4-\log x})=1+(4-\log x)\log x$

$y=10\times x^{4-\log x}$의 양변에 상용로그를 취하면

$\log y=\log(10\times x^{4-\log x})=\log 10+\log x^{4-\log x}$

$=1+(4-\log x)\log x=-(\log x)^2+4\log x+1$

$\log x=t$로 놓으면 $1 \le x \le 100$에서
$\log 1 \le \log x \le \log 100$
$\therefore 0 \le t \le 2$
주어진 함수에서
$\log y=-t^2+4t+1$
$\quad =-(t-2)^2+5$
따라서 $0 \le t \le 2$에서 $\log y$는 $t=2$일 때 최댓값 5를 가지므로
y의 최댓값은 $\log y=5$에서 $y=10^5$이다. 답 ④

0657

> $x>0$에서 함수 $y=\log_4(x+1)+\log_4\left(\frac{9}{x}+1\right)$의 최솟값은?
>
> • $\log_4(x+1)\left(\frac{9}{x}+1\right)=\log_4\left(10+x+\frac{9}{x}\right)$이고
> 산술평균과 기하평균의 관계를 이용하자.

$y=\log_4(x+1)+\log_4\left(\frac{9}{x}+1\right)$
$\quad =\log_4(x+1)\left(\frac{9}{x}+1\right)$
$\quad =\log_4\left(10+x+\frac{9}{x}\right)$
$x>0$이므로 산술평균과 기하평균의 관계에 의하여
$x+\frac{9}{x} \ge 2\sqrt{x \times \frac{9}{x}}=6$ (단, 등호는 $x=3$일 때 성립한다.)
$\therefore y=\log_4\left(10+x+\frac{9}{x}\right)$
$\quad \ge \log_4(10+6)$
$\quad =\log_4 16=2$
따라서 주어진 함수의 최솟값은 2이다. 답 ③

0658

$2^{\log x}=t\,(t>1)$로 놓으면 $x^{\log 2}=2^{\log x}=t$임을 이용하자.

> 함수 $y=2^{\log x}\times x^{\log 2}-4(2^{\log x}+x^{\log 2})$은 $x=a$에서 최솟값 b를 가진다. $a+b$의 값을 구하시오. (단, $x>1$)

$y=2^{\log x}\times x^{\log 2}-4(2^{\log x}+x^{\log 2})$
$\quad =2^{\log x}\times 2^{\log x}-4(2^{\log x}+2^{\log x})$ ($\because 2^{\log x}=x^{\log 2}$)
에서 $2^{\log x}=t\ (t>1)$로 놓으면
$y=t^2-8t=(t-4)^2-16$
이고, $t=4$일 때 최솟값 -16을 가지므로
$2^{\log x}=4=2^2$에서
$\log x=2 \qquad \therefore x=100$
따라서 $a=100$, $b=-16$이므로
$a+b=84$ 답 84

0659

• $\overline{AB}=\log_3 b-\log_3 a=\log_3\frac{b}{a}$임을 이용하자.

> 그림과 같은 로그함수 $y=\log_3 x$의 그래프에서 선분 AB의 길이가 2일 때, $\frac{b}{a}$의 값을 구하시오.

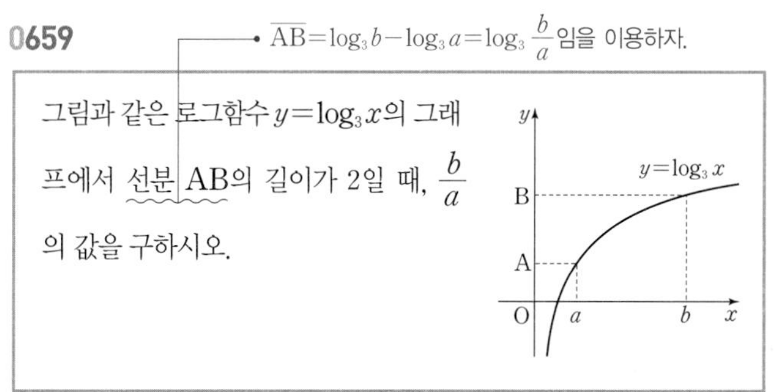

두 점 A, B의 y좌표는 각각 $\log_3 a$, $\log_3 b$이므로
$\overline{AB}=\log_3 b-\log_3 a$
$\quad =\log_3\frac{b}{a}=2$
$\therefore \frac{b}{a}=3^2=9$ 답 9

0660

• $\overline{AB}=\log_2 k-\log_4 k=3$임을 이용하자.

> 그림과 같이 두 로그함수 $y=\log_2 x$, $y=\log_4 x$의 그래프와 직선 $x=k$가 만나는 서로 다른 두 점을 각각 A, B라 할 때, 선분 AB의 길이가 3이 되도록 하는 k의 값을 구하시오. (단, $k>1$)

그림에서 $\overline{AB}=3$이므로
$\log_2 k-\log_4 k=3$
$\log_2 k-\frac{1}{2}\log_2 k=3$
$\frac{1}{2}\log_2 k=3$
$\log_2 k=6$
$\therefore k=2^6=64$ 답 64

0661

• $\overline{AB}=\log_2 k-\log_4 k$, $\overline{BC}=\log_4 k-\log_8 k$

> 그림과 같이 세 곡선 $y=\log_2 x$, $y=\log_4 x$, $y=\log_8 x$와 직선 $x=k$가 만나는 점을 각각 A, B, C라 할 때, $\frac{\overline{AB}}{\overline{BC}}$의 값을 구하시오. (단, $k>1$)

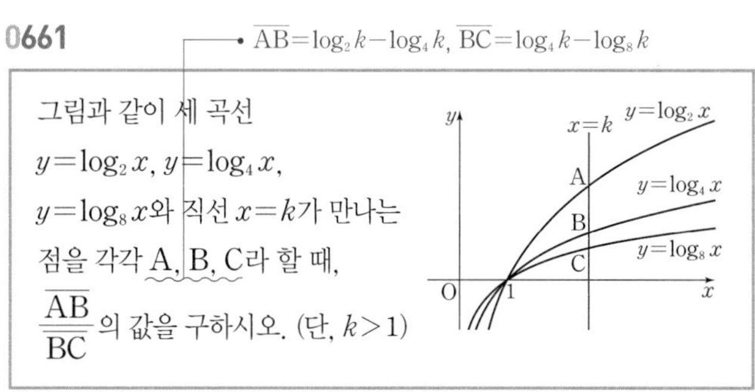

세 점 A, B, C는 각각
A$(k, \log_2 k)$, B$(k, \log_4 k)$, C$(k, \log_8 k)$이므로
$\overline{AB}=\log_2 k-\log_4 k=\log_2 k-\frac{1}{2}\log_2 k=\frac{1}{2}\log_2 k$
$\overline{BC}=\log_4 k-\log_8 k=\frac{1}{2}\log_2 k-\frac{1}{3}\log_2 k=\frac{1}{6}\log_2 k$
$\therefore \frac{\overline{AB}}{\overline{BC}}=\frac{\frac{1}{2}\log_2 k}{\frac{1}{6}\log_2 k}=3$ 답 3

0662

그림과 같이 로그함수 $y=\log_2 x$의 그래프 위의 세 점 A, B, C에서 x축에 내린 수선의 발을 각각 A_x, B_x, C_x라 하고, y축에 내린 수선의 발을 각각 A_y, B_y, C_y라 하자. $\overline{A_yB_y}=\overline{B_yC_y}=1$일 때, $\overline{A_xB_x}:\overline{B_xC_x}$는?

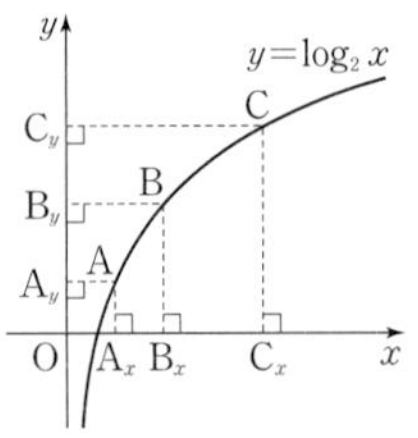

• A_x, B_x, C_x의 x좌표를 각각 a, b, c라 하면, $\log_2 b-\log_2 a=\log_2 c-\log_2 b=1$

세 점 A_x, B_x, C_x의 x좌표를 각각 a, b, c라 하면 세 점 A_y, B_y, C_y의 y좌표는 각각 $\log_2 a$, $\log_2 b$, $\log_2 c$이다.

$\overline{A_yB_y}=\overline{B_yC_y}=1$이므로

$\log_2 b-\log_2 a=\log_2 c-\log_2 b=1$

$\log_2 \frac{b}{a}=\log_2 \frac{c}{b}=1$

$\therefore \frac{b}{a}=\frac{c}{b}=2$

즉, $b=2a$이고 $c=2b=4a$이므로

$\overline{A_xB_x}=b-a=2a-a=a$,

$\overline{B_xC_x}=c-b=4a-2a=2a$

$\therefore \overline{A_xB_x}:\overline{B_xC_x}=1:2$

답 ③

0663

• 점 A의 y좌표가 2이므로 x좌표는 a^2이고 점 C의 좌표는 $(a^2+2, 4)$이다.

그림과 같이 로그함수 $y=\log_a x$의 그래프 위의 두 점 A, C를 이은 선분이 한 변의 길이가 2인 정사각형 ABCD의 대각선이다. 선분 AB는 x축과 평행하고, 함수 $y=\log_b x$의 그래프가 점 B를 지날 때, b의 값을 구하시오.

(단, $1<a<b$이고, 점 A의 y좌표는 2이다.)

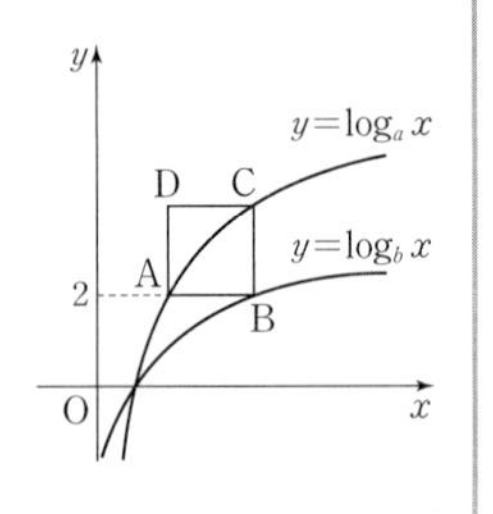

점 A의 좌표를 $(k, 2)$라 하면

$\log_a k=2 \qquad \therefore k=a^2$

즉, 점 C의 좌표는 $(a^2+2, 4)$이므로

$\log_a (a^2+2)=4$

$a^2+2=a^4$

$a^4-a^2-2=0$

$(a^2+1)(a^2-2)=0$

$\therefore a^2=2 \ (\because a^2>1)$

즉, $k=2$이므로 점 B의 좌표는 $(4, 2)$이다.

$\log_b 4=2$이므로 $b^2=4$

$\therefore b=2 \ (\because b>1)$

답 2

0664

• $\overline{AB}=2$이므로 점 B의 x좌표를 a라 하면 $\log_3(a-1)=2$에서 $a=10$

그림과 같이 한 변은 x축 위에 있고, 한 꼭짓점은 곡선 $y=\log_3(x-1)$ 위에 있는 두 정사각형이 서로 붙어 있다. 작은 정사각형의 넓이가 4일 때, 큰 정사각형의 넓이는?

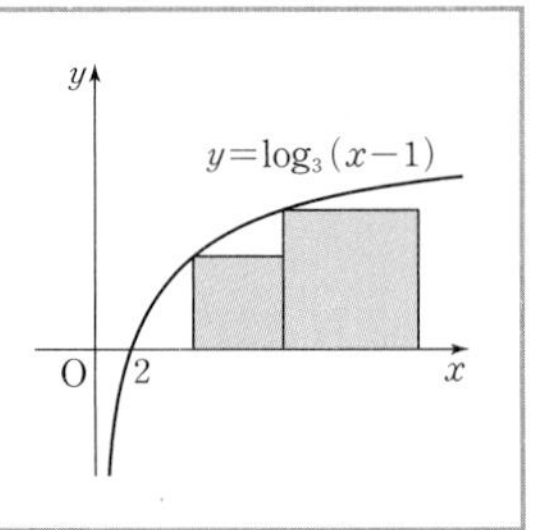

그림에서 작은 정사각형 ABCD의 한 변의 길이가 2이므로

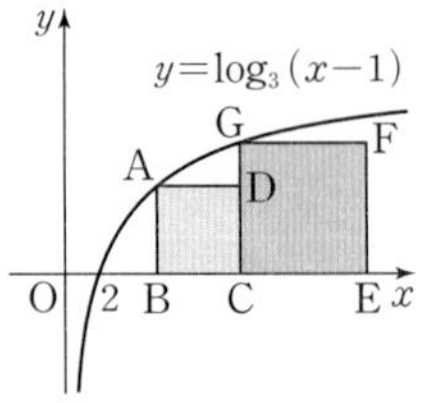

$\overline{AB}=2$

점 B의 x좌표를 a라 하면

$\log_3(a-1)=2$, $a-1=3^2=9$

$\therefore a=10$

즉, 점 C의 x좌표가 12이므로 큰 정사각형 CEFG의 한 변의 길이는

$\log_3(12-1)=\log_3 11$

따라서 큰 정사각형 CEFG의 넓이는 $(\log_3 11)^2$

답 ②

0665

• $\frac{1}{2}\times(\log_2 2+\log_2 4)\times 2$

좌표평면 위의 네 점 A(2, 0), B(4, 0), C(8, 0), D(16, 0)에서 x축에 수직인 직선을 그어 로그함수 $y=\log_2 x$의 그래프와 만나는 점을 각각 P, Q, R, S라 하자. 두 사다리꼴 ABQP, CDSR의 넓이의 합을 구하시오.

• $\frac{1}{2}\times(\log_2 8+\log_2 16)\times 8$

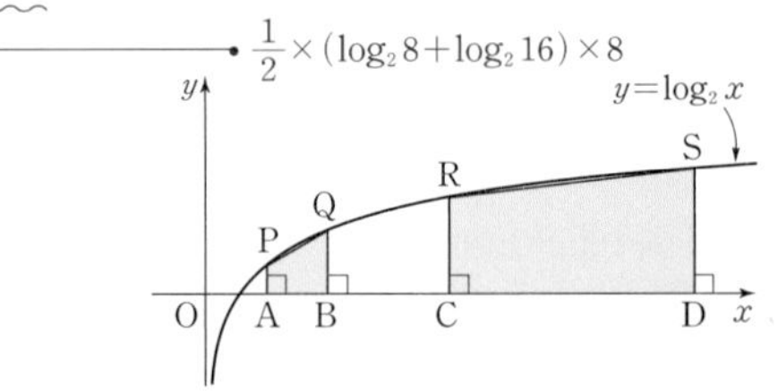

사다리꼴 ABQP의 넓이는

$\frac{1}{2}\times(\log_2 2+\log_2 4)\times 2=3$

사다리꼴 CDSR의 넓이는

$\frac{1}{2}\times(\log_2 8+\log_2 16)\times 8=28$

따라서 두 사다리꼴의 넓이의 합은

$3+28=31$

답 31

0666

그림과 같이 두 함수

$y=\log_2 x$, $y=\log_2 2x$의 그래프와 두 직선 $x=1$, $x=4$로 둘러싸인 부분의 넓이를 구하시오.

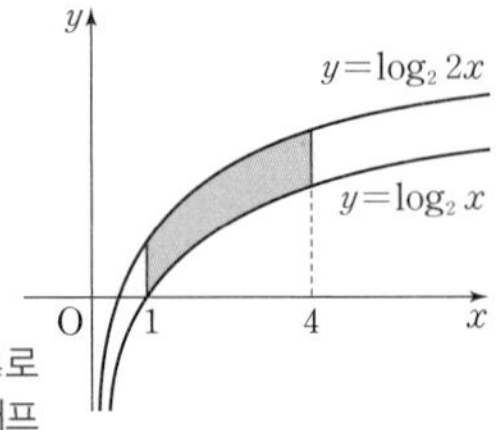

• $y=\log_2 x$의 그래프와 x축 및 $x=4$로 둘러싸인 부분과 $y=\log_2 2x$의 그래프와 두 직선 $y=1$, $x=4$로 둘러싸인 부분은 모양과 크기가 같다.

함수 $y=\log_2 2x=\log_2 x+1$의 그래프는 로그함수 $y=\log_2 x$의 그래

프를 y축의 방향으로 1만큼 평행이동한 것이므로

로그함수 $y=\log_2 x$의 그래프와 x축 및 직선 $x=4$로 둘러싸인 부분과 함수 $y=\log_2 2x$의 그래프와 두 직선 $y=1$, $x=4$로 둘러싸인 부분은 모양과 크기가 같다.

즉, 두 부분의 넓이가 같으므로 구하는 넓이는 그림과 같이 생각할 수 있다.

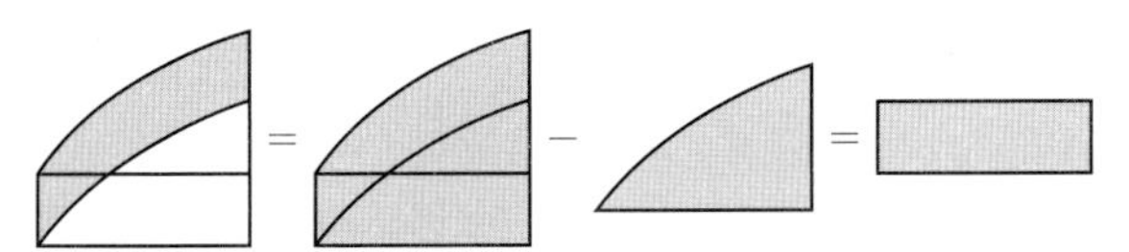

따라서 구하는 넓이는 직사각형의 넓이와 같으므로

$1\times3=3$

답 3

0667

→ $\log_a t=\log_a(16-t)$에서 $t=8$, $C(8, \log_a 8)$

1보다 큰 양수 a에 대하여 두 함수 $y=\log_a x$, $y=\log_a(16-x)$의 그래프가 x축과 만나는 점을 각각 A, B라 하고, 두 함수 $y=\log_a x$, $y=\log_a(16-x)$의 그래프가 만나는 점을 C라 하자. 삼각형 ABC의 넓이가 14일 때, a의 값은?

→ A(1, 0), B(15, 0)

두 점 A, B는 각각 A(1, 0), B(15, 0)이고, 두 함수 $y=\log_a x$, $y=\log_a(16-x)$의 그래프의 교점 C의 x좌표를 t라 하면 y좌표가 같으므로

$\log_a t=\log_a(16-t)$

$t=16-t \qquad \therefore t=8$

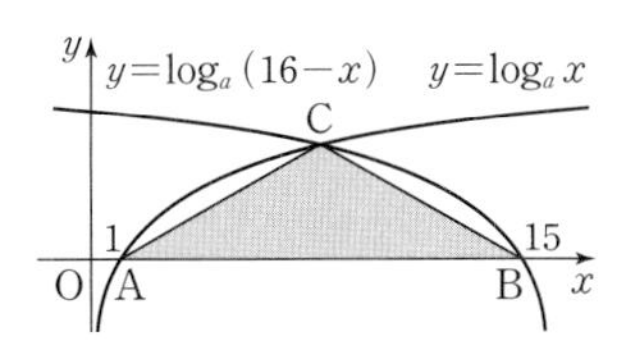

즉, 점 C의 좌표는 $(8, \log_a 8)$이고, 삼각형 ABC의 넓이가 14이므로

$\frac{1}{2}\times14\times\log_a 8=14$

$\log_a 8=2$, $a^2=8$

$\therefore a=2\sqrt{2}$ ($\because a>1$)

답 ③

0668

그림과 같이 x축 위의 한 점 A를 지나는 직선이 곡선 $y=\log_2 x^3$과 서로 다른 두 점 B, C에서 만나고 있다. 두 점 B, C에서 x축에 내린 수선의 발을 각각 D, E라 하고, 두 선분 BD, CE가 곡선 $y=\log_2 x$와 만나는 점을 각각 F, G라 하자.

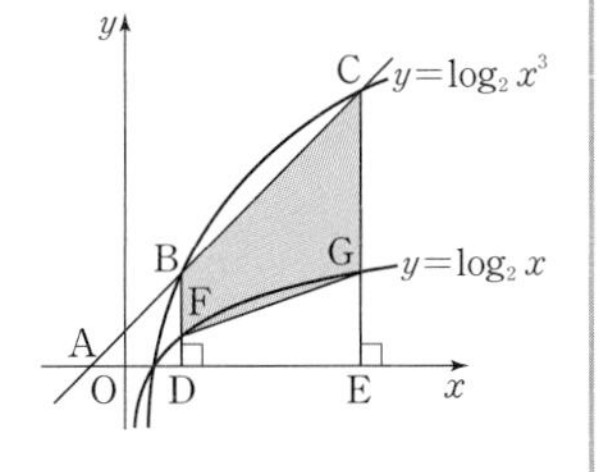

$\overline{AB}:\overline{BC}=1:2$이고, 삼각형 ADB의 넓이가 $\frac{9}{2}$일 때, 사각형 BFGC의 넓이를 구하시오. (단, 점 A의 x좌표는 0보다 작다.)

→ $\log_2 x^3-\log_2 x=2\log_2 x$이므로 두 점 F, G는 $\overline{BD}$, $\overline{CE}$를 각각 $2:1$로 내분하는 점이다.

$\log_2 x^3-\log_2 x=3\log_2 x-\log_2 x$

$=2\log_2 x$

이므로 두 점 F, G는 두 선분 BD, CE를 각각 $2:1$로 내분하는 점이다.

$\therefore \square\text{BFGC}=\frac{2}{3}\times\square\text{BDEC}$

$=\frac{2}{3}(8\times\triangle\text{ADB})$

$=\frac{16}{3}\times\frac{9}{2}$

$=24$

답 24

0669

→ $\triangle PQ'Q$와 $\triangle PR'R$는 닮음이므로 $\overline{PQ'}:\overline{PR'}=1:3$

그림과 같이 함수 $y=|\log_3 x|$의 그래프와 직선 l이 세 점 P, Q, R에서 만나고, 두 점 P, Q의 x좌표는 각각 k, $2k$이다. 점 P를 지나고 x축에 평행한 직선을 m이라 할 때, 두 점 Q, R에서 직선 m에 내린 수선의 발을 각각 Q′, R′이라 하자. 삼각형 PR′R의 넓이가 삼각형 PQ′Q의 넓이의 9배라 할 때, k^4의 값은?

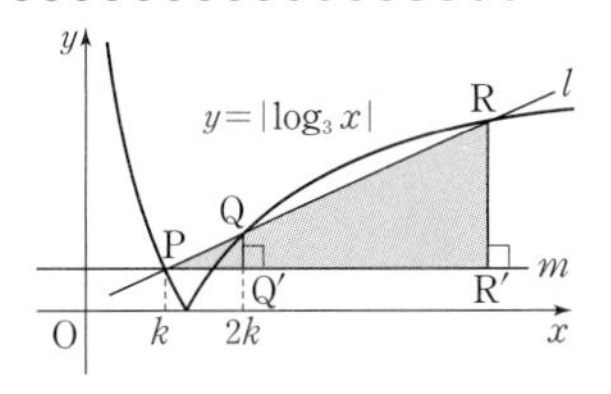

삼각형 PQ′Q와 삼각형 PR′R의 넓이의 비가 $1:9$이고

$\triangle PQ'Q \backsim \triangle PR'R$이므로

$\overline{PQ'}:\overline{PR'}=1:3$

즉, $\overline{PQ'}=k$, $\overline{PR'}=3k$이므로 점 R의 x좌표는

$k+3k=4k$

세 점 P, Q, R의 y좌표는 각각

$-\log_3 k$, $\log_3 2k$, $\log_3 4k$

이므로

$\overline{QQ'}=\log_3 2k-(-\log_3 k)$

$=\log_3 2k^2$

$\overline{RR'}=\log_3 4k-(-\log_3 k)$

$=\log_3 4k^2$

$\overline{RR'}=3\overline{QQ'}$이므로

$\log_3 4k^2=3\log_3 2k^2$

$4k^2=(2k^2)^3$, $4k^2=8k^6$

$\therefore k^4=\frac{1}{2}$ ($\because k\neq0$)

답 ②

0670

→ 점근선은 $x=\frac{n}{2}$이다. → 점근선은 $y=n$이다.

두 함수 $f(x)=-\log_2(2x-n)$, $g(x)=|2^{-x}-n|$에 대하여 다음 두 조건을 모두 만족하는 정수 n의 개수를 구하시오.

(가) 함수 $y=f(x)$의 그래프와 직선 $x=5$가 한 점에서 만난다.
(나) 함수 $y=g(x)$의 그래프와 직선 $y=3$이 두 점에서 만난다.

조건 ㈎에서 $\frac{n}{2}<5$이므로 $n<10$

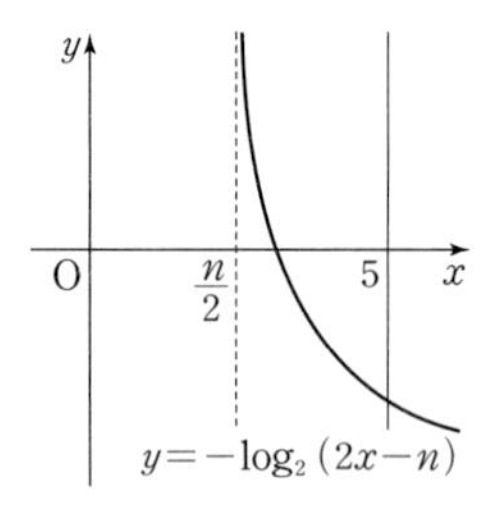

조건 ㈏에서 $n>3$이다.

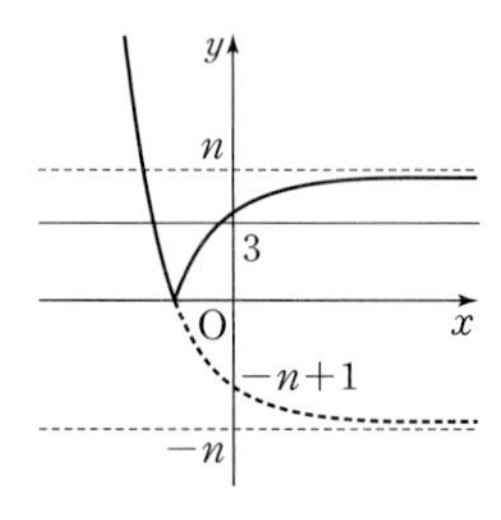

$\therefore 3<n<10$

따라서 조건을 만족하는 n은 4, 5, ⋯, 9의 6개이다. 답 6

0671

• x절편은 $\frac{3}{4}$, y절편은 -2이고 우상향하는 그래프이다.

> 두 함수 $y=\log_2\left(x+\frac{1}{4}\right)$과 $y=\log_{\frac{1}{3}}\left(x+\frac{p}{2}\right)$가 제4사분면에서 만나도록 하는 양의 실수 p의 값의 범위가 $\alpha<p<\beta$일 때, $\alpha\beta$의 값을 구하시오.

$y=\log_2\left(x+\frac{1}{4}\right)$과 $y=\log_{\frac{1}{3}}\left(x+\frac{p}{2}\right)$가 제4사분면에서 만나는 그래프는 그림과 같다.

즉, $y=\log_{\frac{1}{3}}\left(x+\frac{p}{2}\right)$는 $x=\frac{3}{4}$일 때의 함숫값이 음수이고, $x=0$일 때의 함숫값은 -2보다 커야 한다.

(i) $\log_{\frac{1}{3}}\left(\frac{3}{4}+\frac{p}{2}\right)<0$에서 $\frac{3}{4}+\frac{p}{2}>1$

$\therefore p>\frac{1}{2}$

(ii) $\log_{\frac{1}{3}}\left(\frac{p}{2}\right)>-2$에서 $\frac{p}{2}<9$

$\therefore p<18$

(i), (ii)에서 $\frac{1}{2}<p<18$

$\alpha=\frac{1}{2}$, $\beta=18$

$\therefore \alpha\beta=9$ 답 9

0672

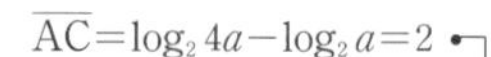

> 함수 $y=\log_2 4x$의 그래프 위의 두 점 A, B와 로그함수 $y=\log_2 x$의 그래프 위의 점 C에 대하여 선분 AC가 y축에 평행하고, 삼각형 ABC가 정삼각형이다. 점 B의 좌표를 (p, q)라 할 때, $p^2\times 2^q$의 값을 구하시오.

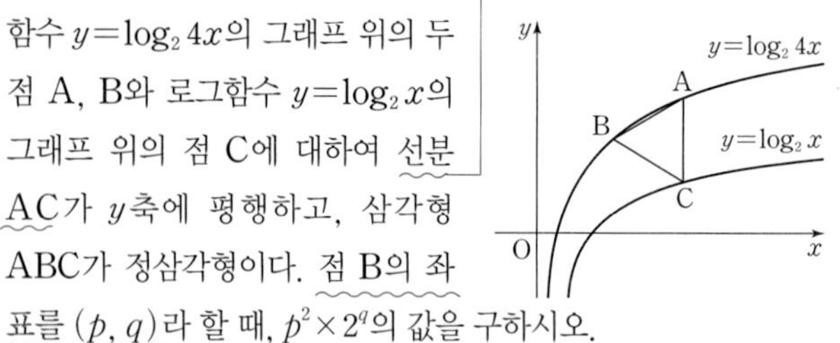

• $\overline{AC}$의 중점을 M이라 하면 두 점 M, B는 y좌표가 같다.

두 점 A, C의 x좌표를 a라 하면

$\overline{AC}=\log_2 4a-\log_2 a=\log_2 4=2$

이므로 정삼각형 ABC의 한 변의 길이는 2이다.

또 선분 AC의 중점을 M이라 하면 선분 BM의 길이는 정삼각형 ABC의 높이이므로 $\sqrt{3}$이다.

두 점 M, B는 각각

$M(a, \log_2 a+1)$, $B(a-\sqrt{3}, \log_2 4(a-\sqrt{3}))$

이고 y좌표가 서로 같으므로

$\log_2 a+1=\log_2 4(a-\sqrt{3})$

$\log_2 2a=\log_2 4(a-\sqrt{3})$

$2a=4a-4\sqrt{3}$

$\therefore a=2\sqrt{3}$

따라서 점 B의 좌표는 $(\sqrt{3}, \log_2 4\sqrt{3})$이므로

$p=\sqrt{3}$, $q=\log_2 4\sqrt{3}$

$\therefore p^2\times 2^q=(\sqrt{3})^2\times 2^{\log_2 4\sqrt{3}}=12\sqrt{3}$ 답 $12\sqrt{3}$

0673

> 두 함수 $f(x)=a^x$과 $g(x)=\log_b x$의 교점의 개수를 k라 할 때, 옳은 것만을 〈보기〉에서 있는 대로 고른 것은?
>
> (단, $a\neq1$, $a>0$, $b\neq1$, $b>0$)

• $f(x)$는 감소함수이고 $g(x)$는 증가함수이다.

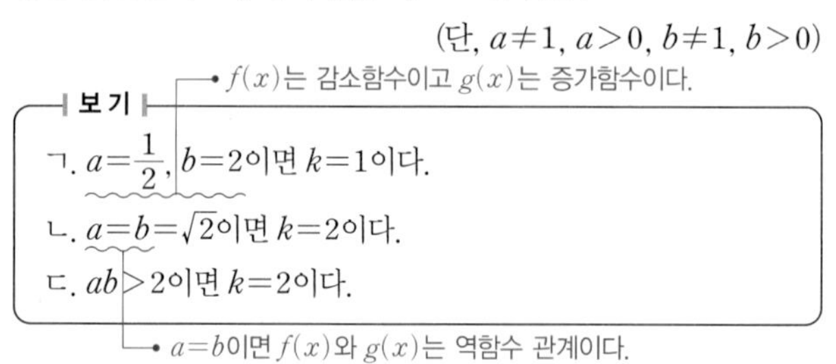

보기

ㄱ. $a=\frac{1}{2}$, $b=2$이면 $k=1$이다.

ㄴ. $a=b=\sqrt{2}$이면 $k=2$이다.

ㄷ. $ab>2$이면 $k=2$이다.

• $a=b$이면 $f(x)$와 $g(x)$는 역함수 관계이다.

ㄱ. $f(x)$는 감소함수이고, $g(x)$는 증가함수이다. 따라서 제1사분면의 한 점에서 만나므로 $k=1$이다. (참)

ㄴ. $y=(\sqrt{2})^x$은 $y=x$와 두 점 $(2, 2)$, $(4, 4)$에서 만난다.
따라서 $y=f(x)$와 $y=g(x)$가 서로 다른 두 점에서 만나므로 $k=2$이다. (참)

ㄷ. [반례] $a=6$, $b=\frac{1}{2}$이라 하면 $k=1$이다. (거짓)

따라서 옳은 것은 ㄱ, ㄴ이다. 답 ③

0674

자연수 n $(n\geq2)$에 대하여 직선 $y=-x+n$과 곡선 $y=|\log_2 x|$가 만나는 서로 다른 두 점의 x좌표를 각각 a_n, b_n $(a_n<b_n)$이라 할 때, 옳은 것만을 〈보기〉에서 있는 대로 고른 것은?

보기

ㄱ. $a_2<\frac{1}{4}$ → $\left|\log_2\frac{1}{4}\right|=2$임을 이용하자.

ㄴ. $0<\frac{a_{n+1}}{a_n}<1$

ㄷ. $1-\frac{\log_2 n}{n}<\frac{b_n}{n}<1$ → $1<b_n<n$이다.

ㄱ. $\left|\log_2\frac{1}{4}\right|=2$이므로

$\frac{1}{4}<a_2$ (거짓)

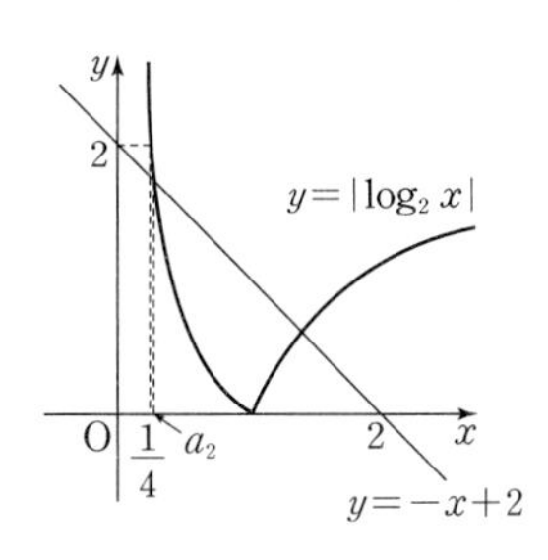

ㄴ. 그림에서

$0<a_{n+1}<a_n$

이므로

$0<\frac{a_{n+1}}{a_n}<1$ (참)

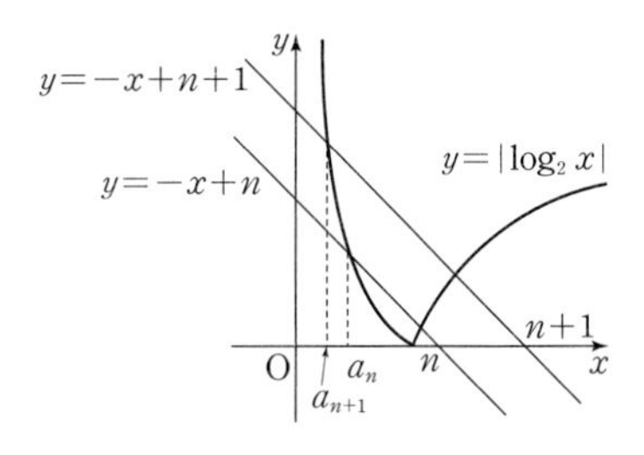

ㄷ. 그림에서

$1<b_n<n$이므로

$\frac{b_n}{n}<1$ ……㉠

$-b_n+n=\log_2 b_n$에서

$b_n=n-\log_2 b_n$

이때, $\log_2 b_n<\log_2 n$이므로

$\frac{b_n}{n}=1-\frac{\log_2 b_n}{n}>1-\frac{\log_2 n}{n}$ ……㉡

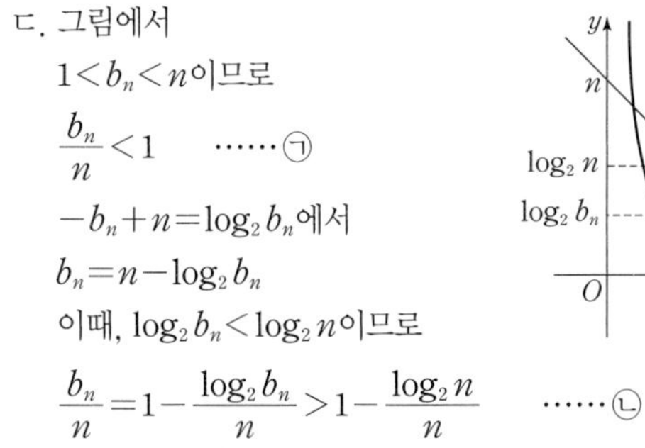

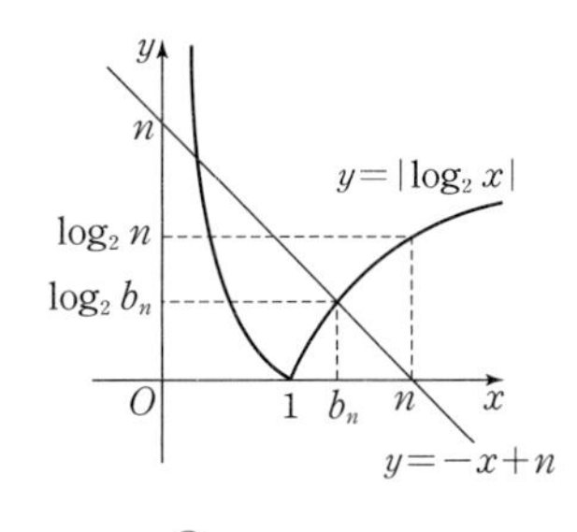

㉠, ㉡에서

$1-\frac{\log_2 n}{n}<\frac{b_n}{n}<1$ (참)

따라서 옳은 것은 ㄴ, ㄷ이다.

답 ④

0675

$0<a<\frac{1}{2}$인 상수 a에 대하여 직선 $y=x$가 곡선 $y=\log_a x$와 만나는 점을 (p, p), 직선 $y=x$가 곡선 $y=\log_{2a}x$와 만나는 점을 (q, q)라 하자. 〈보기〉에서 옳은 것만을 있는 대로 고르시오.

→ $p=\log_a p$에서 $a^p=p$

→ $q=\log_{2a}q$에서 $(2a)^q=q$

보기

ㄱ. $p=\frac{1}{2}$이면 $a=\frac{1}{4}$이다. → $p=\frac{1}{2}$이면 $a^{\frac{1}{2}}=\frac{1}{2}$

ㄴ. $p<q$

ㄷ. $a^{p+q}=\frac{pq}{2^q}$

$0<a<\frac{1}{2}$에서 $0<a<2a<1$이므로

두 함수 $y=\log_a x$, $y=\log_{2a}x$의 그래프는 그림과 같다.

ㄱ. 점 (p, p)는 곡선 $y=\log_a x$ 위의 점이므로

$p=\log_a p$에서 $a^p=p$

$p=\frac{1}{2}$이면 $a^{\frac{1}{2}}=\frac{1}{2}$

양변을 제곱하면 $a=\frac{1}{4}$ (참)

ㄴ. 위의 그림에서 $p<q$ (참)

ㄷ. $p=\log_a p$, $q=\log_{2a}q$이므로 $a^p=p$, $(2a)^q=q$

즉, $a^p=p$, $a^q=\frac{q}{2^q}$

$\therefore a^{p+q}=a^p\times a^q=p\times\frac{q}{2^q}=\frac{pq}{2^q}$ (참)

따라서 옳은 것은 ㄱ, ㄴ, ㄷ이다.

답 ㄱ, ㄴ, ㄷ

0676

좌표평면에서 두 곡선 $y=|\log_2 x|$와 $y=\left(\frac{1}{2}\right)^x$이 만나는 두 점을 $\mathrm{P}(x_1, y_1)$, $\mathrm{Q}(x_2, y_2)$ $(x_1<x_2)$라 하고, 두 곡선 $y=|\log_2 x|$와 $y=2^x$이 만나는 점을 $\mathrm{R}(x_3, y_3)$이라 하자. 옳은 것만을 〈보기〉에서 있는 대로 고른 것은?

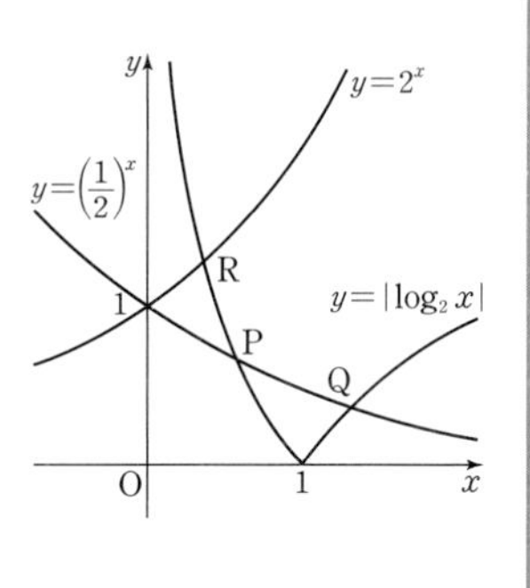

보기

ㄱ. $\frac{1}{2}<x_1<1$ → 점 $\left(\frac{1}{2}, 1\right)$과 점 P의 위치를 비교해 보자.

ㄴ. $x_2y_2-x_3y_3=0$ → 점 R와 점 Q는 $y=x$에 대하여 대칭이다.

ㄷ. $x_2(x_1-1)>y_1(y_2-1)$ → 선분의 기울기를 이용하자.

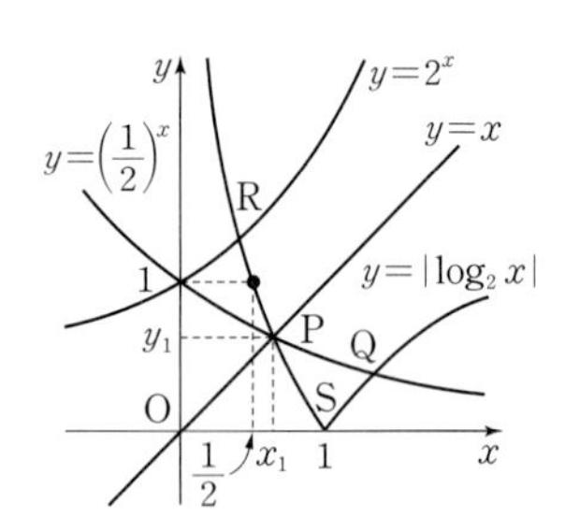

ㄱ. $y=-\log_2 x$의 그래프 위의 점 $\left(\frac{1}{2}, 1\right)$과 $\mathrm{P}(x_1, y_1)$의 위치를 비교

하면 $y_1<1$이고 $\frac{1}{2}<x_1<1$ (참)

ㄴ. $y=2^x$의 역함수는 $y=\log_2 x$이고,

$y=-\log_2 x$의 역함수는 $y=\left(\frac{1}{2}\right)^x$이므로

두 함수 $y=2^x$, $y=-\log_2 x$의 그래프의 교점 $\mathrm{R}(x_3, y_3)$과

두 함수 $y=\log_2 x$, $y=\left(\frac{1}{2}\right)^x$의 그래프의 교점 $\mathrm{Q}(x_2, y_2)$는

직선 $y=x$에 대하여 대칭이다.

즉, $x_3=y_2$, $x_2=y_3$ ……㉠

$\therefore x_2y_2-x_3y_3=0$ (참)

ㄷ. 점 $(1, 0)$을 S라 하면

($\overline{\mathrm{RS}}$의 기울기)<($\overline{\mathrm{PS}}$의 기울기)이므로

$\frac{y_3}{x_3-1}<\frac{y_1}{x_1-1}$이고 ㉠에 의해

$\frac{x_2}{y_2-1}<\frac{y_1}{x_1-1}$이 성립하므로

$x_2(x_1-1)<y_1(y_2-1)$ ($\because x_1-1<0$, $y_2-1<0$) (거짓)

따라서 옳은 것은 ㄱ, ㄴ이다. 답 ㄱ, ㄴ

0677

함수 $f(x)=\log_6 x$의 역함수 $y=g(x)$에 대하여 $g(\alpha)=\frac{1}{3}$, $g(\beta)=\frac{1}{2}$일 때, $g(\alpha+\beta)$의 값을 구하시오.

→ $f\left(\frac{1}{3}\right)=\alpha$, $f\left(\frac{1}{2}\right)=\beta$임을 이용하자.

함수 $f(x)=\log_6 x$의 역함수가 $y=g(x)$이므로

$g(\alpha)=\frac{1}{3}$, $g(\beta)=\frac{1}{2}$에서

$f\left(\frac{1}{3}\right)=\alpha$, $f\left(\frac{1}{2}\right)=\beta$

$\therefore \alpha=\log_6\frac{1}{3}$, $\beta=\log_6\frac{1}{2}$

$\alpha+\beta=\log_6\frac{1}{3}+\log_6\frac{1}{2}=\log_6\frac{1}{6}=-1$이므로

$g(\alpha+\beta)=g(-1)=k$라 하면

$f(k)=-1$

$\log_6 k=-1$ $\therefore k=\frac{1}{6}$

$\therefore g(\alpha+\beta)=\frac{1}{6}$ 답 $\frac{1}{6}$

0678

두 함수 $y=10^{ax}$, $y=\frac{a}{100}\log x$의 그래프가 직선 $y=x$에 대하여 대칭일 때, 양수 a의 값을 구하시오.

→ 두 함수는 서로 역함수 관계이다.

두 함수의 그래프가 직선 $y=x$에 대하여 대칭이므로 두 함수는 서로 역함수 관계이다.

$y=10^{ax}$에서 x와 y를 서로 바꾸면

$x=10^{ay}$, $ay=\log x$

$\therefore y=\frac{1}{a}\log x$ ……㉠

㉠이 $y=\frac{a}{100}\log x$와 일치하므로

$\frac{1}{a}\log x=\frac{a}{100}\log x$

$\frac{1}{a}=\frac{a}{100}$, $a^2=100$

$a>0$이므로 $a=10$ 답 10

0679

함수 $y=2^{x-a}+b$의 그래프와 그 역함수의 그래프가 두 점에서 만나고, 두 교점의 x좌표가 각각 1, 2일 때, 두 상수 a, b에 대하여 $a+b$의 값을 구하시오.

→ $y=x$ 위에 있으므로 교점의 좌표는 $(1, 1)$, $(2, 2)$이다.

$y=2^{x-a}+b$와 그 역함수의 교점은 직선 $y=x$ 위에 있다.

이때, 교점의 좌표는 $(1, 1)$, $(2, 2)$이므로 $y=2^{x-a}+b$에 대입하면

$1=2^{1-a}+b$, $2=2^{2-a}+b$이므로

$(2^{2-a}+b)-(2^{1-a}+b)=1$, $2^{1-a}=1$

$\therefore a=1$, $b=0$

$\therefore a+b=1$ 답 1

0680

자연수 n에 대하여 두 함수 $y=2^x$, $y=\log_2 x$의 그래프가 직선 $x=n$과 만나는 교점의 y좌표를 각각 a, b라 하자. $a+b$가 세 자리의 자연수일 때, $a+b$의 값을 구하시오.

→ $a=2^n$, $b=\log_2 n$이다.

그림에서 $a=2^n$, $b=\log_2 n$이다.

a가 두 자리 이하의 자연수인 경우 $a+b$가 세 자리의 자연수가 될 수 없으므로 $a+b$가 세 자리의 자연수이려면 a가 세 자리의 자연수이어야 한다.

$\therefore n=7, 8, 9$

이때, b가 자연수인 경우는 $n=8$인 경우밖에 없다.

$\therefore a=2^8=256$, $b=\log_2 8=3$

$\therefore a+b=259$ 답 259

0681

함수 $f(x)=a^x+k$의 그래프와 함수 $g(x)=\log_a(x-k)$의 그래프가 서로 다른 두 점 A, B에서 만나고 다음 조건을 만족한다. 이때, $f(1)+g(5)$의 값을 구하시오. (단, $a>1$이고, k는 상수이다.)

→ 두 함수가 역함수 관계이므로 두 점 A, B는 $y=x$ 위에 있다.

(가) $\overline{AB}=4\sqrt{2}$
(나) 선분 AB를 수직이등분하는 직선의 방정식이 $y=-x+6$이다.

→ $\overline{AB}$의 중점을 지난다.

$y=f(x)$와 $y=g(x)$는 역함수 관계이므로 두 점 A, B는 직선 $y=x$ 위에 있다.
$A(\alpha, \alpha)$, $B(\beta, \beta)$ $(\alpha<\beta)$라 하고 선분 AB의 중점을 $M(k, k)$라 하면 M은 직선 $y=-x+6$ 위의 점이므로
$k=-k+6$ $\quad\therefore k=3$
한편, $\overline{AM}=\overline{BM}=2\sqrt{2}$이므로
$\alpha=1, \beta=5$
두 점 A, B는 모두 $y=f(x)$와 $y=g(x)$ 그래프 위에 있으므로
$f(1)=1, g(5)=5$
$\therefore f(1)+g(5)=6$

답 6

0682

→ $f^{-1}(x)=\log_2 x$

그림은 지수함수 $f(x)=2^x$의 그래프와 $y=f(x)$의 역함수 $y=f^{-1}(x)$의 그래프이다. 점 C의 좌표를 (a, b)라 할 때, $a-b$의 값은?
(단, 점선은 x축 또는 y축에 평행하다.)

→ 점 A와 B의 좌표를 먼저 구하자.

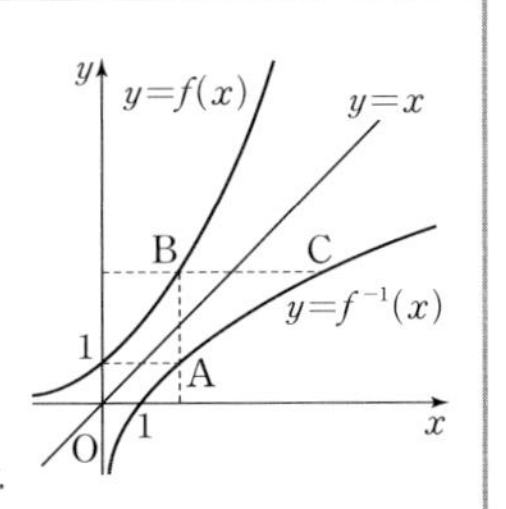

$y=2^x$에서 $x=\log_2 y$이므로 $y=f(x)$의 역함수는
$f^{-1}(x)=\log_2 x$
점 A의 y좌표가 1이므로
$\log_2 x=1$에서 $x=2$
즉, 점 A의 좌표는 $(2, 1)$이므로 점 B의 좌표는 $(2, 4)$
한편, 점 C의 y좌표가 4이므로
$\log_2 x=4$에서 $x=16$
즉, 점 C의 좌표는 $(16, 4)$
따라서 $a=16$, $b=4$이므로
$a-b=12$

답 ①

0683

→ $f(x)=2^x+1$

함수 $y=f(x)$의 그래프는 함수 $y=\log_2(x-1)$의 그래프와 직선 $y=x$에 대하여 대칭이다.
점 $P(2, b)$는 곡선 $y=f(x)$ 위에, 점 $Q(a, b)$는 곡선 $y=\log_2(x-1)$ 위에 있을 때, $a+b$의 값을 구하시오.

→ $b=\log_2(a-1)$

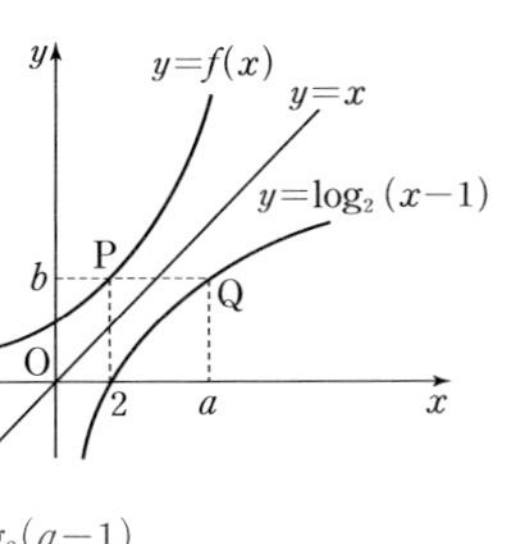

직선 $y=x$에 대하여 대칭인 그래프는 역함수의 그래프이므로
$y=\log_2(x-1)$에서 $2^y=x-1$
$x=2^y+1$ $\quad\therefore y=2^x+1$
즉, $f(x)=2^x+1$이므로
$b=f(2)=2^2+1=5$
또 $\log_2(a-1)=5$에서 $a-1=2^5$
$\therefore a=33$
$\therefore a+b=38$

답 38

0684

→ 두 함수는 서로 역함수 관계이므로 두 점 A와 C, 두 점 G와 E는 직선 $y=x$에 대하여 대칭이다.

그림과 같이 각 변이 x축 또는 y축에 평행한 두 정사각형 ABCD, DEFG가 있다. 두 점 A, G는 곡선 $y=3^x$ 위의 점이고, 두 점 C, E는 곡선 $y=\log_3 x$ 위의 점이다. 점 A의 x좌표가 1일 때, 두 정사각형 ABCD와 DEFG의 넓이의 합을 구하시오.

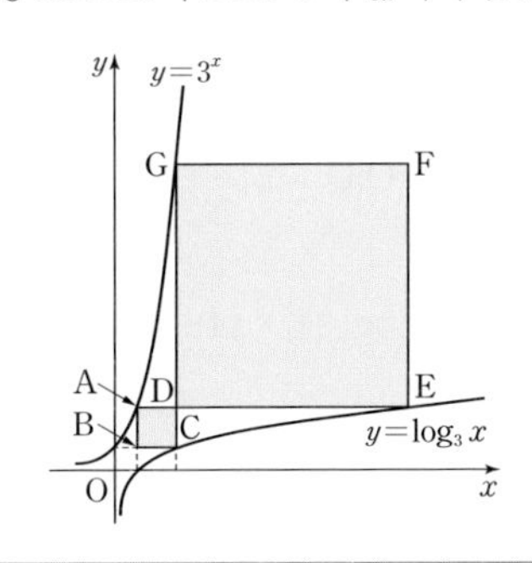

두 함수 $y=3^x$, $y=\log_3 x$는 서로 역함수 관계이므로 두 점 A와 C, 두 점 G와 E는 직선 $y=x$에 대하여 대칭이다.

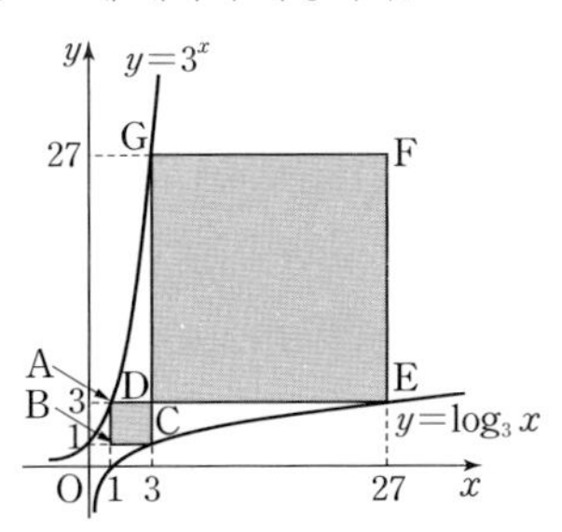

그림에서 두 정사각형 ABCD와 DEFG의 한 변의 길이는 각각 2, 24이다.
따라서 두 정사각형 ABCD, DEFG의 넓이의 합은
$2^2+24^2=4+576=580$

답 580

0685 — $P_1(9, 2)$, $Q_1(81, 4)$이다.

그림과 같이 x축 위의 두 점 $P(p, 0)$, $Q(q, 0)$에서 각각 y축에 평행한 직선을 그어 곡선 $y=\log_3 x$와 만나는 점을 P_1, Q_1이라 하고, 두 점 P_1, Q_1에서 각각 x축에 평행한 직선을 그어 곡선 $y=3^x$과 만나는 점을 P_2, Q_2라 하자.
사각형 $P_1Q_1Q_2P_2$의 넓이를 $f(p, q)$라 할 때, $f(9, 81)$의 값은?
두 점 P_1과 P_2, 두 점 Q_1과 Q_2는 y좌표가 각각 같다. (단, $p>3$, $q>3$)

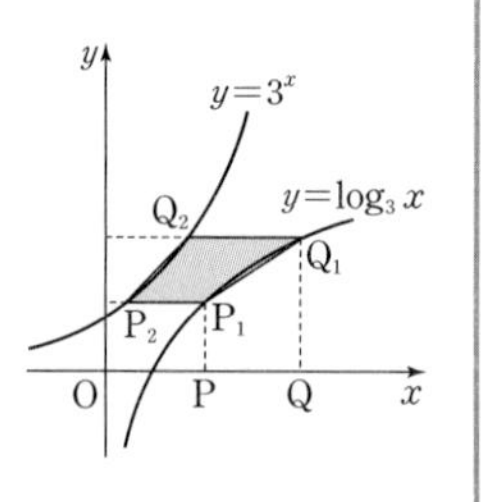

두 점 $P(p, 0)$, $Q(q, 0)$에 대하여 사각형 $P_1Q_1Q_2P_2$의 넓이를 $f(p, q)$라 하였으므로 $f(9, 81)$의 값은 $p=9$, $q=81$일 때, 사각형 $P_1Q_1Q_2P_2$의 넓이이다.

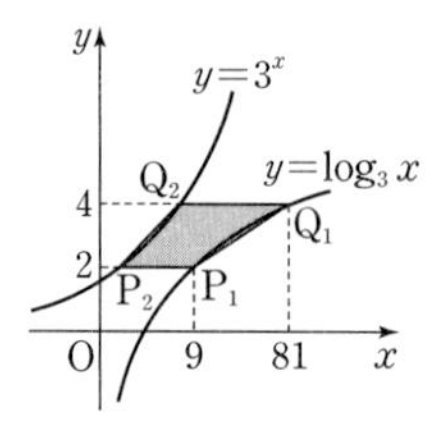

$P(9, 0)$, $Q(81, 0)$에서 각각 y축에 평행한 직선을 그어 곡선 $y=\log_3 x$와 만나는 점이 각각 P_1, Q_1이므로
$P_1(9, \log_3 9)$, $Q_1(81, \log_3 81)$
$\therefore P_1(9, 2)$, $Q_1(81, 4)$
점 P_1과 점 P_2는 y좌표가 같고 점 P_2는 곡선 $y=3^x$ 위의 점이므로 점 P_2의 x좌표는
$2=3^x$에서 $x=\log_3 2$
$\therefore P_2(\log_3 2, 2)$
점 Q_1과 점 Q_2도 y좌표가 같고 점 Q_2도 곡선 $y=3^x$ 위의 점이므로 점 Q_2의 x좌표는
$4=3^x$에서 $x=\log_3 4=2\log_3 2$
$\therefore Q_2(2\log_3 2, 4)$
따라서 $\overline{P_1P_2}=9-\log_3 2$, $\overline{Q_1Q_2}=81-2\log_3 2$이므로
사각형 $P_1Q_1Q_2P_2$의 넓이는
$\frac{1}{2}\{(9-\log_3 2)+(81-2\log_3 2)\}\times(4-2)$
$=\frac{1}{2}(90-3\log_3 2)\times 2$
$=90-3\log_3 2$

답 ④

0686 — y절편을 D라 하면 $D(0, a)$이다.

그림과 같이 직선 $y=-x+a$가 두 곡선 $y=2^x$, $y=\log_2 x$와 만나는 점을 각각 A, B라 하고, x축과 만나는 점을 C라 할 때, 세 점 A, B, C가 다음 조건을 만족시킨다.
— $\overline{BC}=\overline{AD}$
— $\overline{BC}:\overline{CD}=1:5$

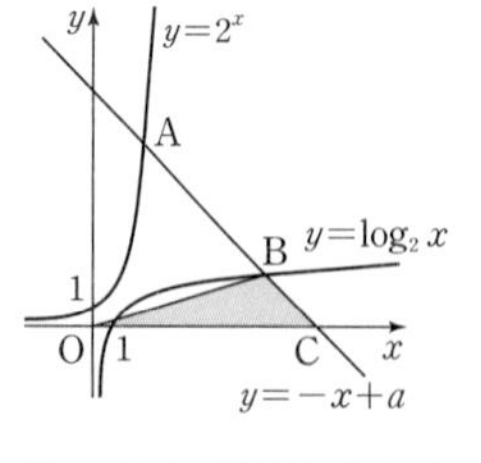

(가) $\overline{AB}:\overline{BC}=3:1$
(나) 삼각형 OCB의 넓이는 40이다.

점 A의 좌표를 (p, q)라 할 때, $p+q$의 값을 구하시오.
(단, a는 상수이고, O는 원점이다.)

직선 $y=-x+a$가 y축과 만나는 점을 D라 하면 $D(0, a)$이고, 두 곡선 $y=2^x$, $y=\log_2 x$가 직선 $y=x$에 대하여 대칭이므로
$C(a, 0)$에서
$\overline{BC}=\overline{AD}$ ……㉠
$\overline{BC}:\overline{CD}=1:5$ (∵ 조건 (가), ㉠)이므로
$\triangle OCB=\frac{1}{5}\triangle OCD$
$=\frac{1}{10}a^2=40$
$\therefore a=20$
점 A는 직선 $y=-x+a$ 위의 점이므로
$q=-p+a$
$\therefore p+q=a=20$

답 20

다른풀이 두 곡선 $y=2^x$, $y=\log_2 x$는 직선 $y=x$에 대하여 대칭이므로 점 A와 점 B도 직선 $y=x$에 대하여 대칭이다.
점 $A(p, q)$이므로 점 $B(q, p)$이고, 점 $C(a, 0)$이다.
조건 (가)에서
점 B는 선분 AC를 $3:1$로 내분하는 점이므로
$q=\frac{3a+p}{4}$, $p=\frac{q}{4}$에서
$a=5p$, $q=4p$
또 삼각형 OCB의 넓이가 40이므로
$\frac{1}{2}ap=\frac{5}{2}p^2=40$
$p^2=16$에서 $p=4$
$\therefore a=20$
(∵ $p<0$인 경우에는 문제의 조건을 만족시킬 수 없다.)
점 A는 직선 $y=-x+a$ 위의 점이므로
$q=-p+a$
$\therefore p+q=a=20$

0687

방정식 $\log_2(\log_3(\log_5 x))=0$을 만족시키는 정수 x의 값을 구하시오. (단, $x>5$) — $=X$라 하면 $\log_2 X=0$에서 $X=1$

$\log_2(\log_3(\log_5 x))=0$에서
$\log_3(\log_5 x)=1$
$\log_5 x=3$
$\therefore x=5^3=125$

답 125

0688

방정식 $\log_2 x+\log_2(x+3)=\log_2 10$의 해는?
— 진수의 조건 $x>0$, $x+3>0$에서 공통부분은 $x>0$

진수의 조건에서 $x>0$, $x+3>0$
$\therefore x>0$ ……㉠
$\log_2 x+\log_2(x+3)=\log_2 10$에서
$\log_2(x^2+3x)=\log_2 10$
$x^2+3x=10$, $x^2+3x-10=0$
$(x+5)(x-2)=0$
$\therefore x=-5$ 또는 $x=2$

그런데 ㉠에서 $x>0$이므로 $x=2$ 답 ③

$\therefore \alpha=2, \beta=4$

$\therefore \alpha^2-\beta^2=2^2-4^2=-12$ 답 -12

0689

> 방정식 $\log_4(x-3)+\log_{\frac{1}{4}}(x-5)=\frac{1}{2}$의 해를 구하시오.
>
> → 밑이 4인 로그로 표현하자.
>
> → $\frac{1}{2}=\log_4 4^{\frac{1}{2}}=\log_4 2$

진수의 조건에서 $x-3>0$, $x-5>0$

$\therefore x>5$ ⋯⋯ ㉠

$\log_4(x-3)+\log_{\frac{1}{4}}(x-5)=\frac{1}{2}$에서

$\log_4(x-3)-\log_4(x-5)=\log_4 4^{\frac{1}{2}}$

$\log_4(x-3)=\log_4(x-5)+\log_4 2$

$\log_4(x-3)=\log_4 2(x-5)$

$x-3=2x-10$

$\therefore x=7$

$x=7$은 ㉠을 만족하므로 구하는 해이다. 답 7

0690

> 방정식 $\log_2|x-2|=3$을 만족시키는 모든 x의 값의 합은?
>
> → 진수의 조건 $|x-2|>0$에서 $x\neq2$

진수의 조건에서 $|x-2|>0$

$\therefore x\neq2$ ⋯⋯ ㉠

$\log_2|x-2|=3$에서

$|x-2|=2^3$

$|x-2|=8$

$x-2=-8$ 또는 $x-2=8$

$\therefore x=-6$ 또는 $x=10$

$x=-6$, $x=10$은 모두 ㉠을 만족하므로 구하는 해이다.

따라서 모든 x의 값의 합은

$-6+10=4$ 답 ②

0691

> 연립방정식 $\begin{cases} y=x+2 \\ 3=\log_2 x+\log_2 y \end{cases}$의 해를 $x=\alpha$, $y=\beta$라 할 때, $\alpha^2-\beta^2$의 값을 구하시오.
>
> → $y=x+2$를 대입하여 정리하면 $3=\log_2 x(x+2)$

$$\begin{cases} y=x+2 \\ 3=\log_2 x+\log_2 y \end{cases} \Longleftrightarrow \begin{cases} y=x+2 \\ 3=\log_2 xy \end{cases}$$

$$\Longleftrightarrow \begin{cases} y=x+2 & \cdots\cdots ㉠ \\ xy=2^3=8 & \cdots\cdots ㉡ \end{cases}$$

㉠을 ㉡에 대입하면

$x(x+2)=8$

$x^2+2x-8=0$

$(x+4)(x-2)=0$

$\therefore x=2$ ($\because$ 진수의 조건에 의하여 $x>0$)

$x=2$를 ㉠에 대입하면 $y=4$

0692

> 방정식 $\log_{x^2-8}(x-3)=\log_{2x+7}(x-3)$의 모든 근의 곱은?
>
> → 밑이 같거나 혹은 진수가 1인 경우 답이 될 수 있다.

진수의 조건, 밑의 조건에서

$x-3>0$, $x^2-8>0$, $x^2-8\neq1$, $2x+7>0$, $2x+7\neq1$

$\therefore x>3$ ⋯⋯ ㉠

(i) $x^2-8=2x+7$일 때,

$x^2-2x-15=0$

$(x+3)(x-5)=0$

$\therefore x=-3$ 또는 $x=5$

그런데 ㉠에서 $x>3$이므로 $x=5$

(ii) $x-3=1$일 때,

$x=4$

$x=4$는 ㉠을 만족하므로 구하는 근이다.

(i), (ii)에 의하여 구하는 근은 $x=4$ 또는 $x=5$이므로 모든 근의 곱은 20이다. 답 ⑤

0693

> 방정식 $(\log_2 x)^2-3\log_2 x+2=0$의 두 실근을 α, β라 할 때, $2\alpha+\beta$의 값은? (단, $\alpha<\beta$)
>
> → $\log_2 x=t$라 하면 $t^2-3t+2=0$

진수의 조건에서 $x>0$ ⋯⋯ ㉠

$(\log_2 x)^2-3\log_2 x+2=0$에서

$\log_2 x=t$로 놓으면 $t^2-3t+2=0$

$(t-1)(t-2)=0$

$\therefore t=1$ 또는 $t=2$

즉, $\log_2 x=1$ 또는 $\log_2 x=2$이므로

$x=2$ 또는 $x=4$

$x=2$, $x=4$는 모두 ㉠을 만족하므로 구하는 해이다.

따라서 $\alpha=2$, $\beta=4$이므로

$2\alpha+\beta=4+4=8$ 답 ④

0694

> 방정식 $\log_3 3x\times\log_3\frac{x}{3}=8$의 해를 구하시오.
>
> → $(\log_3 x+\log_3 3)(\log_3 x-\log_3 3)$이다.

진수의 조건에서 $3x>0$, $\frac{x}{3}>0$

$\therefore x>0$ ⋯⋯ ㉠

$\log_3 3x\times\log_3\frac{x}{3}=8$에서

$(\log_3 x+\log_3 3)(\log_3 x-\log_3 3)=8$ $(\log_3 x+1)(\log_3 x-1)=8$

$\log_3 x=t$로 놓으면 $(t+1)(t-1)=8$

$t^2-1=8$, $t^2-9=0$

$(t+3)(t-3)=0$ $\therefore t=-3$ 또는 $t=3$

즉, $\log_3 x=-3$ 또는 $\log_3 x=3$이므로

$x=3^{-3}=\frac{1}{27}$ 또는 $x=3^3=27$

$x=\frac{1}{27}$, $x=27$은 모두 ㉠을 만족하므로 구하는 해이다.

답 $\frac{1}{27}$ 또는 27

0695

> 방정식 $\log_3 x+2\log_x 3-3=0$의 모든 근의 합은?
>
> • $2\log_x 3=\frac{2}{\log_3 x}$, 또한 진수와 밑의 조건에서 $x>0$, $x\neq1$

진수의 조건, 밑의 조건에서 $x>0$, $x\neq1$ ...... ㉠

$\log_3 x+2\log_x 3-3=0$에서

$\log_3 x+\frac{2}{\log_3 x}-3=0$

$\log_3 x=t$로 놓으면

$t+\frac{2}{t}-3=0$

$t^2-3t+2=0$, $(t-1)(t-2)=0$

$\therefore t=1$ 또는 $t=2$

즉, $\log_3 x=1$ 또는 $\log_3 x=2$이므로

$x=3$ 또는 $x=9$

㉠에서 $x>0$, $x\neq1$이므로 모든 근의 합은

$3+9=12$

답 ①

0696

> 방정식 $\log_2 x\times\log_2\frac{x}{10}-\log_2 x=8$의 두 근을 α, β라 할 때, $\alpha\beta$의 값을 구하시오.
>
> • $\log_2 x=t$로 놓고 식을 정리하자.

$\log_2 x\times\log_2\frac{x}{10}-\log_2 x=8$에서

$\log_2 x\times(\log_2 x-\log_2 10)-\log_2 x-8=0$

$\log_2 x=t$로 놓으면

$t(t-\log_2 10)-t-8=0$

$t^2-(1+\log_2 10)t-8=0$ ...... ㉠

주어진 방정식의 두 근이 α, β이므로 ㉠의 두 근은

$\log_2\alpha$, $\log_2\beta$이다.

따라서 이차방정식의 근과 계수의 관계에 의하여

$\log_2\alpha+\log_2\beta=1+\log_2 10$

$\log_2\alpha\beta=\log_2 20$

$\therefore \alpha\beta=20$

답 20

0697

> 방정식 $(\log x)^2-k\log x-2=0$의 두 근의 곱이 1000일 때, 상수 k의 값은?
>
> • 주어진 방정식의 두 근을 α, β라 한 뒤 $\log x=t$로 치환하면 $t^2-kt-2=0$, 이 방정식의 두 근은 $\log\alpha$, $\log\beta$이다.

$(\log x)^2-k\log x-2=0$에서

$\log x=t$로 놓으면 $t^2-kt-2=0$ ...... ㉠

이때, 주어진 방정식의 두 근을 α, β라 하면 $\alpha\beta=1000$이고,

㉠의 두 근은 $\log\alpha$, $\log\beta$이다.

따라서 이차방정식의 근과 계수의 관계에 의하여

$k=\log\alpha+\log\beta$

$=\log\alpha\beta$

$=\log 1000$

$=3$

답 ③

0698

> 방정식 $3^{\log x}\times x^{\log 3}-5(3^{\log x}+x^{\log 3})+9=0$의 모든 근의 합을 구하시오.
>
> • $3^{\log x}=t$라 하면 $x^{\log 3}=t$이다.

$3^{\log x}=x^{\log 3}$이므로 $3^{\log x}\times x^{\log 3}-5(3^{\log x}+x^{\log 3})+9=0$에서

$3^{\log x}=t$로 놓으면 $t^2-5\times2t+9=0$

$t^2-10t+9=0$, $(t-1)(t-9)=0$

$\therefore t=1$ 또는 $t=9$

즉, $3^{\log x}=1$ 또는 $3^{\log x}=9$이므로

$\log x=0$ 또는 $\log x=2$

$\therefore x=1$ 또는 $x=100$

따라서 주어진 방정식의 모든 근의 합은

$1+100=101$

답 101

0699

> 로그부등식 $\log_2(2x-1)<1$을 만족시키는 x의 값의 범위를 구하시오.
>
> • 진수의 조건 $x>\frac{1}{2}$을 먼저 생각하자.

진수의 조건에서 $2x-1>0$

$\therefore x>\frac{1}{2}$ ...... ㉠

$\log_2(2x-1)<1$에서

$\log_2(2x-1)<\log_2 2$

이때, (밑)>1이므로 $2x-1<2$

$\therefore x<\frac{3}{2}$ ...... ㉡

㉠, ㉡의 공통 범위를 구하면

$\frac{1}{2}<x<\frac{3}{2}$

답 $\frac{1}{2}<x<\frac{3}{2}$

0700

> 부등식 $\log_{\frac{1}{5}}(x^2-2x+5)\geq-1$을 만족시키는 x의 최댓값은?
>
> • $0<$(밑)<1이므로 $x^2-2x+5\leq5$

진수의 조건에서 $x^2-2x+5=(x-1)^2+4>0$

$\therefore x$는 모든 실수 ...... ㉠

$\log_{\frac{1}{5}}(x^2-2x+5)\geq-1$에서

$\log_{\frac{1}{5}}(x^2-2x+5)\geq\log_{\frac{1}{5}}\left(\frac{1}{5}\right)^{-1}$

이때, $0<$(밑)<1이므로 $x^2-2x+5\le5$
$x^2-2x\le0$, $x(x-2)\le0$
$\therefore 0\le x\le2$ ...... ㉡
㉠, ㉡의 공통 범위를 구하면 $0\le x\le2$
따라서 x의 최댓값은 2이다. 답 ⑤

0701

부등식 $\log_3(x-1)+\log_3(7-x)>\log_3 5$를 만족시키는 정수 x의 개수는?
→ $\log_3(x-1)(7-x)$이다.

진수의 조건에서 $x-1>0$, $7-x>0$
$\therefore 1<x<7$ ...... ㉠
$\log_3(x-1)+\log_3(7-x)>\log_3 5$에서
$\log_3(x-1)(7-x)>\log_3 5$
이때, (밑)>1이므로 $(x-1)(7-x)>5$
$(x-1)(x-7)<-5$
$x^2-8x+12<0$
$(x-2)(x-6)<0$
$\therefore 2<x<6$ ...... ㉡
㉠, ㉡의 공통 범위를 구하면 $2<x<6$
따라서 정수 x는 3, 4, 5의 3개이다. 답 ③

0702

부등식 $2\log_3(x-1)\le\log_3(2x+6)$의 해는?
→ 진수의 조건에서 $x>1$, (밑)>1이므로 $(x-1)^2\le2x+6$, 두 부등식을 연립하자.

진수의 조건에서 $x-1>0$, $2x+6>0$
$\therefore x>1$ ...... ㉠
$2\log_3(x-1)\le\log_3(2x+6)$에서
$\log_3(x-1)^2\le\log_3(2x+6)$
이때, (밑)>1이므로 $(x-1)^2\le2x+6$
$x^2-4x-5\le0$
$(x+1)(x-5)\le0$
$\therefore -1\le x\le5$ ...... ㉡
㉠, ㉡의 공통 범위를 구하면
$1<x\le5$ 답 ④

0703

→ $0<$(밑)<1이므로 $x^2-ax+b\le x$

부등식 $\log_{\frac{1}{2}}(x^2-ax+b)\ge\log_{\frac{1}{2}}x$의 해가 $1\le x\le3$일 때, 두 상수 a, b에 대하여 a^2+b^2의 값을 구하시오.

$\log_{\frac{1}{2}}(x^2-ax+b)\ge\log_{\frac{1}{2}}x$에서
$0<$(밑)<1이므로 $x^2-ax+b\le x$
$x^2-(a+1)x+b\le0$
이 부등식의 해가 $1\le x\le3$이므로
$(x-1)(x-3)\le0$
$x^2-4x+3\le0$
즉, $a+1=4$, $b=3$이므로 $a=3$, $b=3$
$\therefore a^2+b^2=9+9=18$ 답 18

0704

부등식 $\log_8(\log_2 x-3)\le\frac{2}{3}$를 만족시키는 정수 x의 개수는?
→ 진수의 조건에서 $x>0$, $\log_2 x-3>0$이다.

진수의 조건에서 $x>0$, $\log_2 x-3>0$
$\log_2 x-3>0$에서 $\log_2 x>3$이므로 $x>8$
$\therefore x>8$ ...... ㉠
$\log_8(\log_2 x-3)\le\frac{2}{3}$에서
$\log_8(\log_2 x-3)\le\log_8 8^{\frac{2}{3}}$
$\log_8(\log_2 x-3)\le\log_8 4$
밑 8은 1보다 크므로
$\log_2 x-3\le4$
$\log_2 x\le7$, $x\le2^7$
$\therefore x\le128$ ...... ㉡
㉠, ㉡의 공통 범위를 구하면
$8<x\le128$
따라서 구하는 정수 x의 개수는 120이다. 답 ④

0705

연립부등식
$$\begin{cases}2^{x+3}>4\\2\log(x+3)<\log(5x+15)\end{cases}$$
를 만족시키는 정수 x의 개수를 구하시오.
→ 진수의 조건에서 $x>-3$, (밑)>1이므로 $(x+3)^2<5x+15$, 두 부등식을 연립하자.

$\begin{cases}2^{x+3}>4 & \cdots\cdots ㉠\\2\log(x+3)<\log(5x+15) & \cdots\cdots ㉡\end{cases}$
㉠에서 $2^{x+3}>2^2$
$\therefore x+3>2$
$\therefore x>-1$ ...... ㉢
㉡에서 진수 조건에 의하여 $x>-3$이고
$\log(x+3)^2<\log(5x+15)$이므로
$(x+3)^2<5x+15$
$x^2+x-6<0$
$\therefore -3<x<2$ ...... ㉣
㉢, ㉣에서 $-1<x<2$
따라서 정수 x는 0, 1의 2개이다. 답 2

0706

두 함수 $y=f(x)$와 $y=g(x)$의 그래프가 그림과 같을 때, 부등식 $\log_{\frac{1}{2}} f(x) \le \log_{\frac{1}{2}} g(x)$의 해는?

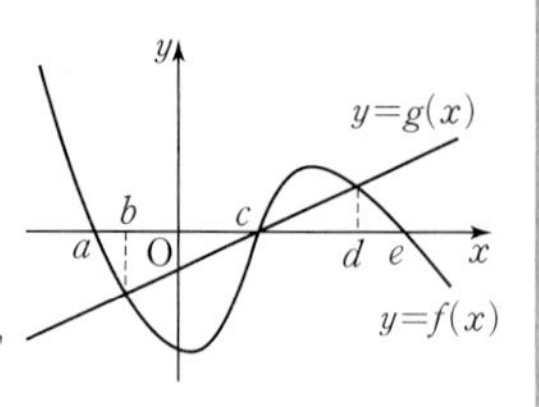

진수의 조건에서 $f(x)>0$, $g(x)>0$, $0<$(밑)<1이므로 $f(x) \ge g(x)$

진수의 조건에서 $f(x)>0$, $g(x)>0$

$\therefore c<x<e$ ······㉠

$\log_{\frac{1}{2}} f(x) \le \log_{\frac{1}{2}} g(x)$에서

밑 $\frac{1}{2}$은 0보다 크고 1보다 작으므로 $f(x) \ge g(x)$

$\therefore x \le b$ 또는 $c \le x \le d$ ······㉡

㉠, ㉡의 공통 범위를 구하면

$c<x\le d$

답 ③

0707

밑이 $f(x)$이므로 $0<f(x)<1$일 때와 $f(x)>1$일 때로 나누어 생각하자.

그림은 두 함수 $y=f(x)$, $y=g(x)$의 그래프이다. $0<x<e$에서 로그부등식 $\log_{f(x)} g(x)>1$을 만족하는 값의 범위는?

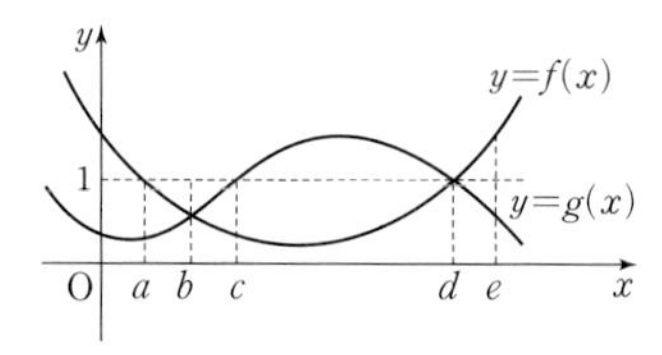

로그의 밑이 $f(x)$이므로

(i) $0<f(x)<1$일 때, $f(x)>g(x)$의 해는 $a<x<b$이다.

(ii) $f(x)>1$일 때, $f(x)<g(x)$의 해는 없다.

따라서 (i), (ii)에 의하여 구하는 해는

$a<x<b$

답 ②

0708

부등식 $(\log_2 4x)(\log_2 8x)<2$를 만족시키는 해가 $\alpha<x<\beta$일 때, $\alpha\beta$의 값은?

$(\log_2 4+\log_2 x)(\log_2 8+\log_2 x)$임을 이용하자.

진수의 조건에서 $x>0$ ······㉠

$(\log_2 4x)(\log_2 8x)<2$에서

$(\log_2 4+\log_2 x)(\log_2 8+\log_2 x)<2$

$\log_2 x=t$로 놓으면 $(2+t)(3+t)<2$

$t^2+5t+4<0$, $(t+4)(t+1)<0$

$\therefore -4<t<-1$

즉, $-4<\log_2 x<-1$이므로

$\frac{1}{16}<x<\frac{1}{2}$ ······㉡

㉠, ㉡의 공통 범위를 구하면 $\frac{1}{16}<x<\frac{1}{2}$

$\therefore \alpha\beta=\frac{1}{16}\times\frac{1}{2}=\frac{1}{32}$

답 ①

0709

진수의 조건에서 $x>0$, $\log_{\frac{1}{2}} x=t$로 치환하여 정리하자.

부등식 $(\log_{\frac{1}{2}} x)^2-2\log_{\frac{1}{2}} x-3\le 0$의 해는?

진수의 조건에서 $x>0$ ······㉠

$(\log_{\frac{1}{2}} x)^2-2\log_{\frac{1}{2}} x-3\le 0$에서

$\log_{\frac{1}{2}} x=t$로 놓으면 $t^2-2t-3\le 0$

$(t+1)(t-3)\le 0$

$\therefore -1\le t\le 3$

즉, $-1\le \log_{\frac{1}{2}} x\le 3$이므로

$\frac{1}{8}\le x\le 2$ ······㉡

㉠, ㉡의 공통 범위를 구하면 $\frac{1}{8}\le x\le 2$

답 ③

0710

부등식 $(\log_3 x)^2<\log_{\frac{1}{3}} x^2$의 해를 구하시오.

밑이 3인 로그로 표현하면 $-2\log_3 x$

진수의 조건에서 $x>0$, $x^2>0$

$\therefore x>0$ ······㉠

$(\log_3 x)^2<\log_{\frac{1}{3}} x^2$에서

$(\log_3 x)^2<-2\log_3 x$

이때, $\log_3 x=t$로 놓으면 $t^2<-2t$

$t^2+2t<0$

$t(t+2)<0$

$\therefore -2<t<0$

즉, $-2<\log_3 x<0$이므로

$\frac{1}{9}<x<1$ ······㉡

㉠, ㉡의 공통 범위를 구하면 $\frac{1}{9}<x<1$

답 $\frac{1}{9}<x<1$

0711

연립부등식 $\begin{cases}(\log_2 x)^2-\log_2 x^2<3\\ 4^x-2^{x+2}\le 32\end{cases}$ 를 만족시키는 모든 정수 x의 값의 합은?

$\log_2 x=t$라 하면 $t^2-2t-3<0$

진수의 조건에서 $x>0$, $x^2>0$

$\therefore x>0$ ······㉠

$(\log_2 x)^2-\log_2 x^2<3$에서

$(\log_2 x)^2-2\log_2 x-3<0$

이때, $\log_2 x=t$로 놓으면 $t^2-2t-3<0$

$(t+1)(t-3)<0$

$\therefore -1<t<3$

즉, $-1<\log_2 x<3$이므로

$\frac{1}{2}<x<8$ ······㉡

㉠, ㉡의 공통 범위를 구하면

$\frac{1}{2}<x<8$ ······㉢

$4^x-2^{x+2}\le 32$에서
$2^x=S\ (S>0)$로 놓으면
$S^2-4S\le 32$
$S^2-4S-32\le 0$
$(S+4)(S-8)\le 0$
$\therefore 0<S\le 8\ (\because S>0)$
즉, $0<2^x\le 8$이므로
$x\le 3$ ······ ㉣
㉢, ㉣의 공통 범위를 구하면 $\frac{1}{2}<x\le 3$
따라서 정수 x는 1, 2, 3이므로 그 합은 6이다. 답 ④

0712

부등식 $x^{\log_{\frac{1}{2}} x}\ge\frac{1}{2}$의 해를 구하시오.
• 양변에 밑이 $\frac{1}{2}$인 로그를 취하면 $\log_{\frac{1}{2}} x^{\log_{\frac{1}{2}} x}\le\log_{\frac{1}{2}}\frac{1}{2}$

진수의 조건에서 $x>0$ ······ ㉠
$x^{\log_{\frac{1}{2}} x}\ge\frac{1}{2}$의 양변에 밑이 $\frac{1}{2}$인 로그를 취하면
$\log_{\frac{1}{2}} x^{\log_{\frac{1}{2}} x}\le\log_{\frac{1}{2}}\frac{1}{2}$
$(\log_{\frac{1}{2}} x)^2\le 1$
$\log_{\frac{1}{2}} x=t$로 놓으면 $t^2\le 1$
$(t+1)(t-1)\le 0$
$\therefore -1\le t\le 1$
즉, $-1\le\log_{\frac{1}{2}} x\le 1$이므로 $\frac{1}{2}\le x\le 2$ ······ ㉡
㉠, ㉡의 공통 범위를 구하면
$\frac{1}{2}\le x\le 2$ 답 $\frac{1}{2}\le x\le 2$

0713

임의의 양수 x에 대하여 부등식 $(\log_3 x)^2+a\log_3 x+a+8>0$이 항상 성립하도록 하는 정수 a의 개수는?
$\log_3 x=t$라 하면 $t^2+at+a+8>0$, 이 이차식의 판별식을 D라 하면 $D<0$이다.

$(\log_3 x)^2+a\log_3 x+a+8>0$에서
$\log_3 x=t$로 놓으면 $t^2+at+a+8>0$
이 부등식이 모든 실수 t에 대하여 항상 성립해야 하므로 이차방정식 $t^2+at+a+8=0$의 판별식을 D라 하면
$D=a^2-4(a+8)<0$
$a^2-4a-32<0$
$(a+4)(a-8)<0$
$\therefore -4<a<8$
따라서 정수 a는 $-3, -2, -1, 0, 1, \cdots, 7$의 11개이다.
답 ⑤

0714

방정식 $2^{\log_8 x}=3$의 해는?
• 양변에 밑이 2인 로그를 취하면 $\log_2 2^{\log_8 x}=\log_2 3$

진수의 조건에서 $x>0$ ······ ㉠
$2^{\log_8 x}=3$의 양변에 밑이 2인 로그를 취하면
$\log_2 2^{\log_8 x}=\log_2 3$
$\log_8 x\times\log_2 2=\log_2 3$
$\frac{1}{3}\log_2 x=\log_2 3$
$\log_2 x=3\log_2 3$
$\log_2 x=\log_2 27$
$\therefore x=27$
$x=27$은 ㉠을 만족하므로 구하는 해이다. 답 ⑤

0715

• 양변에 상용로그를 취하면 $\log(2x)^{\log 2}=\log(3x)^{\log 3}$

$x>0$일 때, 방정식 $(2x)^{\log 2}=(3x)^{\log 3}$의 해는?

$(2x)^{\log 2}=(3x)^{\log 3}$의 양변에 상용로그를 취하면
$\log 2\times\log 2x=\log 3\times\log 3x$
$\log 2(\log 2+\log x)=\log 3(\log 3+\log x)$
$(\log 2-\log 3)\log x=(\log 3)^2-(\log 2)^2$
$(\log 2-\log 3)\log x=(\log 3-\log 2)(\log 3+\log 2)$
$\log x=-(\log 3+\log 2)$
$\log x=\log\frac{1}{6}$
$\therefore x=\frac{1}{6}$ 답 ⑤

0716

방정식 $x^{\log x}-\frac{100}{x}=0$의 모든 근의 곱은?
• 양변에 상용로그를 취하면 $\log x^{\log x}=\log\frac{100}{x}$

진수의 조건에서 $x>0$ ······ ㉠
$x^{\log x}-\frac{100}{x}=0$에서 $x^{\log x}=\frac{100}{x}$
양변에 상용로그를 취하면
$\log x^{\log x}=\log\frac{100}{x}$
$\log x\times\log x=\log 100-\log x$
$(\log x)^2+\log x-2=0$
$\log x=t$로 놓으면
$t^2+t-2=0,\ (t+2)(t-1)=0$
$\therefore t=-2$ 또는 $t=1$
즉, $\log x=-2$ 또는 $\log x=1$이므로
$x=\frac{1}{100}$ 또는 $x=10$
㉠에서 $x>0$이므로 모든 근의 곱은
$\frac{1}{100}\times 10=\frac{1}{10}$ 답 ②

0717

> 방정식 $x^{\log_2 x^2}=4x^3$의 모든 근의 곱은?
>
> → 양변에 밑이 2인 로그를 취하면 $\log_2 x^{\log_2 x^2}=\log_2 4x^3$

진수의 조건에서 $x^2>0$

$\therefore x\neq 0$ ······ ㉠

$x^{\log_2 x^2}=4x^3$의 양변에 밑이 2인 로그를 취하면

$\log_2 x^{\log_2 x^2}=\log_2 4x^3$

$\log_2 x^2\times\log_2 x=\log_2 4+\log_2 x^3$

$2(\log_2 x)^2=2+3\log_2 x$

이때, $\log_2 x=t$로 놓으면 $2t^2=2+3t$

$2t^2-3t-2=0$

$(2t+1)(t-2)=0$

$\therefore t=-\frac{1}{2}$ 또는 $t=2$

즉, $\log_2 x=-\frac{1}{2}$ 또는 $\log_2 x=2$이므로

$x=\frac{1}{\sqrt{2}}$ 또는 $x=4$

$x=\frac{1}{\sqrt{2}}$, $x=4$는 ㉠을 만족하므로 구하는 해이다.

따라서 모든 근의 곱은

$\frac{1}{\sqrt{2}}\times 4=2\sqrt{2}$ 답 ③

0718

> 부등식 $x^{\log_2 x}<4x$의 해가 $\alpha<x<\beta$일 때, $\alpha\beta$의 값은?
>
> → 양변에 밑이 2인 로그를 취하면 $\log_2 x^{\log_2 x}<\log_2 4x$

진수의 조건에서 $x>0$ ······ ㉠

$x^{\log_2 x}<4x$의 양변에 밑이 2인 로그를 취하면

$\log_2 x^{\log_2 x}<\log_2 4x$

$(\log_2 x)^2<\log_2 2^2+\log_2 x$

이때, $\log_2 x=t$로 놓으면 $t^2<2+t$

$t^2-t-2<0$

$(t+1)(t-2)<0$

$\therefore -1<t<2$

즉, $-1<\log_2 x<2$이므로

$\frac{1}{2}<x<4$ ······ ㉡

㉠, ㉡의 공통 범위를 구하면

$\frac{1}{2}<x<4$

따라서 $\alpha=\frac{1}{2}$, $\beta=4$이므로

$\alpha\beta=\frac{1}{2}\times 4=2$ 답 ①

0719

> 임의의 실수 x에 대하여 부등식 $10^{x^2+\log a}>a^{2x}$이 항상 성립하도록 하는 양의 정수 a의 총합을 구하시오.
>
> → 판별식 $D<0$임을 이용하자.
>
> → 양변에 상용로그를 취하면 $x^2+\log a>2x\log a$

$10^{x^2+\log a}>a^{2x}$의 양변에 상용로그를 취하면

$x^2+\log a>2x\log a$

$x^2-2x\log a+\log a>0$

이 부등식이 모든 실수 x에 대하여 항상 성립하려면 이차방정식 $x^2-2x\log a+\log a=0$의 판별식을 D라 할 때

$\frac{D}{4}=(\log a)^2-\log a<0$

$\log a(\log a-1)<0$

$\therefore 0<\log a<1$

$\therefore 1<a<10$

따라서 양의 정수 a의 총합은

$2+3+4+5+6+7+8+9=44$ 답 44

0720

> x에 대한 방정식 $x^2-2(2+\log_2 a)x+1=0$이 실근을 가지도록 하는 상수 a의 값의 범위를 구하시오.
>
> → $\frac{D}{4}=(2+\log_2 a)^2-1\geq 0$임을 이용하자.

$x^2-2(2+\log_2 a)x+1=0$이 실근을 가져야 하므로 판별식을 D라 하면

$\frac{D}{4}=(2+\log_2 a)^2-1\geq 0$

$(\log_2 a)^2+4\log_2 a+3\geq 0$

진수의 조건에서 $a>0$ ······ ㉠

$\log_2 a=t$로 놓으면 $t^2+4t+3\geq 0$

$(t+3)(t+1)\geq 0$

$\therefore t\leq -3$ 또는 $t\geq -1$

즉, $\log_2 a\leq -3$ 또는 $\log_2 a\geq -1$이므로

$a\leq\frac{1}{8}$ 또는 $a\geq\frac{1}{2}$ ······ ㉡

㉠, ㉡의 공통 범위를 구하면

$0<a\leq\frac{1}{8}$ 또는 $a\geq\frac{1}{2}$ 답 $0<a\leq\frac{1}{8}$ 또는 $a\geq\frac{1}{2}$

0721

> x에 대한 부등식 $x^2-2(1+\log_3 a)x+1-(\log_3 a)^2>0$이 항상 성립하도록 하는 양수 a의 값의 범위는?
>
> → $\frac{D}{4}=(1+\log_3 a)^2-\{1-(\log_3 a)^2\}<0$임을 이용하자.

$x^2-2(1+\log_3 a)x+1-(\log_3 a)^2=0$의 판별식을 D라 하면

$\frac{D}{4}=(1+\log_3 a)^2-\{1-(\log_3 a)^2\}<0$

$2(\log_3 a)^2+2\log_3 a<0$

진수의 조건에서 $a>0$ ······ ㉠

$\log_3 a=t$로 놓으면 $2t^2+2t<0$

$2t(t+1)<0$

$\therefore -1<t<0$

즉, $-1<\log_3 a<0$이므로

$\frac{1}{3}<a<1$ ······ ㉡

㉠, ㉡의 공통 범위를 구하면 $\frac{1}{3}<a<1$ 답 ④

0722

> 이차방정식 $(3+\log_2 a)x^2+2(1+\log_2 a)x+1=0$이 서로 다른 두 실근을 가질 때, 다음 중 a의 값이 될 수 있는 것은?
>
> • $3+\log_2 a\neq 0$, $\frac{D}{4}=(1+\log_2 a)^2-(3+\log_2 a)>0$

진수의 조건에서 $a>0$ ······ ㉠

이차방정식 $(3+\log_2 a)x^2+2(1+\log_2 a)x+1=0$이 서로 다른 두 실근을 가지므로

(i) $3+\log_2 a\neq 0$

$\therefore a\neq\frac{1}{8}$ ······ ㉡

(ii) 주어진 이차방정식의 판별식을 D라 하면

$\frac{D}{4}=(1+\log_2 a)^2-(3+\log_2 a)>0$

$(\log_2 a)^2+\log_2 a-2>0$

$\log_2 a=t$로 놓으면

$t^2+t-2>0$

$(t+2)(t-1)>0$

$\therefore t<-2$ 또는 $t>1$

즉, $\log_2 a<-2$ 또는 $\log_2 a>1$이므로

$a<\frac{1}{4}$ 또는 $a>2$ ······ ㉢

㉠, ㉡, ㉢의 공통 범위를 구하면

$0<a<\frac{1}{8}$ 또는 $\frac{1}{8}<a<\frac{1}{4}$ 또는 $a>2$

따라서 a의 값이 될 수 있는 것은 ⑤ 4이다.

답 ⑤

0723

> 소리의 세기가 $I\,(\mathrm{W/cm^2})$인 음원으로부터 $r\,(\mathrm{cm})$만큼 떨어진 지점에서 측정된 소리의 상대적 세기 P(데시벨)는
>
> $$\mathrm{P}(I, r)=10\left(12+\log\frac{I}{r^2}\right)$$
>
> 로 나타난다고 한다. 음원으로부터 측정 지점까지의 거리를 10배로 늘리면 소리의 상대적 세기는 몇 데시벨 감소하는지 구하시오.
>
> • $\mathrm{P}(I,\ 10r)=10\left\{12+\log\frac{I}{(10r)^2}\right\}$임을 이용하자.

음원으로부터 $10r\,(\mathrm{cm})$만큼 떨어진 지점에서 측정된 소리의 상대적 세기 $\mathrm{P}(I, 10r)$는

$$\begin{aligned}\mathrm{P}(I, 10r)&=10\left\{12+\log\frac{I}{(10r)^2}\right\}\\&=10\left\{12+\log\left(\frac{I}{r^2}\times\frac{1}{10^2}\right)\right\}\\&=10\left(12+\log\frac{I}{r^2}-2\right)\\&=10\left(12+\log\frac{I}{r^2}\right)-20\\&=\mathrm{P}(I, r)-20\end{aligned}$$

따라서 소리의 상대적 세기는 20데시벨 감소한다.

답 20데시벨

0724

> 어떤 물질 200cc를 물에 넣은 후 t시간이 지났을 때, 물에 분해되고 남아 있는 물질의 양을 $f(t)$cc라 하면 다음 관계식을 따른다고 한다.
>
> $f(t)=200-50\log_2(1+t)$
>
> 물에 분해되고 남아 있는 물질의 양이 120cc가 될 때까지의 시간을 a라 할 때, 남아 있는 물질의 양이 40cc가 될 때까지의 시간을 a로 나타낸 것은?
>
> • $120=200-50\log_2(1+a)$
>
> • 이 때의 시간을 t라 하면 $40=200-50\log_2(1+t)$

남아 있는 물질의 양이 120cc가 될 때까지의 시간이 a이므로

$120=200-50\log_2(1+a)$에서

$\log_2(1+a)=\frac{8}{5}$ ······ ㉠

남아 있는 물질의 양이 40cc가 될 때까지의 시간을 t라 하면

$40=200-50\log_2(1+t)$에서

$\log_2(1+t)=\frac{16}{5}$ ······ ㉡

㉡$-$㉠$\times 2$를 하면

$\log_2(1+t)-2\log_2(1+a)=0$

$\log_2\frac{1+t}{(1+a)^2}=0$

$\frac{1+t}{(1+a)^2}=1$

$\therefore t=(a+1)^2-1$

답 ①

0725

> 15세에서 25세까지의 남자들의 몸무게를 조사해 보았더니 나이 t와 몸무게 $y\,(\mathrm{kg})$ 사이에
>
> $y=45+20\log(t-14)\ (15\le t\le 25)$
>
> 의 관계가 성립하였다고 한다. 3살 차이의 두 남자의 몸무게의 합이 110kg일 때, 두 남자의 나이의 합은?
>
> • 두 남자의 나이를 각각 t, $t+3$이라 하자.
>
> • $\{45+20\log(t-14)\}+\{45+20\log(t-11)\}=110$

두 남자의 나이를 각각 t, $t+3\,(15\le t<t+3\le 25)$이라 하면 두 남자의 몸무게의 합이 110kg이므로

$\{45+20\log(t-14)\}+\{45+20\log(t-11)\}=110$

$\log(t-14)+\log(t-11)=1$

$\log(t-14)(t-11)=1$

$(t-14)(t-11)=10$

$t^2-25t+144=0$

$(t-9)(t-16)=0$

$\therefore t=9$ 또는 $t=16$

이때, $15\le t\le 22$이므로 $t=16$

따라서 두 남자의 나이의 합은

$16+19=35$

답 ②

0726

처음 세균의 수를 a라 하면 n시간 후의 세균의 수는 $2^n a$이다.

> 개체 수가 1시간마다 2배씩 증가하는 어떤 세균은 n시간 후 최초로 처음 세균의 수의 4000배 이상이 된다. 이때, 자연수 n의 값을 구하시오. (단, $\log 2=0.3$으로 계산한다.)

처음 세균의 수를 a라 하면 n시간 후의 세균의 수는 $2^n a$이므로

$2^n a \geq 4000a$

$2^n \geq 4000$

양변에 상용로그를 취하면

$\log 2^n \geq \log 4000$

$n\log 2 \geq 2\log 2+3$

$$n \geq \frac{2\log 2+3}{\log 2} = \frac{2\times 0.3+3}{0.3} = 12$$

따라서 구하는 n의 값은 12이다. 답 12

0727

> 물에 섞여 있는 중금속은 여과기를 한 번 통과할 때마다 20 %씩 감소한다고 한다. 중금속의 양을 처음 양의 2 % 이하로 줄이려면 여과기를 최소한 몇 번 통과시켜야 하는가?
>
> (단, $\log 2=0.3010$으로 계산한다.)
>
> 처음 물에 섞여있는 중금속의 양을 a라 하면 여과기를 n번 통과한 후 남아있는 중금속의 양은 $a\left(1-\frac{20}{100}\right)^n$

처음 물에 섞여 있는 중금속의 양을 a라 하면 여과기를 n번 통과한 후 남아 있는 중금속의 양은 $a\left(1-\frac{20}{100}\right)^n$이므로

$a\left(1-\frac{20}{100}\right)^n \leq \frac{2}{100}a$, $\left(\frac{8}{10}\right)^n \leq \frac{2}{100}$

양변에 상용로그를 취하면

$n\log\frac{8}{10} \leq \log\frac{2}{100}$, $n(3\log 2-1) \leq \log 2-2$

$$\therefore n \geq \frac{2-\log 2}{1-3\log 2} = \frac{2-0.3010}{1-3\times 0.3010} = \frac{1.6990}{0.0970} = 17.\times\times\times$$

따라서 최소한 18번 통과시켜야 한다. 답 ②

0728

> 어느 경제학자에 의하면 일반적으로 근로자의 노동에 대한 시간당 금전적 가치를 V, 시간당 임금을 W, 시간당 생활비를 C, 세율을 t라 할 때, 다음과 같은 식이 성립한다고 한다.
>
> $$V=\frac{W(100-t)}{100C}$$
>
> n년 후의 시간당 생활비는 $C(1+0.03)^n$
>
> 매년 시간당 임금과 생활비는 각각 8 %, 3 %씩 증가하고 세율은 변동이 없을 때, 시간당 금전적 가치가 현재의 2배 이상이 되는 것은 몇 년 후부터인가?
>
> n년 후의 시간당 임금은 $W(1+0.08)^n$
>
> (단, $\log 1.03=0.0128$, $\log 1.08=0.0334$, $\log 2=0.3010$으로 계산한다.)

n년 후의 시간당 임금은 $W(1+0.08)^n$, 시간당 생활비는 $C(1+0.03)^n$이므로 n년 후의 시간당 금전적 가치 V_n은

$$V_n=\frac{W\times 1.08^n\times(100-t)}{100\times C\times 1.03^n}$$

즉, $\frac{W\times 1.08^n\times(100-t)}{100\times C\times 1.03^n} \geq \frac{2W(100-t)}{100C}$에서

$\frac{1.08^n}{1.03^n} \geq 2$

양변에 상용로그를 취하면

$n(\log 1.08-\log 1.03) \geq \log 2$

$$n \geq \frac{0.3010}{0.0334-0.0128}=14.\times\times\times$$

따라서 현재의 2배 이상이 되는 것은 15년 후부터이다. 답 ④

0729

> 특정 환경의 어느 웹사이트에서 한 메뉴 안에 선택할 수 있는 항목이 n개 있는 경우, 항목을 1개 선택하는 데 걸리는 시간 T(초)가 다음 식을 만족시킨다.
>
> $$T=2+\frac{1}{3}\log_2(n+1)$$
>
> 메뉴가 여러 개인 경우, 모든 메뉴에서 항목을 1개씩 선택하는 데 걸리는 전체 시간은 각 메뉴에서 항목을 1개씩 선택하는 데 걸리는 시간을 모두 더하여 구한다. 예를 들어 메뉴가 3개이고 각 메뉴 안에 항목이 4개씩 있는 경우, 모든 메뉴에서 항목을 1개씩 선택하는 데 걸리는 전체 시간은 $3\left(2+\frac{1}{3}\log_2 5\right)$초이다.
>
> 메뉴가 10개이고 각 메뉴 안에 항목이 n개씩 있는 경우, 모든 메뉴에서 항목을 1개씩 선택하는 데 걸리는 전체 시간이 30초 이하가 되도록 하는 n의 최댓값은?
>
> 10개의 각 메뉴 안에 선택할 수 있는 n개의 항목 중에 1개를 선택하는 데 걸리는 시간은 $10\left\{2+\frac{1}{3}\log_2(n+1)\right\}$

1개의 메뉴 안에 선택할 수 있는 n개의 항목 중에 1개를 선택하는 데 걸리는 시간은 $T=2+\frac{1}{3}\log_2(n+1)$이므로 10개의 각 메뉴 안에 선택할 수 있는 n개의 항목 중에 1개를 선택하는 데 걸리는 전체 시간은

$10\left\{2+\frac{1}{3}\log_2(n+1)\right\}$초이므로

$10\left\{2+\frac{1}{3}\log_2(n+1)\right\} \leq 30$

$2+\frac{1}{3}\log_2(n+1)\le 3$, $\frac{1}{3}\log_2(n+1)\le 1$

$\log_2(n+1)\le 3$, $n+1\le 8$

$\therefore n\le 7$

따라서 n의 최댓값은 7이다. 답 ①

0730

그림은 함수 $y=\log_3 x$의 그래프이다. 이 그래프를 이용하여 $\log_2(3^a+3^b)$의 값을 구하시오.

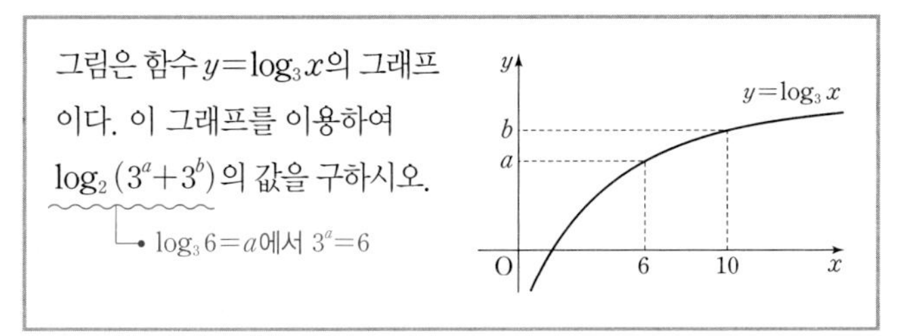

그래프에서 $\log_3 6=a$, $\log_3 10=b$이므로

$3^a=6$, $3^b=10$

$\therefore 3^a+3^b=16$

$\therefore \log_2(3^a+3^b)=\log_2 16$

$=\log_2 2^4=4$ 답 4

0731

• $y=2^{x-a}+b$이다.

함수 $y=\log_2(x-2)+3$의 그래프는 $y=2^x$의 그래프를 x축의 방향으로 a만큼, y축의 방향으로 b만큼 평행이동한 후, 직선 $y=x$에 대하여 대칭이동한 것이다. 이때, $10a+b$의 값은?

• $x-b=2^{y-a}$이고 이때 양변에 밑이 2인 로그를 취하자.

$y=2^x$의 그래프를 x축의 방향으로 a만큼, y축의 방향으로 b만큼 평행이동하면

$y=2^{x-a}+b$

이 함수의 그래프를 직선 $y=x$에 대하여 대칭이동하면

$x=2^{y-a}+b$

$2^{y-a}=x-b$

양변에 2를 밑으로 하는 로그를 취하면

$y-a=\log_2(x-b)$

$\therefore y=\log_2(x-b)+a$

따라서 $a=3$, $b=2$이므로

$10a+b=30+2=32$ 답 ⑤

0732

• y절편이 0 이상이어야 한다.

함수 $y=\log_3(x+a)+b$의 그래프가 제4사분면을 지나지 않고 직선 $x=-3$이 이 그래프의 점근선일 때, $a+b$의 값의 최솟값을 구하시오. (단, a, b는 상수이다.)

• $a=3$이다.

$y=\log_3(x+a)+b$에서 $x=-3$이 점근선이므로 $a=3$이다.

또, 그래프가 제4사분면을 지나지 않아야 하므로 y절편이 0 이상이어야 한다.

$\log_3 3+b\ge 0$에서 $b\ge -1$이므로

$a+b\ge 3+(-1)$

따라서 $a+b$의 값의 최솟값은 2이다. 답 2

0733

• $0\le x\le 3$에서 $-x^2+2x+7$의 값이 최대일 때, $f(x)$의 값이 최소이다.

$0\le x\le 3$에서 함수 $f(x)=\log_{\frac{1}{2}}(-x^2+2x+7)$의 최솟값은?

$g(x)=-x^2+2x+7$로 놓으면

$g(x)=-(x-1)^2+8$ ······ ㉠

함수 $f(x)=\log_{\frac{1}{2}} g(x)$의 밑 $\frac{1}{2}$이 0보다 크고 1보다 작으므로 $g(x)$의 값이 최대일 때, $f(x)$의 값은 최소이다.

$0\le x\le 3$이므로 ㉠에서 함수 $g(x)$는 $x=1$일 때, 최댓값 8을 가지므로 $f(x)$의 최솟값은

$\log_{\frac{1}{2}} 8=\log_{2^{-1}} 2^3=-3$ 답 ④

0734 서술형

• 밑이 3인 로그로 표현한 뒤 $\log_3 x=t$로 치환하여 정리하자.

정의역이 $\{x\,|\,1\le x\le 81\}$인 함수

$y=(\log_3 x)(\log_{\frac{1}{3}} x)+2\log_3 x+10$

의 최댓값을 M, 최솟값을 m이라 할 때, $M+m$의 값을 구하시오.

$y=(\log_3 x)(\log_{\frac{1}{3}} x)+2\log_3 x+10$

$=(\log_3 x)(-\log_3 x)+2\log_3 x+10$

$=-(\log_3 x)^2+2\log_3 x+10$ ······ 30%

에서 $\log_3 x=t$로 놓으면

$y=-t^2+2t+10$

$=-(t-1)^2+11$ ······ ㉠

$1\le x\le 81$에서 $\log_3 1\le \log_3 x\le \log_3 81$

$\therefore 0\le t\le 4$ ······ 50%

따라서 $0\le t\le 4$에서 ㉠은 $t=1$일 때 최댓값 11을, $t=4$일 때 최솟값 2를 갖는다.

$\therefore M+m=11+2=13$ ······ 20%

답 13

0735

• P(10, 0), Q(10, log 10a), R(10, log 10b)

그림과 같이 직선 $x=10$이 x축 및 두 곡선 $y=\log ax$, $y=\log bx$와 만나는 점을 각각 P, Q, R라 하자. $\overline{PQ}=\overline{QR}$일 때, a, b 사이의 관계식은? (단, $b>a>0$)

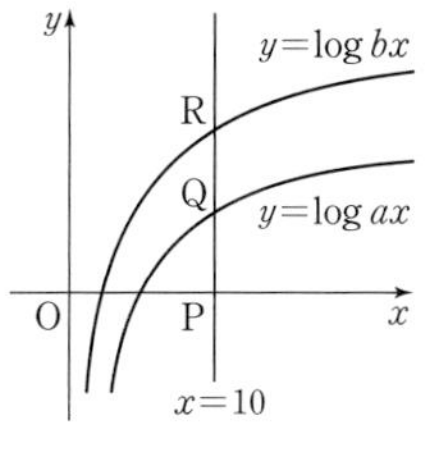

세 점 P, Q, R는 각각 $P(10, 0)$, $Q(10, \log 10a)$, $R(10, \log 10b)$이고, $\overline{PQ}=\overline{QR}$이므로

$\log 10a=\log 10b-\log 10a$

$2\log 10a=\log 10b$

$\log(10a)^2=\log 10b$

$100a^2=10b$

$\therefore b=10a^2$ 답 ⑤

0736

A$(a,\ \log_3 a)$, B$(b,\ \log_3 b)(a>0,\ b>0)$이라 하자.

로그함수 $y=\log_3 x$의 그래프 위의 서로 다른 두 점 A, B가 다음 조건을 만족시킬 때, 삼각형 OBA의 넓이는? (단, O는 원점이다.)

$\frac{\log_3 a+\log_3 b}{2}=0$

(가) 선분 AB의 중점이 x축 위에 있다.
(나) 선분 AB를 3 : 1로 외분하는 점이 y축 위에 있다.

$\frac{3b-a}{3-1}=0$

두 점 A, B를 각각
A$(a,\ \log_3 a)$, B$(b,\ \log_3 b)$ $(a>0,\ b>0)$라 하면
조건 (가)에서 선분 AB의 중점의 y좌표는 0이므로
$\frac{\log_3 a+\log_3 b}{2}=0$, $\log_3 ab=0$
$\therefore ab=1$ ...... ㉠
조건 (나)에서 선분 AB를 3 : 1로 외분하는 점의 x좌표는 0이므로
$\frac{3b-a}{3-1}=0$
$\therefore a=3b$ ...... ㉡
㉠, ㉡을 연립하여 풀면
$a=\sqrt{3}$, $b=\frac{\sqrt{3}}{3}$ $(\because a>0,\ b>0)$
즉, A$\left(\sqrt{3},\ \frac{1}{2}\right)$, B$\left(\frac{\sqrt{3}}{3},\ -\frac{1}{2}\right)$
이므로 그림에서 삼각형 OBA의 넓이는
$\left(\frac{1}{2}\times\frac{2\sqrt{3}}{3}\times\frac{1}{2}\right)\times 2=\frac{\sqrt{3}}{3}$

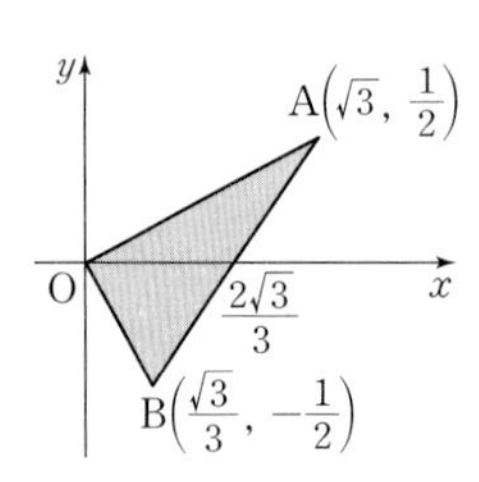

답 ①

0737

$f(x)=\log_2 x$

A(1, 0)이므로 B(1, 2)이다.

지수함수 $y=2^x$의 그래프와 그 역함수 $y=f(x)$의 그래프 위의 세 점 A, B, C가 그림과 같다. 함수 $y=f(x)$의 그래프가 x축과 만나는 점을 A라 하고 점 C의 좌표를 $(a,\ b)$라 할 때, $\log_2 ab$의 값은? (단, 점선은 x축 또는 y축에 평행하다.)

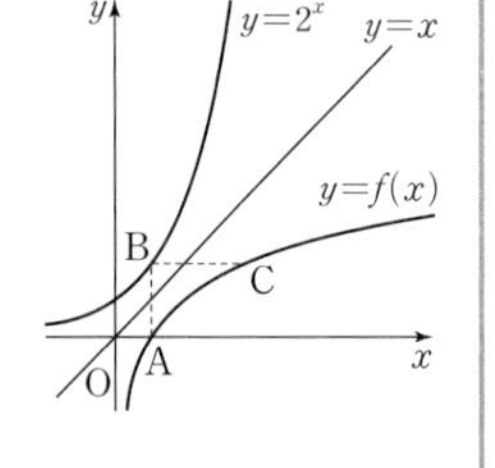

지수함수 $y=2^x$의 역함수는
$y=\log_2 x$
함수 $y=f(x)$의 그래프와 x축의 교점은 A(1, 0)이므로 점 B의 좌표는 (1, 2) $\therefore b=2$
즉, 점 C의 좌표는 $(a,\ 2)$이므로
$f(a)=2$에서 $\log_2 a=2$
$\therefore a=4$
$\therefore \log_2 ab=\log_2 8=3$

답 ②

0738

$\log x=t$라 하면 $t(t-\log 32)=1$,
이 방정식의 두 근은 $\log\alpha$, $\log\beta$이다.

방정식 $\log x\times\log\frac{x}{32}=1$의 두 근을 α, β라 할 때, $\alpha\beta$의 값을 구하시오.

$\log x\times\log\frac{x}{32}=1$에서
$\log x\times(\log x-\log 32)=1$
$\log x=t$로 놓으면 $t(t-\log 32)=1$
$t^2-\log 32\times t-1=0$ ...... ㉠
이때, 주어진 방정식의 두 근이 α, β이므로 ㉠의 두 근은
$\log\alpha$, $\log\beta$이다.
따라서 이차방정식의 근과 계수의 관계에 의하여
$\log\alpha+\log\beta=\log 32$
$\log\alpha\beta=\log 32$
$\therefore \alpha\beta=32$

답 32

0739

진수의 조건에서 $x>4$, (밑)>1이므로 $x(x-4)\le 32$

부등식 $\log_2 x+\log_2(x-4)\le 5$를 만족시키는 모든 자연수 x의 값의 합을 구하시오.

진수의 조건에서 $x>0$, $x>4$이므로 $x>4$ ...... ㉠
$\log_2 x(x-4)\le\log_2 32$에서
$x^2-4x-32\le 0$, $(x+4)(x-8)\le 0$
$\therefore -4\le x\le 8$ ...... ㉡
㉠, ㉡에서 $4<x\le 8$
따라서 모든 자연수 x의 값의 합은
$5+6+7+8=26$

답 26

0740 서술형

$\log_3 x=t$라 하면 $(1+t)^2-5t+1<0$

부등식 $(\log_3 3x)^2-\log_3 x^5+1<0$의 해와 이차부등식 $x^2+ax+b<0$의 해가 서로 같을 때, 두 상수 a, b의 합 $a+b$의 값을 구하시오.

진수의 조건에서 $3x>0$, $x^5>0$
$\therefore x>0$ ...... ㉠
$(\log_3 3x)^2-\log_3 x^5+1<0$에서
$(1+\log_3 x)^2-5\log_3 x+1<0$
이때, $\log_3 x=t$로 놓으면 $(1+t)^2-5t+1<0$
$t^2-3t+2<0$
$(t-1)(t-2)<0$
$\therefore 1<t<2$ 50%
즉, $1<\log_3 x<2$이므로
$3<x<9$ ...... ㉡
㉠, ㉡의 공통 범위를 구하면 $3<x<9$
$3<x<9$를 해로 갖고, 이차항의 계수가 1인 이차부등식은
$(x-3)(x-9)<0$
$\therefore x^2-12x+27<0$ 30%
따라서 $a=-12$, $b=27$이므로

$a+b=15$ ······ 20%

답 15

0741

• 처음 들어오는 빛의 양을 a라 하면 필름 n장을 통과한 후의 빛의 양은 $a\left(\frac{9}{10}\right)^n$

> 들어오는 빛의 양의 10%를 반사시키는 특수한 필름이 있다. 이 필름을 유리에 붙여서 유리를 통과한 빛의 양이 처음 들어오는 빛의 양의 $\frac{1}{4}$ 이하가 되도록 하려면 이 필름을 최소한 몇 장 붙여야 하는가? (단, $\log 2=0.3010$, $\log 3=0.4771$)
>
> • $\left(\frac{9}{10}\right)^n a \le \frac{1}{4}a$

처음 들어오는 빛의 양을 a라 하면

필름 n장을 통과한 후의 빛의 양은 $\left(\frac{9}{10}\right)^n a$이므로

$\left(\frac{9}{10}\right)^n a \le \frac{1}{4}a$

$\left(\frac{9}{10}\right)^n \le \frac{1}{4}$

양변에 상용로그를 취하면

$\log\left(\frac{9}{10}\right)^n \le \log\frac{1}{4}$

$n(2\log 3-1) \le -2\log 2$

$\therefore n \ge \frac{2\log 2}{1-2\log 3}=\frac{2\times 0.3010}{1-2\times 0.4771}=13.\times\times\times$

따라서 필름을 최소한 14장 붙여야 한다.

답 ③

0742

> $0<a<b<1$일 때, 〈보기〉에서 옳은 것만을 있는 대로 고른 것은?
>
> **보기**
>
> ㄱ. $\log_b a>1$ — • $0<a<b<1$이므로 $\log_b a>\log_b b$
>
> ㄴ. $\log_{(b+1)}(a+1)=k$이면 $k<k^2$이다.
>
> ㄷ. 임의의 두 양수 c, d에 대하여 $\log_a c=\log_b d$이면 $c<d$이다.
>
> • $1<a+1<b+1$이므로 $0<\log_{(b+1)}(a+1)<1$

ㄱ. $0<b<1$이고 $a<b$이므로

$\log_b a>\log_b b$

$\therefore \log_b a>1$ (참)

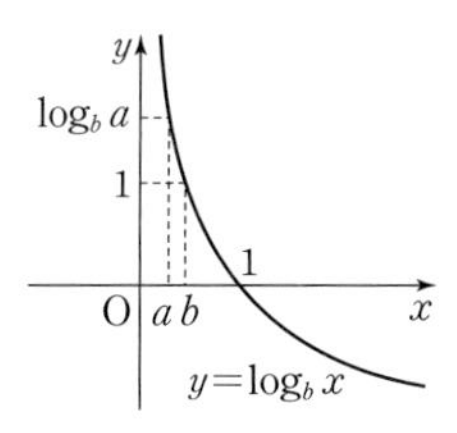

ㄴ. $0<a<b$에서 $1<a+1<b+1$이므로

$0<\log_{(b+1)}(a+1)<\log_{(b+1)}(b+1)$

$\therefore 0<\log_{(b+1)}(a+1)<1$

즉, $\log_{(b+1)}(a+1)=k$이면 $0<k<1$

$\therefore k>k^2$ (거짓)

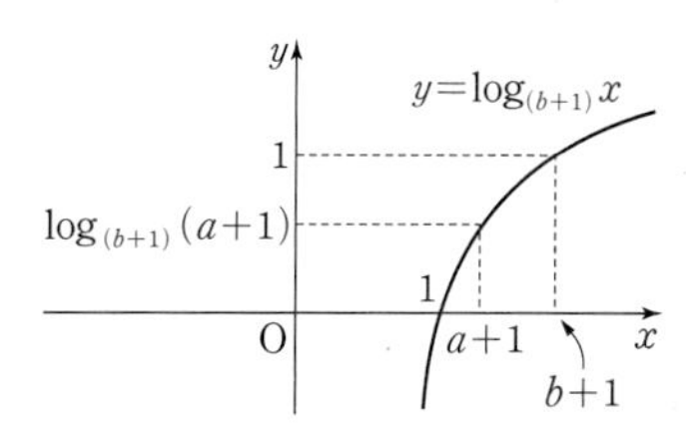

ㄷ. $0<a<b<1$이므로 두 함수 $y=\log_a x$, $y=\log_b x$의 그래프는 그림과 같다.

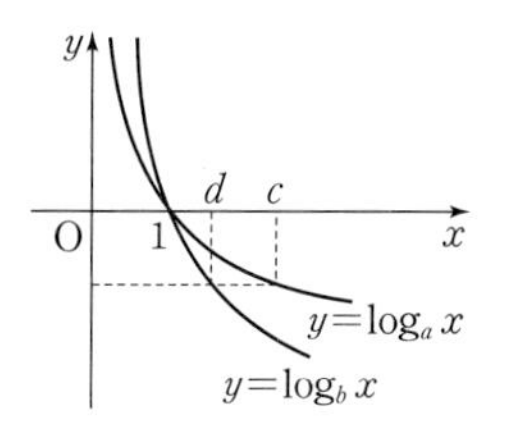

[반례] $\log_a c=\log_b d<0$이면 $c>d$이다. (거짓)

따라서 옳은 것은 ㄱ뿐이다.

답 ①

0743

$\log_2 x+\frac{12}{\log_2 x}-\frac{\log_2 y}{\log_2 x}=6$에서 $\log_2 y=(\log_2 x)^2-6\log_2 x+12$

> $2\le x\le 16$에서 $\log_2 x+\frac{12}{\log_2 x}-\log_x y=6$을 만족시키는 y의 최댓값을 M, 최솟값을 m이라 할 때, $\frac{M}{m}$의 값을 구하시오.

$\log_2 x+\frac{12}{\log_2 x}-\log_x y=6$에서

$\log_2 x+\frac{12}{\log_2 x}-\frac{\log_2 y}{\log_2 x}=6$

$\frac{(\log_2 x)^2+12-\log_2 y}{\log_2 x}=6$

$\log_2 y=(\log_2 x)^2-6\log_2 x+12$

$\log_2 x=t$로 놓으면 $2\le x\le 16$에서 $1\le t\le 4$이고,

$\log_2 y=t^2-6t+12$

$=(t-3)^2+3$

$1\le t\le 4$에서 $3\le \log_2 y\le 7$

$\therefore 2^3\le y\le 2^7$

따라서 M은 2^7, m은 2^3이다.

$\therefore \frac{M}{m}=2^4=16$

답 16

0744

• A$(1, a)$, C$(1, 0)$

> 그림과 같이 1보다 큰 두 자연수 a, b에 대하여 두 함수 $y=a^x$, $y=\log_b x$의 그래프와 직선 $x=1$이 만나는 점을 각각 A, C라 하고, 두 함수 $y=a^x$, $y=\log_b x$의 그래프와 직선 $y=1$이 만나는 점을 각각 B, D라 하자. 사각형 ABCD의 넓이가 5이고, 직선 AD의 기울기가 -1보다 클 때, $5a+2b$의 값을 구하시오.
>
> 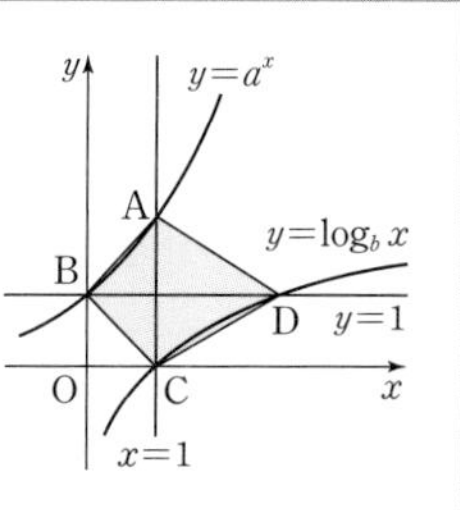
>
>
> • $\frac{1-a}{b-1}>-1$
>
> • B$(0, 1)$, D$(b, 1)$

네 점 A, B, C, D는 각각 A$(1, a)$, B$(0, 1)$, C$(1, 0)$, D$(b, 1)$이다.

선분 AC와 선분 BD가 서로 수직이고 사각형 ABCD의 넓이가 5이므로

$\frac{1}{2}\times\overline{AC}\times\overline{BD}=\frac{1}{2}ab=5$에서

$ab=10$

a, b는 1보다 큰 자연수이므로

$a=2$, $b=5$ 또는 $a=5$, $b=2$ ······ ㉠

직선 AD의 기울기가 -1보다 크므로

$\frac{1-a}{b-1}>-1$

$1-a>1-b$ $\quad\therefore a<b$ ······ ㉡

㉠, ㉡에서 $a=2$, $b=5$

$\therefore 5a+2b=5\times2+2\times5=20$

답 20

0745

• $g(x)=2^x+1$

> 그림과 같이 함수 $y=\log_2(x-1)$과 그 역함수 $y=g(x)$에 대하여 함수 $y=\log_2(x-1)$의 그래프가 x축과 만나는 점을 $A_1(a, 0)$, 점 A_1을 지나고 y축에 평행한 직선이 함수 $y=g(x)$의 그래프와 만나는 점을 $A_2(a, b)$라 하자. 점 A_2를 지나고 x축에 평행한 직선이 함수 $y=\log_2(x-1)$의 그래프와 만나는 점을 $A_3(c, b)$, 점 A_3을 지나고 y축에 평행한 직선이 함수 $y=g(x)$의 그래프와 만나는 점을 $A_4(c, d)$라 하자. 이때, $\log_{(b-1)}(c-1)(d-1)$의 값을 구하시오.

• $a=2$

• $b=g(2)=5$

• $\log_2(c-1)=5$

함수 $y=\log_2(x-1)$의 역함수 $g(x)=2^x+1$이다. 역함수 $y=g(x)$의 그래프가 점 $(2, b)$를 지나므로 $b=g(2)=2^2+1=5$

함수 $y=\log_2(x-1)$의 그래프가 점 $(c, 5)$를 지나므로

$5=\log_2(c-1)$, $c-1=2^5$, $c=2^5+1=33$

역함수 $y=g(x)$의 그래프가 점 $(33, d)$를 지나므로

$d=g(33)=2^{33}+1$

$\therefore \log_{(b-1)}(c-1)(d-1)=\log_4(2^5\times2^{33})$

$=\log_4 4^{19}$

$=19$

답 19

0746

• $y=x(2-x)$와 $y=|a-1|$의 그래프가 진수의 조건과 밑의 조건의 범위에서 서로 만나야 한다.

> x에 대한 방정식 $\log_a x+\log_a(2-x)=\log_a|a-1|$이 실근을 갖도록 a의 값을 정할 때, 자연수 a의 개수는? (단, $a\neq1$)

진수의 조건에서 $x>0$, $2-x>0$

$\therefore 0<x<2$

밑의 조건에서 $a>0$, $a\neq1$

$\log_a x+\log_a(2-x)=\log_a|a-1|$에서

$\log_a x(2-x)=\log_a|a-1|$

$x(2-x)=|a-1|$

이 방정식이 실근을 가지려면 두 함수 $y=x(2-x)$, $y=|a-1|$의 그래프가 $0<x<2$인 범위에서 서로 만나야 한다.

즉, 그림에서

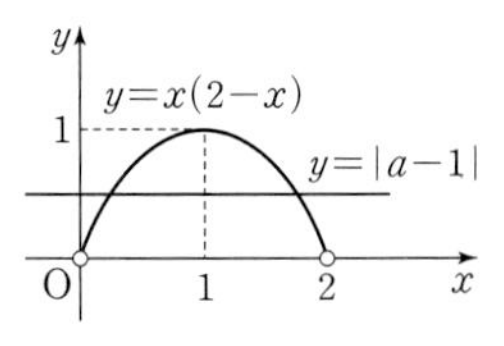

$0<|a-1|\le1$

(i) $0<|a-1|$에서 $a\neq1$

(ii) $|a-1|\le1$에서

$-1\le a-1\le1$

$\therefore 0<a\le2$ ($\because a>0$)

(i), (ii)에서 $0<a<1$ 또는 $1<a\le2$

따라서 자연수 a는 2뿐이므로 그 개수는 1이다.

답 ②

0747

> 방정식 $2^{2x}-a\times2^x+8=0$의 두 근과 방정식 $(\log_2 x)^2-\log_2 x+b=0$의 두 근이 같을 때, 두 상수 a, b에 대하여 $a+b$의 값을 구하시오.

• 두 근을 α, β라 하자. 근과 계수의 관계에 의해 $\log_2\alpha+\log_2\beta=1$, $\log_2\alpha\times\log_2\beta=b$

주어진 두 방정식의 두 근을 α, β라 하자.

$2^{2x}-a\times2^x+8=0$에서 $2^x=t$ $(t>0)$로 놓으면

$t^2-at+8=0$

이 이차방정식의 두 근은 2^α, 2^β이므로 이차방정식의 근과 계수의 관계에 의하여

$2^\alpha+2^\beta=a$, $2^\alpha\times2^\beta=8$ ······ ㉠

또 $(\log_2 x)^2-\log_2 x+b=0$에서 $\log_2 x=S$로 놓으면

$S^2-S+b=0$

이 이차방정식의 두 근은 $\log_2\alpha$, $\log_2\beta$이므로 이차방정식의 근과 계수의 관계에 의하여

$\log_2\alpha+\log_2\beta=1$, $\log_2\alpha\times\log_2\beta=b$ ······ ㉡

㉠, ㉡에서 $2^{\alpha+\beta}=2^3$, $\log_2\alpha\beta=1$이므로

$\alpha+\beta=3$, $\alpha\beta=2$

두 식을 연립하여 풀면 $\begin{cases}\alpha=1\\ \beta=2\end{cases}$ 또는 $\begin{cases}\alpha=2\\ \beta=1\end{cases}$ 이므로

$a=2+2^2=6$

$b=\log_2 1\times\log_2 2=0$

$\therefore a+b=6$

답 6

0748

• 양변에 밑이 $\frac{1}{5}$인 로그를 취하면 $\log_{\frac{1}{5}} x^{\log_{\frac{1}{5}} x}\ge\log_{\frac{1}{5}} ax^2$

> 부등식 $x^{\log_{\frac{1}{5}} x}\le ax^2$이 모든 양수 x에 대하여 항상 성립하도록 양수 a의 값을 정할 때, a의 최솟값을 구하시오.

$x^{\log_{\frac{1}{5}} x}\le ax^2$의 양변에 밑이 $\frac{1}{5}$인 로그를 취하면

$\log_{\frac{1}{5}} x^{\log_{\frac{1}{5}} x}\ge\log_{\frac{1}{5}} ax^2$

$(\log_{\frac{1}{5}} x)^2-2\log_{\frac{1}{5}} x-\log_{\frac{1}{5}} a\ge0$

$\log_{\frac{1}{5}} x=t$로 놓으면

$t^2-2t-\log_{\frac{1}{5}} a\ge0$

이 부등식이 항상 성립해야 하므로 이차방정식

$t^2-2t-\log_{\frac{1}{5}} a=0$의 판별식을 D라 하면

$\frac{D}{4}=1+\log_{\frac{1}{5}} a\le 0$

$\log_{\frac{1}{5}} a\le -1$

$\therefore a\ge 5$

따라서 a의 최솟값은 5이다.

답 5

0749

n년 후의 연봉은 $a\left(1+\frac{p}{100}\right)^n$이다.

> 현재 연봉이 a원인 회사원이 매년 p%씩 인상된 연봉을 받을 경우 연봉이 현재 연봉의 2배 이상이 되는 것은 10년 후부터라고 한다. 이때, p의 최솟값을 구하시오.
> (단, $\log 2=0.30$, $\log 1.072=0.03$으로 계산한다.)

10년 후의 연봉은 $a\left(1+\frac{p}{100}\right)^{10}$원이므로

$a\left(1+\frac{p}{100}\right)^{10}\ge 2a$

$\left(1+\frac{p}{100}\right)^{10}\ge 2$

양변에 상용로그를 취하면

$10\log\left(1+\frac{p}{100}\right)\ge \log 2$

$\log\left(1+\frac{p}{100}\right)\ge \frac{\log 2}{10}=0.03=\log 1.072$

즉, $1+\frac{p}{100}\ge 1.072$이므로

$p\ge 7.2$

따라서 p의 최솟값은 7.2이다.

답 7.2

0750

$1\le x<10$일 때 $[\log x]=0$, $10\le x<100$일 때 $[\log x]=1$임을 이용하자.

> 정의역이 $\{x\,|\,1\le x<100\}$인 함수 f를 $f(x)=\log x-[\log x]$라 하자. 함수 $y=f(x)$의 그래프와 직선 $y=2-\frac{x}{n}$가 서로 다른 두 점에서 만나도록 하는 자연수 n의 개수를 구하시오.
> (단, $[x]$는 x보다 크지 않은 최대의 정수이다.)

(0, 2)를 지나는 직선이다.

$f(x)$는 $\log x$의 소수 부분이므로 $0\le f(x)<1$이다.

(i) $1\le x<10$일 때,

$0\le \log x<1$이므로 $f(x)=\log x$

(ii) $10\le x<100$일 때,

$1\le \log x<2$이므로 $f(x)=\log x-1$

$\therefore f(x)=\begin{cases}\log x & (1\le x<10)\\ \log x-1 & (10\le x<100)\end{cases}$

즉, 곡선 $y=f(x)$와 직선 $y=2-\frac{x}{n}$는 그림과 같다.

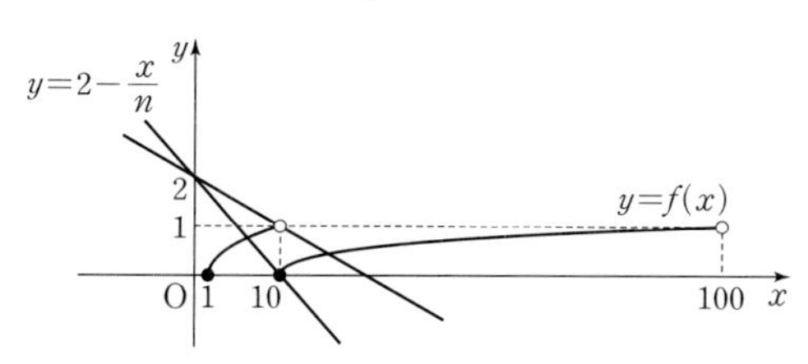

직선 $y=2-\frac{x}{n}$는 y절편이 2이므로 점 (10, 0)을 지날 때와 점 (10, 1)을 지날 때 사이에 위치하면 곡선 $y=f(x)$와 직선 $y=2-\frac{x}{n}$가 만나는 점이 2개가 된다.

(i) 직선 $y=2-\frac{x}{n}$가 점 (10, 0)을 지날 때,

$2-\frac{10}{n}=0 \qquad \therefore n=5$

(ii) 직선 $y=2-\frac{x}{n}$가 점 (10, 1)을 지날 때,

$2-\frac{10}{n}=1 \qquad \therefore n=10$

즉, $5\le n<10$일 때, 곡선 $y=f(x)$와 직선 $y=2-\frac{x}{n}$가 두 점에서 만난다.

따라서 자연수 n의 개수는 5, 6, 7, 8, 9의 5이다.

답 5

0751

$A(\alpha,\ m\alpha)$, $B(\beta,\ m\beta)$라 하자.

> 그림과 같이 함수 $y=\log_2 x$의 그래프와 직선 $y=mx$가 만나는 점을 각각 A, B라 하고, 함수 $y=2^x$의 그래프와 직선 $y=nx$가 만나는 점을 각각 C, D라 하자. 사각형 ABDC는 등변사다리꼴이고 삼각형 OBD의 넓이는 삼각형 OAC의 넓이의 4배일 때, $m+n$의 값을 구하시오. (단, O는 원점이다.)

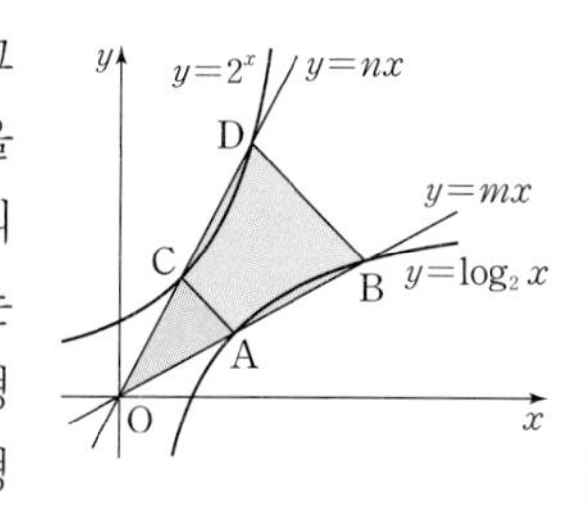

$\overline{OB}:\overline{OA}=2:1$

$A(\alpha, m\alpha)$, $B(\beta, m\beta)$라 하면

$\triangle OBD:\triangle OAC=4:1$이므로

$\overline{OB}:\overline{OA}=2:1$

$\therefore \beta=2\alpha$

두 점 A, B는 곡선 $y=\log_2 x$ 위에 있으므로

$m\alpha=\log_2\alpha \quad \cdots\cdots ㉠$

$m\beta=\log_2\beta \quad \cdots\cdots ㉡$

㉡에서 $2m\alpha=\log_2 2\alpha$ ($\because \beta=2\alpha$)

$2\log_2\alpha=\log_2 2\alpha$ ($\because$ ㉠)이므로

$\alpha^2=2\alpha$, $\alpha(\alpha-2)=0$

$\therefore \alpha=2,\ \beta=4$ ($\because \alpha\ne 0$)

$\therefore A(2, 2m)$, $B(4, 4m)$

점 A는 곡선 $y=\log_2 x$ 위의 점이므로

$2m=\log_2 2 \qquad \therefore m=\frac{1}{2}$

두 함수 $y=2^x$, $y=\log_2 x$는 직선 $y=x$에 대하여 대칭이므로

점 A도 점 C와 직선 $y=x$에 대하여 대칭이다.

즉, A(2, 1), C(1, 2)이고

점 C는 직선 $y=nx$ 위의 점이므로

$n=2$

$\therefore m+n=\frac{5}{2}$

답 $\frac{5}{2}$

0752

이차방정식 $x^2+2(\log k)x+2-\log k=0$의 서로 다른 두 실근을 α, β라 할 때, 두 근이 모두 1보다 크도록 하는 실수 k의 값의 범위를 $\alpha<k<\beta$라 할 때, $\frac{1}{\alpha}+\frac{1}{\beta}$의 값을 구하시오.

• 주어진 이차방정식에서 (판별식)>0, (대칭축)>1, $f(1)>0$이다.

$f(x)=x^2+2(\log k)x+2-\log k$로 놓으면

(i) 서로 다른 두 실근을 가지므로 (판별식)>0이다.

$\frac{D}{4}=(\log k)^2-2+\log k>0$

$(\log k+2)(\log k-1)>0$

$\log k<-2$ 또는 $\log k>1$

$\therefore k<\frac{1}{100}$ 또는 $k>10$

(ii) 두 근이 모두 1보다 크므로 (대칭축)>1이다.

$-\log k>1$

$\therefore k<\frac{1}{10}$

(iii) 두 근이 모두 1보다 크므로 $f(1)>0$이다.

$1+2(\log k)+2-\log k>0$

$\log k>-3$

$\therefore k>\frac{1}{1000}$

(i), (ii), (iii)에서 $\frac{1}{1000}<k<\frac{1}{100}$

$\therefore \alpha=\frac{1}{1000}$, $\beta=\frac{1}{100}$

$\therefore \frac{1}{\alpha}+\frac{1}{\beta}=1000+100=1100$

답 1100

0753

• $a_n=2^n$, $b_n=3^n$

자연수 n에 대하여 직선 $y=n$이 두 로그함수 $y=\log_2 x$, $y=\log_3 x$의 그래프와 만나는 점의 x좌표를 각각 a_n, b_n이라 하자. $a_n \le p \le b_n$을 만족시키는 자연수 p의 개수를 c_n이라 할 때, c_2+c_5의 값은?

• $c_n=b_n-a_n+1$

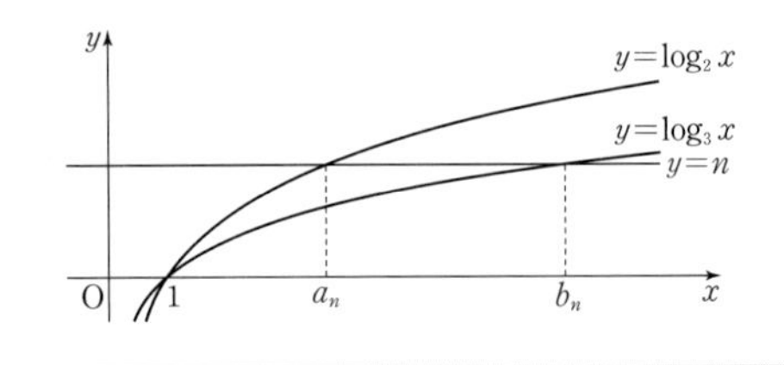

두 로그함수 $y=\log_2 x$, $y=\log_3 x$의 그래프와 직선 $y=n$이 만나는 점을 각각 $A_n(2^n, n)$, $B_n(3^n, n)$이라 하면 $a_n=2^n$, $b_n=3^n$이므로 $c_n=3^n-2^n+1$이다.

$\therefore c_2+c_5=(3^2-2^2+1)(3^5-2^5+1)$

$=218$

답 ②

0754

• $\log_3 x=X$, $\log_3 y=Y$라 하면, $X^2+Y^2=X+Y$

두 양수 x, y에 대하여 등식

$(\log_3 x)^2+(\log_3 y)^2=\log_9 x^2+\log_9 y^2$

이 성립할 때, xy의 최댓값은 M, 최솟값은 m이다. $M+m$의 값을 구하시오.

$(\log_3 x)^2+(\log_3 y)^2=2\log_9 x+2\log_9 y=\log_3 x+\log_3 y$에서

$\log_3 x=X$, $\log_3 y=Y$라 하면

$X^2+Y^2=X+Y$

$X^2-X+\frac{1}{4}+Y^2-Y+\frac{1}{4}=\frac{1}{2}$

$\left(X-\frac{1}{2}\right)^2+\left(Y-\frac{1}{2}\right)^2=\frac{1}{2}$ …… ㉠

$\log_3 xy=\log_3 x+\log_3 y=X+Y$에서

$X+Y-\log_3 xy=0$ …… ㉡

직선 ㉡과 ㉠이 만나야 하므로

$\frac{\left|\frac{1}{2}+\frac{1}{2}-\log_3 xy\right|}{\sqrt{1^2+1^2}}\le\frac{1}{\sqrt{2}}$, $|1-\log_3 xy|\le 1$

$\therefore 0\le\log_3 xy\le 2$

$\therefore 1\le xy\le 9$

$\therefore M+m=9+1=10$

답 10

0755

• $A(a, 2\log_2 a)$라 하자. • $B(a+2, 2\log_2 a)$

그림과 같이 곡선 $y=2\log_2 x$ 위의 한 점 A를 지나고 x축에 평행한 직선이 곡선 $y=2^{x-3}$과 만나는 점을 B라 하자. 점 B를 지나고 y축에 평행한 직선이 곡선 $y=2\log_2 x$와 만나는 점을 D라 하고, 점 D를 지나고 x축에 평행한 직선이 곡선 $y=2^{x-3}$과 만나는 점을 C라 하자. $\overline{AB}=2$, $\overline{BD}=2$일 때, 사각형 ABCD의 넓이를 구하시오.

• $D(a+2, 2\log_2(a+2))$

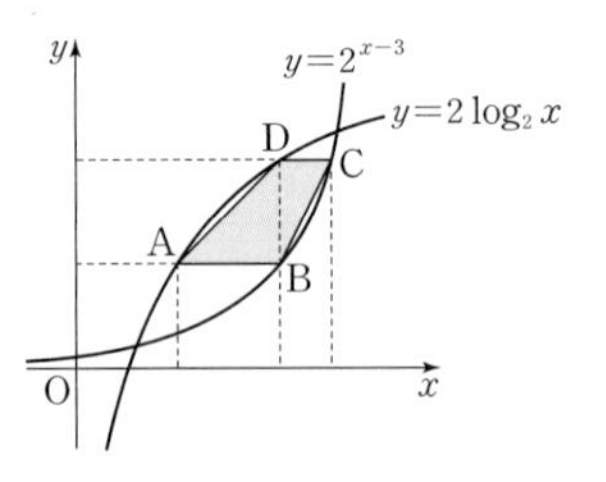

점 A의 좌표를 $(a, 2\log_2 a)$라 하면 $\overline{AB}=2$이므로

두 점 B, D는 각각

$B(a+2, 2\log_2 a)$, $D(a+2, 2\log_2(a+2))$

$\overline{BD}=2$이므로

$2\log_2(a+2)-2\log_2 a=2$

$\log_2\frac{a+2}{a}=1$, $\frac{a+2}{a}=2$

$2a=a+2$ $\therefore a=2$

즉, 점 C의 y좌표가 $2\log_2 4=4$이므로 점 C의 x좌표는

$2^{x-3}=4=2^2$

$x-3=2$ $\therefore x=5$

$\therefore \overline{CD}=1$

따라서 사각형 ABCD의 넓이는

$\frac{1}{2}\times2\times2+\frac{1}{2}\times2\times1=2+1=3$

답 3

0756

좌표평면에서 자연수 n에 대하여 다음 조건을 만족시키는 삼각형 OAB의 개수를 $f(n)$이라 할 때, $f(1)+f(2)$의 값을 구하시오. (단, O는 원점이다.)

(가) 점 A의 좌표는 $(-2, 3^n)$이다.
(나) 점 B의 좌표를 (a, b)라 할 때, a와 b는 자연수이고 $b \le \log_2 a$를 만족시킨다.
(다) 삼각형 OAB의 넓이는 15 이하이다.

• 삼각형 OAB의 넓이는 $\frac{1}{2}(a+2)(3^n+b)-\frac{1}{2}\times2\times3^n-\frac{1}{2}ab$이다.

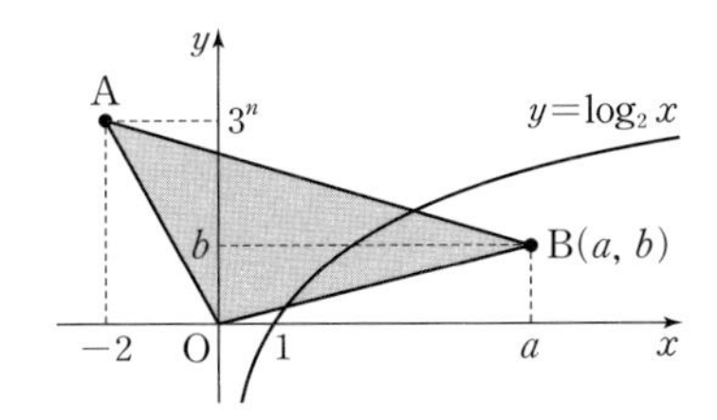

삼각형 OAB의 넓이는

$\frac{1}{2}(a+2)(3^n+b)-\frac{1}{2}\times2\times3^n-\frac{1}{2}ab$

$=\frac{1}{2}(a\times3^n+ab+2\times3^n+2b)-3^n-\frac{1}{2}ab$

$=\frac{3^n}{2}a+b$

넓이가 15 이하이므로

$\frac{3^n}{2}a+b\le15$

$\therefore 3^na+2b\le30$ ······㉠

(i) $n=1$일 때,

㉠에서 $3a+2b\le30$이므로 a는 9 이하의 자연수이다.
$b\le\log_2 a$를 만족시키는 a, b를 찾으면
$a=1$일 때, b는 존재하지 않는다.
$2\le a<2^2$일 때, $b=1$
$2^2\le a<2^3$일 때, $b=1, 2$
$a=8$일 때, $b=1, 2, 3$
$a=9$일 때, $b=1$
$f(1)$은 순서쌍 (a, b)의 개수와 같으므로
$f(1)=1\times(2^2-2)+2\times(2^3-2^2)+3+1$
$=2+8+3+1$
$=14$

(ii) $n=2$일 때,

㉠에서 $9a+2b\le30$이므로 a는 3 이하의 자연수이다.
$b\le\log_2 a$를 만족시키는 a, b를 찾으면
$a=1$일 때, b는 존재하지 않는다.
$a=2$일 때, $b=1$
$a=3$일 때, $b=1$
$f(2)$는 순서쌍 (a, b)의 개수와 같으므로
$f(2)=2$

(i), (ii)에서
$f(1)+f(2)=14+2=16$

답 16

0757

• $A(a^2, 2)$, $B((a+2)^2, 2)$ • $C(a^2, \log_{a+2}a^2)$

1보다 큰 실수 a에 대하여 두 곡선 $y=\log_a x$, $y=\log_{a+2}x$가 직선 $y=2$와 만나는 점을 각각 A, B라 하자. 점 A를 지나고 y축에 평행한 직선이 곡선 $y=\log_{a+2}x$와 만나는 점을 C, 점 B를 지나고 y축에 평행한 직선이 곡선 $y=\log_a x$와 만나는 점을 D라 할 때, 〈보기〉에서 옳은 것만을 있는 대로 고른 것은?

• $D((a+2)^2, \log_a(a+2)^2)$

보기

ㄱ. 점 A의 x좌표는 a^2이다.
ㄴ. $\overline{AC}=1$이면 $a=2$이다.
ㄷ. 삼각형 ACB와 삼각형 ABD의 넓이를 각각 S_1, S_2라 할 때, $\frac{S_2}{S_1}=\log_a(a+2)$이다.

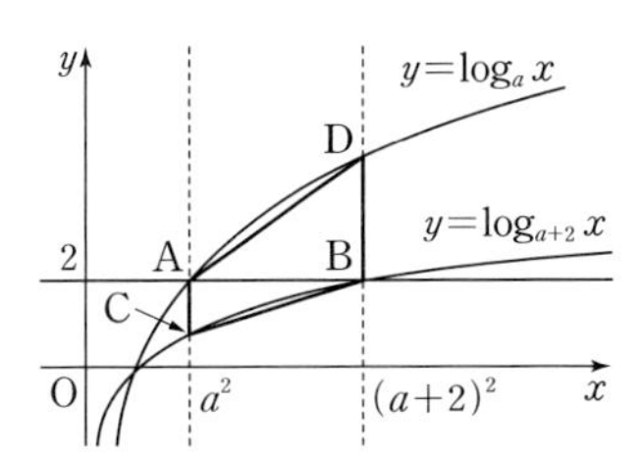

ㄱ. 곡선 $y=\log_a x$와 직선 $y=2$가 점 A에서 만나므로
$\log_a x=2$에서 $x=a^2$이다. (참)

ㄴ. $A(a^2, 2)$, $C(a^2, \log_{a+2}a^2)$에서
$1=\overline{AC}=2-\log_{a+2}a^2$이므로 $\log_{a+2}a^2=1$이다.
$a+2=a^2$
$a^2-a-2=0$에서 $a=-1$ 또는 $a=2$
$a>1$이므로 $a=2$이다. (참)

ㄷ. $A(a^2, 2)$, $B((a+2)^2, 2)$, $C(a^2, \log_{a+2}a^2)$,
$D((a+2)^2, \log_a(a+2)^2)$에서
$\log_a(a+2)=t$라 하면

$$\frac{S_2}{S_1}=\frac{\frac{1}{2}\times\overline{AB}\times\overline{BD}}{\frac{1}{2}\times\overline{AB}\times\overline{AC}}$$
$$=\frac{\overline{BD}}{\overline{AC}}$$
$$=\frac{2\log_a(a+2)-2}{2-2\log_{a+2}a}$$
$$=\frac{\log_a(a+2)-1}{1-\log_{a+2}a}$$
$$=\frac{t-1}{1-\frac{1}{t}}$$
$$=\frac{t(t-1)}{t-1}$$
$$=t$$
$$=\log_a(a+2)$$ (참)

따라서 옳은 것은 ㄱ, ㄴ, ㄷ이다.

답 ⑤

0758

• $|\log_2 x-n|=1$에서 $x=2^{n+1}$ 또는 $x=2^{n-1}$

그림과 같이 자연수 n에 대하여 곡선 $y=|\log_2 x-n|$이 직선 $y=1$과 만나는 두 점을 각각 A_n, B_n이라 하고 곡선 $y=|\log_2 x-n|$이 직선 $y=2$와 만나는 두 점을 각각 C_n, D_n이라 하자. 〈보기〉에서 옳은 것만을 있는 대로 고른 것은?

• $|\log_2 x-n|=2$에서 $x=2^{n+2}$ 또는 $x=2^{n-2}$

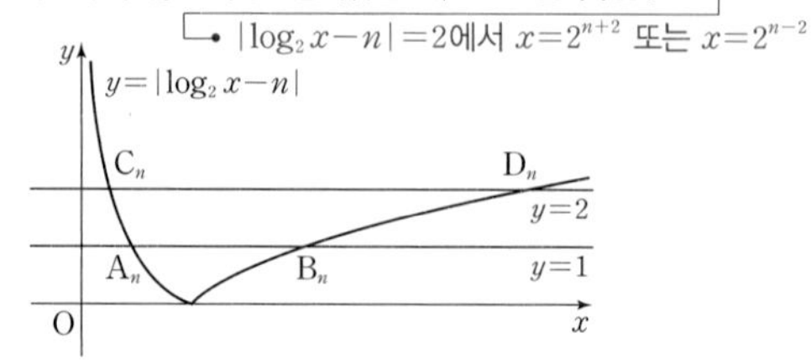

보기

ㄱ. $\overline{A_1B_1}=3$

ㄴ. $\overline{A_nB_n}:\overline{C_nD_n}=2:5$

ㄷ. 사각형 $A_nB_nD_nC_n$의 넓이를 S_n이라 할 때, $21\le S_k\le 210$을 만족시키는 모든 자연수 k의 합은 25이다.

• $S_n=\frac{1}{2}(\overline{A_nB_n}+\overline{C_nD_n})$

$|\log_2 x-n|=1$에서

$\log_2 x-n=1$ 또는 $\log_2 x-n=-1$

$x=2^{n+1}$ 또는 $x=2^{n-1}$

$|\log_2 x-n|=2$에서

$x=2^{n+2}$ 또는 $x=2^{n-2}$

ㄱ. $\overline{A_1B_1}=2^2-2^0=3$ (참)

ㄴ. $\overline{A_nB_n}=2^{n+1}-2^{n-1}=2^n(2-2^{-1})=\frac{3}{2}\times 2^n$

$\overline{C_nD_n}=2^{n+2}-2^{n-2}=2^n(2^2-2^{-2})=\frac{15}{4}\times 2^n$

따라서 $\overline{A_nB_n}:\overline{C_nD_n}=\frac{3}{2}:\frac{15}{4}=2:5$ (참)

ㄷ. $S_n=\frac{1}{2}(\overline{A_nB_n}+\overline{C_nD_n})=\frac{1}{2}(\overline{A_nB_n}+\frac{5}{2}\overline{A_nB_n})$

$=\frac{7}{4}\overline{A_nB_n}=\frac{21}{8}\times 2^n$

따라서 $S_n=21\times 2^{n-3}$

$21\le 21\times 2^{k-3}\le 210$

$1\le 2^{k-3}\le 10$을 만족하는 자연수 k의 값은 3, 4, 5, 6이므로 모든 자연수 k의 값의 합은 18이다.(거짓)

따라서 옳은 것은 ㄱ, ㄴ이다.

답 ②

0759

• $f(x)$는 감소함수이므로 (가), (나)의 조건을 만족하기 위해서 두 교점은 제2사분면과 제4사분면에 한 개씩 존재한다.

자연수 k $(k\le 39)$에 대하여 함수 $f(x)=2\log_{\frac{1}{2}}(x-7+k)+2$의 그래프와 원 $x^2+y^2=64$가 만나는 서로 다른 두 점의 x좌표를 a, b라 하자. 다음 조건을 만족시키는 k의 최댓값과 최솟값을 각각 M, m이라 할 때, $M+m$의 값을 구하시오.

• x좌표의 부호가 다르다.

(가) $ab<0$

(나) $f(a)f(b)<0$

• y좌표의 부호가 다르다.

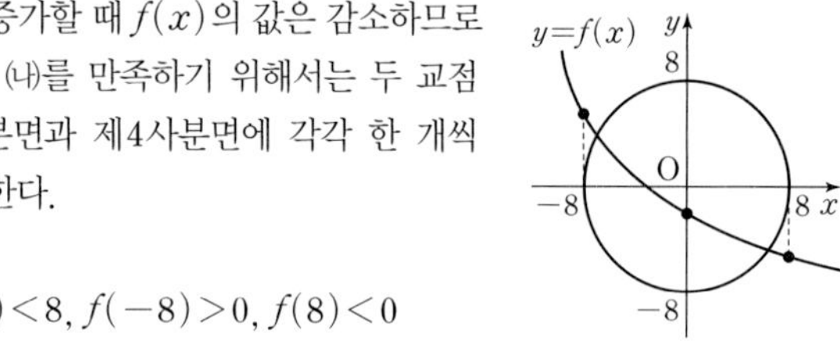

x의 값이 증가할 때 $f(x)$의 값은 감소하므로 조건 (가)와 (나)를 만족하기 위해서는 두 교점이 제2사분면과 제4사분면에 각각 한 개씩 존재해야 한다.

따라서

$-8<f(0)<8$, $f(-8)>0$, $f(8)<0$

이다.

(i) $-8<f(0)<8$

$f(0)=2\log_{\frac{1}{2}}(-7+k)+2$이므로

$-8<2\log_{\frac{1}{2}}(-7+k)+2<8$에서

$\frac{57}{8}<k<39$이다.

(ii) $f(-8)>0$

$f(-8)=2\log_{\frac{1}{2}}(-15+k)+2$이므로

$2\log_{\frac{1}{2}}(-15+k)+2>0$에서

$k<17$이다.

(iii) $f(8)<0$

$f(8)=2\log_{\frac{1}{2}}(1+k)+2$이므로

$2\log_{\frac{1}{2}}(1+k)+2<0$에서

$k>1$이다.

(i), (ii), (iii)에 의해 $\frac{57}{8}<k<17$이다.

따라서 k의 최댓값 $M=16$, 최솟값 $m=8$이므로 $M+m=24$이다.

답 24

삼각함수의 뜻

본책 132~155쪽

0760

답 ㉠

0761

답 ㉣

0762

답 ㉡

0763

답 ㉢

0764

$\angle POX = 360° \times n + \boxed{45}°$ (단, n은 정수)

답 45

0765

$\angle POX = 360° \times n + \boxed{135}°$ (단, n은 정수)

답 135

0766

$\angle POX = 360° \times n + \boxed{240}°$ (단, n은 정수)

답 240

0767

$460° = 360° \times 1 + 100°$이므로

$360° \times n + 100°$ (n은 정수)

답 $360° \times n + 100°$ (n은 정수)

0768

$750° = 360° \times 2 + 30°$이므로

$360° \times n + 30°$ (n은 정수)

답 $360° \times n + 30°$ (n은 정수)

0769

$-300° = 360° \times (-1) + 60°$이므로

$360° \times n + 60°$ (n은 정수)

답 $360° \times n + 60°$ (n은 정수)

0770

$90° < 120° < 180°$이므로 $120°$는 제2사분면의 각이다.

답 제2사분면

0771

$180° < 210° < 270°$이므로 $210°$는 제3사분면의 각이다.

답 제3사분면

0772

$270° < 315° < 360°$이므로 $315°$는 제4사분면의 각이다.

답 제4사분면

0773

$400° = 360° \times 1 + 40°$이고, $0° < 40° < 90°$이므로

$400°$는 제1사분면의 각이다.

답 제1사분면

0774

$-150° = 360° \times (-1) + 210°$이고, $180° < 210° < 270°$이므로

$-150°$는 제3사분면의 각이다.

답 제3사분면

0775

$1° = \frac{\pi}{180}$라디안이므로

$30° = 30 \times 1° = 30 \times \frac{\pi}{180} = \frac{\pi}{6}$

답 $\frac{\pi}{6}$

0776

$1° = \frac{\pi}{180}$라디안이므로

$45° = 45 \times 1° = 45 \times \frac{\pi}{180} = \frac{\pi}{4}$

답 $\frac{\pi}{4}$

0777

$1° = \frac{\pi}{180}$라디안이므로

$60° = 60 \times 1° = 60 \times \frac{\pi}{180} = \frac{\pi}{3}$

답 $\frac{\pi}{3}$

0778

$1° = \frac{\pi}{180}$라디안이므로

$90° = 90 \times 1° = 90 \times \frac{\pi}{180} = \frac{\pi}{2}$

답 $\frac{\pi}{2}$

0779

$1° = \frac{\pi}{180}$라디안이므로

$120° = 120 \times 1° = 120 \times \frac{\pi}{180} = \frac{2}{3}\pi$

답 $\frac{2}{3}\pi$

0780

$1° = \frac{\pi}{180}$라디안이므로

$135° = 135 \times 1° = 135 \times \frac{\pi}{180} = \frac{3}{4}\pi$

답 $\frac{3}{4}\pi$

0781

$1° = \frac{\pi}{180}$라디안이므로

$180° = 180 \times 1° = 180 \times \frac{\pi}{180} = \pi$

답 π

0782

$1° = \frac{\pi}{180}$라디안이므로

$240° = 240 \times 1° = 240 \times \frac{\pi}{180} = \frac{4}{3}\pi$

답 $\frac{4}{3}\pi$

0783

$1° = \frac{\pi}{180}$라디안이므로

$330° = 330 \times 1° = 330 \times \frac{\pi}{180} = \frac{11}{6}\pi$

답 $\frac{11}{6}\pi$

0784

$1^\circ=\frac{\pi}{180}$라디안이므로

$360^\circ=360\times1^\circ=360\times\frac{\pi}{180}=2\pi$ 답 2π

0785

1라디안$=\frac{180^\circ}{\pi}$이므로

$\frac{\pi}{6}=\frac{\pi}{6}\times\frac{180^\circ}{\pi}=30^\circ$ 답 30°

0786

1라디안$=\frac{180^\circ}{\pi}$이므로

$\frac{\pi}{4}=\frac{\pi}{4}\times\frac{180^\circ}{\pi}=45^\circ$ 답 45°

0787

1라디안$=\frac{180^\circ}{\pi}$이므로

$\frac{\pi}{3}=\frac{\pi}{3}\times\frac{180^\circ}{\pi}=60^\circ$ 답 60°

0788

1라디안$=\frac{180^\circ}{\pi}$이므로

$\frac{\pi}{2}=\frac{\pi}{2}\times\frac{180^\circ}{\pi}=90^\circ$ 답 90°

0789

1라디안$=\frac{180^\circ}{\pi}$이므로

$\frac{5}{6}\pi=\frac{5\pi}{6}\times\frac{180^\circ}{\pi}=150^\circ$ 답 150°

0790

1라디안$=\frac{180^\circ}{\pi}$이므로

$\frac{7}{6}\pi=\frac{7\pi}{6}\times\frac{180^\circ}{\pi}=210^\circ$ 답 210°

0791

1라디안$=\frac{180^\circ}{\pi}$이므로

$\frac{4}{3}\pi=\frac{4\pi}{3}\times\frac{180^\circ}{\pi}=240^\circ$ 답 240°

0792

1라디안$=\frac{180^\circ}{\pi}$이므로

$\frac{7}{4}\pi=\frac{7\pi}{4}\times\frac{180^\circ}{\pi}=315^\circ$ 답 315°

0793

1라디안$=\frac{180^\circ}{\pi}$이므로

$2\pi=2\pi\times\frac{180^\circ}{\pi}=360^\circ$ 답 360°

0794

(호의 길이)=(반지름의 길이)×(중심각의 크기)이므로

$\square=6\times\frac{\pi}{6}=\pi$ 답 π

0795

(호의 길이)=(반지름의 길이)×(중심각의 크기)이므로

$\square=9\times\frac{2}{3}\pi=6\pi$ 답 6π

0796

(중심각의 크기)=(호의 길이)÷(반지름의 길이)이므로

$\square=4\pi\div3=\frac{4}{3}\pi$ 답 $\frac{4}{3}\pi$

0797

(반지름의 길이)=(호의 길이)÷(중심각의 크기)이므로

$\square=10\pi\div\frac{5}{6}\pi=10\pi\times\frac{6}{5\pi}=12$ 답 12

0798

(부채꼴의 넓이)$=\frac{1}{2}\times$(반지름의 길이)$^2\times$(중심각의 크기)

$=\frac{1}{2}\times4^2\times\frac{3}{4}\pi$

$=6\pi$ 답 6π

0799

(부채꼴의 넓이)$=\frac{1}{2}\times$(반지름의 길이)×(호의 길이)

$=\frac{1}{2}\times8\times2\pi$

$=8\pi$ 답 8π

[0800-0802] $\overline{OP}=\sqrt{4^2+3^2}=5$이고, 점 P에서 x축에 내린 수선의 발을 Q라 하면 $\overline{OQ}=4$, $\overline{PQ}=3$

0800

$\sin\theta=\frac{\overline{PQ}}{\overline{OP}}=\frac{3}{5}$ 답 $\frac{3}{5}$

0801

$\cos\theta=\frac{\overline{OQ}}{\overline{OP}}=\frac{4}{5}$ 답 $\frac{4}{5}$

0802

$\tan\theta=\frac{\overline{PQ}}{\overline{OQ}}=\frac{3}{4}$ 답 $\frac{3}{4}$

[0803-0805] $\overline{OP}=\sqrt{(-1)^2+2^2}=\sqrt{5}$이고, 점 P에서 x축에 내린 수선의 발을 Q라 하면 $\overline{OQ}=1$, $\overline{PQ}=2$

0803

$\sin\theta=\frac{\overline{PQ}}{\overline{OP}}=\frac{2}{\sqrt{5}}=\frac{2\sqrt{5}}{5}$ 답 $\frac{2\sqrt{5}}{5}$

0804

$\cos\theta=-\frac{\overline{OQ}}{\overline{OP}}=-\frac{1}{\sqrt{5}}=-\frac{\sqrt{5}}{5}$

답 $-\frac{\sqrt{5}}{5}$

0805

$\tan\theta=-\frac{\overline{PQ}}{\overline{OQ}}=-\frac{2}{1}=-2$

답 -2

0806

θ가 제2사분면의 각이므로 $\sin\theta>0$

답 $\sin\theta>0$

0807

θ가 제2사분면의 각이므로 $\cos\theta<0$

답 $\cos\theta<0$

0808

θ가 제2사분면의 각이므로 $\tan\theta<0$

답 $\tan\theta<0$

0809

θ가 제3사분면의 각이므로 $\sin\theta<0$

답 $\sin\theta<0$

0810

θ가 제3사분면의 각이므로 $\cos\theta<0$

답 $\cos\theta<0$

0811

θ가 제3사분면의 각이므로 $\tan\theta>0$

답 $\tan\theta>0$

0812

$\sin 30^\circ=\frac{\overline{AC}}{\overline{AB}}=\frac{1}{2}$

답 $\frac{1}{2}$

0813

$\cos 30^\circ=\frac{\overline{BC}}{\overline{AB}}=\frac{\sqrt{3}}{2}$

답 $\frac{\sqrt{3}}{2}$

0814

$\tan 30^\circ=\frac{\overline{AC}}{\overline{BC}}=\frac{1}{\sqrt{3}}=\frac{\sqrt{3}}{3}$

답 $\frac{\sqrt{3}}{3}$

0815

$\sin 45^\circ=\frac{\overline{DF}}{\overline{DE}}=\frac{1}{\sqrt{2}}=\frac{\sqrt{2}}{2}$

답 $\frac{\sqrt{2}}{2}$

0816

$\cos 45^\circ=\frac{\overline{EF}}{\overline{DE}}=\frac{1}{\sqrt{2}}=\frac{\sqrt{2}}{2}$

답 $\frac{\sqrt{2}}{2}$

0817

$\tan 45^\circ=\frac{\overline{DF}}{\overline{EF}}=\frac{1}{1}=1$

답 1

0818

$\sin 60^\circ=\frac{\overline{GI}}{\overline{GH}}=\frac{\sqrt{3}}{2}$

답 $\frac{\sqrt{3}}{2}$

0819

$\cos 60^\circ=\frac{\overline{HI}}{\overline{GH}}=\frac{1}{2}$

답 $\frac{1}{2}$

0820

$\tan 60^\circ=\frac{\overline{GI}}{\overline{HI}}=\frac{\sqrt{3}}{1}=\sqrt{3}$

답 $\sqrt{3}$

0821

$\tan\theta=\frac{\sin\theta}{\cos\theta}=\frac{\frac{\sqrt{3}}{2}}{-\frac{1}{2}}=-\sqrt{3}$

답 $-\sqrt{3}$

0822

$\sin^2\theta+\cos^2\theta=\left(\frac{\sqrt{3}}{2}\right)^2+\left(-\frac{1}{2}\right)^2$

$=\frac{3}{4}+\frac{1}{4}=1$

답 1

0823

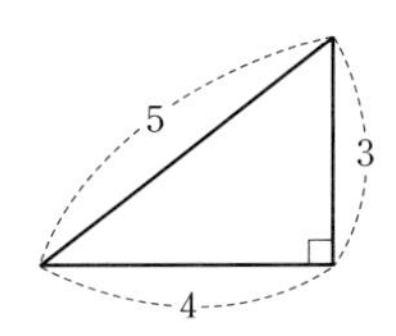

피타고라스의 정리에 의해
삼각형의 변의 길이는
$\sqrt{5^2-3^2}=\sqrt{16}=4$
θ가 제1사분면의 각이므로
$\cos\theta>0$, $\tan\theta>0$
$\therefore \cos\theta=\frac{4}{5}$, $\tan\theta=\frac{3}{4}$

답 $\cos\theta=\frac{4}{5}$, $\tan\theta=\frac{3}{4}$

0824

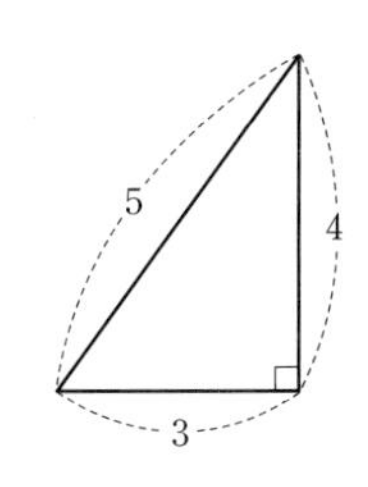

피타고라스의 정리에 의해
삼각형의 변의 길이는
$\sqrt{5^2-4^2}=\sqrt{9}=3$
θ가 제2사분면의 각이므로
$\cos\theta<0$, $\tan\theta<0$
$\therefore \cos\theta=-\frac{3}{5}$, $\tan\theta=-\frac{4}{3}$

답 $\cos\theta=-\frac{3}{5}$, $\tan\theta=-\frac{4}{3}$

0825

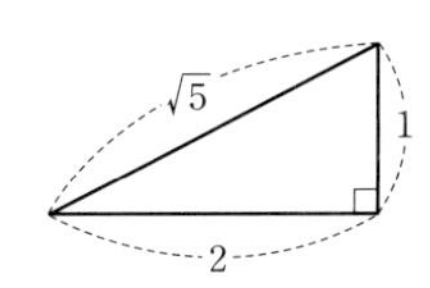

피타고라스의 정리에 의해
삼각형의 변의 길이는
$\sqrt{2^2+1^2}=\sqrt{5}$
θ가 제3사분면의 각이므로
$\sin\theta<0$, $\cos\theta<0$
$\therefore \sin\theta=-\frac{1}{\sqrt{5}}=-\frac{\sqrt{5}}{5}$, $\cos\theta=-\frac{2}{\sqrt{5}}=-\frac{2\sqrt{5}}{5}$

답 $\sin\theta=-\frac{\sqrt{5}}{5}$, $\cos\theta=-\frac{2\sqrt{5}}{5}$

0826

피타고라스의 정리에 의해
삼각형의 변의 길이는
$\sqrt{(\sqrt{2})^2-1^2}=\sqrt{1}=1$
θ가 제4사분면의 각이므로
$\sin\theta<0$, $\tan\theta<0$

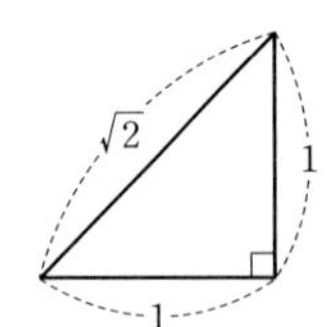

$\therefore \sin\theta=-\frac{1}{\sqrt{2}}=-\frac{\sqrt{2}}{2}$, $\tan\theta=-\frac{1}{1}=-1$

답 $\sin\theta=-\frac{\sqrt{2}}{2}$, $\tan\theta=-1$

0827

주어진 식의 양변을 제곱하면

$\sin^2\theta+2\sin\theta\cos\theta+\cos^2\theta=\frac{1}{4}$

$\sin^2\theta+\cos^2\theta=1$이므로

$2\sin\theta\cos\theta=-\frac{3}{4}$

$\therefore \sin\theta\cos\theta=-\frac{3}{8}$

답 $-\frac{3}{8}$

0828

주어진 식의 양변을 제곱하면

$\sin^2\theta+2\sin\theta\cos\theta+\cos^2\theta=\frac{1}{9}$

$\sin^2\theta+\cos^2\theta=1$이므로

$2\sin\theta\cos\theta=-\frac{8}{9}$

$\therefore \sin\theta\cos\theta=-\frac{4}{9}$

답 $-\frac{4}{9}$

0829

주어진 식의 양변을 제곱하면

$\sin^2\theta-2\sin\theta\cos\theta+\cos^2\theta=\frac{1}{9}$

$\sin^2\theta+\cos^2\theta=1$이므로

$2\sin\theta\cos\theta=\frac{8}{9}$

$\therefore \sin\theta\cos\theta=\frac{4}{9}$

답 $\frac{4}{9}$

0830

> 다음 중 옳지 않은 것은?
>
> ① $15^\circ=\frac{\pi}{12}$ ② $120^\circ=\frac{2}{3}\pi$ ③ $225^\circ=\frac{5}{4}\pi$
>
> ④ $300^\circ=\frac{11}{6}\pi$ ⑤ $360^\circ=2\pi$
>
> $225^\circ=225\times\frac{\pi}{180}=\frac{5}{4}\pi$

① $15^\circ=15\times\frac{\pi}{180}=\frac{\pi}{12}$

② $120^\circ=120\times\frac{\pi}{180}=\frac{2}{3}\pi$

③ $225^\circ=225\times\frac{\pi}{180}=\frac{5}{4}\pi$

④ $300^\circ=300\times\frac{\pi}{180}=\frac{5}{3}\pi$

⑤ $360^\circ=360\times\frac{\pi}{180}=2\pi$

따라서 옳지 않은 것은 ④이다.

답 ④

0831

> 〈보기〉에서 옳은 것만을 있는 대로 고른 것은?
>
> 보기
>
> ㄱ. $\frac{\pi}{3}=60^\circ$ ㄴ. $225^\circ=\frac{5}{4}\pi$
>
> ㄷ. $-\frac{7}{6}\pi=-210^\circ$ ㄹ. $\pi=3.14^\circ$
>
> $\pi=\pi\times\frac{180^\circ}{\pi}=180^\circ$

ㄱ. $\frac{\pi}{3}=\frac{\pi}{3}\times\frac{180^\circ}{\pi}=60^\circ$ (참)

ㄴ. $225^\circ=225\times\frac{\pi}{180}=\frac{5}{4}\pi$ (참)

ㄷ. $-\frac{7}{6}\pi=-\frac{7}{6}\pi\times\frac{180^\circ}{\pi}=-210^\circ$ (참)

ㄹ. $\pi=\pi\times\frac{180^\circ}{\pi}=180^\circ$ (거짓)

따라서 옳은 것은 ㄱ, ㄴ, ㄷ이다.

답 ③

0832

> $150^\circ+\frac{2}{3}\pi-210^\circ=a\pi$일 때, 상수 a의 값은?
>
> $150^\circ=150\times\frac{\pi}{180}=\frac{5}{6}\pi$

$$150^\circ+\frac{2}{3}\pi-210^\circ=\frac{5}{6}\pi+\frac{2}{3}\pi-\frac{7}{6}\pi$$
$$=\frac{5+4-7}{6}\pi$$
$$=\frac{\pi}{3}$$

$\therefore a=\frac{1}{3}$

답 ②

다른풀이 $150^\circ+\frac{2}{3}\pi-210^\circ=150^\circ+120^\circ-210^\circ=60^\circ=\frac{\pi}{3}$

$\therefore a=\frac{1}{3}$

0833

> -120°의 동경이 나타내는 일반각을 $2n\pi+\theta$ 꼴로 나타낼 때, θ의 값은? (단, n은 정수, $0\le\theta<2\pi$)
>
> $-120^\circ=360^\circ\times(-1)+240^\circ$

$1^\circ=\frac{\pi}{180}$ 라디안이고,

$-120^\circ=360^\circ\times(-1)+240^\circ$이므로

$\theta=240^\circ$

$240^\circ=240\times1^\circ=240\times\frac{\pi}{180}=\frac{4}{3}\pi$

답 ④

0834

다음 각 중에서 같은 위치의 동경을 나타내는 것이 아닌 것은?

① -330° ② 750° ③ $\pi-60^\circ$

④ $\frac{13}{6}\pi$ → $2\pi+\frac{\pi}{6}$ ⑤ $-\frac{11}{6}\pi$ → $-2\pi+\frac{\pi}{6}$

① $-330^\circ=360^\circ\times(-1)+30^\circ$

② $750^\circ=360^\circ\times2+30^\circ$

③ $\pi-60^\circ=180^\circ-60^\circ=120^\circ$

④ $\frac{13}{6}\pi=2\pi+\frac{\pi}{6}=360^\circ+30^\circ$

⑤ $-\frac{11}{6}\pi=-2\pi+\frac{\pi}{6}=-360^\circ+30^\circ$

따라서 동경이 다른 하나는 $\pi-60^\circ$이다. 답 ③

0835

$\frac{3}{4}\pi$와 같은 사분면에 속하는 각은?

→ $\frac{\pi}{2}+\frac{\pi}{4}$이므로 제2사분면의 각이다.

① 90° ② 210° ③ 300°

④ -190° ⑤ -300°

$\frac{3}{4}\pi=\frac{\pi}{2}+\frac{\pi}{4}$이므로 제2사분면의 각이다.

$-190^\circ=-360^\circ+170^\circ$이고

$90^\circ<170^\circ<180^\circ$이므로 제2사분면의 각이다. 답 ④

0836

그림에서 반직선 OX를 시초선으로 할 때, 동경 OP가 나타내는 각이 될 수 없는 것은?

→ 동경 OP가 나타내는 일반각은 $360^\circ\times n+60^\circ$ (n은 정수)

P, O, X, 60°

① 420° ② 780°

③ -300° ④ -420°

⑤ -660°

동경 OP가 나타내는 각의 일반각은 $360^\circ\times n+60^\circ$ (n은 정수)

① $420^\circ=360^\circ\times1+60^\circ$

② $780^\circ=360^\circ\times2+60^\circ$

③ $-300^\circ=360^\circ\times(-1)+60^\circ$

④ $-420^\circ=360^\circ\times(-2)+300^\circ$

⑤ $-660^\circ=360^\circ\times(-2)+60^\circ$

따라서 동경 OP가 나타낼 수 없는 것은 ④이다. 답 ④

0837

→ 일반각 $360^\circ\times n+\alpha^\circ$ (n은 정수)에서 $180^\circ<\alpha^\circ<270^\circ$

다음 중 제3사분면의 각의 개수를 구하시오. (단, n은 정수이다.)

-120° 1100° $\frac{23}{4}\pi$ $\frac{3}{2}\pi$ $2n\pi+\frac{9}{8}\pi$ $4n\pi-\frac{\pi}{6}$

$-120^\circ=-360^\circ+240^\circ$이므로 제3사분면

$1100^\circ=360^\circ\times3+20^\circ$이므로 제1사분면

$\frac{23}{4}\pi=4\pi+\pi+\frac{3}{4}\pi$이므로 제4사분면

$\frac{3}{2}\pi$는 어느 사분면에도 속하지 않는다.

$2n\pi+\frac{9}{8}\pi$는 $\pi<\frac{9}{8}\pi<\frac{3}{2}\pi$이므로 제3사분면

$4n\pi-\frac{\pi}{6}=(4n-2)\pi+\pi+\frac{5}{6}\pi$이므로 제4사분면

따라서 제3사분면의 각의 개수는 2이다. 답 2

0838

다음 중 각을 나타내는 동경이 존재하는 사분면이 나머지 넷과 다른 것은?

① 910° ② -520° ③ $-\frac{5}{6}\pi$

④ $\frac{4}{3}\pi$ ⑤ $\frac{14}{5}\pi$

→ ② $360^\circ\times(-2)+200^\circ$이므로 제3사분면의 각

→ ⑤ $2\pi+\frac{4}{5}\pi$이므로 제2사분면의 각

① $910^\circ=360^\circ\times2+190^\circ$이고, $180^\circ<190^\circ<270^\circ$이므로 제3사분면의 각이다.

② $-520^\circ=360^\circ\times(-2)+200^\circ$이고, $180^\circ<200^\circ<270^\circ$이므로 제3사분면의 각이다.

③ $-\frac{5}{6}\pi=2\pi\times(-1)+\frac{7}{6}\pi$이고, $\pi<\frac{7}{6}\pi<\frac{3}{2}\pi$이므로 제3사분면의 각이다.

④ $\pi<\frac{4}{3}\pi<\frac{3}{2}\pi$이므로 제3사분면의 각이다.

⑤ $\frac{14}{5}\pi=2\pi+\frac{4}{5}\pi$이고, $\frac{\pi}{2}<\frac{4}{5}\pi<\pi$이므로 제2사분면의 각이다.

따라서 나머지 넷과 다른 것은 ⑤이다. 답 ⑤

0839

→ $2n\pi+\pi<\theta<2n\pi+\frac{3}{2}\pi$ (n은 정수)

θ가 제3사분면의 각일 때, $\frac{\theta}{2}$는 제 몇 사분면의 각인지 구하시오.

→ 2로 나누면 $n\pi+\frac{\pi}{2}<\frac{\theta}{2}<n\pi+\frac{3}{4}\pi$ (n은 정수)

θ가 제3사분면의 각이므로

$2n\pi+\pi<\theta<2n\pi+\frac{3}{2}\pi$ (n은 정수)

$\therefore n\pi+\frac{\pi}{2}<\frac{\theta}{2}<n\pi+\frac{3}{4}\pi$

이때, $\frac{\theta}{2}$가 존재하는 사분면은 다음과 같다.

(i) $n=2k$ (k는 정수)일 때

$2k\pi+\frac{\pi}{2}<\frac{\theta}{2}<2k\pi+\frac{3}{4}\pi$

즉, $\frac{\theta}{2}$는 제2사분면의 각이다.

(ii) $n=2k+1$ (k는 정수)일 때

$(2k+1)\pi+\frac{\pi}{2}<\frac{\theta}{2}<(2k+1)\pi+\frac{3}{4}\pi$

$\therefore 2k\pi+\frac{3}{2}\pi<\frac{\theta}{2}<2k\pi+\frac{7}{4}\pi$

즉, $\frac{\theta}{2}$는 제4사분면의 각이다.

(ⅰ), (ⅱ)에 의하여 $\frac{\theta}{2}$는 제2사분면 또는 제4사분면의 각이다.

답 제2사분면 또는 제4사분면

0840

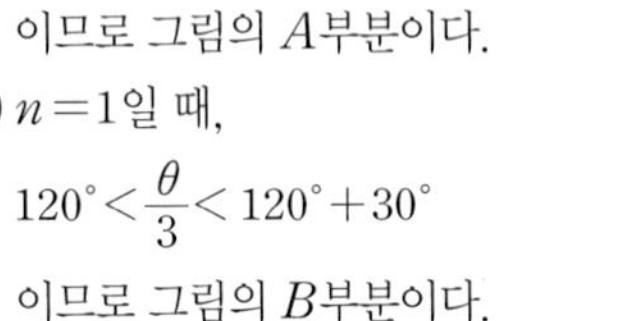

θ가 제1사분면의 각일 때, $\frac{\theta}{3}$의 동경이 존재할 수 있는 사분면을 모두 고른 것은?

- $360^\circ n<\theta<360^\circ n+90^\circ$ (n은 정수)
- 3으로 나누면 $120^\circ n<\frac{\theta}{3}<120^\circ n+30^\circ$ (n은 정수)

θ가 제1사분면의 각이므로

$360^\circ n<\theta<360^\circ n+90^\circ$ (n은 정수)

$\therefore 120^\circ n<\frac{\theta}{3}<120^\circ n+30^\circ$

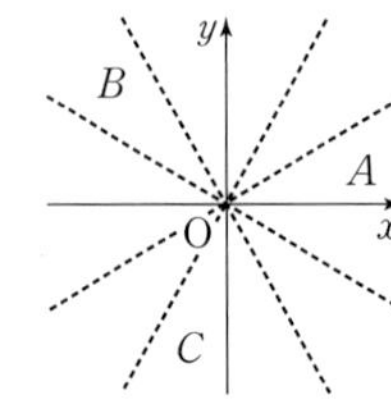

(ⅰ) $n=0$일 때,

$0^\circ<\frac{\theta}{3}<30^\circ$

이므로 그림의 A부분이다.

(ⅱ) $n=1$일 때,

$120^\circ<\frac{\theta}{3}<120^\circ+30^\circ$

이므로 그림의 B부분이다.

(ⅲ) $n=2$일 때,

$240^\circ<\frac{\theta}{3}<240^\circ+30^\circ$

이므로 그림의 C부분이다.

(ⅳ) $n=3$일 때,

$360^\circ<\frac{\theta}{3}<360^\circ+30^\circ$

이므로 그림의 A부분이다.

(ⅴ) $n=4$일 때,

$360^\circ+120^\circ<\frac{\theta}{3}<360^\circ+120^\circ+30^\circ$

이므로 그림의 B부분이다.

(ⅵ) $n=5$일 때,

$360^\circ+240^\circ<\frac{\theta}{3}<360^\circ+240^\circ+30^\circ$

이므로 그림의 C부분이다.

⋮

마찬가지로 세 부분 A, B, C를 계속 반복하게 된다.

따라서 $\frac{\theta}{3}$의 동경이 존재할 수 있는 범위는 제1, 2, 3사분면이다.

답 ③

0841

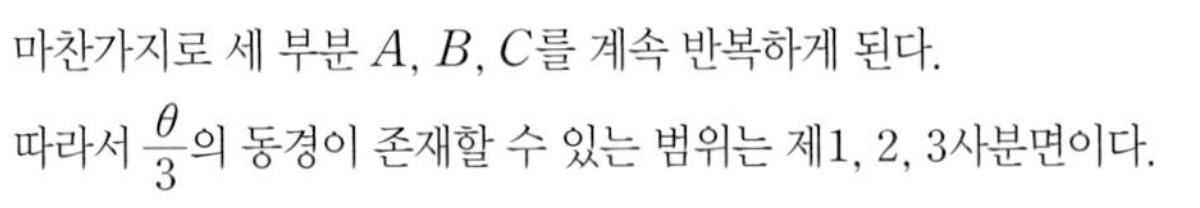

θ가 제3사분면의 각일 때, $\frac{\theta}{3}$가 존재할 수 있는 사분면을 모두 고른 것은?

- $2n\pi+\pi<\theta<2n\pi+\frac{3}{2}\pi$ (n은 정수)
- 3으로 나누면 $\frac{2}{3}n\pi+\frac{\pi}{3}<\frac{\theta}{3}<\frac{2}{3}n\pi+\frac{\pi}{2}$ (n은 정수)

θ가 제3사분면의 각이므로 일반각으로 나타내면

$2n\pi+\pi<\theta<2n\pi+\frac{3}{2}\pi$ (n은 정수)

$\therefore \frac{2}{3}n\pi+\frac{\pi}{3}<\frac{\theta}{3}<\frac{2}{3}n\pi+\frac{\pi}{2}$

이때, $\frac{\theta}{3}$가 존재하는 사분면은 다음과 같다.

(ⅰ) $n=3k$ (k는 정수)일 때

$2k\pi+\frac{\pi}{3}<\frac{\theta}{3}<2k\pi+\frac{\pi}{2}$

즉, $\frac{\theta}{3}$는 제1사분면의 각이다.

(ⅱ) $n=3k+1$ (k는 정수)일 때

$\frac{2}{3}(3k+1)\pi+\frac{\pi}{3}<\frac{\theta}{3}<\frac{2}{3}(3k+1)\pi+\frac{\pi}{2}$

$\therefore 2k\pi+\pi<\frac{\theta}{3}<2k\pi+\frac{7}{6}\pi$

즉, $\frac{\theta}{3}$는 제3사분면의 각이다.

(ⅲ) $n=3k+2$ (k는 정수)일 때

$\frac{2}{3}(3k+2)\pi+\frac{\pi}{3}<\frac{\theta}{3}<\frac{2}{3}(3k+2)\pi+\frac{\pi}{2}$

$\therefore 2k\pi+\frac{5}{3}\pi<\frac{\theta}{3}<2k\pi+\frac{11}{6}\pi$

즉, $\frac{\theta}{3}$는 제4사분면의 각이다.

(ⅰ), (ⅱ), (ⅲ)에서 $\frac{\theta}{3}$는 제1, 3, 4사분면에 존재할 수 있다.

답 ⑤

0842

$\frac{\pi}{2}<\theta<\pi$에 대하여 각 θ를 나타내는 동경과 각 4θ를 나타내는 동경이 일치한다. 이때, θ의 값은?

- $4\theta-\theta=2n\pi$ (n은 정수)에서 $\theta=\frac{2n\pi}{3}$

각 θ를 나타내는 동경과 각 4θ를 나타내는 동경이 일치하므로

$4\theta-\theta=2n\pi$ (n은 정수)

$3\theta=2n\pi$

$\therefore \theta=\frac{2n}{3}\pi$

이때, $\frac{\pi}{2}<\theta<\pi$이므로

$\frac{\pi}{2}<\frac{2n}{3}\pi<\pi$

$\therefore \frac{3}{4}<n<\frac{3}{2}$

따라서 정수 n은 1이므로

$\theta=\frac{2}{3}\pi$

답 ④

0843

> 좌표평면 위의 점 P에 대하여 동경 OP가 나타내는 각의 크기 중 하나를 $\theta\left(\frac{\pi}{2}<\theta<\pi\right)$라 하자. 각의 크기 6θ를 나타내는 동경이 동경 OP와 일치할 때, θ의 값은? (단, O는 원점이고, x축의 양의 방향을 시초선으로 한다.)
>
> → $6\theta-\theta=2n\pi$ (n은 정수)에서 $\theta=\frac{2n\pi}{5}$

각 θ를 나타내는 동경과 각 6θ를 나타내는 동경이 일치하므로

$6\theta-\theta=2n\pi$ (n은 정수)

$\therefore \theta=\frac{2n}{5}\pi$

$\frac{\pi}{2}<\theta<\pi$이므로 $n=2$일 때,

$\theta=\frac{4}{5}\pi$

답 ④

0844

> $0<\theta<2\pi$이고 각 θ의 동경과 각 5θ의 동경이 일치할 때, 모든 θ의 값의 합은?
>
> → $5\theta-\theta=2n\pi$ (n은 정수)에서 $\theta=\frac{n\pi}{2}$

각 θ의 동경과 각 5θ의 동경이 일치하므로

$5\theta-\theta=2n\pi$ (n은 정수) $\therefore \theta=\frac{n\pi}{2}$

$0<\theta<2\pi$에서 $0<\frac{n\pi}{2}<2\pi$이므로

$0<n<4$

그런데 n은 정수이므로 n은 1, 2, 3

$n=1$일 때, $\theta=\frac{\pi}{2}$

$n=2$일 때, $\theta=\pi$

$n=3$일 때, $\theta=\frac{3}{2}\pi$

$\therefore \frac{\pi}{2}+\pi+\frac{3}{2}\pi=3\pi$

답 ③

0845

> 각 θ를 나타내는 동경과 각 7θ를 나타내는 동경이 일직선 위에 있고 방향이 반대일 때, $\sin\left(\theta-\frac{2}{3}\pi\right)$의 값을 구하시오. $\left(단, \frac{\pi}{2}<\theta<\pi\right)$
>
> → $7\theta-\theta=2n\pi+\pi$ (n은 정수)에서 $\theta=\frac{(2n+1)\pi}{6}$

각 θ를 나타내는 동경과 각 7θ를 나타내는 동경이 일직선 위에 있고 방향이 반대이므로

$7\theta-\theta=2n\pi+\pi$ (n은 정수)

$6\theta=(2n+1)\pi$

$\therefore \theta=\frac{2n+1}{6}\pi$

이때, $\frac{\pi}{2}<\theta<\pi$이므로 $\frac{\pi}{2}<\frac{2n+1}{6}\pi<\pi$

$\therefore 1<n<\frac{5}{2}$

즉, $n=2$이므로 $\theta=\frac{5}{6}\pi$

$\therefore \sin\left(\theta-\frac{2}{3}\pi\right)=\sin\left(\frac{5}{6}\pi-\frac{2}{3}\pi\right)$

$=\sin\frac{\pi}{6}=\frac{1}{2}$

답 $\frac{1}{2}$

0846

> 각 θ를 나타내는 동경과 각 6θ를 나타내는 동경이 일직선 위에 있고 방향이 반대일 때, $\sin\left(\theta+\frac{2}{15}\pi\right)$의 값은? $\left(단, 0<\theta<\frac{\pi}{2}\right)$
>
> → $6\theta-\theta=2n\pi+\pi$ (n은 정수)에서 $\theta=\frac{(2n+1)\pi}{5}$

각 θ를 나타내는 동경과 각 6θ를 나타내는 동경이 일직선 위에 있고 방향이 반대이므로

$6\theta-\theta=2n\pi+\pi$ (n은 정수)

$5\theta=(2n+1)\pi$

$\therefore \theta=\frac{2n+1}{5}\pi$

$0<\theta<\frac{\pi}{2}$이므로 $0<\frac{2n+1}{5}\pi<\frac{\pi}{2}$

$0<\frac{2n+1}{5}<\frac{1}{2}$

$\therefore -\frac{1}{2}<n<\frac{3}{4}$

그런데 n은 정수이므로 $n=0$ $\therefore \theta=\frac{\pi}{5}$

$\therefore \sin\left(\theta+\frac{2}{15}\pi\right)=\sin\left(\frac{\pi}{5}+\frac{2}{15}\pi\right)=\sin\frac{\pi}{3}=\frac{\sqrt{3}}{2}$

답 ⑤

0847

> $0°<\theta<90°$이고, 각 2θ를 나타내는 동경과 각 4θ를 나타내는 동경이 x축에 대하여 대칭일 때, θ의 값은?
>
> → $2\theta+4\theta=360°\times n$ (n은 정수)에서 $\theta=60°\times n$

각 2θ를 나타내는 동경과 각 4θ를 나타내는 동경이 x축에 대하여 대칭이므로

$2\theta+4\theta=360°\times n$ (n은 정수)

$6\theta=360°\times n$

$\therefore \theta=60°\times n$

이때, $0°<\theta<90°$이므로

$0°<60°\times n<90°$

$\therefore 0<n<\frac{3}{2}$

따라서 정수 n은 1이므로

$\theta=60°$

답 ④

0848

> $0<\theta<2\pi$인 각 θ에 대하여 각 3θ를 나타내는 동경과 각 5θ를 나타내는 동경이 x축에 대하여 대칭일 때, 각 θ의 개수를 구하시오.
>
> └→ $3\theta+5\theta=2n\pi$ (n은 정수)에서 $\theta=\frac{n\pi}{4}$

3θ를 나타내는 동경과 각 5θ를 나타내는 동경이 x축에 대하여 대칭이므로

$3\theta+5\theta=2n\pi$ (n은 정수)

$8\theta=2n\pi \quad \therefore \theta=\frac{n}{4}\pi$

$0<\theta<2\pi$이므로

$0<\frac{n}{4}\pi<2\pi \quad \therefore 0<n<8$

따라서 정수 n은 $1, 2, \cdots, 7$이므로 각 θ의 개수는 $\frac{\pi}{4}, \frac{\pi}{2}, \cdots, \frac{7}{4}\pi$의 7이다.

답 7

0849

> 각 θ를 나타내는 동경과 각 5θ를 나타내는 동경이 y축에 대하여 대칭이 되는 θ의 값들의 합은? (단, $0<\theta<\pi$)
>
> └→ $\theta+5\theta=2n\pi+\pi$ (n은 정수)에서 $\theta=\frac{(2n+1)\pi}{6}$

y축 대칭이므로

$\theta+5\theta=6\theta=\pi+2n\pi$ (n은 정수)

$\theta=\frac{\pi}{6}+\frac{n}{3}\pi$

$n=0$일 때, $\theta=\frac{\pi}{6}$

$n=1$일 때, $\theta=\frac{\pi}{6}+\frac{\pi}{3}=\frac{\pi}{2}$

$n=2$일 때, $\theta=\frac{\pi}{6}+\frac{2}{3}\pi=\frac{5}{6}\pi$

$n=3$일 때, $\theta=\frac{\pi}{6}+\pi=\frac{7}{6}\pi$

⋮

따라서 $0<\theta<\pi$를 만족하는 θ의 값은 $\frac{\pi}{6}, \frac{\pi}{2}, \frac{5}{6}\pi$이다.

$\therefore \frac{\pi}{6}+\frac{\pi}{2}+\frac{5}{6}\pi=\frac{3}{2}\pi$

답 ③

0850

> $\pi<\theta<2\pi$일 때, 두 각 θ와 3θ를 나타내는 두 동경이 y축에 대하여 대칭이 되도록 하는 모든 θ의 값의 합을 구하시오.
>
> └→ $\theta+3\theta=2n\pi+\pi$ (n은 정수)에서 $\theta=\frac{(2n+1)\pi}{4}$

$\theta+3\theta=4\theta=2n\pi+\pi$이므로

$\theta=\frac{2n+1}{4}\pi$

$n=0$일 때, $\theta=\frac{\pi}{4}$

$n=1$일 때, $\theta=\frac{3}{4}\pi$

$n=2$일 때, $\theta=\frac{5}{4}\pi$

$n=3$일 때, $\theta=\frac{7}{4}\pi$

$n=4$일 때, $\theta=\frac{9}{4}\pi$

⋮

따라서 $\pi<\theta<2\pi$를 만족하는 θ의 값은 $\frac{5}{4}\pi, \frac{7}{4}\pi$이다.

$\therefore \frac{5}{4}\pi+\frac{7}{4}\pi=3\pi$

답 3π

0851

> $0<\theta<2\pi$일 때, θ를 나타내는 동경과 2θ를 나타내는 동경이 직선 $y=x$에 대하여 대칭인 θ의 값들의 합을 구하시오.
>
> └→ $\theta+2\theta=2n\pi+\frac{\pi}{2}$ (n은 정수)에서 $\theta=\frac{2n\pi}{3}+\frac{\pi}{6}$

두 동경이 직선 $y=x$에 대하여 대칭이므로

$\theta+2\theta=\frac{\pi}{2}+2n\pi$ (n은 정수)

$\therefore \theta=\frac{\pi}{6}+\frac{2n\pi}{3}$

따라서 $0<\theta<2\pi$를 만족하는 θ의 값은 $\frac{\pi}{6}, \frac{5}{6}\pi, \frac{3}{2}\pi$이다.

$\therefore \frac{\pi}{6}+\frac{5}{6}\pi+\frac{3}{2}\pi=\frac{5}{2}\pi$

답 $\frac{5}{2}\pi$

참고 두 동경이 나타내는 각의 크기가 각각 α, β일 때,

(1) 일치 ➡ $\alpha-\beta=2n\pi$

(2) 일직선상에 있고 방향이 반대 ➡ $\alpha-\beta=2n\pi+\pi$

(3) 직선 $y=x$에 대하여 대칭 ➡ $\alpha+\beta=2n\pi+\frac{\pi}{2}$

0852

> 시초선이 일치하고 크기가 α, β인 두 각을 나타내는 동경이 직선 $y=-x$에 대하여 대칭일 때, 다음 중 옳은 것은? (단, n은 정수이다.)
>
> └→ $\alpha=2l\pi+\frac{\pi}{2}+\theta$, $\beta=2m\pi+\pi-\theta$ (l, m은 정수)라 하자.
>
> ① $\alpha-\beta=2n\pi$ ② $\alpha-\beta=2n\pi+\pi$
>
> ③ $\alpha+\beta=2n\pi+\frac{\pi}{2}$ ④ $\alpha+\beta=2n\pi+\pi$
>
> ⑤ $\alpha+\beta=2n\pi+\frac{3}{2}\pi$

그림에서

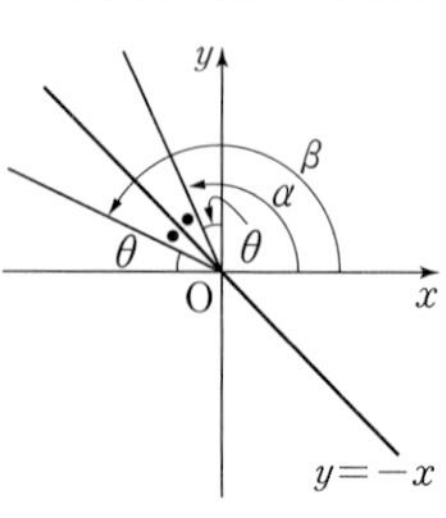

$\alpha=2l\pi+\frac{\pi}{2}+\theta$ (l은 정수)

$\beta=2m\pi+\pi-\theta$ (m은 정수)

$\therefore \alpha+\beta=2(l+m)\pi+\frac{3}{2}\pi$

$=2n\pi+\frac{3}{2}\pi$ ($n=l+m$)

답 ⑤

0853

반지름의 길이가 4, 중심각의 크기가 $\frac{\pi}{6}$인 부채꼴의 호의 길이는?

부채꼴의 호의 길이 공식 $l=r\theta$를 이용하자.

$r=4$, $\theta=\frac{\pi}{6}$

$\therefore l=4\times\frac{\pi}{6}=\frac{2}{3}\pi$

답 ③

0854

반지름의 길이가 6, 중심각의 크기가 $\frac{\pi}{3}$인 부채꼴의 넓이는?

부채꼴의 넓이 공식 $S=\frac{1}{2}r^2\theta$를 이용하자.

$r=6$, $\theta=\frac{\pi}{3}$

이므로 부채꼴의 넓이는

$\frac{1}{2}\times6^2\times\frac{\pi}{3}=6\pi$

답 ③

0855

그림과 같이 반지름의 길이가 4, 중심각의 크기가 315°인 부채꼴이 있다. 이 부채꼴의 둘레의 길이를 구하시오.

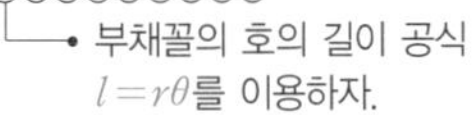

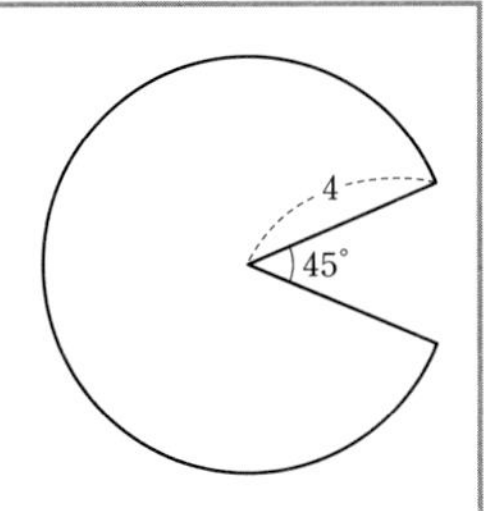

부채꼴의 반지름의 길이를 r, 중심각의 크기를 θ, 호의 길이를 l이라 하면

$r=4$, $\theta=315°=315\times\frac{\pi}{180}=\frac{7}{4}\pi$이므로

$l=r\theta=4\times\frac{7}{4}\pi=7\pi$

따라서 부채꼴의 둘레의 길이는

$2r+l=2\times4+7\pi$

$=8+7\pi$

답 $8+7\pi$

0856

중심각의 크기가 $\frac{\pi}{3}$이고, 호의 길이가 2π cm인 부채꼴의 넓이는?

부채꼴의 넓이 공식 $S=\frac{1}{2}rl$을 이용하자.

부채꼴의 반지름의 길이를 r, 중심각의 크기를 θ, 호의 길이를 l, 넓이를 S라 하면

$\theta=\frac{\pi}{3}$, $l=2\pi$이므로 $l=r\theta$에서

$2\pi=r\times\frac{\pi}{3}$

$\therefore r=6(\text{cm})$

$\therefore S=\frac{1}{2}rl=\frac{1}{2}\times6\times2\pi=6\pi(\text{cm}^2)$

답 ①

0857

반지름의 길이가 12이고, 중심각의 크기가 θ인 부채꼴의 호의 길이가 4π일 때 $\sin\theta$의 값을 구하시오.

부채꼴의 호의 길이 공식 $l=r\theta$에서 θ를 구하자.

$r=12$, $l=4\pi$이므로

$l=r\theta$에서 $4\pi=12\theta$

$\therefore \theta=\frac{\pi}{3}$

따라서 $\sin\theta=\sin\frac{\pi}{3}=\frac{\sqrt{3}}{2}$

답 $\frac{\sqrt{3}}{2}$

0858

반지름의 길이가 2인 부채꼴의 둘레의 길이가 2π일 때, 이 부채꼴의 넓이 S와 중심각의 크기 θ를 각각 구하시오.

부채꼴의 호의 길이 공식 $l=r\theta$에서 θ를 구하자.

부채꼴의 반지름의 길이를 r, 호의 길이를 l이라 하면

부채꼴의 둘레의 길이가 2π이므로

$2r+l=2\pi$에서

$2\times2+l=2\pi$ $\quad\therefore l=2\pi-4$

따라서 부채꼴의 넓이는

$S=\frac{1}{2}\times2\times(2\pi-4)=2\pi-4$

또 $l=r\theta$에서

$2\pi-4=2\theta$ $\quad\therefore \theta=\pi-2$

답 $S=2\pi-4$, $\theta=\pi-2$

0859

중심각의 크기가 $\frac{2}{3}\pi$이고 넓이가 $12\pi\,\text{cm}^2$인 부채꼴의 둘레의 길이를 구하시오.

부채꼴의 넓이 공식 $S=\frac{1}{2}r^2\theta$를 이용하여 r를 구하자.

부채꼴의 반지름의 길이를 r, 중심각의 크기를 θ, 넓이를 S라 하면

$S=\frac{1}{2}r^2\theta$에서 $12\pi=\frac{1}{2}\times r^2\times\frac{2}{3}\pi$

$r^2=36$ $\quad\therefore r=6\ (\because r>0)$

이 부채꼴의 호의 길이를 l이라 하면

$l=r\theta=6\times\frac{2}{3}\pi=4\pi$

따라서 부채꼴의 둘레의 길이는

$2r+l=2\times6+4\pi=12+4\pi(\text{cm})$

답 $(12+4\pi)$cm

0860

호의 길이가 $\frac{\pi}{3}$, 넓이가 $\frac{3}{2}\pi$인 부채꼴의 중심각의 크기는?

부채꼴의 넓이 공식 $S=\frac{1}{2}rl$을 이용하여 r를 구하자.

부채꼴의 반지름의 길이를 r, 중심각의 크기를 θ, 호의 길이를 l, 넓이를 S라 하면

$l=\frac{\pi}{3}$, $S=\frac{3}{2}\pi$이므로 $S=\frac{1}{2}rl$에서

$\frac{3}{2}\pi=\frac{1}{2}\times r\times\frac{\pi}{3}$

$\therefore r=9$

또 $l=r\theta$에서 $\frac{\pi}{3}=9\times\theta$

$\therefore \theta=\frac{\pi}{27}$

답 ⑤

0861

• 부채꼴의 호의 길이 공식 $l=r\theta$를 이용하자.

그림과 같이 반지름의 길이가 5인 부채꼴의 둘레의 길이와 넓이가 같을 때, 중심각의 크기 θ를 구하시오.

• 부채꼴의 넓이 공식 $S=\frac{1}{2}rl$을 이용하자.

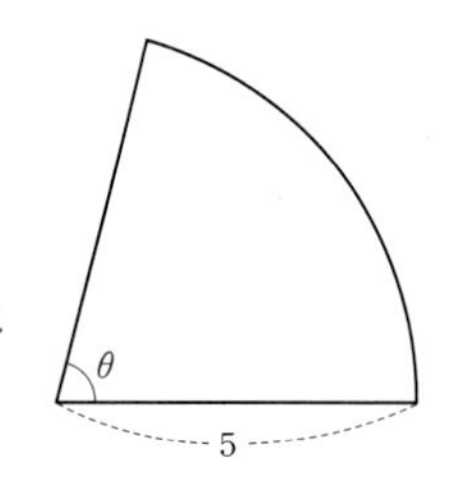

부채꼴의 반지름의 길이를 r, 호의 길이를 l, 넓이를 S라 하면

$r=5$이므로

$l=r\theta=5\theta$

즉, 부채꼴의 둘레의 길이는

$2r+l=10+5\theta$

이고, 부채꼴의 넓이는

$S=\frac{1}{2}rl=\frac{1}{2}\times5\times5\theta=\frac{25}{2}\theta$

이때, 부채꼴의 둘레의 길이와 넓이가 같으므로

$10+5\theta=\frac{25}{2}\theta \quad \therefore \theta=\frac{4}{3}$

답 $\frac{4}{3}$

0862

반지름의 길이가 2인 원의 넓이와 반지름의 길이가 4인 부채꼴의 넓이가 같을 때, 이 부채꼴의 둘레의 길이를 구하시오.

• 부채꼴의 넓이 공식 $S=\frac{1}{2}rl$을 이용하자.

반지름의 길이가 2인 원의 넓이를 S_1이라 하면

$S_1=\pi\times2^2=4\pi$

반지름의 길이가 4인 부채꼴의 호의 길이를 l, 넓이를 S_2라 하면

$S_2=\frac{1}{2}\times4\times l=2l$

이때, $S_1=S_2$이므로

$4\pi=2l$

$\therefore l=2\pi$

따라서 부채꼴의 둘레의 길이는

$2\times4+2\pi=8+2\pi$

답 $8+2\pi$

0863

그림과 같은 부채꼴 AOB에서 반지름의 길이를 10 % 줄이고, 호 AB의 길이를 10 % 늘인 부채꼴의 넓이는 어떤 변화가 있는가?

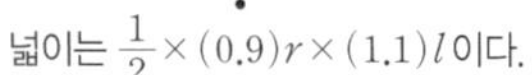

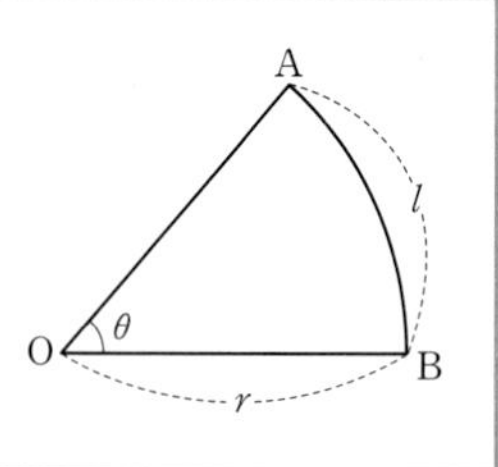

주어진 부채꼴의 넓이를 S라 하면

$S=\frac{1}{2}rl$

반지름의 길이 r를 10 % 줄이고, 호의 길이 l을 10 % 늘인 부채꼴의 넓이를 S'이라 하면

$S'=\frac{1}{2}\times\left(1-\frac{10}{100}\right)r\times\left(1+\frac{10}{100}\right)l$

$=\frac{1}{2}\times\frac{9}{10}r\times\frac{11}{10}l$

$=\frac{99}{100}\times\frac{1}{2}rl$

$=\frac{99}{100}S$

따라서 처음 부채꼴의 넓이에서 1 % 줄어든다.

답 ②

0864

호의 길이가 10π cm인 부채꼴 OAB가 있다. 이 부채꼴을 접어 만든 원뿔 모양의 입체는 밑면의 둘레의 길이가 호 AB의 길이와 같고, 부피는 $100\pi\text{cm}^3$이다. 이 부채꼴의 중심각의 크기를 구하시오.

• 부채꼴 OAB의 반지름의 길이는 원뿔의 모선의 길이와 같다.

원뿔의 밑면의 둘레의 길이가 10π이므로 반지름의 길이는 5이다.

$\frac{1}{3}\times\pi\times5^2\times h=100\pi$에서 $h=12$ (cm)

부채꼴 OAB의 반지름의 길이는 원뿔의 모선의 길이와 같으므로

$\sqrt{5^2+12^2}=13$ (cm)

따라서 부채꼴의 중심각의 크기는 $\frac{10}{13}\pi$이다.

답 $\frac{10}{13}\pi$

0865

그림은 어느 공연장의 무대와 객석이다. 부채꼴 OAB에서 호 AB의 길이는 48 m, 부채꼴 OCD에서 호 CD의 길이는 18 m이고 $\overline{AC}=\overline{BD}=20$ m일 때, 이 공연장의 객석 부분인 도형 ABDC의 넓이를 구하시오.

• 부채꼴 OAB의 넓이에서 부채꼴 OCD의 넓이를 뺀 것이다.

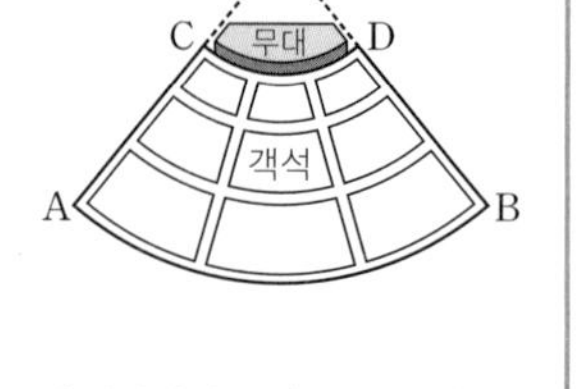

부채꼴 OAB의 중심각의 크기를 θ라고 하고, $\overline{OC}=r$라 하면

부채꼴 OCD에서 호 CD의 길이는 18 m이므로

$r\theta=18$

부채꼴 OAB에서 호 AB의 길이는 48 m이므로

$(r+20)\theta=48$

두 식을 연립하면

$\theta=\frac{3}{2}$, $r=12$

그러므로 부채꼴 OAB의 넓이는 $\frac{1}{2}\times32\times48=768\ (\text{m}^2)$

부채꼴 OCD의 넓이는 $\frac{1}{2}\times12\times18=108\ (\text{m}^2)$

따라서 도형 ABDC의 넓이는

$768-108=660\ (\text{m}^2)$

답 $660\ \text{m}^2$

0866

그림과 같은 부채꼴 AOB에서 호 AB의 길이는 $\frac{4}{3}\pi$, $\overline{AH}\perp\overline{OB}$, $\angle AOH=\frac{\pi}{3}$일 때, 색칠한 부분의 넓이를 구하시오.

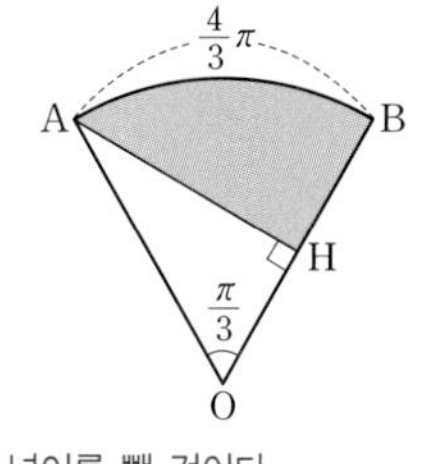

• 부채꼴 OAB의 넓이에서 삼각형 AOH의 넓이를 뺀 것이다.

부채꼴 AOB의 반지름의 길이를 r, 중심각의 크기를 θ, 호의 길이를 l이라 하면

$\theta=\frac{\pi}{3}$, $l=\frac{4}{3}\pi$이므로 $l=r\theta$에서

$\frac{4}{3}\pi=\frac{\pi}{3}r \quad \therefore r=4$

부채꼴 AOB의 넓이 S는

$S=\frac{1}{2}r^2\theta=\frac{1}{2}\times4^2\times\frac{\pi}{3}=\frac{8}{3}\pi$

한편, 직각삼각형 AOH에서

$\overline{AH}=4\times\sin\frac{\pi}{3}=4\times\frac{\sqrt{3}}{2}=2\sqrt{3}$

$\overline{OH}=4\times\cos\frac{\pi}{3}=4\times\frac{1}{2}=2$

이므로 직각삼각형 AOH의 넓이는

$\frac{1}{2}\times2\times2\sqrt{3}=2\sqrt{3}$

따라서 구하는 넓이는

$\frac{8}{3}\pi-2\sqrt{3}$

답 $\frac{8}{3}\pi-2\sqrt{3}$

0867

그림과 같이 밑면의 반지름의 길이가 1인 세 개의 원기둥을 끈으로 팽팽하게 묶으려고 한다. 이때, 필요한 끈의 길이의 최솟값은?

(단, 매듭을 지은 부분의 길이는 생각하지 않는다.)

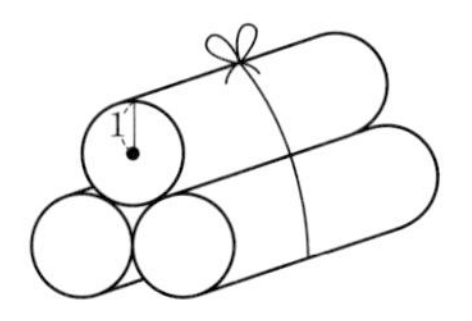

• 원기둥을 밑면에 평행한 평면으로 자른 단면을 생각하자.

그림과 같이 원기둥을 밑면에 평행한 평면으로 자른 단면을 생각하자.

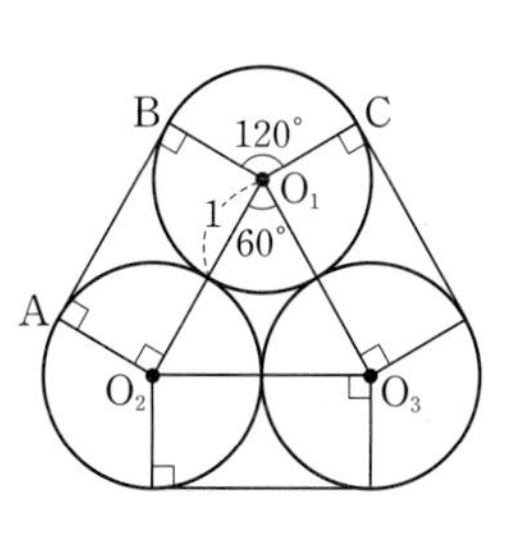

삼각형 $O_1O_2O_3$는 정삼각형이므로 필요한 끈의 길이는

$3(\overline{AB}+\widehat{BC})$

이때, 각 원기둥의 밑면인 원의 반지름의 길이가 1이므로

$\overline{AB}=2$, $\widehat{BC}=1\times\frac{2}{3}\pi=\frac{2}{3}\pi$

$\therefore$ (끈의 길이의 최솟값)$=3(\overline{AB}+\widehat{BC})$

$=3\left(2+\frac{2\pi}{3}\right)$

$=6+2\pi$

답 ⑤

0868

그림과 같이 반지름의 길이가 2 m인 반원 모양의 잔디밭에 폭 1 m인 자갈길을 만들었을 때, 자갈길의 넓이는?

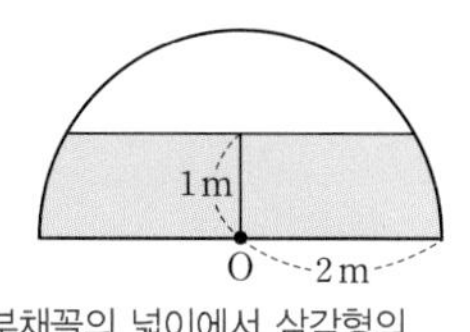

• 활꼴의 넓이는 부채꼴의 넓이에서 삼각형의 넓이를 뺀 것으로 구할 수 있다.

그림에서 $\overline{OD}=2$, $\overline{OE}=1$이므로

직각삼각형 DOE에서

$\overline{DE}=\sqrt{3}$, $\angle DOE=60°$

$\therefore \angle AOD=30°=\frac{\pi}{6}$

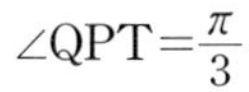

따라서 자갈길의 넓이는

2(삼각형 DOE의 넓이)+2(부채꼴 AOD의 넓이)

$=2\times\left(\frac{1}{2}\times\sqrt{3}\times1\right)+2\times\left(\frac{1}{2}\times2^2\times\frac{\pi}{6}\right)$

$=\sqrt{3}+\frac{2}{3}\pi\ (\text{m}^2)$

답 ③

0869

그림과 같이 한 변의 길이가 20인 정사각형 PQRS가 있다. 두 점 P, Q를 각각의 중심으로 하고 반지름의 길이가 20인 사분원을 그릴 때, 색칠한 부분의 넓이를 구하시오.

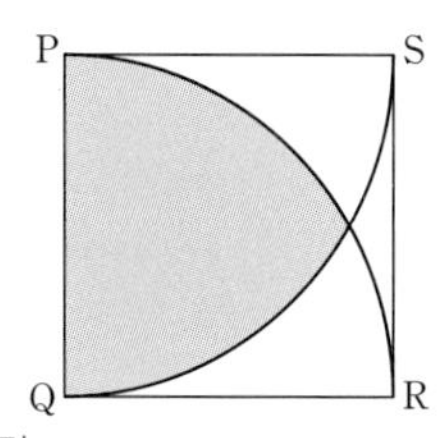

• 두 개의 사분원의 교점을 점 T라 하면 $\triangle PTQ$는 정삼각형이다.

그림과 같이 두 사분원이 만나는 점을 T라 하면 세 선분 PQ, PT, QT는 모두 사분원의 반지름이므로

$\overline{PQ}=\overline{PT}=\overline{QT}$

즉, 삼각형 PQT는 정삼각형이므로

$\angle QPT=\frac{\pi}{3}$

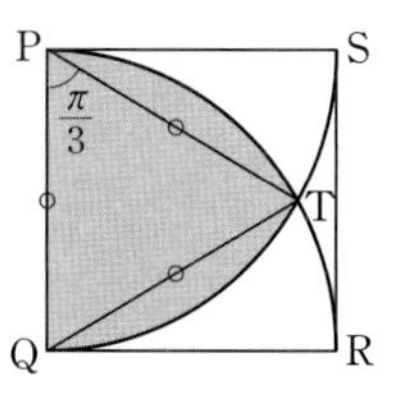

부채꼴 QPT의 넓이는 $\frac{1}{2}\times20^2\times\frac{\pi}{3}=\frac{200}{3}\pi$

정삼각형 PQT의 넓이는 $\frac{\sqrt{3}}{4}\times 20^2=100\sqrt{3}$

활꼴 QT의 넓이는

(부채꼴 QPT의 넓이)$-\triangle$PQT$=\frac{200}{3}\pi-100\sqrt{3}$

따라서 구하는 넓이는

(부채꼴 PQT의 넓이)+(활꼴 QT의 넓이)

$=\frac{200}{3}\pi+\left(\frac{200}{3}\pi-100\sqrt{3}\right)$

$=\frac{400}{3}\pi-100\sqrt{3}$ 답 $\frac{400}{3}\pi-100\sqrt{3}$

0870

> 둘레의 길이가 96인 부채꼴 중에서 넓이가 최대인 부채꼴의 반지름의 길이를 구하시오.
> 부채꼴의 반지름의 길이를 r, 호의 길이를 l, 넓이를 S라고 하자.

부채꼴의 반지름의 길이를 r, 호의 길이를 l, 넓이를 S라고 하면 부채꼴의 둘레의 길이는

$2r+l=96$

부채꼴의 넓이는

$S=\frac{1}{2}rl=\frac{1}{2}r(96-2r)=-r^2+48r$

$=-(r^2-48r+24^2)+24^2$

$=-(r-24)^2+24^2$

따라서 $r=24$일 때 부채꼴의 넓이는 최대가 된다. 답 24

0871

> $2r+l=10$에서 $l=10-2r$
> 둘레의 길이가 10인 부채꼴의 넓이가 최대일 때, 이 부채꼴의 중심각의 크기는?
> $S=\frac{1}{2}rl=\frac{1}{2}r(10-2r)$

부채꼴의 반지름의 길이를 r, 중심각의 크기를 θ, 호의 길이를 l, 넓이를 S라 하면

$2r+l=10$에서 $l=10-2r$

부채꼴의 넓이는

$S=\frac{1}{2}r(10-2r)=-\left(r-\frac{5}{2}\right)^2+\frac{25}{4}$

이므로 $r=\frac{5}{2}$일 때, 넓이의 최댓값이 $\frac{25}{4}$이다.

$S=\frac{1}{2}r^2\theta$에서

$\frac{25}{4}=\frac{1}{2}\times\left(\frac{5}{2}\right)^2\times\theta$ $\quad\therefore \theta=2$ 답 ②

0872

> $2r+l=20$에서 $l=20-2r$
> 둘레의 길이가 20인 부채꼴의 최대 넓이를 구하시오.
> $S=\frac{1}{2}rl=\frac{1}{2}r(20-2r)$의 최댓값을 구하자.

부채꼴의 반지름의 길이를 r, 호의 길이를 l, 넓이를 S라 하면

$2r+l=20$에서 $l=20-2r$

따라서 부채꼴의 넓이는

$S=\frac{1}{2}r(20-2r)=-r^2+10r=-(r-5)^2+25$

이므로 $r=5$일 때, 최대 넓이는 25이다. 답 25

0873

> $2r+l=60$에서 $l=60-2r$
> 길이가 60인 울타리를 모두 사용하여 부채꼴 모양의 화단을 만들려고 한다. 화단의 넓이를 최대로 하는 부채꼴의 반지름의 길이와 중심각의 크기를 각각 r, θ라 할 때, $r+\theta$의 값을 구하시오.
> $S=\frac{1}{2}rl=\frac{1}{2}r(60-2r)$ (단, θ의 단위는 라디안)

둘레의 길이가 60이므로 부채꼴의 호의 길이를 l이라 하면 $l+2r=60$

$l=60-2r$

부채꼴의 넓이는

$S=\frac{1}{2}rl=\frac{1}{2}r(60-2r)$

$=-r^2+30r$

$=-(r^2-30r+15^2)+15^2$

$=-(r-15)^2+225$

이므로 $r=15$일 때 최댓값을 갖는다.

$r=15$일 때 $l=30$이고, $l=r\theta$이므로

$\theta=2$

$\therefore r+\theta=15+2=17$ 답 17

0874

> $\frac{1}{2}rl=25$
> 넓이가 25인 부채꼴 중에서 그 둘레의 길이의 최솟값을 구하시오.
> $2r+l\geq 2\sqrt{2rl}$ (단, 등호는 $2r=l$일 때 성립)

부채꼴의 반지름의 길이를 r라 하고, 호의 길이를 l이라고 하면, 부채꼴의 넓이는

$\frac{1}{2}rl=25$

$\therefore rl=50$

둘레의 길이는 $2r+l$이므로

산술평균과 기하평균의 관계에 의하여

$2r+l\geq 2\sqrt{2rl}=2\times\sqrt{2\times 50}=20$

둘레의 길이의 최솟값은 20이다. 답 20

0875

> 넓이가 $4a^2$으로 일정한 부채꼴의 둘레의 길이의 최솟값은?
> 산술평균과 기하평균의 관계에 의하여 $2r+l\geq 2\sqrt{2rl}$ (단, $a>0$)
> (단, 등호는 $2r=l$, $\theta=2$일 때 성립)

부채꼴의 반지름의 길이를 r, 호의 길이를 l, 넓이를 S라 하면

$S=\frac{1}{2}rl=4a^2$에서 $l=\frac{8a^2}{r}$

부채꼴의 둘레의 길이는

$2r+l=2r+\frac{8a^2}{r}$

산술평균과 기하평균의 관계에 의하여

$2r+\frac{8a^2}{r} \geq 2\sqrt{2r\times\frac{8a^2}{r}}=8a$ (단, 등호는 $r=2a$일 때 성립한다.)

따라서 부채꼴의 둘레의 길이의 최솟값은 $8a$이다. 답 ⑤

0876

원점과 점 P$(-4, 3)$에 대하여 $r=\sqrt{16+9}=5$이므로 $\sin\theta=\frac{3}{5}$

> 원점 O와 점 P$(-4, 3)$에 대하여 동경 OP가 나타내는 각의 크기를 θ라 할 때, $5\sin\theta+4\tan\theta$의 값을 구하시오.

원점과 점 P$(-4, 3)$에 대하여

$x=-4$, $y=3$, $r=\sqrt{16+9}=5$

이므로

$\sin\theta=\frac{y}{r}=\frac{3}{5}$

$\tan\theta=\frac{y}{x}=\frac{3}{-4}=-\frac{3}{4}$

$\therefore 5\sin\theta+4\tan\theta=5\times\frac{3}{5}+4\times\left(-\frac{3}{4}\right)=0$ 답 0

0877

원점과 점 P$(5, -12)$에 대하여 $\overline{OP}=\sqrt{5^2+(-12)^2}=13$

> 원점과 점 P$(5, -12)$를 이은 선분을 동경으로 하는 각의 크기를 θ라 할 때, $13(\sin\theta-\cos\theta)+10\tan\theta$의 값은?

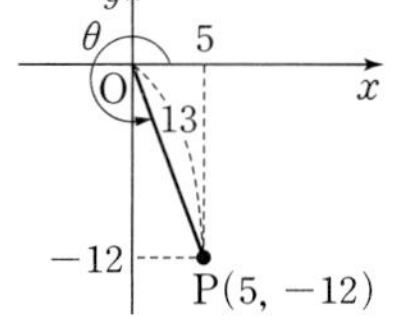

$\overline{OP}=\sqrt{5^2+(-12)^2}=13$이므로

$\sin\theta=-\frac{12}{13}$, $\cos\theta=\frac{5}{13}$,

$\tan\theta=-\frac{12}{5}$

$\therefore 13(\sin\theta-\cos\theta)+10\tan\theta$

$=13\times\left(-\frac{12}{13}-\frac{5}{13}\right)+10\times\left(-\frac{12}{5}\right)$

$=-17-24=-41$ 답 ①

0878

점 P의 좌표를 $(-k, \sqrt{3}k)$ $(k>0)$이라 하면 $r=\sqrt{k^2+3k^2}=2k$

> 제2사분면 위의 점 P가 직선 $y=-\sqrt{3}x$ 위에 있다. 동경 OP가 나타내는 각의 크기를 θ라 할 때, $\sin\theta+\cos\theta+\tan\theta$의 값을 구하시오. (단, O는 원점이다.)

점 P의 좌표를 $(-k, \sqrt{3}k)$ $(k>0)$라 하면

$x=-k$, $y=\sqrt{3}k$, $r=\sqrt{k^2+3k^2}=2k$이므로

$\sin\theta=\frac{y}{r}=\frac{\sqrt{3}k}{2k}=\frac{\sqrt{3}}{2}$

$\cos\theta=\frac{x}{r}=\frac{-k}{2k}=-\frac{1}{2}$

$\tan\theta=\frac{y}{x}=\frac{\sqrt{3}k}{-k}=-\sqrt{3}$

$\therefore \sin\theta+\cos\theta+\tan\theta=\frac{\sqrt{3}}{2}+\left(-\frac{1}{2}\right)+(-\sqrt{3})$

$=-\frac{1}{2}-\frac{\sqrt{3}}{2}$ 답 $-\frac{1}{2}-\frac{\sqrt{3}}{2}$

0879

두 점 P, Q의 좌표는 각각 $(\sqrt{3}, 1)$, $(-\sqrt{3}, -1)$이다.

> 그림과 같이 원 $x^2+y^2=4$와 직선 $y=\frac{1}{\sqrt{3}}x$가 만나는 두 점을 각각 P, Q라 하고 선분 OP가 x축의 양의 방향과 이루는 각의 크기를 α, 선분 OQ가 y축의 양의 방향과 이루는 각의 크기를 β라 할 때, $\sin\alpha+\cos\beta$의 값은? (단, O는 원점이다.)

원 $x^2+y^2=4$와 직선 $y=\frac{1}{\sqrt{3}}x$의 교점을 구하면

$x^2+\frac{1}{3}x^2=4$, $x^2=3$

$\therefore x=\pm\sqrt{3}$, $y=\pm1$ (복부호 동순)

따라서 두 점 P, Q의 좌표는 각각 $(\sqrt{3}, 1)$, $(-\sqrt{3}, -1)$이다.

$\overline{OP}=2$, $\overline{OQ}=2$이므로

$\sin\alpha=\frac{1}{2}$, $\cos\beta=-\frac{1}{2}$

$\therefore \sin\alpha+\cos\beta=\frac{1}{2}+\left(-\frac{1}{2}\right)=0$ 답 ③

0880

> 원점 O와 점 P$(a, 1)$에 대하여 동경 OP가 나타내는 각을 θ라 하면 $\tan\theta=-\frac{3}{5}$이다. 이때, 선분 OP의 길이를 구하시오.
>
> → $\tan\theta=\frac{1}{a}$임을 이용하자.

점 P$(a, 1)$에 대하여

$\tan\theta=\frac{1}{a}=-\frac{3}{5}$ $\quad\therefore a=-\frac{5}{3}$

즉, 점 P의 좌표가 $\left(-\frac{5}{3}, 1\right)$이므로

$\overline{OP}=\sqrt{\left(-\frac{5}{3}\right)^2+1^2}=\frac{\sqrt{34}}{3}$ 답 $\frac{\sqrt{34}}{3}$

0881

> θ가 제2사분면의 각이고 $\cos\theta=-\frac{3}{5}$일 때, $\tan\theta$의 값을 구하시오.
>
> → $\tan\theta<0$이다.

θ가 제2사분면의 각이고 $\cos\theta=-\frac{3}{5}$이므로

$\tan\theta=-\frac{\sqrt{5^2-3^2}}{3}=-\frac{4}{3}$ 답 $-\frac{4}{3}$

0882

> θ가 제3사분면의 각이고 $\tan\theta=2$일 때, $\sin\theta\cos\theta$의 값은?
>
> → $\sin\theta<0$, $\cos\theta<0$이다.

θ가 제3사분면의 각이고 $\tan\theta=2$이므로

$\sin\theta=-\frac{2}{\sqrt{1^2+2^2}}=-\frac{2}{\sqrt{5}}$

$\cos\theta=-\frac{1}{\sqrt{1^2+2^2}}=-\frac{1}{\sqrt{5}}$

$\therefore \sin\theta\cos\theta=\left(-\frac{2}{\sqrt{5}}\right)\times\left(-\frac{1}{\sqrt{5}}\right)=\frac{2}{5}$ 답 ④

0883 • $\cos\theta>0$, $\tan\theta<0$이다.

> θ가 제4사분면의 각이고 $\sin\theta=-\frac{5}{13}$일 때,
> $13\cos\theta+24\tan\theta$의 값을 구하시오.

θ가 제4사분면의 각이고 $\sin\theta=-\frac{5}{13}$이므로

$\cos\theta=\frac{\sqrt{13^2-5^2}}{13}=\frac{12}{13}$

$\tan\theta=-\frac{5}{\sqrt{13^2-5^2}}=-\frac{5}{12}$

$\therefore 13\cos\theta+24\tan\theta=13\times\frac{12}{13}+24\times\left(-\frac{5}{12}\right)$

$=12-10$

$=2$ 답 2

0884 • $\triangle BOA\equiv\triangle AOF\equiv\triangle FOE$

> 그림과 같이 정육각형 ABCDEF가 원 $x^2+y^2=4$에 내접하고 있다. 두 동경 OA, OD가 나타내는 일반각의 크기를 각각 α, β라 할 때, $\frac{\sin\alpha}{\cos\beta}$의 값을 구하시오.
> (단, $\overline{AF}$와 $\overline{CD}$는 x축과 평행하다.)
>
> • 점 A의 좌표는 $(-1, \sqrt{3})$이다.

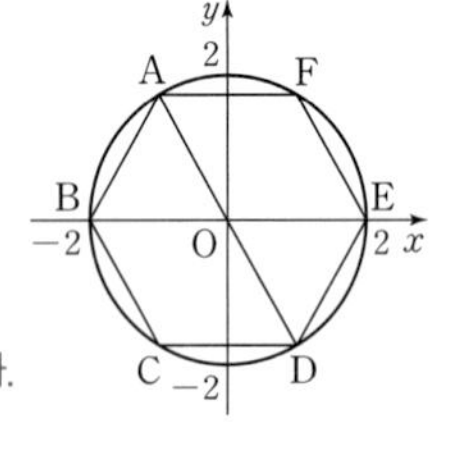

$\triangle BOA$, $\triangle AOF$, $\triangle FOE$에서 $\overline{BO}=\overline{AO}=\overline{FO}=\overline{EO}=2$이고, $\overline{BA}=\overline{AF}=\overline{FE}$이므로 $\triangle BOA\equiv\triangle AOF\equiv\triangle FOE$이고 모두 정삼각형이다.

점 A에서 $\overline{BO}$에 내린 수선의 발을 H라 하면 $\triangle BOA$는 한 변의 길이가 2인 정삼각형이므로

$\overline{AH}=\sqrt{3}$, $\overline{HO}=1$

따라서 $A(-1, \sqrt{3})$이므로 $\sin\alpha=\frac{\sqrt{3}}{2}$

같은 방법으로 $\triangle ODE$도 정삼각형이므로 점 D에서 $\overline{OE}$에 내린 수선의 발을 I라 하면 $\overline{DI}=\sqrt{3}$, $\overline{OI}=1$

따라서 $D(1, -\sqrt{3})$이므로 $\cos\beta=\frac{1}{2}$

α, β는 각각 두 동경 OA, OD가 나타내는 일반각이므로

$\frac{\sin\alpha}{\cos\beta}=\frac{\frac{\sqrt{3}}{2}}{\frac{1}{2}}=\sqrt{3}$ 답 $\sqrt{3}$

0885 • 제2사분면의 각이다.

> $\frac{\pi}{2}<\theta<\pi$일 때, 다음 식을 간단히 하시오.
>
> $|\sin\theta|-\sqrt{\cos^2\theta}-\sqrt{(\cos\theta-\sin\theta)^2}$
>
> • $\cos\theta<0$, $\sin\theta>0$

$\frac{\pi}{2}<\theta<\pi$, 즉 θ가 제2사분면의 각이므로

$\sin\theta>0$, $\cos\theta<0$, $\cos\theta-\sin\theta<0$

(주어진 식)$=|\sin\theta|-|\cos\theta|-|\cos\theta-\sin\theta|$

$=\sin\theta-(-\cos\theta)-\{-(\cos\theta-\sin\theta)\}$

$=\sin\theta+\cos\theta+\cos\theta-\sin\theta$

$=2\cos\theta$ 답 $2\cos\theta$

0886

> $\sin\theta\cos\theta<0$일 때, θ는 제 몇 사분면의 각인가?
>
> • $\sin\theta>0$, $\cos\theta<0$ 또는 $\sin\theta<0$, $\cos\theta>0$

$\sin\theta\cos\theta<0$에서 $\sin\theta>0$, $\cos\theta<0$ 또는 $\sin\theta<0$, $\cos\theta>0$

(i) $\sin\theta>0$, $\cos\theta<0$일 때, θ는 제2사분면의 각이다.

(ii) $\sin\theta<0$, $\cos\theta>0$일 때, θ는 제4사분면의 각이다.

(i), (ii)에서 θ는 제2사분면 또는 제4사분면의 각이다. 답 ⑤

0887 • $\sin\theta$와 $\cos\theta$의 부호가 서로 같으므로 각 θ는 제1사분면의 각이거나 제3사분면의 각이다.

> 다음 중 $\sin\theta\cos\theta>0$, $\cos\theta\tan\theta<0$을 동시에 만족시키는 θ의 값이 될 수 없는 것은?
>
> ① $\frac{8}{7}\pi$ ② $\frac{7}{6}\pi$ ③ $\frac{5}{4}\pi$
> ④ $\frac{7}{5}\pi$ ⑤ $\frac{5}{3}\pi$

(i) $\sin\theta\cos\theta>0$에서 $\sin\theta$와 $\cos\theta$의 부호는 서로 같으므로 각 θ는 제1사분면의 각 또는 제3사분면의 각이다.

(ii) $\cos\theta\tan\theta<0$에서 $\cos\theta$와 $\tan\theta$의 부호는 서로 다르므로 각 θ는 제3사분면의 각 또는 제4사분면의 각이다.

(i), (ii)에서 각 θ는 제3사분면의 각이므로 제3사분면의 각이 아닌 것은 ⑤ $\frac{5}{3}\pi$이다. 답 ⑤

0888

> $\sin\theta\tan\theta>0$, $\sin\theta+\tan\theta<0$을 동시에 만족시키는 각 θ의 동경이 존재할 수 있는 사분면은?
>
> • $\sin\theta$와 $\tan\theta$의 부호가 서로 같으므로 각 θ는 제1사분면의 각이거나 제4사분면의 각이다.

$\sin\theta\tan\theta>0$에서 $\sin\theta$와 $\tan\theta$의 부호는 같고

$\sin\theta+\tan\theta<0$이므로

$\sin\theta<0$, $\tan\theta<0$

따라서 각 θ는 제4사분면에 존재할 수 있다. 답 ④

0889

> $\sin\theta\cos\theta<0$, $\sin\theta\tan\theta>0$을 동시에 만족시키는 각 θ에 대하여 $|1-2\sin\theta|-\sqrt{\cos^2\theta}+\sqrt{(\cos\theta-\sin\theta)^2}$의 값은?
>
> • $\sin\theta$와 $\cos\theta$의 부호가 서로 다르므로 각 θ는 제2사분면의 각이거나 제4사분면의 각이다.

$\sin\theta\cos\theta<0$에서 θ는 제2사분면 또는 제4사분면의 각
$\sin\theta\tan\theta>0$에서 θ는 제1사분면 또는 제4사분면의 각
따라서 θ는 제4사분면의 각이다.
$\sin\theta<0$, $\cos\theta>0$, $\tan\theta<0$이므로
$|1-2\sin\theta|-\sqrt{\cos^2\theta}+\sqrt{(\cos\theta-\sin\theta)^2}$
$=1-2\sin\theta-\cos\theta+\cos\theta-\sin\theta$
$=1-3\sin\theta$

답 ①

0890

> $\sin\theta\tan\theta>0$일 때, 〈보기〉에서 항상 옳은 것만을 있는 대로 고른 것은?
>
> • $\sin\theta$와 $\tan\theta$의 부호가 서로 같으므로 각 θ는 제1사분면의 각이거나 제4사분면의 각이다.
>
> **보기**
> ㄱ. $\sin\theta+|\sin\theta|=0$
> ㄴ. $\sqrt{\cos^2\theta}=\cos\theta$
> ㄷ. $|\tan\theta|=-\tan\theta$

$\sin\theta\tan\theta>0$에서 $\sin\theta$와 $\tan\theta$의 부호가 같으므로 θ는 제1사분면 또는 제4사분면의 각이다.
ㄱ. θ가 제1사분면의 각일 때 $\sin\theta+|\sin\theta|=2\sin\theta$ (거짓)
ㄴ. θ가 제1사분면 또는 제4사분면의 각이므로
$\cos\theta>0$
$\therefore \sqrt{\cos^2\theta}=|\cos\theta|=\cos\theta$ (참)
ㄷ. θ가 제1사분면의 각일 때 $|\tan\theta|=\tan\theta$ (거짓)
따라서 항상 옳은 것은 ㄴ뿐이다.

답 ②

0891

> • $\dfrac{\sqrt{\sin\theta}}{\sqrt{\cos\theta}}=-\dfrac{\sqrt{\sin\theta}}{\sqrt{\cos\theta}}$이므로 $\sin\theta>0$, $\cos\theta<0$이다.
>
> $\dfrac{\sqrt{\sin\theta}}{\sqrt{\cos\theta}}=-\sqrt{\tan\theta}$를 만족시키는 각 θ에 대하여
> $|\sin\theta|-\sqrt{\cos^2\theta}+|1+\sin\theta|+\sqrt{(1-\cos\theta)^2}$
> 을 간단히 하면? (단, $\sin\theta\neq0$)

$\dfrac{\sqrt{\sin\theta}}{\sqrt{\cos\theta}}=-\sqrt{\tan\theta}$에서
$\dfrac{\sqrt{\sin\theta}}{\sqrt{\cos\theta}}=-\sqrt{\dfrac{\sin\theta}{\cos\theta}}$이므로
$\sin\theta>0$, $\cos\theta<0$, 즉 $1+\sin\theta>0$, $1-\cos\theta>0$
$\therefore |\sin\theta|-\sqrt{\cos^2\theta}+|1+\sin\theta|+\sqrt{(1-\cos\theta)^2}$
$=\sin\theta+\cos\theta+(1+\sin\theta)+(1-\cos\theta)$
$=2+2\sin\theta$

답 ④

0892

> $\dfrac{1}{2}\left(\dfrac{1+\sin\theta}{\cos\theta}+\dfrac{\cos\theta}{1+\sin\theta}\right)$를 간단히 하면?
>
> • 분모를 통분하여 계산하자.

$\dfrac{1}{2}\left(\dfrac{1+\sin\theta}{\cos\theta}+\dfrac{\cos\theta}{1+\sin\theta}\right)$
$=\dfrac{1}{2}\times\dfrac{(1+\sin\theta)^2+\cos^2\theta}{\cos\theta(1+\sin\theta)}$
$=\dfrac{1}{2}\times\dfrac{1+2\sin\theta+\sin^2\theta+\cos^2\theta}{\cos\theta(1+\sin\theta)}$
$=\dfrac{1}{2}\times\dfrac{2(1+\sin\theta)}{\cos\theta(1+\sin\theta)}$
$=\dfrac{1}{\cos\theta}$

답 ⑤

0893

> 〈보기〉에서 옳은 것만을 있는 대로 고르시오.
>
> • $\cos^2\theta=1-\sin^2\theta$임을 이용하자.
>
> **보기**
> ㄱ. $\cos^2\theta-\sin^4\theta=1-2\sin^2\theta$
> ㄴ. $(\sin\theta-\cos\theta)^2+(\sin\theta+\cos\theta)^2=2$
> ㄷ. $\tan^2\theta-\sin^2\theta=\tan^2\theta\sin^2\theta$
>
> • $\tan^2\theta=\dfrac{\sin^2\theta}{\cos^2\theta}$

ㄱ. $\cos^2\theta-\sin^4\theta=1-\sin^2\theta-\sin^4\theta$
$\neq1-2\sin^2\theta$ (거짓)
ㄴ. $(\sin\theta-\cos\theta)^2+(\sin\theta+\cos\theta)^2$
$=1-2\sin\theta\cos\theta+1+2\sin\theta\cos\theta=2$ (참)
ㄷ. $\tan^2\theta-\sin^2\theta=\left(\dfrac{\sin\theta}{\cos\theta}\right)^2-\sin^2\theta$
$=\sin^2\theta\left(\dfrac{1}{\cos^2\theta}-1\right)$
$=\sin^2\theta\times\dfrac{1-\cos^2\theta}{\cos^2\theta}$
$=\sin^2\theta\times\dfrac{\sin^2\theta}{\cos^2\theta}$
$=\sin^2\theta\tan^2\theta$
$=\tan^2\theta\sin^2\theta$ (참)
따라서 옳은 것은 ㄴ, ㄷ이다.

답 ㄴ, ㄷ

0894

> $\sin\theta=3\cos\theta$일 때, $\sin\theta\cos\theta$의 값을 구하시오. (단, $\sin\theta\cos\theta\neq0$)
>
> • 양변을 $\cos\theta\ (\neq0)$로 나누면 $\dfrac{\sin\theta}{\cos\theta}=\tan\theta=3$

$\sin\theta=3\cos\theta$의 양변을 $\cos\theta$로 나누면
$\dfrac{\sin\theta}{\cos\theta}=3\quad\therefore \tan\theta=3$
$\tan\theta>0$이므로 θ는 제1사분면 또는 제3사분면의 각이다.

(i) θ가 제1사분면의 각일 때

$\sin\theta=\frac{3}{\sqrt{10}}$, $\cos\theta=\frac{1}{\sqrt{10}}$

(ii) θ가 제3사분면의 각일 때

$\sin\theta=-\frac{3}{\sqrt{10}}$, $\cos\theta=-\frac{1}{\sqrt{10}}$

(i), (ii)에서 $\sin\theta\cos\theta=\frac{3}{10}$

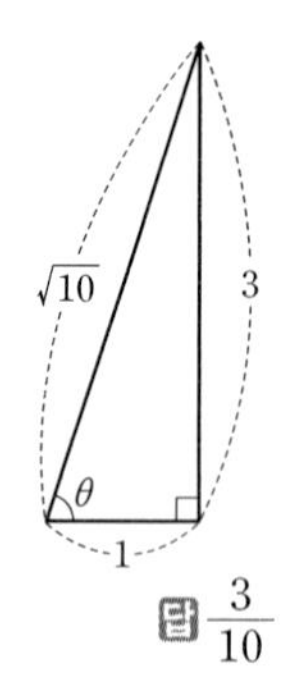

답 $\frac{3}{10}$

0895

$\cos\theta=\frac{\sqrt{2}}{2}$일 때, $\frac{\cos\theta}{1-\sin\theta}+\frac{1-\sin\theta}{\cos\theta}$의 값은?

└ 분모를 통분하여 간단히 하자.

$$\frac{\cos\theta}{1-\sin\theta}+\frac{1-\sin\theta}{\cos\theta}=\frac{\cos^2\theta+1-2\sin\theta+\sin^2\theta}{\cos\theta(1-\sin\theta)}$$
$$=\frac{2(1-\sin\theta)}{\cos\theta(1-\sin\theta)}$$
$$=\frac{2}{\cos\theta}$$
$$=\frac{2}{\frac{\sqrt{2}}{2}}$$
$$=2\sqrt{2}$$

답 ④

0896

θ가 제1사분면의 각이고, $2\tan\theta=\cos\theta$일 때, $\sin\theta$의 값은?

└ $2\times\frac{\sin\theta}{\cos\theta}=\cos\theta$에서 $2\sin\theta=\cos^2\theta$

$2\tan\theta=\cos\theta$에서 $2\times\frac{\sin\theta}{\cos\theta}=\cos\theta$

$\therefore 2\sin\theta=\cos^2\theta$

이때, $\sin^2\theta+\cos^2\theta=1$에서 $\sin^2\theta+2\sin\theta-1=0$

$\sin\theta=t$로 놓으면 $t^2+2t-1=0$

이차방정식의 근의 공식에 의하여

$t=-1\pm\sqrt{2}$

$\therefore \sin\theta=-1\pm\sqrt{2}$

그런데 θ가 제1사분면의 각이므로

$\sin\theta=-1+\sqrt{2}$

답 ③

0897

$\sin x+\cos x=\sqrt{2}$일 때, $\frac{1}{\sin x}+\frac{1}{\cos x}$의 값을 구하시오.

└ 양변을 제곱하면 $\sin^2\theta+2\sin\theta\cos\theta+\cos^2\theta=2$에서 $\sin\theta\cos\theta=\frac{1}{2}$

$\sin x+\cos x=\sqrt{2}$의 양변을 제곱하면

$\sin^2 x+2\sin x\cos x+\cos^2 x=2$

$2\sin x\cos x=1$

$\therefore \sin x\cos x=\frac{1}{2}$

$\therefore \frac{1}{\sin x}+\frac{1}{\cos x}=\frac{\sin x+\cos x}{\sin x\cos x}=\frac{\sqrt{2}}{\frac{1}{2}}=2\sqrt{2}$

답 $2\sqrt{2}$

참고 $(\sin\theta\pm\cos\theta)^2=\sin^2\theta\pm2\sin\theta\cos\theta+\cos^2\theta$
$=1\pm2\sin\theta\cos\theta$ (복부호동순)

0898

θ는 제2사분면의 각이고 $\sin\theta+\cos\theta=\frac{1}{\sqrt{2}}$일 때, $\sin\theta-\cos\theta$의 값을 구하시오.

└ 양변을 제곱하면 $\sin^2\theta+2\sin\theta\cos\theta+\cos^2\theta=\frac{1}{2}$에서 $\sin\theta\cos\theta=-\frac{1}{4}$

└ $\sin\theta>0$, $\cos\theta<0$이므로 $\sin\theta-\cos\theta>0$

$\sin\theta+\cos\theta=\frac{1}{\sqrt{2}}$의 양변을 제곱하면

$1+2\sin\theta\cos\theta=\frac{1}{2}$

$\therefore \sin\theta\cos\theta=-\frac{1}{4}$

$(\sin\theta-\cos\theta)^2=1-2\sin\theta\cos\theta$
$=1-2\times\left(-\frac{1}{4}\right)$
$=\frac{3}{2}$

그런데 θ는 제2사분면의 각이므로

$\sin\theta>0$, $\cos\theta<0$에서 $\sin\theta-\cos\theta>0$

$\therefore \sin\theta-\cos\theta=\sqrt{\frac{3}{2}}=\frac{\sqrt{6}}{2}$

답 $\frac{\sqrt{6}}{2}$

0899

$\sin\theta+\cos\theta=\frac{4}{3}$일 때, $\frac{\sin^2\theta}{\cos\theta}+\frac{\cos^2\theta}{\sin\theta}$의 값은?

└ 양변을 제곱하면 $\sin^2\theta+2\sin\theta\cos\theta+\cos^2\theta=\frac{16}{9}$에서 $\sin\theta\cos\theta=\frac{7}{18}$

$\sin\theta+\cos\theta=\frac{4}{3}$의 양변을 제곱하면

$1+2\sin\theta\cos\theta=\frac{16}{9}$, $2\sin\theta\cos\theta=\frac{7}{9}$

$\therefore \sin\theta\cos\theta=\frac{7}{18}$

$\therefore \frac{\sin^2\theta}{\cos\theta}+\frac{\cos^2\theta}{\sin\theta}$
$=\frac{\sin^3\theta+\cos^3\theta}{\sin\theta\cos\theta}$
$=\frac{(\sin\theta+\cos\theta)(\sin^2\theta-\sin\theta\cos\theta+\cos^2\theta)}{\sin\theta\cos\theta}$
$=\frac{(\sin\theta+\cos\theta)(1-\sin\theta\cos\theta)}{\sin\theta\cos\theta}$

$$=\frac{\frac{4}{3}\left(1-\frac{7}{18}\right)}{\frac{7}{18}}$$

$$=\frac{44}{21}$$

답 ⑤

0900

$\sin\theta-\cos\theta=\frac{1}{2}$일 때, $8\sin\theta\cos\theta$의 값을 구하시오.

→ 양변을 제곱하여 정리하자.

$$(\sin\theta-\cos\theta)^2=\sin^2\theta-2\sin\theta\cos\theta+\cos^2\theta$$
$$=1-2\sin\theta\cos\theta=\left(\frac{1}{2}\right)^2$$

$\therefore 2\sin\theta\cos\theta=1-\frac{1}{4}=\frac{3}{4}$

$\therefore 8\sin\theta\cos\theta=3$

답 3

0901

$\sin\theta-\cos\theta=-\frac{\sqrt{14}}{5}$일 때, $\sin\theta+\cos\theta$의 값을 구하시오. $\left(단, 0<\theta<\frac{\pi}{2}\right)$

→ 양변을 제곱하면 $\sin^2\theta-2\sin\theta\cos\theta+\cos^2\theta=\frac{14}{25}$에서 $2\sin\theta\cos\theta=\frac{11}{25}$

$\sin\theta-\cos\theta=-\frac{\sqrt{14}}{5}$의 양변을 제곱하면

$(\sin\theta-\cos\theta)^2=\frac{14}{25}$

$\sin^2\theta-2\sin\theta\cos\theta+\cos^2\theta=\frac{14}{25}$

$\therefore 2\sin\theta\cos\theta=\frac{11}{25}$

$$(\sin\theta+\cos\theta)^2=\sin^2\theta+2\sin\theta\cos\theta+\cos^2\theta$$
$$=1+2\sin\theta\cos\theta=\frac{36}{25}$$

$\therefore \sin\theta+\cos\theta=\sqrt{\frac{36}{25}}=\frac{6}{5}\ \left(\because 0<\theta<\frac{\pi}{2}\right)$

답 $\frac{6}{5}$

0902

$\frac{1}{\cos\theta}\times\frac{1}{\sin\theta}=2$일 때, $(\sin\theta+\cos\theta)^2$의 값은?

→ $\sin\theta\cos\theta=\frac{1}{2}$임을 이용하자.

$\frac{1}{\cos\theta}\times\frac{1}{\sin\theta}=2$에서 $\sin\theta\cos\theta=\frac{1}{2}$

$$\therefore (\sin\theta+\cos\theta)^2=\sin^2\theta+2\sin\theta\cos\theta+\cos^2\theta$$
$$=1+2\sin\theta\cos\theta$$
$$=2$$

답 ⑤

0903

$0<\theta<\frac{\pi}{2}$이고 $\sin\theta\cos\theta=\frac{1}{3}$일 때, $\sin^3\theta+\cos^3\theta$의 값을 구하시오.

→ 변형된 곱셈공식 $a^3+b^3=(a+b)^3-3ab(a+b)$를 이용하자.

$0<\theta<\frac{\pi}{2}$이므로 $\sin\theta>0$, $\cos\theta>0$이다.

$(\sin\theta+\cos\theta)^2=1+2\sin\theta\cos\theta=1+\frac{2}{3}=\frac{5}{3}$

$\therefore \sin\theta+\cos\theta=\frac{\sqrt{15}}{3}\ \left(0<\theta<\frac{\pi}{2}\right)$

$$\sin^3\theta+\cos^3\theta=(\sin\theta+\cos\theta)^3-3\sin\theta\cos\theta(\sin\theta+\cos\theta)$$
$$=\left(\frac{\sqrt{15}}{3}\right)^3-3\times\frac{1}{3}\times\frac{\sqrt{15}}{3}$$
$$=\frac{15\sqrt{15}}{27}-\frac{9\sqrt{15}}{27}$$
$$=\frac{6\sqrt{15}}{27}$$
$$=\frac{2\sqrt{15}}{9}$$

답 $\frac{2\sqrt{15}}{9}$

0904

$\tan\theta+\frac{1}{\tan\theta}=2$일 때, $\frac{1}{\sin^2\theta}+\frac{1}{\cos^2\theta}$의 값을 구하시오.

→ $\frac{\sin^2\theta+\cos^2\theta}{\cos\theta\sin\theta}=2$에서 $\sin\theta\cos\theta=\frac{1}{2}$

$\tan\theta+\frac{1}{\tan\theta}=2$에서 $\frac{\sin\theta}{\cos\theta}+\frac{\cos\theta}{\sin\theta}=2$

$\frac{\sin^2\theta+\cos^2\theta}{\cos\theta\sin\theta}=2$

$\therefore \sin\theta\cos\theta=\frac{1}{2}$

$$\therefore \frac{1}{\sin^2\theta}+\frac{1}{\cos^2\theta}=\frac{\cos^2\theta+\sin^2\theta}{\sin^2\theta\cos^2\theta}$$
$$=\frac{1}{(\sin\theta\cos\theta)^2}$$
$$=4$$

답 4

0905

$\sin\theta+\cos\theta=\sin\theta\cos\theta$일 때, $\sin\theta\cos\theta$의 값은 $a+b\sqrt{2}$이다. $10a-b$의 값을 구하시오. (단, a, b는 유리수이다.)

→ 양변을 제곱하여 정리하면 $(\sin\theta\cos\theta)^2-2\sin\theta\cos\theta-1=0$

$\sin\theta+\cos\theta=\sin\theta\cos\theta$에서 양변을 제곱하면

$1+2\sin\theta\cos\theta=(\sin\theta\cos\theta)^2$

$(\sin\theta\cos\theta)^2-2\sin\theta\cos\theta-1=0$

$\sin\theta\cos\theta=t$라 하면

$t^2-2t-1=0$

$t=1-\sqrt{2}\ (\because -1\le t\le 1)$

$\therefore \sin\theta\cos\theta=1-\sqrt{2}$

따라서 $a=1$, $b=-1$

$\therefore 10a-b=11$

답 11

0906

> 이차방정식 $3x^2-x+k=0$의 두 근이 $\sin\theta$, $\cos\theta$일 때, 실수 k의 값을 구하시오.
>
> 근과 계수의 관계에 의해 $\sin\theta+\cos\theta=\frac{1}{3}$, $\sin\theta\cos\theta=\frac{k}{3}$

이차방정식 $3x^2-x+k=0$의 두 근이 $\sin\theta$, $\cos\theta$이므로 근과 계수의 관계에 의하여

$\sin\theta+\cos\theta=\frac{1}{3}$, $\sin\theta\cos\theta=\frac{k}{3}$

$\sin\theta+\cos\theta=\frac{1}{3}$의 양변을 제곱하면

$1+2\sin\theta\cos\theta=\frac{1}{9}$

$2\sin\theta\cos\theta=-\frac{8}{9}$

$\therefore \sin\theta\cos\theta=-\frac{4}{9}$

$\therefore k=3\sin\theta\cos\theta=3\times\left(-\frac{4}{9}\right)=-\frac{4}{3}$ 답 $-\frac{4}{3}$

0907

> 이차방정식 $2x^2+kx+1=0$의 두 근이 $\sin\theta$, $\cos\theta$일 때, $k\tan\theta$의 값을 구하시오. (단, $k>0$)
>
> 근과 계수의 관계에 의해 $\sin\theta+\cos\theta=-\frac{k}{2}$, $\sin\theta\cos\theta=\frac{1}{2}$

이차방정식 $2x^2+kx+1=0$의 두 근이 $\sin\theta$, $\cos\theta$이므로 근과 계수의 관계에 의하여

$\sin\theta+\cos\theta=-\frac{k}{2}$ ...... ㉠

$\sin\theta\cos\theta=\frac{1}{2}$ ...... ㉡

㉠의 양변을 제곱하여 정리하면

$1+2\sin\theta\cos\theta=\frac{k^2}{4}$

이 식에 ㉡을 대입하면

$1+2\times\frac{1}{2}=\frac{k^2}{4}$, $k^2=8$

$\therefore k=2\sqrt{2}$ ($\because k>0$)

즉, $2x^2+2\sqrt{2}x+1=0$에서

$(\sqrt{2}x+1)^2=0$

$\therefore x=-\frac{1}{\sqrt{2}}$ (중근)

따라서 $\sin\theta=\cos\theta=-\frac{1}{\sqrt{2}}$이므로

$\tan\theta=1$

$\therefore k\tan\theta=2\sqrt{2}$ 답 $2\sqrt{2}$

0908 근과 계수의 관계에 의해 $\frac{1}{\sin\theta}+\frac{1}{\cos\theta}=k$, $\frac{1}{\sin\theta}\times\frac{1}{\cos\theta}=2$

> 이차방정식 $x^2-kx+2=0$의 두 근이 $\frac{1}{\sin\theta}$, $\frac{1}{\cos\theta}$일 때, k^2의 값을 구하시오. (단, k는 상수이다.)

이차방정식 $x^2-kx+2=0$의 두 근이 $\frac{1}{\sin\theta}$, $\frac{1}{\cos\theta}$이므로 근과 계수의 관계에 의하여

$\frac{1}{\sin\theta}+\frac{1}{\cos\theta}=k$ ...... ㉠

$\frac{1}{\sin\theta}\times\frac{1}{\cos\theta}=2$

$\therefore \sin\theta\cos\theta=\frac{1}{2}$ ...... ㉡

㉠에서

$\frac{1}{\sin\theta}+\frac{1}{\cos\theta}=\frac{\sin\theta+\cos\theta}{\sin\theta\cos\theta}$

$=2(\sin\theta+\cos\theta)=k$ ($\because$ ㉡)

$\therefore k^2=4(\sin^2\theta+2\sin\theta\cos\theta+\cos^2\theta)$

$=4\left(1+2\times\frac{1}{2}\right)$

$=8$ 답 8

0909

> x에 대한 이차방정식 $3x^2-5ax+a^2-1=0$의 두 근이 $\tan\theta$, $\frac{1}{\tan\theta}$일 때, $\sin\theta\cos\theta$의 값을 구하시오. $\left(\text{단, } \frac{\pi}{2}<\theta<\pi\text{이고 } a\text{는 상수이다.}\right)$
>
> 근과 계수의 관계에 의해 $\tan\theta+\frac{1}{\tan\theta}=\frac{5a}{3}$, $\tan\theta\times\frac{1}{\tan\theta}=\frac{a^2-1}{3}=1$

$\tan\theta+\frac{1}{\tan\theta}=\frac{5a}{3}$에서 $\frac{\pi}{2}<\theta<\pi$이므로 $\tan\theta<0$

$\therefore a<0$

$\tan\theta\times\frac{1}{\tan\theta}=\frac{a^2-1}{3}=1$

$a^2=4$에서 $a<0$이므로 $a=-2$

$\tan\theta+\frac{1}{\tan\theta}=\frac{\sin\theta}{\cos\theta}+\frac{\cos\theta}{\sin\theta}$

$=\frac{1}{\cos\theta\sin\theta}=-\frac{10}{3}$

$\therefore \sin\theta\cos\theta=-\frac{3}{10}$ 답 $-\frac{3}{10}$

0910

> $\sin\theta+\cos\theta=\frac{\sqrt{6}}{2}$일 때, $\sin\theta$와 $\cos\theta$를 두 근으로 하고 x^2의 계수가 4인 이차방정식은? $\left(\text{단, } 0<\theta<\frac{\pi}{2}\right)$
>
> 조건을 만족하는 이차방정식은 $4\{x^2-(\sin\theta+\cos\theta)x+\sin\theta\cos\theta\}=0$이다.

$\sin\theta+\cos\theta=\frac{\sqrt{6}}{2}$의 양변을 제곱하면

$1+2\sin\theta\cos\theta=\frac{3}{2}$

$\therefore \sin\theta\cos\theta=\frac{1}{4}$

즉, $\sin\theta$, $\cos\theta$를 두 근으로 하고 이차항의 계수가 1인 이차방정식은

$x^2-(\sin\theta+\cos\theta)x+\sin\theta\cos\theta=0$

$x^2-\frac{\sqrt{6}}{2}x+\frac{1}{4}=0$

$\therefore 4x^2-2\sqrt{6}x+1=0$

답 ②

0911

이차방정식 $2x^2+\sqrt{2}x-\frac{1}{2}=0$의 두 근이 $\sin\theta$, $\cos\theta$일 때, $\tan\theta$, $\frac{1}{\tan\theta}$을 두 근으로 하고 이차항의 계수가 1인 이차방정식을 구하시오.

조건을 만족하는 이차방정식은 $x^2-\left(\tan\theta+\frac{1}{\tan\theta}\right)x+1=0$이다.

이차방정식의 근과 계수의 관계에 의하여

$\sin\theta+\cos\theta=-\frac{\sqrt{2}}{2}$, $\sin\theta\cos\theta=-\frac{1}{4}$

한편, $\tan\theta$, $\frac{1}{\tan\theta}$을 두 근으로 하고 이차항의 계수가 1인 이차방정식은

$x^2-\left(\tan\theta+\frac{1}{\tan\theta}\right)x+1=0$

$$\tan\theta+\frac{1}{\tan\theta}=\frac{\sin\theta}{\cos\theta}+\frac{\cos\theta}{\sin\theta}=\frac{\sin^2\theta+\cos^2\theta}{\sin\theta\cos\theta}=\frac{1}{\sin\theta\cos\theta}=-4$$

따라서 구하는 이차방정식은 $x^2+4x+1=0$

답 $x^2+4x+1=0$

0912

〈보기〉의 각을 나타내는 동경 중 $120°$를 나타내는 동경과 일치하는 것을 고른 것은?

$360°\times n+120°$ (n은 정수)꼴인 각을 찾자.

보기

ㄱ. $840°$ ($840°=360°\times 2+120°$)　ㄴ. $-380°$

ㄷ. $\frac{17}{3}\pi$　ㄹ. $-960°$

ㄱ. $840°=360°\times 2+120°$

ㄴ. $-380°=360°\times(-2)+340°$

ㄷ. $\frac{17}{3}\pi=2\pi\times 2+\frac{5}{3}\pi$

$\frac{5}{3}\pi=\frac{5}{3}\pi\times\frac{180°}{\pi}=300°$

ㄹ. $-960°=360°\times(-3)+120°$

따라서 $120°$를 나타내는 동경과 일치하는 것은 ㄱ, ㄹ이다.

답 ③

0913

θ가 제2사분면의 각일 때, $\frac{\theta}{3}$의 동경이 존재할 수 있는 사분면을 모두 고른 것은?

$360°n+90°<\theta<360°n+180°$ (n은 정수)

3으로 나누면 $120°n+30°<\frac{\theta}{3}<120°n+60°$ (n은 정수)

θ가 제2사분면의 각이므로

$360°\times n+90°<\theta<360°\times n+180°$ (n은 정수)

$120°\times n+30°<\frac{\theta}{3}<120°\times n+60°$이다.

$n=0$일 때, $30°<\frac{\theta}{3}<60°$이므로 제1사분면

$n=1$일 때, $150°<\frac{\theta}{3}<180°$이므로 제2사분면

$n=2$일 때, $270°<\frac{\theta}{3}<300°$이므로 제4사분면

$n=3$일 때, $390°<\frac{\theta}{3}<420°$이므로 제1사분면

$n=4, 5, \cdots$에 대하여도 동경의 위치가 제1사분면, 제2사분면, 제4사분면으로 반복된다.

따라서 $\frac{\theta}{3}$가 존재할 수 있는 사분면은 제1사분면, 제2사분면, 제4사분면이다.

답 ④

0914

어떤 예각을 6배하면 처음의 각의 동경과 일치한다고 할 때, 이 예각의 크기를 구하시오.

$0°<\theta<90°$

$6\theta-\theta=360°\times n$ (n은 정수)

$0°<\theta<90°$일 때, 각 6θ와 θ의 동경이 일치하므로

$6\theta-\theta=360°\times n$ (n은 정수)

$5\theta=360°\times n$　$\therefore \theta=72°\times n$

이때, θ는 예각이므로 $\theta=72°$이다.

답 $72°$

0915

반지름의 길이가 3이고, 중심각의 크기가 $\frac{\pi}{6}$인 부채꼴의 호의 길이를 l, 넓이를 S라고 할 때, $l+S$의 값을 구하시오.

부채꼴의 넓이 공식 $S=\frac{1}{2}r^2\theta$를 이용하자.

부채꼴의 호의 길이 공식 $l=r\theta$를 이용하자.

$r=3$, $\theta=\frac{\pi}{6}$이므로

$l=3\times\frac{\pi}{6}=\frac{\pi}{2}$

$S=\frac{1}{2}\times 3^2\times\frac{\pi}{6}=\frac{3}{4}\pi$

$\therefore l+S=\frac{\pi}{2}+\frac{3}{4}\pi=\frac{5}{4}\pi$

답 $\frac{5}{4}\pi$

0916 서술형

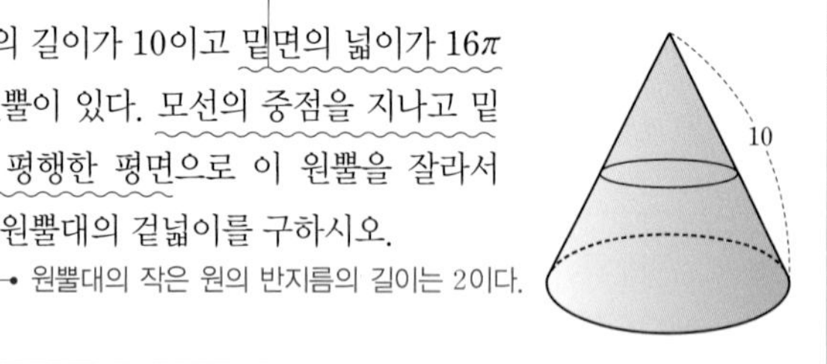

밑면의 넓이가 16π이므로 원뿔대의 큰 원의 반지름의 길이는 4이다.
한편, 작은 원이 모선의 중점을 지나므로 원뿔대의 작은 원의 반지름의 길이는 2이다. …… 30%

밑면의 넓이의 합은 $\pi\times2^2+\pi\times4^2=20\pi$

옆면의 넓이는 $\frac{1}{2}\times10\times8\pi-\frac{1}{2}\times5\times4\pi=30\pi$ …… 50%

따라서 원뿔대의 겉넓이는 $20\pi+30\pi=50\pi$ …… 20%

답 50π

0917

둘레의 길이가 8인 부채꼴의 최대 넓이를 구하시오.
- $2r+l=8$에서 $l=8-2r$ $(0<r<4)$
- $S=\frac{1}{2}rl=\frac{1}{2}r(8-2r)$의 최댓값을 구하자.

부채꼴의 반지름의 길이를 r, 호의 길이를 l, 넓이를 S라 하면
$2r+l=8$에서 $l=8-2r$ $(0<r<4)$
즉, 부채꼴의 넓이는

$$S=\frac{1}{2}r(8-2r)=-r^2+4r=-(r-2)^2+4$$

따라서 $r=2$일 때, 최대의 넓이는 4이다.

답 4

0918

원점 O와 점 P$(4, -3)$에 대하여 동경 OP가 나타내는 각을 θ라 할 때, $\sin\theta+\cos\theta$의 값을 구하시오.
- 원점과 점 P$(4, -3)$에 대하여 $r=\sqrt{16+9}=5$이므로 $\sin\theta=-\frac{3}{5}$

원점 O와 점 P$(4, -3)$에 대하여
$x=4$, $y=-3$, $r=\sqrt{16+9}=5$이므로

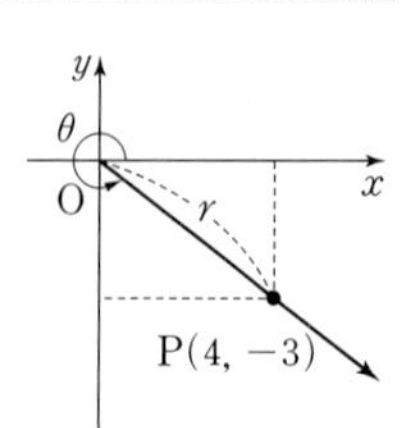

$$\sin\theta=\frac{y}{r}=-\frac{3}{5}$$

$$\cos\theta=\frac{x}{r}=\frac{4}{5}$$

$$\therefore \sin\theta+\cos\theta=\left(-\frac{3}{5}\right)+\frac{4}{5}=\frac{1}{5}$$

답 $\frac{1}{5}$

0919

θ가 제2사분면의 각이고 $\tan\theta=-\frac{3}{4}$일 때, $\sin\theta+\cos\theta$의 값을 구하시오.
- $\sin\theta>0$, $\cos\theta<0$이다.
- $\sin\theta=\frac{3}{5}$

θ가 제2사분면의 각이고 $\tan\theta=-\frac{3}{4}$이므로

$$\sin\theta=\frac{3}{\sqrt{3^2+4^2}}=\frac{3}{5}$$

$$\cos\theta=-\frac{4}{\sqrt{3^2+4^2}}=-\frac{4}{5}$$

$$\therefore \sin\theta+\cos\theta=\frac{3}{5}+\left(-\frac{4}{5}\right)=-\frac{1}{5}$$

답 $-\frac{1}{5}$

0920

다음 두 조건을 동시에 만족시키는 θ는 제 몇 사분면의 각인가?

(가) $\sin\theta\cos\theta<0$ (나) $\cos\theta\tan\theta>0$

- $\sin\theta$와 $\cos\theta$의 부호가 서로 다르므로 각 θ는 제2사분면의 각이거나 제4사분면의 각이다.
- $\cos\theta$와 $\tan\theta$의 부호가 서로 같으므로 각 θ는 제1사분면의 각이거나 제2사분면의 각이다.

(i) $\sin\theta\cos\theta<0$에서
$\sin\theta>0$, $\cos\theta<0$ 또는 $\sin\theta<0$, $\cos\theta>0$
이므로 θ는 제2사분면 또는 제4사분면의 각이다.

(ii) $\cos\theta\tan\theta>0$에서
$\cos\theta>0$, $\tan\theta>0$ 또는 $\cos\theta<0$, $\tan\theta<0$
이므로 θ는 제1사분면 또는 제2사분면의 각이다.

(i), (ii)에서 θ는 제2사분면의 각이다.

답 ②

0921

$\tan\theta=\frac{1}{4}$일 때, $\frac{\cos\theta+\sin\theta}{\cos\theta-\sin\theta}$의 값을 구하시오.
- $\frac{\sin\theta}{\cos\theta}=\frac{1}{4}$에서 $\cos\theta=4\sin\theta$

$\tan\theta=\frac{\sin\theta}{\cos\theta}=\frac{1}{4}$이므로
$\cos\theta=4\sin\theta$

$$\therefore \frac{\cos\theta+\sin\theta}{\cos\theta-\sin\theta}=\frac{4\sin\theta+\sin\theta}{4\sin\theta-\sin\theta}=\frac{5\sin\theta}{3\sin\theta}=\frac{5}{3}$$

답 $\frac{5}{3}$

다른풀이 주어진 식의 분모, 분자를 각각 $\cos\theta$로 나누면

$$\frac{\cos\theta+\sin\theta}{\cos\theta-\sin\theta}=\frac{1+\frac{\sin\theta}{\cos\theta}}{1-\frac{\sin\theta}{\cos\theta}}=\frac{1+\tan\theta}{1-\tan\theta}=\frac{1+\frac{1}{4}}{1-\frac{1}{4}}=\frac{5}{3}$$

0922

변형된 곱셈공식 $a^3+b^3=(a+b)^3-3ab(a+b)$를 이용하자.

> $\sin\theta+\cos\theta=\frac{3}{2}$일 때, $\sin^3\theta+\cos^3\theta$의 값은?
>
> 양변을 제곱하면 $\sin^2\theta+2\sin\theta\cos\theta+\cos^2\theta=\frac{9}{4}$에서 $\sin\theta\cos\theta=\frac{5}{8}$

$\sin\theta+\cos\theta=\frac{3}{2}$의 양변을 제곱하면

$1+2\sin\theta\cos\theta=\frac{9}{4}$

$2\sin\theta\cos\theta=\frac{5}{4}$

$\therefore \sin\theta\cos\theta=\frac{5}{8}$

$\therefore \sin^3\theta+\cos^3\theta$

$=(\sin\theta+\cos\theta)(\sin^2\theta-\sin\theta\cos\theta+\cos^2\theta)$

$=\frac{3}{2}\times\left(1-\frac{5}{8}\right)=\frac{9}{16}$ 답 ④

0923 서술형

> 이차방정식 $3x^2-x+k=0$의 두 근이 $\sin\theta$, $\cos\theta$이고, 이차방정식 $ax^2+bx+8=0$의 두 근이 $\tan\theta$, $\frac{1}{\tan\theta}$이다. 이때, 상수 a, b, k에 대하여 abk의 값을 구하시오.
>
> 근과 계수의 관계에 의해
> $\tan\theta+\frac{1}{\tan\theta}=-\frac{b}{a}$, $\tan\theta\times\frac{1}{\tan\theta}=\frac{8}{a}=1$

이차방정식 $3x^2-x+k=0$의 두 근이 $\sin\theta$, $\cos\theta$이므로 근과 계수의 관계에 의하여

$\sin\theta+\cos\theta=\frac{1}{3}$ ······㉠

$\sin\theta\cos\theta=\frac{k}{3}$

㉠의 양변을 제곱하면

$1+2\sin\theta\cos\theta=\frac{1}{9}$

$\therefore \sin\theta\cos\theta=-\frac{4}{9}$ ······㉡

즉, $\frac{k}{3}=-\frac{4}{9}$이므로 $k=-\frac{4}{3}$ ······ 30%

한편, 이차방정식 $ax^2+bx+8=0$의 두 근이 $\tan\theta$, $\frac{1}{\tan\theta}$이므로

근과 계수의 관계에 의하여

$\tan\theta+\frac{1}{\tan\theta}=-\frac{b}{a}$ ······㉢

$\tan\theta\times\frac{1}{\tan\theta}=\frac{8}{a}$

$1=\frac{8}{a}$

$\therefore a=8$

㉢에서

$\tan\theta+\frac{1}{\tan\theta}=\frac{\sin\theta}{\cos\theta}+\frac{\cos\theta}{\sin\theta}$

$=\frac{\sin^2\theta+\cos^2\theta}{\sin\theta\cos\theta}$

$=-\frac{9}{4}$ ($\because$ ㉡)

즉, $-\frac{b}{a}=-\frac{9}{4}$이므로

$b=\frac{9}{4}a=\frac{9}{4}\times8=18$ ······ 50%

$\therefore abk=8\times18\times\left(-\frac{4}{3}\right)=-192$ ······ 20%

답 -192

0924

> $0<\theta<\frac{\pi}{2}$인 각 θ에 대하여 각 20θ가 제1사분면의 각일 때, $\sin20\theta=\sin\theta$를 만족시키는 각 θ의 개수는?
>
> 두 각 θ와 20θ가 모두 제1사분면의 각이므로 두 동경이 일치하여야 한다.

두 각 θ, 20θ가 모두 제1사분면의 각이고, $\sin20\theta=\sin\theta$이므로 각 20θ를 나타내는 동경과 각 θ를 나타내는 동경이 일치해야 한다.

$20\theta-\theta=2n\pi$ (n은 정수) $\quad\therefore \theta=\frac{2n}{19}\pi$

$0<\theta<\frac{\pi}{2}$이므로 $0<\frac{2n}{19}\pi<\frac{\pi}{2}$

$\therefore 0<n<\frac{19}{4}$

따라서 정수 n은 1, 2, 3, 4이므로 각 θ의 개수는

$\frac{2}{19}\pi$, $\frac{4}{19}\pi$, $\frac{6}{19}\pi$, $\frac{8}{19}\pi$의 4이다. 답 ④

0925

> $0<\theta<2\pi$인 각 θ에 대하여 각 θ를 나타내는 동경과 각 3θ를 나타내는 동경이 x축에 대하여 대칭일 때, 이를 만족시키는 θ를 θ_1, θ_2, $\cdots$, θ_n이라 하자. $\sin^2\theta_1+\sin^2\theta_2+\cdots+\sin^2\theta_n$의 값을 구하시오.
>
> $\theta+3\theta=2k\pi$ (k는 정수)에서 $\theta=\frac{k}{2}\pi$

각 θ를 나타내는 동경과 각 3θ를 나타내는 동경이 x축에 대하여 대칭이므로

$\theta+3\theta=2k\pi$ (k는 정수) $\quad\therefore \theta=\frac{k}{2}\pi$

$0<\theta<2\pi$이므로 $0<\frac{k}{2}\pi<2\pi$

$\therefore 0<k<4$

따라서 정수 k는 1, 2, 3이므로 각 θ는 $\frac{\pi}{2}$, π, $\frac{3}{2}\pi$

$\therefore \sin^2\frac{\pi}{2}+\sin^2\pi+\sin^2\frac{3}{2}\pi=1+0+1=2$ 답 2

0926

> 넓이가 일정한 부채꼴의 둘레의 길이가 최소일 때, 이 부채꼴의 중심각의 크기를 구하시오.
>
> 넓이를 S라 하면 $\theta=\frac{2S}{r^2}$, 둘레의 길이는 $2r+r\theta=2r+\frac{2S}{r}$
> 이때 산술평균과 기하평균의 관계를 이용하자.

부채꼴의 반지름의 길이를 r, 중심각의 크기를 θ, 호의 길이를 l, 넓이를 S라 하면

$S=\frac{1}{2}r^2\theta$에서 $\theta=\frac{2S}{r^2}$

한편, 부채꼴의 둘레의 길이는

$2r+l=2r+r\theta=2r+\frac{2S}{r}$

이때, 산술평균과 기하평균의 관계에 의하여

$2r+\frac{2S}{r}\ge 2\sqrt{2r\times\frac{2S}{r}}=4\sqrt{S}$ (등호는 $2r=\frac{2S}{r}$일 때 성립)

즉, $2r=\frac{2S}{r}$일 때 둘레의 길이가 최소이므로

$2r=\frac{2S}{r}$에서 $r^2=S$

$\therefore \theta=\frac{2S}{r^2}=\frac{2S}{S}=2$

답 2

0927

• 두 교점의 좌표는 $P(2, \sqrt{2})$, $Q(-2, \sqrt{2})$

원 $x^2+y^2=6$과 직선 $y=\left|\frac{\sqrt{2}}{2}x\right|$의 두 교점을 각각 P, Q라 하자. 두 동경 OP, OQ가 나타내는 각의 크기를 각각 α, β라 할 때, $\frac{2}{\cos\alpha}+\frac{\sqrt{2}}{\tan\beta}$의 값을 구하시오.

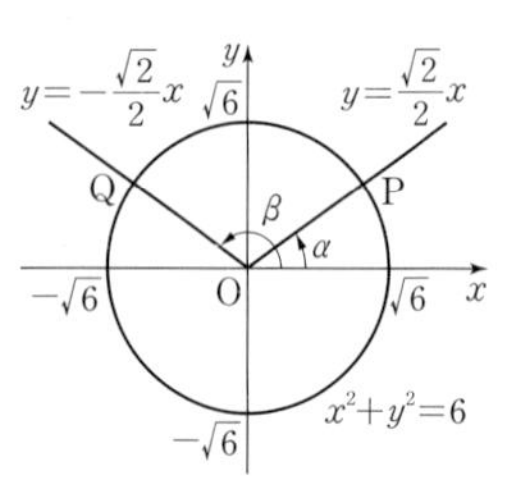

원 $x^2+y^2=6$의 반지름의 길이는 $\sqrt{6}$이고,

원 $x^2+y^2=6$과 직선 $y=\left|\frac{\sqrt{2}}{2}x\right|$의 교점의 x좌표를 구하면

$x^2+\frac{1}{2}x^2=6$, $x^2=4$ $\quad\therefore x=-2$ 또는 $x=2$

즉, 두 교점 P, Q의 좌표는 각각 $P(2, \sqrt{2})$, $Q(-2, \sqrt{2})$

따라서 $\cos\alpha=\frac{\sqrt{6}}{3}$, $\tan\beta=-\frac{\sqrt{2}}{2}$이므로

$\frac{2}{\cos\alpha}+\frac{\sqrt{2}}{\tan\beta}=\sqrt{6}-2$

답 $\sqrt{6}-2$

0928

$\frac{\sqrt{\cos\theta}}{\sqrt{\tan\theta}}=-\sqrt{\frac{\cos\theta}{\tan\theta}}$를 만족시키는 각 θ에 대하여 $\sqrt{(\sin\theta-\cos\theta)^2}-|\sin\theta|$를 간단히 하시오. (단, $\cos\theta\neq 0$)

• $\frac{\sqrt{\cos\theta}}{\sqrt{\tan\theta}}=-\sqrt{\frac{\cos\theta}{\tan\theta}}$이므로 $\cos\theta>0$, $\tan\theta<0$이다. 즉, 제4사분면의 각이다.

$\frac{\sqrt{\cos\theta}}{\sqrt{\tan\theta}}=-\sqrt{\frac{\cos\theta}{\tan\theta}}$에서

$\cos\theta>0$, $\tan\theta<0$

즉, θ는 제4사분면의 각이므로

$\sin\theta<0$이고, $\sin\theta-\cos\theta<0$

$\therefore \sqrt{(\sin\theta-\cos\theta)^2}-|\sin\theta|=-(\sin\theta-\cos\theta)+\sin\theta$

$=\cos\theta$

답 $\cos\theta$

0929

• $k>0$이고 $\frac{D}{4}=k^2-k(2-k)<0$이다.

모든 실수 x에 대하여 이차부등식 $kx^2-2kx+2-k>0$이 성립할 때, 〈보기〉에서 옳은 것만을 있는 대로 고른 것은? (단, k의 단위는 라디안이다.)

보기

ㄱ. $\cos k>0$ ㄴ. $\sin k>0$

ㄷ. $\sin 2k>0$ ㄹ. $\cos 2k>0$

모든 실수 x에 대하여 $kx^2-2kx+2-k>0$이 성립하므로

(i) $k>0$

(ii) 이차방정식 $kx^2-2kx+2-k=0$의 판별식을 D라 하면 $D<0$이어야 하므로

$\frac{D}{4}=k^2-k(2-k)<0$

$k(k-1)<0$

$\therefore 0<k<1$

(i), (ii)에서 $0<k<1$

k의 단위는 라디안이므로 각 k는 제1사분면의 각이다.

ㄱ. $\cos k>0$ (참)

ㄴ. $\sin k>0$ (참)

ㄷ. $0<2k<2$이므로 각 $2k$는 제1사분면의 각 또는 제2사분면의 각이다.

$\therefore \sin 2k>0$ (참)

ㄹ. 각 $2k$가 제1사분면의 각이면 $\cos 2k>0$이지만 제2사분면의 각이면 $\cos 2k<0$ (거짓)

따라서 옳은 것은 ㄱ, ㄴ, ㄷ이다.

답 ④

0930

$\sin x+\cos x=\frac{1}{\sqrt{2}}$일 때, $\tan^3 x+\frac{1}{\tan^3 x}$의 값을 구하시오.

$\frac{\sin^3 x}{\cos^3 x}+\frac{\cos^3 x}{\sin^3 x}=\frac{\sin^6 x+\cos^6 x}{\cos^3 x\sin^3 x}=\frac{(\sin^3 x+\cos^3 x)^2-2\sin^3 x\cos^3 x}{\cos^3 x\sin^3 x}$임을 이용하자.

(i) $\sin x+\cos x=\frac{1}{\sqrt{2}}$의 양변을 제곱하면

$1+2\sin x\cos x=\frac{1}{2}$

$\therefore \sin x\cos x=-\frac{1}{4}$

(ii) $\sin x+\cos x=\frac{1}{\sqrt{2}}$의 양변을 세제곱하면

$\sin^3 x+\cos^3 x+3\sin x\cos x(\sin x+\cos x)=\frac{1}{2\sqrt{2}}$

$\therefore \sin^3 x+\cos^3 x=\frac{5}{4\sqrt{2}}$

(iii) $\tan^3 x+\frac{1}{\tan^3 x}$

$=\frac{\sin^3 x}{\cos^3 x}+\frac{\cos^3 x}{\sin^3 x}$

$=\frac{\sin^6 x+\cos^6 x}{\cos^3 x\sin^3 x}$

$$=\frac{(\sin^3 x+\cos^3 x)^2-2\sin^3 x\cos^3 x}{\cos^3 x\sin^3 x}$$

$$=\frac{\left(\frac{5}{4\sqrt{2}}\right)^2}{\left(-\frac{1}{4}\right)^3}-2$$

$$=-52$$

답 -52

0931

→ 두 실근을 α, β라 하면 $\alpha\beta<0$

x에 대한 이차방정식 $2x^2+x\cos\theta+3\cos\theta\tan\theta=0$이 서로 다른 부호의 실근을 가지고 음수인 근의 절댓값이 양수인 근보다 크도록 θ의 값을 정할 때, 다음 중 θ의 값이 될 수 있는 것은?

→ $\alpha+\beta<0$

① $-\frac{3}{4}\pi$　② $-\frac{1}{5}\pi$　③ $\frac{2}{7}\pi$　④ $\frac{5}{8}\pi$　⑤ $\frac{10}{9}\pi$

이차방정식 $2x^2+x\cos\theta+3\cos\theta\tan\theta=0$의 두 실근을 α, β라 하면 근과 계수의 관계에 의하여

$$\alpha+\beta=-\frac{\cos\theta}{2}$$

$$\alpha\beta=\frac{3\cos\theta\tan\theta}{2}=\frac{3}{2}\sin\theta$$

두 실근 α, β가 서로 다른 부호이고, 음수인 근의 절댓값이 양수인 근보다 커야 하므로

$$-\frac{\cos\theta}{2}<0,\ \frac{3}{2}\sin\theta<0$$

$\therefore \cos\theta>0$, $\sin\theta<0$

따라서 각 θ는 제4사분면의 각이므로 θ의 값이 될 수 있는 것은 ②이다.

답 ②

0932

자연수 n에 대하여 A_n을 $A_n=3+(-1)^n$이라 하자. 좌표평면 위의 점 P_n의 좌표를 $\left(A_n\cos\frac{2n\pi}{3},\ A_n\sin\frac{2n\pi}{3}\right)$라 할 때, 다음 중 점 P_{2022}와 같은 점은?

→ $n=1, 2, 3, \cdots$을 차례로 대입해보면 $A_1=2$, $A_2=4$, $A_3=2$, $A_4=4$, $\cdots$ 임을 알 수 있다.

① P_2　② P_3　③ P_4　④ P_5　⑤ P_6

$A_n=3+(-1)^n$에서

$A_1=2$, $A_2=4$, $A_3=2$, $A_4=4$, $\cdots$이므로

$P_1\left(2\cos\frac{2\pi}{3}, 2\sin\frac{2\pi}{3}\right)$, 즉 $P_1(-1, \sqrt{3})$

$P_2\left(4\cos\frac{4\pi}{3}, 4\sin\frac{4\pi}{3}\right)$, 즉 $P_2(-2, -2\sqrt{3})$

$P_3\left(2\cos\frac{6\pi}{3}, 2\sin\frac{6\pi}{3}\right)$, 즉 $P_3(2, 0)$

$P_4\left(4\cos\frac{8\pi}{3}, 4\sin\frac{8\pi}{3}\right)$, 즉 $P_4(-2, 2\sqrt{3})$

$P_5\left(2\cos\frac{10\pi}{3}, 2\sin\frac{10\pi}{3}\right)$, 즉 $P_5(-1, -\sqrt{3})$

$P_6\left(4\cos\frac{12\pi}{3}, 4\sin\frac{12\pi}{3}\right)$, 즉 $P_6(4, 0)$

$P_7\left(2\cos\frac{14\pi}{3}, 2\sin\frac{14\pi}{3}\right)$, 즉 $P_7(-1, \sqrt{3})$

⋮

$2022=6\times337$이므로 점 P_{2022}와 같은 점은 P_6이다.

답 ⑤

0933

$P\left(a, \frac{4}{a}\right)$ $(a>0)$라 하면 $\overline{OP}=\sqrt{a^2+\frac{16}{a^2}}$ →

원점 O와 곡선 $y=\frac{4}{x}$ $(x>0)$ 위의 점 P에 대하여 동경 OP가 나타내는 각을 θ라 할 때, $\sin\theta\cos\theta$의 최댓값을 구하시오.

→ $\sin\theta\cos\theta=\frac{4}{a^2+\frac{16}{a^2}}$

곡선 $y=\frac{4}{x}$ 위의 점 P의 좌표를 $\left(a, \frac{4}{a}\right)$ $(a>0)$라 하면

$$\overline{OP}=\sqrt{a^2+\frac{16}{a^2}}$$

또 $\sin\theta=\frac{\frac{4}{a}}{\overline{OP}}$, $\cos\theta=\frac{a}{\overline{OP}}$이므로

$$\sin\theta\cos\theta=\frac{4}{\overline{OP}^2}=\frac{4}{a^2+\frac{16}{a^2}}$$

산술평균과 기하평균의 관계에 의하여

$$a^2+\frac{16}{a^2}\ge2\sqrt{a^2\times\frac{16}{a^2}}=8$$ (단, 등호는 $a=2$일 때 성립한다.)

$$\therefore \sin\theta\cos\theta=\frac{4}{a^2+\frac{16}{a^2}}\le\frac{4}{8}=\frac{1}{2}$$

따라서 $\sin\theta\cos\theta$의 최댓값은 $\frac{1}{2}$이다.

답 $\frac{1}{2}$

0934

직선 $2x+y\sin\theta+\cos\theta=0$이 그림과 같을 때, 직선 $y=x\sin\theta+\tan\theta\cos\theta$가 지나지 않는 사분면을 구하시오.

y에 관하여 정리하면 $y=-\frac{2}{\sin\theta}x-\frac{\cos\theta}{\sin\theta}$임을 이용하자.

$2x+y\sin\theta+\cos\theta=0$에서

$$y=-\frac{2}{\sin\theta}x-\frac{\cos\theta}{\sin\theta}$$

그림에서 기울기는 양수이고, y절편은 음수이므로

$$-\frac{2}{\sin\theta}>0,\ -\frac{\cos\theta}{\sin\theta}<0$$

$\therefore \sin\theta<0$, $\cos\theta<0$

$y=x\sin\theta+\tan\theta\cos\theta=x\sin\theta+\sin\theta$에서

$\sin\theta<0$이므로 기울기와 y절편은 모두 음수이다.

따라서 직선 $y=x\sin\theta+\tan\theta\cos\theta$는 그림과 같으므로 이 직선이 지나지 않는 사분면은 제1사분면이다.

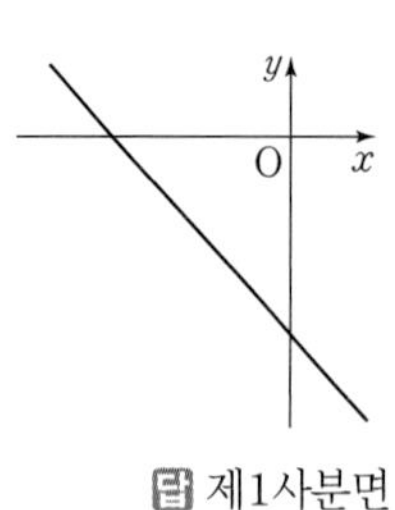

답 제1사분면

0935

$f(6)=\sin^6\theta+\cos^6\theta$
$=(\sin^2\theta+\cos^2\theta)^3-3\sin^2\theta\cos^2\theta(\sin^2\theta+\cos^2\theta)$
임을 이용하자.

> 자연수 n에 대하여 $f(n)=\sin^n\theta+\cos^n\theta$일 때, 다음 중 $2f(6)$과 같은 것은?
>
> ① $2f(4)-1$ ② $2f(4)+3$ ③ $3f(4)-1$
> ④ $3f(4)+3$ ⑤ $4f(4)-1$

$f(n)=\sin^n\theta+\cos^n\theta$에서

$$f(4)=\sin^4\theta+\cos^4\theta$$
$$=(\sin^2\theta+\cos^2\theta)^2-2\sin^2\theta\cos^2\theta$$
$$=1-2\sin^2\theta\cos^2\theta$$

$\therefore \sin^2\theta\cos^2\theta=\frac{1}{2}\{1-f(4)\}$ ……㉠

$$f(6)=\sin^6\theta+\cos^6\theta$$
$$=(\sin^2\theta+\cos^2\theta)^3-3\sin^2\theta\cos^2\theta(\sin^2\theta+\cos^2\theta)$$
$$=1-3\sin^2\theta\cos^2\theta$$
$$=1-\frac{3}{2}\{1-f(4)\}\ (\because ㉠)$$
$$=\frac{3}{2}f(4)-\frac{1}{2}$$

$$\therefore 2f(6)=2\left\{\frac{3}{2}f(4)-\frac{1}{2}\right\}$$
$$=3f(4)-1$$

답 ③

0936

> 그림과 같은 직각삼각형 ABC의 꼭짓점 C와 빗변 AB를 삼등분하는 점 D, E 사이의 거리가 각각 $\sin x$, $\cos x$일 때, 선분 AB의 길이를 구하시오.
>
> 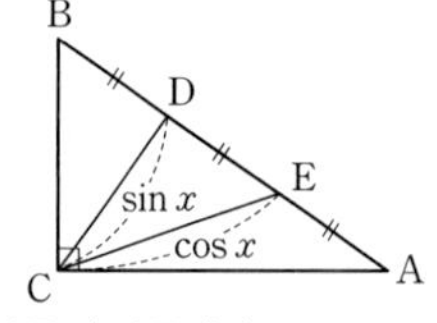
>

$\overline{AC}=3a$, $\overline{BC}=3b$라 하고 점 D와 점 E에서 변 AC로 각각 수선의 발을 내리자.

그림에서 $\overline{AC}=3a$, $\overline{BC}=3b$라 하고, 점 D에서 변 CA에 내린 수선의 발을 F라 하면 직각삼각형 DCF에서 피타고라스 정리에 의하여

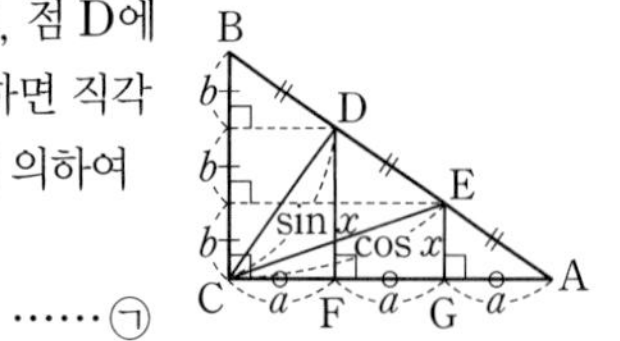

$$\overline{CD}^2=a^2+(2b)^2$$
$$=a^2+4b^2=\sin^2 x \quad ……㉠$$

또한, 점 E에서 변 CA에 내린 수선의 발을 G라 하면 직각삼각형 ECG에서 피타고라스 정리에 의하여

$$\overline{CE}^2=(2a)^2+b^2$$
$$=4a^2+b^2=\cos^2 x \quad ……㉡$$

㉠+㉡을 하면

$$5(a^2+b^2)=\sin^2 x+\cos^2 x=1$$

$$\therefore a^2+b^2=\frac{1}{5}$$

따라서 직각삼각형 ABC에서 피타고라스 정리에 의하여

$$\overline{AB}^2=(3a)^2+(3b)^2=9(a^2+b^2)=9\times\frac{1}{5}=\frac{9}{5}$$

$$\therefore \overline{AB}=\sqrt{\frac{9}{5}}=\frac{3\sqrt{5}}{5}\quad(\because \overline{AB}>0)$$

답 $\frac{3\sqrt{5}}{5}$

다른풀이 삼각형 ABC에서 $\overline{BC}=p$, $\overline{AC}=q$, $\overline{AE}=\overline{DE}=\overline{BD}=r$라 하면 $\overline{AB}=3r$이므로 피타고라스 정리에 의하여

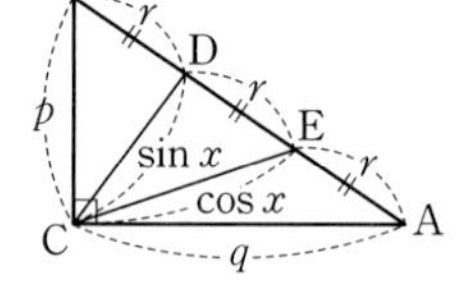

$p^2+q^2=(3r)^2=9r^2$ ……㉠

또한, 점 D와 점 E는 각각 선분 BE와 선분 AD의 중점이므로 두 삼각형 BCE와 ACD에서 중선 정리에 의하여

$\cos^2 x+p^2=2(r^2+\sin^2 x)$ ……㉡

$q^2+\sin^2 x=2(r^2+\cos^2 x)$ ……㉢

㉡+㉢을 하면

$$\cos^2 x+\sin^2 x+p^2+q^2=4r^2+2(\sin^2 x+\cos^2 x)$$
$$1+9r^2=4r^2+2\ (\because ㉠)$$
$$5r^2=1,\ r^2=\frac{1}{5}\qquad \therefore r=\frac{\sqrt{5}}{5}\ (\because r>0)$$
$$\therefore \overline{AB}=3r=\frac{3\sqrt{5}}{5}$$

0937

> 그림과 같이 길이가 2인 선분 AB를 지름으로 하고 중심이 O인 반원이 있다.
> 호 AB 위에 점 P를 $\cos(\angle BAP)=\frac{4}{5}$가 되도록 잡는다. 부채꼴 OBP에 내접하는 원의 반지름의 길이가 r_1, 호 AP를 이등분하는 점과 선분 AP의 중점을 지름의 양 끝점으로 하는 원의 반지름의 길이가 r_2일 때, r_1r_2의 값은?
>
> 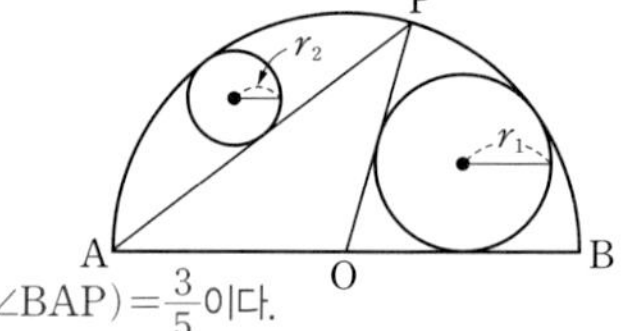
>

$\sin(\angle BAP)=\frac{3}{5}$이다.

반지름의 길이가 r_1인 원의 중심을 C라 하고 $\angle BAP=\theta$라 하면 $\angle BOP=2\theta$이므로 $\angle BOC=\theta$이다.

반지름의 길이가 r_1인 원의 중심을 C, 선분 AP의 중점을 D라 하자.

$\angle BAP=\theta$라 할 때

$\cos\theta=\frac{4}{5}$이므로

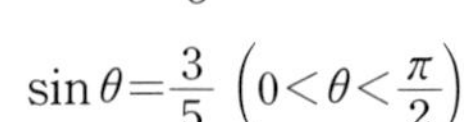

$\sin\theta=\frac{3}{5}\ \left(0<\theta<\frac{\pi}{2}\right)$

(i) $\angle BOP=2\theta$이므로 $\angle BOC=\theta$

$$r_1+\overline{OC}=r_1+\frac{r_1}{\sin\theta}=1$$
$$r_1=\frac{\sin\theta}{1+\sin\theta}=\frac{3}{8}$$

(ii) $2r_2+\overline{OD}=2r_2+\sin\theta=1$

$$r_2=\frac{1-\sin\theta}{2}=\frac{1}{5}$$

따라서 $r_1r_2=\frac{3}{40}$

답 ①

0938

함수 $y=f(x)$의 그래프는 구간 $[0, 3]$에서의 그래프가 반복해서 나타나므로 함수 $y=f(x)$의 주기는 3이다. 답 3

0939

$x=12$일 때, $f(15)=f(12)$
$x=9$일 때, $f(12)=f(9)$
$x=6$일 때, $f(9)=f(6)$
$x=3$일 때, $f(6)=f(3)$
$x=0$일 때, $f(3)=f(0)$
$\therefore f(15)=f(12)=f(9)=f(6)=f(3)=f(0)=0$ 답 0

0940

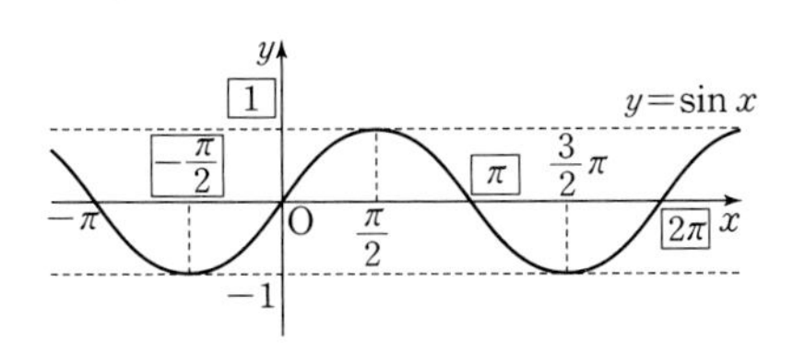

답 $-\frac{\pi}{2}$, 1, π, 2π

0941

주기가 $\boxed{2\pi}$인 주기함수이다. 답 2π

0942

치역은 $\{y \mid \boxed{-1 \le y \le 1}\}$이다. 답 $-1 \le y \le 1$

0943

$y=\sin x$의 그래프는 $\boxed{\text{원점}}$에 대하여 대칭이다. 답 원점

참고 $y=\sin x$의 그래프는 원점 뿐만 아니라 직선 $x=n\pi-\frac{1}{2}\pi$, 점 $(n\pi, 0)$ 등에 대하여도 대칭이다. (단, n은 정수이다.)

0944

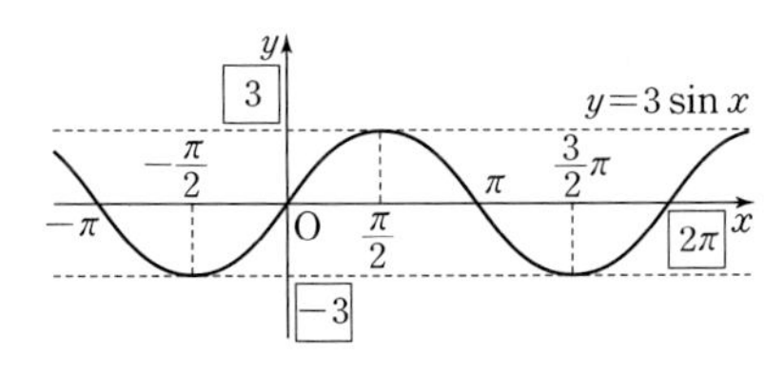

답 3, -3, 2π

0945

주기가 $\boxed{2\pi}$인 주기함수이다. 답 2π

0946

치역은 $\{y \mid \boxed{-3 \le y \le 3}\}$이다. 답 $-3 \le y \le 3$

0947

$-1 \le \sin x \le 1$에서 $-2 \le 2\sin x \le 2$이므로 최댓값: 2, 최솟값: -2
또 $2\sin x=2\sin(x+2\pi)$이므로 주기는 2π이다.
따라서 함수 $y=2\sin x$의 그래프는 함수 $y=\sin x$의 그래프를 y축의 방향으로 2배한 것이므로 그림과 같다.

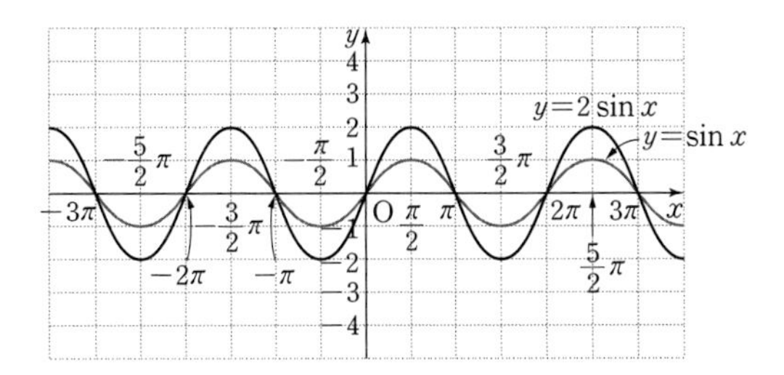

답 풀이 참조

0948

$-1 \le \sin 2x \le 1$이므로 최댓값: 1, 최솟값: -1
또 $\sin 2x=\sin(2x+2\pi)=\sin 2(x+\pi)$이므로 주기는 π이다.
따라서 함수 $y=\sin 2x$의 그래프는 $y=\sin x$의 그래프를 x축의 방향으로 $\frac{1}{2}$배한 것이므로 그림과 같다.

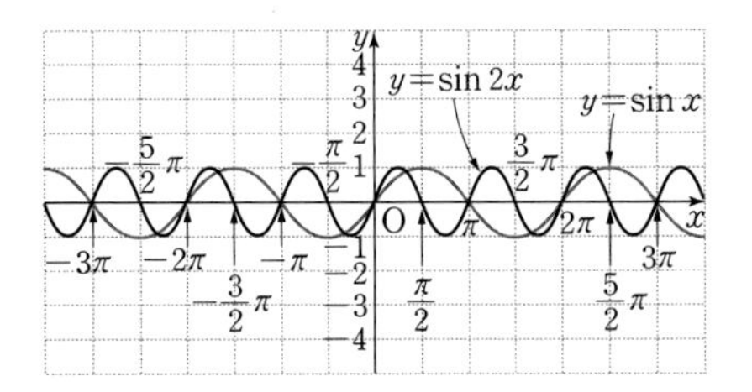

답 풀이 참조

0949

$-1 \le \cos\frac{x}{2} \le 1$이므로 최댓값: 1, 최솟값: -1

또 $\cos\frac{x}{2}=\cos\left(\frac{x}{2}+2\pi\right)=\cos\frac{1}{2}(x+4\pi)$이므로 주기는 4π이다.

따라서 함수 $y=\cos\frac{x}{2}$의 그래프는 $y=\cos x$의 그래프를 x축의 방향으로 2배한 것이므로 그림과 같다.

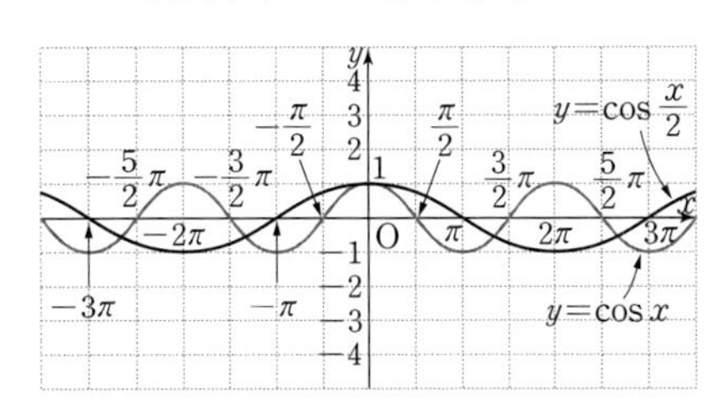

답 풀이 참조

0950

$-1 \le \cos 2x \le 1$에서 $-2 \le 2\cos 2x \le 2$이므로
치역은 $\{y \mid -2 \le y \le 2\}$
또 $2\cos 2x=2\cos(2x+2\pi)=2\cos 2(x+\pi)$이므로 주기는 π이다.
따라서 함수 $y=2\cos 2x$의 그래프는 $y=\cos x$의 그래프를 x축의 방향으로 $\frac{1}{2}$배, y축의 방향으로 2배한 것이므로 그림과 같다.

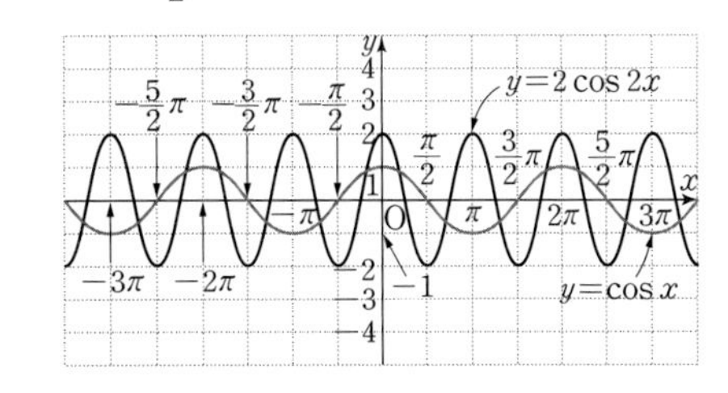

답 풀이 참조

0951

$-1\le\sin 2x\le 1$에서 $-4\le 4\sin 2x\le 4$이므로

치역은 $\{y\,|\,-4\le y\le 4\}$이다. 답 $\{y\,|\,-4\le y\le 4\}$

0952

$-1\le\sin\frac{x}{2}\le 1$에서 $-\sqrt{2}\le\sqrt{2}\sin\frac{x}{2}\le\sqrt{2}$이므로

치역은 $\{y\,|\,-\sqrt{2}\le y\le\sqrt{2}\}$이다. 답 $\{y\,|\,-\sqrt{2}\le y\le\sqrt{2}\}$

0953

$-1\le\cos\frac{x}{3}\le 1$에서 $-2\le -2\cos\frac{x}{3}\le 2$이므로

치역은 $\{y\,|\,-2\le y\le 2\}$이다. 답 $\{y\,|\,-2\le y\le 2\}$

0954

$y=3\sin 2x$의 주기는

$\frac{2\pi}{|2|}=\pi$ 답 π

0955

$y=\cos\frac{x}{2}$의 주기는

$\frac{2\pi}{\left|\frac{1}{2}\right|}=4\pi$ 답 4π

0956

$y=\sqrt{2}\sin 3x$의 주기는

$\frac{2\pi}{|3|}=\frac{2}{3}\pi$ 답 $\frac{2}{3}\pi$

0957

$y=-\cos 4x$의 주기는

$\frac{2\pi}{|4|}=\frac{\pi}{2}$ 답 $\frac{\pi}{2}$

0958

$y=\sin\left(x-\frac{\pi}{3}\right)$의 그래프는 $y=\sin x$의 그래프를 x축의 방향으로 $\frac{\pi}{3}$만큼 평행이동한 것이므로

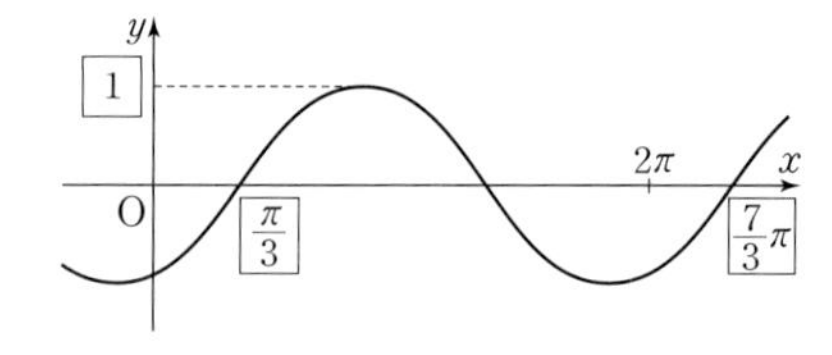

답 $1, \frac{\pi}{3}, \frac{7}{3}\pi$

0959

$y=\cos\left(x+\frac{\pi}{4}\right)$의 그래프는 $y=\cos x$의 그래프를 x축의 방향으로 $-\frac{\pi}{4}$만큼 평행이동한 것이므로

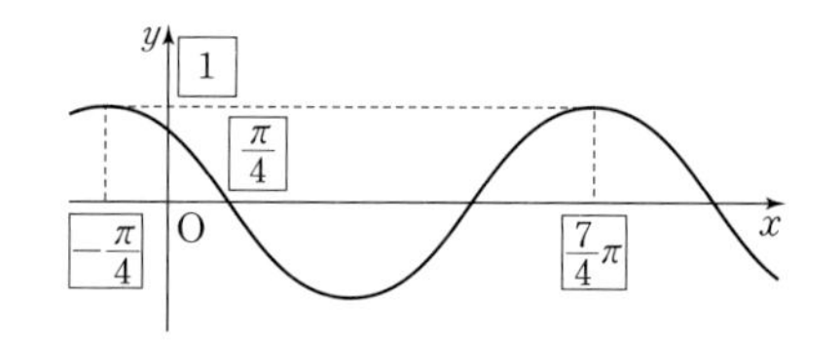

답 $-\frac{\pi}{4}, 1, \frac{\pi}{4}, \frac{7}{4}\pi$

0960

$y=\sin x+1$의 그래프는 $y=\sin x$의 그래프를 y축의 방향으로 1만큼 평행이동한 것이므로

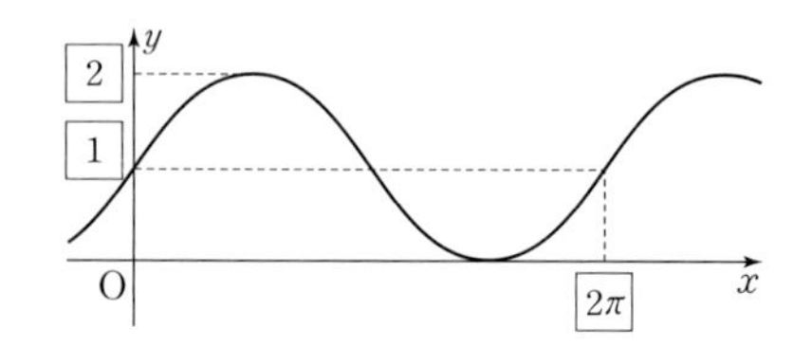

답 $2, 1, 2\pi$

0961

$y=\cos x-1$의 그래프는 $y=\cos x$의 그래프를 y축의 방향으로 -1만큼 평행이동한 것이므로

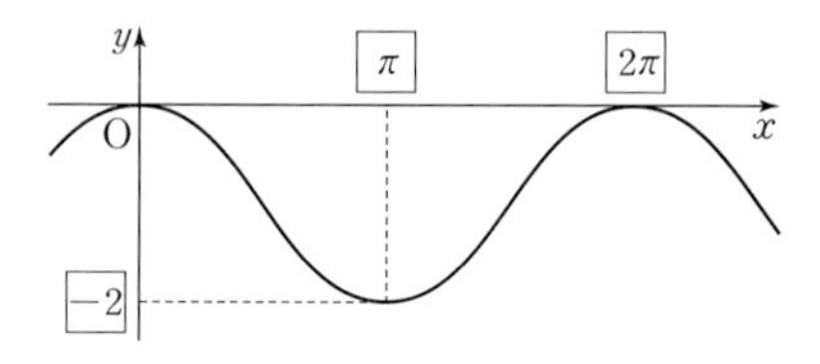

답 $-2, \pi, 2\pi$

0962

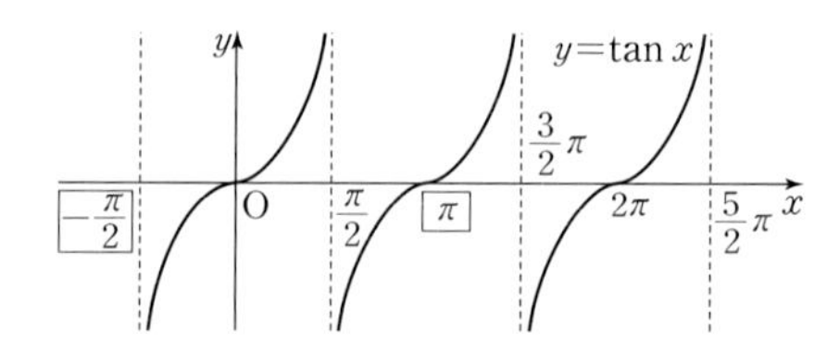

답 $-\frac{\pi}{2}, \pi$

0963

주기가 $\boxed{\pi}$인 주기함수이다. 답 π

0964

정의역은 $x=n\pi+\boxed{\frac{\pi}{2}}$ (n은 정수)를 제외한 실수 전체의 집합이다.

답 $\frac{\pi}{2}$

0965

$y=\tan x$의 그래프는 원점에 대하여 대칭이다. 답 원점

0966

점근선의 방정식은 $x=n\pi+\boxed{\frac{\pi}{2}}$ (n은 정수)이다. 답 $\frac{\pi}{2}$

0967

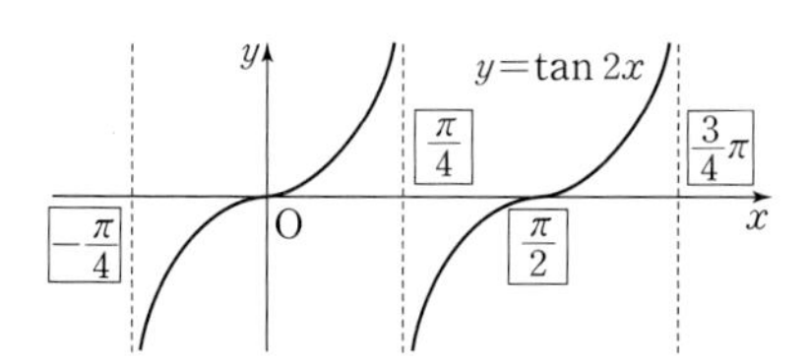

답 $-\frac{\pi}{4}$, $\frac{\pi}{4}$, $\frac{\pi}{2}$, $\frac{3}{4}\pi$

0968

주기가 $\boxed{\frac{\pi}{2}}$인 주기함수이다.

답 $\frac{\pi}{2}$

0969

정의역은 $x=\frac{n}{2}\pi+\boxed{\frac{\pi}{4}}$ (n은 정수)를 제외한 실수 전체의 집합이다.

답 $\frac{\pi}{4}$

0970

점근선의 방정식은 $x=\frac{n}{2}\pi+\boxed{\frac{\pi}{4}}$ (n은 정수)이다.

답 $\frac{\pi}{4}$

0971

$\sin(2\pi+\theta)=\sin\theta$

답 $\sin\theta$

0972

$\cos(2\pi-\theta)=\cos(-\theta)=\cos\theta$

답 $\cos\theta$

0973

$\tan(2\pi-\theta)=\tan(-\theta)=-\tan\theta$

답 $-\tan\theta$

0974

$\sin(\pi-\theta)=\sin\theta$

답 $\sin\theta$

0975

$\cos(\pi+\theta)=-\cos\theta$

답 $-\cos\theta$

0976

$\sin\left(\frac{\pi}{2}-\theta\right)=\cos\theta$

답 $\cos\theta$

0977

$\cos\left(\frac{\pi}{2}+\theta\right)=-\sin\theta$

답 $-\sin\theta$

0978

$\sin\left(2\pi-\frac{\pi}{6}\right)=\sin\left(-\frac{\pi}{6}\right)=-\sin\frac{\pi}{6}=-\frac{1}{2}$

답 $-\frac{1}{2}$

0979

$\cos\left(2\pi+\frac{\pi}{3}\right)=\cos\frac{\pi}{3}=\frac{1}{2}$

답 $\frac{1}{2}$

0980

$\sin\left(\pi+\frac{\pi}{6}\right)=-\sin\frac{\pi}{6}=-\frac{1}{2}$

답 $-\frac{1}{2}$

0981

$\tan\left(\pi-\frac{\pi}{3}\right)=-\tan\frac{\pi}{3}=-\sqrt{3}$

답 $-\sqrt{3}$

0982

$\cos\left(\frac{\pi}{2}-\frac{\pi}{4}\right)=\sin\frac{\pi}{4}=\frac{\sqrt{2}}{2}$

답 $\frac{\sqrt{2}}{2}$

0983

$y=\sin x$ $(0\le x<2\pi)$의 그래프와 직선 $y=\frac{1}{2}$은 그림과 같다.

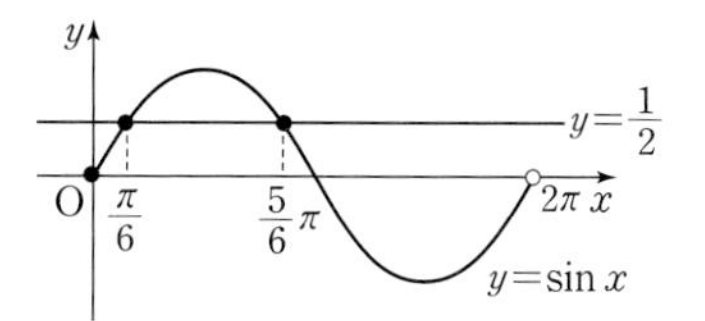

따라서 구하는 해는 두 그래프의 교점의 x좌표이므로

$x=\frac{\pi}{6}$ 또는 $x=\frac{5}{6}\pi$

답 $\frac{\pi}{6}$ 또는 $\frac{5}{6}\pi$

0984

$y=\sin x$ $(0\le x<2\pi)$의 그래프와 직선 $y=\frac{\sqrt{3}}{2}$은 그림과 같다.

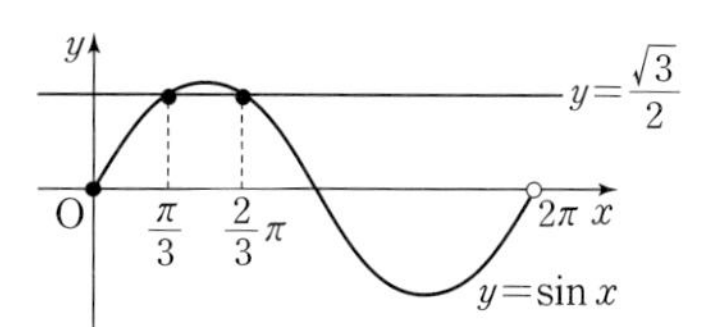

따라서 구하는 해는 두 그래프의 교점의 x좌표이므로

$x=\frac{\pi}{3}$ 또는 $x=\frac{2}{3}\pi$

답 $\frac{\pi}{3}$ 또는 $\frac{2}{3}\pi$

0985

$y=\sin x$ $(0\le x<2\pi)$의 그래프와 직선 $y=-\frac{\sqrt{2}}{2}$는 그림과 같다.

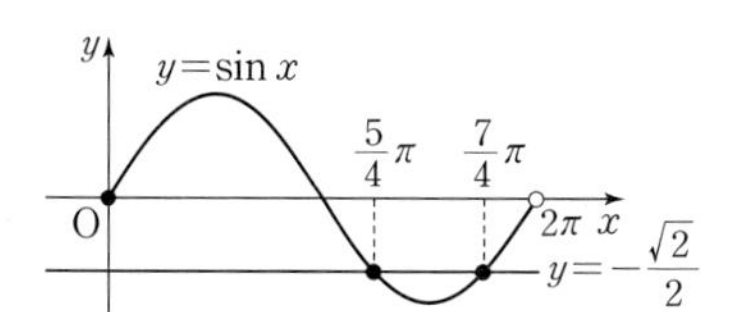

따라서 구하는 해는 두 그래프의 교점의 x좌표이므로

$x=\frac{5}{4}\pi$ 또는 $x=\frac{7}{4}\pi$

답 $\frac{5}{4}\pi$ 또는 $\frac{7}{4}\pi$

0986

$y=\cos x$ $(0\le x<2\pi)$의 그래프와 직선 $y=-\frac{1}{2}$은 그림과 같다.

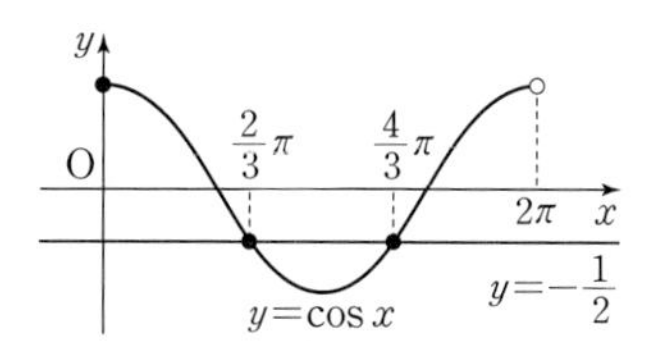

따라서 구하는 해는 두 그래프의 교점의 x좌표이므로

$x=\frac{2}{3}\pi$ 또는 $x=\frac{4}{3}\pi$

답 $\frac{2}{3}\pi$ 또는 $\frac{4}{3}\pi$

0987

$y=\tan x\ (0\le x<2\pi)$의 그래프와 직선 $y=\sqrt{3}$은 그림과 같다.

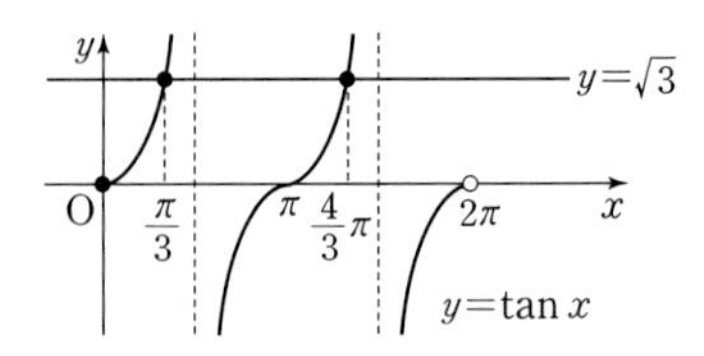

따라서 구하는 해는 두 그래프의 교점의 x좌표이므로

$x=\frac{\pi}{3}$ 또는 $x=\frac{4}{3}\pi$ 　　답 $\frac{\pi}{3}$ 또는 $\frac{4}{3}\pi$

0988

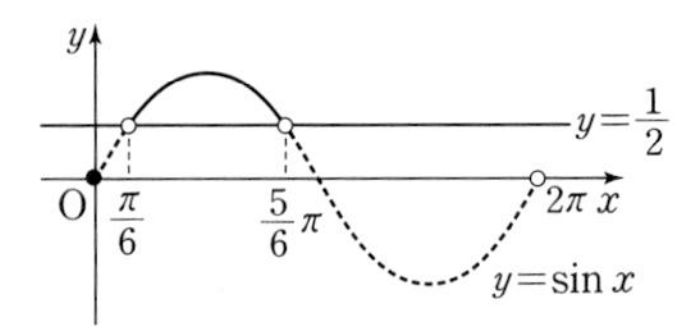

그림에서 $y=\sin x\ (0\le x<2\pi)$의 그래프와 직선 $y=\frac{1}{2}$의 교점의 x좌표를 구하면 $x=\frac{\pi}{6}$ 또는 $x=\frac{5}{6}\pi$

따라서 $\sin x>\frac{1}{2}$을 만족시키는 x의 값의 범위는 $\frac{\pi}{6}<x<\frac{5}{6}\pi$

답 $\frac{\pi}{6}<x<\frac{5}{6}\pi$

0989

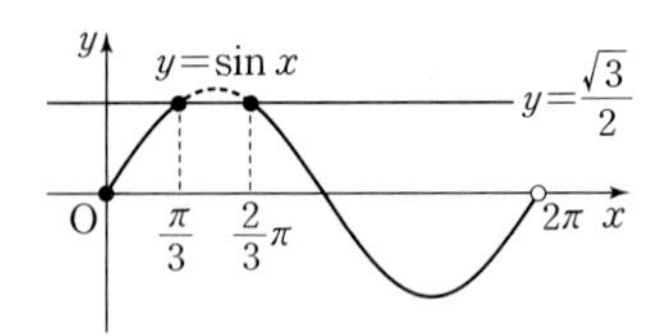

그림에서 $y=\sin x\ (0\le x<2\pi)$의 그래프와 직선 $y=\frac{\sqrt{3}}{2}$의 교점의 x좌표를 구하면 $x=\frac{\pi}{3}$ 또는 $x=\frac{2}{3}\pi$

따라서 $\sin x\le\frac{\sqrt{3}}{2}$을 만족시키는 x의 값의 범위는

$0\le x\le\frac{\pi}{3}$ 또는 $\frac{2}{3}\pi\le x<2\pi$ 　　답 풀이 참조

0990

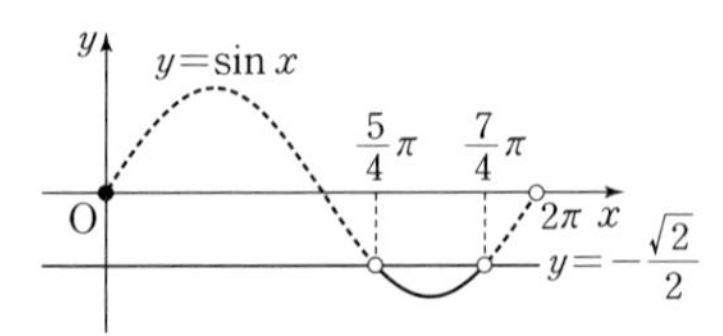

그림에서 $y=\sin x\ (0\le x<2\pi)$의 그래프와 직선 $y=-\frac{\sqrt{2}}{2}$의 교점의 x좌표를 구하면

$x=\frac{5}{4}\pi$ 또는 $x=\frac{7}{4}\pi$

따라서 $\sin x<-\frac{\sqrt{2}}{2}$를 만족시키는 x의 값의 범위는

$\frac{5}{4}\pi<x<\frac{7}{4}\pi$ 　　답 $\frac{5}{4}\pi<x<\frac{7}{4}\pi$

0991

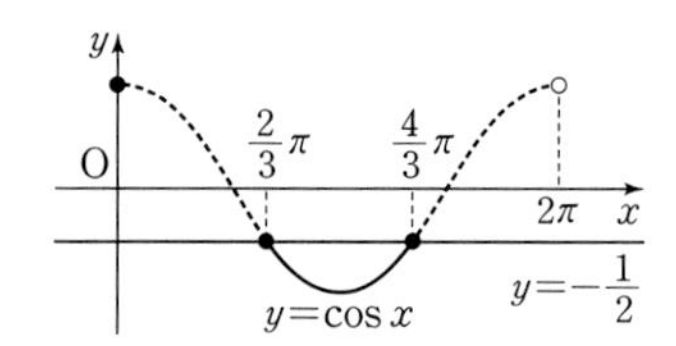

그림에서 $y=\cos x\ (0\le x<2\pi)$의 그래프와 직선 $y=-\frac{1}{2}$의 교점의 x좌표를 구하면

$x=\frac{2}{3}\pi$ 또는 $x=\frac{4}{3}\pi$

따라서 $\cos x\le-\frac{1}{2}$을 만족시키는 x의 값의 범위는

$\frac{2}{3}\pi\le x\le\frac{4}{3}\pi$ 　　답 $\frac{2}{3}\pi\le x\le\frac{4}{3}\pi$

0992

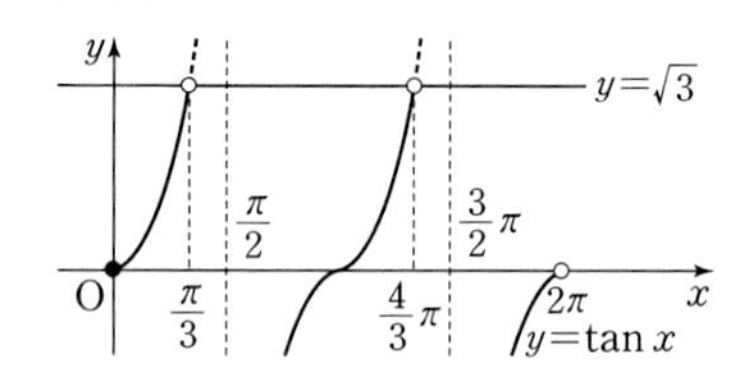

그림에서 $y=\tan x\ (0\le x<2\pi)$의 그래프와 직선 $y=\sqrt{3}$의 교점의 x좌표를 구하면

$x=\frac{\pi}{3}$ 또는 $x=\frac{4}{3}\pi$

따라서 $\tan x<\sqrt{3}$을 만족시키는 x의 값의 범위는

$0\le x<\frac{\pi}{3}$ 또는 $\frac{\pi}{2}<x<\frac{4}{3}\pi$ 또는 $\frac{3}{2}\pi<x<2\pi$ 　　답 풀이 참조

0993

다음 함수 중 모든 실수 x에 대하여 $f(x+2)=f(x)$를 만족시키는 것은?
(→ (주기)$\times n=2$ (n은 자연수)인 함수를 찾자.)

① $f(x)=\sin 2x$ 　② $f(x)=\cos x$
③ $f(x)=\tan 2x$ 　④ $f(x)=\sin \pi x$
⑤ $f(x)=\cos\frac{\pi}{2}x$ (→ $\frac{2\pi}{\frac{\pi}{2}}=4$)

(주기)$\times n=2$ (n은 자연수)인 함수를 찾으면 된다.
각각의 주기를 찾아보면

① $\frac{2\pi}{2}=\pi$ 　② 2π
③ $\frac{\pi}{2}$ 　④ $\frac{2\pi}{\pi}=2$
⑤ $\frac{2\pi}{\frac{\pi}{2}}=4$

따라서 조건을 만족시키는 것은 ④이다. 　　답 ④

0994

다음 함수 중 모든 실수 x에 대하여 $f(x+\sqrt{2})=f(x)$를 만족하는 것은?
→ (주기)$\times n=\sqrt{2}$ (n은 자연수)인 함수를 찾자.

① $f(x)=\cos 2x$ ② $f(x)=\sin \pi x$

③ $f(x)=\cos\sqrt{2}\pi x$ ④ $f(x)=\sin\frac{\sqrt{2}}{2}\pi x$

⑤ $f(x)=\sin 2\sqrt{2}x$ → $\frac{2\pi}{2\sqrt{2}}=\frac{\sqrt{2}}{2}\pi$

각 함수의 주기를 구해 보면

① $\frac{2\pi}{2}=\pi$

② $\frac{2\pi}{\pi}=2$

③ $\frac{2\pi}{\sqrt{2}\pi}=\sqrt{2}$

④ $\frac{2\pi}{\frac{\sqrt{2}}{2}\pi}=2\sqrt{2}$

⑤ $\frac{2\pi}{2\sqrt{2}}=\frac{\sqrt{2}}{2}\pi$

따라서 $f(x+\sqrt{2})=f(x)$를 만족하는 함수는 ③이다. 답 ③

0995

〈보기〉에서 주기함수가 아닌 것을 고른 것은?

| 보 기 |

ㄱ. $y=|\cos x|$ → 주기가 π인 주기함수이다. ㄴ. $y=\sin|x|$

ㄷ. $y=\cos|x|$ ㄹ. $y=\tan|x|$

ㄱ. $y=|\cos x|$의 그래프는 그림과 같으므로 주기가 π인 주기함수이다.

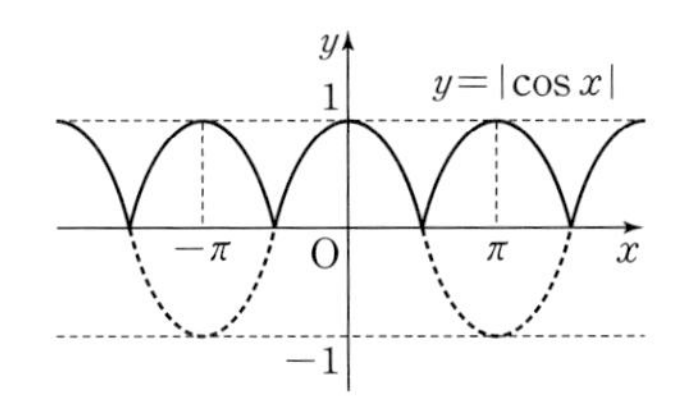

ㄴ. $y=\sin|x|$의 그래프는 그림과 같으므로 주기함수가 아니다.

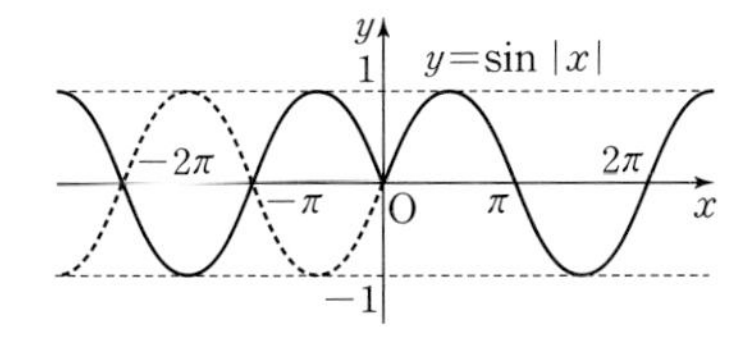

ㄷ. $y=\cos|x|$의 그래프는 그림과 같으므로 주기가 2π인 주기함수이다.

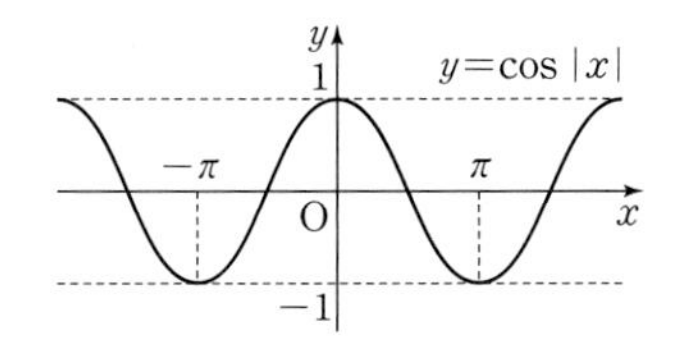

ㄹ. $y=\tan|x|$의 그래프는 그림과 같으므로 주기함수가 아니다.

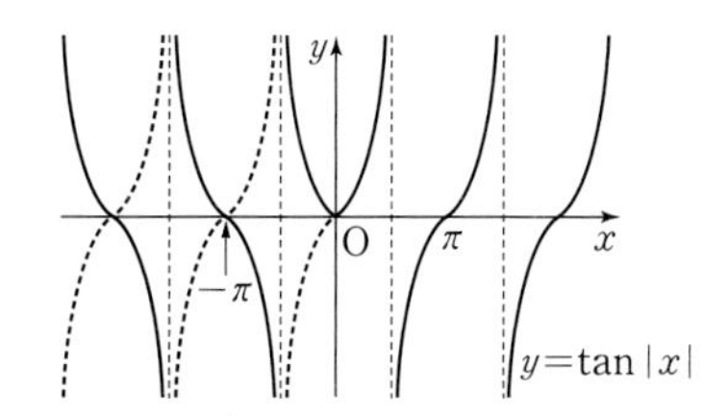

따라서 주기함수가 아닌 것은 ㄴ, ㄹ이다. 답 ④

0996

함수 $f(x)=2\sin x$에 대한 설명으로 옳은 것만을 〈보기〉에서 있는 대로 고르시오.

| 보 기 |

→ 주기가 2π인 함수이다.

ㄱ. 정의역은 실수 전체의 집합이다.

ㄴ. 주기는 π이다.

ㄷ. 최댓값은 2이고, 최솟값은 -2이다.

ㄹ. $f(-\pi)=f(3\pi)$이다.

ㅁ. $y=f(x)$의 그래프는 y축에 대하여 대칭이다.

→ 주기가 2π이므로 $f(-\pi)=f(\pi)=f(3\pi)$이다.

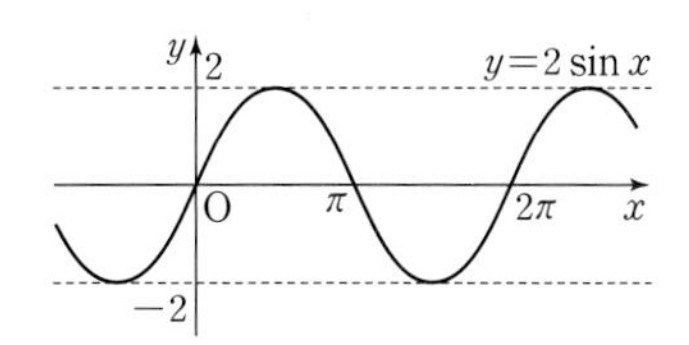

ㄱ, ㄷ. 함수 $f(x)=2\sin x$의 정의역은 실수 전체의 집합이고 최댓값은 2, 최솟값은 -2이다.

ㄴ, ㄹ. 주어진 함수는 주기가 2π인 함수이므로
$f(3\pi)=f(\pi)=f(-\pi)$

ㅁ. $y=2\sin x$의 그래프는 원점에 대하여 대칭이다.

따라서 옳은 것은 ㄱ, ㄷ, ㄹ이다. 답 ㄱ, ㄷ, ㄹ

0997

함수 $y=a\cos bx$의 최댓값이 5, 주기가 $\frac{\pi}{2}$일 때, 두 양수 a, b에 대하여 $a+b$의 값을 구하시오.
→ $|a|=5$이다. → $\frac{2\pi}{|b|}=\frac{\pi}{2}$이다.

$y=a\cos bx$의 최댓값이 5, 주기가 $\frac{\pi}{2}$이므로

$|a|=5$, $\frac{2\pi}{|b|}=\frac{\pi}{2}$

$\therefore a=5, b=4$ ($\because a>0, b>0$)

$\therefore a+b=5+4=9$ 답 9

0998

• $|a|=2$이다.

> 함수 $y=a\sin\dfrac{\pi}{2b}x$의 최댓값은 2이고 주기는 2이다. 두 양수 a, b의 합 $a+b$의 값은?
>
> • $\dfrac{2\pi}{\left|\dfrac{\pi}{2b}\right|}=2$이다.

$a>0$이므로 함수 $y=a\sin\dfrac{\pi}{2b}x$의 최댓값은 a이고 최솟값은 $-a$이다.

함수 $y=a\sin\dfrac{\pi}{2b}x$의 최댓값이 2이므로 $a=2$

또 $a\sin\dfrac{\pi}{2b}x=a\sin\left(\dfrac{\pi}{2b}x+2\pi\right)=a\sin\dfrac{\pi}{2b}(x+4b)$이므로

함수 $y=a\sin\dfrac{\pi}{2b}x$의 주기는 $4b$이다.

따라서 $4b=2$이므로 $b=\dfrac{1}{2}$

$\therefore a+b=2+\dfrac{1}{2}=\dfrac{5}{2}$

답 ⑤

0999

> 두 함수 $y=a\sin x$와 $y=\dfrac{3}{4}\cos ax$의 그래프가 그림과 같을 때, 양수 a의 값을 구하시오.
>
> • $y=a\sin x$의 주기는 2π이므로 $y=\dfrac{3}{4}\cos ax$의 주기는 π이다.
>
> 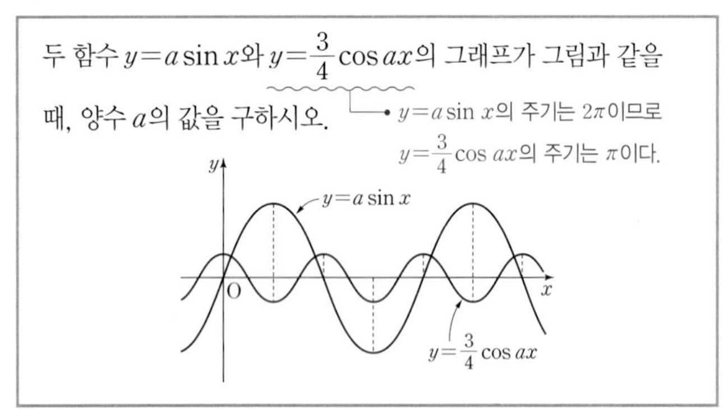
>

그림에서 함수 $y=a\sin x$의 주기는 2π이므로 함수 $y=\dfrac{3}{4}\cos ax$의 주기는 π이다.

이때, $a>0$이므로 $\dfrac{2\pi}{a}=\pi$

$\therefore a=2$

답 2

1000

• 주기는 $\dfrac{2\pi}{\frac{\pi}{2}}=4$이다.

> 함수 $y=\sin\dfrac{\pi}{2}x$의 그래프와 x축 사이에 직사각형 ABCD가 그림과 같이 내접하고 있다.
>
> $\overline{\text{BC}}=\dfrac{4}{3}$일 때, 선분 CD의 길이를 구하시오.
>
> • $\overline{\text{OB}}=\dfrac{1}{3}$임을 이용하자.
>
> 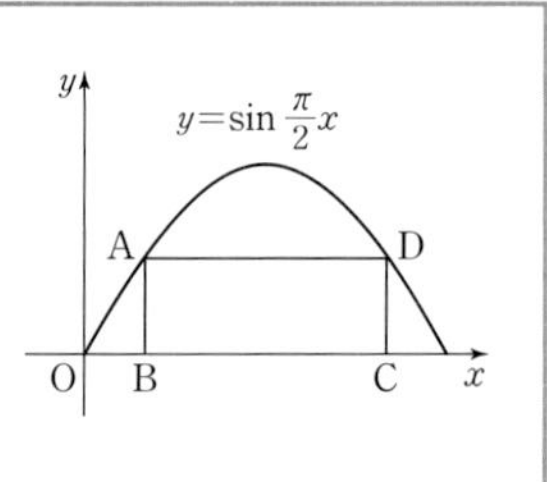
>

$y=\sin\dfrac{\pi}{2}x$에서 주기는 $\dfrac{2\pi}{\frac{\pi}{2}}=4$이므로

그래프는 그림과 같이 직선 $x=1$에 대하여 대칭이고, $\overline{\text{BC}}=\dfrac{4}{3}$이므로 점 C의 x좌표는 $\dfrac{5}{3}$이다.

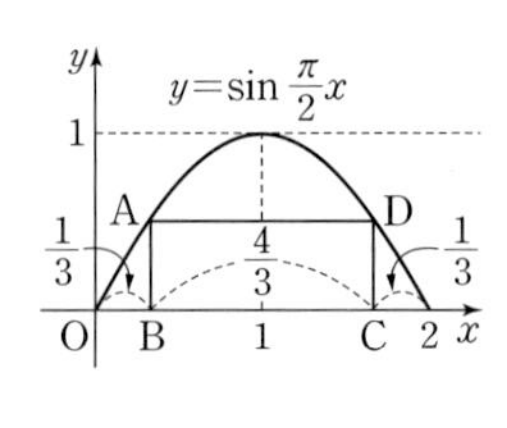

$\therefore \overline{\text{CD}}=\sin\left(\dfrac{\pi}{2}\times\dfrac{5}{3}\right)$

$=\sin\dfrac{5}{6}\pi$

$=\dfrac{1}{2}$

답 $\dfrac{1}{2}$

1001

> $0\le x\le 15$에서 방정식 $3\cos\pi x-\sin\dfrac{\pi}{3}x=0$의 실근의 개수는?
>
> • 두 함수 $y=3\cos\pi x$와 $y=\sin\dfrac{\pi}{3}x$의 그래프의 교점의 개수와 같다.

방정식 $3\cos\pi x-\sin\dfrac{\pi}{3}x=0$의 실근의 개수는 두 함수 $y=3\cos\pi x$, $y=\sin\dfrac{\pi}{3}x$의 그래프의 교점의 개수와 같다.

두 함수 $y=3\cos\pi x$, $y=\sin\dfrac{\pi}{3}x$의 그래프는 그림과 같다.

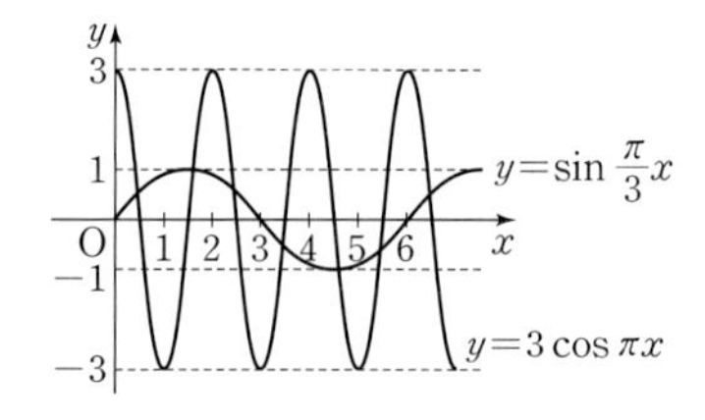

자연수 n에 대하여 $[n-1, n]$에서 교점이 1개씩이다.

따라서 $0\le x\le 15$에서 방정식의 실근의 개수는 15이다.

답 ⑤

1002

> 함수 $y=\sin x$의 그래프를 x축의 방향으로 k만큼 평행이동하면 함수 $y=\cos x$의 그래프와 일치한다. 이때, 양수 k의 최솟값은?
>
> • $y=\sin x$를 x축의 방향으로 $-\dfrac{\pi}{2}$만큼 평행이동하면 $y=\cos x$의 그래프와 일치한다.

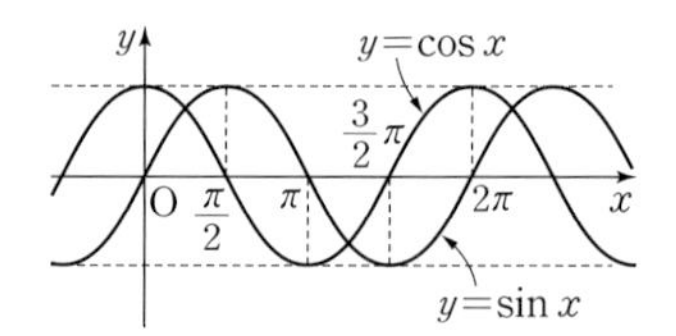

그림에서 $y=\sin x$의 그래프를 x축의 방향으로 $-\dfrac{\pi}{2}$만큼 평행이동하면 $y=\cos x$의 그래프와 일치한다.

또 $y=\sin x$의 그래프를 x축의 방향으로 $\dfrac{3}{2}\pi$만큼 평행이동하면 $y=\cos x$의 그래프와 일치한다.

따라서 양수 k의 최솟값은 $\dfrac{3}{2}\pi$이다.

답 ⑤

1003

• $y=3\sin\pi(x-1)-2$임을 이용하자.

> 함수 $y=3\sin(\pi x-\pi)-2$의 그래프는 함수 $y=3\sin\pi x$의 그래프를 x축의 방향으로 m만큼, y축의 방향으로 n만큼 평행이동한 것이다. 이때, $m+n$의 값을 구하시오.

$y=3\sin(\pi x-\pi)-2=3\sin\pi(x-1)-2$의 그래프는 $y=3\sin\pi x$의 그래프를 x축의 방향으로 1만큼, y축의 방향으로 -2만큼 평행이동한 것이다.
따라서 $m=1$, $n=-2$이므로
$m+n=1+(-2)=-1$ 답 -1

1004

다음 중 함수 $f(x)=-4\sin(2x-\pi)+2$의 그래프에 대한 설명으로 옳지 않은 것은? ($y=-4\sin 2\left(x-\frac{\pi}{2}\right)+2$임을 이용하자.)

① 주기는 π이다. ② 최댓값은 6이다.
③ 최솟값은 2이다. ④ $f(\pi)=2$
⑤ 직선 $x=\frac{3}{4}\pi$에 대하여 대칭이다.

① 주기는 $\frac{2\pi}{2}=\pi$ (참)
② 최댓값은 $|-4|+2=6$ (참)
③ 최솟값은 $-|-4|+2=-2$ (거짓)
④ $f(\pi)=-4\sin\pi+2=2$ (참)
⑤ $f(x)=-4\sin 2\left(x-\frac{\pi}{2}\right)+2$의 그래프는 직선 $x=\frac{\pi}{4}$에 대하여 대칭인 $f(x)=-4\sin 2x+2$의 그래프를 x축의 방향으로 $\frac{\pi}{2}$만큼 평행이동한 것이므로 직선 $x=\frac{3}{4}\pi$에 대하여 대칭이다. (참) 답 ③

1005

함수 $y=2\cos\left(\frac{x}{2}-\frac{\pi}{4}\right)+2$의 최댓값, 최솟값, 주기를 각각 a, b, c라 할 때, $a+b+c$의 값을 구하시오. ($y=2\cos\frac{1}{2}\left(x-\frac{\pi}{2}\right)+2$, $\frac{2\pi}{\frac{1}{2}}=4\pi$)

$y=2\cos\left(\frac{x}{2}-\frac{\pi}{4}\right)+2$
$=2\cos\frac{1}{2}\left(x-\frac{\pi}{2}\right)+2$
이므로 최댓값은 $|2|+2=4$, 최솟값은 $-|2|+2=0$, 주기는
$\frac{2\pi}{\frac{1}{2}}=4\pi$이다.
따라서 $a=4$, $b=0$, $c=4\pi$이므로
$a+b+c=4+4\pi$ 답 $4+4\pi$

1006

함수 $f(x)=2\sin\left(2x+\frac{\pi}{3}\right)+2$에 대한 설명으로 옳은 것만을 〈보기〉에서 있는 대로 고르시오. ($y=2\sin 2\left(x+\frac{\pi}{6}\right)+2$)

보기
ㄱ. $f\left(\frac{\pi}{3}\right)=2$
ㄴ. $f\left(-\frac{\pi}{6}\right)=f\left(\frac{5}{6}\pi\right)$
ㄷ. 주기는 π이다.
ㄹ. 최댓값은 4이고, 최솟값은 -2이다. (최댓값은 $2+2=4$, 최솟값은 $-2+2=0$)
ㅁ. $y=f(x)$의 그래프는 $y=2\sin 2x+2$의 그래프를 x축의 방향으로 $-\frac{\pi}{3}$만큼 평행이동한 것이다.

$f(x)=2\sin\left(2x+\frac{\pi}{3}\right)+2=2\sin 2\left(x+\frac{\pi}{6}\right)+2$
ㄱ. $f\left(\frac{\pi}{3}\right)=2\sin\pi+2=0+2=2$ (참)
ㄴ. $f\left(-\frac{\pi}{6}\right)=2\sin 0+2=0+2=2$,
$f\left(\frac{5}{6}\pi\right)=2\sin 2\pi+2=0+2=2$
$\therefore f\left(-\frac{\pi}{6}\right)=f\left(\frac{5}{6}\pi\right)$ (참)
ㄷ. 주기는 $\frac{2\pi}{2}=\pi$이다. (참)
ㄹ. 최댓값은 $2+2=4$, 최솟값은 $-2+2=0$이다. (거짓)
ㅁ. $y=f(x)$의 그래프는 $y=2\sin 2x+2$의 그래프를 x축의 방향으로 $-\frac{\pi}{6}$만큼 평행이동한 것이다. (거짓)
따라서 옳은 것은 ㄱ, ㄴ, ㄷ이다. 답 ㄱ, ㄴ, ㄷ

1007

삼각함수 $y=a\cos bx+c$의 주기가 π이고 최댓값이 2, 최솟값이 -4일 때, $a^2+b^2+c^2$의 값은? (단, a, b, c는 상수이다.) ($\frac{2\pi}{|b|}=\pi$, $|a|+c=2$, $-|a|+c=-4$)

$y=a\cos bx+c$의 주기가 π이므로
$\frac{2\pi}{|b|}=\pi$ $\therefore |b|=2$
최댓값이 2이므로 $|a|+c=2$ ······ ㉠
최솟값이 -4이므로 $-|a|+c=-4$ ······ ㉡
㉠+㉡을 하면 $2c=-2$ $\therefore c=-1$
$c=-1$을 ㉠에 대입하면 $|a|=3$
$\therefore a^2+b^2+c^2=9+4+1=14$ 답 ④

1008

함수 $f(x)=a\cos\frac{x}{2}+b$의 최댓값이 4이고 $f\left(\frac{2}{3}\pi\right)=\frac{5}{2}$일 때, 두 상수 a, b의 곱 ab의 값은? (단, $a>0$) ($a+b=4$임을 이용하자.)

$f(x)=a\cos\frac{x}{2}+b$의 최댓값이 4이고 $a>0$이므로

$a+b=4$ ······ ㉠

$f\left(\frac{2}{3}\pi\right)=\frac{5}{2}$이므로

$a\cos\frac{\pi}{3}+b=\frac{a}{2}+b=\frac{5}{2}$

$a+2b=5$ ······ ㉡

㉠, ㉡을 연립하여 풀면 $a=3$, $b=1$

$\therefore ab=3$

답 ④

1009

함수 $f(x)=a\sin x+1$의 최댓값을 M, 최솟값을 m이라 하자. $M-m=6$일 때, 양수 a의 값은?

→ $M=a+1$

→ $m=-a+1$

함수 $f(x)=a\sin x+1$의 그래프는 함수 $y=a\sin x$의 그래프를 y축의 방향으로 1만큼 평행이동한 것이다.

조건 $a>0$에서

$y=a\sin x$가 최대일 때 $f(x)$는 최대이고,

$y=a\sin x$가 최소일 때 $f(x)$는 최소이므로

함수 $f(x)$는 $\sin x=1$일 때 최댓값 $M=a+1$, $\sin x=-1$일 때 최솟값 $m=-a+1$을 갖는다.

따라서 $M-m=(a+1)-(-a+1)=2a$

$2a=6$이므로 $a=3$이다.

답 ③

1010

그림은 두 삼각함수 $y=f(x)$, $y=g(x)$의 그래프이다. 다음 중 옳은 것은?

→ 두 함수의 그래프를 비교하여 주기, 대칭이동, 최댓값(최솟값)을 구하자.

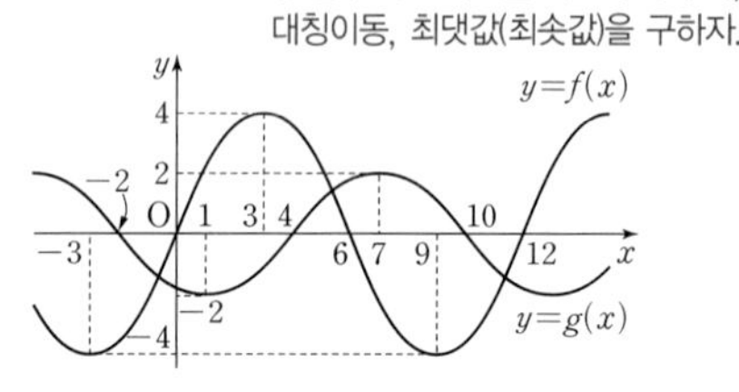

① $g(x)=\frac{1}{2}f(x-4)$ ② $g(x)=2f(x-4)$

③ $g(x)=\frac{1}{2}f(x+4)$ ④ $g(x)=2f(x+4)$

⑤ $g(x)=\frac{1}{2}f(x)$

그림에서 두 함수의 주기는 12로 서로 같다.

또 $y=f(x)$의 그래프를 x축의 방향으로 4만큼 평행이동시킨 $y=f(x-4)$와 $y=g(x)$는 $x=1$일 때 최솟값을 갖고 $x=7$일 때 최댓값을 갖는다.

$y=g(x)$의 최댓값과 최솟값은 각각 2, -2이고 $y=f(x)$의 최댓값과 최솟값은 각각 4, -4이므로 $y=g(x)$의 그래프와 $y=\frac{1}{2}f(x-4)$의 그래프가 일치한다.

$\therefore g(x)=\frac{1}{2}f(x-4)$

답 ①

1011

그림은 삼각함수 $y=2\cos x$의 그래프의 일부이다. 이때, $2a(b+c)$의 값을 구하시오.

→ b는 주기의 $\frac{1}{4}$, c는 주기의 $\frac{3}{4}$

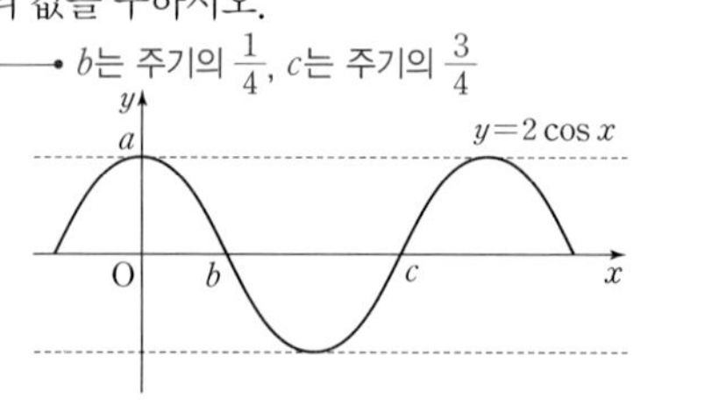

$y=2\cos x$의 최댓값은 2이므로 $a=2$

또 $y=2\cos x$의 주기는 2π이고 b는 주기의 $\frac{1}{4}$이므로 $\frac{\pi}{2}$,

c는 주기의 $\frac{3}{4}$이므로 $\frac{3}{2}\pi$이다.

$\therefore 2a(b+c)=2\times2\left(\frac{\pi}{2}+\frac{3}{2}\pi\right)=8\pi$

답 8π

1012

두 양수 a, b에 대하여 삼각함수 $y=a\sin bx$의 그래프가 그림과 같을 때, ab의 값을 구하시오.

→ 그래프에서 주기는 π, 최댓값은 3, 최솟값은 -3임을 이용하자.

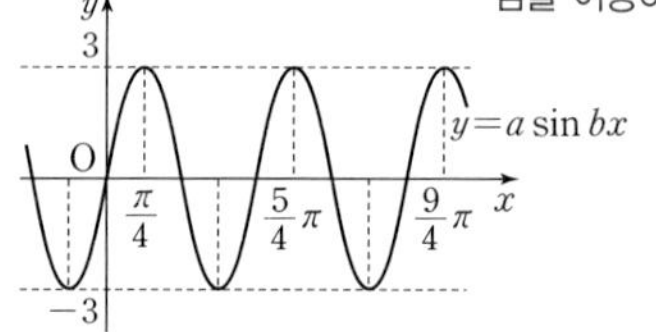

$a>0$이고 주어진 그래프에서 최댓값이 3, 최솟값이 -3이므로

$a=3$

$b>0$이고 주기가 $\frac{5}{4}\pi-\frac{\pi}{4}=\pi$이므로

$\frac{2\pi}{b}=\pi$

$\therefore b=2$

$\therefore ab=3\times2=6$

답 6

1013

최댓값, 최솟값에서 a를 찾고 주기에서 b를 찾자. 그래프가 $(0, -1)$을 지나므로 c를 찾을 수 있다.

그림의 그래프가 나타내는 식이 $y=a\sin(bx+c)$일 때, 세 상수 a, b, c에 대하여 abc의 값을 구하시오.

(단, $a>0$, $b>0$, $-\pi<c<\pi$)

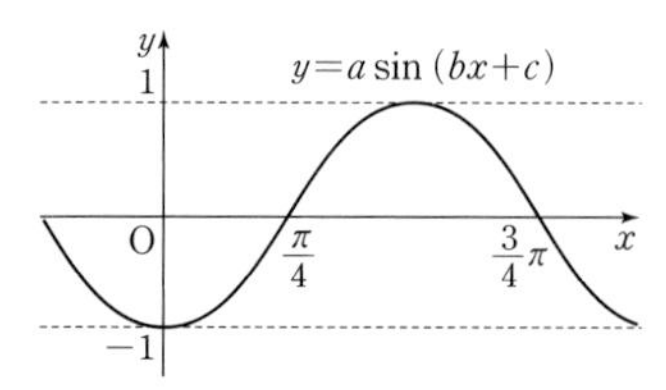

주어진 함수의 그래프에서 최댓값이 1, 최솟값이 -1이므로

$a=1$ ($\because a>0$)

$b>0$이고 주기가 $2\left(\frac{3}{4}\pi-\frac{\pi}{4}\right)=\pi$이므로

$\dfrac{2\pi}{b}=\pi$에서 $b=2$

즉, $y=\sin(2x+c)$이고 그래프가 점 $(0, -1)$을 지나므로

$-1=\sin c$

$\therefore c=-\dfrac{\pi}{2}$ ($\because -\pi<c<\pi$)

$\therefore abc=1\times2\times\left(-\dfrac{\pi}{2}\right)=-\pi$

답 $-\pi$

1014

$y=\cos 2x$의 그래프를 x축의 방향으로 $-\frac{\pi}{3}$만큼, y축의 방향으로 1만큼 평행이동하였다.

그림은 함수 $y=\cos a(x+b)+1$의 그래프이다. 두 상수 a, b에 대하여 ab의 값을 구하시오. (단, $a>0$, $0<b<\pi$)

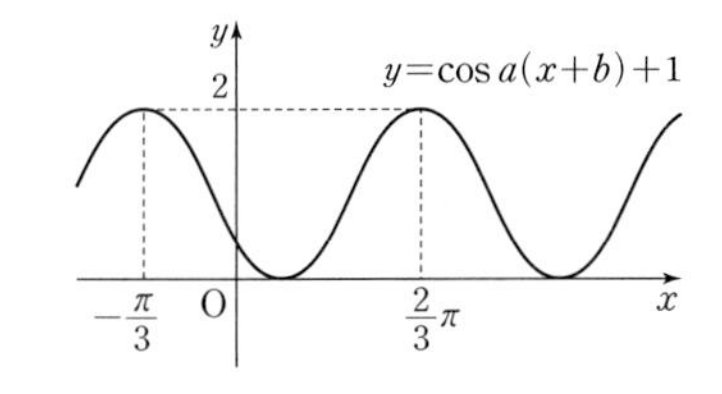

$a>0$이고 주어진 그래프에서 주기는 $\dfrac{2}{3}\pi+\dfrac{\pi}{3}=\pi$이므로

$\dfrac{2\pi}{a}=\pi$

$\therefore a=2$

따라서 주어진 그래프는 $y=\cos 2x$의 그래프를 x축의 방향으로 $-\dfrac{\pi}{3}$만큼, y축의 방향으로 1만큼 평행이동한 것이므로

$y=\cos 2\left(x+\dfrac{\pi}{3}\right)+1 \qquad \therefore b=\dfrac{\pi}{3}$

$\therefore ab=2\times\dfrac{\pi}{3}=\dfrac{2}{3}\pi$

답 $\dfrac{2}{3}\pi$

1015

주기를 이용하여 a, 최대·최소를 이용하여 c, 임의의 함숫값을 이용하여 b를 구할 수 있다.

그림은 함수 $f(x)=\sin(ax-b\pi)+c$의 그래프이다. $a>0$, $0<b<1$일 때, $6(a+b+c)$의 값을 구하시오.

(단, a, b, c는 상수)

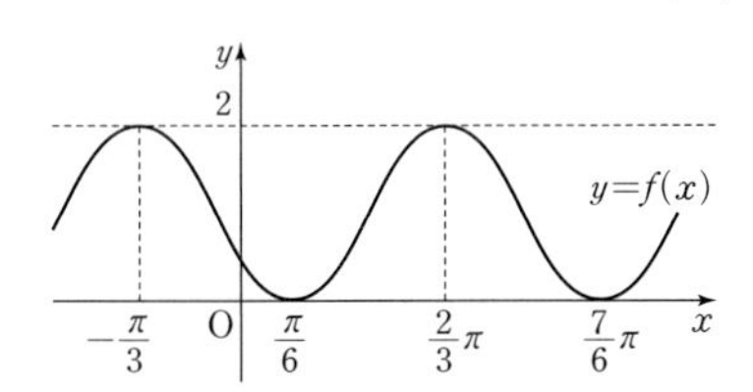

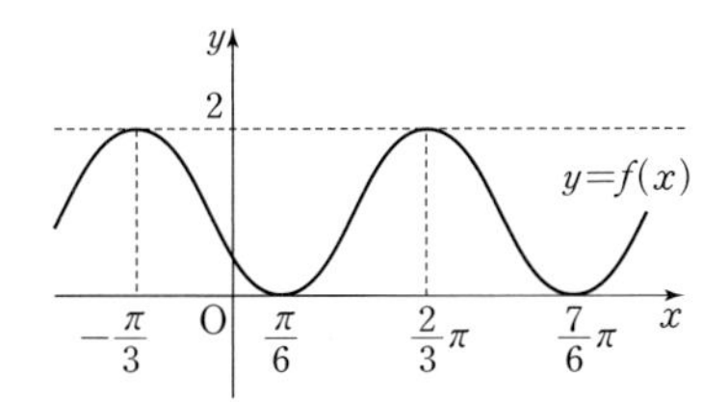

$f(x)=\sin(ax-b\pi)+c$는 $f(x)=\sin(ax-b\pi)$의 그래프를 y축의 방향으로 1만큼 평행이동했으므로 $c=1$

$f(x)=\sin(ax-b\pi)+c$의 주기는

$\dfrac{2\pi}{|a|}=\dfrac{2\pi}{a}$ ($\because a>0$)

그림에서 주기는 $\dfrac{2\pi}{3}-\left(-\dfrac{\pi}{3}\right)=\pi$

$\dfrac{2\pi}{a}=\pi$

$\therefore a=2$

$f(x)=\sin(ax-b\pi)+c=\sin(2x-b\pi)+1$

$f(x)$의 그래프가 $\left(\dfrac{\pi}{6}, 0\right)$을 지나므로 위의 식에 대입하면

$\sin\left(2\times\dfrac{\pi}{6}-b\pi\right)+1=0$

$\sin\left(\dfrac{1}{3}-b\right)\pi=-1$

$\left(\dfrac{1}{3}-b\right)\pi=\dfrac{3}{2}\pi$ 또는 $\left(\dfrac{1}{3}-b\right)\pi=-\dfrac{1}{2}\pi$

$\therefore b=\dfrac{5}{6}$ ($\because 0<b<1$)

$\therefore 6(a+b+c)=6\left(2+\dfrac{5}{6}+1\right)=23$

답 23

1016

최대·최소를 이용하여 a와 b의 값을 구하자.

함수 $y=a\cos\left\{\dfrac{\pi}{3}(2x-1)\right\}+b$의 그래프가 그림과 같을 때, $a+b+c$의 값은? (단, a, b는 상수이고, $a>0$이다.)

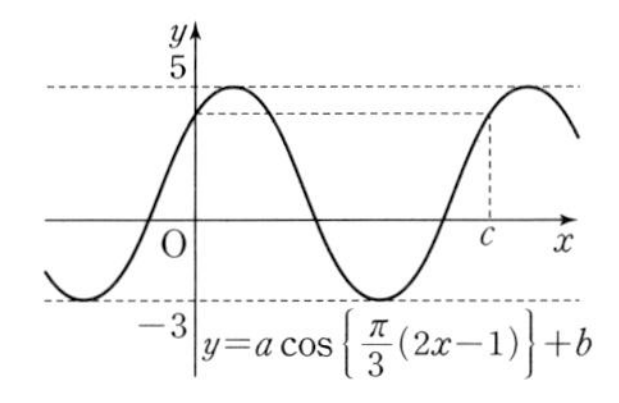

$a>0$이고 주어진 그래프에서 최댓값이 5, 최솟값이 -3이므로

$a+b=5$, $-a+b=-3$

두 식을 연립하여 풀면

$a=4$, $b=1$

즉, $y=4\cos\left\{\dfrac{\pi}{3}(2x-1)\right\}+1=4\cos\left\{\dfrac{2}{3}\pi\left(x-\dfrac{1}{2}\right)\right\}+1$이므로

주기는 $\dfrac{2\pi}{\frac{2}{3}\pi}=3$

이때, $c-0=3$이므로 $c=3$

$\therefore a+b+c=4+1+3=8$

답 ④

1017

주기는 $\frac{\pi}{2}$임을 이용하자.

그림은 함수 $y=3\tan 2x$의 그래프이다. 이때, $a-b-2c$의 값을 구하시오.

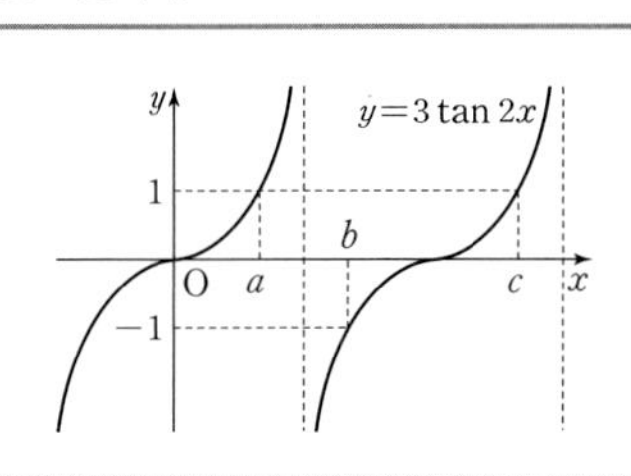

$y=3\tan 2x$의 주기는 $\dfrac{\pi}{2}$이므로

$b=\dfrac{\pi}{2}-a$, $c=\dfrac{\pi}{2}+a$

$\therefore a-b-2c=a-\left(\frac{\pi}{2}-a\right)-2\left(\frac{\pi}{2}+a\right)$

$=-\frac{3}{2}\pi$ 답 $-\frac{3}{2}\pi$

1018

주기가 $\frac{\pi}{4}$이므로 $\frac{\pi}{b}=\frac{\pi}{4}$

함수 $f(x)=a\tan bx$의 주기가 $\frac{\pi}{4}$이고, $f\left(\frac{\pi}{16}\right)=5$일 때, 두 상수 a, b에 대하여 ab의 값은? (단, $b>0$)

$x=\frac{\pi}{16}$, $y=5$를 주어진 함수에 대입하자.

$b>0$이고, $f(x)=a\tan bx$의 주기가 $\frac{\pi}{4}$이므로

$\frac{\pi}{b}=\frac{\pi}{4}$ $\therefore b=4$

$f\left(\frac{\pi}{16}\right)=5$이므로

$f\left(\frac{\pi}{16}\right)=a\tan\left(4\times\frac{\pi}{16}\right)=a\tan\frac{\pi}{4}=a=5$

$\therefore ab=5\times4=20$ 답 ④

1019 주기가 $\frac{\pi}{2}$이므로 $\frac{\pi}{b}=\frac{\pi}{2}$에서 $b=2$, 원점을 지나므로 $c=0$이다.

그림은 함수 $y=a\tan bx+c$의 그래프이다. 이때, 세 상수 a, b, c에 대하여 $a^2+b^2+c^2$의 값을 구하시오.

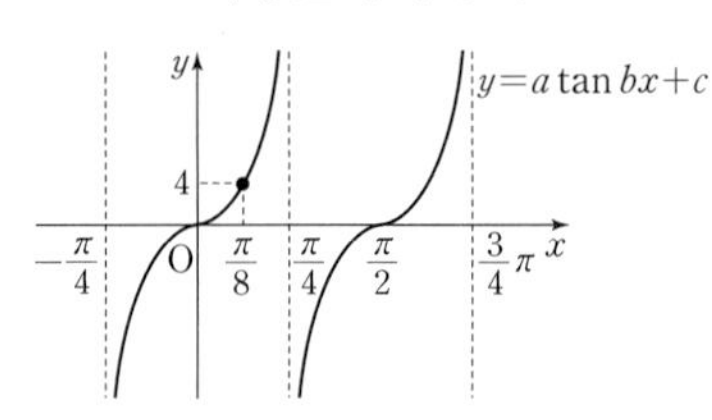

$b>0$이고 주어진 그래프에서 주기가 $\frac{\pi}{2}$이므로

$\frac{\pi}{b}=\frac{\pi}{2}$ $\therefore b=2$

한편, 주어진 그래프가 점 $(0, 0)$을 지나므로

$0=a\tan0+c$ $\therefore c=0$

또 주어진 그래프가 점 $\left(\frac{\pi}{8}, 4\right)$를 지나므로

$4=a\tan\left(2\times\frac{\pi}{8}\right)$ $\therefore a=4$

$\therefore a^2+b^2+c^2=16+4+0=20$ 답 20

1020

다음은 함수 $y=|\sin x|$에 대한 설명이다. 옳지 않은 것은?

$y<0$인 부분은 x축에 대하여 대칭이동한다.

① 최댓값은 1이다.
② 최솟값은 0이다.
③ 주기는 π이다.
④ 그래프는 원점에 대하여 대칭이다.
⑤ 그래프는 직선 $x=\pi$에 대하여 대칭이다.

그래프는 y축에 대하여 대칭인 함수이다.

$y=|\sin x|$의 그래프는 그림과 같다.

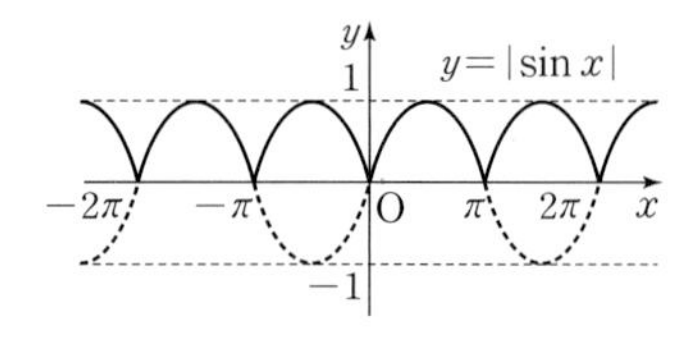

따라서 옳지 않은 것은 ④이다. 답 ④

1021

함수 $f(x)=|2\sin 2x|$의 그래프에 대한 설명으로 옳은 것만을 <보기>에서 있는 대로 고른 것은?

보기

ㄱ. y축에 대하여 대칭이다. ㄴ. 치역은 $\{y|0\le y\le2\}$이다.
ㄷ. 주기는 π이다.

$y=2\sin 2x$의 그래프의 주기는 π이고 $y=|2\sin 2x|$의 그래프의 주기는 $\frac{\pi}{2}$이다.

$y=f(x)$의 그래프는 그림과 같다.

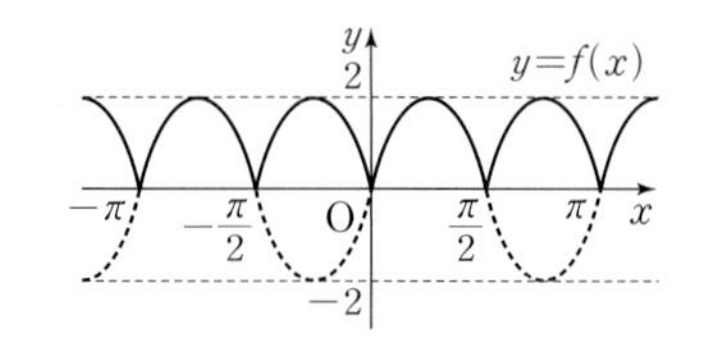

ㄱ. y축에 대하여 대칭이다. (참)
ㄴ. 치역은 $\{y|0\le y\le2\}$이다. (참)
ㄷ. 주기는 $\frac{\pi}{2}$이다. (거짓)

따라서 옳은 것은 ㄱ, ㄴ이다. 답 ③

1022 $\cos\theta=t$라 하면 t의 범위는 $-1\le t\le1$이다.

실수 전체의 집합에서 정의된 함수 $y=-|\cos\theta-4|+1$의 최댓값을 M, 최솟값을 m이라 할 때, $M+m$의 값을 구하시오.

$y=-|\cos\theta-4|+1$에서

$\cos\theta=t$ $(-1\le t\le1)$로 놓으면

$y=-|t-4|+1=\begin{cases}-t+5 & (t\ge4)\\ t-3 & (t<4)\end{cases}$

이므로 그래프는 그림과 같다.

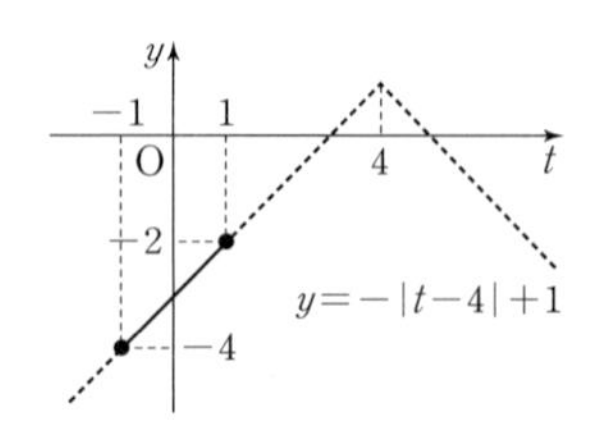

따라서 $t=1$일 때 최댓값 $M=-2$, $t=-1$일 때 최솟값 $m=-4$를 갖는다.

$\therefore M+m=-6$ 답 -6

1023

그래프를 그려 보면 $b=\pi-a$, $c=\pi+a$, …임을 알 수 있다.

그림은 함수 $y=\sin x$의 그래프이다. 이 그래프를 이용하여 $\cos(a+b+c+d+e+f)$의 값을 구하시오.

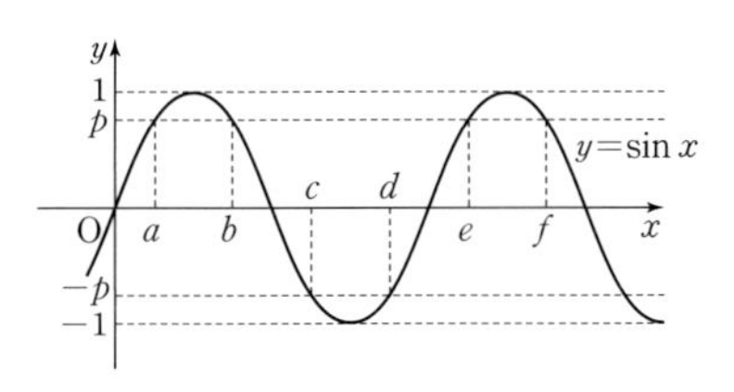

$y=\sin x$의 주기는 2π이므로

$b=\pi-a$, $c=\pi+a$, $d=2\pi-a$, $e=2\pi+a$, $f=3\pi-a$

$\therefore a+b+c+d+e+f=9\pi$

$\therefore \cos(a+b+c+d+e+f)=\cos 9\pi$

$=-1$

답 -1

1024

그림과 같이 함수 $y=\cos x$ $\left(0\le x\le \frac{3}{2}\pi\right)$의 그래프와 두 직선 $y=\frac{2}{3}$, $y=-\frac{2}{3}$가 만나는 점의 x좌표를 a, b, c로 나타낼 때, $\cos(a+b+c)$의 값을 구하시오.

그래프를 그려 보면 $b=\pi-a$, $c=\pi+a$ 임을 알 수 있다.

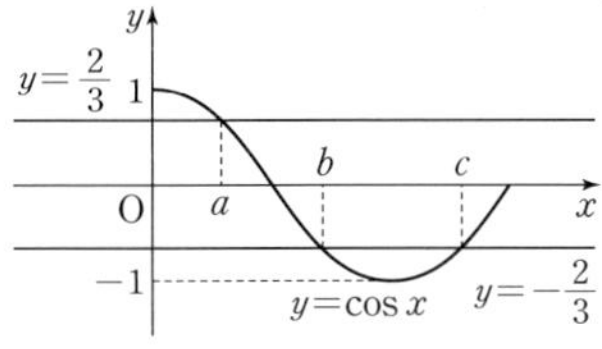

$y=\cos x$의 그래프의 대칭성과 주기성을 이용하면

$b=\pi-a$, $c=\pi+a$

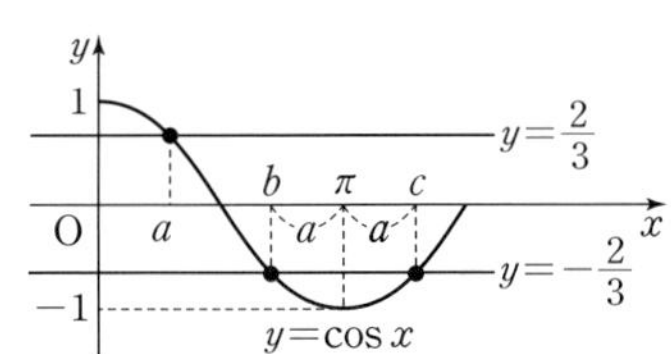

$\therefore a+b+c=a+(\pi-a)+(\pi+a)=2\pi+a$

$\therefore \cos(a+b+c)=\cos(2\pi+a)$

$=\cos a=\frac{2}{3}$

답 $\frac{2}{3}$

1025

주어진 함수의 그래프는 $x=\pi$에 대하여 대칭이므로 $\frac{x_1+x_2}{2}=\pi$이다.

함수 $f(x)=\cos x$의 그래프와 직선 $y=k$ $(0<k<1)$가 만나는 점의 x좌표를 x_1, x_2라 할 때, $f\left(\frac{x_1+x_2}{2}\right)$의 값을 구하시오.

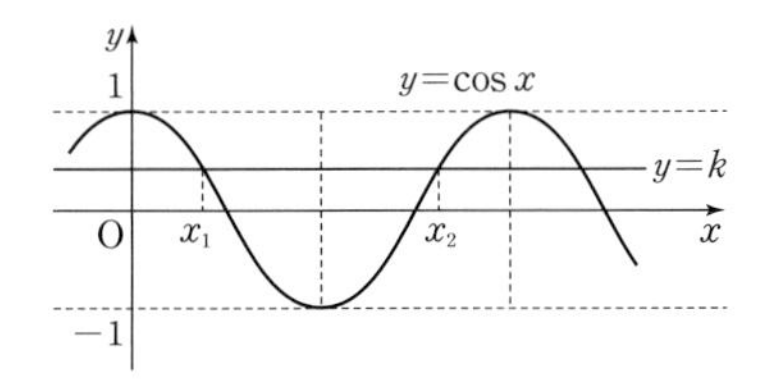

함수 $f(x)=\cos x$의 그래프는 $x=\pi$에 대하여 대칭이므로

$\frac{x_1+x_2}{2}=\pi$

$\therefore f\left(\frac{x_1+x_2}{2}\right)=f(\pi)=-1$

답 -1

1026

주기가 2인 함수이다.

함수 $f(x)=\sin \pi x$ $(x\ge 0)$의 그래프와 직선 $y=\frac{2}{3}$가 만나는 점의 x좌표를 작은 것부터 차례대로 α, β, γ라 할 때, $f(\alpha+\beta+\gamma+1)+f\left(\alpha+\beta+\frac{1}{2}\right)$의 값을 구하시오.

$\beta=1-\alpha$, $\gamma=2+\alpha$

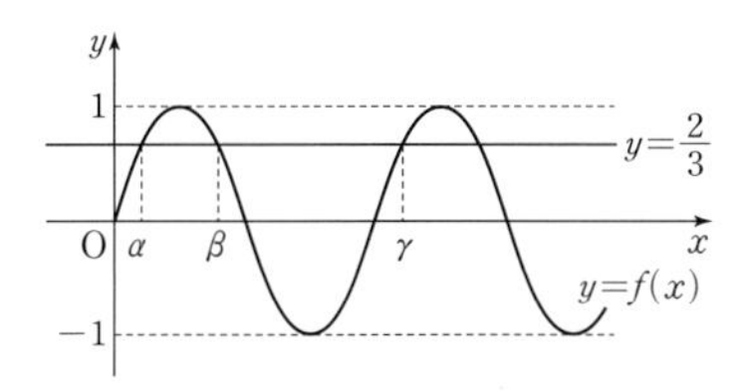

함수 $f(x)=\sin \pi x(x\ge 0)$의 주기가 $\frac{2\pi}{\pi}=2$이므로

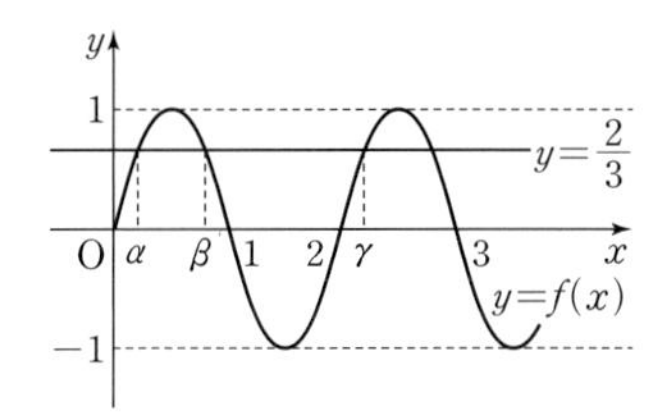

그림에서 $\beta=1-\alpha$, $\gamma=2+\alpha$

$f(\alpha+\beta+\gamma+1)=f(4+\alpha)=\frac{2}{3}$

$f\left(\alpha+\beta+\frac{1}{2}\right)=f\left(\frac{3}{2}\right)=-1$

$\therefore f(\alpha+\beta+\gamma+1)+f\left(\alpha+\beta+\frac{1}{2}\right)=-\frac{1}{3}$

답 $-\frac{1}{3}$

1027

주기는 $\frac{2\pi}{k}$이다.

그림과 같이 삼각함수 $f(x)=\sin kx$ $\left(0\le x\le \frac{5\pi}{2k}\right)$의 그래프와 직선 $y=\frac{3}{4}$이 만나는 점의 x좌표를 각각 α, β, γ $(\alpha<\beta<\gamma)$라 할 때, $f(\alpha+\beta+\gamma)$의 값은? (단, k는 양의 실수이다.)

$\alpha+\beta=\frac{\pi}{k}$ 임을 이용하자.

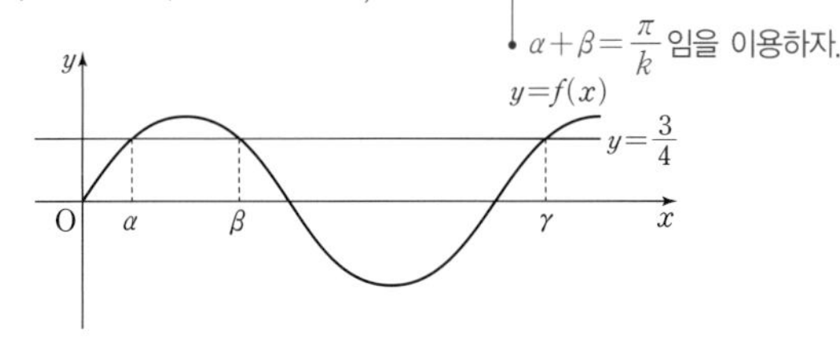

$f(x)=\sin kx(x\ge 0)$의 주기가 $\frac{2\pi}{k}$이므로 $\alpha+\beta=\frac{\pi}{k}$이다.

$f(\alpha+\beta+\gamma)=f\left(\frac{\pi}{k}+\gamma\right)=\sin(\pi+k\gamma)$

$=-\sin k\gamma=-f(\gamma)=-\frac{3}{4}$

답 ③

1028

주기가 π인 함수이다.

함수 $y=\sin 2x$ $(x\ge 0)$의 그래프와 직선 $y=k$ $(0<k<1)$의 교점의 x좌표를 작은 것부터 차례대로 $x_1, x_2, x_3, \cdots$이라 할 때, $x_1+x_2+x_3+\cdots+x_{20}$의 값을 구하시오.

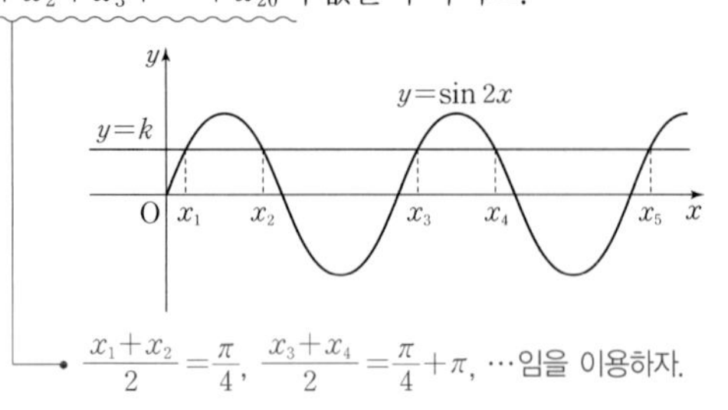

$\frac{x_1+x_2}{2}=\frac{\pi}{4}$, $\frac{x_3+x_4}{2}=\frac{\pi}{4}+\pi$, $\cdots$임을 이용하자.

$y=\sin 2x$는 주기가 π이고

x_1, x_2는 $x=\frac{\pi}{4}$에 대칭이므로

$\frac{x_1+x_2}{2}=\frac{\pi}{4}$에서 $x_1+x_2=2\left(\frac{\pi}{4}\right)$

x_3, x_4는 $x=\frac{\pi}{4}+\pi$에 대칭이므로

$\frac{x_3+x_4}{2}=\frac{\pi}{4}+\pi$에서 $x_3+x_4=2\left(\frac{\pi}{4}+\pi\right)$

x_5, x_6은 $x=\frac{\pi}{4}+2\pi$에 대칭이므로

$\frac{x_5+x_6}{2}=\frac{\pi}{4}+2\pi$에서 $x_5+x_6=2\left(\frac{\pi}{4}+2\pi\right)$

⋮

x_{19}, x_{20}은 $x=\frac{\pi}{4}+9\pi$에 대칭이므로

$\frac{x_{19}+x_{20}}{2}=\frac{\pi}{4}+9\pi$에서 $x_{19}+x_{20}=2\left(\frac{\pi}{4}+9\pi\right)$

$\therefore x_1+x_2+x_3+\cdots+x_{20}$

$=2\left(\frac{\pi}{4}\right)+2\left(\frac{\pi}{4}+\pi\right)+2\left(\frac{\pi}{4}+2\pi\right)+\cdots+2\left(\frac{\pi}{4}+9\pi\right)$

$=2\left(\frac{\pi}{4}\times 10+45\pi\right)$

$=95\pi$

답 95π

1029

$\sin\frac{7\pi}{3}$의 값은?

$\sin\left(2\pi+\frac{\pi}{3}\right)$

$\sin\frac{7\pi}{3}=\sin\left(2\pi+\frac{\pi}{3}\right)$

$=\sin\frac{\pi}{3}$

$=\frac{\sqrt{3}}{2}$

답 ⑤

1030

$\sin\frac{\pi}{6}+\tan\frac{9\pi}{4}$의 값은?

$\tan\left(2\pi+\frac{\pi}{4}\right)$

$\sin\frac{\pi}{6}+\tan\frac{9\pi}{4}=\frac{1}{2}+\tan\left(2\pi+\frac{\pi}{4}\right)$

$=\frac{1}{2}+\tan\frac{\pi}{4}$

$=\frac{1}{2}+1$

$=\frac{3}{2}$

답 ⑤

1031

$\cos\left(4\pi+\frac{2}{3}\pi\right)=\cos\frac{2}{3}\pi=\cos\left(\pi-\frac{\pi}{3}\right)$

$\sin\left(-\frac{\pi}{6}\right)+\cos\frac{14}{3}\pi+\tan\frac{5}{4}\pi$의 값은?

$\sin(-\theta)=-\sin\theta$임을 이용하자.

$\sin\left(-\frac{\pi}{6}\right)+\cos\frac{14}{3}\pi+\tan\frac{5}{4}\pi$

$=-\sin\frac{\pi}{6}+\cos\left(4\pi+\frac{2}{3}\pi\right)+\tan\left(\pi+\frac{\pi}{4}\right)$

$=-\frac{1}{2}+\cos\left(\pi-\frac{\pi}{3}\right)+\tan\frac{\pi}{4}$

$=-\frac{1}{2}-\cos\frac{\pi}{3}+1$

$=-\frac{1}{2}-\frac{1}{2}+1$

$=0$

답 ③

1032

$\sin\frac{7}{3}\pi\cos\frac{13}{6}\pi+\cos\left(-\frac{7}{6}\pi\right)\tan\frac{4}{3}\pi$의 값을 구하시오.

$\cos\left(-\frac{7}{6}\pi\right)=\cos\left(\frac{7}{6}\pi\right)=\cos\left(\pi+\frac{\pi}{6}\right)=-\cos\left(\frac{\pi}{6}\right)$

$\sin\frac{7}{3}\pi\cos\frac{13}{6}\pi+\cos\left(-\frac{7}{6}\pi\right)\tan\frac{4}{3}\pi$

$=\sin\frac{7}{3}\pi\cos\frac{13}{6}\pi+\cos\frac{7}{6}\pi\tan\frac{4}{3}\pi$

$=\sin\left(2\pi+\frac{\pi}{3}\right)\cos\left(2\pi+\frac{\pi}{6}\right)+\cos\left(\pi+\frac{\pi}{6}\right)\tan\left(\pi+\frac{\pi}{3}\right)$

$=\sin\frac{\pi}{3}\cos\frac{\pi}{6}-\cos\frac{\pi}{6}\tan\frac{\pi}{3}$

$=\frac{\sqrt{3}}{2}\times\frac{\sqrt{3}}{2}-\frac{\sqrt{3}}{2}\times\sqrt{3}$

$=\frac{3}{4}-\frac{3}{2}$

$=-\frac{3}{4}$

답 $-\frac{3}{4}$

1033

$\sin\left(\frac{\pi}{2}\pm\theta\right)=\cos\theta$

$\frac{\sin\left(\frac{\pi}{2}-\theta\right)}{\sin\left(\frac{\pi}{2}+\theta\right)\cos^2\theta}+\frac{\sin(\pi+\theta)\tan^2(\pi-\theta)}{\cos\left(\frac{3}{2}\pi+\theta\right)}$의 값은?

$\cos\left(\frac{3\pi}{2}+\theta\right)=\sin\theta$

$$\frac{\sin\left(\frac{\pi}{2}-\theta\right)}{\sin\left(\frac{\pi}{2}+\theta\right)\cos^2\theta}+\frac{\sin(\pi+\theta)\tan^2(\pi-\theta)}{\cos\left(\frac{3}{2}\pi+\theta\right)}$$

$$=\frac{\cos\theta}{\cos\theta\cos^2\theta}+\frac{-\sin\theta\tan^2\theta}{\sin\theta}$$

$$=\frac{1}{\cos^2\theta}-\tan^2\theta$$

$$=\frac{1-\sin^2\theta}{\cos^2\theta}$$

$$=\frac{\cos^2\theta}{\cos^2\theta}=1$$

답 ③

1034

$\sin\left(\frac{\pi}{2}+\theta\right)+\cos(\pi+\theta)-\sin(-\theta)+\cos\left(\frac{\pi}{2}+\theta\right)$를 간단히 하면?

$\cos\left(\frac{\pi}{2}+\theta\right)=-\sin\theta$

$$\sin\left(\frac{\pi}{2}+\theta\right)+\cos(\pi+\theta)-\sin(-\theta)+\cos\left(\frac{\pi}{2}+\theta\right)$$

$$=\cos\theta+(-\cos\theta)-(-\sin\theta)+(-\sin\theta)$$

$$=\cos\theta-\cos\theta+\sin\theta-\sin\theta$$

$$=0$$

답 ④

1035

$\cos\left(\frac{3\pi}{2}+\theta\right)=\sin\theta$

$\dfrac{\cos\theta}{\cos(\pi+\theta)}-\dfrac{\cos\left(\frac{3}{2}\pi+\theta\right)}{\sin(\pi-\theta)}$를 간단히 하면?

$\cos(\pi+\theta)=-\cos\theta$, $\cos\left(\frac{3}{2}\pi+\theta\right)=\sin\theta$, $\sin(\pi-\theta)=\sin\theta$

$$\therefore (\text{주어진 식})=\frac{\cos\theta}{-\cos\theta}-\frac{\sin\theta}{\sin\theta}$$

$$=-1-1$$

$$=-2$$

답 ①

1036

$\cos\theta=-\frac{3}{5}$일 때,

$\cos\left(\frac{3}{2}\pi+\theta\right)+\sin\left(\frac{\pi}{2}-\theta\right)+\sin(\pi-\theta)$의 값을 구하시오.

$\frac{\pi}{2}<\theta<\pi$이므로 $\sin\theta=\frac{4}{5}$

(단, $\frac{\pi}{2}<\theta<\pi$)

$\cos\theta=-\frac{3}{5}$이고 $\frac{\pi}{2}<\theta<\pi$이므로 $\sin\theta=\frac{4}{5}$

$$\cos\left(\frac{3}{2}\pi+\theta\right)+\sin\left(\frac{\pi}{2}-\theta\right)+\sin(\pi-\theta)$$

$$=\sin\theta+\cos\theta+\sin\theta$$

$$=2\sin\theta+\cos\theta$$

$$=2\times\frac{4}{5}-\frac{3}{5}=1$$

답 1

1037

$A+B+C=\pi$임을 이용하자.

A, B, C가 삼각형 ABC의 세 내각의 크기를 나타낼 때, 〈보기〉에서 옳은 것만을 있는 대로 고른 것은?

보기

$B+C=\pi-A$이므로 $\sin(\pi-A)=\sin A$

ㄱ. $\sin(B+C)=\sin A$ ㄴ. $\cos(B+C)=\cos A$

ㄷ. $\cos\left(\frac{B}{2}+\frac{C}{2}\right)=\sin\frac{A}{2}$

A, B, C가 삼각형의 세 내각의 크기이므로

$A+B+C=\pi$에서 $B+C=\pi-A$

ㄱ. $\sin(B+C)=\sin(\pi-A)$

$=\sin A$ (참)

ㄴ. $\cos(B+C)=\cos(\pi-A)$

$=-\cos A$ (거짓)

ㄷ. $\cos\left(\frac{B}{2}+\frac{C}{2}\right)=\cos\left(\frac{B+C}{2}\right)$

$=\cos\left(\frac{\pi-A}{2}\right)$

$=\cos\left(\frac{\pi}{2}-\frac{A}{2}\right)$

$=\sin\frac{A}{2}$ (참)

따라서 옳은 것은 ㄱ, ㄷ이다.

답 ③

1038

$\cos^2 10^\circ+\cos^2 20^\circ+\cos^2 30^\circ+\cdots+\cos^2 80^\circ$의 값은?

$\cos^2 80^\circ=\cos^2(90^\circ-10^\circ)=\sin^2 10^\circ$임을 이용하자.

$$\cos^2 10^\circ+\cos^2 20^\circ+\cos^2 30^\circ+\cdots+\cos^2 80^\circ$$

$$=\cos^2 10^\circ+\cos^2 20^\circ+\cos^2 30^\circ+\cos^2 40^\circ$$
$$+\cos^2(90^\circ-40^\circ)+\cos^2(90^\circ-30^\circ)$$
$$+\cos^2(90^\circ-20^\circ)+\cos^2(90^\circ-10^\circ)$$

$$=\cos^2 10^\circ+\cos^2 20^\circ+\cos^2 30^\circ+\cos^2 40^\circ+\sin^2 40^\circ$$
$$+\sin^2 30^\circ+\sin^2 20^\circ+\sin^2 10^\circ$$

$$=(\cos^2 10^\circ+\sin^2 10^\circ)+(\cos^2 20^\circ+\sin^2 20^\circ)$$
$$+(\cos^2 30^\circ+\sin^2 30^\circ)+(\cos^2 40^\circ+\sin^2 40^\circ)$$

$$=1+1+1+1$$

$$=4$$

답 ④

1039

$\sin^2 1^\circ+\sin^2 2^\circ+\cdots+\sin^2 89^\circ+\sin^2 90^\circ$의 값을 구하시오.

$\sin^2 1^\circ=\sin^2(90^\circ-89^\circ)=\cos^2 89^\circ$임을 이용하자.

$\sin^2 1^\circ=\sin^2(90-89)^\circ=\cos^2 89^\circ$

$\sin^2 2^\circ=\sin^2(90-88)^\circ=\cos^2 88^\circ$

$\vdots$

$\sin^2 44^\circ=\sin^2(90-46)^\circ=\cos^2 46^\circ$

이때,

$\sin^2 1^\circ+\sin^2 89^\circ=\cos^2 89^\circ+\sin^2 89^\circ=1$

$\sin^2 2^\circ+\sin^2 88^\circ=\cos^2 88^\circ+\sin^2 88^\circ=1$

$\vdots$

$\sin^2 44^\circ+\sin^2 46^\circ=\cos^2 46^\circ+\sin^2 46^\circ=1$

$\therefore \sin^2 1^\circ+\sin^2 2^\circ+\cdots+\sin^2 89^\circ+\sin^2 90^\circ$

$=(\sin^2 1^\circ+\sin^2 89^\circ)+(\sin^2 2^\circ+\sin^2 88^\circ)+\cdots$

$+(\sin^2 44^\circ+\sin^2 46^\circ)+\sin^2 45^\circ+\sin^2 90^\circ$

$=44+\sin^2 45^\circ+\sin^2 90^\circ$

$=44+\frac{1}{2}+1=\frac{91}{2}$

답 $\frac{91}{2}$

1040

$\tan 2^\circ \tan 3^\circ \tan 4^\circ \cdots \tan 87^\circ \tan 88^\circ$의 값은?

• $\tan\left(\frac{\pi}{2}-x\right)=\frac{1}{\tan x}$임을 이용하면 $\tan 2^\circ=\tan(90^\circ-88^\circ)=\frac{1}{\tan 88^\circ}$

$A+B=\frac{\pi}{2}$일 때, $A=\frac{\pi}{2}-B$이므로

$\tan A=\tan\left(\frac{\pi}{2}-B\right)$

$=\frac{1}{\tan B}$

즉, $\tan A\tan B=1$이므로

$\tan 2^\circ \tan 88^\circ=1$

$\tan 3^\circ \tan 87^\circ=1$

$\vdots$

$\tan 44^\circ \tan 46^\circ=1$

$\therefore \tan 2^\circ \tan 3^\circ \tan 4^\circ \cdots \tan 87^\circ \tan 88^\circ=\tan 45^\circ=1$

답 ③

참고 $\tan(90^\circ-\theta)=\frac{1}{\tan\theta}$이므로

$\tan\theta\tan(90^\circ-\theta)=\tan\theta\times\frac{1}{\tan\theta}=1$

1041

$\left(\cos^2\frac{\pi}{10}+\cos^2\frac{2\pi}{10}+\cos^2\frac{3\pi}{10}+\cdots+\cos^2\frac{9\pi}{10}\right)-\cos^2\frac{\pi}{2}$의 값을 구하시오.

• $\cos(\pi-\theta)=-\cos\theta$에서 $\cos^2(\pi-\theta)=\cos^2\theta$임을 이용하자.

$\cos(\pi-\theta)=-\cos\theta$에서 $\cos^2(\pi-\theta)=\cos^2\theta$이므로

$\cos^2\frac{\pi}{10}=\cos^2\frac{9\pi}{10}$

$\cos^2\frac{2\pi}{10}=\cos^2\frac{8\pi}{10}$

$\cos^2\frac{3\pi}{10}=\cos^2\frac{7\pi}{10}$

$\cos^2\frac{4\pi}{10}=\cos^2\frac{6\pi}{10}$

한편, $\cos\left(\frac{\pi}{2}-\theta\right)=\sin\theta$에서 $\cos^2\left(\frac{\pi}{2}-\theta\right)=\sin^2\theta$이므로

$\cos^2\frac{\pi}{10}+\cos^2\frac{4\pi}{10}=\cos^2\frac{\pi}{10}+\sin^2\frac{\pi}{10}=1$

$\cos^2\frac{2\pi}{10}+\cos^2\frac{3\pi}{10}=\cos^2\frac{2\pi}{10}+\sin^2\frac{2\pi}{10}=1$

$\therefore \left(\cos^2\frac{\pi}{10}+\cos^2\frac{2\pi}{10}+\cos^2\frac{3\pi}{10}+\cdots+\cos^2\frac{9\pi}{10}\right)-\cos^2\frac{\pi}{2}$

$=2\left(\cos^2\frac{\pi}{10}+\cos^2\frac{2\pi}{10}+\cos^2\frac{3\pi}{10}+\cos^2\frac{4\pi}{10}\right)$

$+\cos^2\frac{5\pi}{10}-\cos^2\frac{\pi}{2}$

$=2\left(\cos^2\frac{\pi}{10}+\cos^2\frac{2\pi}{10}+\cos^2\frac{3\pi}{10}+\cos^2\frac{4\pi}{10}\right)$

$=2(1+1)$

$=4$

답 4

1042

그림과 같이 좌표평면 위의 단위원을 10등분하여 각 분점을 차례로 P_0, P_1, P_2, $\cdots$, P_9라 하자. $\angle P_0OP_1=\theta$라 할 때,

• $10\theta=2\pi$에서 $5\theta=\pi$

$\sin\theta+\sin 2\theta+\sin 3\theta+\cdots+\sin 10\theta$

의 값을 구하시오.

• $\sin 6\theta=\sin(5\theta+\theta)=\sin(\pi+\theta)=-\sin\theta$임을 이용하자.

(단, O는 원점이고, 점 P_0의 좌표는 $(1, 0)$이다.)

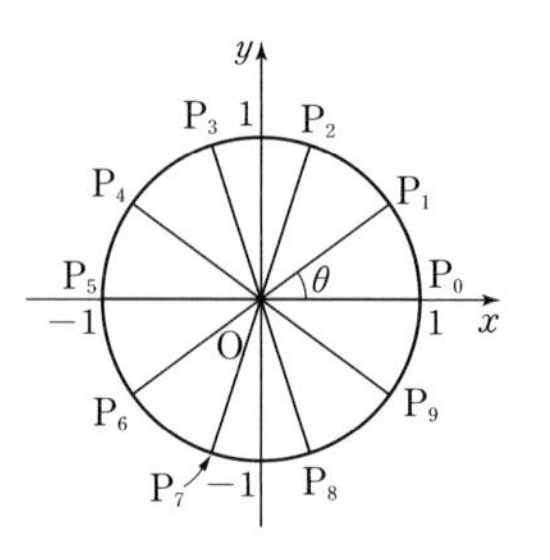

$10\theta=2\pi$에서 $5\theta=\pi$이므로

$\sin 6\theta=\sin(5\theta+\theta)=\sin(\pi+\theta)=-\sin\theta$

$\sin 7\theta=\sin(5\theta+2\theta)=\sin(\pi+2\theta)=-\sin 2\theta$

$\sin 8\theta=\sin(5\theta+3\theta)=\sin(\pi+3\theta)=-\sin 3\theta$

$\sin 9\theta=\sin(5\theta+4\theta)=\sin(\pi+4\theta)=-\sin 4\theta$

$\therefore \sin\theta+\sin 2\theta+\cdots+\sin 10\theta$

$=(\sin\theta+\sin 6\theta)+(\sin 2\theta+\sin 7\theta)+(\sin 3\theta+\sin 8\theta)$

$+(\sin 4\theta+\sin 9\theta)+\sin 5\theta+\sin 10\theta$

$=(\sin\theta-\sin\theta)+(\sin 2\theta-\sin 2\theta)+(\sin 3\theta-\sin 3\theta)$

$+(\sin 4\theta-\sin 4\theta)+\sin\pi+\sin 2\pi$

$=0$

답 0

1043

함수 $y=-\sin^2 x+2\cos x+1$의 최댓값을 M, 최솟값을 m이라 할 때, $M-m$의 값을 구하시오.

• $\sin^2 x=1-\cos^2 x$이므로 $\cos x=t$ $(-1\le t\le 1)$로 놓고 t에 관한 식으로 정리하자.

$y=-\sin^2 x+2\cos x+1$

$=-(1-\cos^2 x)+2\cos x+1$

$=\cos^2 x+2\cos x$

이때, $\cos x=t\ (-1\le t\le 1)$로 놓으면

$y=t^2+2t=(t+1)^2-1$

이므로 그래프는 그림과 같다.

그림에서

$t=1$일 때, 최댓값 $M=3$,

$t=-1$일 때, 최솟값 $m=-1$

$\therefore M-m=3-(-1)=4$

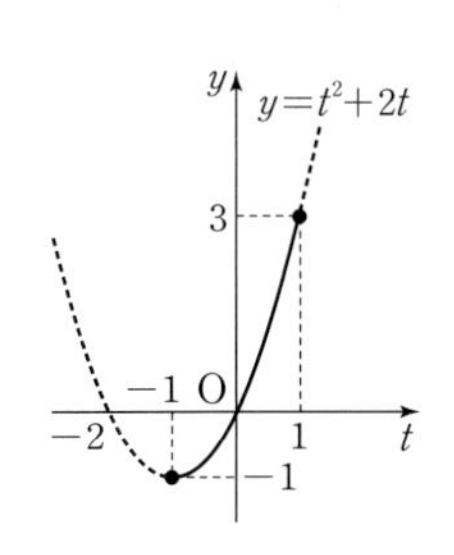

답 4

1044

> 함수 $y=\cos^2 x-2\sin x-1$의 최댓값을 M, 최솟값을 m이라 할 때, $M-m$의 값을 구하시오.
>
> $\cos^2 x=1-\sin^2 x$이므로 $\sin x=t\ (-1\le t\le 1)$로 놓고 t에 관한 식으로 정리하자.

$y=\cos^2 x-2\sin x-1$

$=(1-\sin^2 x)-2\sin x-1$

$=-\sin^2 x-2\sin x$

$\sin x=t\ (-1\le t\le 1)$로 놓으면

$y=-(t+1)^2+1$이므로

$t=-1$일 때, 최댓값 $M=1$

$t=1$일 때, 최솟값 $m=-3$

$\therefore M-m=1-(-3)=4$

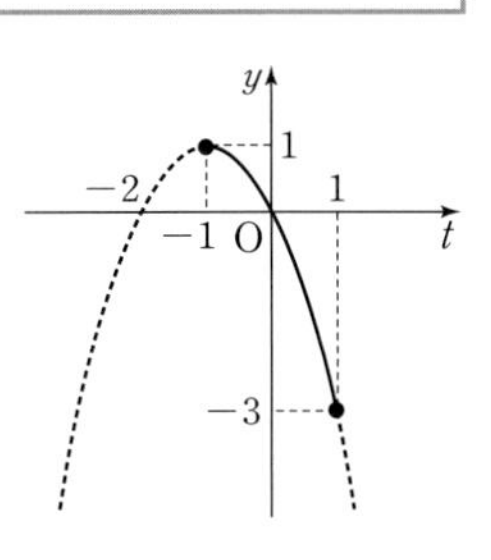

답 4

1045

> 함수 $y=-\cos^2\left(x+\frac{\pi}{2}\right)+\cos(x-\pi)$가 $x=a$에서 최솟값 b를 가질 때, ab의 값은? (단, $0\le x\le \pi$)
>
> $\cos^2\left(x+\frac{\pi}{2}\right)=\sin^2 x$
>
> $\cos(x-\pi)=-\cos x$

$y=-\cos^2\left(x+\frac{\pi}{2}\right)+\cos(x-\pi)$

$=-\cos^2\left(\frac{\pi}{2}+x\right)+\cos(\pi-x)$

$=-\sin^2 x-\cos x$

$=-(1-\cos^2 x)-\cos x$

$=\cos^2 x-\cos x-1$

$\cos x=t$로 놓으면 $0\le x\le \pi$이므로 $-1\le t\le 1$이고 주어진 함수는

$y=t^2-t-1$

$=\left(t-\frac{1}{2}\right)^2-\frac{5}{4}$

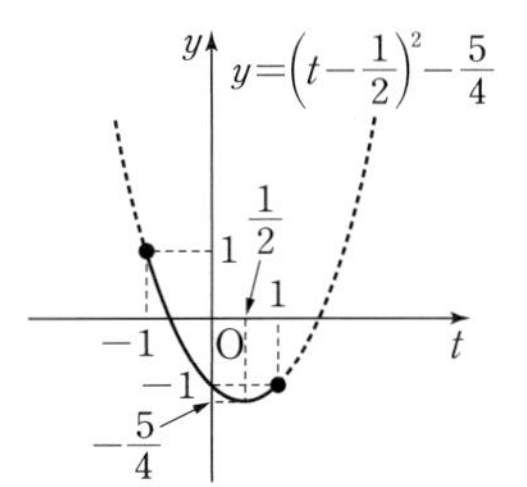

따라서 그래프는 그림과 같으므로

$t=\frac{1}{2}$일 때 최솟값 $-\frac{5}{4}$를 갖는다.

$\therefore b=-\frac{5}{4}$

이때, $t=\frac{1}{2}$, 즉 $\cos x=\frac{1}{2}$에서

$x=\frac{\pi}{3}$이므로 $a=\frac{\pi}{3}$

$\therefore ab=\frac{\pi}{3}\times\left(-\frac{5}{4}\right)$

$=-\frac{5}{12}\pi$

답 ①

1046

> 함수 $y=\sin^2 x-6\cos x+k$의 최댓값이 5일 때, 상수 k의 값을 구하시오.
>
> $\sin^2 x=1-\cos^2 x$이므로 $\cos x=t\ (-1\le t\le 1)$로 놓고 t에 관한 식으로 정리하자.

$y=\sin^2 x-6\cos x+k$

$=1-\cos^2 x-6\cos x+k$

$=-\cos^2 x-6\cos x+k+1$

이때, $\cos x=t\ (-1\le t\le 1)$로 놓으면

$y=-t^2-6t+k+1$

$=-(t+3)^2+k+10$

즉, $t=-1$일 때 최댓값이 $k+6$이므로 $k+6=5$

$\therefore k=-1$

답 -1

1047

> 실수 k에 대하여 함수
>
> $$f(x)=\cos^2\left(x-\frac{3}{4}\pi\right)-\cos\left(x-\frac{\pi}{4}\right)+k$$
>
> 의 최댓값은 3, 최솟값은 m이다. $k+m$의 값은?
>
> $\cos^2\left(x-\frac{3}{4}\pi\right)=\cos^2\left(x-\frac{\pi}{2}-\frac{\pi}{4}\right)=\sin^2\left(x-\frac{\pi}{4}\right)$
> $=1-\cos^2\left(x-\frac{\pi}{4}\right)$임을 이용하자.

$f(x)=\cos^2\left(x-\frac{3}{4}\pi\right)-\cos\left(x-\frac{\pi}{4}\right)+k$

$=\cos^2\left(x-\frac{\pi}{4}-\frac{\pi}{2}\right)-\cos\left(x-\frac{\pi}{4}\right)+k$

$=\cos^2\left\{\frac{\pi}{2}-\left(x-\frac{\pi}{4}\right)\right\}-\cos\left(x-\frac{\pi}{4}\right)+k$

$=\sin^2\left(x-\frac{\pi}{4}\right)-\cos\left(x-\frac{\pi}{4}\right)+k$

$=1-\cos^2\left(x-\frac{\pi}{4}\right)-\cos\left(x-\frac{\pi}{4}\right)+k$

$\cos\left(x-\frac{\pi}{4}\right)=t$로 놓으면 $-1\le t\le 1$

$y=-t^2-t+k+1$

$=-\left(t+\frac{1}{2}\right)^2+k+\frac{5}{4}$

$t=-\frac{1}{2}$일 때 최댓값 $k+\frac{5}{4}$,

$t=1$일 때 최솟값 $k-1$을 갖는다.

따라서 $k+\frac{5}{4}=3$에서 $k=\frac{7}{4}$이고, $m=\frac{7}{4}-1=\frac{3}{4}$이므로

$k+m=\frac{7}{4}+\frac{3}{4}=\frac{5}{2}$

답 ③

1048

> $0\le x\le\frac{\pi}{2}$일 때, 삼각함수 $y=2\sin^2 x+a\cos x+3$의 최댓값이 $\frac{49}{8}$가 되도록 하는 양수 a의 값은?
>
> → $\cos x=t\ (0\le t\le 1)$라 하면 $y=-2t^2+at+5$ 이때 축의 방정식의 위치를 생각하자.

$y=2\sin^2 x+a\cos x+3$

$=2(1-\cos^2 x)+a\cos x+3$

$=-2\cos^2 x+a\cos x+5$

$\cos x=t$로 놓으면

$0\le x\le\frac{\pi}{2}$이므로 $0\le t\le 1$

$y=-2t^2+at+5$

$=-2\left(t^2-\frac{a}{2}t\right)+5$

$=-2\left(t-\frac{a}{4}\right)^2+\frac{a^2}{8}+5$

(i) $0<\frac{a}{4}\le 1$일 때, 즉 $0<a\le 4$일 때

$t=\frac{a}{4}$에서 최댓값이 $\frac{a^2}{8}+5$

이므로 $\frac{a^2}{8}+5=\frac{49}{8}$

$\frac{a^2}{8}=\frac{9}{8}$

$a^2=9$

$\therefore a=3\ (\because 0<a\le 4)$

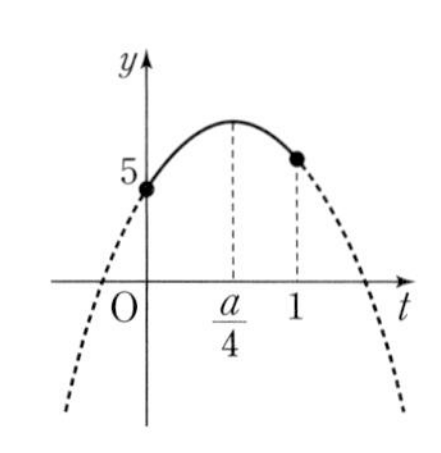

(ii) $\frac{a}{4}>1$일 때, 즉 $a>4$일 때

$t=1$에서 최댓값이 $a+3$이므로

$a+3=\frac{49}{8}$

$\therefore a=\frac{25}{8}$

이때 $\frac{25}{8}<4$이므로 조건을 만족시키지 않는다.

따라서 양수 a의 값은 3이다.

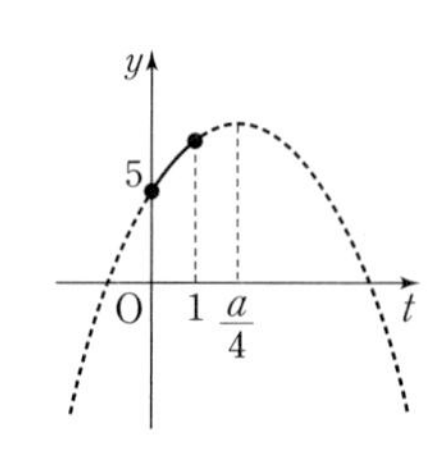

답 ②

1049

> → $\sin x=t\ (-1\le t\le 1)$라 하면 $y=\frac{-2t+3}{t+2}$
>
> 함수 $y=\frac{-2\sin x+3}{\sin x+2}$의 최댓값과 최솟값을 각각 M, m이라 할 때, $3Mm$의 값을 구하시오.

$y=\frac{-2\sin x+3}{\sin x+2}$에서 $\sin x=t\ (-1\le t\le 1)$로 놓으면

$y=\frac{-2t+3}{t+2}$

$=\frac{7}{t+2}-2$

이므로 그래프는 그림과 같다.

그림에서 $t=-1$일 때

최댓값 $M=5$,

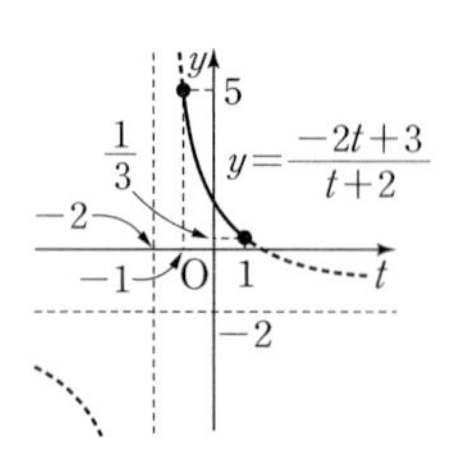

$t=1$일 때 최솟값 $m=\frac{1}{3}$

$\therefore 3Mm=3\times 5\times\frac{1}{3}=5$

답 5

1050

> → $\tan x=t\ (0\le t\le 1)$라 하면 $y=\frac{2t+3}{t+2}$
>
> 함수 $y=\frac{2\tan x+3}{\tan x+2}$의 최댓값과 최솟값을 각각 M, m이라 할 때, $M+m$의 값을 구하시오. $\left(\text{단, } 0\le x\le\frac{\pi}{4}\right)$

$y=\frac{2\tan x+3}{\tan x+2}$에서 $\tan x=t$로 놓으면

$y=\frac{2t+3}{t+2}=-\frac{1}{t+2}+2$

$0\le x\le\frac{\pi}{4}$에서 $0\le t\le 1$이므로

그래프는 그림과 같다.

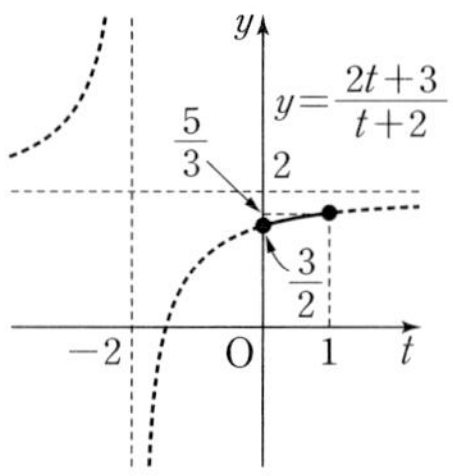

따라서 $t=1$일 때

최댓값 $M=\frac{5}{3}$,

$t=0$일 때 최솟값 $m=\frac{3}{2}$을 갖는다.

$\therefore M+m=\frac{19}{6}$

답 $\frac{19}{6}$

1051

> → $\cos x=s\ (-1\le s\le 1)$, $\sin x=t\ (-1\le t\le 1)$라 하면 $s^2+t^2=1$이므로 s, t에 관한 그래프로 그리면 원이 된다.
>
> 실수 x에 대하여 $\frac{\sin x+1}{-\cos x-3}$의 최댓값을 M, 최솟값을 m이라 할 때, $M+m$의 값은?

$\cos x=s$, $\sin x=t$로 각각 놓으면

$\frac{\sin x+1}{-\cos x-3}=\frac{t+1}{-s-3}$

$-1\le s\le 1$, $-1\le t\le 1$, $s^2+t^2=1$

이때, $\frac{t+1}{-s-3}=k$ (k는 상수)라 하면

$t+1=-k(s+3)$

$\therefore t=-k(s+3)-1$ ……㉠

직선 ㉠은 기울기가 $-k$이고 점 $(-3,\ -1)$을 지나는 직선이다.

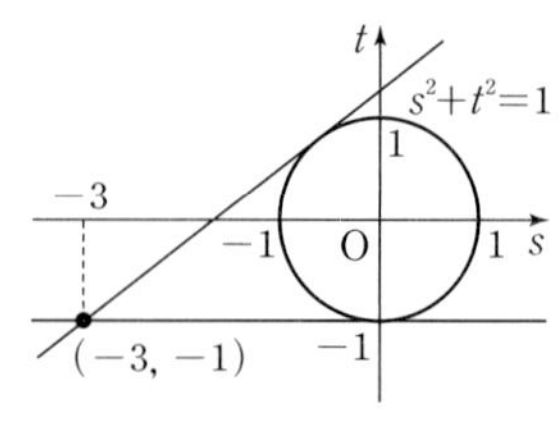

그림에서 직선 $t=-k(s+3)-1$, 즉 $ks+t+3k+1=0$과 원 $s^2+t^2=1$이 접할 때, $-k$가 최댓값과 최솟값을 가지므로

$\frac{|3k+1|}{\sqrt{k^2+1}}=1$에서 $|3k+1|=\sqrt{k^2+1}$

양변을 제곱하면

$9k^2+6k+1=k^2+1$

$4k^2+3k=0$

$k(4k+3)=0$

$\therefore k=0$ 또는 $k=-\frac{3}{4}$

따라서 $M=0$, $m=-\frac{3}{4}$이므로

$M+m=-\frac{3}{4}$ 답 ①

1052

> 방정식 $\sin\pi x=\frac{x}{4}$의 실근의 개수는?
>
> $y=\sin\pi x$의 그래프와 $y=\frac{x}{4}$의 그래프를 그린 후 교점의 개수를 구하자.

방정식 $\sin\pi x=\frac{x}{4}$의 실근은 함수 $y=\sin\pi x$의 그래프와 직선 $y=\frac{x}{4}$의 교점의 x좌표와 같다.

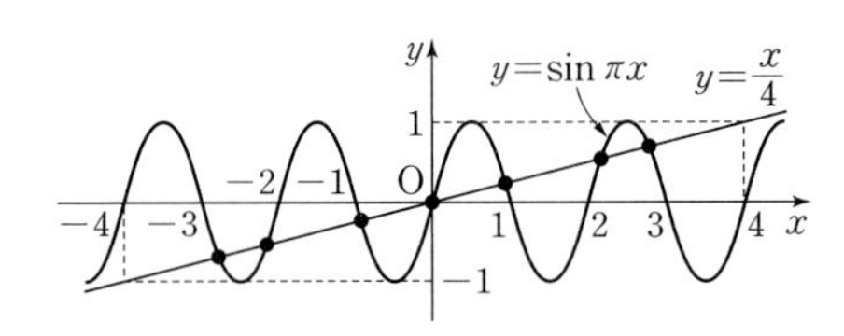

위의 그림에서 교점의 개수가 7이므로 주어진 방정식의 실근의 개수는 7이다. 답 ④

1053

> 직선 $y=-\frac{1}{5\pi}x+1$과 함수 $y=\sin x$의 그래프의 교점의 개수는?
>
> 점 (0, 1)과 점 (10π, -1)을 지난다.

직선 $y=-\frac{1}{5\pi}x+1$과 함수 $y=\sin x$의 그래프는 그림과 같다.

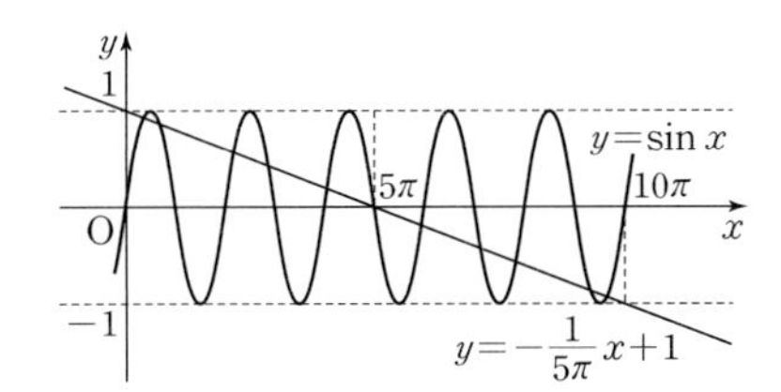

따라서 두 그래프의 교점의 개수는 11이다. 답 ⑤

1054

> 주기가 $\frac{2\pi}{\pi}=2$인 함수이다.
>
> 방정식 $2\cos\pi x=\frac{1}{3}|x-1|$의 실근의 개수는?
>
> $y=\frac{1}{3}|x-1|$의 함수의 그래프는 $(-5, 2)$, $(7, 2)$를 지난다.

방정식 $2\cos\pi x=\frac{1}{3}|x-1|$의 실근은 함수 $y=2\cos\pi x$의 그래프와 직선 $y=\frac{1}{3}|x-1|$의 교점의 x좌표와 같다.

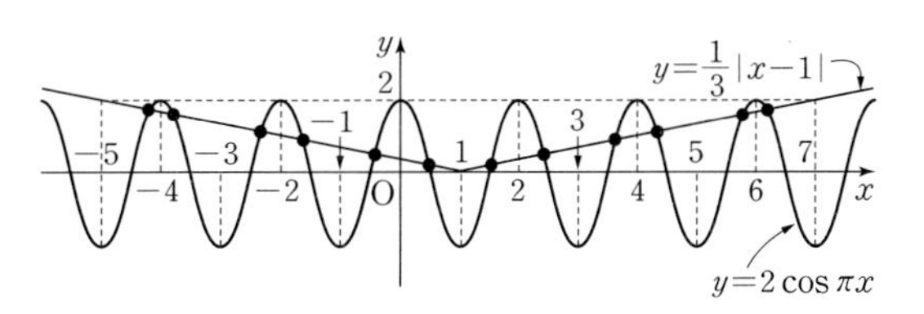

그림에서 교점의 개수가 12이므로 주어진 방정식의 실근의 개수는 12이다. 답 ⑤

1055

> x에 대한 방정식 $\left|\cos x+\frac{1}{5}\right|=k(0\le x<2\pi)$가 서로 다른 3개의 실근을 갖도록 하는 실수 k의 값을 구하시오.
>
> $0\le x<2\pi$의 범위에서 $y=\left|\cos x+\frac{1}{5}\right|$의 그래프를 그려 $y=k$와의 교점을 살펴보자.

$y=\left|\cos x+\frac{1}{5}\right|$의 그래프를 그려보면 아래 그림과 같다.

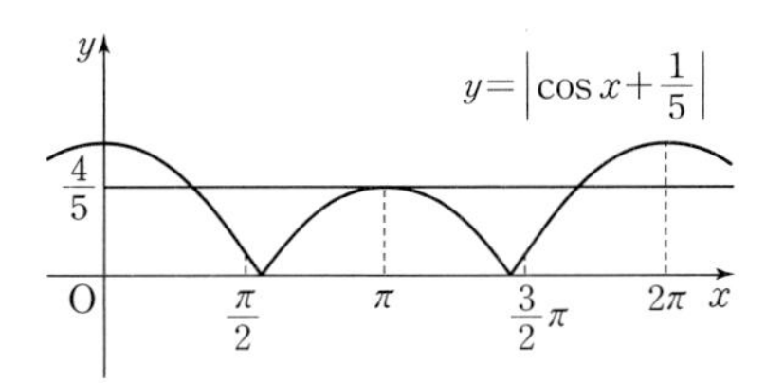

이때, $y=k$와 교점이 3개가 되는 k의 값은 $k=\frac{4}{5}$ 답 $\frac{4}{5}$

1056

> 자연수 n에 대하여 $0<x<n\pi$일 때,
>
> 방정식 $\sin x=\frac{3}{n}$의 모든 실근의 개수를 a_n이라 하자.
>
> $a_1+a_2+\cdots+a_7$의 값은?
>
> $n=1, 2, \cdots$일 때 방정식 $y=\sin x$의 그래프와 $y=\frac{3}{n}$의 그래프의 교점의 개수를 구하자.

(i) $n=1, 2$일 때,

$\frac{3}{n}>1$이므로 방정식 $\sin x=\frac{3}{n}$의 실근의 개수 $a_1=a_2=0$

(ii) $n=3$일 때,

$\frac{3}{n}=1$이므로 방정식 $\sin x=\frac{3}{n}$의 실근의 개수 $a_3=2$

(iii) $n\ge4$일 때,

자연수 $k(k\ge2)$에 대하여

$$a_n=\begin{cases} n & (n=2k) \\ n+1 & (n=2k+1) \end{cases}$$

$a_1=0,\ a_2=0,\ a_3=2,\ a_4=4,\ a_5=6,\ a_6=6,\ a_7=8$

$a_1+a_2+a_3+a_4+a_5+a_6+a_7=26$ 답 ①

1057

함수 $y=f(x)$가 다음 조건을 만족시킨다.

(가) 모든 실수 x에 대하여 $f(x+\pi)=f(x)$이다. → 주기가 π인 함수이다.
(나) $0\le x\le\frac{\pi}{2}$일 때, $f(x)=\sin 4x$
(다) $\frac{\pi}{2}<x\le\pi$일 때, $f(x)=-\sin 4x$

함수 $y=f(x)$의 그래프와 직선 $y=\frac{x}{\pi}$가 만나는 점의 개수는?
점 $(\pi, 1)$과 점 $(-\pi, -1)$을 지난다.

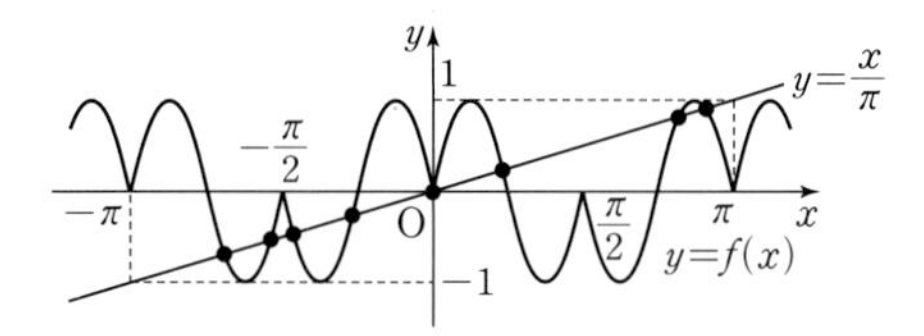

함수 $y=f(x)$의 그래프는 그림과 같으므로 직선 $y=\frac{x}{\pi}$와 만나는 점의 개수는 8이다.

답 ⑤

1058

$0\le x<2\pi$일 때, 방정식 $\cos x=\frac{1}{2}$을 만족시키는 모든 x의 값의 합을 구하시오.
→ $y=\cos x$의 그래프와 $y=\frac{1}{2}$의 그래프의 교점의 x좌표를 구하자.

함수 $y=\cos x$ $(0\le x<2\pi)$의 그래프와 직선 $y=\frac{1}{2}$은 그림과 같다.

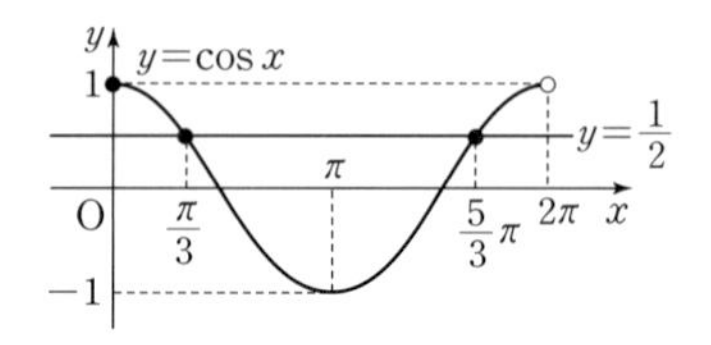

교점의 x좌표를 구하면

$x=\frac{\pi}{3}$ 또는 $x=\frac{5}{3}\pi$

따라서 구하는 모든 x의 값의 합은 $\frac{\pi}{3}+\frac{5}{3}\pi=2\pi$

답 2π

1059

→ $\sin x=\frac{\sqrt{3}}{2}$ 임을 이용하자.

방정식 $2\sin x=\sqrt{3}$의 두 근을 α, β $(\alpha<\beta)$라 할 때, $\tan(\beta-\alpha)$의 값을 구하시오. (단, $0\le x\le 2\pi$)

$2\sin x=\sqrt{3}$에서 $\sin x=\frac{\sqrt{3}}{2}$

$0\le x\le 2\pi$에서 함수 $y=\sin x$의 그래프와 직선 $y=\frac{\sqrt{3}}{2}$은 그림과 같다.

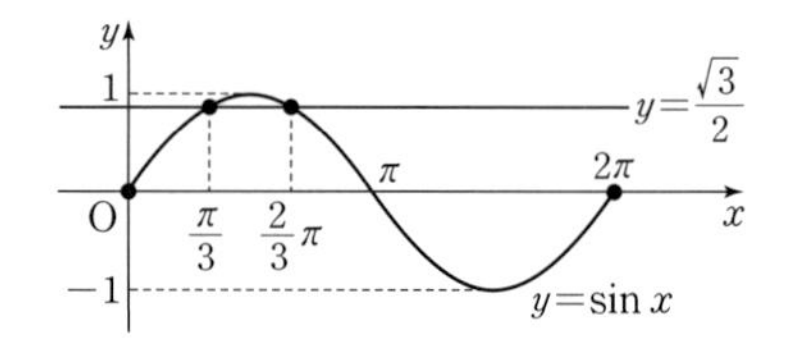

교점의 x좌표를 구하면 $\alpha=\frac{\pi}{3}$, $\beta=\frac{2}{3}\pi$ $(\because \alpha<\beta)$이므로

$\tan(\beta-\alpha)=\tan\left(\frac{2}{3}\pi-\frac{\pi}{3}\right)$

$=\tan\frac{\pi}{3}$

$=\sqrt{3}$

답 $\sqrt{3}$

1060

$0\le x\le 2\pi$일 때, 방정식 $\cos x=\sqrt{3}\sin x$를 풀면?
→ $\frac{\sin x}{\cos x}=\tan x=\frac{1}{\sqrt{3}}$ (단, $\cos x\ne 0$)

$\cos x=\sqrt{3}\sin x$에서

$\frac{\sin x}{\cos x}=\frac{1}{\sqrt{3}}$ (단, $\cos x\ne 0$)

즉, $\tan x=\frac{1}{\sqrt{3}}$

$0\le x\le 2\pi$에서 함수 $y=\tan x$의 그래프와 직선 $y=\frac{1}{\sqrt{3}}$은 그림과 같다.

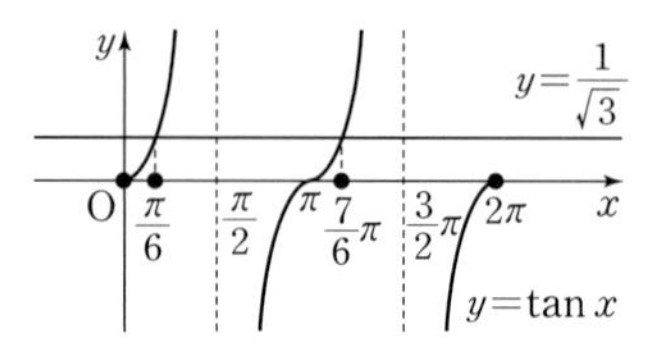

따라서 교점의 x좌표를 구하면

$x=\frac{\pi}{6}$ 또는 $x=\frac{7}{6}\pi$

답 ①

1061

$0\le x<2\pi$일 때, 방정식 $2\sin 2x=\sqrt{3}$을 만족시키는 모든 x의 값의 합은?
→ $2x=t$로 놓으면 $\sin t=\frac{\sqrt{3}}{2}$ $(0\le t<4\pi)$

$2\sin 2x=\sqrt{3}$에서

$\sin 2x=\frac{\sqrt{3}}{2}$

$2x=t$로 놓으면 $\sin t=\frac{\sqrt{3}}{2}$

$0\le x<2\pi$에서 $0\le t<4\pi$

이 범위에서 함수 $y=\sin t$의 그래프와 직선 $y=\frac{\sqrt{3}}{2}$은 그림과 같다.

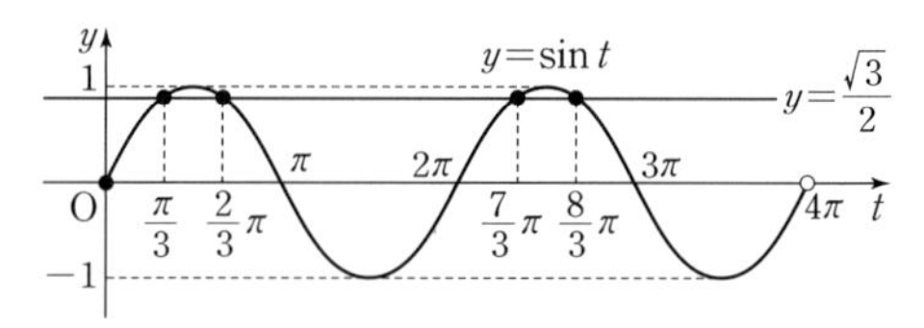

교점의 t좌표를 구하면

$t=\frac{\pi}{3}$ 또는 $t=\frac{2}{3}\pi$ 또는 $t=\frac{7}{3}\pi$ 또는 $t=\frac{8}{3}\pi$

$\therefore x=\frac{\pi}{6}$ 또는 $x=\frac{\pi}{3}$ 또는 $x=\frac{7}{6}\pi$ 또는 $x=\frac{4}{3}\pi$

따라서 모든 x의 값의 합은

$\frac{\pi}{6}+\frac{\pi}{3}+\frac{7}{6}\pi+\frac{4}{3}\pi=3\pi$

답 ⑤

1062

방정식 $\sin\left(x-\frac{\pi}{6}\right)=\frac{1}{2}$의 해는? $\left(\text{단, } 0\le x\le\frac{\pi}{2}\right)$

$-\frac{\pi}{6}\le x-\frac{\pi}{6}\le\frac{\pi}{3}$임을 이용하자.

$0\le x\le\frac{\pi}{2}$이므로 $-\frac{\pi}{6}\le x-\frac{\pi}{6}\le\frac{\pi}{3}$이다.

$\sin\left(x-\frac{\pi}{6}\right)=\frac{1}{2}$에서 $x-\frac{\pi}{6}=\frac{\pi}{6}$이므로

$x=\frac{\pi}{3}$

답 ④

1063

$x+\frac{\pi}{4}=t$로 놓으면 $\tan t=\sqrt{3}\left(-\frac{3}{4}\pi\le t\le\frac{5}{4}\pi\right)$

방정식 $\tan\left(x+\frac{\pi}{4}\right)=\sqrt{3}$을 만족시키는 모든 x의 값의 합은?

(단, $-\pi\le x\le\pi$)

$\tan\left(x+\frac{\pi}{4}\right)=\sqrt{3}$에서 $x+\frac{\pi}{4}=t$로 놓으면 $\tan t=\sqrt{3}$

한편, $-\pi\le x\le\pi$에서 $-\frac{3}{4}\pi\le t\le\frac{5}{4}\pi$

이 범위에서 함수 $y=\tan t$의 그래프와 직선 $y=\sqrt{3}$은 그림과 같다.

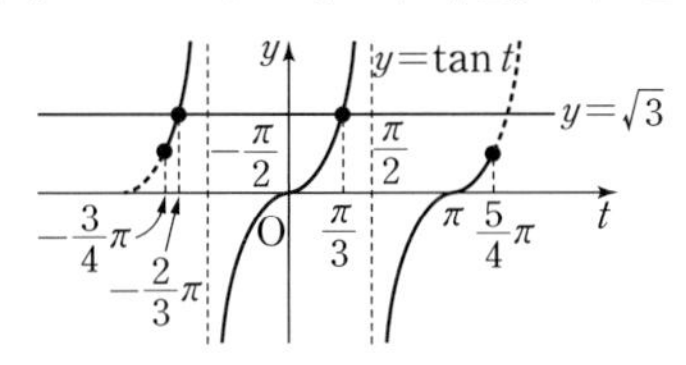

교점의 t좌표를 구하면

$t=-\frac{2}{3}\pi$ 또는 $t=\frac{\pi}{3}$

즉, $x+\frac{\pi}{4}=-\frac{2}{3}\pi$ 또는 $x+\frac{\pi}{4}=\frac{\pi}{3}$이므로

$x=-\frac{11}{12}\pi$ 또는 $x=\frac{\pi}{12}$

따라서 모든 x의 값의 합은 $-\frac{11}{12}\pi+\frac{\pi}{12}=-\frac{5}{6}\pi$

답 ③

1064

$x+\frac{\pi}{6}=t$로 놓으면 $\cos t=-\frac{\sqrt{3}}{2}\left(\frac{\pi}{3}\le t<\frac{5}{3}\pi\right)$

$\frac{\pi}{6}\le x<\frac{3}{2}\pi$에서 방정식 $2\cos\left(x+\frac{\pi}{6}\right)+\sqrt{3}=0$의 두 근을 α, β $(\alpha<\beta)$라 할 때, $\frac{\alpha\beta}{\pi^2}$의 값은?

$2\cos\left(x+\frac{\pi}{6}\right)+\sqrt{3}=0$에서 $x+\frac{\pi}{6}=t$로 놓으면

$2\cos t+\sqrt{3}=0$, 즉 $\cos t=-\frac{\sqrt{3}}{2}$

$\frac{\pi}{6}\le x<\frac{3}{2}\pi$에서 $\frac{\pi}{3}\le t<\frac{5}{3}\pi$

이 범위에서 함수 $y=\cos t$의 그래프와 직선 $y=-\frac{\sqrt{3}}{2}$은 그림과 같다.

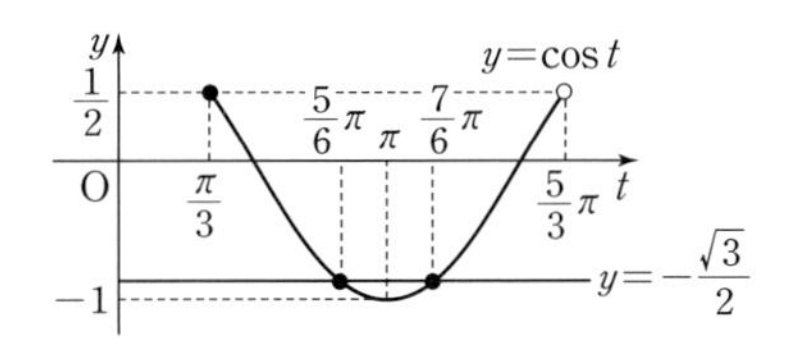

교점의 t좌표를 구하면

$t=\frac{5}{6}\pi$ 또는 $t=\frac{7}{6}\pi$

즉, $x+\frac{\pi}{6}=\frac{5}{6}\pi$ 또는 $x+\frac{\pi}{6}=\frac{7}{6}\pi$이므로

$x=\frac{2}{3}\pi$ 또는 $x=\pi$

$\therefore \alpha=\frac{2}{3}\pi, \beta=\pi$ $(\because \alpha<\beta)$

$\therefore \frac{\alpha\beta}{\pi^2}=\frac{\frac{2}{3}\pi^2}{\pi^2}=\frac{2}{3}$

답 ②

1065

$0\le x<2\pi$일 때, 방정식 $\sqrt{3}\tan x=2\sin x$의 모든 근의 합은?

$\sqrt{3}\times\frac{\sin x}{\cos x}=2\sin x(\cos x\ne0)$에서 $\sin x(2\cos x-\sqrt{3})=0$

$\sqrt{3}\tan x=2\sin x$에서

$\sqrt{3}\times\frac{\sin x}{\cos x}=2\sin x$ $(\cos x\ne0)$

$\sqrt{3}\sin x=2\sin x\cos x$

$2\sin x\cos x-\sqrt{3}\sin x=0$

$\sin x(2\cos x-\sqrt{3})=0$

$\therefore \sin x=0$ 또는 $\cos x=\frac{\sqrt{3}}{2}$

(i) $\sin x=0$일 때,

$x=0$ 또는 $x=\pi$ $(\because 0\le x<2\pi)$

(ii) $\cos x=\frac{\sqrt{3}}{2}$일 때,

$0\le x<2\pi$에서 함수 $y=\cos x$의 그래프와 직선 $y=\frac{\sqrt{3}}{2}$은 그림과 같다.

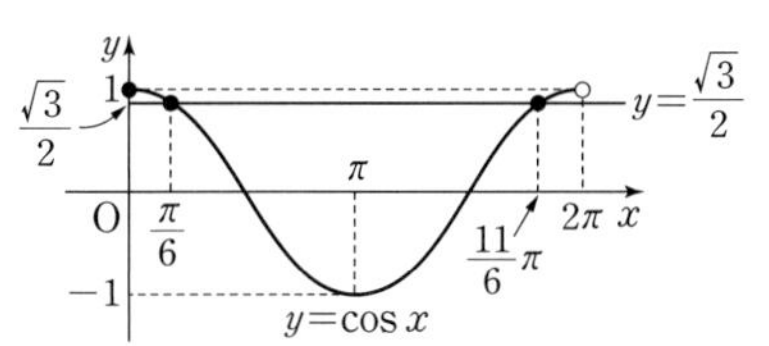

$\therefore x=\frac{\pi}{6}$ 또는 $x=\frac{11}{6}\pi$

(i), (ii)에서 모든 근의 합은

$0+\pi+\frac{\pi}{6}+\frac{11}{6}\pi=3\pi$

답 ⑤

1066

$\pi\cos x=t$로 놓으면 $\cos t=0$ $(-\pi\le t\le\pi)$

$0\le x\le\frac{3}{2}\pi$에서 방정식 $\cos(\pi\cos x)=0$의 해를 $\theta_1, \theta_2, \theta_3$이라 할 때, $\theta_1+\theta_2+\theta_3$의 값은?

$\pi\cos x=t$로 놓으면

$0\le x\le\frac{3}{2}\pi$에서 $-1\le\cos x\le1$이므로

$-\pi\le t\le\pi$

이 범위에서 $\cos t=0$을 만족시키는 t의 값은

$t=-\frac{\pi}{2}$ 또는 $t=\frac{\pi}{2}$

즉, $\pi\cos x=-\frac{\pi}{2}$ 또는 $\pi\cos x=\frac{\pi}{2}$이므로

$\cos x=-\frac{1}{2}$ 또는 $\cos x=\frac{1}{2}$

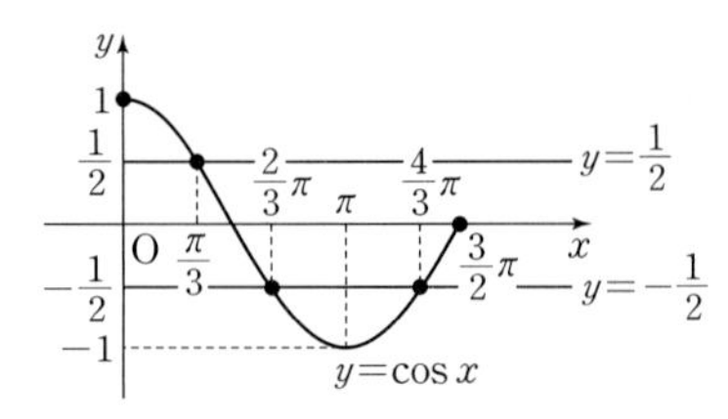

그림에서 주어진 방정식의 근은

$x=\frac{\pi}{3}$ 또는 $x=\frac{2}{3}\pi$ 또는 $x=\frac{4}{3}\pi$

$\therefore \theta_1+\theta_2+\theta_3=\frac{7}{3}\pi$

답 ③

1067

방정식 $2\sin^2 x+\cos x-1=0$의 모든 근의 합은? (단, $0\le x\le 2\pi$)

→ $\sin^2 x=1-\cos^2 x$이므로 $2\cos^2 x-\cos x-1=0$

$2\sin^2 x+\cos x-1=0$에서
$2(1-\cos^2 x)+\cos x-1=0$
$2\cos^2 x-\cos x-1=0$
$(2\cos x+1)(\cos x-1)=0$

$\therefore \cos x=-\frac{1}{2}$ 또는 $\cos x=1$

$0\le x\le 2\pi$에서 함수 $y=\cos x$의 그래프와 두 직선 $y=-\frac{1}{2}$, $y=1$은 그림과 같다.

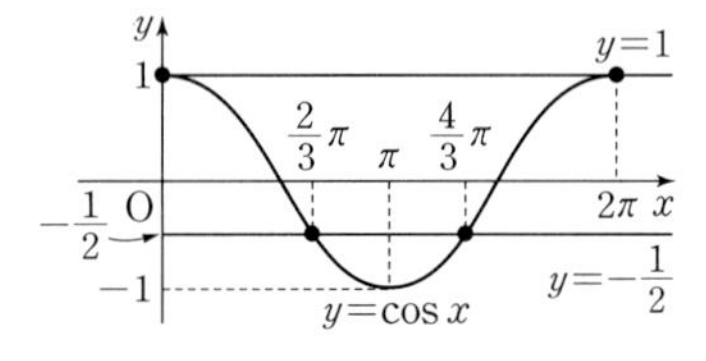

교점의 x좌표를 구하면

$\cos x=-\frac{1}{2}$에서 $x=\frac{2}{3}\pi$ 또는 $x=\frac{4}{3}\pi$

$\cos x=1$에서 $x=0$ 또는 $x=2\pi$
따라서 모든 근의 합은

$\frac{2}{3}\pi+\frac{4}{3}\pi+0+2\pi=4\pi$

답 ⑤

1068

$0<x<2\pi$일 때, 방정식 $\cos^2 x-\sin x=1$의 모든 실근의 합은 $\frac{q}{p}\pi$이다. $p+q$의 값을 구하시오. (단, p, q는 서로소인 자연수이다.)

→ $\cos^2 x=1-\sin^2 x$이므로 $(1-\sin^2 x)-\sin x=1$

$\cos^2 x-\sin x=1$에서 $\cos^2 x=1-\sin^2 x$이므로
$(1-\sin^2 x)-\sin x=1$, $\sin^2 x+\sin x=0$

$\therefore \sin x=0$ 또는 $\sin x=-1$

$0<x<2\pi$에서 $x=\pi$ 또는 $x=\frac{3}{2}\pi$

따라서 모든 실근의 합은 $\pi+\frac{3}{2}\pi=\frac{5}{2}\pi$이므로

$p+q=2+5=7$

답 7

1069

방정식 $3\sin^2 x+4\sin x-4=0$을 만족시키는 모든 x의 값의 합은? (단, $0\le x\le 2\pi$)

→ 주어진 식을 인수분해하여 방정식을 풀자. ($AB=0 \Longleftrightarrow A=0$ 또는 $B=0$)

$3\sin^2 x+4\sin x-4=0$에서
$(3\sin x-2)(\sin x+2)=0$

$\therefore \sin x=\frac{2}{3}$ ($\because -1\le \sin x\le 1$)

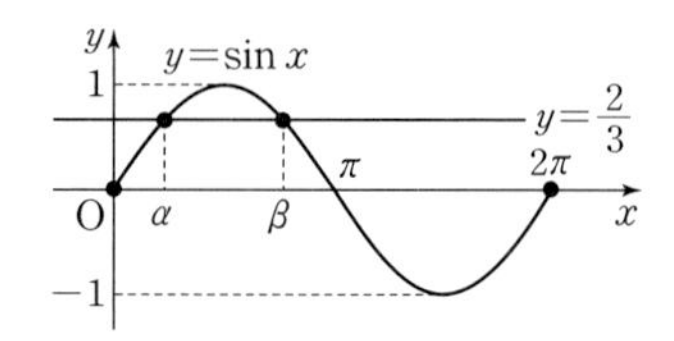

$0\le x\le 2\pi$에서 $\sin x=\frac{2}{3}$를 만족시키는 두 근을 α, β라 하면

$\alpha+\beta=\pi$

답 ④

1070

$0\le x<2\pi$일 때, 다음 방정식의 해를 구하시오.

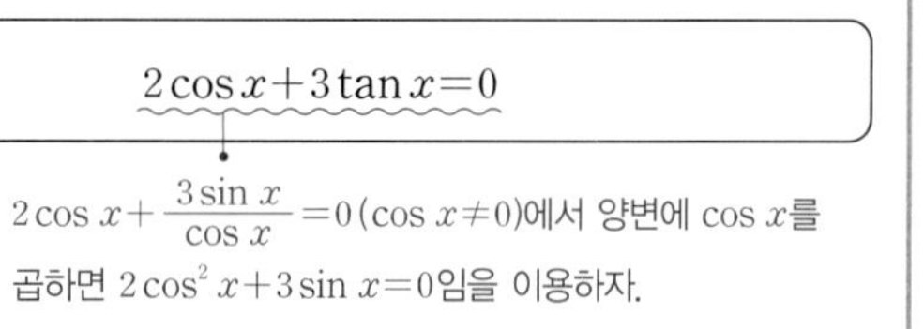

$$2\cos x+3\tan x=0$$

→ $2\cos x+\frac{3\sin x}{\cos x}=0$ ($\cos x\neq 0$)에서 양변에 $\cos x$를 곱하면 $2\cos^2 x+3\sin x=0$임을 이용하자.

$2\cos x+3\tan x=0$에서

$2\cos x+\frac{3\sin x}{\cos x}=0$ (단, $\cos x\neq 0$)

양변에 $\cos x$를 곱하면
$2\cos^2 x+3\sin x=0$
$2(1-\sin^2 x)+3\sin x=0$
$2\sin^2 x-3\sin x-2=0$
$(2\sin x+1)(\sin x-2)=0$

$\therefore \sin x=-\frac{1}{2}$ ($\because -1\le \sin x\le 1$)

$0\le x<2\pi$에서 함수 $y=\sin x$의 그래프와 직선 $y=-\frac{1}{2}$은 그림과 같다.

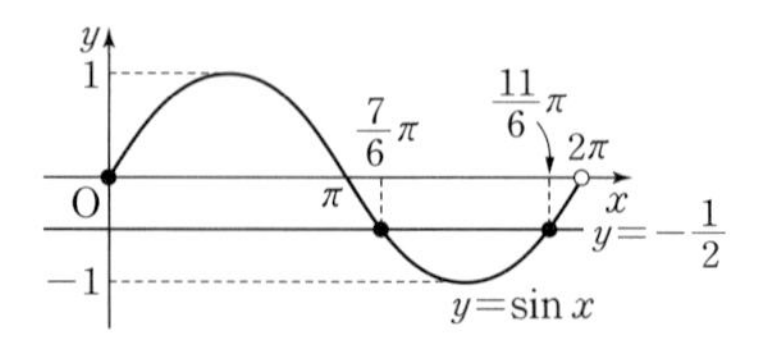

따라서 교점의 x좌표를 구하면

$x=\frac{7}{6}\pi$ 또는 $x=\frac{11}{6}\pi$

답 $\frac{7}{6}\pi$ 또는 $\frac{11}{6}\pi$

1071

> $0 \le x < 4\pi$일 때, 방정식
>
> $$4\sin^2 x - 4\cos\left(\frac{\pi}{2}+x\right) - 3 = 0$$
>
> 의 모든 해의 합은? └ $\cos\left(x+\frac{\pi}{2}\right) = -\sin x$임을 이용하자.

$4\sin^2 x - 4\cos\left(\frac{\pi}{2}+x\right) - 3 = 0$에서

$\cos\left(\frac{\pi}{2}+x\right) = -\sin x$이므로

$4\sin^2 x + 4\sin x - 3 = 0$, $(2\sin x - 1)(2\sin x + 3) = 0$

$\therefore \sin x = \frac{1}{2}$ ($\because -1 \le \sin x \le 1$)

$0 \le x < 4\pi$에서 $y=\sin x$의 그래프와 직선 $y=\frac{1}{2}$의 그래프는 그림과 같다.

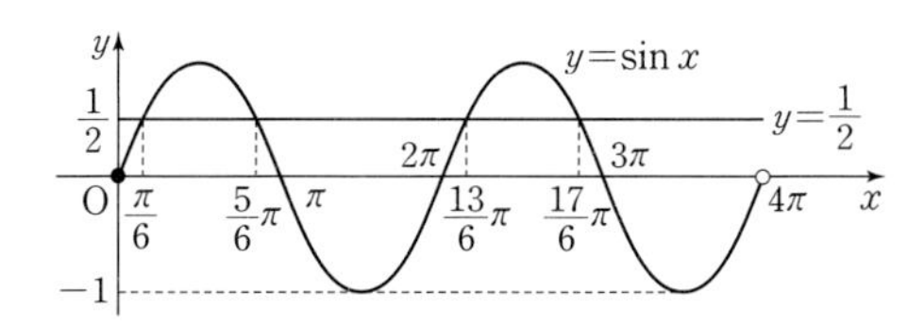

따라서 모든 해의 합은

$\frac{\pi}{6} + \frac{5}{6}\pi + \frac{13}{6}\pi + \frac{17}{6}\pi = 6\pi$

답 ②

1072

> $0 \le x \le \pi$에서 방정식 $2\sin x\cos x - \sin x - 2\cos x + 1 = 0$의 두 근을 α, β $(\alpha < \beta)$라 할 때, $\beta - \alpha$의 값을 구하시오.
>
> 주어진 식을 그대로 인수분해하면 $(2\cos x - 1)(\sin x - 1) = 0$임을 이용하자.

$2\sin x\cos x - \sin x - 2\cos x + 1 = 0$에서

$\sin x(2\cos x - 1) - (2\cos x - 1) = 0$

$(2\cos x - 1)(\sin x - 1) = 0$

$\therefore \cos x = \frac{1}{2}$ 또는 $\sin x = 1$

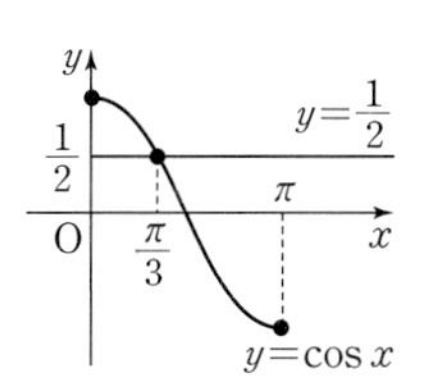

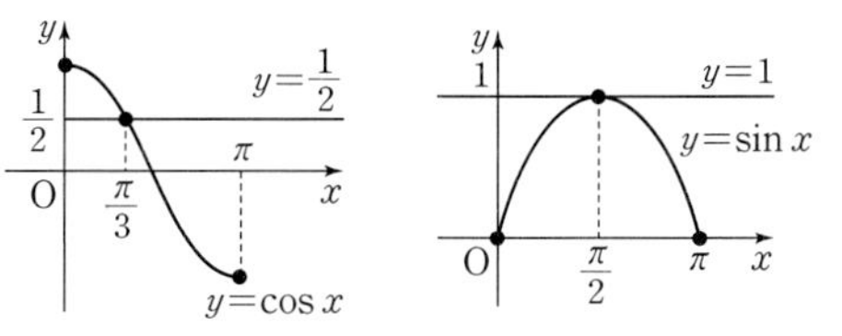

그림에서 주어진 방정식의 근은 $x=\frac{\pi}{3}$ 또는 $x=\frac{\pi}{2}$

따라서 $\alpha = \frac{\pi}{3}$, $\beta = \frac{\pi}{2}$ ($\because \alpha < \beta$)이므로

$\beta - \alpha = \frac{\pi}{2} - \frac{\pi}{3} = \frac{\pi}{6}$

답 $\frac{\pi}{6}$

1073

> $0 \le x < 2\pi$에서 부등식 $2\sin x + 1 \le 0$의 해가 $\alpha \le x \le \beta$일 때, $\beta - \alpha$의 값은?
>
> $\sin x \le -\frac{1}{2}$이므로 $y=\sin x$의 그래프가 $y=-\frac{1}{2}$의 그래프보다 아래쪽에 있는 x의 값의 범위를 구하자.

$2\sin x + 1 \le 0$에서

$\sin x \le -\frac{1}{2}$

$0 \le x < 2\pi$에서 함수 $y=\sin x$의 그래프와 직선 $y=-\frac{1}{2}$은 그림과 같다.

교점의 x좌표를 구하면

$x=\frac{7}{6}\pi$ 또는 $x=\frac{11}{6}\pi$

즉, 부등식 $\sin x \le -\frac{1}{2}$의 해는 $\frac{7}{6}\pi \le x \le \frac{11}{6}\pi$

따라서 $\alpha = \frac{7}{6}\pi$, $\beta = \frac{11}{6}\pi$이므로

$\beta - \alpha = \frac{11}{6}\pi - \frac{7}{6}\pi = \frac{2}{3}\pi$

답 ④

1074

> 부등식 $3\tan x - \sqrt{3} \le 0$을 만족시키는 x의 최댓값을 구하시오. $\left(\text{단, } 0 \le x < \frac{3}{2}\pi\right)$
>
> $y=\tan x$의 그래프가 $y=\frac{\sqrt{3}}{3}$의 그래프보다 아래쪽에 있는 x의 값의 범위를 구하자.

$3\tan x - \sqrt{3} \le 0$에서 $\tan x \le \frac{\sqrt{3}}{3}$

$0 \le x < \frac{3}{2}\pi$에서 함수 $y=\tan x$의 그래프와 직선 $y=\frac{\sqrt{3}}{3}$은 그림과 같다.

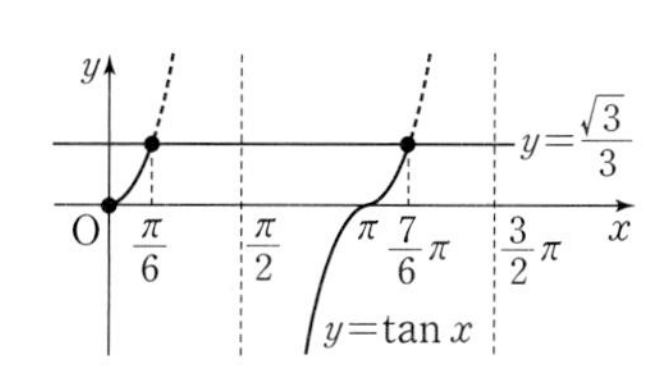

교점의 x좌표를 구하면

$x=\frac{\pi}{6}$ 또는 $x=\frac{7}{6}\pi$

즉, 부등식 $\tan x \le \frac{\sqrt{3}}{3}$을 만족시키는 x의 값의 범위는

$0 \le x \le \frac{\pi}{6}$ 또는 $\frac{\pi}{2} < x \le \frac{7}{6}\pi$

따라서 x의 최댓값은 $\frac{7}{6}\pi$이다.

답 $\frac{7}{6}\pi$

1075

> $\pi \le \theta \le 2\pi$일 때, 부등식 $\frac{1}{2} \le \cos\theta < \frac{\sqrt{2}}{2}$의 해를 구하시오.
>
> $y=\cos x$의 그래프가 $y=\frac{1}{2}$의 그래프보다 위쪽, $y=\frac{\sqrt{2}}{2}$의 그래프보다 아래쪽에 있는 x의 값의 범위를 구하자.

$\pi \le \theta \le 2\pi$에서 함수 $y=\cos\theta$의 그래프와 두 직선 $y=\frac{1}{2}$, $y=\frac{\sqrt{2}}{2}$는 그림과 같다.

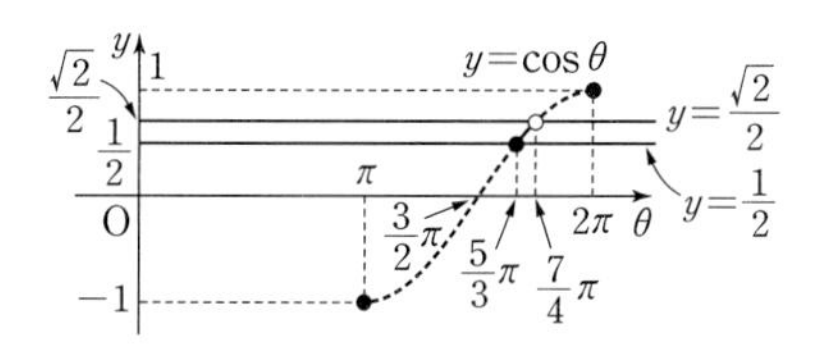

교점의 θ좌표를 구하면

$\cos\theta=\frac{1}{2}$에서 $\theta=\frac{5}{3}\pi$

$\cos\theta=\frac{\sqrt{2}}{2}$에서 $\theta=\frac{7}{4}\pi$

따라서 $\frac{1}{2}\le\cos\theta<\frac{\sqrt{2}}{2}$를 만족시키는 θ의 값의 범위는

$\frac{5}{3}\pi\le\theta<\frac{7}{4}\pi$ 답 $\frac{5}{3}\pi\le\theta<\frac{7}{4}\pi$

1076

> $0<x<\pi$에서 부등식 $\cos 2x>\frac{1}{2}$을 만족시키는 x의 값의 범위가 $\alpha<x<\beta$ 또는 $\gamma<x<\delta$이다. 이때, $\alpha+\beta+\gamma+\delta$의 값은?
> $2x=t$로 놓으면 $\cos t>\frac{1}{2}$ $(0<t<2\pi)$

$\cos 2x>\frac{1}{2}$에서 $2x=t$로 놓으면 $\cos t>\frac{1}{2}$

한편, $0<x<\pi$에서 $0<t<2\pi$

이 범위에서 함수 $y=\cos t$의 그래프와 직선 $y=\frac{1}{2}$은 그림과 같다.

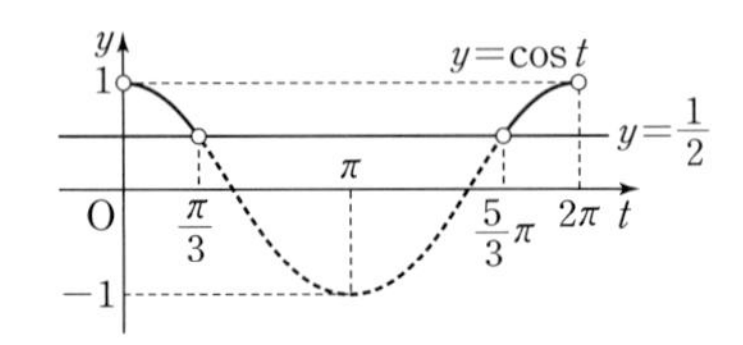

교점의 t좌표를 구하면 $t=\frac{\pi}{3}$ 또는 $t=\frac{5}{3}\pi$

즉, $\cos t>\frac{1}{2}$을 만족시키는 t의 값의 범위는

$0<t<\frac{\pi}{3}$ 또는 $\frac{5}{3}\pi<t<2\pi$

$\therefore 0<x<\frac{\pi}{6}$ 또는 $\frac{5}{6}\pi<x<\pi$

$\therefore \alpha+\beta+\gamma+\delta=0+\frac{\pi}{6}+\frac{5}{6}\pi+\pi=2\pi$ 답 ②

1077

> $0\le x<2\pi$일 때, 부등식 $2\cos\frac{x}{2}+1\ge0$의 해를 $\alpha\le x\le\beta$라 할 때, $\alpha+\beta$의 값은?
> $\frac{x}{2}=t$로 놓으면 $\cos t\ge-\frac{1}{2}$ $(0\le t<\pi)$

$2\cos\frac{x}{2}+1\ge0$에서 $\cos\frac{x}{2}\ge-\frac{1}{2}$

$\frac{x}{2}=t$로 놓으면 $\cos t\ge-\frac{1}{2}$

$0\le x<2\pi$에서 $0\le t<\pi$

이 범위에서 함수 $y=\cos t$의 그래프와 직선 $y=-\frac{1}{2}$은 그림과 같다.

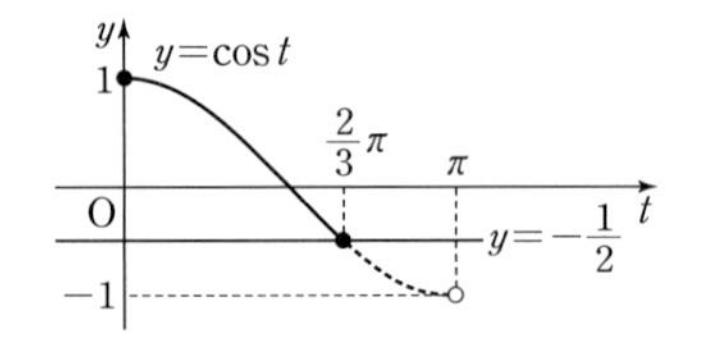

교점의 t좌표를 구하면 $t=\frac{2}{3}\pi$이므로 $\cos t\ge-\frac{1}{2}$을 만족시키는 t의 값의 범위는

$0\le t\le\frac{2}{3}\pi$

즉, $0\le\frac{x}{2}\le\frac{2}{3}\pi$이므로 $0\le x\le\frac{4}{3}\pi$

따라서 $\alpha=0$, $\beta=\frac{4}{3}\pi$이므로 $\alpha+\beta=\frac{4}{3}\pi$ 답 ④

1078

> 부등식 $\tan\left(x+\frac{\pi}{3}\right)<1$의 해가 $\alpha<x<\beta$일 때, $\alpha+\beta$의 값은? (단, $0\le x<\pi$)
> $x+\frac{\pi}{3}=t$로 놓으면 $\tan t<1$ $\left(\frac{\pi}{3}\le t<\frac{4}{3}\pi\right)$

$x+\frac{\pi}{3}=t$로 놓으면 $0\le x<\pi$에서

$\frac{\pi}{3}\le t<\frac{4}{3}\pi$

이고 주어진 부등식은

$\tan t<1$ ⋯⋯ ㉠

그림에서 ㉠을 만족시키는

t의 값의 범위는

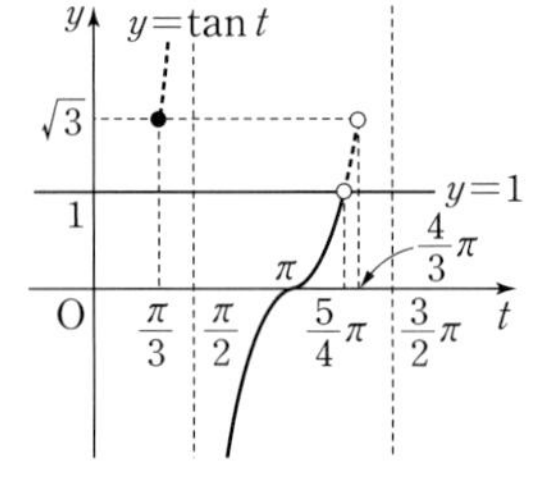

$\frac{\pi}{2}<t<\frac{5}{4}\pi$

즉, $\frac{\pi}{2}<x+\frac{\pi}{3}<\frac{5}{4}\pi$이므로

$\frac{\pi}{6}<x<\frac{11}{12}\pi$

따라서 $\alpha=\frac{\pi}{6}$, $\beta=\frac{11}{12}\pi$이므로

$\alpha+\beta=\frac{\pi}{6}+\frac{11}{12}\pi=\frac{13}{12}\pi$ 답 ④

1079

> 부등식 $2\sin^2 x-\cos x-1<0$의 해가 $0\le x<\alpha$ 또는 $\beta<x<2\pi$일 때, $\frac{\beta}{\alpha}$의 값은? (단, $0\le x<2\pi$)
> $2(1-\cos^2 x)-\cos x-1<0$에서 $(2\cos x-1)(\cos x+1)>0$이다.

$2\sin^2 x-\cos x-1<0$에서

$2(1-\cos^2 x)-\cos x-1<0$

$2\cos^2 x+\cos x-1>0$

$(2\cos x-1)(\cos x+1)>0$

$0\le x<2\pi$에서 $\cos x+1\ge0$이므로

$2\cos x-1>0$

$\therefore \cos x>\frac{1}{2}$

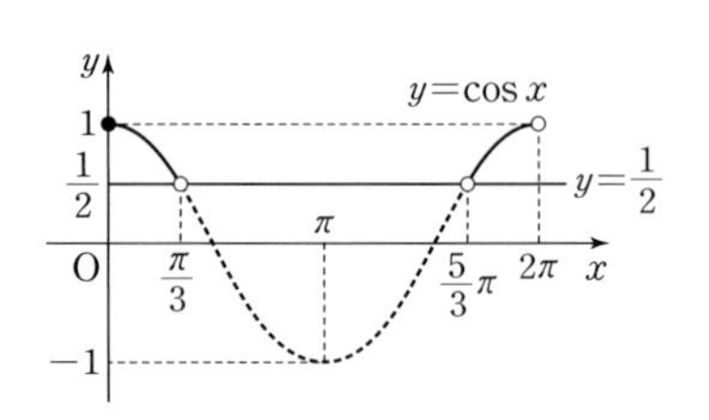

그림에서 주어진 부등식의 해는

$0\le x<\frac{\pi}{3}$ 또는 $\frac{5}{3}\pi<x<2\pi$

따라서 $\alpha=\frac{\pi}{3}$, $\beta=\frac{5}{3}\pi$이므로

$\frac{\beta}{\alpha}=\frac{\frac{5}{3}\pi}{\frac{\pi}{3}}=5$ 답 ④

1080

> $0\le x\le 2\pi$에서 부등식 $2\cos^2 x+\sin x-1\ge 0$을 만족시키는 x의 값의 범위는 $0\le x\le\alpha$ 또는 $\beta\le x\le 2\pi$이다. 이때, $\tan(\beta-\alpha)$의 값은?
>
> • $2(1-\sin^2 x)+\sin x-1\ge 0$에서 $(2\sin x+1)(\sin x-1)\le 0$이다.

$2\cos^2 x+\sin x-1\ge 0$에서

$2(1-\sin^2 x)+\sin x-1\ge 0$

$2\sin^2 x-\sin x-1\le 0$

$(2\sin x+1)(\sin x-1)\le 0$

$\therefore -\frac{1}{2}\le\sin x\le 1$

$0\le x\le 2\pi$에서 $y=\sin x$의 그래프와 두 직선 $y=-\frac{1}{2}$, $y=1$은 그림과 같다.

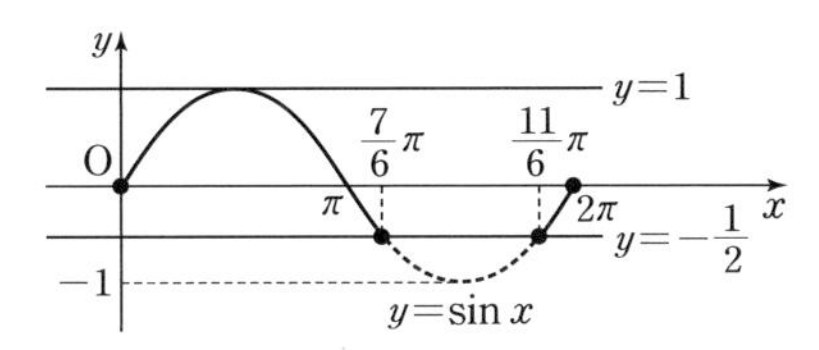

교점의 x좌표를 구하면

$\sin x=-\frac{1}{2}$에서

$x=\frac{7}{6}\pi$ 또는 $x=\frac{11}{6}\pi$

즉, 주어진 부등식을 만족시키는 x의 값의 범위는

$0\le x\le\frac{7}{6}\pi$ 또는 $\frac{11}{6}\pi\le x\le 2\pi$

$\therefore \alpha=\frac{7}{6}\pi$, $\beta=\frac{11}{6}\pi$

$\therefore \tan(\beta-\alpha)=\tan\frac{2}{3}\pi=-\sqrt{3}$ 답 ①

1081

> $0\le x\le 2\pi$에서 부등식 $2\cos^2 x+5\cos x+2<0$을 만족시키는 모든 정수 x의 값의 합을 구하시오.
>
> • $(2\cos x+1)(\cos x+2)<0$에서 $\cos x+2>0$이므로 $2\cos x+1<0$이다.

$2\cos^2 x+5\cos x+2<0$에서 $(2\cos x+1)(\cos x+2)<0$

이때, $\cos x+2\ge 1$이므로 $2\cos x+1<0$

$\therefore \cos x<-\frac{1}{2}$

$0\le x\le 2\pi$에서 함수 $y=\cos x$의 그래프와 직선 $y=-\frac{1}{2}$은 그림과 같다.

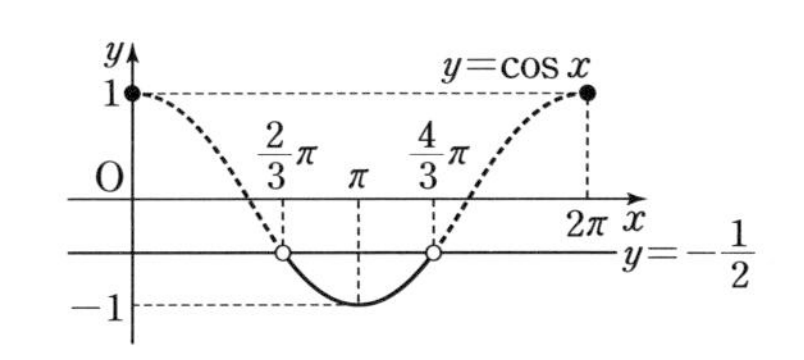

교점의 x좌표를 구하면 $x=\frac{2}{3}\pi$ 또는 $x=\frac{4}{3}\pi$

즉, $\cos x<-\frac{1}{2}$을 만족시키는 x의 값의 범위는

$\frac{2}{3}\pi<x<\frac{4}{3}\pi$

이때, $\frac{2}{3}\pi=2.\times\times\times$, $\frac{4}{3}\pi=4.\times\times\times$이므로 주어진 부등식을 만족시키는 정수 x는 3, 4로 그 합은 7이다. 답 7

1082

> $0\le x\le 2\pi$에서 부등식 $2\cos^2\left(x-\frac{\pi}{3}\right)-5\cos\left(x+\frac{\pi}{6}\right)\ge 4$의 해를 구하시오.
>
> • $x-\frac{\pi}{2}=t$라 하면 $2\cos^2 t-5\cos\left(t+\frac{\pi}{2}\right)\ge 4$
> 이때 $\cos^2 x=1-\sin^2 x$, $\cos\left(x+\frac{\pi}{2}\right)=-\sin x$임을 이용하자.

$2\cos^2\left(x-\frac{\pi}{3}\right)-5\cos\left(x+\frac{\pi}{6}\right)\ge 4$에서

$x-\frac{\pi}{3}=t$로 놓으면 $x=t+\frac{\pi}{3}$이므로

$x+\frac{\pi}{6}=t+\frac{\pi}{3}+\frac{\pi}{6}=t+\frac{\pi}{2}$

즉, 주어진 부등식은 $2\cos^2 t-5\cos\left(t+\frac{\pi}{2}\right)\ge 4$이므로

$2(1-\sin^2 t)+5\sin t\ge 4$

$2\sin^2 t-5\sin t+2\le 0$

$(2\sin t-1)(\sin t-2)\le 0$

$\therefore \frac{1}{2}\le\sin t\le 1$ ($\because -1\le\sin t\le 1$) …… ㉠

이때, $0\le x\le 2\pi$에서 $-\frac{\pi}{3}\le t\le\frac{5}{3}\pi$

이 범위에서 $y=\sin t$의 그래프와 두 직선 $y=\frac{1}{2}$, $y=1$은 그림과 같다.

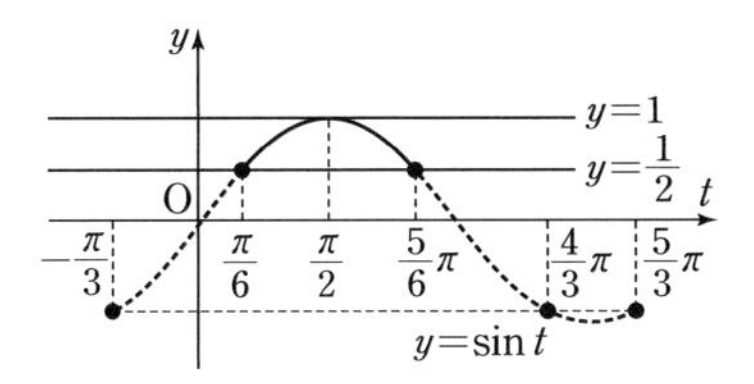

교점의 t좌표를 구하면

$t=\frac{\pi}{6}$ 또는 $t=\frac{5}{6}\pi$

즉, 부등식 ㉠의 해는 $\frac{\pi}{6}\le t\le\frac{5}{6}\pi$

$\therefore \frac{\pi}{2}\le x\le\frac{7}{6}\pi$ 답 $\frac{\pi}{2}\le x\le\frac{7}{6}\pi$

1083

> $0 \le \theta < 2\pi$일 때, x에 대한 이차방정식
> $6x^2+(4\cos\theta)x+\sin\theta=0$
> 이 실근을 갖지 않도록 하는 모든 θ의 값의 범위는 $\alpha<\theta<\beta$이다.
> $3\alpha+\beta$의 값은?
> • 주어진 이차방정식의 판별식을 D라 하면 $\frac{D}{4}<0$임을 이용하자.

주어진 이차방정식의 판별식을 D라 하면
실근을 갖지 않아야 하므로

$\frac{D}{4}=4\cos^2\theta-6\sin\theta<0$

$2\sin^2\theta+3\sin\theta-2>0$

$(2\sin\theta-1)(\sin\theta+2)>0$

$\sin\theta+2>0$이므로 $\sin\theta>\frac{1}{2}$에서

$\frac{\pi}{6}<\theta<\frac{5}{6}\pi$

따라서 $\alpha=\frac{\pi}{6}$, $\beta=\frac{5}{6}\pi$이므로

$3\alpha+\beta=\frac{\pi}{2}+\frac{5}{6}\pi=\frac{4}{3}\pi$ 답 ④

1084

> $0 \le \theta < 2\pi$일 때, x에 대한 이차방정식
> $x^2-(2\sin\theta)x-3\cos^2\theta-5\sin\theta+5=0$
> 이 실근을 갖도록 하는 θ의 최솟값과 최댓값을 각각 α, β라 하자. $4\beta-2\alpha$의 값은?
> • 주어진 이차방정식의 판별식을 D라 하면 $\frac{D}{4}\ge 0$임을 이용하자.

이차방정식 $x^2-(2\sin\theta)x-3\cos^2\theta-5\sin\theta+5=0$의 판별식을 D라 하면 이 이차방정식이 실근을 가져야 하므로

$\frac{D}{4}=(-\sin\theta)^2-(-3\cos^2\theta-5\sin\theta+5)\ge 0$

즉, $\sin^2\theta+3\cos^2\theta+5\sin\theta-5\ge 0$

$\cos^2\theta=1-\sin^2\theta$이므로

$\sin^2\theta+3(1-\sin^2\theta)+5\sin\theta-5\ge 0$

$2\sin^2\theta-5\sin\theta+2\le 0$

$(2\sin\theta-1)(\sin\theta-2)\le 0$

$\sin\theta-2<0$이므로

$2\sin\theta-1\ge 0$

$\therefore \sin\theta\ge\frac{1}{2}$

$0\le\theta<2\pi$이므로

$\frac{\pi}{6}\le\theta\le\frac{5}{6}\pi$

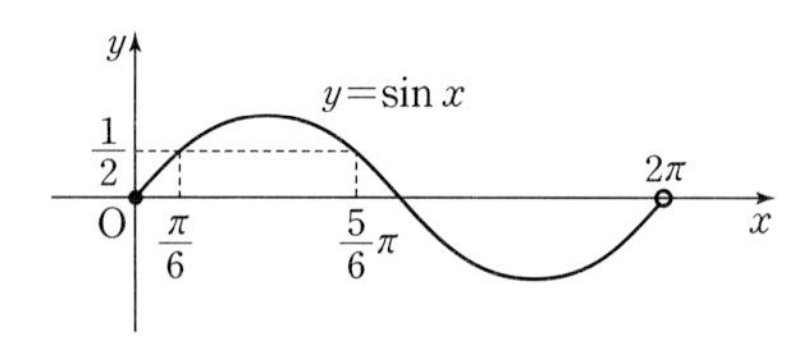

따라서 $\alpha=\frac{\pi}{6}$, $\beta=\frac{5}{6}\pi$이므로

$4\beta-2\alpha=4\times\frac{5}{6}\pi-2\times\frac{\pi}{6}=3\pi$ 답 ①

1085

> 부등식 $\sin x\le\cos x$를 만족시키는 x의 값의 범위를 구하시오. (단, $0\le x<\pi$)
> • 직접 그래프를 그려서 $y=\sin x$의 그래프가 $y=\cos x$의 그래프보다 아래쪽에 있는 x의 값의 범위를 구하자.

$0\le x<\pi$에서 두 함수 $y=\sin x$, $y=\cos x$의 그래프는 그림과 같다.

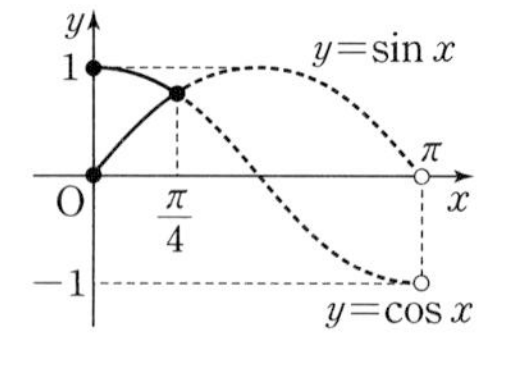

교점의 x좌표를 구하면

$x=\frac{\pi}{4}$

따라서 $\sin x\le\cos x$를 만족시키는 x의 값의 범위는

$0\le x\le\frac{\pi}{4}$ 답 $0\le x\le\frac{\pi}{4}$

다른풀이 $0\le x<\frac{\pi}{2}$에서 $\sin x>0$, $\cos x>0$이고, $\frac{\pi}{2}<x<\pi$에서 $\sin x>0$, $\cos x<0$이므로 부등식 $\sin x\le\cos x$를 만족시키는 x의 값의 범위는 $0\le x<\frac{\pi}{2}$에서만 구하여야 한다.

만일 $\cos x=0$이면 $x=\frac{\pi}{2}$이므로 $1\le 0$이 되어 모순이다.

즉, $\cos x\ne 0$이므로 $\sin x\le\cos x$의 양변을 $\cos x$로 나누면

$\frac{\sin x}{\cos x}\le 1$에서 $\tan x\le 1$

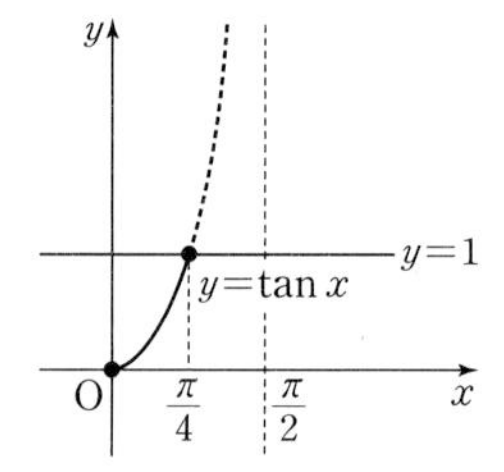

따라서 부등식 $\sin x\le\cos x$를 만족시키는 x의 값의 범위는

$0\le x\le\frac{\pi}{4}$

1086

> 부등식 $\sin x+\cos x<0$을 만족하는 x의 값의 범위가 $\alpha<x<\beta$일 때, $\sin(\beta-\alpha)$의 값을 구하시오. (단, $0\le x<2\pi$)
> • $y=\sin x$의 그래프가 $y=-\cos x$의 그래프보다 아래쪽에 있는 x의 값의 범위를 구하자.

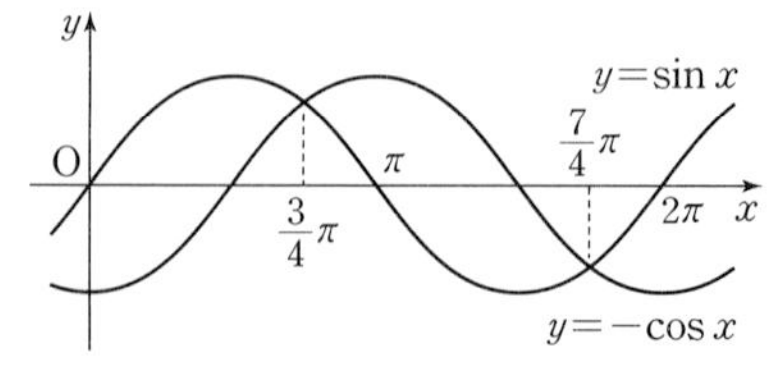

$0\le x<2\pi$에서 그래프 $y=\sin x$와 $y=-\cos x$의 교점은 $\frac{3}{4}\pi$와 $\frac{7}{4}\pi$

이고 $\sin x<-\cos x$를 만족하는 부분은 $\frac{3}{4}\pi<x<\frac{7}{4}\pi$

그러므로 $\alpha=\frac{3}{4}\pi$, $\beta=\frac{7}{4}\pi$

$\therefore \sin(\beta-\alpha)=\sin\pi=0$ 답 0

1087

$0<x<\frac{\pi}{4}$인 모든 x에 대하여 다음 〈보기〉 중 옳은 것만을 있는 대로 고른 것은?

보기

ㄱ. $\sin x<\cos x$

ㄴ. $\cos x>\tan x$ — $0<x<\frac{\pi}{4}$에서 $y=\cos x$와 $y=\tan x$의 교점이 존재한다.

ㄷ. $\tan x>\sin x$ — $0<x<\frac{\pi}{2}$에서 $\tan x>\sin x$이다.

ㄱ. 두 함수 $y=\sin x$, $y=\cos x\left(0<x<\frac{\pi}{4}\right)$의 그래프는 아래와 같다.

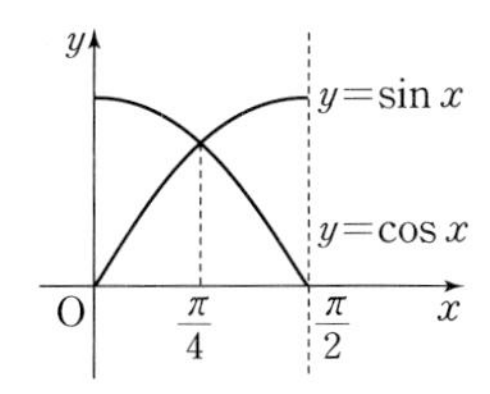

$0<x<\frac{\pi}{4}$에서 $\sin x<\cos x$ (참)

ㄴ. $\tan\frac{\pi}{4}=1$이므로 $0<x<\frac{\pi}{4}$에서 $y=\cos x$와 $y=\tan x$의 교점이 존재한다.

$\cos x>\tan x$ (거짓)

ㄷ. $0<x<\frac{\pi}{4}$에서 동경이 아래와 같으므로

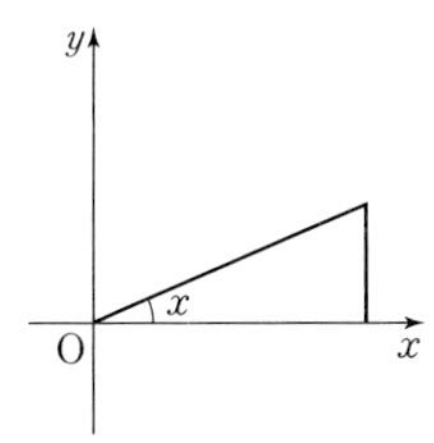

$\tan x>\sin x$ (참)

따라서 옳은 것은 ㄱ, ㄷ이다.

답 ③

1088

부등식 $\cos^2\theta+4\sin\theta\le 2a$가 모든 실수 θ에 대하여 항상 성립하도록 하는 실수 a의 값의 범위는?

$\sin x=t\ (-1\le t\le 1)$라 하면 $t^2-4t+2a-1\ge 0$

$-1\le t\le 1$에서 $y=t^2-4t+2a-1$의 최솟값이 0보다 크거나 같아야 한다.

$\cos^2\theta+4\sin\theta\le 2a$에서

$1-\sin^2\theta+4\sin\theta\le 2a$

$\sin^2\theta-4\sin\theta+2a-1\ge 0$

$\sin\theta=t\ (-1\le t\le 1)$로 놓으면

$t^2-4t+2a-1\ge 0$

이 부등식이 성립하기 위해서는 $-1\le t\le 1$에서 함수 $y=t^2-4t+2a-1$의 최솟값이 0보다 크거나 같아야 한다.

즉, $y=(t-2)^2+2a-5$에서 $t=1$일 때 최소이므로

$1+2a-5\ge 0$

$\therefore a\ge 2$

답 ③

1089

부등식 $\sin^2\left(x+\frac{\pi}{2}\right)+2\sin x+k\le 0$이 모든 실수 x에 대하여 항상 성립하도록 하는 실수 k의 값의 범위를 구하시오.

$\sin x=t\ (-1\le t\le 1)$라 하면 $t^2-2t-k-1\ge 0$

$-1\le t\le 1$에서 $y=t^2-2t-k-1$의 최솟값이 0보다 크거나 같아야 한다.

$\sin^2\left(x+\frac{\pi}{2}\right)+2\sin x+k\le 0$에서

$\cos^2 x+2\sin x+k\le 0$

$(1-\sin^2 x)+2\sin x+k\le 0$

$\therefore \sin^2 x-2\sin x-k-1\ge 0$

$\sin x=t\ (-1\le t\le 1)$로 놓으면

$t^2-2t-k-1\ge 0$

이 부등식이 항상 성립하려면 $-1\le t\le 1$에서 함수 $y=t^2-2t-k-1$의 최솟값이 0보다 크거나 같아야 한다.

즉, $y=(t-1)^2-k-2$에서 $t=1$일 때 최소이므로

$-k-2\ge 0$

$\therefore k\le -2$

답 $k\le -2$

1090

부등식 $\sin^2\left(x-\frac{\pi}{6}\right)-\sin\left(x+\frac{\pi}{3}\right)+a\ge 0$이 항상 성립하도록 하는 a의 값의 범위를 구하시오. (단, $0\le x\le 2\pi$)

$\sin\left(x+\frac{\pi}{2}\right)=\cos x$이므로

$\sin\left(x+\frac{\pi}{3}\right)=\sin\left(x+\frac{\pi}{2}-\frac{\pi}{6}\right)=\cos\left(x-\frac{\pi}{6}\right)$

$\sin^2\left(x-\frac{\pi}{6}\right)-\sin\left(\frac{\pi}{2}+x-\frac{\pi}{6}\right)+a\ge 0$

$1-\cos^2\left(x-\frac{\pi}{6}\right)-\cos\left(x-\frac{\pi}{6}\right)+a\ge 0$

$\cos^2\left(x-\frac{\pi}{6}\right)+\cos\left(x-\frac{\pi}{6}\right)-a-1\le 0$

$\cos\left(x-\frac{\pi}{6}\right)=t\ (-1\le t\le 1)$로 놓으면

$t^2+t-a-1\le 0$,

$\left(t+\frac{1}{2}\right)^2-a-\frac{5}{4}\le 0$

$-1\le t\le 1$에서 이 부등식을 항상 만족하려면 $t=1$에서의 값이 0보다 작거나 같으면 된다.

$\left(1+\frac{1}{2}\right)^2-a-\frac{5}{4}\le 0$

$\frac{9}{4}-a-\frac{5}{4}\le 0$

$\therefore a\ge 1$

답 $a\ge 1$

1091

방정식 $\sin^2 x-\sin x+k-1=0$이 실근을 갖도록 하는 상수 k의 값의 범위를 $\alpha\le k\le\beta$라 할 때, $4\beta-\alpha$의 값을 구하시오. (단, $0\le x<2\pi$)

$\sin x=t\ (-1\le t\le 1)$라 하면 $y=t^2-t\ (-1\le t\le 1)$의 그래프와 $y=1-k$의 그래프가 만나야 한다.

$\sin x=t$라고 하면 $-1\le t\le 1$

$\sin^2 x-\sin x=1-k$에서

$y=\sin^2 x-\sin x$라고 하면

$y=t^2-t$

$=\left(t-\frac{1}{2}\right)^2-\frac{1}{4}$

이므로 $y=t^2-t\ (-1\le t\le 1)$의 그래프는 그림과 같다.

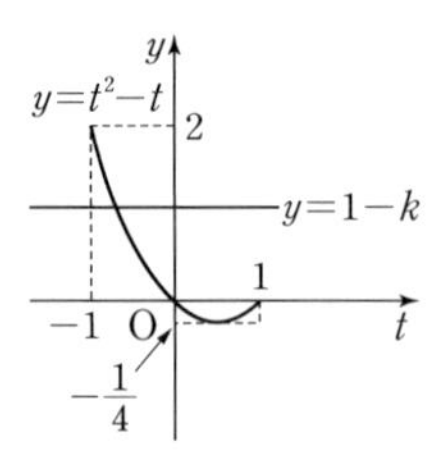

방정식 $\sin^2 x-\sin x=1-k$가 실근을 가지려면 함수 $y=t^2-t\ (-1\le t\le 1)$의 그래프와 직선 $y=1-k$의 그래프가 만나야 하므로

$-\frac{1}{4}\le 1-k\le 2$

따라서 $-1\le k\le \frac{5}{4}$이므로 $\alpha=-1$, $\beta=\frac{5}{4}$이다.

$\therefore 4\beta-\alpha=5-(-1)=6$

답 6

1092

방정식 $4\cos^2 x-4\sin x+a=0$이 실근을 가질 때, 실수 a의 값의 범위는 $\alpha\le a\le\beta$이다. $\alpha+\beta$의 값을 구하시오.

$\sin x=t\ (-1\le t\le 1)$라 하면 $y=4t^2+4t-4\ (-1\le t\le 1)$의 그래프와 $y=a$의 그래프가 만나야 한다.

$4\cos^2 x-4\sin x+a=0$에서

$4(1-\sin^2 x)-4\sin x+a=0$

$4\sin^2 x+4\sin x-4=a$

이 방정식이 실근을 가지려면 함수 $y=4\sin^2 x+4\sin x-4$의 그래프와 직선 $y=a$가 교점을 가져야 한다.

$y=4\sin^2 x+4\sin x-4$에서

$\sin x=t\ (-1\le t\le 1)$로 놓으면

$y=4t^2+4t-4$

$=4\left(t+\frac{1}{2}\right)^2-5$

이므로 그래프는 그림과 같다.

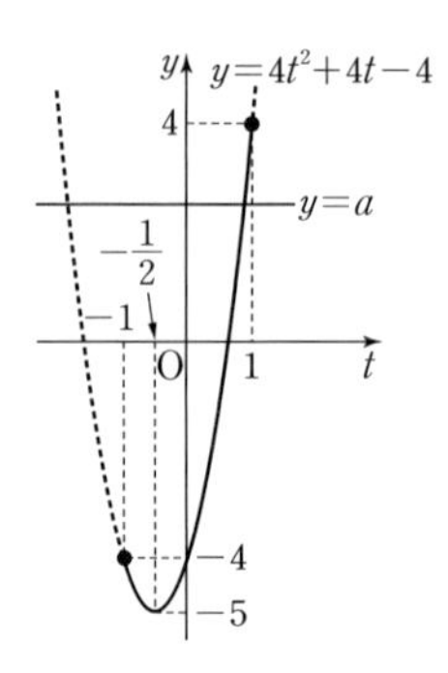

즉, 함수 $y=4t^2+4t-4$의 그래프와 직선 $y=a$가 만나기 위한 a의 값의 범위는

$-5\le a\le 4$이므로

$\alpha=-5$, $\beta=4$

$\therefore \alpha+\beta=-1$

답 -1

1093

방정식 $-2\sin^2 x+2\cos x+a=0$을 만족시키는 실근 x가 존재하기 위한 실수 a의 값의 범위를 구하시오.

$\cos x=t\ (-1\le t\le 1)$라 하면 $y=2t^2+2t-2\ (-1\le t\le 1)$의 그래프와 $y=-a$의 그래프가 만나야 한다.

$-2\sin^2 x+2\cos x+a=0$에서

$-2(1-\cos^2 x)+2\cos x+a=0$

$2\cos^2 x+2\cos x-2+a=0$

$2(\cos^2 x+\cos x-1)=-a$

이 방정식을 만족하는 실근이 존재하기 위해서는 함수 $y=2(\cos^2 x+\cos x-1)$의 그래프와 직선 $y=-a$가 교점을 가져야 한다.

이때, $\cos x=t\ (-1\le t\le 1)$로 놓으면

$y=2(t^2+t-1)=2\left(t+\frac{1}{2}\right)^2-\frac{5}{2}$

그림에서 교점을 가지려면

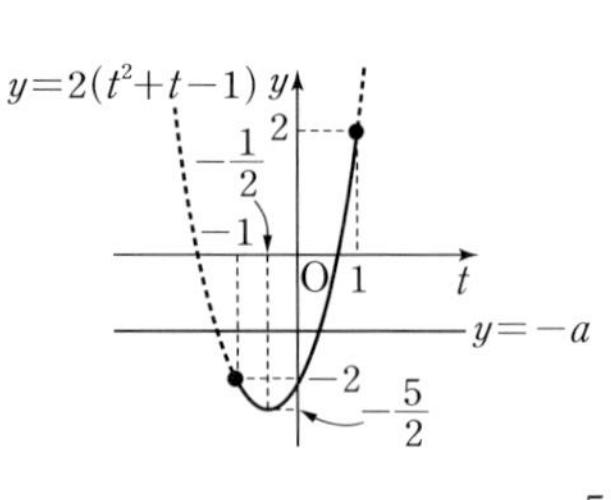

$-\frac{5}{2}\le -a\le 2$

$\therefore -2\le a\le \frac{5}{2}$

답 $-2\le a\le \frac{5}{2}$

1094

$\cos\left(\frac{3}{2}\pi-\theta\right)=-\sin\theta$

그림과 같이 반지름의 길이가 1인 부채꼴 AOB에 대하여 $\angle COD=\theta$라 할 때, 다음 중 길이가

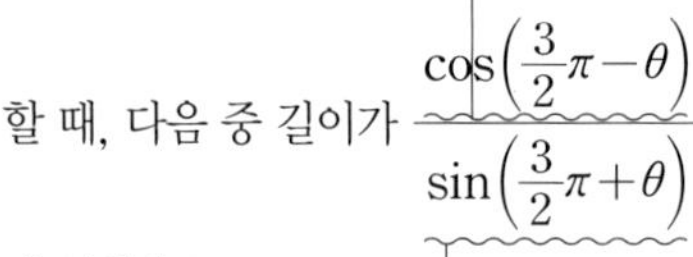

$\frac{\cos\left(\frac{3}{2}\pi-\theta\right)}{\sin\left(\frac{3}{2}\pi+\theta\right)}$

인 선분은?

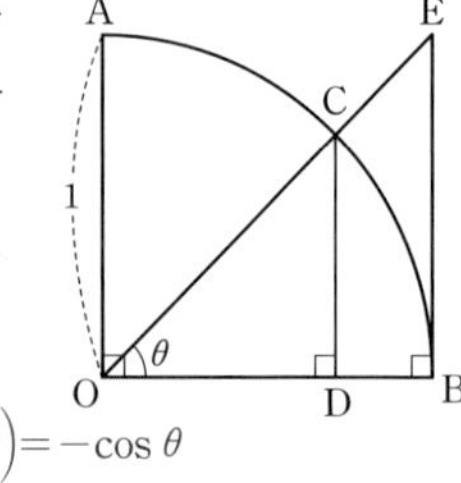

$\sin\left(\frac{3}{2}\pi+\theta\right)=-\cos\theta$

① $\overline{OA}$ ② $\overline{OD}$ ③ $\overline{OE}$
④ $\overline{CD}$ ⑤ $\overline{BE}$

$\cos\left(\frac{3}{2}\pi-\theta\right)=-\sin\theta$, $\sin\left(\frac{3}{2}\pi+\theta\right)=-\cos\theta$

$\therefore \frac{\cos\left(\frac{3}{2}\pi-\theta\right)}{\sin\left(\frac{3}{2}\pi+\theta\right)}=\frac{-\sin\theta}{-\cos\theta}=\frac{\sin\theta}{\cos\theta}=\tan\theta$

이때, △BOE에서 $\tan\theta=\frac{\overline{BE}}{\overline{OB}}=\overline{BE}$ ($\because \overline{OB}=1$)

답 ⑤

1095

$0<2\sin x<2$이므로 길이가 2인 변이 길이가 최대인 변이다.

$\frac{\pi}{2}<x<\pi$일 때, 세 변의 길이가 1, 2, $2\sin x$인 삼각형이 둔각삼각형이 되도록 하는 x의 값의 범위는?

$1+2\sin x>2$, $1^2+(2\sin x)^2<2^2$

$\frac{\pi}{2}<x<\pi$에서 $0<2\sin x<2$

삼각형의 세 변의 길이가 1, 2, $2\sin x$이므로

$1+2\sin x>2$에서 $\sin x>\frac{1}{2}$ ······ ㉠

또 이 삼각형이 둔각삼각형이 되려면 가장 긴 변의 길이의 제곱이 다른 두 변의 길이의 제곱의 합보다 커야 하므로

$1+(2\sin x)^2<4$에서 $4\sin^2 x<3$

$\sin^2 x<\frac{3}{4}$

$0<\sin x<\frac{\sqrt{3}}{2}$ ($\because \frac{\pi}{2}<x<\pi$이므로 $\sin x>0$) ······ ㉡

㉠, ㉡에서 $\frac{1}{2}<\sin x<\frac{\sqrt{3}}{2}$

$\frac{\pi}{2}<x<\pi$에서 함수 $y=\sin x$의 그래프와 두 직선 $y=\frac{1}{2}$,

$y=\frac{\sqrt{3}}{2}$은 그림과 같다.

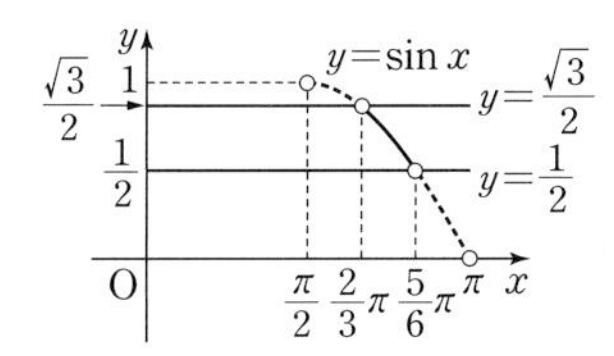

교점의 x좌표를 구하면

$\sin x=\frac{1}{2}$에서 $x=\frac{5}{6}\pi$

$\sin x=\frac{\sqrt{3}}{2}$에서 $x=\frac{2}{3}\pi$

따라서 구하는 x의 값의 범위는

$\frac{2}{3}\pi<x<\frac{5}{6}\pi$

답 ③

1096

양의 상수 a에 대하여 곡선 $f(x)=a\sin\frac{x+\pi}{3}$ $(0\le x\le 6\pi)$와 직선 $y=-\frac{a}{2}$가 만나는 두 점을 각각 A, B라 하자. 곡선 $y=f(x)$ 위의 제1사분면에 있는 점 P에 대하여 삼각형 PAB의 넓이의 최댓값이 6π일 때, a의 값을 구하시오.

두 점의 x좌표는 $a\sin\frac{x+\pi}{3}=-\frac{a}{2}$의 두 근이다.

$a\sin\frac{x+\pi}{3}=-\frac{a}{2}$에서

$\sin\frac{x+\pi}{3}=-\frac{1}{2}$이므로

$\frac{x+\pi}{3}=\frac{7}{6}\pi$ 또는 $\frac{x+\pi}{3}=\frac{11}{6}\pi$

$\therefore x=\frac{5}{2}\pi$ 또는 $x=\frac{9}{2}\pi$

즉, $\overline{AB}=\frac{9}{2}\pi-\frac{5}{2}\pi=2\pi$

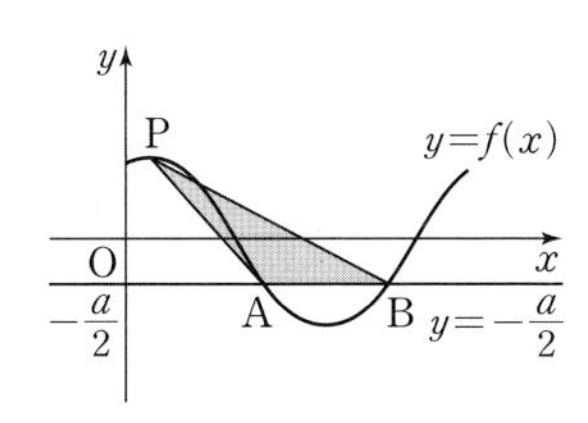

삼각형 PAB의 넓이가 최대이려면 삼각형 PAB의 높이가 최대이어야 하므로 점 P의 y좌표가 a일 때 최대이다.

따라서 삼각형 PAB의 높이가 최대일 때 그 높이는 $\frac{3}{2}a$이다.

삼각형 PAB의 넓이의 최댓값이 6π이므로

$\frac{1}{2}\times 2\pi\times\frac{3}{2}a=6\pi$

$\therefore a=4$

답 4

1097

그림과 같은 삼각형 ABC에서 $\angle$BAC를 이등분하는 직선이 선분 BC와 만나는 점을 D라 하면 $\angle$ADC$=45°$가 된다. 선분 BC를 연장한 반직선 BC 위의 한 점을 E라 하고 $\angle$ABC$=\alpha$, $\angle$ACE$=\beta$라 할 때, $\sin^2\alpha+\sin^2\beta$의 값을 구하시오.

$\angle$BAD$=\theta$라 하면 $45°=\alpha+\theta$, $\beta=45°+\theta$임을 이용하자.

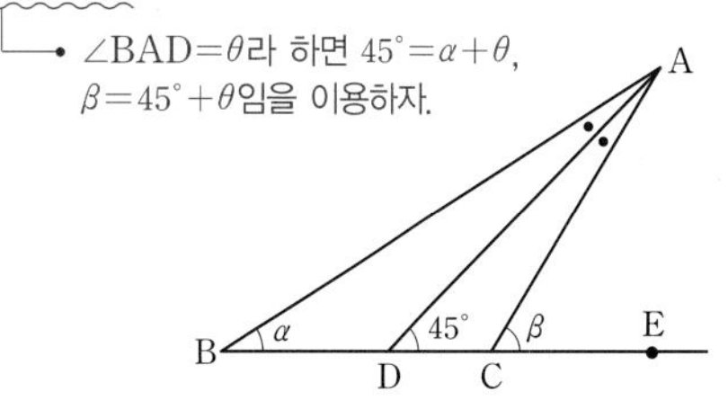

$\angle$BAD$=\angle$CAD$=\theta$라 하면

$\angle$ADC$=\angle$ABD$+\angle$BAD에서

$45°=\alpha+\theta$

$\therefore \theta=45°-\alpha$ ······ ㉠

또 $\angle$ACE$=\angle$ADC$+\angle$CAD에서

$\beta=45°+\theta=90°-\alpha$ ($\because$ ㉠)

$\therefore \sin^2\alpha+\sin^2\beta=\sin^2\alpha+\sin^2(90°-\alpha)$

$=\sin^2\alpha+\cos^2\alpha$

$=1$

답 1

1098

좌표평면에서 원 $x^2+y^2=1$ 위의 두 점 P, Q가 점 A$(1, 0)$에서 동시에 출발하여 시계 반대 방향으로 매초 $\frac{2}{3}\pi$, $\frac{4}{3}\pi$의 속력으로 원 위를 따라 각각 움직인다. 출발 후 100초가 될 때까지 두 점 P, Q의 y좌표가 같아지는 횟수는?

두 점 P, Q의 t $(t>0)$초 후의 y좌표는 각각 $\sin\frac{2}{3}\pi t$, $\sin\frac{4}{3}\pi t$이다.

두 점 P, Q의 t $(t>0)$초 후의 y좌표를 각각 $f(t)$, $g(t)$라 하면

$f(t)=\sin\frac{2}{3}\pi t$, $g(t)=\sin\frac{4}{3}\pi t$이므로 두 함수

$y=f(t)$, $y=g(t)$의 그래프는 그림과 같다.

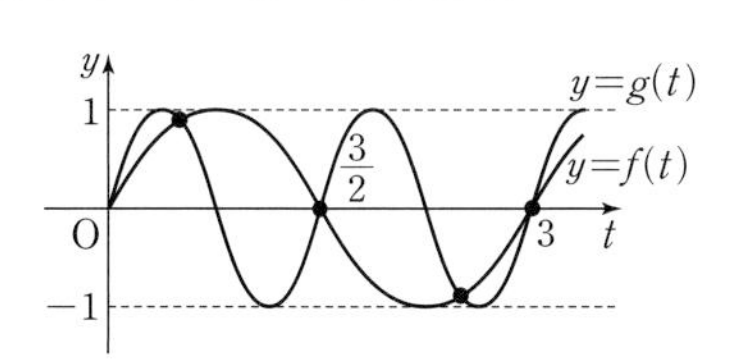

즉, 출발 후 3초가 될 때까지 $f(t)$, $g(t)$의 값이 4회 같아지므로 99초가 될 때까지 132회 같아진다.

따라서 출발 후 100초가 될 때까지는 133회 같아진다.

답 ②

1099

함수 $f(x)=3\sin\frac{x}{2}$에 대한 설명으로 옳은 것만을 〈보기〉에서 있는 대로 고른 것은?

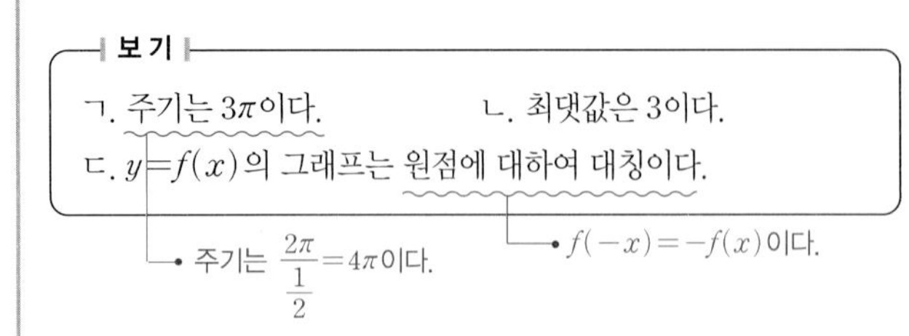

보기

ㄱ. 주기는 3π이다.　　ㄴ. 최댓값은 3이다.

ㄷ. $y=f(x)$의 그래프는 원점에 대하여 대칭이다.

• 주기는 $\frac{2\pi}{\frac{1}{2}}=4\pi$이다.

• $f(-x)=-f(x)$이다.

$f(x)=3\sin\frac{x}{2}$에서

ㄱ. 주기는 $\frac{2\pi}{\frac{1}{2}}=4\pi$이다. (거짓)

ㄴ. 최댓값은 3이다. (참)

ㄷ.

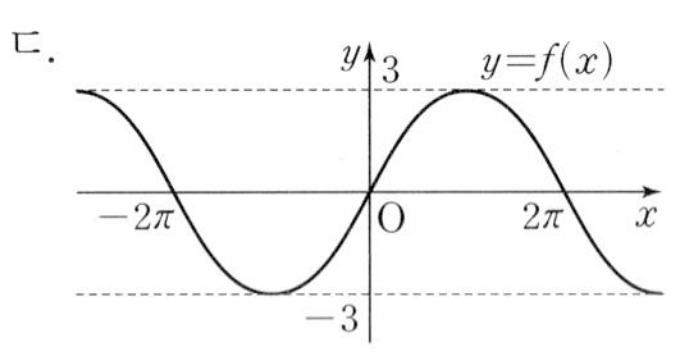

$y=f(x)$의 그래프는 그림과 같으므로 원점에 대하여 대칭이다. (참)

따라서 옳은 것은 ㄴ, ㄷ이다. 답 ⑤

1100

함수 $y=2\sin\left(x+\frac{\pi}{4}\right)-1$의 주기와 최댓값, 최솟값을 차례대로 나열한 것은?

• $|2|-1$이다. • $-|2|-1$이다.

$y=2\sin\left(x+\frac{\pi}{4}\right)-1$의 주기는 2π이고,

최댓값은 $2-1=1$, 최솟값은 $-2-1=-3$이다. 답 ③

1101

• 최댓값이 3, 최솟값이 -3이므로 $a>0$에서 $a=3$, 주기는 $\frac{\pi}{3}\times2=\frac{2}{3}\pi$에서 $b=3$

그림은 함수 $y=a\sin(bx-c)$의 그래프이다. $a>0$, $b>0$, $0<c<2\pi$일 때, $\frac{abc}{\pi}$의 값을 구하시오. (단, a, b, c는 상수이다.)

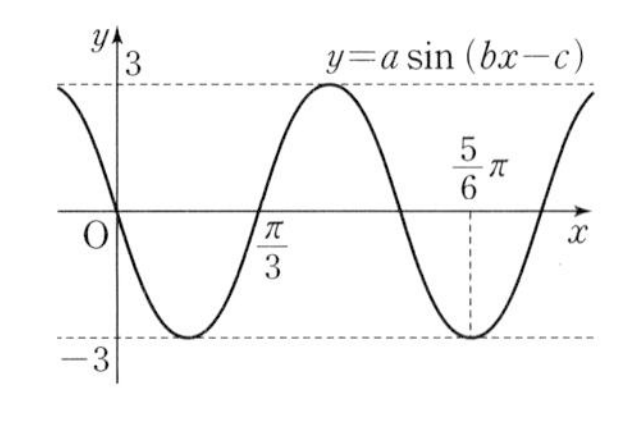

$y=a\sin(bx-c)=a\sin b\left(x-\frac{c}{b}\right)$

$a>0$이고 주어진 그래프에서 최댓값이 3, 최솟값이 -3이므로 $a=3$

$b>0$이고 주기가 $\frac{\pi}{3}\times2=\frac{2}{3}\pi$이므로

$\frac{2\pi}{b}=\frac{2\pi}{3}$에서 $b=3$

한편, 주어진 그래프는 $y=3\sin3x$의 그래프를 x축의 방향으로 $\frac{\pi}{3}$만큼 평행이동한 것이므로

$\frac{c}{b}=\frac{c}{3}=\frac{\pi}{3}$　　$\therefore c=\pi$ ($\because 0<c<2\pi$)

$\therefore \frac{abc}{\pi}=\frac{3\times3\times\pi}{\pi}=9$ 답 9

1102

• 최솟값이 -2이므로 $b=-2$이다.

그림은 함수 $y=|\tan ax|+b$의 그래프이다. 두 상수 a, b에 대하여 ab의 값을 구하시오. (단, $a>0$)

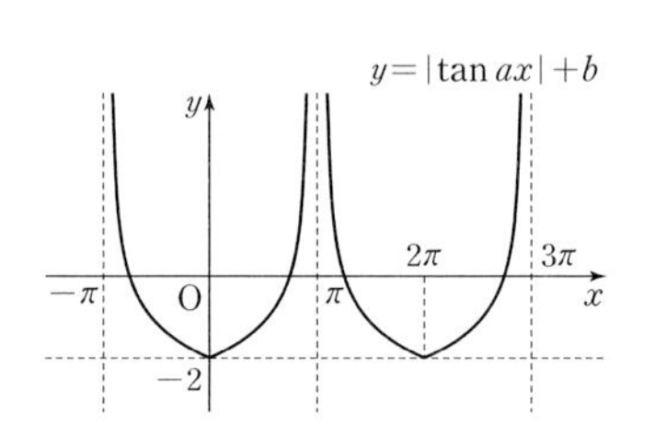

$|\tan ax|\ge0$이므로 $y=|\tan ax|+b$의 최솟값은 b이다.

그런데 주어진 그림에서 최솟값이 -2이므로 $b=-2$

또 $a>0$이고 주기가 2π이므로

$\frac{\pi}{a}=2\pi$　　$\therefore a=\frac{1}{2}$

$\therefore ab=\frac{1}{2}\times(-2)=-1$ 답 -1

1103

• $\cos2x=p$를 만족시키는 x의 값은 $x=\alpha$ 또는 $x=\pi-\alpha$ 또는 $x=\pi+\alpha$라 할 수 있다.

$0<x<\frac{3}{2}\pi$에서 $\cos2x=p$를 만족시키는 x의 값의 합을 k라 하면 $\cos k=\frac{1}{2}$이다. $2\left(\cos\frac{k}{2}-\sin\frac{k}{2}\right)$의 값은? (단, $-1<p<0$)

$0<x<\frac{3}{2}\pi$에서 함수 $y=\cos2x$의 그래프와 직선 $y=p$는 그림과 같다.

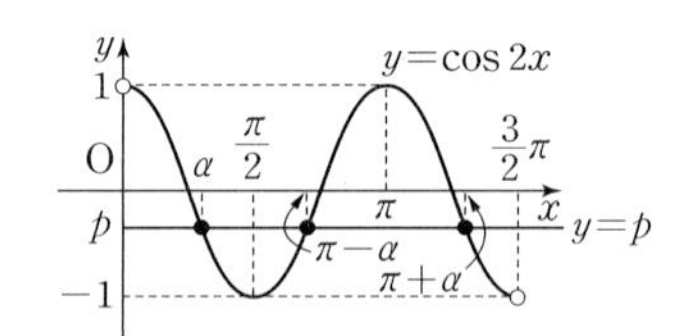

교점의 x좌표를 구하면

$x=\alpha$ 또는 $x=\pi-\alpha$ 또는 $x=\pi+\alpha\left(0<\alpha<\frac{\pi}{2}\right)$

즉, $k=\alpha+(\pi-\alpha)+(\pi+\alpha)=2\pi+\alpha$이므로

$\cos k=\cos(2\pi+\alpha)=\cos\alpha=\frac{1}{2}$

$\therefore \alpha=\frac{\pi}{3}\left(\because 0<\alpha<\frac{\pi}{2}\right)$

따라서 $k=2\pi+\frac{\pi}{3}$이므로

$$2\left(\cos\frac{k}{2}-\sin\frac{k}{2}\right)=2\left\{\cos\left(\pi+\frac{\pi}{6}\right)-\sin\left(\pi+\frac{\pi}{6}\right)\right\}$$

$$=2\left(-\cos\frac{\pi}{6}+\sin\frac{\pi}{6}\right)$$

$=2\left(-\frac{\sqrt{3}}{2}+\frac{1}{2}\right)$

$=1-\sqrt{3}$

답 ④

1104

> $\sin\left(\frac{\pi}{2}+\theta\right)\cos\theta+\cos\left(\frac{\pi}{2}+\theta\right)\sin(\pi+\theta)$를 간단히 하면?
>
> ($\sin\left(\frac{\pi}{2}+\theta\right)$ → $\cos\theta$, $\cos\left(\frac{\pi}{2}+\theta\right)$ → $-\sin\theta$, $\sin(\pi+\theta)$ → $-\sin\theta$)

$\sin\left(\frac{\pi}{2}+\theta\right)=\cos\theta$,

$\cos\left(\frac{\pi}{2}+\theta\right)=-\sin\theta$,

$\sin(\pi+\theta)=-\sin\theta$

$\therefore \sin\left(\frac{\pi}{2}+\theta\right)\cos\theta+\cos\left(\frac{\pi}{2}+\theta\right)\sin(\pi+\theta)$

$=\cos\theta\cos\theta+(-\sin\theta)(-\sin\theta)$

$=\cos^2\theta+\sin^2\theta$

$=1$

답 ④

1105 서술형

> 함수 $y=-3\sin^2 x+3\cos x+2$의 최댓값을 M, 최솟값을 m이라 할 때, $M+m$의 값을 구하시오.
>
> → $\sin^2 x=1-\cos^2 x$이므로 $\cos x=t\ (-1\le t\le 1)$로 놓고 t에 관한 식으로 정리하자.

$y=-3\sin^2 x+3\cos x+2$

$=-3(1-\cos^2 x)+3\cos x+2$

$=3\cos^2 x+3\cos x-1$ …… 30%

이때, $\cos x=t\ (-1\le t\le 1)$로 놓으면

$y=3t^2+3t-1$

$=3\left(t+\frac{1}{2}\right)^2-\frac{7}{4}$ …… 40%

이므로 그래프는 그림과 같다.

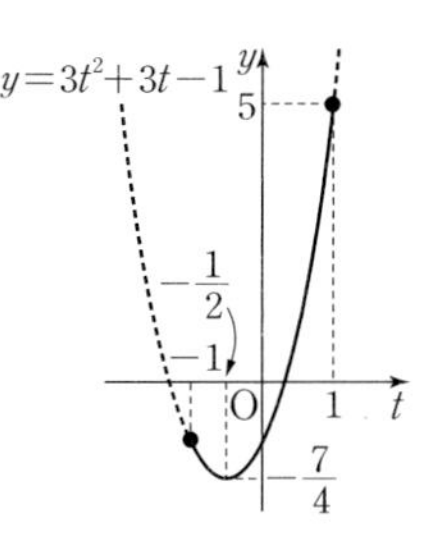

따라서 $t=1$일 때 최댓값 $M=5$,

$t=-\frac{1}{2}$일 때 최솟값 $m=-\frac{7}{4}$을

갖는다.

$\therefore M+m=\frac{13}{4}$ …… 30%

답 $\frac{13}{4}$

1106

> 방정식 $\sin\pi x-\frac{1}{5}x=0$의 실근의 개수는?
>
> $y=\sin\pi x$의 그래프와 $y=\frac{1}{5}x$의 그래프의 교점의 개수를 구하자.

$\sin\pi x-\frac{1}{5}x=0$에서 $\sin\pi x=\frac{1}{5}x$

방정식 $\sin\pi x=\frac{1}{5}x$의 실근은 함수 $y=\sin\pi x$의 그래프와 직선 $y=\frac{1}{5}x$의 교점의 x좌표와 같다.

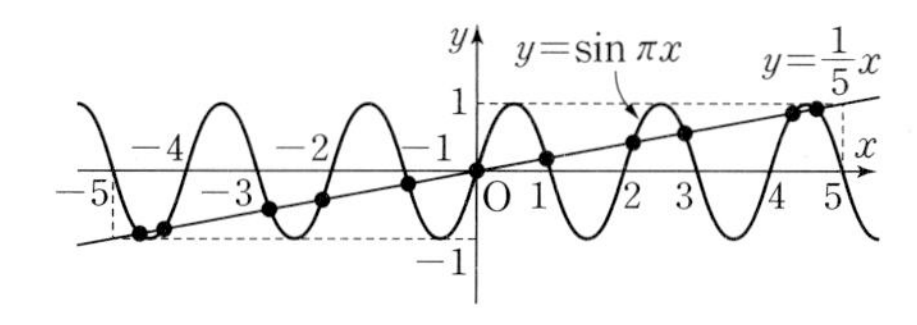

그림에서 교점의 개수가 11이므로 주어진 방정식의 실근의 개수는 11이다.

답 ⑤

1107

> 방정식 $2\sin x=\sqrt{2}$의 두 근을 $\alpha, \beta\ (\alpha<\beta)$라 할 때, $\cos(\alpha+\beta)$의 값은? (단, $0\le x\le 2\pi$)
>
> 두 근은 $x=\frac{\pi}{2}$에 대하여 대칭이므로 $\frac{\alpha+\beta}{2}=\frac{\pi}{2}$

$2\sin x=\sqrt{2}$에서 $\sin x=\frac{\sqrt{2}}{2}$이고,

$0\le x\le 2\pi$에서 함수 $y=\sin x$의 그래프와 직선 $y=\frac{\sqrt{2}}{2}$는 그림과 같다.

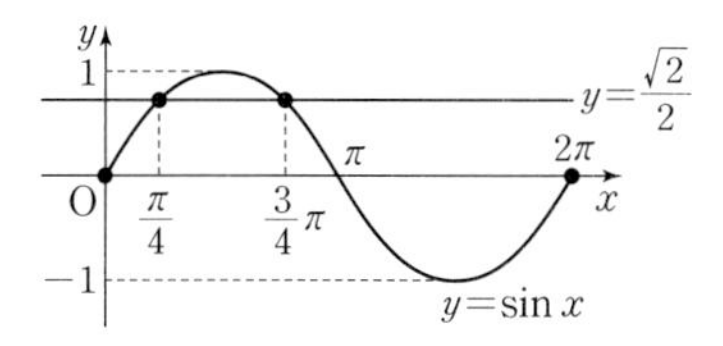

교점의 x좌표를 구하면

$x=\frac{\pi}{4}$ 또는 $x=\frac{3}{4}\pi$이므로

$\alpha=\frac{\pi}{4}$, $\beta=\frac{3}{4}\pi\ (\because \alpha<\beta)$

$\therefore \cos(\alpha+\beta)=\cos\left(\frac{\pi}{4}+\frac{3}{4}\pi\right)$

$=\cos\pi$

$=-1$

답 ①

1108

> $0\le x\le 2\pi$일 때, 방정식 $2\sin^2 x+3\cos x=0$의 모든 근의 합은?
>
> $\sin^2 x=1-\cos^2 x$이므로 $2(1-\cos^2 x)+3\cos x=0$

$2\sin^2 x+3\cos x=0$에서

$2(1-\cos^2 x)+3\cos x=0$

$2\cos^2 x-3\cos x-2=0$

$(2\cos x+1)(\cos x-2)=0$

$\therefore \cos x=-\frac{1}{2}\ (\because -1\le\cos x\le 1)$

$0\le x\le 2\pi$에서 함수 $y=\cos x$의 그래프와 직선 $y=-\frac{1}{2}$은 그림과 같다.

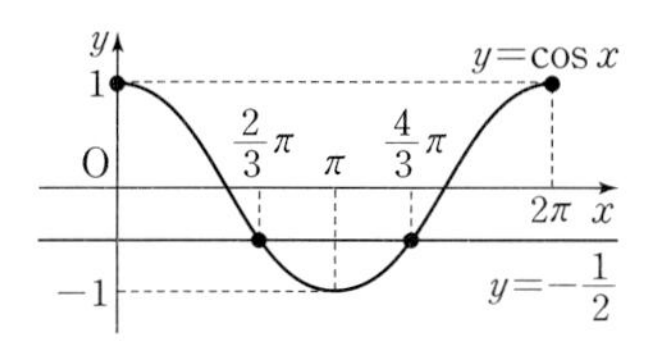

교점의 x좌표를 구하면

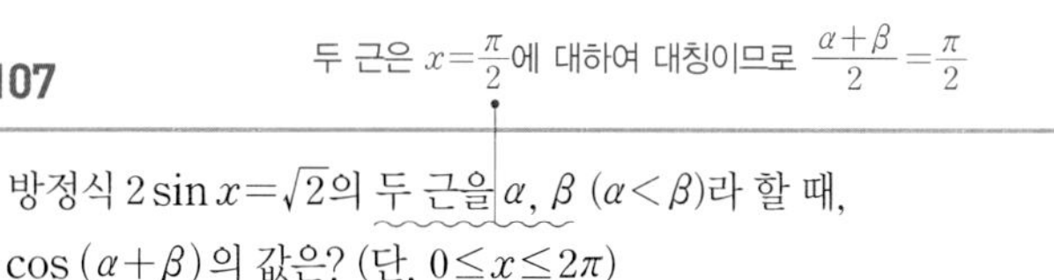

$x=\frac{2}{3}\pi$ 또는 $x=\frac{4}{3}\pi$

따라서 모든 근의 합은 $\frac{2}{3}\pi+\frac{4}{3}\pi=2\pi$ 답 ③

1109 서술형

> 부등식 $2\cos\left(2x-\frac{\pi}{3}\right)<\sqrt{3}$의 해를 구하시오. (단, $0\le x\le\pi$)
>
> └ $2x-\frac{\pi}{3}=t$라 하면 $\cos t<\frac{\sqrt{3}}{2}$ $\left(-\frac{\pi}{3}\le t\le\frac{5}{3}\pi\right)$이다.

$2\cos\left(2x-\frac{\pi}{3}\right)<\sqrt{3}$에서 $2x-\frac{\pi}{3}=t$로 놓으면

$2\cos t<\sqrt{3}$, 즉 $\cos t<\frac{\sqrt{3}}{2}$ ······ ㉠ ······ 30%

한편, $0\le x\le\pi$에서 $-\frac{\pi}{3}\le t\le\frac{5}{3}\pi$

이 범위에서 함수 $y=\cos t$의 그래프와 직선 $y=\frac{\sqrt{3}}{2}$은 그림과 같다.

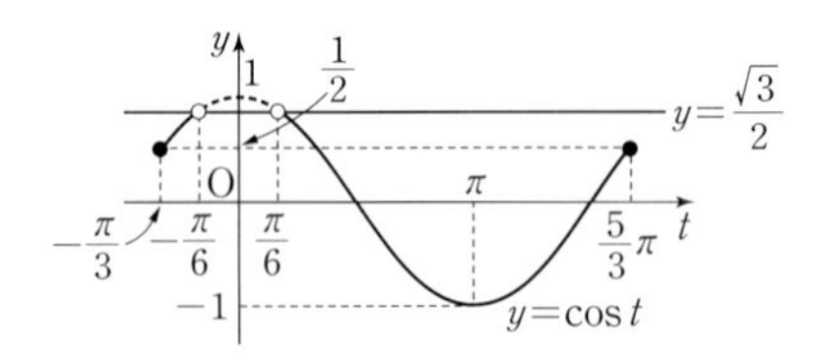

교점의 t좌표를 구하면 $t=-\frac{\pi}{6}$ 또는 $t=\frac{\pi}{6}$

즉, 부등식 ㉠의 해는 $-\frac{\pi}{3}\le t<-\frac{\pi}{6}$ 또는 $\frac{\pi}{6}<t\le\frac{5}{3}\pi$ ······ 50%

$\therefore 0\le x<\frac{\pi}{12}$ 또는 $\frac{\pi}{4}<x\le\pi$ ······ 20%

답 $0\le x<\frac{\pi}{12}$ 또는 $\frac{\pi}{4}<x\le\pi$

1110

> $\sin x=t$ $(-1\le t\le 1)$라 하면 $t^2-4t-5k+5\ge0$
>
> $0\le x<2\pi$일 때, x에 대한 부등식 $\sin^2 x-4\sin x-5k+5\ge0$이 항상 성립하도록 하는 실수 k의 최댓값은?
>
> └ $-1\le t\le1$에서 $y=t^2-4t-5k+5$의 최솟값이 0보다 크거나 같아야 한다.

$\sin^2 x-4\sin x-5k+5\ge0$

$\sin x=t$ $(-1\le t\le1)$라 하면

$t^2-4t-5k+5\ge0$

$(t-2)^2-5k+1\ge0$

$f(t)=(t-2)^2-5k+1$ $(-1\le t\le1)$이라 하면

함수 $f(t)$는 $t=1$에서 최솟값을 가지므로

$1-5k+1\ge0$, $k\le\frac{2}{5}$

따라서 k의 최댓값은 $\frac{2}{5}$ 답 ①

1111

> 〈보기〉에서 두 함수의 그래프가 일치하는 것만을 있는 대로 고른 것은?
>
> **보기**
>
> ㄱ. $y=|\cos x|$, $y=\sin|x|$ ← x에 0을 대입해 보면 각각 1과 0이다.
>
> ㄴ. $y=|\sin x|$, $y=\left|\cos\left(x+\frac{\pi}{2}\right)\right|$ ← $\cos\left(x+\frac{\pi}{2}\right)=-\sin x$임을 이용하자.
>
> ㄷ. $y=\cos|x|$, $y=|\sin(x-\pi)|$

ㄱ. $y=|\cos x|$, $y=\sin|x|$의 그래프는 각각 그림과 같으므로 두 함수의 그래프는 일치하지 않는다.

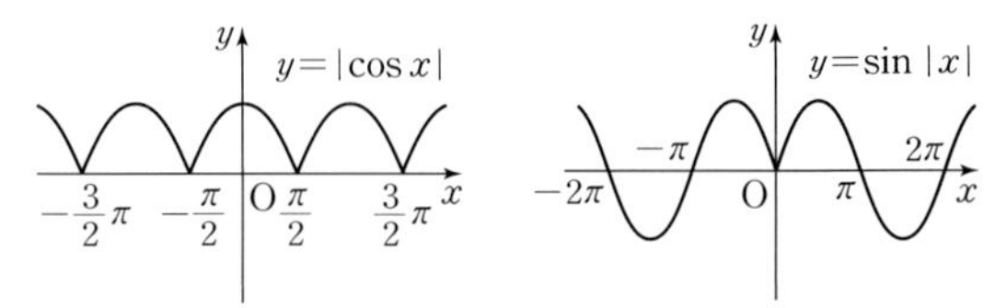

ㄴ. $y=|\sin x|$, $y=\left|\cos\left(x+\frac{\pi}{2}\right)\right|$의 그래프는 각각 그림과 같으므로 두 함수의 그래프는 일치한다.

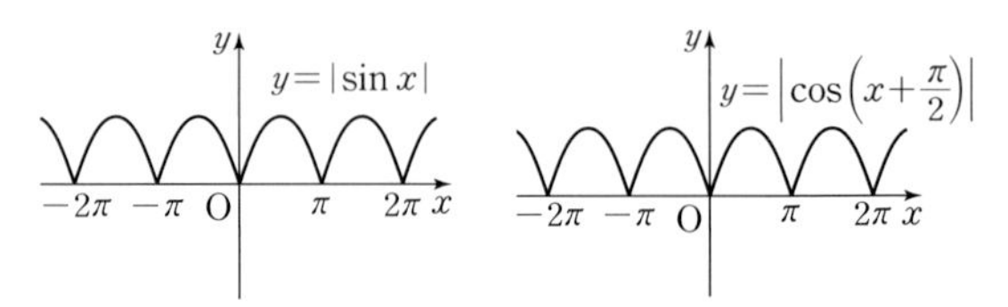

ㄷ. $y=\cos|x|$, $y=|\sin(x-\pi)|$의 그래프는 각각 그림과 같으므로 두 함수의 그래프는 일치하지 않는다.

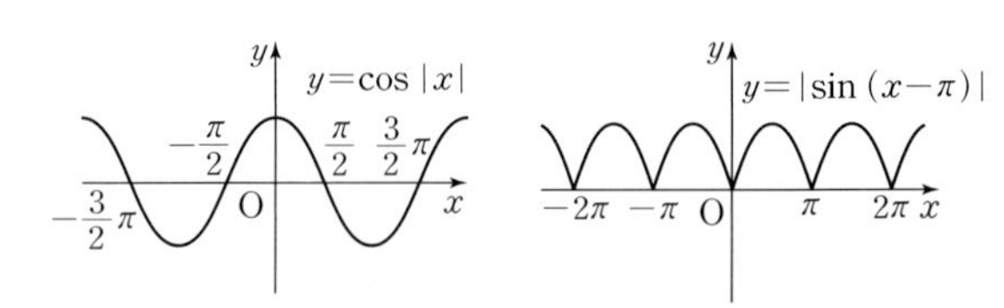

따라서 두 함수의 그래프가 일치하는 것은 ㄴ뿐이다. 답 ②

1112

> 두 함수 $f(x)=x^2+x+a$, $g(x)=b\cos x$에 대하여 $(f\circ g)(x)$의 최댓값과 $(g\circ f)(x)$의 최솟값의 합이 0일 때, $\tan(a+b)\pi$의 최댓값을 구하시오. (단, $0\le b\le1$이고, a, b는 상수이다.)
>
> └ $(f\circ g)(x)$: $\{g(x)\}^2+g(x)+a$
>
> └ $(g\circ f)(x)$: $b\cos f(x)$, 이 함수의 최솟값은 $-b$이다.

$(g\circ f)(x)=b\cos f(x)$의 최솟값은 $-b$

$(f\circ g)(x)=\{g(x)\}^2+g(x)+a$

$=\left\{g(x)+\frac{1}{2}\right\}^2-\frac{1}{4}+a$ $(-b\le g(x)\le b)$

이므로 $(f\circ g)(x)$의 최댓값은 $g(x)=b$일 때, b^2+b+a이다.

한편, 최댓값과 최솟값의 합이 0이므로

$b^2+b+a-b=0$

$\therefore a=-b^2$

$\tan(a+b)\pi=\tan(-b^2+b)\pi$이고 $0\le b\le1$에서

$0\le -b^2+b\le\frac{1}{4}$이므로

$\tan(-b^2+b)\pi$의 최댓값은 $\tan\frac{\pi}{4}=1$ 답 1

1113

$\sin\alpha=\cos\alpha$가 아님에 유의하자.

$\pi<\alpha<2\pi$, $\pi<\beta<2\pi$인 서로 다른 두 각 α, β가 $\sin\alpha=\cos\beta$를 만족시킬 때, 〈보기〉에서 항상 옳은 것만을 있는 대로 고른 것은?

보기

ㄱ. $\sin(\alpha+\beta)=1$

ㄴ. $\cos^2\alpha+\cos^2\beta=1$

ㄷ. $\tan\alpha+\tan\beta=1$

$\cos^2\beta=\sin^2\alpha$임을 이용하자.

ㄱ. [반례] $\alpha=2\pi-\frac{\pi}{3}$, $\beta=\frac{3}{2}\pi-\frac{\pi}{3}$이면

$\sin\alpha=\cos\beta=-\frac{\sqrt{3}}{2}$이지만

$\sin(\alpha+\beta)=\sin\left(2\pi+\frac{5}{6}\pi\right)=\sin\frac{5}{6}\pi=\frac{1}{2}$ (거짓)

ㄴ. $\sin\alpha=\cos\beta$이므로

$\cos^2\alpha+\cos^2\beta=\cos^2\alpha+\sin^2\alpha=1$ (참)

ㄷ. [반례] $\alpha=2\pi-\frac{\pi}{3}$, $\beta=\frac{3}{2}\pi-\frac{\pi}{3}$이면

$\sin\alpha=\cos\beta=-\frac{\sqrt{3}}{2}$이지만

$\tan\alpha+\tan\beta=-\sqrt{3}+\frac{\sqrt{3}}{3}$

$=-\frac{2}{3}\sqrt{3}$ (거짓)

답 ②

참고 $\pi<\alpha<2\pi$, $\pi<\beta<2\pi$에 대하여 $\sin\alpha=\cos\beta$인 경우는

$\alpha=\pi+\theta$, $\beta=\frac{3}{2}\pi-\theta$ 또는 $\alpha=2\pi-\theta$, $\beta=\frac{3}{2}\pi-\theta$

일 때, 성립한다. $\left(\text{단, } 0<\theta\le\frac{\pi}{2}\right)$

1114

점 $(2, 1)$과 점 $(-2, 1)$을 지난다.

두 함수 $f(x)=\frac{1}{4}x^2$, $g(x)=\sqrt{1-\cos^2 2\pi x}$에 대하여 방정식 $f(x)=g(x)$의 실근의 개수는?

$g(x)=\sqrt{\sin^2 2\pi x}=|\sin 2\pi x|$

$g(x)=\sqrt{1-\cos^2 2\pi x}$

$=\sqrt{\sin^2 2\pi x}$

$=|\sin 2\pi x|$

이므로 방정식 $f(x)=g(x)$, 즉 $\frac{1}{4}x^2=|\sin 2\pi x|$의 실근은

두 곡선 $y=\frac{1}{4}x^2$, $y=|\sin 2\pi x|$의 교점의 x좌표와 같다.

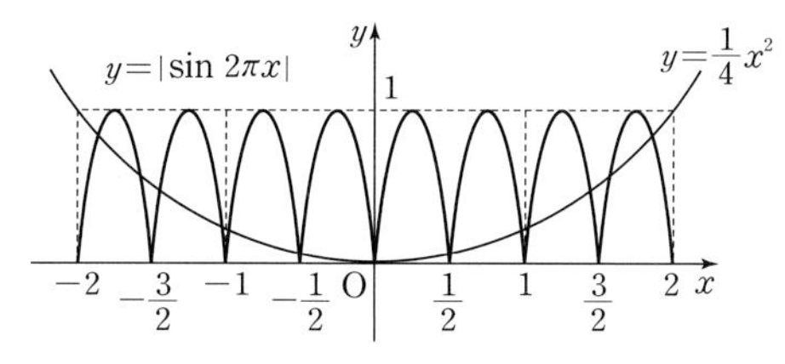

그림에서 교점의 개수가 15이므로 주어진 방정식의 실근의 개수는 15이다.

답 ③

1115

$\cos\beta=\cos\left(\frac{\pi}{2}-\alpha\right)=\sin\alpha$임을 이용하자.

다음 중 $\alpha+\beta=\frac{\pi}{2}$일 때, $-1<\sin\alpha+\cos\beta\le\sqrt{3}$을 만족시키는 α의 값의 범위에 속하지 않는 것은? (단, $0\le\alpha<2\pi$)

① $0\le\alpha\le\frac{\pi}{3}$

② $\frac{\pi}{3}<\alpha<\frac{2}{3}\pi$

③ $\frac{2}{3}\pi\le\alpha\le\pi$

④ $\pi<\alpha<\frac{7}{6}\pi$

⑤ $\frac{11}{6}\pi<\alpha<2\pi$

$\alpha+\beta=\frac{\pi}{2}$에서 $\beta=\frac{\pi}{2}-\alpha$이므로

$\sin\alpha+\cos\beta=\sin\alpha+\cos\left(\frac{\pi}{2}-\alpha\right)$

$=\sin\alpha+\sin\alpha$

$=2\sin\alpha$

즉, $-1<\sin\alpha+\cos\beta\le\sqrt{3}$에서

$-1<2\sin\alpha\le\sqrt{3}$

$\therefore -\frac{1}{2}<\sin\alpha\le\frac{\sqrt{3}}{2}$ ……㉠

$0\le\alpha<2\pi$에서 함수 $y=\sin\alpha$의 그래프와 두 직선 $y=-\frac{1}{2}$, $y=\frac{\sqrt{3}}{2}$은 그림과 같다.

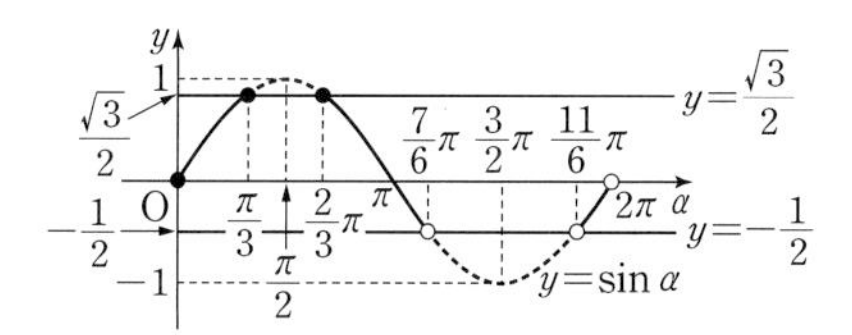

교점의 α좌표를 구하면

$\sin\alpha=\frac{\sqrt{3}}{2}$에서 $\alpha=\frac{\pi}{3}$ 또는 $\alpha=\frac{2}{3}\pi$

$\sin\alpha=-\frac{1}{2}$에서 $\alpha=\frac{7}{6}\pi$ 또는 $\alpha=\frac{11}{6}\pi$

따라서 ㉠을 만족시키는 α의 값의 범위는

$0\le\alpha\le\frac{\pi}{3}$ 또는 $\frac{2}{3}\pi\le\alpha<\frac{7}{6}\pi$ 또는 $\frac{11}{6}\pi<\alpha<2\pi$

이므로 α의 값의 범위에 속하지 않는 것은 ②이다.

답 ②

1116

$\cos x=t$ $(-1\le t<1)$라 하면 $2t^2-t-1=k$이다.

$0<x<2\pi$에서 방정식 $2\cos^2 x-\cos x-1-k=0$이 서로 다른 4개의 실근을 갖도록 하는 실수 k의 값의 범위가 $\alpha<k<\beta$일 때, $\beta-\alpha$의 값을 구하시오.

$2t^2-t-1=k$는 $-1<t<1$에서 서로 다른 2개의 실근을 가져야 한다.

$2\cos^2 x-\cos x-1-k=0$에서

$2\cos^2 x-\cos x-1=k$

$\cos x=t$ $(-1\le t<1)$로 놓으면

$2t^2-t-1=k$는 $-1<t<1$에서

서로 다른 2개의 실근을 가져야 한다.

$y=2t^2-t-1$

$=2\left(t-\frac{1}{4}\right)^2-\frac{9}{8}$

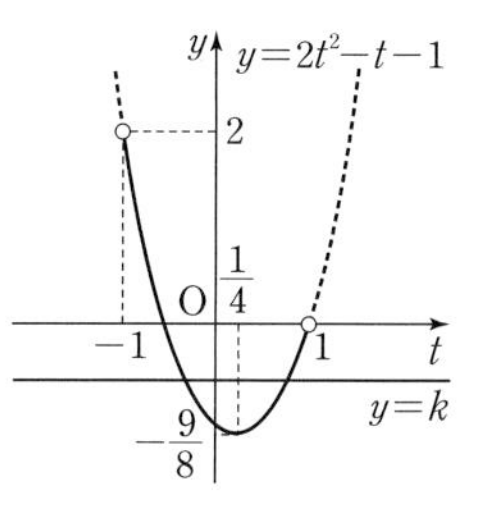

의 그래프는 $-1<t<1$의 범위에서

그림과 같으므로 함수 $y=2t^2-t-1$의 그래프와 직선 $y=k$가 서로 다른 두 점에서 만나기 위한 k의 값의 범위는

$-\frac{9}{8}<k<0$

$\therefore \alpha=-\frac{9}{8}, \beta=0$

$\therefore \beta-\alpha=\frac{9}{8}$ 답 $\frac{9}{8}$

1117

함수 $y=k\sin\left(2x+\frac{\pi}{3}\right)+k^2-6$의 그래프가 제1사분면을 지나지 않도록 하는 모든 정수 k의 개수를 구하시오.

→ k의 값의 범위를 $k=0$, $k>0$, $k<0$으로 나눠 각각의 그래프를 살펴보자.

함수 $y=k\sin\left(2x+\frac{\pi}{3}\right)+k^2-6$의 그래프에서

(i) $k=0$일 때

$y=-6$이므로 함수의 그래프는 제1사분면을 지나지 않는다.

(ii) $k>0$일 때

$y=k\sin\left(2x+\frac{\pi}{3}\right)+k^2-6$의 최댓값은 $k+(k^2-6)$이고, 함수의 그래프가 제1사분면을 지나지 않으려면 최댓값이 0보다 작거나 같아야 한다.

$k+(k^2-6)\le 0$

$k^2+k-6\le 0$

$(k-2)(k+3)\le 0$

$-3\le k\le 2$

따라서 $0<k\le 2$이다.

(iii) $k<0$일 때

$y=k\sin\left(2x+\frac{\pi}{3}\right)+k^2-6$의 최댓값은 $-k+(k^2-6)$이고, 함수의 그래프가 제1사분면을 지나지 않으려면 최댓값이 0보다 작거나 같아야 한다.

$-k+(k^2-6)\le 0$

$k^2-k-6\le 0$

$(k+2)(k-3)\le 0$

$-2\le k\le 3$

따라서 $-2\le k<0$이다.

그러므로 $-2\le k\le 2$이고 모든 정수 k의 개수는 5이다. 답 5

1118

$\cos x=t$ $(-1\le t\le 1)$라 하면 $f(x)=-2t^2+2at$

실수 a에 대하여 함수 $f(x)=2\sin^2x+2a\cos x-2$의 최댓값을 $g(a)$라 할 때,

$g(-3)+g(-2)+g(-1)+g(0)+g(1)+g(2)+g(3)$의 값을 구하시오. (단, $0\le x\le \pi$이다.)

→ $f(x)=-2\left(t-\frac{a}{2}\right)^2+\frac{a^2}{2}$에서 $a>2$, $-2\le a\le 2$, $a<-2$일 때로 나누어 살펴보자.

$f(x)=2\sin^2x+2a\cos x-2$

$=-2\cos^2x+2a\cos x$

$\cos x=t$라 하면

$f(x)=-2t^2+2at$

$=-2\left(t-\frac{a}{2}\right)^2+\frac{a^2}{2}$ (단, $-1\le t\le 1$)

(i) $a>2$일 경우 $t=1$에서 최댓값을 가지므로

$g(a)=2a-2$

(ii) $-2\le a\le 2$일 경우 $t=\frac{a}{2}$에서 최댓값을 가지므로

$g(a)=\frac{a^2}{2}$

(iii) $a<-2$일 경우 $t=-1$에서 최댓값을 가지므로

$g(a)=-2a-2$

따라서

$g(-3)=-2\times(-3)-2=4$

$g(-2)=\frac{(-2)^2}{2}=2$

$g(-1)=\frac{(-1)^2}{2}=\frac{1}{2}$

$g(0)=0$

$g(1)=\frac{1}{2}$

$g(2)=\frac{2^2}{2}=2$

$g(3)=2\times 3-2=4$

$\therefore g(-3)+g(-2)+g(-1)+g(0)+g(1)+g(2)+g(3)$

$=4+2+\frac{1}{2}+0+\frac{1}{2}+2+4=13$ 답 13

1119

$4+4\sin^2\theta=t$로 놓으면 $4+4(1-\cos^2\theta)=t$에서 $4-4\cos^2\theta=t-4$임을 이용하자.

함수 $f(\theta)=4+4\sin^2\theta+\frac{1}{4-4\cos^2\theta}$은 $\theta=a$일 때 최솟값 b를 갖는다. ab의 값을 구하시오. $\left(\text{단, } 0<\theta<\frac{\pi}{2}\right)$

$4+4\sin^2\theta=t$로 놓으면

$4+4(1-\cos^2\theta)=t$

$4-4\cos^2\theta=t-4$

$\frac{1}{4-4\cos^2\theta}=\frac{1}{t-4}$

$\therefore f(\theta)=4+4\sin^2\theta+\frac{1}{4-4\cos^2\theta}=t+\frac{1}{t-4}$

이때, $0<\theta<\frac{\pi}{2}$에서 $t>4$이므로 $\frac{1}{t-4}>0$

산술평균과 기하평균의 관계에 의하여

$t+\frac{1}{t-4}=t-4+\frac{1}{t-4}+4\ge 6$

$\therefore b=6$

한편, 등호는 $t=5$일 때 성립하므로

$t=4+4\sin^2\theta=5$

$4\sin^2\theta=1$

$\sin^2\theta=\frac{1}{4}$

$0<\theta<\frac{\pi}{2}$이므로

$\sin\theta=\frac{1}{2}$

$\therefore \theta=\frac{\pi}{6}=a$

$\therefore ab=\frac{\pi}{6}\times 6=\pi$

답 π

1120

> 실수 전체에서 정의된 함수 $y=f(x)$가 임의의 실수 x에 대하여 $f(\sin x)=-\cos 2x$를 만족시킬 때, 방정식 $f(\cos x)=\frac{4}{5\pi}x$의 실근의 개수는?
>
> 앞의 조건에 의하여 $f(\cos x)=f\left(\sin\left(\frac{\pi}{2}-x\right)\right)=-\cos 2\left(\frac{\pi}{2}-x\right)$ $=-\cos(\pi-2x)=\cos 2x$

$f(\cos x)=f\left(\sin\left(\frac{\pi}{2}-x\right)\right)$

$=-\cos 2\left(\frac{\pi}{2}-x\right)$

$=-\cos(\pi-2x)$

$=\cos 2x$

즉, $f(\cos x)=\frac{4}{5\pi}x$에서

$\cos 2x=\frac{4}{5\pi}x$

함수 $y=\cos 2x$의 그래프와 직선 $y=\frac{4}{5\pi}x$는 그림과 같다.

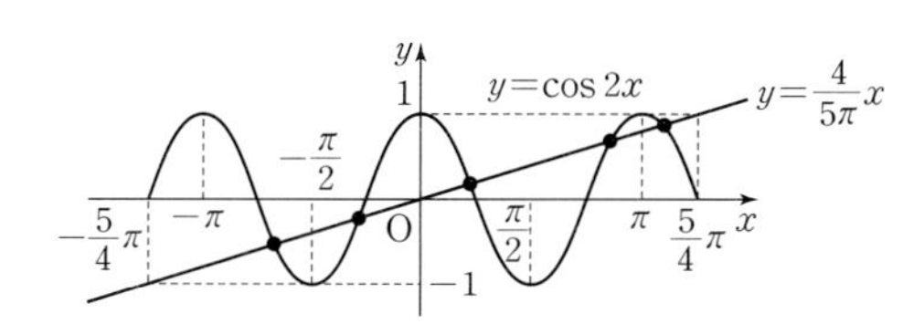

따라서 교점의 개수가 5이므로 주어진 방정식의 실근의 개수는 5이다.

답 ③

1121

$y=\frac{1}{(2n-1)\pi}x$의 그래프는 원점과 점 $((2n-1)\pi,\ 1)$을 지난다.

> x에 대한 방정식 $\cos x=\frac{1}{(2n-1)\pi}x$ ($n=1, 2, 3, \cdots$)의 양의 실근의 개수를 a_n이라 할 때, $a_1+a_2+a_3+\cdots+a_7$의 값을 구하시오.

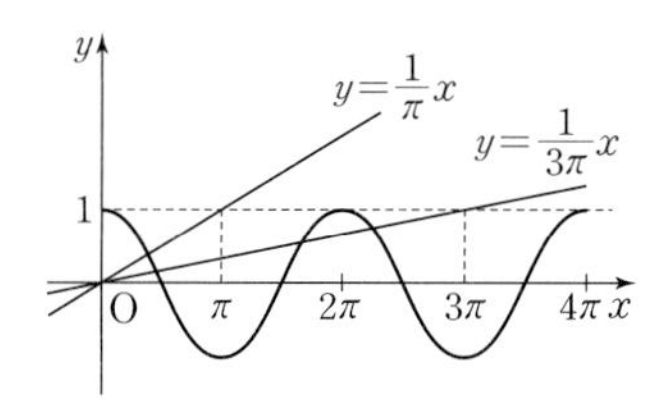

그림에서 $a_n=2n-1$ ($n\ge1$)

$a_1=1,\ a_2=3,\ a_3=5,\ a_4=7,\ a_5=9,\ a_6=11,\ a_7=13$

$a_1+a_2+a_3+a_4+a_5+a_6+a_7=49$

답 49

1122

> 이차함수 $f(x)=x^2+x\cos\theta+\sin\theta-1$의 그래프와 x축의 교점의 x좌표가 모두 -1보다 크고 1보다 작을 때, θ의 값의 범위를 구하시오. (단, $0\le\theta\le2\pi$)
>
> 판별식 $D\ge0$, $f(-1)>0$, $f(1)>0$, 대칭축이 -1과 1 사이를 지난다.

(i) 이차방정식 $x^2+x\cos\theta+\sin\theta-1=0$의 판별식을 D라 하면

$D=\cos^2\theta-4(\sin\theta-1)$

$=1-\sin^2\theta-4\sin\theta+4$

$=-\sin^2\theta-4\sin\theta+5$

$=-(\sin\theta+2)^2+9\ge0$ ($\because 1\le\sin\theta+2\le3$)

(ii) $f(-1)=1-\cos\theta+\sin\theta-1=-\cos\theta+\sin\theta>0$

이므로 $\sin\theta>\cos\theta$

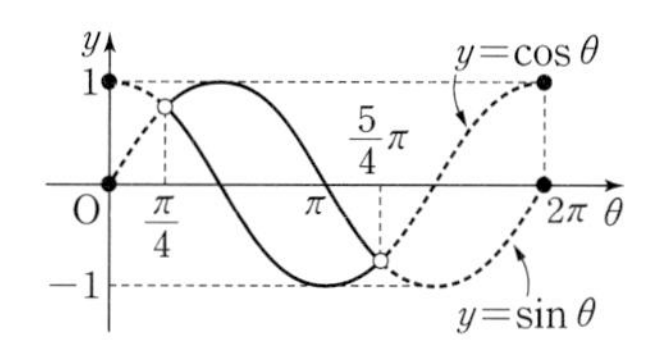

그림에서 $\sin\theta>\cos\theta$를 만족시키는 θ의 값의 범위는

$\frac{\pi}{4}<\theta<\frac{5}{4}\pi$

(iii) $f(1)=1+\cos\theta+\sin\theta-1=\cos\theta+\sin\theta>0$

이므로 $\sin\theta>-\cos\theta$

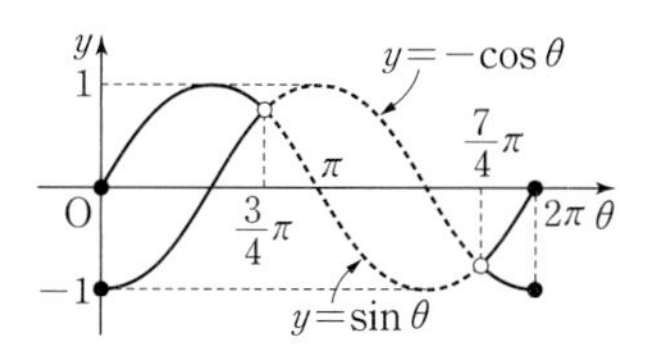

그림에서 $\sin\theta>-\cos\theta$ 를 만족시키는 θ의 값의 범위는

$0\le\theta<\frac{3}{4}\pi$ 또는 $\frac{7}{4}\pi<\theta\le2\pi$

(iv) 주어진 함수의 축의 방정식은 $x=-\frac{\cos\theta}{2}$이므로

$-1<-\frac{\cos\theta}{2}<1$

즉, $-1<\frac{\cos\theta}{2}<1$ ······㉠

그런데 $-1\le\cos\theta\le1$에서 $-\frac{1}{2}\le\frac{\cos\theta}{2}\le\frac{1}{2}$이므로

㉠이 항상 성립한다.

(i)~(iv)에 의하여 구하는 θ의 값의 범위는

$\frac{\pi}{4}<\theta<\frac{3}{4}\pi$

답 $\frac{\pi}{4}<\theta<\frac{3}{4}\pi$

1123

$\overline{PM}=x$, $\overline{PN}=y$라 하면, $\triangle ABC=\triangle ABP+\triangle APC$에서

$\frac{1}{2}\times2\times3\times\sin30^\circ=\frac{1}{2}\times2\times x+\frac{1}{2}\times3\times y$

> 그림과 같이 $\overline{AB}=2$, $\overline{AC}=3$, $A=30^\circ$인 삼각형 ABC의 변 BC 위의 점 P에서 두 직선 AB, AC 위에 내린 수선의 발을 각각 M, N이라 할 때, $\frac{\overline{AB}}{\overline{PM}}+\frac{\overline{AC}}{\overline{PN}}$의 최솟값을 구하시오.

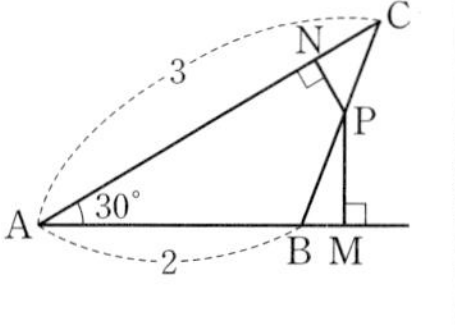

$\overline{\mathrm{PM}}=x$, $\overline{\mathrm{PN}}=y$라 하면

$\triangle\mathrm{ABC}=\triangle\mathrm{ABP}+\triangle\mathrm{APC}$에서

$\frac{1}{2}\times2\times3\times\sin30^\circ$

$=\frac{1}{2}\times2\times x+\frac{1}{2}\times3\times y$

$\therefore 2x+3y=3$

$\frac{\overline{\mathrm{AB}}}{\overline{\mathrm{PM}}}+\frac{\overline{\mathrm{AC}}}{\overline{\mathrm{PN}}}=\frac{2}{x}+\frac{3}{y}$이므로

$3\left(\frac{2}{x}+\frac{3}{y}\right)=(2x+3y)\left(\frac{2}{x}+\frac{3}{y}\right)$

$=13+\frac{6x}{y}+\frac{6y}{x}$

$\geq 13+2\sqrt{\frac{6x}{y}\times\frac{6y}{x}}=25$

(단, 등호는 $x=y=\frac{3}{5}$일 때 성립한다.)

즉, $\frac{2}{x}+\frac{3}{y}\geq\frac{25}{3}$이므로 $\frac{2}{x}+\frac{3}{y}$의 최솟값은 $\frac{25}{3}$이다.

답 $\frac{25}{3}$

1124

자연수 n에 대하여 $-n\pi\leq x\leq n\pi$일 때,
방정식 $\sin 2nx=\frac{x}{n\pi}$의 서로 다른 실근의 개수를 a_n이라 하자.
$a_1+a_2+\cdots+a_6$의 값을 구하시오.

→ $y=\sin 2nx$의 주기는 $\frac{\pi}{n}$이다.

→ $y=\frac{1}{n\pi}x$는 원점과 점 $(n\pi, 1)$, 점 $(-n\pi, -1)$을 지난다.

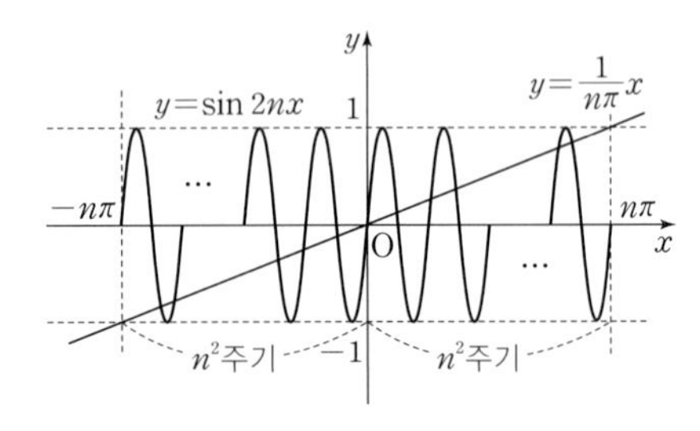

$-1\leq\sin 2nx\leq1$이고, $y=\frac{1}{n\pi}x$가 $y=1$, $y=-1$과 만나는 점이 각각 $x=n\pi$, $x=-n\pi$이므로 그 사이에서 두 그래프가 만나는 점의 개수를 조사한다.

$\sin 2nx$의 주기가 $\frac{\pi}{n}$이므로 $y=\sin 2nx$는 $0\leq x\leq n\pi$에서 n^2번 반복된다. 마찬가지로 $-n\pi\leq x\leq0$에서도 n^2번 반복된다.
그래프를 관찰해 보면 한 주기당 두 그래프의 교점이 2번씩 발생하고, 원점에서 중복되므로, 교점의 개수는

$a_n=2n^2\times2-1=4n^2-1$

$a_1=3$, $a_2=15$, $a_3=35$, $a_4=63$, $a_5=99$, $a_6=143$

$\therefore a_1+a_2+a_3+a_4+a_5+a_6=358$

답 358

1125

자연수 n에 대하여 $0<x<\frac{n}{12}\pi$일 때, 방정식
$\sin^2(4x)-1=0$
의 실근의 개수를 $f(n)$이라 하자. $f(n)=33$이 되도록 하는 모든 n의 값의 합은?

→ $\sin 4x=1$ 또는 $\sin 4x=-1$

→ $0<x\leq\frac{\pi}{2}$에서 $y=\sin 4x$가 $y=1$ 또는 $y=-1$과 만나는 점의 개수는 2이다.

방정식 $\sin^2(4x)-1=0$에서

$\sin 4x=1$ 또는 $\sin 4x=-1$

따라서 $0<x<\frac{n}{12}\pi$에서

함수 $y=\sin 4x$의 그래프가 직선 $y=1$ 또는 직선 $y=-1$과 만나는 점의 개수가 33이어야 한다.

함수 $y=\sin 4x$의 주기는 $\frac{2\pi}{4}=\frac{\pi}{2}$

$0<x\leq\frac{\pi}{4}$에서

함수 $y=\sin 4x$의 그래프와 직선 $y=1$이 만나는 점의 개수가 1이고,

$\frac{\pi}{4}<x\leq\frac{\pi}{2}$에서

함수 $y=\sin 4x$의 그래프와 직선 $y=-1$이 만나는 점의 개수가 1이므로

$0<x\leq\frac{\pi}{2}$에서

함수 $y=\sin 4x$의 그래프가 직선 $y=1$ 또는 직선 $y=-1$과 만나는 점의 개수가 2이다.

따라서 $0<x\leq\frac{\pi}{2}\times16$에서

함수 $y=\sin 4x$의 그래프가 직선 $y=1$ 또는 직선 $y=-1$과 만나는 점의 개수는

$2\times16=32$

그러므로 $0<x<\frac{n}{12}\pi$에서

방정식 $\sin^2(4x)-1=0$의 실근의 개수가 33이기 위해

$8\pi<x<\frac{n}{12}\pi$에서

함수 $y=\sin 4x$의 그래프가 두 직선 $y=1$, $y=-1$과 만나는 점의 개수가 각각 1, 0이어야 한다.

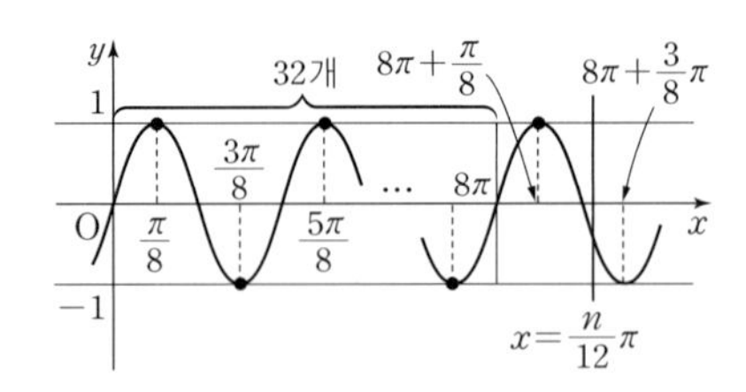

따라서 $8\pi+\frac{\pi}{8}<\frac{n}{12}\pi\leq8\pi+\frac{3}{8}\pi$이고

$97.5<n\leq100.5$

그러므로 구하는 자연수 n의 값은 98, 99, 100이고 합은 297이다.

답 ②

1126

두 실수 $a\ (0<a<2\pi)$와 k에 대하여 $0\le x\le 2\pi$에서 정의된 함수 $f(x)$는

• $k>0$, $k=0$, $k<0$인 경우로 나누어 살펴보자.

$$f(x)=\begin{cases}\sin x-\dfrac{1}{2} & (0\le x<a)\\ k\sin x-\dfrac{1}{2} & (a\le x\le 2\pi)\end{cases}$$

이고, 다음 조건을 만족시킨다.

> (가) 함수 $|f(x)|$의 최댓값은 $\dfrac{1}{2}$이다.
> (나) 방정식 $f(x)=0$의 실근의 개수는 3이다.

방정식 $|f(x)|=\dfrac{1}{4}$의 모든 실근의 합을 S라 할 때, $20\left(\dfrac{a+S}{\pi}+k\right)$의 값을 구하시오.

$\pi<a<2\pi$라 하면 $y=\sin x-\dfrac{1}{2}$의 그래프에서 $\pi<x<a$일 때 $\sin x-\dfrac{1}{2}<-\dfrac{1}{2}$이므로 (가) 조건을 만족시키지 않는다.

$\pi<a<2\pi$라 하면 함수 $y=\sin x-\dfrac{1}{2}$의 그래프에서 $\pi<x<a$일 때 $\sin x-\dfrac{1}{2}<-\dfrac{1}{2}$이므로 $\left|\sin x-\dfrac{1}{2}\right|>\dfrac{1}{2}$이다. 따라서 조건 (가)를 만족시키지 않는다.

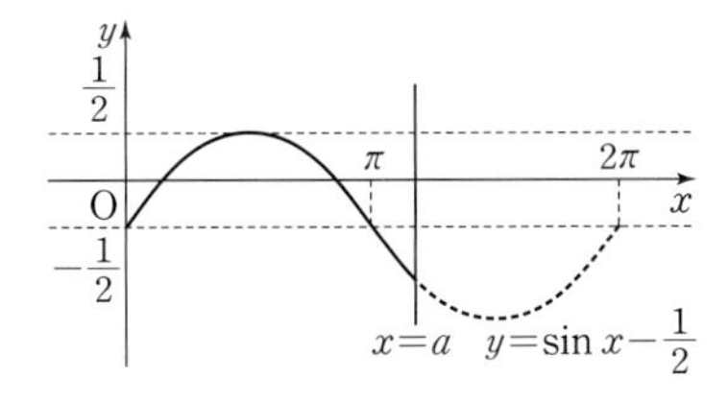

따라서 $0<a\le\pi$이다. …… ㉠

(i) $k>0$인 경우

$a\le x\le 2\pi$에서 함수 $y=k\sin x-\dfrac{1}{2}$은 $x=\dfrac{3}{2}\pi$일 때 최솟값 $k\sin\dfrac{3}{2}\pi-\dfrac{1}{2}=-k-\dfrac{1}{2}$을 갖는다.

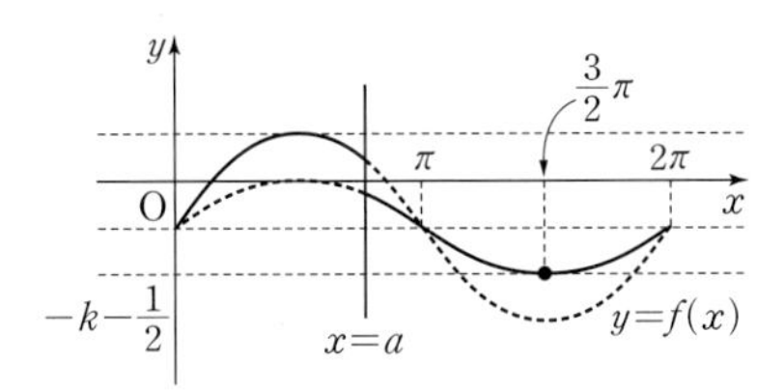

따라서 함수 $|f(x)|$의 최댓값은 $k+\dfrac{1}{2}$이고, $k+\dfrac{1}{2}>\dfrac{1}{2}$이므로 조건 (가)를 만족시키지 않는다.

(ii) $k=0$인 경우

함수 $f(x)=\begin{cases}\sin x-\dfrac{1}{2} & (0\le x<a)\\ -\dfrac{1}{2} & (a\le x\le 2\pi)\end{cases}$ 이고

방정식 $f(x)=0$의 실근의 개수는 2 이하이므로 조건 (나)를 만족시키지 않는다.

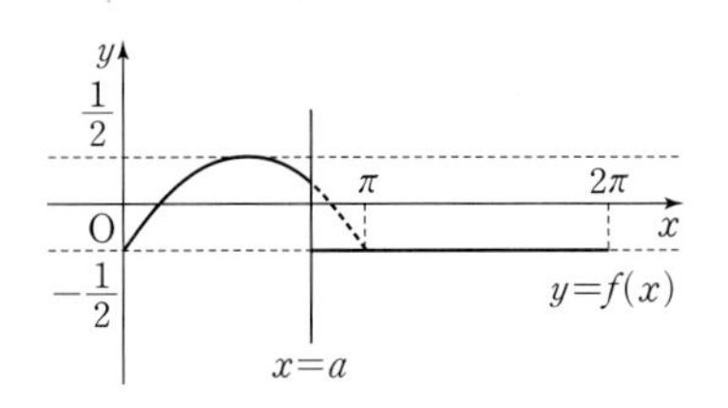

(iii) $k<0$인 경우

$0<a<\pi$이면 $\sin a>0$이므로

$f(a)=k\sin a-\dfrac{1}{2}<-\dfrac{1}{2}$이다.

따라서 $|f(a)|>\dfrac{1}{2}$이고 조건 (가)를 만족시키지 않으므로

㉠에 의해 $a=\pi$이다.

조건 (나)에 의해 방정식 $f(x)=0$의 서로 다른 실근의 개수가 3이므로 $f\left(\dfrac{3}{2}\pi\right)=0$이다.

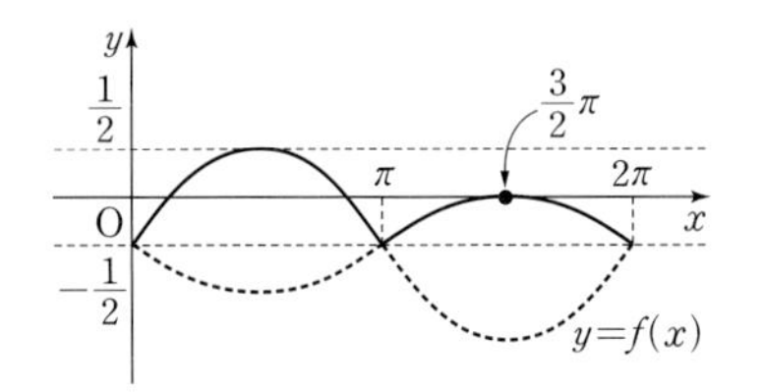

즉 $k\times(-1)-\dfrac{1}{2}=0$이므로 $k=-\dfrac{1}{2}$이다.

따라서 구하는 함수 $f(x)$는

$$f(x)=\begin{cases}\sin x-\dfrac{1}{2} & (0\le x<\pi)\\ -\dfrac{1}{2}\sin x-\dfrac{1}{2} & (\pi\le x\le 2\pi)\end{cases}$$

함수 $y=|f(x)|$의 그래프와 직선 $y=\dfrac{1}{4}$이 만나는 점의 x좌표를 작은 수부터 크기순으로 α_1, α_2, α_3, α_4, α_5, α_6이라고 하자.

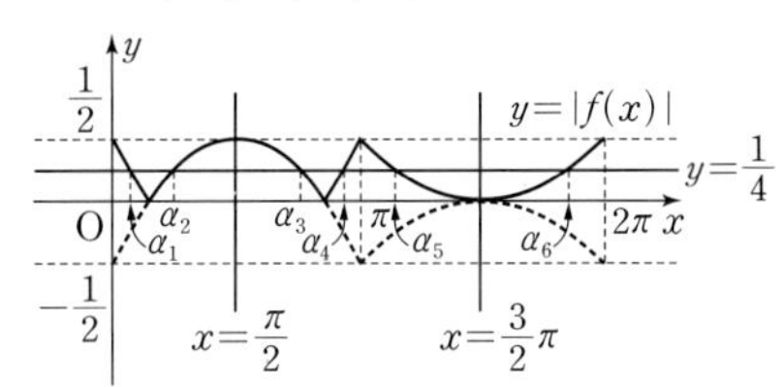

$\dfrac{\alpha_1+\alpha_4}{2}=\dfrac{\pi}{2}$, $\dfrac{\alpha_2+\alpha_3}{2}=\dfrac{\pi}{2}$, $\dfrac{\alpha_5+\alpha_6}{2}=\dfrac{3\pi}{2}$ 이므로

$S=\alpha_1+\alpha_2+\alpha_3+\alpha_4+\alpha_5+\alpha_6=\pi+\pi+3\pi=5\pi$이다.

따라서

$$20\left(\frac{a+S}{\pi}+k\right)=20\left(\frac{\pi+5\pi}{\pi}-\frac{1}{2}\right)=20\times\frac{11}{2}=110$$

답 110

1127

• 주기가 8인 함수이다.

음이 아닌 세 정수 a, b, n에 대하여

$$(a^2+b^2+2ab-4)\cos\frac{n}{4}\pi+(b^2+ab+2)\tan\frac{2n+1}{4}\pi=0$$

일 때, $a+b+\sin^2\dfrac{n}{8}\pi$의 값은? (단, $a\ge b$)

주기가 2인 함수이다. 따라서 $n=8k$, $n=8k+1$, $\cdots$, $n=8k+7$의 경우로 나누어 살펴보자.

함수 $y=\cos\frac{\pi x}{4}$의 주기가 8이고

함수 $y=\tan\frac{(2x+1)\pi}{4}$의 주기가 2이므로

다음과 같이 8가지 경우로 나눌 수 있다.

(i) $n=8k$ (k는 음이 아닌 정수)일 때

$\cos\frac{n}{4}\pi=\cos 2k\pi=1$이고

$\tan\frac{2n+1}{4}\pi=\tan\left(4k+\frac{1}{4}\right)\pi=1$이다.

$(a^2+b^2+2ab-4)+(b^2+ab+2)=0$이므로

$a^2+2b^2+3ab-2=0$이다.

따라서 $(a+b)(a+2b)=2$이고 $a+b\le a+2b$이므로

$a+b=1,\ a+2b=2$이다.

그러므로 $a=0,\ b=1$인데 이것은 $a\ge b$라는 조건에 맞지 않다.

(ii) $n=8k+1$ (k는 음이 아닌 정수)일 때

$\cos\frac{n}{4}\pi=\cos\left(2k+\frac{1}{4}\right)\pi=\frac{\sqrt{2}}{2}$이고

$\tan\frac{2n+1}{4}\pi=\tan\left(4k+\frac{3}{4}\right)\pi=-1$이므로

$a^2+b^2+2ab-4=0,\ b^2+ab+2=0$이다.

$b^2+ab+2=0$을 만족시키는 음이 아닌 정수 $a,\ b$는 존재하지 않는다.

(iii) $n=8k+2$ (k는 음이 아닌 정수)일 때

$\cos\frac{n}{4}\pi=\cos\left(2k+\frac{1}{2}\right)\pi=0$이고

$\tan\frac{2n+1}{4}\pi=\tan\left(4k+\frac{5}{4}\right)\pi=1$이므로

$b^2+ab+2=0$이다.

$b^2+ab+2=0$을 만족시키는 음이 아닌 정수 $a,\ b$는 존재하지 않는다.

(iv) $n=8k+3$ (k는 음이 아닌 정수)일 때

$\cos\frac{n}{4}\pi=\cos\left(2k+\frac{3}{4}\right)\pi=-\frac{\sqrt{2}}{2}$이고

$\tan\frac{2n+1}{4}\pi=\tan\left(4k+\frac{7}{4}\right)\pi=-1$이므로

$a^2+b^2+2ab-4=0,\ b^2+ab+2=0$이다.

$b^2+ab+2=0$을 만족시키는 음이 아닌 정수 $a,\ b$는 존재하지 않는다.

(v) $n=8k+4$ (k는 음이 아닌 정수)일 때

$\cos\frac{n}{4}\pi=\cos(2k+1)\pi=-1$이고

$\tan\frac{2n+1}{4}\pi=\tan\left(4k+\frac{9}{4}\right)\pi=1$이다.

$-(a^2+b^2+2ab-4)+(b^2+ab+2)=0$이므로

$a^2+ab-6=0$이다.

따라서 $a(a+b)=6$이고 $a\le a+b$이므로

$a=1,\ a+b=6$ 또는 $a=2,\ a+b=3$이다.

그러므로 $a=1,\ b=5$ 또는 $a=2,\ b=1$이다.

$a\ge b$이므로 $a=2,\ b=1$이다.

(vi) $n=8k+5$ (k는 음이 아닌 정수)일 때

$\cos\frac{n}{4}\pi=\cos\left(2k+\frac{5}{4}\right)\pi=-\frac{\sqrt{2}}{2}$이고

$\tan\frac{2n+1}{4}\pi=\tan\left(4k+\frac{11}{4}\right)\pi=-1$이므로

$a^2+b^2+2ab-4=0,\ b^2+ab+2=0$이다.

$b^2+ab+2=0$을 만족시키는 음이 아닌 정수 $a,\ b$는 존재하지 않는다.

(vii) $n=8k+6$ (k는 음이 아닌 정수)일 때

$\cos\frac{n}{4}\pi=\cos\left(2k+\frac{3}{2}\right)\pi=0$이고

$\tan\frac{2n+1}{4}\pi=\tan\left(4k+\frac{13}{4}\right)\pi=1$이므로

$b^2+ab+2=0$이다.

$b^2+ab+2=0$을 만족시키는 음이 아닌 정수 $a,\ b$는 존재하지 않는다.

(viii) $n=8k+7$ (k는 음이 아닌 정수)일 때

$\cos\frac{n}{4}\pi=\cos\left(2k+\frac{7}{4}\right)\pi=\frac{\sqrt{2}}{2}$이고

$\tan\frac{2n+1}{4}\pi=\tan\left(4k+\frac{15}{4}\right)\pi=-1$이므로

$a^2+b^2+2ab-4=0,\ b^2+ab+2=0$이다.

$b^2+ab+2=0$을 만족시키는 음이 아닌 정수 $a,\ b$는 존재하지 않는다.

따라서 $n=8k+4$ (k는 음이 아닌 정수)이고 $a=2,\ b=1$이다.

그러므로

$a+b+\sin^2\frac{n}{8}\pi=2+1+\sin^2\left(k+\frac{1}{2}\right)\pi=4$

답 ①

삼각함수의 활용

본책 192~220쪽

1128

$\dfrac{a}{\sin A}=\dfrac{b}{\boxed{\sin B}}=\dfrac{\boxed{c}}{\sin C}=\boxed{2R}$에서

$\dfrac{a}{\sin A}=\dfrac{\boxed{c}}{\sin C}$이므로

$c=4,\ A=60^\circ,\ C=30^\circ$를 대입하면

$\dfrac{a}{\sin 60^\circ}=\dfrac{\boxed{4}}{\sin 30^\circ}$

$a\times\sin 30^\circ=\boxed{4}\times\sin 60^\circ$

$a\times\dfrac{1}{2}=\boxed{4}\times\dfrac{\sqrt{3}}{2}$

$\therefore a=\boxed{4\sqrt{3}}$

답 풀이 참조

1129

삼각형의 세 내각의 크기의 합은 180°이므로

$\square=180-(60+75)$

$=180-135$

$=45$

답 45

1130

$\triangle$ABC에서 $c=6,\ B=30^\circ,\ C=45^\circ$이므로

사인법칙에 의하여

$\dfrac{\square}{\sin 30^\circ}=\dfrac{6}{\sin 45^\circ}$

$\dfrac{\square}{\frac{1}{2}}=\dfrac{6}{\frac{\sqrt{2}}{2}}$

$\therefore \square=6\sqrt{2}\times\dfrac{1}{2}=3\sqrt{2}$

답 $3\sqrt{2}$

1131

$\triangle$ABC에서 $b=3\sqrt{2},\ A=60^\circ,\ B=45^\circ$이므로

사인법칙에 의하여

$\dfrac{\square}{\sin 60^\circ}=\dfrac{3\sqrt{2}}{\sin 45^\circ}$

$\dfrac{\square}{\frac{\sqrt{3}}{2}}=\dfrac{3\sqrt{2}}{\frac{\sqrt{2}}{2}}$

$\therefore \square=6\times\dfrac{\sqrt{3}}{2}=3\sqrt{3}$

답 $3\sqrt{3}$

1132

삼각형의 세 내각의 크기의 합은 180°이므로

$A=180^\circ-(B+C)$

$=180^\circ-135^\circ$

$=45^\circ$

$\triangle$ABC에서 $b=8,\ A=45^\circ,\ B=30^\circ$이므로

사인법칙에 의하여

$\dfrac{\square}{\sin 45^\circ}=\dfrac{8}{\sin 30^\circ}$

$\dfrac{\square}{\frac{\sqrt{2}}{2}}=\dfrac{8}{\frac{1}{2}}$

$\therefore \square=16\times\dfrac{\sqrt{2}}{2}=8\sqrt{2}$

답 $8\sqrt{2}$

1133

삼각형의 세 내각의 크기의 합은 180°이므로

$C=180^\circ-(A+B)$

$=180^\circ-150^\circ$

$=30^\circ$

$\triangle$ABC에서 $c=3,\ A=120^\circ,\ B=30^\circ,\ C=30^\circ$이므로

사인법칙에 의하여

$\overline{\mathrm{BC}}=a,\ \overline{\mathrm{CA}}=b$라 하면

$\dfrac{a}{\sin 120^\circ}=\dfrac{b}{\sin 30^\circ}=\dfrac{3}{\sin 30^\circ}$

$\dfrac{a}{\frac{\sqrt{3}}{2}}=\dfrac{b}{\frac{1}{2}}=\dfrac{3}{\frac{1}{2}}$

$\therefore a=6\times\dfrac{\sqrt{3}}{2}=3\sqrt{3},\ b=3$

답 $(\overline{\mathrm{AC}}=)3,\ (\overline{\mathrm{BC}}=)3\sqrt{3}$

1134

$\dfrac{a}{\sin A}=2R$에서 $a=\overline{\mathrm{BC}}=3,\ A=30^\circ$이므로

$\dfrac{3}{\sin 30^\circ}=2R$

$\dfrac{3}{\frac{1}{2}}=2R$

$\therefore R=6\times\dfrac{1}{2}=3$

답 3

1135

$\dfrac{b}{\sin B}=2R$에서 $b=\overline{\mathrm{CA}}=4\sqrt{3},\ B=150^\circ$이므로

$\dfrac{4\sqrt{3}}{\sin 150^\circ}=2R$

$\dfrac{4\sqrt{3}}{\frac{1}{2}}=2R$

$\therefore R=8\sqrt{3}\times\dfrac{1}{2}=4\sqrt{3}$

답 $4\sqrt{3}$

1136

삼각형의 세 내각의 크기의 합은 180°이므로

$C=180^\circ-(60^\circ+75^\circ)=45^\circ$

$\dfrac{c}{\sin C}=2R$에서 $c=\overline{\mathrm{AB}}=2\sqrt{2},\ C=45^\circ$이므로

$\dfrac{2\sqrt{2}}{\sin 45^\circ}=2R$

$\dfrac{2\sqrt{2}}{\frac{\sqrt{2}}{2}}=2R$

$\therefore R=4\times\dfrac{1}{2}=2$

답 2

1137

$\frac{a}{\sin A}=2R$에서 $a=\overline{BC}=3$, $R=4$이므로

$\frac{3}{\sin A}=2\times4=8$

$\therefore \sin A=\frac{3}{8}$ 답 $\frac{3}{8}$

1138

$\frac{b}{\sin B}=2R$에서 $b=\overline{CA}=4$, $R=6$이므로

$\frac{4}{\sin B}=2\times6=12$

$\therefore \sin B=\frac{4}{12}=\frac{1}{3}$ 답 $\frac{1}{3}$

1139

$\frac{c}{\sin C}=2R$에서 $c=\overline{AB}=3\sqrt{3}$, $R=3$이므로

$\frac{3\sqrt{3}}{\sin C}=2\times3=6$

$\therefore \sin C=\frac{3\sqrt{3}}{6}=\frac{\sqrt{3}}{2}$

$\therefore \angle C=60^\circ$ 답 60°

1140

$a^2=b^2+c^2-2bc\cos A$에 $b=2$, $c=4$, $A=60^\circ$를 대입하면

$a^2=\boxed{2}^2+4^2-2\times\boxed{2}\times4\times\cos60^\circ$

$=4+16-16\times\frac{1}{2}$

$=20-8$

$=12$

$\therefore a=\sqrt{12}$ ($\because a>0$)

$=\boxed{2\sqrt{3}}$ 답 2, 2, $2\sqrt{3}$

1141

$a^2=b^2+c^2-2bc\cos A$에 $b=2$, $c=\sqrt{3}$, $A=30^\circ$를 대입하면

$\square^2=2^2+\sqrt{3}^2-2\times2\times\sqrt{3}\times\cos30^\circ$

$=4+3-4\sqrt{3}\times\frac{\sqrt{3}}{2}$

$=7-6$

$=1$

$\therefore \square=1$ 답 1

1142

$b^2=c^2+a^2-2ca\cos B$에 $a=\sqrt{2}$, $c=3$, $B=45^\circ$를 대입하면

$\square^2=3^2+\sqrt{2}^2-2\times3\times\sqrt{2}\times\cos45^\circ$

$=9+2-6\sqrt{2}\times\frac{\sqrt{2}}{2}$

$=11-6$

$=5$

$\therefore \square=\sqrt{5}$ 답 $\sqrt{5}$

1143

$c^2=a^2+b^2-2ab\cos C$에 $a=2$, $b=1$, $C=120^\circ$를 대입하면

$\square^2=2^2+1^2-2\times2\times1\times\cos120^\circ$

$=4+1-4\times\left(-\frac{1}{2}\right)$

$=5+2=7$

$\therefore \square=\sqrt{7}$ 답 $\sqrt{7}$

1144

$a^2=b^2+c^2-2bc\cos A$에서

$2bc\cos A=b^2+c^2-a^2$

$\therefore \cos A=\frac{\boxed{b}^2+c^2-\boxed{a}^2}{\boxed{2}\times bc}$ 답 b, a, 2

1145

$\cos A=\frac{b^2+c^2-a^2}{2bc}$에 $a=3$, $b=4$, $c=3$을 대입하면

$\cos A=\frac{4^2+3^2-3^2}{2\times4\times3}=\frac{16}{24}=\frac{2}{3}$ 답 $\frac{2}{3}$

1146

$\cos B=\frac{c^2+a^2-b^2}{2ca}$에 $a=3$, $b=2\sqrt{3}$, $c=1$을 대입하면

$\cos B=\frac{1^2+3^2-(2\sqrt{3})^2}{2\times1\times3}=\frac{-2}{6}=-\frac{1}{3}$ 답 $-\frac{1}{3}$

1147

$\cos C=\frac{a^2+b^2-c^2}{2ab}$에 $a=2$, $b=3\sqrt{2}$, $c=\sqrt{10}$을 대입하면

$\cos C=\frac{2^2+(3\sqrt{2})^2-\sqrt{10}^2}{2\times2\times3\sqrt{2}}=\frac{12}{12\sqrt{2}}=\frac{\sqrt{2}}{2}$

$\therefore \angle C=45^\circ$ $\left(\text{또는 } \frac{\pi}{4}\right)$ 답 45° $\left(\text{또는 } \frac{\pi}{4}\right)$

1148

(삼각형의 넓이)$=\frac{1}{2}\times$(두 변의 길이의 곱)$\times$(그 끼인각에 대한 사인값)

이므로

$S=\frac{1}{2}ab\times\boxed{\sin C}$

$=\frac{1}{2}bc\times\boxed{\sin A}$

$=\frac{1}{2}\times\boxed{c}\times\boxed{a}\times\sin B$ 답 $\sin C$, $\sin A$, c, a

1149

$S=\frac{1}{2}ca\sin B$에 $a=7$, $c=4$, $B=30^\circ$를 대입하면

$S=\frac{1}{2}\times4\times7\times\sin30^\circ$

$=14\times\frac{1}{2}=7$ 답 7

1150

$S=\frac{1}{2}ab\sin C$에 $a=6$, $b=5$, $C=120^\circ$를 대입하면

$S=\frac{1}{2}\times6\times5\times\sin120^\circ$

$=15\times\frac{\sqrt{3}}{2}=\frac{15\sqrt{3}}{2}$ 답 $\frac{15\sqrt{3}}{2}$

1151

$s=\dfrac{a+b+c}{2}=\dfrac{2+2+2}{2}=\dfrac{6}{2}=3$

이므로

$S=\sqrt{3(3-2)(3-2)(3-2)}=\sqrt{3}$ 답 $\sqrt{3}$

다른풀이 $a=b=c=2$이므로 $\triangle$ABC는 정삼각형이다.

$\therefore A=B=C=60^\circ$

$S=\dfrac{1}{2}ab\sin C$에 $a=2$, $b=2$, $C=60^\circ$를 대입하면

$S=\dfrac{1}{2}\times2\times2\times\sin60^\circ=2\times\dfrac{\sqrt{3}}{2}=\sqrt{3}$

1152

(평행사변형의 넓이)=(이웃한 두 변의 길이의 곱)

×(그 끼인각에 대한 사인값)

이므로

$S=ab\times\boxed{\sin\theta}$ 답 $\sin\theta$

1153

$S=ab\sin\theta$에 $a=4$, $b=7$, $\theta=30^\circ$를 대입하면

$S=4\times7\times\sin30^\circ=28\times\dfrac{1}{2}=14$ 답 14

1154

$S=ab\sin\theta$에 $a=3$, $b=8$, $\theta=60^\circ$를 대입하면

$S=3\times8\times\sin60^\circ=24\times\dfrac{\sqrt{3}}{2}=12\sqrt{3}$ 답 $12\sqrt{3}$

1155

□ABCD는 평행사변형이므로 $B=D=45^\circ$

$S=ab\sin\theta$에 $a=5$, $b=6$, $\theta=45^\circ$를 대입하면

$S=5\times6\times\sin45^\circ=30\times\dfrac{\sqrt{2}}{2}=15\sqrt{2}$ 답 $15\sqrt{2}$

1156

□ABCD는 평행사변형이므로

$B=180^\circ-A=180^\circ-120^\circ=60^\circ$

$S=ab\sin\theta$에 $a=4$, $b=10$, $\theta=60^\circ$를 대입하면

$S=4\times10\times\sin60^\circ=40\times\dfrac{\sqrt{3}}{2}=20\sqrt{3}$ 답 $20\sqrt{3}$

1157

> 삼각형 ABC에서 $\angle A=45^\circ$, $\angle B=30^\circ$, $\overline{BC}=4$일 때, 변 AC의 길이를 구하시오.
>
> • 사인법칙에 의하여 $\dfrac{\overline{BC}}{\sin A}=\dfrac{\overline{AC}}{\sin B}$

삼각형 ABC에서 사인법칙에 의하여

$\dfrac{4}{\sin45^\circ}=\dfrac{\overline{AC}}{\sin30^\circ}$, $\dfrac{4}{\frac{\sqrt{2}}{2}}=\dfrac{\overline{AC}}{\frac{1}{2}}$

$\therefore \overline{AC}=2\sqrt{2}$ 답 $2\sqrt{2}$

1158

> $\overline{AB}=8$이고 $\angle A=45^\circ$, $\angle B=15^\circ$인 삼각형 ABC에서 선분 BC의 길이는?
>
> • 사인법칙에 의하여 $\dfrac{\overline{AB}}{\sin C}=\dfrac{\overline{BC}}{\sin A}$

$\angle C=120^\circ$이므로 사인법칙에 의하여

$\dfrac{\overline{BC}}{\sin45^\circ}=\dfrac{8}{\sin120^\circ}$

$\therefore \overline{BC}=\dfrac{8}{\frac{\sqrt{3}}{2}}\times\dfrac{\sqrt{2}}{2}=\dfrac{8\sqrt{6}}{3}$ 답 ③

1159

• 점 A에서 변 BC에 내린 수선의 발을 H라 하자.

> 그림과 같은 삼각형 ABC에서
>
> $\angle C=45^\circ$, $\overline{AB}=\sqrt{10}$, $\overline{AC}=\sqrt{2}$
>
> 일 때, $\sin A$의 값은?

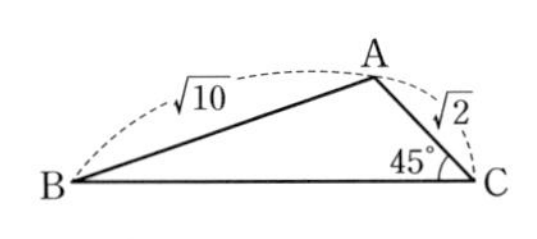

점 A에서 변 BC에 내린 수선의 발을 H라 하면

$\overline{AH}=\overline{HC}=1$

$\overline{BH}=\sqrt{\overline{AB}^2-\overline{AH}^2}$

$=\sqrt{10-1}=3$

이므로

$\overline{BC}=3+1=4$

사인법칙에 의하여

$\dfrac{\overline{BC}}{\sin A}=\dfrac{\sqrt{10}}{\sin45^\circ}$, $\dfrac{4}{\sin A}=\dfrac{\sqrt{10}}{\frac{\sqrt{2}}{2}}$

$\therefore \sin A=\dfrac{2\sqrt{5}}{5}$ 답 ②

1160

> $\triangle$ABC에서 $\overline{AB}=6\sqrt{3}$, $\overline{CA}=6$, $\angle C=60^\circ$일 때, $\angle A$의 크기를 구하시오.
>
> • 사인법칙에 의하여 $\dfrac{6\sqrt{3}}{\sin60^\circ}=\dfrac{6}{\sin B}$

$\triangle$ABC에서

$b=\overline{CA}=6$, $c=\overline{AB}=6\sqrt{3}$,

$\angle C=60^\circ$이므로 사인법칙에 의하여

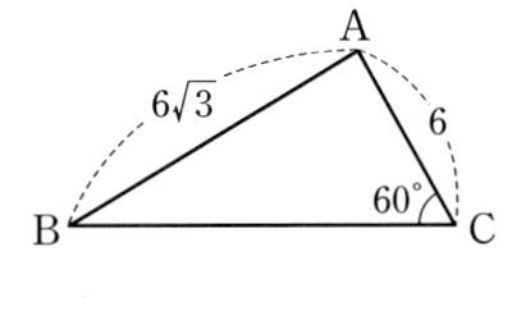

$\dfrac{6}{\sin B}=\dfrac{6\sqrt{3}}{\sin60^\circ}=\dfrac{6\sqrt{3}}{\frac{\sqrt{3}}{2}}=12$

$\therefore \sin B=\dfrac{6}{12}=\dfrac{1}{2}$

따라서 $\angle B=30^\circ$이므로

$\angle A=180^\circ-(\angle B+\angle C)$

$=180^\circ-(30^\circ+60^\circ)$

$=90^\circ$ 답 90°

1161

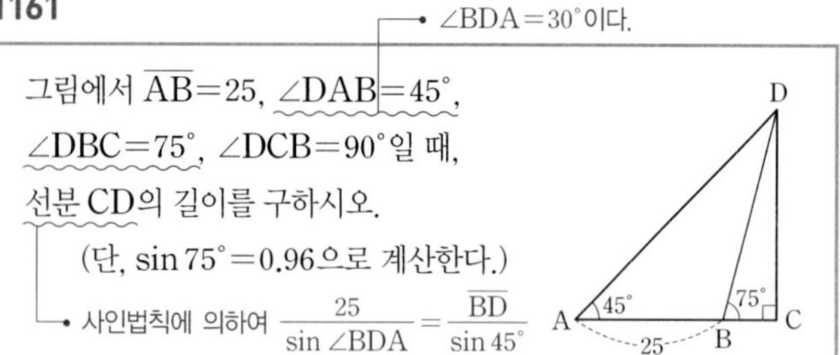

> 그림에서 $\overline{AB}=25$, $\angle DAB=45^\circ$, $\angle DBC=75^\circ$, $\angle DCB=90^\circ$일 때, 선분 CD의 길이를 구하시오.
> (단, $\sin 75^\circ=0.96$으로 계산한다.)

$\angle DAB+\angle BDA=\angle DBC$이므로 $\angle BDA=30^\circ$

$\triangle ABD$에서 사인법칙에 의하여

$$\frac{25}{\sin 30^\circ}=\frac{\overline{BD}}{\sin 45^\circ}$$

$$\therefore \overline{BD}=\frac{25\sin 45^\circ}{\sin 30^\circ}=\frac{25\times\frac{\sqrt{2}}{2}}{\frac{1}{2}}=25\sqrt{2}$$

$\triangle DBC$에서 $\sin 75^\circ=\dfrac{\overline{CD}}{\overline{BD}}$

$\therefore \overline{CD}=\overline{BD}\sin 75^\circ=25\sqrt{2}\times 0.96=24\sqrt{2}$

답 $24\sqrt{2}$

1162

> 그림과 같은 삼각형 ABC에서 $\overline{AB}=10$, $\overline{AC}=8$, $\overline{BM}=\overline{CM}$이고 $\angle BAM=\alpha$, $\angle CAM=\beta$라 할 때, $\dfrac{\sin\beta}{\sin\alpha}$의 값을 구하시오.

$\triangle ABM$에서 사인법칙에 의하여 $\dfrac{\overline{BM}}{\sin\alpha}=\dfrac{10}{\sin\angle BMA}$

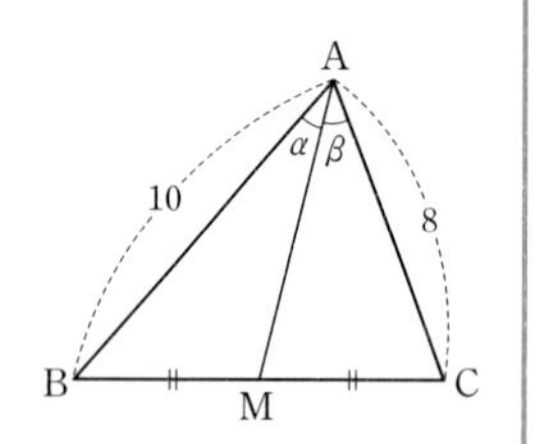

$\overline{BM}=\overline{CM}=k$, $\angle BMA=\theta$라 하면

삼각형 ABM에서 사인법칙에 의하여

$$\frac{k}{\sin\alpha}=\frac{10}{\sin\theta}$$

$$\therefore \sin\alpha=\frac{k\sin\theta}{10}$$

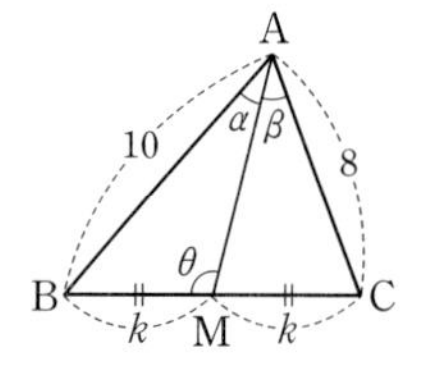

삼각형 ACM에서 사인법칙에 의하여

$$\frac{k}{\sin\beta}=\frac{8}{\sin(\pi-\theta)}=\frac{8}{\sin\theta}$$

$$\therefore \sin\beta=\frac{k\sin\theta}{8}$$

$$\therefore \frac{\sin\beta}{\sin\alpha}=\frac{\frac{k\sin\theta}{8}}{\frac{k\sin\theta}{10}}=\frac{5}{4}$$

답 $\dfrac{5}{4}$

1163

> $\triangle ABC$에서 $\overline{BC}=3\sqrt{2}$, $\angle A=45^\circ$일 때, $\triangle ABC$의 외접원의 반지름의 길이는?

외접원의 반지름의 길이를 R라 하면 $2R=\dfrac{\overline{BC}}{\sin A}$

$\triangle ABC$의 외접원의 반지름의 길이를 R라 하면 사인법칙에 의하여

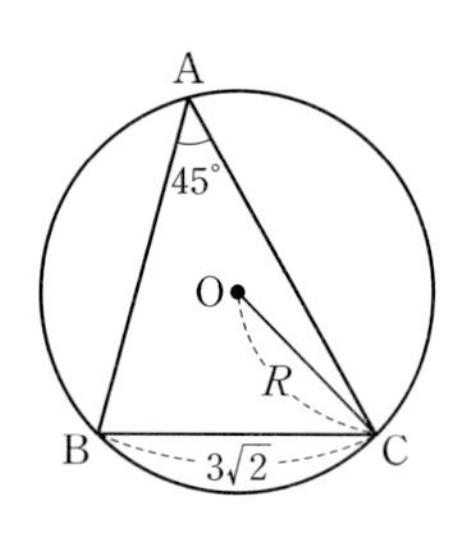

$$2R=\frac{\overline{BC}}{\sin A}=\frac{3\sqrt{2}}{\sin 45^\circ}=\frac{3\sqrt{2}}{\frac{\sqrt{2}}{2}}=6$$

$$\therefore R=6\times\frac{1}{2}=3$$

답 ③

1164

> $\triangle ABC$에서 $A=40^\circ$, $B=80^\circ$, $\overline{AB}=6$일 때, $\triangle ABC$의 외접원의 반지름의 길이는?

$C=60^\circ$

외접원의 반지름의 길이를 R라 하면 $2R=\dfrac{\overline{AB}}{\sin C}$

$C=180^\circ-(40^\circ+80^\circ)=60^\circ$

삼각형 ABC의 외접원의 반지름의 길이를 R라 하면

사인법칙에 의하여

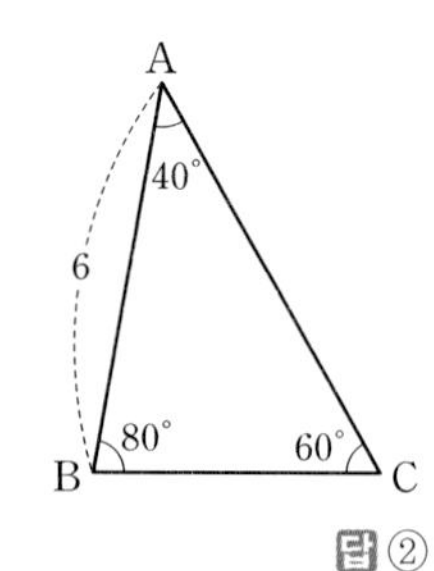

$$2R=\frac{\overline{AB}}{\sin C}=\frac{6}{\frac{\sqrt{3}}{2}}=4\sqrt{3}$$

$$\therefore R=2\sqrt{3}$$

답 ②

1165

> 그림과 같이 중심각의 크기가 60°이고 반지름의 길이가 $3\sqrt{3}$인 부채꼴 ABC에 외접하는 원의 넓이를 구하시오.

$\overline{AB}=\overline{BC}$이므로 $\triangle ABC$는 정삼각형

원의 반지름의 길이를 R라 하면 $2R=\dfrac{3\sqrt{3}}{\sin 60^\circ}$

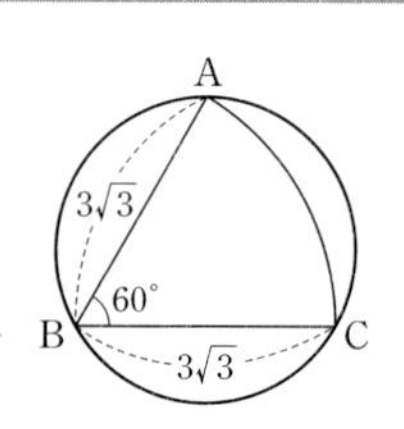

$\overline{AB}=\overline{BC}$이고 $\angle B=60^\circ$이므로 $\triangle ABC$는 정삼각형이다.

$\therefore \overline{AC}=3\sqrt{3}$

원의 반지름의 길이를 R라 하고 사인법칙을 사용하면

$$\frac{3\sqrt{3}}{\sin 60^\circ}=2R$$

$\therefore R=3$

따라서 원의 넓이는

$3^2\pi=9\pi$

답 9π

1166

> 그림과 같이 반지름의 길이가 12인 원에 내접하는 삼각형 ABC에 대하여 $\angle A=30^\circ$일 때, 상수 a의 값을 구하시오.

$\triangle ABC$에서 $2\times 12=\dfrac{a}{\sin 30^\circ}$임을 이용하자.

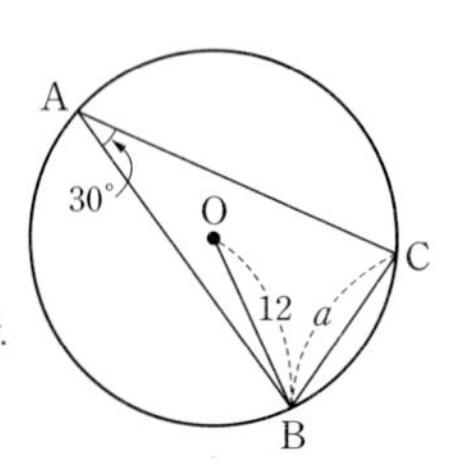

삼각형 ABC의 외접원의 반지름의 길이가 12이므로 사인법칙에 의하여

$$\frac{a}{\sin 30^\circ}=2\times 12$$

$\therefore a=24\sin 30^\circ=24\times\frac{1}{2}=12$ 답 12

1167

> 반지름의 길이가 15인 원에 내접하는 삼각형 ABC에서
> $\sin B=\frac{7}{10}$일 때, 선분 AC의 길이는?
> └ $\triangle$ABC에서 $2\times 15=\frac{\overline{AC}}{\sin B}$임을 이용하자.

삼각형 ABC의 외접원의 반지름의 길이가 15이므로

$$\frac{\overline{AC}}{\sin B}=2\times 15$$

$\therefore \overline{AC}=2\times 15\times \sin B$

$=2\times 15\times\frac{7}{10}=21$ 답 ③

1168

> 반지름의 길이가 6인 원에 내접하는 삼각형 ABC의 둘레의 길이가 24일 때, $\sin A+\sin B+\sin C$의 값을 구하시오.
> └ 외접원의 반지름의 길이를 R라 하면 $\sin A+\sin B+\sin C=\frac{a}{2R}+\frac{b}{2R}+\frac{c}{2R}$

삼각형 ABC의 외접원의 반지름의 길이를 R라 하면

$$\sin A+\sin B+\sin C=\frac{a}{2R}+\frac{b}{2R}+\frac{c}{2R}$$

$$=\frac{a+b+c}{2R}=\frac{24}{2\times 6}=2$$

답 2

1169

> 반지름의 길이가 $\sqrt{5}$인 원에 내접하는 삼각형 ABC에서
> $5\sin(A+B)\sin C=4$
> 인 관계가 성립할 때, 변 AB의 길이를 구하시오.
> $A+B=\pi-C$ └ 사인법칙에 의하여 $\overline{AB}=2R\sin C$

삼각형 ABC에서 $\angle A+\angle B+\angle C=\pi$이므로

$\angle A+\angle B=\pi-\angle C$

$5\sin(A+B)\sin C=5\sin(\pi-C)\sin C$

$=5\sin^2 C=4$

$\therefore \sin C=\frac{2}{\sqrt{5}}$ ($\because 0<\angle C<\pi$)

삼각형 ABC의 외접원의 반지름의 길이가 $\sqrt{5}$이므로 사인법칙에 의하여

$$\frac{\overline{AB}}{\sin C}=2\sqrt{5}$$

$\therefore \overline{AB}=2\sqrt{5}\sin C=2\sqrt{5}\times\frac{2}{\sqrt{5}}=4$ 답 4

1170

> 반지름의 길이가 1인 원 O와 반지름의 길이가 R인 원 O′이 그림과 같이 만난다. $\angle AOB=90^\circ$, $\angle AO'B=60^\circ$일 때, 부채꼴 AO′B의 넓이를 구하시오.
> 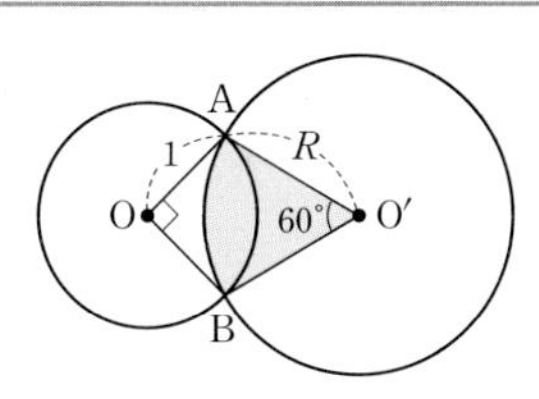
>
> └ $\triangle$AOO′에서 사인법칙에 의하여 $\frac{1}{\sin 30^\circ}=\frac{R}{\sin 45^\circ}$이다.

$\angle AOO'=45^\circ$, $\angle AO'O=30^\circ$

이므로 $\triangle$AOO′에서 사인법칙에 의하여

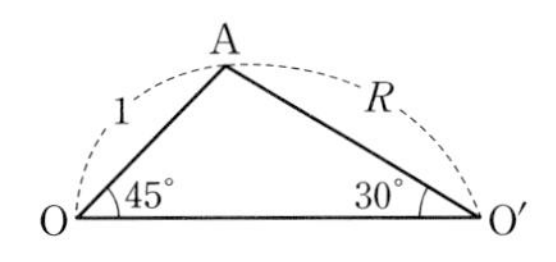

$$\frac{1}{\sin 30^\circ}=\frac{R}{\sin 45^\circ}$$

$$\therefore R=\frac{\sin 45^\circ}{\sin 30^\circ}=\frac{\frac{\sqrt{2}}{2}}{\frac{1}{2}}=\sqrt{2}$$

즉, 원 O′의 반지름의 길이가 $\sqrt{2}$이므로 부채꼴 AO′B의 넓이는

$\frac{1}{2}\times(\sqrt{2})^2\times\frac{\pi}{3}=\frac{\pi}{3}$ 답 $\frac{\pi}{3}$

1171

> 그림과 같이 $\overline{AB}=10$, $\overline{BC}=6$, $\overline{CA}=8$인 삼각형 ABC와 그 삼각형의 내부에 $\overline{AP}=6$인 점 P가 있다. 점 P에서 변 AB와 변 AC에 내린 수선의 발을 각각 Q, R라 할 때, 선분 QR의 길이는?
> 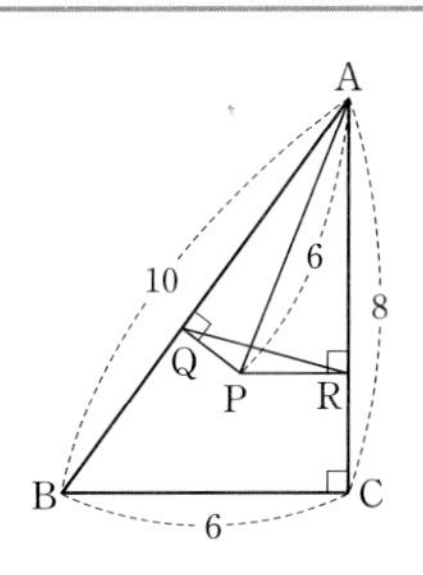
>
> ① $\frac{14}{5}$ ② 3 ③ $\frac{16}{5}$ ④ $\frac{17}{5}$ ⑤ $\frac{18}{5}$
> └ $\overline{AQ}\perp\overline{PQ}$, $\overline{AR}\perp\overline{PR}$이므로 네 점 A, Q, P, R는 한 원 위의 점이다.

$\overline{AQ}\perp\overline{PQ}$, $\overline{AR}\perp\overline{PR}$이므로 네 점 A, Q, P, R는 한 원 위의 점이다.

즉, 선분 AP는 삼각형 AQR의 외접원의 지름이다.

$\triangle$AQR에서 사인법칙을 이용하면

$$\frac{\overline{QR}}{\sin A}=\overline{AP}=6$$

$\triangle$ABC는 직각삼각형이므로

$\sin A=\frac{6}{10}=\frac{3}{5}$

따라서 구하는 길이는

$\overline{QR}=6\sin A$

$=6\times\frac{3}{5}=\frac{18}{5}$ 답 ⑤

1172

> $\triangle$ABC에서 $A:B:C=2:1:3$일 때, $\overline{BC}:\overline{CA}:\overline{AB}$는?
> └ $A=2k$, $B=k$, $C=3k$ ($k>0^\circ$)라 하면 $2k+k+3k=180^\circ$

$A+B+C=180°$이므로 $A:B:C=2:1:3$에서

$A=2k,\ B=k,\ C=3k\ (k>0°)$라 하면

$2k+k+3k=180° \quad \therefore k=30°$

따라서 $A=60°,\ B=30°,\ C=90°$이므로 사인법칙에 의하여

$$\overline{BC}:\overline{CA}:\overline{AB}=\sin A:\sin B:\sin C$$
$$=\sin 60°:\sin 30°:\sin 90°$$
$$=\frac{\sqrt{3}}{2}:\frac{1}{2}:1$$
$$=\sqrt{3}:1:2$$

답 ①

1173

그림과 같이 원에 내접하는 삼각형 ABC가 있다.
$\overset{\frown}{AB}:\overset{\frown}{BC}:\overset{\frown}{CA}=4:3:5$이고
$\overline{AB}=3\sqrt{3}$일 때, 선분 BC의 길이는?

→ $\angle C:\angle A:\angle B=4:3:5$이다.

① $2\sqrt{2}$ ② 3
③ $2\sqrt{3}$ ④ $3\sqrt{2}$
⑤ 4

$\overset{\frown}{AB}:\overset{\frown}{BC}:\overset{\frown}{CA}=4:3:5$이므로

$A=180°\times\frac{3}{12}=45°,\ B=180°\times\frac{5}{12}=75°,$

$C=180°\times\frac{4}{12}=60°$

$\frac{\overline{BC}}{\sin A}=\frac{\overline{AB}}{\sin C}$에서 $\frac{\overline{BC}}{\sin 45°}=\frac{3\sqrt{3}}{\sin 60°}$

$\therefore \overline{BC}=\frac{3\sqrt{3}}{\frac{\sqrt{3}}{2}}\times\frac{\sqrt{2}}{2}=3\sqrt{2}$

답 ④

1174

→ $\sin A:\sin B:\sin C=a:b:c$임을 이용하자.

삼각형 ABC에서 $\sin A:\sin B:\sin C=3:6:5$일 때,
$\frac{b+2c}{2a+b}$의 값을 구하시오. (단, $a=\overline{BC},\ b=\overline{CA},\ c=\overline{AB}$)

사인법칙에 의하여

$\sin A:\sin B:\sin C=a:b:c=3:6:5$

$a=3k,\ b=6k,\ c=5k\ (k>0)$라 하면

$\frac{b+2c}{2a+b}=\frac{6k+10k}{6k+6k}=\frac{4}{3}$

답 $\frac{4}{3}$

1175

$\triangle$ABC에서 $A:B:C=1:2:3$이고 세 변의 길이의 합이 6일 때, $\triangle$ABC의 외접원의 반지름의 길이는?

→ $A=180°\times\frac{1}{6}=30°,\ B=180°\times\frac{2}{6}=60°,\ C=180°\times\frac{3}{6}=90°$

$A=180°\times\frac{1}{6}=30°$

$B=180°\times\frac{2}{6}=60°$

$C=180°\times\frac{3}{6}=90°$

$\triangle$ABC의 외접원의 반지름의 길이를 R라 하면 사인법칙에 의하여

$a=2R\sin A=2R\sin 30°=2R\times\frac{1}{2}=R$

$b=2R\sin B=2R\sin 60°=2R\times\frac{\sqrt{3}}{2}=\sqrt{3}R$

$c=2R\sin C=2R\sin 90°=2R$

이때, $a+b+c=R(1+\sqrt{3}+2)=R(3+\sqrt{3})=6$이므로

$R=\frac{6}{3+\sqrt{3}}=3-\sqrt{3}$

답 ②

1176

$\triangle$ABC에서 $\frac{\overline{AB}+\overline{BC}}{7}=\frac{\overline{BC}+\overline{CA}}{5}=\frac{\overline{CA}+\overline{AB}}{6}$일 때,
$\sin A:\sin B:\sin C$를 구하시오.

→ $\overline{AB}+\overline{BC}=7k,\ \overline{BC}+\overline{CA}=5k,\ \overline{CA}+\overline{AB}=6k$
세 식을 변끼리 모두 더하고 2로 나누면 $\overline{AB}+\overline{BC}+\overline{CA}=9k$

$\frac{\overline{AB}+\overline{BC}}{7}=\frac{\overline{BC}+\overline{CA}}{5}=\frac{\overline{CA}+\overline{AB}}{6}=k\ (k>0)$라 하면

$\overline{AB}+\overline{BC}=7k,\ \overline{BC}+\overline{CA}=5k,\ \overline{CA}+\overline{AB}=6k$ …… ㉠

세 식을 변끼리 더하면 $2\overline{AB}+2\overline{BC}+2\overline{CA}=18k$

$\therefore \overline{AB}+\overline{BC}+\overline{CA}=9k$ …… ㉡

㉡에서 ㉠의 각 식을 빼면

$\overline{AB}=4k,\ \overline{BC}=3k,\ \overline{CA}=2k$

$$\therefore \sin A:\sin B:\sin C=\overline{BC}:\overline{CA}:\overline{AB}$$
$$=3k:2k:4k$$
$$=3:2:4$$

답 3 : 2 : 4

1177

삼각형 ABC에서 $(a+b):(b+c):(c+a)=5:7:6$일 때,
$\frac{\sin^2 C}{\sin A\sin B}$의 값은? (단, $a=\overline{BC},\ b=\overline{CA},\ c=\overline{AB}$)

→ $a+b=5k,\ b+c=7k,\ c+a=6k$
세 식을 변끼리 모두 더하고 2로 나누면 $a+b+c=9k$

$(a+b):(b+c):(c+a)=5:7:6$이므로

$k>0$에 대하여

$$\begin{cases} a+b=5k & \cdots\cdots ㉠ \\ b+c=7k & \cdots\cdots ㉡ \\ c+a=6k & \cdots\cdots ㉢ \end{cases}$$

㉠+㉡+㉢을 하면

$2(a+b+c)=18k \quad \therefore a+b+c=9k$ …… ㉣

㉣−㉠에서 $c=4k$

㉣−㉡에서 $a=2k$

㉣−㉢에서 $b=3k$

$\therefore a:b:c=2:3:4$

사인법칙에 의하여

$\sin A:\sin B:\sin C=a:b:c=2:3:4$

$\sin A=2l,\ \sin B=3l,\ \sin C=4l\ (l>0)$이라 하면

$\frac{\sin^2 C}{\sin A\sin B}=\frac{(4l)^2}{2l\times 3l}=\frac{16l^2}{6l^2}=\frac{8}{3}$

답 ⑤

1178

> △ABC에서 $\sin^2 A=\sin^2 B+\sin^2 C$가 성립할 때, △ABC는 어떤 삼각형인가?
>
> 사인법칙에 의하여 $\sin A=\frac{a}{2R}$, $\sin B=\frac{b}{2R}$, $\sin C=\frac{c}{2R}$임을 이용하자.

△ABC의 외접원의 반지름의 길이를 R라 하면 사인법칙에 의하여

$\sin A=\frac{a}{2R}$, $\sin B=\frac{b}{2R}$, $\sin C=\frac{c}{2R}$

이므로 $\sin^2 A=\sin^2 B+\sin^2 C$에서

$\left(\frac{a}{2R}\right)^2=\left(\frac{b}{2R}\right)^2+\left(\frac{c}{2R}\right)^2$

$\therefore a^2=b^2+c^2$

따라서 △ABC는 $A=90°$인 직각삼각형이다.

답 ①

1179 $\sin A=\frac{a}{2R}$, $\sin B=\frac{b}{2R}$이므로 $a\times\frac{a}{2R}=b\times\frac{b}{2R}$이다.

> 그림과 같은 삼각형 ABC에서 $a\sin A=b\sin B$가 성립할 때, 삼각형 ABC는 어떤 삼각형인가?
>
> 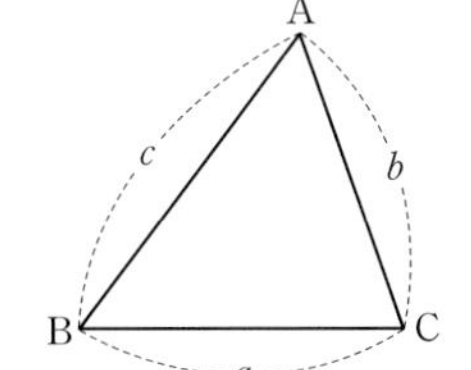
>
>
> ① $a=b$인 이등변삼각형
> ② $b=c$인 이등변삼각형
> ③ 정삼각형
> ④ ∠A=90°인 직각삼각형
> ⑤ ∠B=90°인 직각삼각형

삼각형 ABC의 외접원의 반지름의 길이를 R라 하면 사인법칙에 의하여

$\sin A=\frac{a}{2R}$, $\sin B=\frac{b}{2R}$

$a\sin A=b\sin B$이므로

$a\times\frac{a}{2R}=b\times\frac{b}{2R}$, $\frac{a^2}{2R}=\frac{b^2}{2R}$

즉, $a^2=b^2$이므로

$a=b$ $(\because a>0, b>0)$

따라서 삼각형 ABC는 $a=b$인 이등변삼각형이다.

답 ①

1180

> 삼각형 ABC에서 $\overline{BC}\sin A=\overline{AC}\sin B+\overline{AB}\sin C$가 성립할 때, 이 삼각형은 어떤 삼각형인가?
>
> $\sin A=\frac{a}{2R}$, $\sin B=\frac{b}{2R}$, $\sin C=\frac{c}{2R}$이므로
> $a\times\frac{a}{2R}=b\times\frac{b}{2R}+c\times\frac{c}{2R}$

삼각형 ABC에서 $\overline{AB}=c$, $\overline{BC}=a$, $\overline{AC}=b$라 하면 사인법칙에 의하여

$\sin A=\frac{a}{2R}$, $\sin B=\frac{b}{2R}$, $\sin C=\frac{c}{2R}$

(단, R는 외접원의 반지름의 길이이다.)

이것을 $a\sin A=b\sin B+c\sin C$에 대입하면

$a\times\frac{a}{2R}=b\times\frac{b}{2R}+c\times\frac{c}{2R}$

$\therefore a^2=b^2+c^2$

따라서 삼각형 ABC는 빗변이 $\overline{BC}$인 직각삼각형이다.

답 ③

1181

> 그림과 같이 $\overline{AB}=50\,\text{m}$인 두 지점 A, B에서 강 건너 C지점을 바라본 각의 크기를 재었더니 ∠BAC=60°, ∠ABC=75°이었다. 이때, 두 점 B, C 사이의 거리는?
>
> 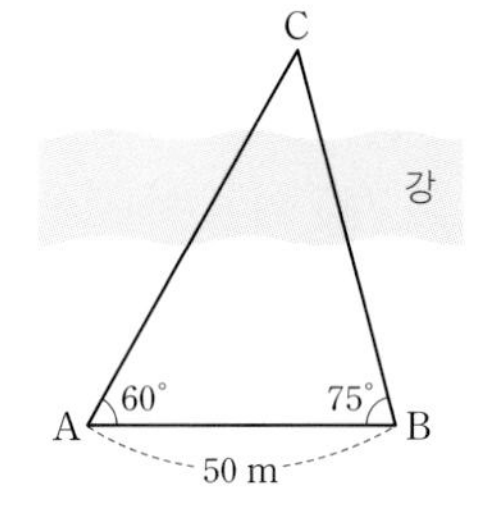
>
>
> ① $25\sqrt{2}$ m ② 50 m
> ③ $25\sqrt{6}$ m ④ $50\sqrt{2}$ m
> ⑤ $50\sqrt{6}$ m
>
> △ABC에서 사인법칙에 의하여 $\frac{\overline{AB}}{\sin C}=\frac{\overline{BC}}{\sin A}$

∠C=180°−(60°+75°)=45°

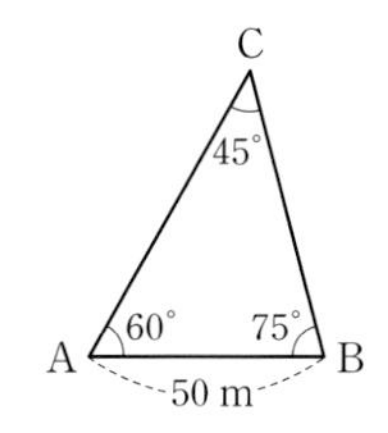

△ABC에서 사인법칙에 의하여

$\frac{\overline{AB}}{\sin C}=\frac{\overline{BC}}{\sin A}$

$\therefore \overline{BC}=\frac{\overline{AB}\sin A}{\sin C}$

$=\frac{50\sin 60°}{\sin 45°}$

$=\frac{50\times\frac{\sqrt{3}}{2}}{\frac{\sqrt{2}}{2}}=25\sqrt{6}(\text{m})$

답 ③

1182

> 어떤 등대의 높이를 재기 위하여 측량을 하였다. A지점에서 등대의 꼭대기 C를 바라본 각의 크기가 30°이었고, 등대를 향해 8 m만큼 다가간 후 B지점에서 다시 등대의 꼭대기를 바라본 각의 크기가 45°이었을 때, 등대의 높이는? (단, 등대의 폭은 무시한다.)
>
> 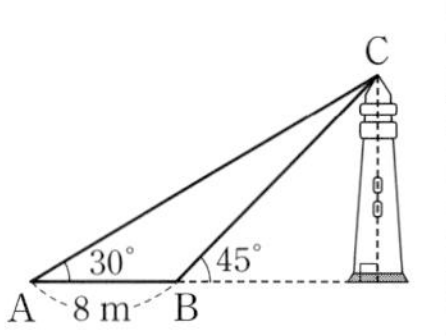
>
>
> 점 C에서 직선 AB로의 수선의 발을 H라 하면
> △AHC에서 사인법칙에 의하여 $\frac{\overline{CH}}{\sin 30°}=\frac{\overline{AH}}{\sin 60°}$

그림과 같이 등대의 꼭대기 C에서 지면에 내린 수선의 발을 H라 하면

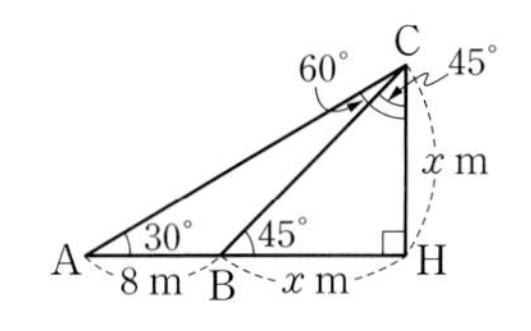

삼각형 AHC에서

∠ACH=60°

삼각형 BHC에서

∠BCH=∠CBH=45°이므로 삼각형 BHC는 $\overline{BH}=\overline{CH}$인 직각이등변삼각형이다.

$\overline{BH}=\overline{CH}=x\,\text{m}$라 하면 삼각형 AHC에서 사인법칙에 의하여

$\frac{\overline{CH}}{\sin 30°}=\frac{\overline{AH}}{\sin 60°}$, $\frac{x}{\sin 30°}=\frac{8+x}{\sin 60°}$

$x\sin 60°=(8+x)\sin 30°$, $\sqrt{3}x=8+x$

$(\sqrt{3}-1)x=8$ $\therefore x=\frac{8}{\sqrt{3}-1}=4(\sqrt{3}+1)(\text{m})$

따라서 등대의 높이는 $4(\sqrt{3}+1)$ m이다. 답 ⑤

1183

그림과 같이 높이가 30 m인 건물의 밑에서 옆 건물의 끝을 올려다본 각의 크기는 45°이고 이 건물의 옥상에서 옆 건물의 끝을 올려다본 각의 크기는 15°이다. 이때, 옆 건물의 높이는?

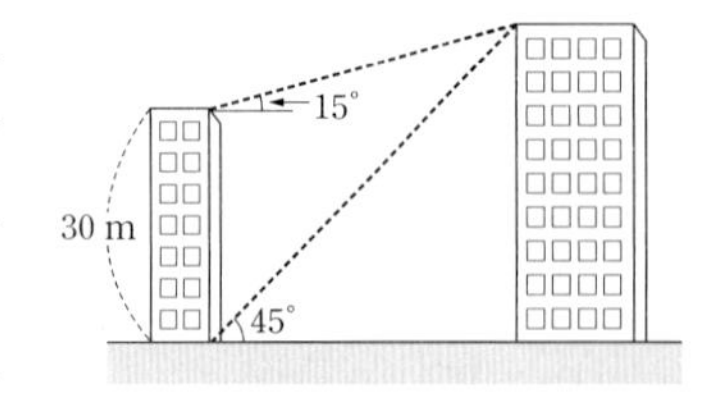

$\left(\text{단, 건물의 폭은 무시하고, } \cos 15^\circ = \dfrac{\sqrt{6}+\sqrt{2}}{4} \text{로 계산한다.}\right)$

• 건물 옥상을 점 A, 건물 바닥을 점 B, 옆 건물 옥상을 점 C라 하면, △ABC에서 사인법칙에 의하여 $\dfrac{\overline{BC}}{\sin 105^\circ} = \dfrac{30}{\sin 30^\circ}$

△ABC에서 사인법칙에 의하여

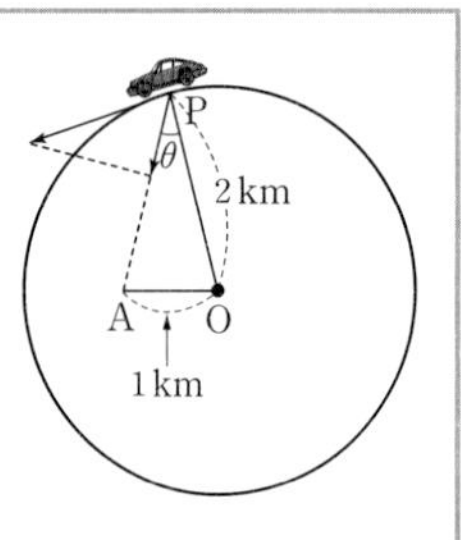

$\dfrac{\overline{BC}}{\sin 105^\circ} = \dfrac{30}{\sin 30^\circ}$

$\therefore \overline{BC} = \dfrac{30 \sin 105^\circ}{\sin 30^\circ}$

$= 60 \cos 15^\circ$

$(\because \sin 105^\circ = \sin(90^\circ + 15^\circ) = \cos 15^\circ)$

$= 60 \times \dfrac{\sqrt{6}+\sqrt{2}}{4}$

$= 15(\sqrt{6}+\sqrt{2})$

△CBD에서

$\overline{CD} = \overline{BC} \sin 45^\circ = 15(\sqrt{6}+\sqrt{2}) \times \dfrac{1}{\sqrt{2}}$

$= 15(\sqrt{3}+1)$ (m) 답 ④

1184

반지름의 길이가 2 km인 원형의 자동차 시험장에서 초속 20m의 일정한 속력으로 자동차가 달리고 있다. 원의 중심 O에서 1 km 떨어진 지점 A에 속력 측정기가 놓여 있어 자동차의 속도 중 자동차의 위치 P로부터 A방향으로의 성분을 측정하고 있다. 이때, $\angle APO = \theta$이면, 이 성분의 크기는 $20 \sin\theta$ (m/s)이다. 이 자동차가 한 바퀴 도는 동안 속력 측정기가 기록하는 최댓값은 몇 m/s인가?

• △AOP에서 사인법칙에 의하여 $\dfrac{2}{\sin A} = \dfrac{1}{\sin\theta}$

삼각형 AOP에서 사인법칙에 의하여 $\dfrac{2}{\sin A} = \dfrac{1}{\sin\theta}$

$\therefore \sin\theta = \dfrac{\sin A}{2}$

따라서 $\sin A = 1$일 때 $\sin\theta$는 최댓값 $\dfrac{1}{2}$을 가지므로

구하는 최댓값은 $20 \times \dfrac{1}{2} = 10$ (m/s)

다른풀이 $\overline{AP} = x$ (km)라 하면 삼각형 AOP에서

$\cos\theta = \dfrac{2^2 + x^2 - 1^2}{2 \times 2 \times x}$

$= \dfrac{x}{4} + \dfrac{3}{4x}$

$\geq 2\sqrt{\dfrac{x}{4} \times \dfrac{3}{4x}} = \dfrac{\sqrt{3}}{2}$ (단, 등호는 $\dfrac{x}{4} = \dfrac{3}{4x}$일 때 성립한다.)

θ가 예각이므로 $\theta \leq \dfrac{\pi}{6}$

$\therefore 20 \sin\theta \leq 20 \sin\dfrac{\pi}{6} = 10$

따라서 구하는 최댓값은 10 (m/s)이다. 답 ②

1185

그림과 같이 △ABC에서 $\angle A = 60^\circ$, $\overline{AB} = 4$, $\overline{AC} = 2$일 때, 변 BC의 길이를 구하시오.

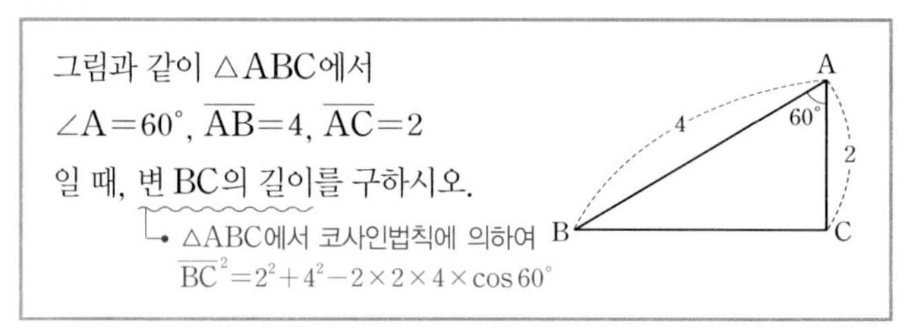

• △ABC에서 코사인법칙에 의하여 $\overline{BC}^2 = 2^2 + 4^2 - 2 \times 2 \times 4 \times \cos 60^\circ$

△ABC에서 코사인법칙에 의하여

$\overline{BC}^2 = 2^2 + 4^2 - 2 \times 2 \times 4 \times \cos 60^\circ$

$= 4 + 16 - 16 \times \dfrac{1}{2} = 12$

$\therefore \overline{BC} = 2\sqrt{3}$ $(\because \overline{BC} > 0)$ 답 $2\sqrt{3}$

1186

△ABC에서 $\overline{AB} = 2\sqrt{5}$, $\overline{CA} = 2\sqrt{2}$, $C = 45^\circ$일 때, 변 BC의 길이는?

• 코사인법칙에 의하여 $(2\sqrt{5})^2 = a^2 + (2\sqrt{2})^2 - 2a \times 2\sqrt{2} \times \cos 45^\circ$

$\overline{BC} = a$라 하면 $c^2 = a^2 + b^2 - 2ab \cos C$이므로

$(2\sqrt{5})^2 = a^2 + (2\sqrt{2})^2 - 2a \times 2\sqrt{2} \times \cos 45^\circ$

$20 = a^2 + 8 - 4\sqrt{2}a \times \dfrac{\sqrt{2}}{2}$

$a^2 - 4a - 12 = 0$

$(a-6)(a+2) = 0$

$a > 0$이므로 $a = 6$

$\therefore \overline{BC} = 6$ 답 ④

1187

그림과 같이 반지름의 길이가 2인 원에 내접하는 △ABC에서 $\angle BAC = 30^\circ$일 때, 선분 BC의 길이는?

• $\angle BOC = 60^\circ$

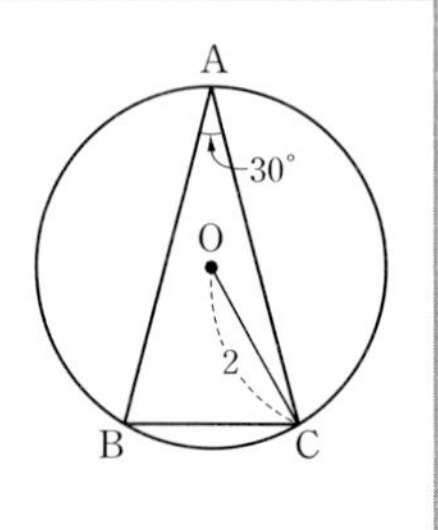

① 1 ② $\sqrt{3}$

③ 2 ④ 3

⑤ $2\sqrt{3}$

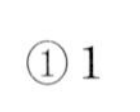

• △OBC에서 코사인법칙에 의하여 $\overline{BC}^2 = 2^2 + 2^2 - 2 \times 2 \times 2 \times \cos 60^\circ$

$\angle BAC = 30°$이므로

$\angle BOC = 60°$ ($\because$ (중심각)$=2\times$(원주각))

이때, $\triangle OBC$에서

$\overline{BC}^2 = \overline{OB}^2 + \overline{OC}^2 - 2\times\overline{OB}\times\overline{OC}\times\cos 60°$

$\quad = 2^2 + 2^2 - 2\times2\times2\times\cos 60° = 4$

이므로 $\overline{BC}=2$ ($\because \overline{BC}>0$) 답 ③

다른풀이 $\angle BAC = 30°$이므로

$\angle BOC = 60°$ ($\because$ (중심각)$=2\times$(원주각))

이때, $\triangle OBC$에서 $\overline{OB}=\overline{OC}$이므로 $\triangle OBC$는 정삼각형이다.

$\therefore \overline{BC}=2$

1188

그림과 같이 $\triangle ABC$의 변 BC 위의 점 P에 대하여

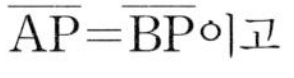

$\overline{AP}=\overline{BP}$이고

$\angle APC = 60°$, $\angle C = 30°$,

$\overline{AC}=2\sqrt{3}$일 때, 선분 AB의 길이를 구하시오.

└ $\triangle APB$에서 코사인법칙에 의하여 $\overline{AB}^2=\overline{AP}^2+\overline{BP}^2-2\times\overline{AP}\times\overline{BP}\times\cos(\angle APB)$

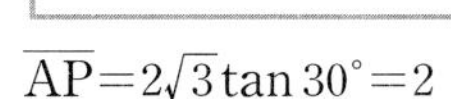

$\overline{AP}=2\sqrt{3}\tan 30° = 2$

$\triangle APB$에서 $\angle APB = 120°$이므로 코사인법칙에 의하여

$\overline{AB}^2=\overline{AP}^2+\overline{BP}^2-2\times\overline{AP}\times\overline{BP}\times\cos(\angle APB)$

$\quad = 2^2+2^2-2\times2\times2\cos 120°$

$\quad = 8-8\times\left(-\frac{1}{2}\right)=12$

$\therefore \overline{AB}=2\sqrt{3}$ ($\because \overline{AB}>0$) 답 $2\sqrt{3}$

1189

$\overline{AB}=6$, $\overline{AC}=10$인 삼각형 ABC가 있다. 선분 AC위에 점 D 를 $\overline{AB}=\overline{AD}$가 되도록 잡는다. $\overline{BD}=\sqrt{15}$ 일때, 선분 BC의 길이를 k라 하자. k^2의 값을 구하시오.

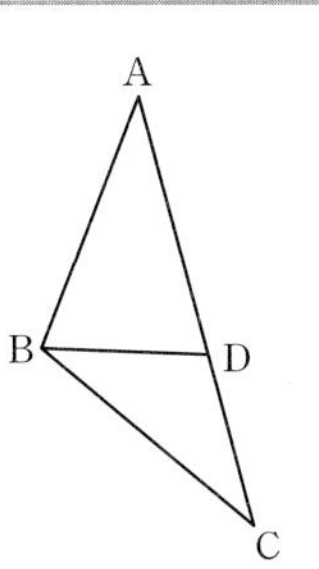

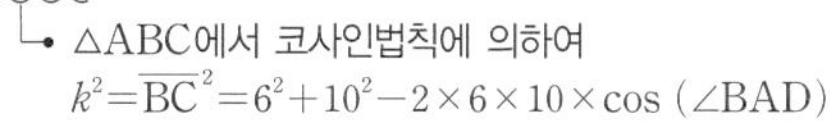

└ $\triangle ABC$에서 코사인법칙에 의하여 $k^2=\overline{BC}^2=6^2+10^2-2\times6\times10\times\cos(\angle BAD)$

삼각형 ABD에서

$\overline{AB}=\overline{AD}=6$, $\overline{BD}=\sqrt{15}$

이므로 $\angle BAD=\theta$라 하면 코사인법칙에 의해

$\cos\theta = \frac{6^2+6^2-(\sqrt{15})^2}{2\times6\times6}=\frac{19}{24}$

따라서 삼각형 ABC에서 코사인법칙에 의해

$k^2=\overline{BC}^2=6^2+10^2-2\times6\times10\times\cos\theta$

$\quad = 36+100-120\times\frac{19}{24}=136-5\times19=41$ 답 41

1190

그림과 같이 원 O의 지름 AB의 길이가 4이고, 호 BP의 길이가 $\frac{\pi}{3}$일 때, $\overline{AP}^2$의 값을 구하시오.

└ $\angle POB=\theta$라 하면 $2\theta=\frac{\pi}{3}$에서 $\theta=\frac{\pi}{6}$, $\angle AOP=\pi-\frac{\pi}{6}=\frac{5}{6}\pi$

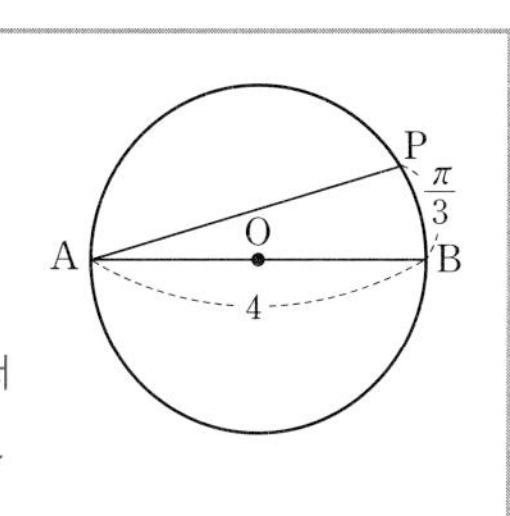

원의 반지름의 길이를 r, $\angle POB$의 크기를 θ라 하면 $\widehat{BP}=r\theta$이므로

$2\theta=\frac{\pi}{3}$

$\therefore \theta=\frac{\pi}{6}$

$\therefore \angle AOP=\pi-\frac{\pi}{6}=\frac{5}{6}\pi$

$\triangle AOP$에서 코사인법칙에 의하여

$\overline{AP}^2=\overline{AO}^2+\overline{OP}^2-2\times\overline{AO}\times\overline{OP}\times\cos(\angle AOP)$

$\quad = 2^2+2^2-2\times2\times2\times\cos\frac{5}{6}\pi$

$\quad = 8-8\times\left(-\frac{\sqrt{3}}{2}\right)$

$\quad = 8+4\sqrt{3}$ 답 $8+4\sqrt{3}$

1191

그림과 같이 선분 AB를 지름으로 하는 반원 O에서 호 AB 위의 한 점을 P라 하면 $\overline{AB}=2\sqrt{3}$, $\overline{AP}=3$이다.

$\angle PAB=\theta$라 할 때, $\cos 2\theta$의 값을 구하시오.

└ $\angle POB=2\theta$, $\angle AOP=\pi-2\theta$

└ $\triangle AOP$에서 코사인법칙에 의하여 $3^2=(\sqrt{3})^2+(\sqrt{3})^2-2\times\sqrt{3}\times\sqrt{3}\times\cos(\pi-2\theta)$

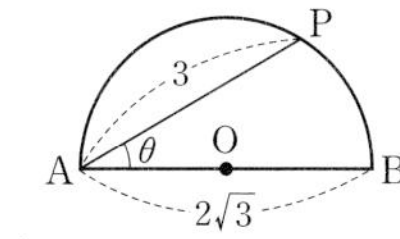

그림에서

$\angle POB = 2\angle PAB = 2\theta$,

$\angle AOP = \pi - 2\theta$

$\overline{OP}$는 반원 O의 반지름이므로

$\overline{OP}=\overline{AO}=\sqrt{3}$

삼각형 AOP에서 코사인법칙에 의하여

$3^2=(\sqrt{3})^2+(\sqrt{3})^2-2\times\sqrt{3}\times\sqrt{3}\times\cos(\pi-2\theta)$

$9=6+6\cos 2\theta \qquad \therefore \cos 2\theta=\frac{1}{2}$

답 $\frac{1}{2}$

1192

그림과 같이 원에 내접하는 사각형 ABCD에서 $\overline{AB}=\overline{CD}=\overline{DA}=3$이고 $\angle A=120°$일 때, 변 BC의 길이를 구하시오.

└ $\triangle ABD$에서 코사인법칙에 의하여 $\overline{BD}^2=3^2+3^2-2\times3\times3\times\cos 120°$

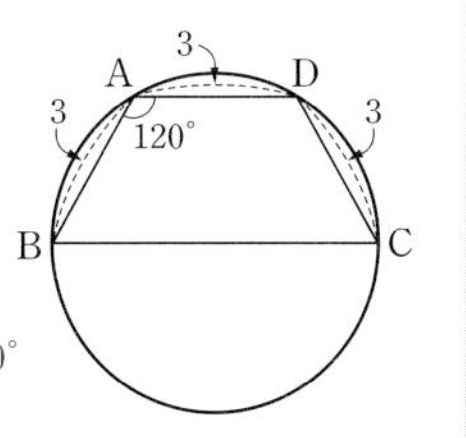

삼각형 ABD에서 코사인법칙에 의하여

$\overline{BD}^2=3^2+3^2-2\times3\times3\times\cos120^\circ$

$=18-18\times\left(-\frac{1}{2}\right)=27$ ……㉠

원에 내접하는 사각형의 대각의 크기의 합은 180°이므로

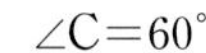

$\angle C=60^\circ$

$\overline{BC}=x$라 하면 삼각형 BCD에서 코사인법칙에 의하여

$\overline{BD}^2=x^2+3^2-2\times x\times3\times\cos60^\circ$

$27=x^2+9-6x\times\frac{1}{2}$ ($\because$ ㉠)

$x^2-3x-18=0$, $(x+3)(x-6)=0$

$\therefore x=6$ ($\because x>0$)

따라서 변 BC의 길이는 6이다.

답 6

1193

그림과 같이 원에 내접하는 사각형 ABCD가 $\overline{AB}=10$, $\overline{AD}=2$, $\cos(\angle BCD)=\frac{3}{5}$을 만족시킨다. 이 원의 넓이가 $a\pi$일 때, a의 값을 구하시오.

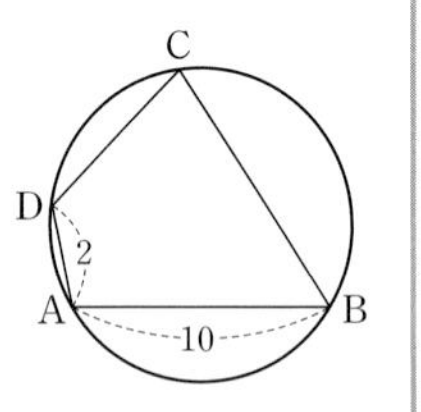

• $\angle BCD=\theta$라 하면 $\angle BAD=\pi-\theta$

• $\triangle ABD$에서 코사인법칙에 의하여 $\overline{BD}^2=2^2+10^2-2\times2\times10\times\cos(\pi-\theta)$

사각형 ABCD가 원에 내접하므로

$\angle BCD=\theta$ $(0<\theta<\pi)$

라 하면

$\angle BAD=\pi-\theta$

선분 BD의 길이를 x라 하고, 삼각형 ABD에서 코사인법칙을 이용하면

$x^2=2^2+10^2-2\times2\times10\times\cos(\pi-\theta)$

$=104+40\cos\theta$

$=104+40\times\frac{3}{5}$

$=128$

$\therefore x=\sqrt{128}=8\sqrt{2}$

$\sin\theta=\sqrt{1-\cos^2\theta}=\sqrt{1-\frac{9}{25}}=\frac{4}{5}$

삼각형 BCD의 외접원의 반지름의 길이를 R라 하고 사인법칙을 이용하면

$\frac{8\sqrt{2}}{\sin\theta}=2R$

$R=5\sqrt{2}$이므로 외접원의 넓이는

$\pi(5\sqrt{2})^2=50\pi$

$\therefore a=50$

답 50

1194

그림과 같이 $\triangle ABC$에서 $\overline{AC}=3$, $\overline{BC}=6$, $\angle C=60^\circ$일 때, $\cos A$의 값을 구하시오.

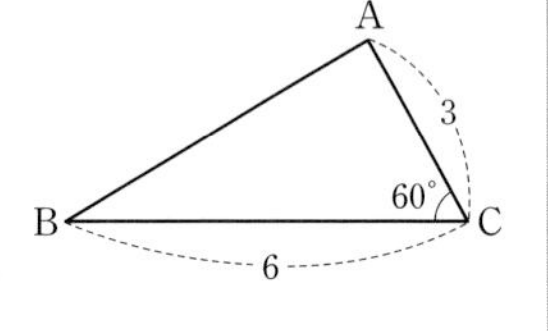

• 코사인법칙에 의하여 $\overline{AB}^2=6^2+3^2-2\times6\times3\times\cos60^\circ$

$\triangle ABC$에서 코사인법칙에 의하여

$\overline{AB}^2=6^2+3^2-2\times6\times3\cos60^\circ$

$=45-36\times\frac{1}{2}$

$=27$

$\therefore \overline{AB}=3\sqrt{3}$ ($\because \overline{AB}>0$)

$\therefore \cos A=\frac{b^2+c^2-a^2}{2bc}=\frac{3^2+(3\sqrt{3})^2-6^2}{2\times3\times3\sqrt{3}}=0$

답 0

1195

그림과 같이 $\triangle ABC$에서 $\overline{AB}=3$, $\overline{CA}=7$, $\angle B=120^\circ$일 때, $\cos C$의 값은?

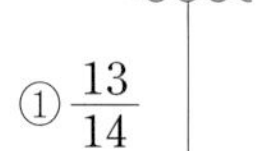

① $\frac{13}{14}$ ② $\frac{14}{15}$

③ $\frac{15}{16}$ ④ $\frac{16}{17}$

⑤ $\frac{17}{18}$

• 코사인법칙에 의하여 $\cos C=\frac{\overline{BC}^2\times7^2-3^2}{2\times\overline{BC}\times7}$

$\overline{BC}=a$라 하면 코사인법칙에 의하여

$7^2=3^2+a^2-2\times3\times a\cos120^\circ$

$49=a^2+3a+9$, $a^2+3a-40=0$

$(a+8)(a-5)=0$

$\therefore \overline{BC}=a=5$ ($\because a>0$)

$\therefore \cos C=\frac{5^2+7^2-3^2}{2\times5\times7}=\frac{13}{14}$

답 ①

1196

$\triangle ABC$에서 $\sin A:\sin B:\sin C=3:5:7$일 때, A, B, C 중 최대 각의 크기를 구하시오.

• 사인법칙에 의하여 $a=3m$, $b=5m$, $c=7m$ $(m\neq0)$으로 놓을 수 있다.

$a:b:c=\sin A:\sin B:\sin C=3:5:7$이므로

$a=3m$, $b=5m$, $c=7m$ $(m\neq0)$으로 놓을 수 있다.

이때, 가장 긴 변에 대응하는 각이 최대각이므로 최대각은 C이다.

$\cos C=\frac{(3m)^2+(5m)^2-(7m)^2}{2\times3m\times5m}$

$=\frac{9m^2+25m^2-49m^2}{30m^2}=-\frac{1}{2}$

$\therefore C=120^\circ\left(\text{또는 }\frac{2}{3}\pi\right)$

답 $120^\circ\left(\text{또는 }\frac{2}{3}\pi\right)$

1197

$\triangle ABC$에서 $\overline{BC}=a$, $\overline{CA}=b$, $\overline{AB}=c$라 하면 $(a+b):(b+c):(c+a)=5:4:6$일 때, A의 크기를 구하시오.

• $a+b=5k$, $b+c=4k$, $c+a=6k$ $(k>0)$라 하면 $2(a+b+c)=15k$, $a+b+c=\frac{15}{2}k$

$a+b=5k$, $b+c=4k$, $c+a=6k$ ($k>0$인 상수)라 하면

$2(a+b+c)=15k$

$\therefore a+b+c=\frac{15}{2}k$

$\therefore a=\frac{7}{2}k,\ b=\frac{3}{2}k,\ c=\frac{5}{2}k$

코사인법칙에 의하여

$$\cos A=\frac{\left(\frac{3}{2}k\right)^2+\left(\frac{5}{2}k\right)^2-\left(\frac{7}{2}k\right)^2}{2\times\frac{3}{2}k\times\frac{5}{2}k}=-\frac{1}{2}$$

$\therefore A=120^\circ\left(\text{또는 }\frac{2}{3}\pi\right)$

답 $120^\circ\left(\text{또는 }\frac{2}{3}\pi\right)$

1198

그림과 같이 $\overline{AE}=6$, $\overline{EF}=\overline{FG}=2$인 직육면체에서 두 선분 BE와 BG가 이루는 각의 크기를 θ라 할 때, $\cos\theta$의 값은?

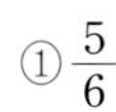
① $\frac{5}{6}$

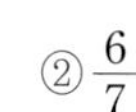
② $\frac{6}{7}$

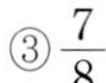
③ $\frac{7}{8}$

④ $\frac{8}{9}$

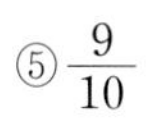
⑤ $\frac{9}{10}$

△EBG에서 코사인법칙에 의하여

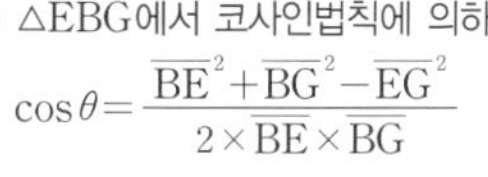
$\cos\theta=\frac{\overline{BE}^2+\overline{BG}^2-\overline{EG}^2}{2\times\overline{BE}\times\overline{BG}}$

$\overline{EB}=\overline{BG}=\sqrt{6^2+2^2}=2\sqrt{10}$

$\overline{EG}=\sqrt{2^2+2^2}=2\sqrt{2}$

따라서 삼각형 EBG에서

$$\cos\theta=\frac{(2\sqrt{10})^2+(2\sqrt{10})^2-(2\sqrt{2})^2}{2\times2\sqrt{10}\times2\sqrt{10}}=\frac{72}{80}=\frac{9}{10}$$

답 ⑤

1199

그림과 같이 $\overline{AB}=5$, $\overline{BC}=6$, $\overline{CA}=3$인 △ABC에서 변 BC를 2 : 1로 내분하는 점을 D라 할 때, 선분 AD의 길이는?

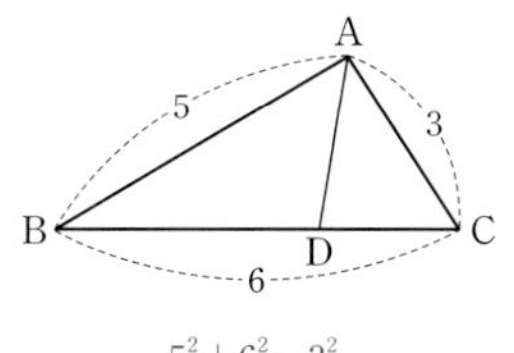

△ABC에서 코사인법칙에 의하여 $\cos B=\frac{5^2+6^2-3^2}{2\times5\times6}$

△ABC에서 코사인법칙에 의하여

$\cos B=\frac{5^2+6^2-3^2}{2\times5\times6}=\frac{13}{15}$

변 BC를 2 : 1로 내분하는 점이 D이므로

$\overline{BD}=4$

△ABD에서 코사인법칙에 의하여

$\overline{AD}^2=\overline{AB}^2+\overline{BD}^2-2\times\overline{AB}\times\overline{BD}\times\cos B$

$=5^2+4^2-2\times5\times4\times\frac{13}{15}$

$=\frac{19}{3}$

$\therefore \overline{AD}=\frac{\sqrt{57}}{3}\ (\because \overline{AD}>0)$

답 ③

1200

그림과 같이 삼각형 ABC의 변 BC 위에 점 D를 잡을 때, $\overline{AD}$의 길이를 구하시오.

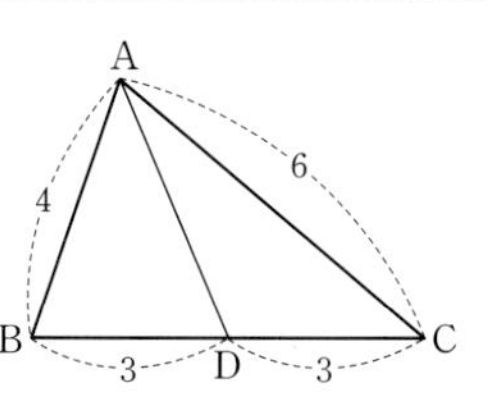

△ABC에서 코사인법칙에 의하여

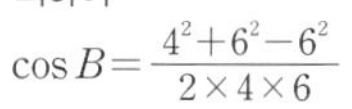
$\cos B=\frac{4^2+6^2-6^2}{2\times4\times6}$

삼각형 ABC에서 코사인법칙을 적용하면

$\cos B=\frac{4^2+6^2-6^2}{2\times4\times6}=\frac{1}{3}$

삼각형 ABD에서 코사인법칙을 적용하면

$\overline{AD}^2=4^2+3^2-2\times4\times3\times\cos B$

$=4^2+3^2-2\times4\times3\times\frac{1}{3}=17$

$\therefore \overline{AD}=\sqrt{17}$

답 $\sqrt{17}$

1201

그림과 같이 가로의 길이, 세로의 길이, 높이가 각각 4, 2, 1인 직육면체가 있다. 두 선분 AF와 FH가 이루는 각의 크기를 θ라 할 때, $\cos\theta$의 값을 구하시오.

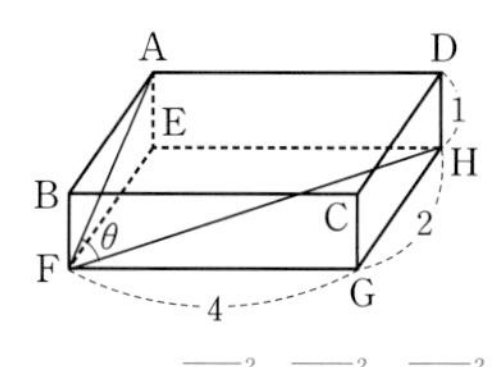

△AFH에서 코사인법칙에 의하여 $\cos\theta=\frac{\overline{AF}^2+\overline{FH}^2-\overline{AH}^2}{2\times\overline{AF}\times\overline{FH}}$

삼각형 AFH에서

$\overline{AF}=\sqrt{\overline{AB}^2+\overline{BF}^2}=\sqrt{2^2+1^2}=\sqrt{5}$

$\overline{FH}=\sqrt{\overline{FG}^2+\overline{GH}^2}=\sqrt{4^2+2^2}=2\sqrt{5}$

$\overline{AH}=\sqrt{\overline{AE}^2+\overline{EH}^2}=\sqrt{1^2+4^2}=\sqrt{17}$

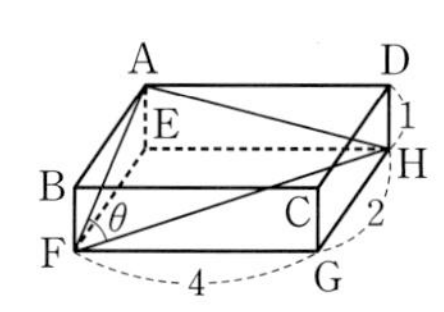

코사인법칙에 의하여

$$\cos\theta=\frac{(\sqrt{5})^2+(2\sqrt{5})^2-(\sqrt{17})^2}{2\times\sqrt{5}\times2\sqrt{5}}$$

$=\frac{8}{20}=\frac{2}{5}$

답 $\frac{2}{5}$

1202

그림과 같이 한 변의 길이가 3인 정사각형 ABCD가 있다. $\overline{AD}$를 1 : 2로 내분하는 점을 E, $\overline{CD}$를 1 : 2로 내분하는 점을 F라 하자. $\angle BEF=\theta$라 할 때, $\sin\theta$의 값은?

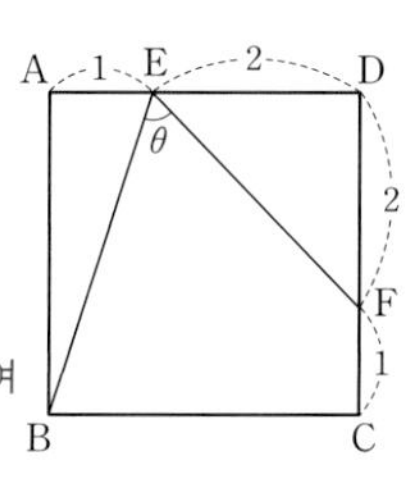

△BEF에서 코사인법칙에 의하여 $\cos\theta=\frac{\overline{BE}^2+\overline{EF}^2-\overline{BF}^2}{2\times\overline{BE}\times\overline{EF}}$

$\overline{BE}=\sqrt{3^2+1^2}=\sqrt{10}$

$\overline{BF}=\sqrt{3^2+1^2}=\sqrt{10}$

$\overline{EF}=\sqrt{2^2+2^2}=2\sqrt{2}$

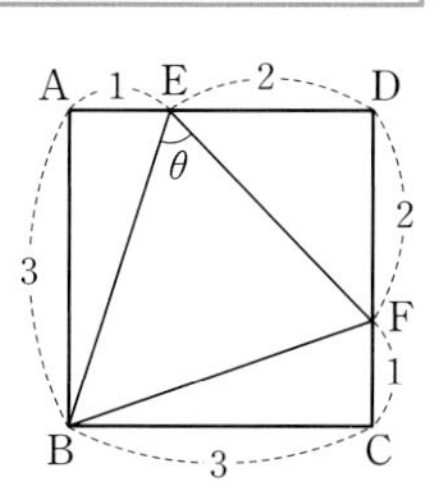

$\angle BEF=\theta$이므로 코사인법칙에 의하여

$$\cos\theta=\frac{(\sqrt{10})^2+(2\sqrt{2})^2-(\sqrt{10})^2}{2\times\sqrt{10}\times2\sqrt{2}}$$

$=\frac{1}{\sqrt{5}}$

$\therefore \sin\theta=\sqrt{1-\cos^2\theta}\ (\because \sin\theta>0)$

$=\sqrt{1-\left(\frac{1}{\sqrt{5}}\right)^2}=\frac{2\sqrt{5}}{5}$ 답 ⑤

1203

> 삼각형 ABC에서 $\sin A:\sin B:\sin C=4:5:6$일 때, $\sin A$의 값을 구하시오.
> → $a=4k,\ b=5k,\ c=6k$라 하면 $\cos A=\frac{(5k)^2+(6k)^2-(4k)^2}{2\times5k\times6k}$

사인법칙에 의하여

$\sin A:\sin B:\sin C=a:b:c$

$=4:5:6$

이므로 $a=4k,\ b=5k,\ c=6k\ (k>0)$라 하면

코사인법칙에 의하여

$\cos A=\frac{b^2+c^2-a^2}{2bc}$

$=\frac{(5k)^2+(6k)^2-(4k)^2}{2\times5k\times6k}$

$=\frac{3}{4}$

$0^\circ<\angle A<180^\circ$이므로

$\sin A=\sqrt{1-\cos^2 A}=\sqrt{1-\left(\frac{3}{4}\right)^2}=\frac{\sqrt{7}}{4}$ 답 $\frac{\sqrt{7}}{4}$

1204

> 세 변의 길이가 각각 4, 5, 6인 삼각형의 외접원의 반지름의 길이를 구하시오.
> → 길이가 각각 4, 5인 두 변 사이의 끼인각의 크기를 θ라 하면 $\cos\theta=\frac{4^2+5^2-6^2}{2\times4\times5}$

삼각형에서 변의 길이가 각각 4, 5인 두 변 사이에 끼인각의 크기를 θ라 하면 코사인법칙에 의하여

$\cos\theta=\frac{4^2+5^2-6^2}{2\times4\times5}=\frac{1}{8}$

$\cos\theta>0$이므로 $0^\circ<\theta<90^\circ$이고 $\sin\theta>0$이다.

$\therefore \sin\theta=\sqrt{1-\cos^2\theta}=\sqrt{1-\left(\frac{1}{8}\right)^2}=\frac{3\sqrt{7}}{8}$

이때, 외접원의 반지름의 길이를 R라 하면 사인법칙에 의하여

$\frac{6}{\frac{3\sqrt{7}}{8}}=2R$

$\therefore R=\frac{16}{\sqrt{7}}\times\frac{1}{2}=\frac{8}{\sqrt{7}}=\frac{8\sqrt{7}}{7}$ 답 $\frac{8\sqrt{7}}{7}$

1205

> 그림과 같이 $\angle A=60^\circ$, $\overline{AB}=5$, $\overline{AC}=4$인 $\triangle ABC$의 외접원의 반지름의 길이 R를 구하시오.

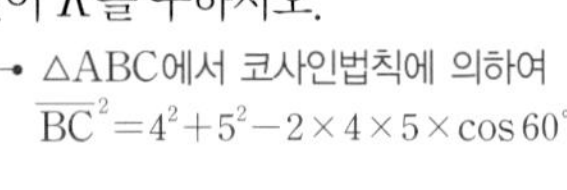

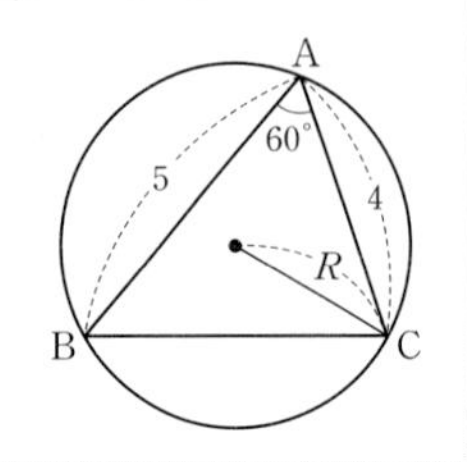

$\triangle ABC$에서 코사인법칙에 의하여

$\overline{BC}^2=4^2+5^2-2\times4\times5\times\cos60^\circ$

$=16+25-40\times\frac{1}{2}=21$

$\therefore \overline{BC}=\sqrt{21}\ (\because \overline{BC}>0)$

따라서 $\triangle ABC$의 외접원의 반지름의 길이 R는 사인법칙에 의하여

$\frac{\sqrt{21}}{\sin60^\circ}=2R$

$\therefore R=\frac{\sqrt{21}}{2\sin60^\circ}=\frac{\sqrt{21}}{2\times\frac{\sqrt{3}}{2}}=\sqrt{7}$ 답 $\sqrt{7}$

1206

코사인법칙에 의하여 $\overline{AB}^2=5^2+8^2-2\times5\times8\times\cos C$

> 예각삼각형 ABC에서 $\overline{BC}=5$, $\overline{CA}=8$이고 넓이가 12일 때, 삼각형 ABC의 외접원의 반지름의 길이는? $\frac{1}{2}\times5\times8\times\sin C=12$

$\triangle ABC$의 넓이가 12이므로

$\frac{1}{2}\times5\times8\times\sin C=12$

$\therefore \sin C=\frac{3}{5}$

$\triangle ABC$가 예각삼각형이므로

$\cos C=\sqrt{1-\left(\frac{3}{5}\right)^2}=\frac{4}{5}$

코사인법칙에 의하여

$\overline{AB}^2=5^2+8^2-2\times5\times8\times\cos C$

$=89-80\times\frac{4}{5}$

$=25$

$\therefore \overline{AB}=5\ (\because \overline{AB}>0)$

$\triangle ABC$의 외접원의 반지름의 길이를 R라 하면

$\frac{\overline{AB}}{\sin C}=2R$에서

$R=\frac{\overline{AB}}{2\sin C}=\frac{5}{2\times\frac{3}{5}}=\frac{25}{6}$ 답 ③

1207

→ 코사인법칙에 의하여 $\overline{BC}^2=6^2+2^2-2\times6\times2\times\cos\frac{\pi}{3}$

> 그림과 같이 $\overline{AB}=6$, $\overline{AC}=2$, $\angle A=\frac{\pi}{3}$인 $\triangle ABC$의 선분 AB 위에 중심이 있는 서로 외접하는 두 원을 각각 O_1, O_2라 하자. 점 A, C는 원 O_1 위에, 점 B는 원 O_2 위에 있다. $\triangle ABC$의 외접원의 반지름의 길이를 R, 원 O_1의 반지름의 길이를 r_1, 원 O_2의 반지름의 길이를 r_2라 할 때, $3R^2+{r_1}^2+{r_2}^2$의 값을 구하시오.

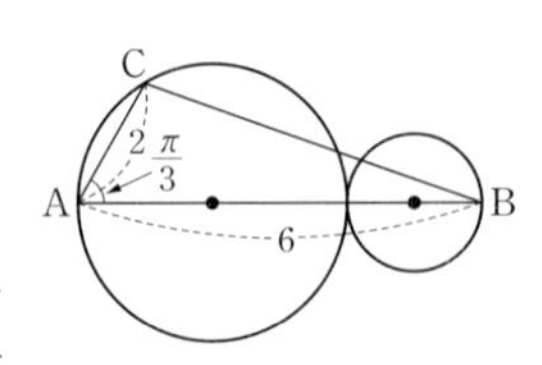

코사인법칙에 의하여

$\overline{BC}^2=6^2+2^2-2\times6\times2\times\cos\frac{\pi}{3}=28$이므로 $\overline{BC}=2\sqrt{7}$

사인법칙에 의하여 $\frac{\overline{BC}}{\sin A}=2R$에서 $R=\frac{2}{3}\sqrt{21}$

원 O_1의 중심을 P라 하면 $\overline{PA}=\overline{PC}=r_1$, $A=\frac{\pi}{3}$

$\triangle$APC는 정삼각형이므로 $r_1=2$

$\overline{AB}=2r_1+2r_2=6$이므로 $r_2=1$

$\therefore 3R^2+r_1^2+r_2^2=33$

답 33

1208

그림과 같이 삼각형 ABC의 두 꼭짓점 A, B를 각각 중심으로 하고, 반지름의 길이가 같은 두 원이 외접하고 있다. $\angle B=\frac{\pi}{3}$, $\overline{AC}=2\sqrt{6}$, $\overline{CD}=2\sqrt{3}$일 때, 색칠한 두 부채꼴의 넓이의 합을 구하시오.

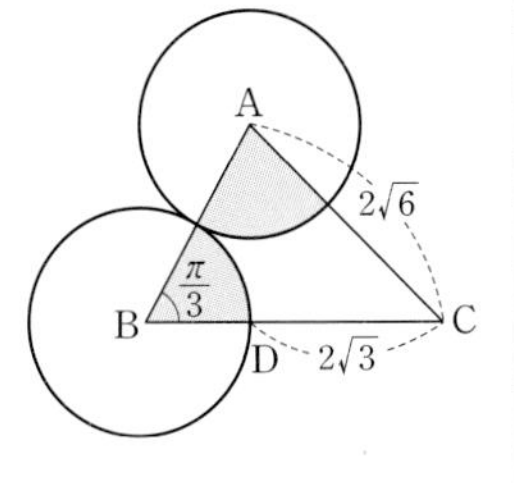

• 원의 반지름의 길이를 r라 하면 $(2\sqrt{6})^2=(2r)^2+(r+2\sqrt{3})^2-2\times 2r\times(r+2\sqrt{3})\times\cos\frac{\pi}{3}$

원의 반지름의 길이를 r라 하면 삼각형 ABC에서 코사인법칙에 의하여

$(2\sqrt{6})^2=(2r)^2+(r+2\sqrt{3})^2-2\times 2r\times(r+2\sqrt{3})\times\cos\frac{\pi}{3}$

$\therefore r=2$ ($\because r>0$)

삼각형 ABC에서 사인법칙에 의하여

$\frac{2\sqrt{6}}{\sin\frac{\pi}{3}}=\frac{4}{\sin C}$, $2\sqrt{6}\sin C=4\times\frac{\sqrt{3}}{2}$

$\sin C=\frac{1}{\sqrt{2}}$ $\quad\therefore \angle C=\frac{\pi}{4}$

$\angle A=\pi-\left(\frac{\pi}{3}+\frac{\pi}{4}\right)=\frac{5}{12}\pi$이므로 구하는 부분의 넓이의 합은

$\frac{1}{2}\times 2^2\times\frac{\pi}{3}+\frac{1}{2}\times 2^2\times\frac{5}{12}\pi=\frac{3}{2}\pi$

답 $\frac{3}{2}\pi$

1209

$\triangle$ABC에서 $\overline{BC}=a$, $\overline{CA}=b$, $\overline{AB}=c$라 할 때, $a\cos B=b\cos A$가 성립하면 $\triangle$ABC는 어떤 삼각형인가?

• $a\times\frac{c^2+a^2-b^2}{2ca}=b\times\frac{b^2+c^2-a^2}{2bc}$이다.

코사인법칙의 변형에 의하여

$\cos A=\frac{b^2+c^2-a^2}{2bc}$, $\cos B=\frac{c^2+a^2-b^2}{2ca}$

이를 주어진 식 $a\cos B=b\cos A$에 대입하면

$a\times\frac{c^2+a^2-b^2}{2ca}=b\times\frac{b^2+c^2-a^2}{2bc}$

$\frac{c^2+a^2-b^2}{2c}=\frac{b^2+c^2-a^2}{2c}$

$c^2+a^2-b^2=b^2+c^2-a^2$

$a^2=b^2$ $\quad\therefore a=b$ ($\because a>0, b>0$)

따라서 $\triangle$ABC는 $a=b$인 이등변삼각형이다.

답 ①

1210

• $\sin A=\frac{a}{2R}$, $\cos B=\frac{a^2+c^2-b^2}{2ac}$, $\sin C=\frac{c}{2R}$임을 이용하자.

$2\sin A\cos B=\sin C$를 만족하는 삼각형 ABC는 어떤 삼각형인지 세 변의 길이 a, b, c를 이용하여 표현하시오.

$\sin A=\frac{a}{2R}$, $\cos B=\frac{a^2+c^2-b^2}{2ac}$, $\sin C=\frac{c}{2R}$이므로

$2\sin A\cos B=\sin C$에서

$2\times\frac{a}{2R}\times\frac{a^2+c^2-b^2}{2ac}=\frac{c}{2R}$

$a^2-b^2=0$

즉 $a=b$이다.

따라서 $a=b$인 이등변삼각형이다.

답 $a=b$인 이등변삼각형

1211

• $\cos C=\frac{a^2+b^2-c^2}{2ab}$, $\cos B=\frac{c^2+a^2-b^2}{2ca}$임을 이용하자.

삼각형 ABC에서 $b\cos C-c\cos B=a$가 성립하는 삼각형은 어떤 삼각형인가?

(단, 세 변 BC, CA, AB의 길이를 각각 a, b, c라 한다.)

삼각형 ABC에서 코사인법칙에 의하여

$\cos C=\frac{a^2+b^2-c^2}{2ab}$, $\cos B=\frac{c^2+a^2-b^2}{2ca}$

이것을 $b\cos C-c\cos B=a$에 대입하면

$b\times\frac{a^2+b^2-c^2}{2ab}-c\times\frac{c^2+a^2-b^2}{2ca}=a$

$b^2-c^2=a^2$ $\quad\therefore b^2=a^2+c^2$

따라서 삼각형 ABC는 $\angle B=90^\circ$인 직각삼각형이다.

답 ④

1212

삼각형 ABC에서 $2\sin B\cos C+\sin C=\sin A+\sin B$가 성립하면 이 삼각형은 어떤 삼각형인가?

• $\sin A=\frac{a}{2R}$, $\sin B=\frac{b}{2R}$, $\sin C=\frac{c}{2R}$, $\cos C=\frac{a^2+b^2-c^2}{2ab}$임을 이용하자.

삼각형 ABC에서 $\overline{AB}=c$, $\overline{BC}=a$, $\overline{AC}=b$라 하면 사인법칙에 의하여

$\sin A=\frac{a}{2R}$, $\sin B=\frac{b}{2R}$, $\sin C=\frac{c}{2R}$

(단, R는 외접원의 반지름의 길이이다.)

코사인법칙에 의하여

$\cos C=\frac{a^2+b^2-c^2}{2ab}$

이것을 $2\sin B\cos C+\sin C=\sin A+\sin B$에 대입하면

$2\times\frac{b}{2R}\times\frac{a^2+b^2-c^2}{2ab}+\frac{c}{2R}=\frac{a}{2R}+\frac{b}{2R}$

$a^2+b^2-c^2+ac=a^2+ab$

$b^2-c^2+ac-ab=0$

$(b+c)(b-c)-a(b-c)=0$

$(b+c-a)(b-c)=0$

$b+c>a$이므로 $b=c$ $\quad\therefore \overline{AC}=\overline{AB}$

따라서 삼각형 ABC는 $\overline{AB}=\overline{AC}$인 이등변삼각형이다.

답 ①

1213

> $\overline{BC}=a$, $\overline{CA}=b$, $\overline{AB}=c$인 삼각형 ABC의 넓이 S에 대하여 $2S=a^2\sin B\cos B$가 성립할 때, △ABC는 어떤 삼각형인가?
>
> → $S=\frac{1}{2}ac\sin B$이므로 $2S=ac\sin B$

$S=\frac{1}{2}ac\sin B$이므로

$2S=ac\sin B$

이를 주어진 식 $2S=a^2\sin B\cos B$에 대입하면

$ac\sin B=a^2\sin B\cos B$

이때, $a>0$이고, $0°<B<180°$에서 $\sin B>0$이므로

$c=a\cos B$

코사인법칙의 변형에 의하여 $\cos B=\frac{a^2+c^2-b^2}{2ac}$이므로

$c=a\times\frac{a^2+c^2-b^2}{2ac}$

$=\frac{a^2+c^2-b^2}{2c}$

$2c^2=a^2+c^2-b^2$

$\therefore a^2=b^2+c^2$

따라서 △ABC는 $A=90°$인 직각삼각형이다. 답 ①

1214

> 직접 거리를 측정할 수 없는 두 건물 A, B 사이의 거리를 알아보기 위하여 그림과 같이 C지점에서 측정한 결과 $\overline{AC}=2$km, $\overline{BC}=3$km, $\angle ACB=60°$이었다. 두 건물 A, B 사이의 거리를 구하시오. (단, $\sqrt{7}≒2.646$)
>
> 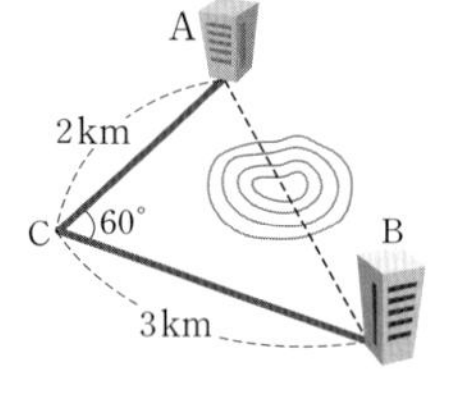
>
>
> → △ABC에서 코사인법칙에 의하여 $\overline{AB}^2=2^2+3^2-2\times2\times3\times\cos60°$

코사인법칙에 의하여

$\overline{AB}^2=\overline{AC}^2+\overline{BC}^2-2\times\overline{AC}\times\overline{BC}\times\cos C$

$=2^2+3^2-2\times2\times3\times\cos60°$

$=13-12\times\frac{1}{2}=7$

$\therefore \overline{AB}=\sqrt{7}$ ($\because \overline{AB}>0$)

따라서 두 건물 A, B 사이의 거리는 약 2.646 km이다.

답 2.646 km

1215

> 어느 고고학자가 원형으로 추정되는 깨진 손거울을 발견하였다. 이 손거울의 세 지점 A, B, C를 그림과 같이 정하여 각 지점 사이의 거리를 재었더니 4, 3, 2이었다. 이때, 손거울의 반지름의 길이를 구하시오.
>
> 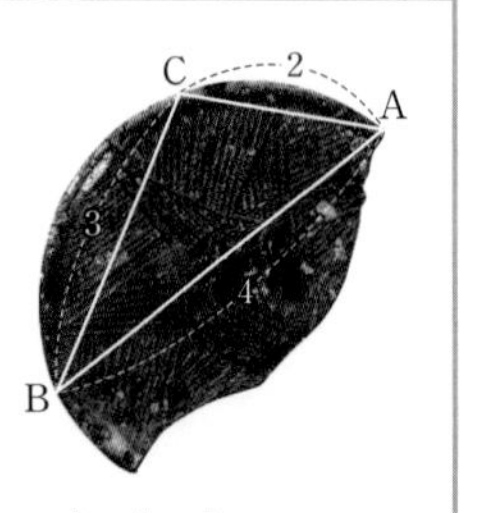
>
>
> → △ABC에서 코사인법칙에 의하여 $\cos C=\frac{3^2+2^2-4^2}{2\times3\times2}$

△ABC에서 코사인법칙에 의하여

$\cos C=\frac{a^2+b^2-c^2}{2ab}=\frac{9+4-16}{2\times3\times2}=-\frac{1}{4}$

$\therefore \sin C=\sqrt{1-\cos^2 C}$ ($\because 0°<C<180°$)

$=\sqrt{1-\left(-\frac{1}{4}\right)^2}$

$=\frac{\sqrt{15}}{4}$

△ABC의 외접원의 반지름의 길이를 R라 하면 사인법칙에 의하여

$R=\frac{c}{2\sin C}=\frac{4}{2\times\frac{\sqrt{15}}{4}}=\frac{8}{\sqrt{15}}=\frac{8\sqrt{15}}{15}$

따라서 손거울의 반지름의 길이는 $\frac{8\sqrt{15}}{15}$이다. 답 $\frac{8\sqrt{15}}{15}$

1216

> → $(2\sqrt{3})^2=3^2+x^2-2\times3\times x\times\cos60°$
>
> 어떤 사람이 동쪽으로 x km를 가다가 왼쪽으로 120° 회전하여 3 km를 갔다고 할 때, 도착 지점이 출발 지점에서 직선 거리로 $2\sqrt{3}$ km라 하면 x의 값은?

그림과 같은 삼각형에서 코사인법칙을 이용하면

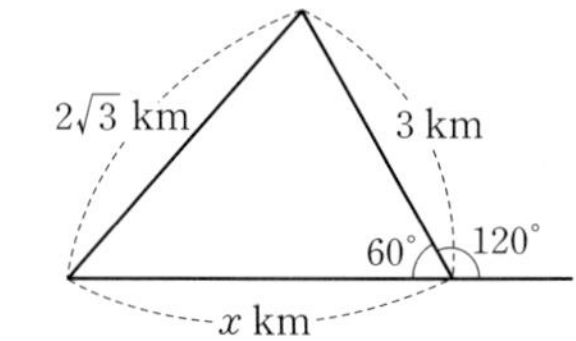

$(2\sqrt{3})^2=3^2+x^2$
$-2\times3\times x\times\cos60°$

$12=9+x^2-3x$

$x^2-3x-3=0$

$\therefore x=\frac{3+\sqrt{21}}{2}$ ($\because x>0$) 답 ②

1217

> → $\angle BAC=120°$
>
> 그림과 같이 A지점에서 60°의 각도를 이루며 교차하는 두 도로변에 건물이 있다. 두 지점 A, B 사이의 거리는 300 m, 두 지점 A, C 사이의 거리는 100 m일 때, 두 지점 B, C 사이의 거리를 구하시오.
>
> 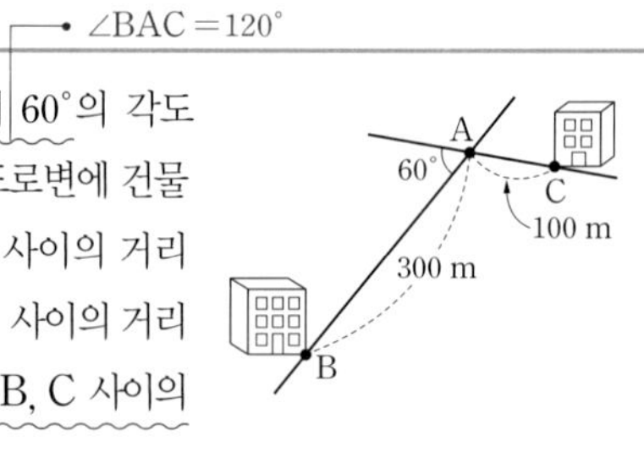
>
>
> → 코사인법칙에 의하여 $\overline{BC}^2=300^2+100^2-2\times300\times100\times\cos120°$

삼각형 ABC에서 $\angle BAC=120°$이므로 코사인법칙에 의하여

$\overline{BC}^2=300^2+100^2-2\times300\times100$
$\times\cos120°$

$=300^2+100^2-2\times300\times100$
$\times\left(-\frac{1}{2}\right)$

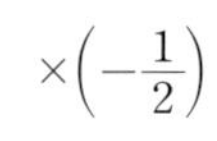

$=90000+10000+30000$

$=130000$

$\therefore \overline{BC}=100\sqrt{13}$ ($\because \overline{BC}>0$)

따라서 두 지점 B, C 사이의 거리는 $100\sqrt{13}$ m이다.

답 $100\sqrt{13}$ m

1218

그림과 같이 원 모양의 호수의 가장 자리에 세 지점 A, B, C가 있다.
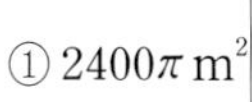
$\overline{AB}=80\,m$, $\overline{AC}=100\,m$,

$\angle CAB=60^\circ$일 때, 이 호수의 넓이는?

① $2400\pi\,m^2$ ② $2500\pi\,m^2$
③ $2600\pi\,m^2$ ④ $2700\pi\,m^2$
⑤ $2800\pi\,m^2$

코사인법칙에 의하여 $\overline{BC}^2=\overline{AB}^2+\overline{AC}^2-2\times\overline{AB}\times\overline{AC}\times\cos A$

삼각형 ABC에서 코사인법칙에 의하여

$\overline{BC}^2=\overline{AB}^2+\overline{AC}^2-2\times\overline{AB}\times\overline{AC}\times\cos A$
$=80^2+100^2-2\times80\times100\times\cos60^\circ$
$=16400-16000\times\dfrac{1}{2}$
$=8400$

$\therefore \overline{BC}=\sqrt{8400}$ ($\because \overline{BC}>0$)

호수의 반지름의 길이를 R m라 하면

사인법칙에 의하여

$\dfrac{\overline{BC}}{\sin60^\circ}=2R$

$\therefore R=\dfrac{\sqrt{8400}}{\sqrt{3}}=\sqrt{2800}$

따라서 호수의 넓이는 $\pi R^2=2800\pi(m^2)$ 답 ⑤

1219

그림과 같이 밑면의 반지름의 길이가 2, 모선의 길이가 6, 꼭짓점이 O인 직원뿔에 대하여 밑면의 지름의 양 끝을 A, B라 하고 $\overline{OA}$의 중점을 A′라 하자. 점 P가 점 B에서부터 직원뿔의 옆면을 따라 점 A′까지 움직인 최단거리는?

직원뿔의 전개도에서 부채꼴의 호의 길이는 직원뿔 밑면의 원의 둘레의 길이와 같다.

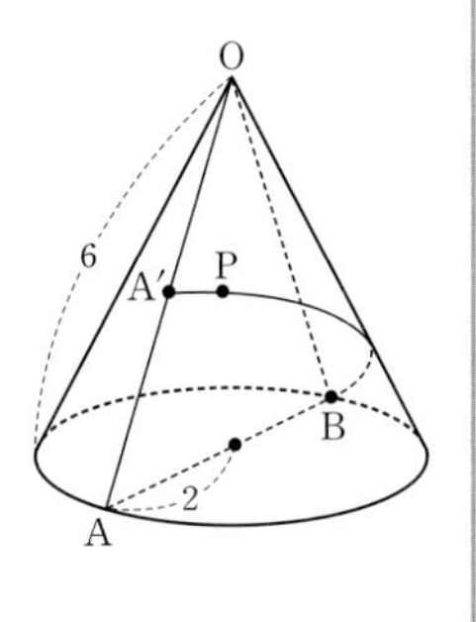

직원뿔의 전개도에서
(부채꼴의 호의 길이)
=(직원뿔 밑면의 원의 둘레의 길이)
$=4\pi$
부채꼴의 중심각의 크기는
$\dfrac{4\pi}{6}=\dfrac{2}{3}\pi$이므로 $\angle AOB=\dfrac{\pi}{3}$
점 P가 움직인 최단거리는 $\overline{A'B}$
$\triangle OA'B$에서 코사인법칙을 이용하면
$\overline{A'B}^2=3^2+6^2-2\times3\times6\times\cos\dfrac{\pi}{3}=27$
$\therefore \overline{A'B}=3\sqrt{3}$ 답 ③

1220

$\triangle ABC$에서 $a=4$, $c=8$, $\angle B=150^\circ$일 때, 삼각형의 넓이를 구하시오.

삼각형의 넓이 공식 $S=\dfrac{1}{2}ab\sin C$를 이용하자.

$S=\dfrac{1}{2}\times a\times c\times\sin B$
$=\dfrac{1}{2}\times4\times8\times\sin150^\circ$
$=16\times\sin30^\circ=8$ 답 8

1221

삼각형 ABC에서 $\cos A=\dfrac{3}{5}$이고 $\overline{CA}=6$, $\overline{AB}=10$일 때, 삼각형 ABC의 넓이를 구하시오.

$\sin^2 A=1-\cos^2 A$임을 이용하자.

$\cos A=\dfrac{3}{5}$이므로
$\sin^2 A=1-\cos^2 A$
$=1-\dfrac{9}{25}=\dfrac{16}{25}$

$0^\circ<\angle A<180^\circ$이므로 $\sin A>0$
$\therefore \sin A=\dfrac{4}{5}$

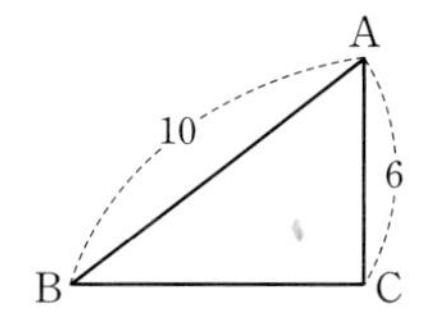

따라서 삼각형 ABC의 넓이는
$\dfrac{1}{2}\times\overline{CA}\times\overline{AB}\times\sin A$
$=\dfrac{1}{2}\times6\times10\times\dfrac{4}{5}=24$ 답 24

1222

$\triangle ABC$에서 $\overline{BC}=4$, $\angle B=30^\circ$이고, 넓이가 3일 때, 선분 AB의 길이는?

$3=\dfrac{1}{2}\times\overline{AB}\times4\times\sin30^\circ$이다.

그림과 같은 $\triangle ABC$의 넓이는
$\dfrac{1}{2}\times\overline{AB}\times\overline{BC}\times\sin B$이므로
$\dfrac{1}{2}\times\overline{AB}\times4\times\sin30^\circ=3$
$\dfrac{1}{2}\times\overline{AB}\times4\times\dfrac{1}{2}=3$
$\therefore \overline{AB}=3$ 답 ②

1223

$50=\dfrac{1}{2}\times\overline{AB}\times\overline{BC}\times\sin\theta$

$\overline{AB}=15$이고 넓이가 50인 삼각형 ABC에 대하여 $\angle ABC=\theta$라 할 때 $\cos\theta=\dfrac{\sqrt{5}}{3}$이다. 선분 BC의 길이를 구하시오.

$\sin^2 A=1-\cos^2 A$임을 이용하자.

삼각형 ABC에서 $\cos\theta=\dfrac{\sqrt{5}}{3}$이므로

$\sin\theta=\sqrt{1-\cos^2\theta}=\sqrt{1-\left(\frac{\sqrt{5}}{3}\right)^2}=\frac{2}{3}$

$\overline{AB}=15$이고 삼각형 ABC의 넓이가 50이므로

$50=\frac{1}{2}\times\overline{AB}\times\overline{BC}\times\sin\theta$

$=\frac{1}{2}\times15\times\overline{BC}\times\frac{2}{3}$

$=5\times\overline{BC}$

따라서 $\overline{BC}=10$

답 10

1224

그림에서 색칠한 부분인 활꼴의 넓이는?

부채꼴의 넓이에서 삼각형의 넓이를 빼자.

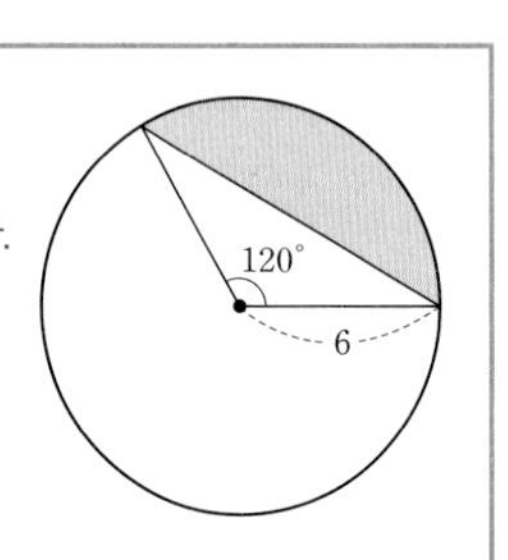

① $12\pi-6\sqrt{3}$ ② $12\pi-9\sqrt{3}$
③ $8\pi-6\sqrt{3}$ ④ $8\pi-9\sqrt{3}$
⑤ $6\pi+9\sqrt{3}$

그림에서 부채꼴 ABC의 넓이를 S라 하면

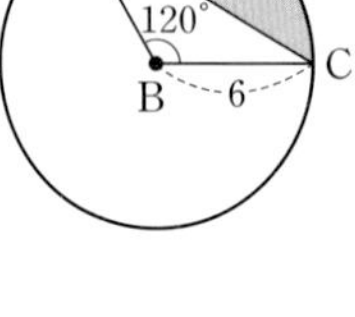

$S=\frac{1}{2}\times6^2\times\frac{2}{3}\pi=12\pi$

또, △ABC의 넓이를 S'이라 하면

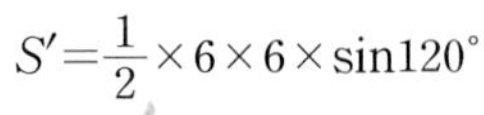

$S'=\frac{1}{2}\times6\times6\times\sin120°$

$=18\times\frac{\sqrt{3}}{2}=9\sqrt{3}$

따라서 구하는 활꼴의 넓이는

$S-S'=12\pi-9\sqrt{3}$

답 ②

1225

그림과 같은 삼각형 ABC에서 $\overline{AB}=4$, $\overline{AC}=6$, $\angle A=60°$이고 선분 AD는 ∠A의 이등분선일 때, 선분 AD의 길이는?

A, B, D, C, 4, 6

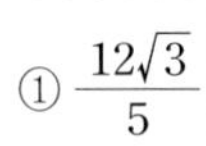

① $\frac{12\sqrt{3}}{5}$ ② $\frac{14\sqrt{3}}{5}$

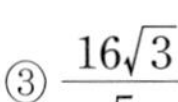

③ $\frac{16\sqrt{3}}{5}$ ④ $\frac{12\sqrt{6}}{5}$

⑤ $\frac{14\sqrt{6}}{5}$

△ABC=△ABD+△ADC임을 이용하자.

$\overline{AD}=x$라 하면 △ABC=△ABD+△ADC이므로

$\frac{1}{2}\times4\times6\times\sin60°=\frac{1}{2}\times4x\times\sin30°+\frac{1}{2}\times6x\times\sin30°$

$6\sqrt{3}=x+\frac{3}{2}x$, $5x=12\sqrt{3}$

$\therefore x=\frac{12\sqrt{3}}{5}$

답 ①

1226

$\triangle APQ=\frac{1}{2}\times\overline{AP}\times\overline{AQ}\times\sin A$

그림과 같이 넓이가 9인 △ABC에서 $\overline{AB}$를 2 : 1로 내분하는 점을 P, $\overline{AC}$를 1 : 2로 내분하는 점을 Q라 할 때, 삼각형 APQ의 넓이는?

A, Q, P, B, C

① 1 ② 2
③ 3 ④ 4
⑤ 5

$\triangle APQ=\frac{1}{2}\times\overline{AP}\times\overline{AQ}\times\sin A$

$=\frac{1}{2}\times\frac{2}{3}\overline{AB}\times\frac{1}{3}\overline{AC}\times\sin A$

$=\frac{1}{9}\times\overline{AB}\times\overline{AC}\times\sin A$

$=\frac{2}{9}\times\frac{1}{2}\times\overline{AB}\times\overline{AC}\times\sin A$

$=\frac{2}{9}\times\triangle ABC$

$=\frac{2}{9}\times9=2$

답 ②

1227

$\angle CAD=45°$

그림과 같이 사각형 ABCD에서 $\overline{BC}=3$, $\overline{CD}=4$, $\angle BCA=30°$, $\angle ACD=75°$, $\angle CDA=60°$일 때, 삼각형 ABC의 넓이를 구하시오.

△ACD에서 사인법칙에 의하여 $\frac{\overline{AC}}{\sin60°}=\frac{4}{\sin45°}$이다.

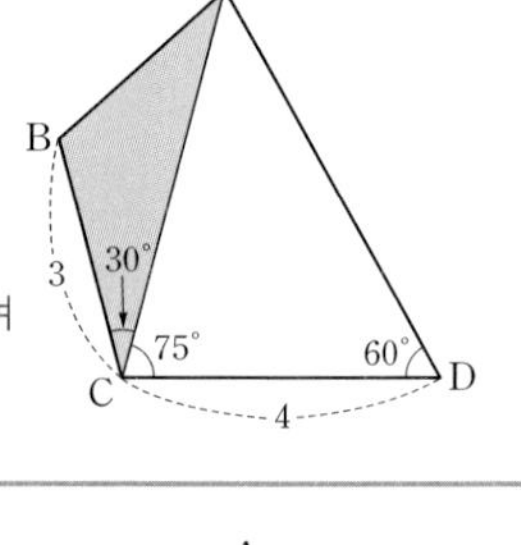

$\angle CAD=180°-(75°+60°)$

$=45°$

△ACD에서 사인법칙에 의하여

$\frac{\overline{AC}}{\sin60°}=\frac{4}{\sin45°}$

$\therefore \overline{AC}=\frac{4\sin60°}{\sin45°}$

$=\frac{4\times\frac{\sqrt{3}}{2}}{\frac{\sqrt{2}}{2}}$

$=2\sqrt{6}$

A, 45°, B, 3, 30°, 75°, 60°, C, D, 4

따라서 △ABC의 넓이 S는

$S=\frac{1}{2}\times\overline{BC}\times\overline{AC}\times\sin30°$

$=\frac{1}{2}\times3\times2\sqrt{6}\times\frac{1}{2}$

$=\frac{3\sqrt{6}}{2}$

답 $\frac{3\sqrt{6}}{2}$

1228

그림에서 $\overline{A'B}=4\overline{AB}$, $2\overline{BC'}=\overline{C'C}$일 때, 삼각형 A′BC′의 넓이는 삼각형 ABC의 넓이의 몇 배인지 구하시오.

$\triangle A'BC'=\frac{1}{2}\times\overline{A'B}\times\overline{BC'}\times\sin B$ 임을 이용하자.

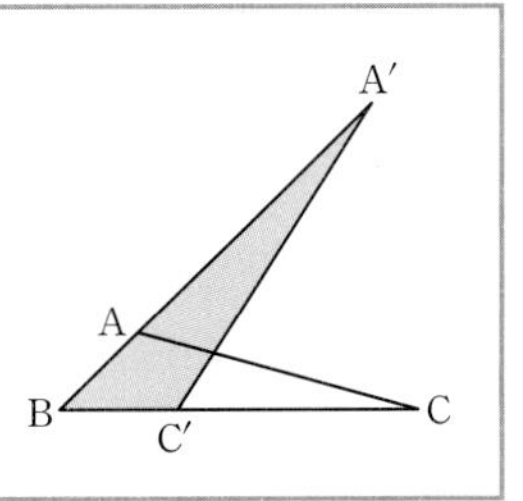

$\triangle A'BC'=\frac{1}{2}\times\overline{A'B}\times\overline{BC'}\times\sin B$

$=\frac{1}{2}\times4\overline{AB}\times\frac{1}{3}\overline{BC}\times\sin B$

$=\frac{2}{3}\times\overline{AB}\times\overline{BC}\times\sin B$

$=\frac{4}{3}\left(\frac{1}{2}\times\overline{AB}\times\overline{BC}\times\sin B\right)$

$=\frac{4}{3}\times\triangle ABC$

따라서 삼각형 A′BC′의 넓이는 삼각형 ABC의 넓이의 $\frac{4}{3}$배이다.

답 $\frac{4}{3}$배

1229

그림과 같이 넓이가 90인 삼각형 ABC가 있다. 각 변 위의 점 L, M, N이 $\overline{AL}=2\overline{BL}$, $\overline{BM}=\overline{CM}$, $\overline{CN}=2\overline{AN}$을 만족할 때, 삼각형 LMN의 넓이를 구하시오.

△ALN, △BML, △CNM의 넓이를 $\overline{AB}$, $\overline{BC}$, $\overline{AC}$, A, B, C를 이용하여 구해 보자.

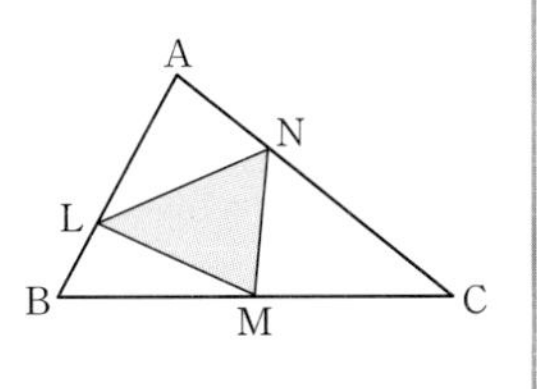

△ABC의 넓이를 S, $\overline{AB}=c$, $\overline{AC}=b$, $\overline{BC}=a$라 하면

$\triangle ALN=\frac{1}{2}\times\overline{AL}\times\overline{AN}\times\sin A$

$=\frac{1}{2}\times\frac{2c}{3}\times\frac{b}{3}\times\sin A$

$=\frac{2}{9}\times\left(\frac{1}{2}bc\sin A\right)$

$=\frac{2}{9}S$

$\triangle BML=\frac{1}{2}\times\overline{BL}\times\overline{BM}\times\sin B$

$=\frac{1}{2}\times\frac{c}{3}\times\frac{a}{2}\times\sin B$

$=\frac{1}{6}\times\left(\frac{1}{2}ac\sin B\right)$

$=\frac{1}{6}S$

$\triangle CNM=\frac{1}{2}\times\overline{CM}\times\overline{CN}\times\sin C$

$=\frac{1}{2}\times\frac{a}{2}\times\frac{2b}{3}\times\sin C$

$=\frac{1}{3}\times\left(\frac{1}{2}ab\sin C\right)$

$=\frac{1}{3}S$

$\therefore \triangle LMN=\triangle ABC-(\triangle ALN+\triangle BML+\triangle CNM)$

$=S-\left(\frac{2}{9}S+\frac{1}{6}S+\frac{1}{3}S\right)$

$=\frac{5}{18}S=\frac{5}{18}\times90=25$

답 25

1230

그림과 같이 $\overline{AB}=7$, $\overline{BC}=3$, $\angle C=120°$인 삼각형 ABC의 넓이를 구하시오.

$\overline{CA}$를 먼저 구한 후 삼각형의 넓이 공식 $S=\frac{1}{2}ab\sin C$를 이용하자.

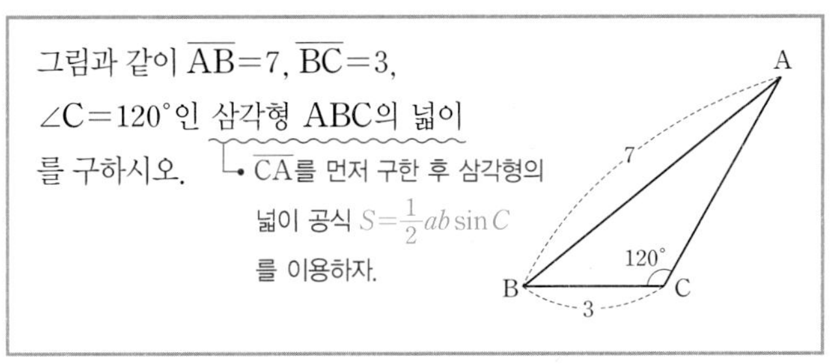

$\overline{CA}=b$라 하면 코사인법칙에 의하여

$7^2=3^2+b^2-2\times3\times b\times\cos120°$

$49=9+b^2-6b\times\left(-\frac{1}{2}\right)$

$b^2+3b-40=0$

$(b+8)(b-5)=0$

$\therefore b=5\ (\because b>0)$

따라서 △ABC의 넓이는

$\frac{1}{2}\times3\times5\times\sin120°=\frac{1}{2}\times3\times5\times\frac{\sqrt{3}}{2}$

$=\frac{15}{4}\sqrt{3}$

답 $\frac{15}{4}\sqrt{3}$

1231

그림과 같이 한 변의 길이가 1인 정삼각형 ABC에서 선분 AB의 연장선과 선분 AC의 연장선 위에 $\overline{AD}=\overline{CE}$가 되도록 두 점 D, E를 잡는다. $\overline{DE}=\sqrt{13}$일 때, 삼각형 BDE의 넓이는?

△ADE에서 코사인법칙을 이용하여 $\overline{AD}$의 길이를 먼저 구하자.

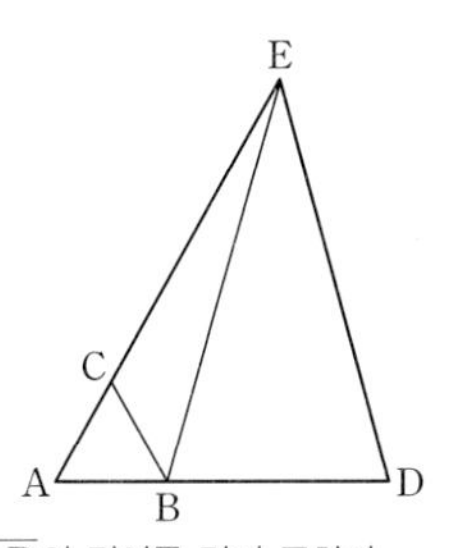

$\overline{AD}=\overline{CE}=a\ (a>0)$라 하면

삼각형 ADE에서 코사인법칙에 의하여

$(\sqrt{13})^2=a^2+(a+1)^2-2a(a+1)\cos\frac{\pi}{3}$

$a^2+a-12=0$, $(a+4)(a-3)=0$, $a=3$

(△ADE의 넓이)$=\frac{1}{2}\times4\times3\times\sin\frac{\pi}{3}=3\sqrt{3}$

(△ABE의 넓이)$=\frac{1}{2}\times4\times1\times\sin\frac{\pi}{3}=\sqrt{3}$

따라서

(△BDE의 넓이)=(△ADE의 넓이)−(△ABE의 넓이)

$=2\sqrt{3}$

답 ④

1232

> $\triangle$ABC에서 $\angle$A의 이등분선이 $\overline{BC}$와 만나는 점을 D라고 하자. $\overline{AB}=3$, $\overline{BD}=\sqrt{7}$이고 $\angle A=120^{\circ}$일 때, 삼각형 ABC의 넓이를 구하시오. (단, $\overline{BD}>\overline{CD}$)
>
> → $\triangle ABC=\triangle ABD+\triangle ADC$임을 이용하자.

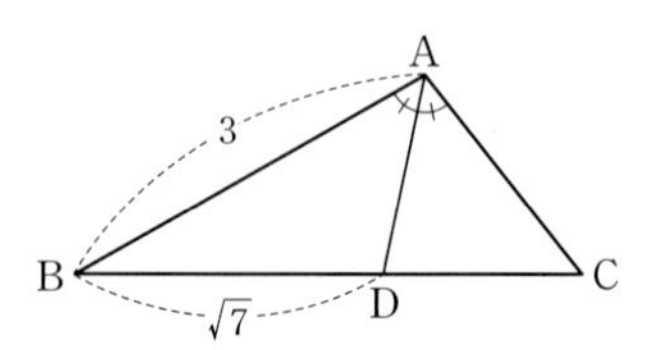

$\overline{AD}=x$라 하면

$\triangle ABC=\triangle ABD+\triangle ADC$

$\frac{1}{2}\times 3\times \overline{AC}=\frac{1}{2}\times 3\times x+\frac{1}{2}\times \overline{AC}\times x$

$3\overline{AC}=3x+\overline{AC}\times x$ ...... ㉠

삼각형 ABD에서

$7=9+x^2-2\times 3\times x\times \cos 60^{\circ}$

$x^2-3x+2=0$

$(x-1)(x-2)=0$

$\therefore x=1$ 또는 $x=2$

$\overline{AD}$가 각 A를 이등분하므로

$\overline{AB}:\overline{AC}=\overline{BD}:\overline{CD}$

$\overline{BD}>\overline{CD}$이므로 $\overline{AC}<3$

(i) $x=1$일 때, ㉠에 의해서

$3\overline{AC}=3+\overline{AC}$

$\overline{AC}=\frac{3}{2}$

(ii) $x=2$일 때, ㉠에 의해서

$3\overline{AC}=6+2\overline{AC}$

$\overline{AC}=6$ (모순)

(i), (ii)에서 $\overline{AC}=\frac{3}{2}$

삼각형 ABC의 넓이는

$\frac{1}{2}\times 3\times \frac{3}{2}\times \sin 120^{\circ}=\frac{9\sqrt{3}}{8}$

답 $\frac{9\sqrt{3}}{8}$

1233

> 그림과 같이 한 변의 길이가 6인 정삼각형 ABC를 접어 점 A가 변 BC 위의 점 D에 오도록 하였다. $\overline{BD}:\overline{DC}=2:1$일 때, 삼각형 BDF의 넓이를 구하시오.
>
> → $\overline{DF}=x$라 하고, $\triangle$BDF에서 코사인법칙을 이용하여 x의 값을 구하자.

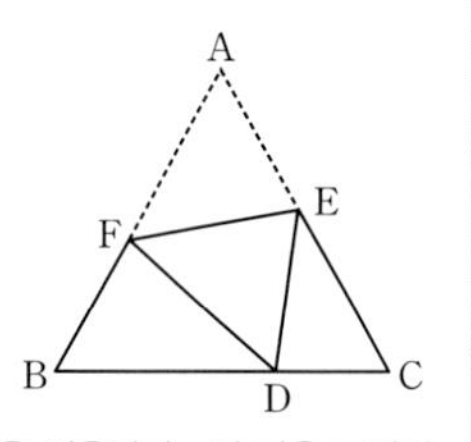

$\overline{BD}:\overline{DC}=2:1$이므로 $\overline{BD}=4$, $\overline{DC}=2$이다.

$\overline{DF}=x$라고 하면 $\overline{DF}=\overline{AF}$이므로 $\overline{BF}=6-x$

삼각형 BDF에서 $\angle FBD=\frac{\pi}{3}$이므로 코사인법칙에 의해

$x^2=4^2+(6-x)^2-2\times 4\times (6-x)\times \cos\frac{\pi}{3}$

$=16+x^2-12x+36-24+4x$

$=x^2-8x+28$

$8x=28$

$\therefore x=\frac{7}{2}$

따라서 $\overline{BF}=6-\frac{7}{2}=\frac{5}{2}$이므로

삼각형 BDF의 넓이는

$\frac{1}{2}\times 4\times \frac{5}{2}\times \sin\frac{\pi}{3}=\frac{5\sqrt{3}}{2}$

답 $\frac{5\sqrt{3}}{2}$

1234

→ $\overline{PF}$의 길이를 먼저 구하고, $\angle EPF=\pi-A$임을 이용하자.

> 그림과 같이 $\overline{AB}=6$, $\overline{BC}=4$, $\overline{CA}=5$인 삼각형 ABC의 내부의 한 점 P에서 세 변 BC, CA, AB에 내린 수선의 발을 각각 D, E, F라 한다. $\overline{PD}=\sqrt{7}$, $\overline{PE}=\frac{\sqrt{7}}{2}$일 때, 삼각형 EFP의 넓이는 $\frac{q}{p}\sqrt{7}$이다. $p+q$의 값을 구하시오. (단, p, q는 서로소인 자연수이다.)

$\triangle$ABC에서 $\cos A=\frac{6^2+5^2-4^2}{2\times 6\times 5}=\frac{3}{4}$이므로 $\sin A=\frac{\sqrt{7}}{4}$이다.

($\triangle$ABC의 넓이)$=\frac{1}{2}\times 6\times 5\times \frac{\sqrt{7}}{4}=\frac{15\sqrt{7}}{4}$

$\overline{PF}=x$라 하면

$\frac{15\sqrt{7}}{4}=\frac{1}{2}\left(6x+4\sqrt{7}+\frac{5\sqrt{7}}{2}\right)$ $\quad\therefore x=\frac{\sqrt{7}}{6}$

$\triangle EFP=\frac{1}{2}\times \frac{\sqrt{7}}{6}\times \frac{\sqrt{7}}{2}\sin(\pi-A)=\frac{7\sqrt{7}}{96}$

$\therefore p+q=103$

답 103

1235

> 원에 내접하는 $\square$ABCD에서 $\overline{AB}=5$, $\overline{BC}=3$, $\overline{AD}=2$, $\angle B=60^{\circ}$일 때, 사각형 ABCD의 넓이를 구하시오.
>
> → $\square ABCD=\triangle ABC+\triangle ACD$임을 이용하자.

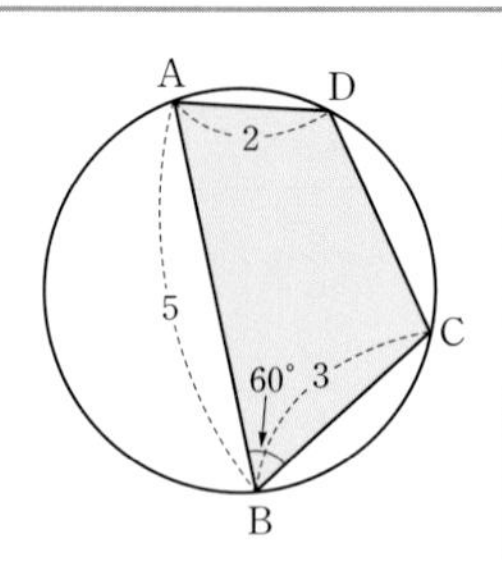

$\overline{AC}^2=\overline{AB}^2+\overline{BC}^2-2\times \overline{AB}\times \overline{BC}\times \cos 60^{\circ}$

$=25+9-2\times 5\times 3\times \frac{1}{2}=19$

$\angle B+\angle D=180^{\circ}$이므로 $\angle D=120^{\circ}$

$\overline{CD}=x$라 하면

$\overline{AC}^2=\overline{CD}^2+\overline{AD}^2-2\times \overline{CD}\times \overline{AD}\times \cos 120^{\circ}$

$19=x^2+4-2\times x\times 2\times \left(-\frac{1}{2}\right)$

$x^2+2x-15=0$

$(x+5)(x-3)=0$

$\therefore x=3$ ($\because x>0$)

따라서 $\square$ABCD의 넓이는

$\triangle ABC + \triangle ACD$

$= \frac{1}{2} \times 5 \times 3 \times \sin 60^\circ + \frac{1}{2} \times 2 \times 3 \times \sin 120^\circ$

$= \frac{15\sqrt{3}}{4} + \frac{6\sqrt{3}}{4}$

$= \frac{21\sqrt{3}}{4}$

답 $\frac{21\sqrt{3}}{4}$

1236

그림과 같은 사각형 ABCD의 넓이를 구하시오.

$\overline{AC}$의 길이, $\cos B$, $\sin B$의 순서로 구해 보자.

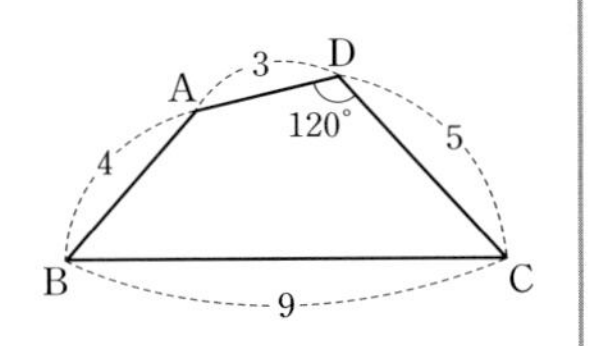

사각형 ABCD에서 $\square ABCD = \triangle ACD + \triangle ABC$

$\triangle ACD = \frac{1}{2} \times 3 \times 5 \times \sin 120^\circ$

$= \frac{15}{2} \times \frac{\sqrt{3}}{2}$

$= \frac{15\sqrt{3}}{4}$

$\triangle ACD$에서 코사인법칙에 의하여

$\overline{AC}^2 = 3^2 + 5^2 - 2 \times 3 \times 5 \times \cos 120^\circ$

$= 34 - 30 \times \left(-\frac{1}{2}\right)$

$= 49$

$\therefore \overline{AC} = 7 \ (\because \overline{AC} > 0)$

$\triangle ABC$에서 $\cos B = \frac{4^2 + 9^2 - 7^2}{2 \times 4 \times 9} = \frac{2}{3}$이므로

$\sin B = \sqrt{1 - \left(\frac{2}{3}\right)^2} = \frac{\sqrt{5}}{3}$

$\therefore \triangle ABC = \frac{1}{2} \times 4 \times 9 \times \frac{\sqrt{5}}{3} = 6\sqrt{5}$

따라서 $\square ABCD$의 넓이는 $\frac{15\sqrt{3}}{4} + 6\sqrt{5}$이다.

답 $\frac{15\sqrt{3}}{4} + 6\sqrt{5}$

1237

$\square ABCD$가 사다리꼴이므로 $\angle DAC = \theta$이다.

그림에서 사각형 ABCD는 어느 주차장의 보수공사를 할 부분을 나타낸 것이다. 변 AD와 변 BC가 서로 평행이고 $\cos\theta = \frac{3}{5}$일 때, 보수공사를 할 부분의 넓이는? (단, θ는 $\angle ACB$이다.)

$\sin\theta$의 값을 구하자.

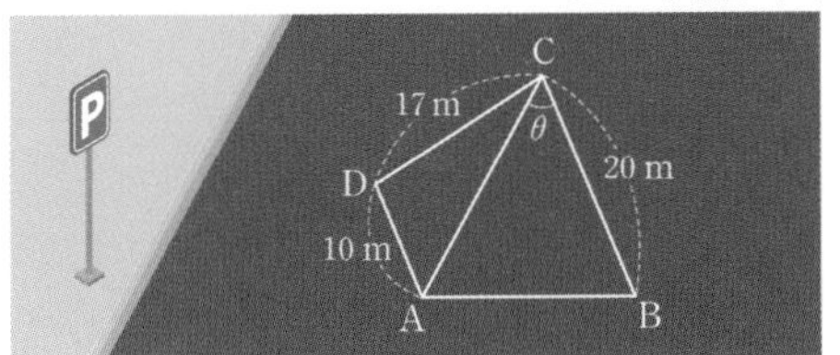

변 AD와 변 BC가 서로 평행하므로

$\angle ACB = \theta$이면 $\angle DAC = \theta$

이때 $\overline{AC} = x \ (x > 0)$라 하면

삼각형 ACD에서 코사인법칙에 의하여

$17^2 = 10^2 + x^2 - 2 \times 10 \times x \times \cos\theta$

$289 = 100 + x^2 - 20 \times \frac{3}{5} \times x$

$x^2 - 12x - 189 = 0$, $(x+9)(x-21) = 0$

$\therefore \overline{AC} = x = 21 \ (\because x > 0)$

$\cos\theta = \frac{3}{5}$에서 $\sin\theta = \sqrt{1 - \cos^2\theta} = \sqrt{1 - \left(\frac{3}{5}\right)^2} = \frac{4}{5}$이므로

사각형 ABCD의 넓이를 S, 두 삼각형 ABC, ACD의 넓이를 각각 S_1, S_2라 하면 두 변의 길이와 그 끼인각의 크기가 주어지므로

삼각형 ABC의 넓이는

$S_1 = \frac{1}{2} \times 21 \times 20 \times \sin\theta = \frac{1}{2} \times 21 \times 20 \times \frac{4}{5} = 168$

삼각형 ACD의 넓이는

$S_2 = \frac{1}{2} \times 10 \times 21 \times \sin\theta = \frac{1}{2} \times 10 \times 21 \times \frac{4}{5} = 84$

따라서 사각형 ABCD의 넓이는

$S = S_1 + S_2 = 168 + 84 = 252 \ (\text{m}^2)$

답 ⑤

1238

$\triangle ABC$에서 $\overline{AB} = 8$, $\overline{CA} = 12$일 때, $\cos C$의 최솟값을 구하시오.

문자를 포함한 역수 모양의 합에 대한 최솟값을 구하는 경우 산술평균과 기하평균의 관계를 이용한다.

$\triangle ABC$에서 코사인법칙의 변형에 의하여

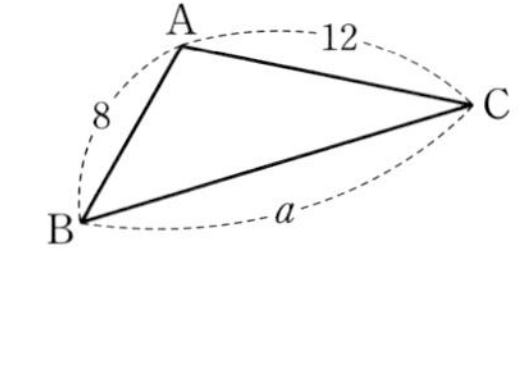

$\cos C = \frac{a^2 + b^2 - c^2}{2ab}$

$= \frac{a^2 + 12^2 - 8^2}{24a}$

$= \frac{a^2 + 80}{24a}$

$= \frac{a}{24} + \frac{10}{3a}$

이때, $a > 0$이므로 $\frac{a}{24} > 0$, $\frac{10}{3a} > 0$이다.

$\therefore \cos C = \frac{a}{24} + \frac{10}{3a}$

$\geq 2\sqrt{\frac{a}{24} \times \frac{10}{3a}}$ $\left(\text{단, 등호는 } \frac{a}{24} = \frac{10}{3a} \text{ 일 때 성립}\right)$

$= \frac{\sqrt{5}}{3}$

따라서 $\cos C$의 최솟값은 $\frac{\sqrt{5}}{3}$이다.

답 $\frac{\sqrt{5}}{3}$

다른풀이 그림과 같이 선분 AC를 고정하고 점 B가 원 위의 점이라 하자. $\cos C$가 최솟값을 갖기 위해서는 C가 최대일 때이므로 직선 BC가 원과 접할 때이다.

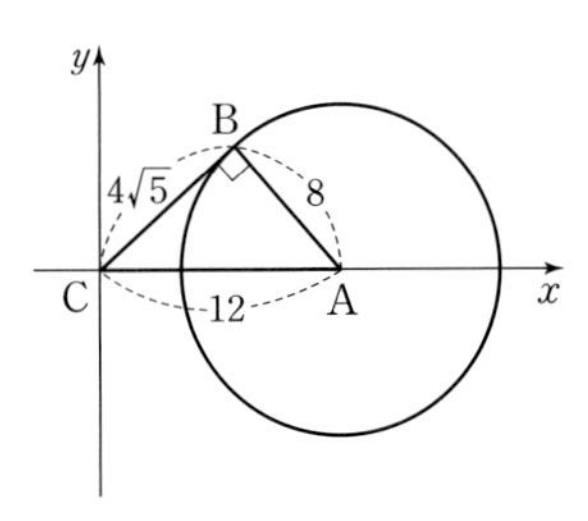

$\therefore \overline{BC} = \sqrt{12^2 - 8^2} = 4\sqrt{5}$

$\therefore \cos C=\dfrac{12^2+(4\sqrt{5})^2-8^2}{2\times 12\times 4\sqrt{5}}$

$=\dfrac{160}{96\sqrt{5}}=\dfrac{\sqrt{5}}{3}$

1239

그림과 같은 삼각형 ABC에서 $\angle A=60°$, $\overline{AB}=10$, $\overline{AC}=6$이고 두 점 P, Q는 각각 두 변 AB, AC 위의 점이다. 삼각형 ABC의 넓이는 삼각형 APQ의 넓이의 3배일 때, $\overline{AP}+\overline{AQ}$의 최솟값은?

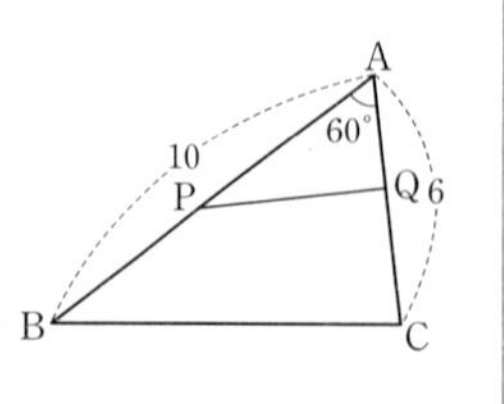

→ $\overline{AP}\times\overline{AQ}$의 값을 구하자.

→ 곱이 주어지고 합의 최솟값을 구하는 경우 산술평균과 기하평균의 관계를 이용한다.

$\overline{AP}=x$, $\overline{AQ}=y$라 하면 $3\triangle APQ=\triangle ABC$이므로

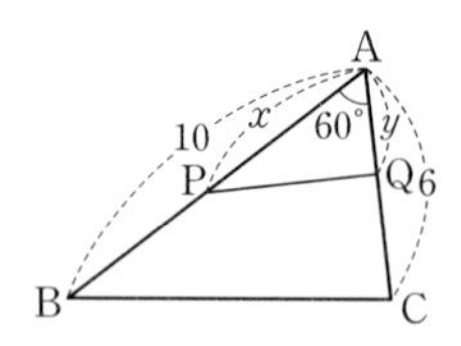

$3\times\dfrac{1}{2}xy\sin 60°=\dfrac{1}{2}\times 10\times 6\times\sin 60°$

$\therefore xy=20$

산술평균과 기하평균의 관계에 의하여

$x+y\geq 2\sqrt{xy}=2\sqrt{20}=4\sqrt{5}$ (단, 등호는 $x=y$일 때 성립한다.)

따라서 $\overline{AP}+\overline{AQ}$의 최솟값은 $4\sqrt{5}$이다.

답 ④

1240

그림과 같이 $\overline{AB}=\overline{AC}=6$, $\overline{BC}=4$인 삼각형 ABC에서 두 선분 AB, BC 위에 각각 점 D와 점 E가 놓여 있다. 삼각형 ABC의 넓이가 삼각형 DBE의 넓이의 2배일 때, 선분 DE의 길이의 최솟값을 구하시오.

→ $\overline{BD}\times\overline{BE}$의 값을 구하자.

→ a^2b^2의 값을 알 때, a^2+b^2의 최솟값을 구할 수 있다.

삼각형 ABC에서

$\cos B=\dfrac{6^2+4^2-6^2}{2\times 6\times 4}=\dfrac{1}{3}$

$\overline{BD}=a$, $\overline{BE}=b$라 하면

$\dfrac{1}{2}\times 6\times 4\times\sin B=2\times\left(\dfrac{1}{2}\times a\times b\times\sin B\right)$

$12\times\sin B=a\times b\times\sin B$

$\therefore ab=12$

코사인법칙에서

$\overline{DE}^2=a^2+b^2-2ab\cos B$

$=a^2+b^2-8\geq 2\sqrt{a^2b^2}-8$

$=2ab-8=16$

따라서 선분 DE의 길이의 최솟값은 4이다.

답 4

1241

그림과 같은 $\triangle ABC$에서 선분 AD의 길이는?

→ 헤론의 공식 $S=\sqrt{s(s-a)(s-b)(s-c)}$를 이용하여 삼각형의 넓이를 먼저 구하자.

① $2\sqrt{3}$ ② $3\sqrt{3}$ ③ $\dfrac{3}{2}\sqrt{5}$ ④ $\dfrac{5}{3}\sqrt{3}$ ⑤ $3\sqrt{5}$

$2s=8+9+7$에서 $s=12$

따라서 삼각형의 넓이 S는

$S=\sqrt{s(s-a)(s-b)(s-c)}$

$=\sqrt{12\times 4\times 3\times 5}$

$=12\sqrt{5}$

이때, $S=\dfrac{1}{2}\times 8\times\overline{AD}=12\sqrt{5}$이므로

$\overline{AD}=3\sqrt{5}$

답 ⑤

1242

그림과 같은 사각형 ABCD에서 $\overline{AB}=2$, $\overline{BC}=\overline{BD}=6$, $\overline{CD}=4$, $\angle ABD=30°$일 때, 사각형 ABCD의 넓이를 구하시오.

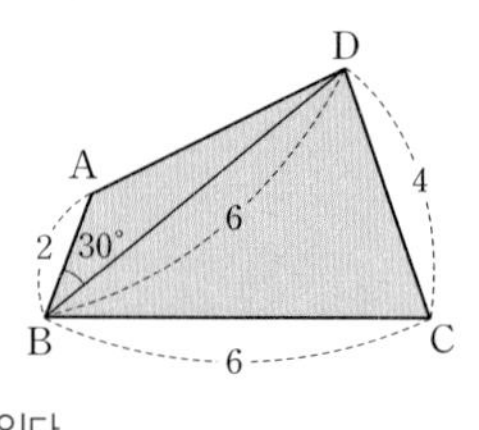

→ $\triangle BCD$의 넓이는 헤론의 공식 $S=\sqrt{s(s-a)(s-b)(s-c)}$로 구할 수 있다.

$\triangle ABD=\dfrac{1}{2}\times 2\times 6\times\sin 30°=3$

삼각형 BCD에서 헤론의 공식에 의하여

$s=\dfrac{1}{2}(4+6+6)=8$이므로

삼각형 BCD의 넓이 S는

$S=\sqrt{8(8-4)(8-6)(8-6)}=8\sqrt{2}$

$\therefore \square ABCD=\triangle ABD+\triangle BCD$

$=3+8\sqrt{2}$

답 $3+8\sqrt{2}$

1243

$\triangle ABC$에서 $\overline{BC}=6$, $\overline{CA}=10$, $C=120°$일 때, $\triangle ABC$의 내접원의 반지름의 길이를 구하시오.

→ 삼각형의 넓이를 먼저 구한 후 넓이 공식 $S=\dfrac{1}{2}r(a+b+c)$를 이용하자.

코사인법칙에 의하여

$\overline{AB}^2=6^2+10^2-2\times 6\times 10\times\cos 120°$

$=136-120\times\left(-\dfrac{1}{2}\right)=196$

$\therefore \overline{AB}=14$ ($\because \overline{AB}>0$)

$\triangle ABC$의 넓이를 S라 하면

$S=\dfrac{1}{2}\times 6\times 10\times\sin 120°$

$=30\times\dfrac{\sqrt{3}}{2}=15\sqrt{3}$

내접원의 반지름의 길이를 r라 하면

$15\sqrt{3}=\frac{1}{2}r(6+10+14)$

$\therefore r=\sqrt{3}$

답 $\sqrt{3}$

1244

그림과 같은 삼각형 ABC의 내접원 O의 반지름의 길이는?

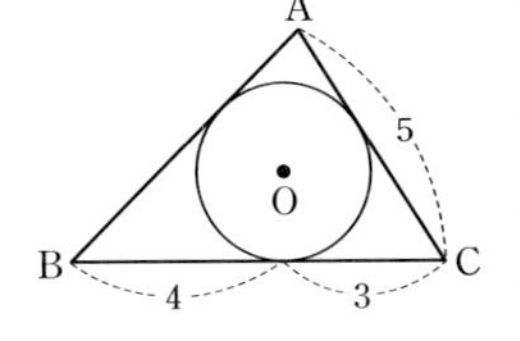

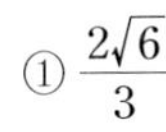
① $\frac{2\sqrt{6}}{3}$ ② $\sqrt{6}$

③ $\frac{4\sqrt{6}}{3}$ ④ $\frac{5\sqrt{6}}{3}$

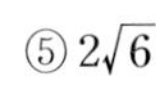
⑤ $2\sqrt{6}$

→ 두 개의 넓이 공식 $S=\sqrt{s(s-a)(s-b)(s-c)}$, $S=\frac{1}{2}r(a+b+c)$를 이용하자.

점 O에서 삼각형 ABC의 세 변에 내린 수선의 발을 각각 P, Q, R라 하면

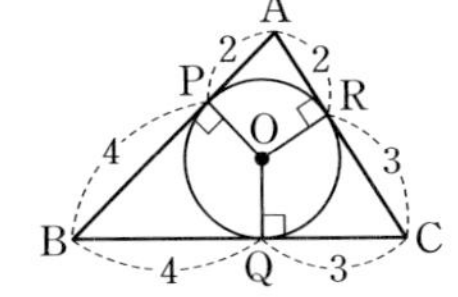

$\overline{BP}=\overline{BQ}=4$, $\overline{CR}=\overline{CQ}=3$이므로

$\overline{AP}=\overline{AR}=5-3=2$

헤론의 공식에 의하여

$s=\frac{1}{2}(7+5+6)=9$이므로

삼각형 ABC의 넓이 S는

$S=\sqrt{9(9-7)(9-5)(9-6)}$

$=6\sqrt{6}$ ……㉠

한편, 삼각형 ABC의 내접원의 반지름의 길이를 r라 하면

$S=\frac{1}{2}r(7+5+6)$

$=9r$ ……㉡

㉠, ㉡에서

$9r=6\sqrt{6}$ $\therefore r=\frac{2\sqrt{6}}{3}$

답 ①

1245

→ 넓이 공식 $S=\frac{abc}{4R}$를 이용하자.

그림과 같이 반지름의 길이가 5인 원에 세 변의 길이가 각각 a, 8, b이고 넓이가 8인 삼각형 ABC가 내접한다. $a+b$의 최솟값을 구하시오.

→ 산술평균과 기하평균의 관계를 이용하자.

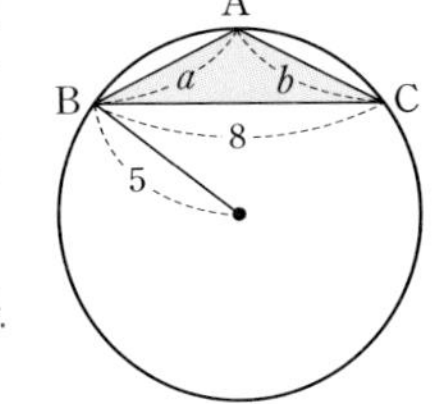

삼각형 ABC의 세 변의 길이가 a, 8, b이고 외접원의 반지름의 길이가 5이므로 삼각형의 넓이 S는

$S=\frac{8ab}{4\times5}$에서 $8=\frac{8ab}{4\times5}$

$\therefore ab=20$

$a>0$, $b>0$이므로 산술평균과 기하평균의 관계에 의하여

$a+b\ge2\sqrt{ab}=2\sqrt{20}$ (단, 등호는 $a=b$일 때 성립한다.)

따라서 $a+b$의 최솟값은 $2\sqrt{20}$이다.

답 $2\sqrt{20}$

1246

→ 헤론의 공식 $S=\sqrt{s(s-a)(s-b)(s-c)}$를 이용하여 삼각형의 넓이를 구하자.

세 변의 길이가 각각 $a=7$, $b=8$, $c=5$인 삼각형 ABC의 외접원의 넓이를 S라 할 때, $3S$의 값을 구하시오.

→ 넓이 공식 $S=\frac{abc}{4R}$를 이용하여 R의 값을 구하자.

헤론의 공식에서

$s=\frac{7+8+5}{2}=10$이므로 삼각형의 넓이는

$\sqrt{10(10-7)(10-8)(10-5)}=10\sqrt{3}$

외접원의 반지름의 길이를 R라 하면 삼각형의 넓이는

$\frac{1}{2}ab\sin C$이고 $\sin C=\frac{c}{2R}$이므로

$10\sqrt{3}=\frac{abc}{4R}=\frac{280}{4R}$

$\therefore R=\frac{7}{\sqrt{3}}$

따라서 외접원의 넓이 $S=\frac{49}{3}\pi$이다.

$\therefore 3S=49\pi$

답 49π

1247

→ 평행사변형의 넓이 공식 $S=ab\sin\theta$를 이용하자.

그림과 같이 이웃한 두 변의 길이가 각각 4, 6인 평행사변형 ABCD가 있다. 평행사변형 ABCD의 넓이가 12일 때, θ의 크기를 구하시오. $\left(\text{단, } 0<\theta<\frac{\pi}{2}\right)$

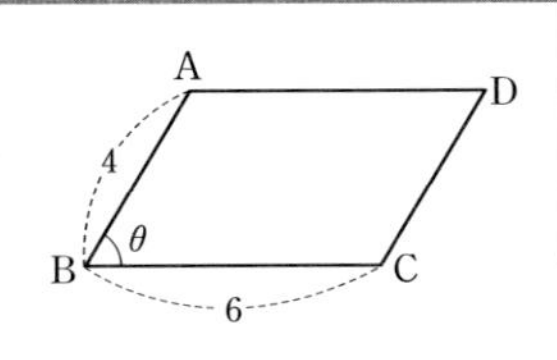

평행사변형 ABCD의 넓이 S는

$S=ab\sin\theta$

$=4\times6\times\sin\theta$

$=24\sin\theta=12$

$\therefore \sin\theta=\frac{1}{2}$

이때, $0<\theta<\frac{\pi}{2}$이므로 $\theta=\frac{\pi}{6}$

답 $\frac{\pi}{6}$

1248

→ 사각형의 넓이 공식 $S=\frac{1}{2}pq\sin\theta$를 이용하자.

그림과 같이 두 대각선이 이루는 예각의 크기가 30°인 사각형 ABCD의 넓이가 4이고, $\overline{AC}=a$, $\overline{BD}=b$라 할 때, $a+b=10$이다. 이때, a^2+b^2의 값을 구하시오.

→ $(a+b)^2-2ab$

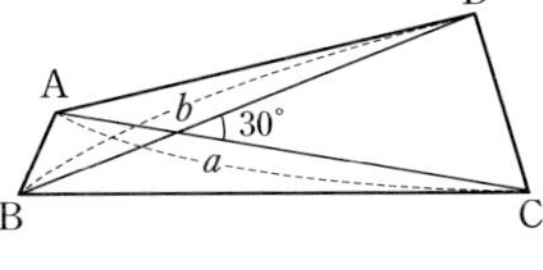

사각형 ABCD의 넓이 S는

$S=\frac{1}{2}ab\sin30°=\frac{1}{2}ab\times\frac{1}{2}=\frac{1}{4}ab$

이므로 $\frac{1}{4}ab=4$에서 $ab=16$

$\therefore a^2+b^2=(a+b)^2-2ab$

$=10^2-2\times16=68$

답 68

1249

그림과 같이 $\overline{AC}=4$, $\overline{BD}=6$, $\angle B=60^\circ$인 평행사변형 ABCD의 넓이를 구하시오.

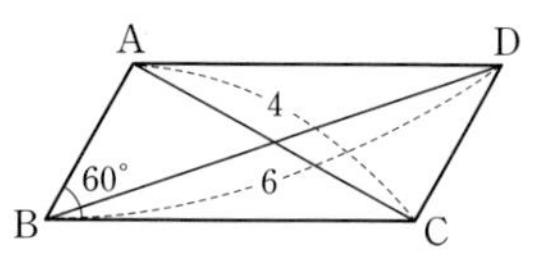

└ 코사인법칙을 이용하여 평행사변형의 두 변의 길이를 각각 구하자.

주어진 평행사변형의 두 변 AB, BC의 길이를 각각 a, b, 넓이를 S라 하면

$S=ab\sin 60^\circ$

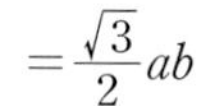 

$=\dfrac{\sqrt{3}}{2}ab$ …… ㉠

$\triangle$ABC에서 코사인법칙에 의하여

$4^2=a^2+b^2-2ab\cos 60^\circ$

$\therefore a^2+b^2-ab=16$ …… ㉡

$\triangle$ABD에서 코사인법칙에 의하여

$6^2=a^2+b^2-2ab\cos 120^\circ$

$\therefore a^2+b^2+ab=36$ …… ㉢

㉢－㉡을 하면 $2ab=20$

$\therefore ab=10$ …… ㉣

$\therefore S=\dfrac{\sqrt{3}}{2}\times 10$ ($\because$ ㉠, ㉣)

$=5\sqrt{3}$

답 $5\sqrt{3}$

1250

그림과 같이 $\overline{AB}=\overline{CD}$이고 넓이가 $12\sqrt{2}$인 등변사다리꼴 ABCD의 두 대각선이 이루는 각의 크기가 45°일 때, 한 대각선의 길이를 구하시오.

└ 한 대각선의 길이를 x로 놓자.

등변사다리꼴의 두 대각선의 길이는 같으므로 한 대각선의 길이를 x라 하면

$12\sqrt{2}=\dfrac{1}{2}\times x^2\times\sin 45^\circ$

$12\sqrt{2}=\dfrac{\sqrt{2}}{4}x^2$

$x^2=48$

$\therefore x=\sqrt{48}=4\sqrt{3}$ ($\because x>0$)

답 $4\sqrt{3}$

1251

평행사변형 ABCD에서 $\overline{AB}=4$, $\overline{AD}=5$이고 넓이가 $10\sqrt{3}$일 때, 대각선 AC의 길이를 구하시오.

(단, $90^\circ<\angle A<180^\circ$)

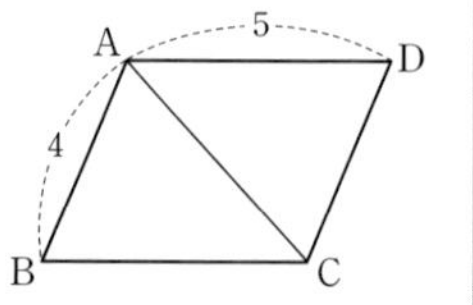

└ 넓이 공식 $S=ab\sin\theta$를 이용하여 $\sin B$, $\cos B$를 순서대로 구해보자.

$\angle ABC=\theta$라 하면

$\angle A$가 둔각이므로 $0<\theta<\dfrac{\pi}{2}$

평행사변형 ABCD의 넓이가 $10\sqrt{3}$이므로

$4\times 5\times\sin\theta=10\sqrt{3}$

$\therefore \sin\theta=\dfrac{\sqrt{3}}{2}$

$\cos^2\theta=1-\sin^2\theta=1-\dfrac{3}{4}=\dfrac{1}{4}$

$\therefore \cos\theta=\dfrac{1}{2}\left(0<\theta<\dfrac{\pi}{2}\right)$

따라서 삼각형 ABC에서 코사인법칙에 의하여

$\overline{AC}^2=4^2+5^2-2\times 4\times 5\times\cos\theta$

$=16+25-20=21$

$\therefore \overline{AC}=\sqrt{21}$ ($\because \overline{AC}>0$)

답 $\sqrt{21}$

1252

그림과 같이 $\triangle$ABC에서 $\overline{AB}=8$, $\overline{AC}=4\sqrt{2}$, $\angle C=60^\circ$일 때, $\cos B$의 값은?

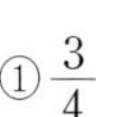 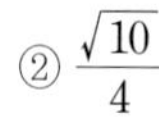

① $\dfrac{3}{4}$ ② $\dfrac{\sqrt{10}}{4}$ ③ $\dfrac{\sqrt{3}}{4}$ ④ $\dfrac{\sqrt{6}}{2}$ ⑤ $\dfrac{\sqrt{10}}{2}$

└ 사인법칙을 이용하여 먼저 $\sin B$의 값을 구하자.

$\triangle$ABC에서 사인법칙에 의하여

$\dfrac{8}{\sin 60^\circ}=\dfrac{4\sqrt{2}}{\sin B}$

$\therefore \sin B=\dfrac{4\sqrt{2}\sin 60^\circ}{8}$

$=\dfrac{4\sqrt{2}\times\dfrac{\sqrt{3}}{2}}{8}$

$=\dfrac{\sqrt{6}}{4}$

이때, $\sin^2 B+\cos^2 B=1$이므로

$\cos^2 B=1-\sin^2 B$

$=1-\left(\dfrac{\sqrt{6}}{4}\right)^2$

$=\dfrac{10}{16}$

$\therefore \cos B=\sqrt{\dfrac{10}{16}}=\dfrac{\sqrt{10}}{4}$ ($\because 0^\circ<\angle B<90^\circ$)

답 ②

1253

그림의 $\triangle$ABC에서 $\angle B=70^\circ$, $\angle C=80^\circ$, $\overline{BC}=4$일 때, $\triangle$ABC의 외접원의 넓이를 구하시오.

└ $\angle A$의 크기를 이용해서 삼각형의 외접원의 반지름의 길이를 구하자.

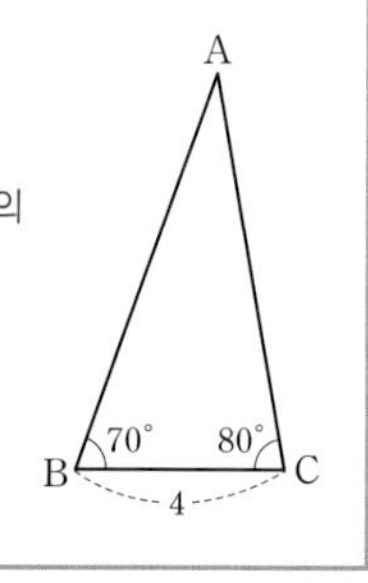

$\angle A=180^\circ-(70^\circ+80^\circ)=30^\circ$

$\triangle$ABC의 외접원의 반지름의 길이를 R라 하면 사인법칙에 의하여

$\dfrac{\overline{BC}}{\sin A}=2R$, 즉 $\dfrac{4}{\sin 30^\circ}=2R$

$\therefore R=\dfrac{4}{2\sin 30^\circ}=\dfrac{4}{2\times\frac{1}{2}}=4$

따라서 $\triangle$ABC의 외접원의 넓이는 $\pi\cdot 4^2=16\pi$

답 16π

1254

• 원에 내접하는 사각형의 각에 대한 성질을 이용하자.

그림과 같이 원에 내접하는 □ABCD에 대하여 $\overline{AB}=1$, $\overline{BC}=3$, $\overline{CD}=\overline{AD}=2$일 때, 선분 BD의 길이는?

① 2 ② $\sqrt{5}$
③ $\sqrt{6}$ ④ $\sqrt{7}$
⑤ $2\sqrt{2}$

□ABCD가 원에 내접하므로 $A+C=\pi$

$\triangle$ABD에서 코사인법칙에 의하여

$\overline{BD}^2=1^2+2^2-2\times1\times2\cos A$

$=5-4\cos A$ …… ㉠

또, $\triangle$BCD에서 코사인법칙에 의하여

$\overline{BD}^2=2^2+3^2-2\times2\times3\cos C$

$=13-12\cos(\pi-A)$

$=13+12\cos A$ …… ㉡

㉠=㉡에서

$5-4\cos A=13+12\cos A$

$\therefore \cos A=-\dfrac{1}{2}$

$\cos A=-\dfrac{1}{2}$을 ㉠에 대입하면

$\overline{BD}^2=5-4\times\left(-\dfrac{1}{2}\right)=7$

$\therefore \overline{BD}=\sqrt{7}$ ($\because \overline{BD}>0$)

답 ④

1255 서술형

삼각형 ABC에서 선분 BC 위에 그림과 같이 점 D를 잡을 때, 선분 AD의 길이를 구하시오.

• $\cos B$의 값을 먼저 구해보자.

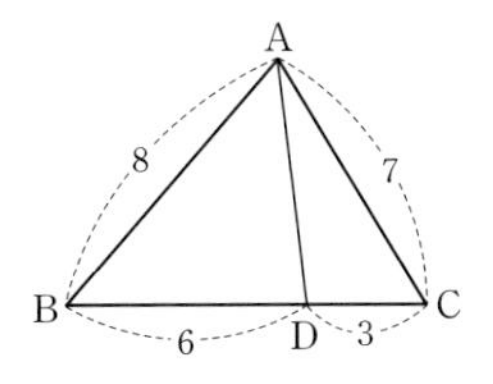

삼각형 ABC에서 코사인법칙에 의하여

$\cos B=\dfrac{9^2+8^2-7^2}{2\times9\times8}=\dfrac{96}{144}=\dfrac{2}{3}$ …… 30%

또 삼각형 ABD에서 제이 코사인법칙에 의하여

$\overline{AD}^2=8^2+6^2-2\times8\times6\times\cos B$

$=64+36-2\times8\times6\times\dfrac{2}{3}$

$=100-64=36$ …… 50%

$\therefore \overline{AD}=\sqrt{36}=6$ …… 20%

답 6

1256

• $a:b:c=3:5:7$이다.

삼각형 ABC에서 $\sin A:\sin B:\sin C=3:5:7$일 때, $\angle$A, $\angle$B, $\angle$C 중에서 크기가 최대인 각의 크기는?

사인법칙에 의하여

$\sin A:\sin B:\sin C=a:b:c=3:5:7$에서

$a=3k$, $b=5k$, $c=7k$ $(k>0)$라 하면

c가 가장 긴 변이고 $\angle$C의 크기가 최대이므로 코사인법칙에 의하여

$\cos C=\dfrac{a^2+b^2-c^2}{2ab}$

$=\dfrac{9k^2+25k^2-49k^2}{2\times3k\times5k}=-\dfrac{1}{2}$

$\therefore \angle C=120^\circ$ ($\because 0^\circ<\angle C<180^\circ$)

답 ③

1257

$\triangle$ABC에서 $\sin A=2\sin B\cos C$가 성립할 때, 이 삼각형의 모양은?

• $\sin A$, $\sin B$, $\cos C$를 각각 a, b, c에 관한 식으로 나타내자.

$\triangle$ABC의 외접원의 반지름의 길이를 R라 하면

$\sin A=\dfrac{a}{2R}$, $\sin B=\dfrac{b}{2R}$ …… ㉠

$\cos C=\dfrac{a^2+b^2-c^2}{2ab}$ …… ㉡

㉠, ㉡을 주어진 식 $\sin A=2\sin B\cos C$에 대입하면

$\dfrac{a}{2R}=2\times\dfrac{b}{2R}\times\dfrac{a^2+b^2-c^2}{2ab}$

$b^2=c^2$ $\quad\therefore b=c$ ($\because b>0, c>0$)

따라서 $\triangle$ABC는 $\overline{AB}=\overline{CA}$인 이등변삼각형이다.

답 ①

1258

• 원뿔의 전개도를 그려놓고 생각하자.

그림과 같이 밑면의 반지름의 길이가 4이고 모선의 길이가 12인 직원뿔이 있다. 이 직원뿔의 밑면의 둘레 위의 한 점 A에서 선분 OB를 1 : 2로 내분하는 점 P까지 옆면을 따라 가는 최단 거리를 구하시오.
(단, 점 A, B는 밑면의 지름의 양 끝점이다.)

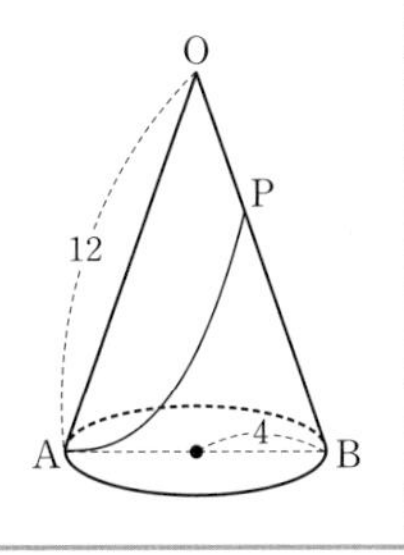

그림과 같이 전개도에서 호 AA′의 길이는 $2\pi\times4=8\pi$이므로

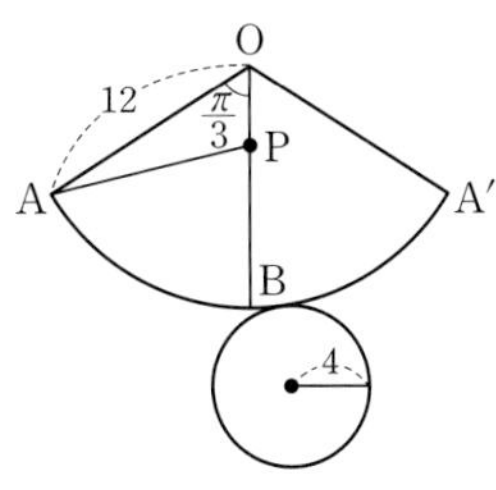

$\angle AOA'=\dfrac{8\pi}{12}=\dfrac{2}{3}\pi$

$\therefore \angle AOB=\dfrac{\pi}{3}$

$\overline{OP}:\overline{PB}=1:2$이므로

$\overline{OP}=\frac{1}{3}\overline{OB}=\frac{1}{3}\times 12=4$

$\triangle OAP$에서 코사인법칙에 의하여

$\overline{AP}^2=12^2+4^2-2\times 12\times 4\times \cos\frac{\pi}{3}$

$=160-96\times\frac{1}{2}=112$

$\therefore \overline{AP}=4\sqrt{7}$ ($\because \overline{AP}>0$)

답 $4\sqrt{7}$

1259

> $\triangle ABC$에서 $\overline{AB}=4$, $\overline{CA}=3\sqrt{5}$, $\cos A=\frac{2}{3}$일 때, 삼각형 ABC의 넓이를 구하시오.
>
> → $\sin A$의 값을 구한 후 삼각형의 넓이 공식을 이용하자.

$0^\circ<A<180^\circ$이므로 $\sin A>0$

$\therefore \sin A=\sqrt{1-\cos^2 A}=\sqrt{1-\left(\frac{2}{3}\right)^2}=\frac{\sqrt{5}}{3}$

$\therefore \triangle ABC=\frac{1}{2}\times\overline{CA}\times\overline{AB}\times\sin A$

$=\frac{1}{2}\times 3\sqrt{5}\times 4\times\frac{\sqrt{5}}{3}=10$

답 10

1260

> $\triangle ABC$에서 $\angle A=60^\circ$, $\overline{AB}=2$, $\overline{AC}=4$이고 $\angle A$의 이등분선이 $\overline{BC}$와 만나는 점을 D라 할 때, 선분 AD의 길이는?
>
> → $\overline{AD}=x$로 놓고 두 삼각형의 넓이의 합이 큰 삼각형의 넓이와 같음을 이용하자.

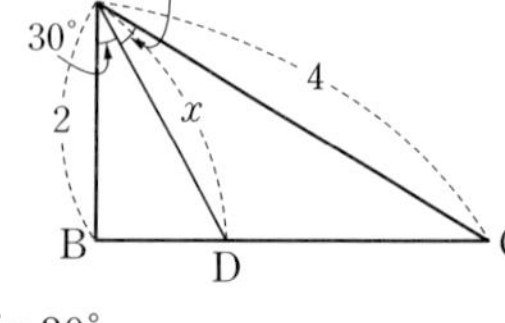

그림에서 $\overline{AD}=x$라 하면

$\triangle ABC=\triangle ABD+\triangle ACD$

에서

$\frac{1}{2}\times 2\times 4\times\sin 60^\circ$

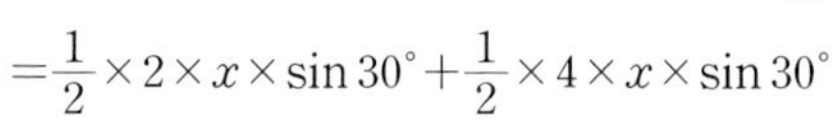

$=\frac{1}{2}\times 2\times x\times\sin 30^\circ+\frac{1}{2}\times 4\times x\times\sin 30^\circ$

$2\sqrt{3}=\frac{1}{2}x+x$

$2\sqrt{3}=\frac{3}{2}x \quad \therefore \overline{AD}=x=\frac{4\sqrt{3}}{3}$

답 ④

1261 서술형

> 그림과 같이 삼각형 ABC에서 $\angle A=120^\circ$이고, $\overline{AB}=3$, $\overline{BC}=3\sqrt{3}$, $\overline{CA}=b$일 때, 다음 물음에 답하시오.
>
> 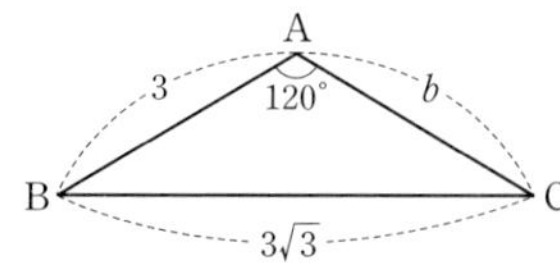
>
>
> → 코사인법칙을 이용하여 b의 값을 먼저 구하자.
>
> (1) 삼각형 ABC의 넓이를 구하시오.
>
> (2) 사인법칙을 이용하여 삼각형 ABC의 외접원의 넓이를 구하시오.
>
> → $\sin A=\frac{a}{2R}$를 이용하자.

(1) 코사인법칙에 의하여

$27=9+b^2+6b\cos 60^\circ$

$b^2+3b-18=0$, $(b+6)(b-3)=0$

$\therefore b=3$ ($\because b>0$) …… 30%

따라서 삼각형 ABC의 넓이는

$\frac{1}{2}\times 3\times 3\times\sin 120^\circ=\frac{9}{4}\sqrt{3}$ …… 30%

(2) 외접원의 반지름의 길이를 R라 하면

$2R=\frac{3\sqrt{3}}{\sin 120^\circ}=6$이므로 $R=3$

따라서 외접원의 넓이는 9π …… 40%

답 (1) $\frac{9}{4}\sqrt{3}$ (2) 9π

1262

> 개발에 의한 산림 훼손을 막기 위해 그림과 같이 사각형 모양 ABCD를 개발 제한 구역으로 설정하였다. 개발 제한 구역의 땅의 넓이는?
>
> 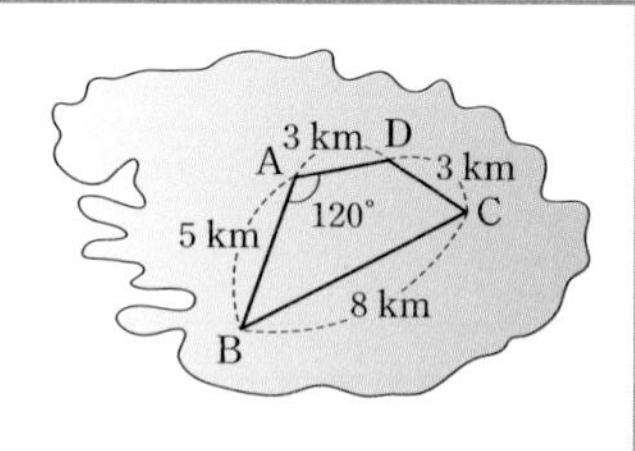
>
>
> → $\overline{BD}$의 길이를 먼저 구하고, 두 삼각형의 넓이의 합을 이용하자.

$\triangle ABD$에서 코사인법칙에 의하여

$\overline{BD}^2=5^2+3^2-2\times 5\times 3\times\cos 120^\circ$

$=25+9-30\times\left(-\frac{1}{2}\right)=49$

$\therefore \overline{BD}=7$ ($\because \overline{BD}>0$)

이때, $\triangle BCD$에서 $\cos C=\frac{8^2+3^2-7^2}{2\times 8\times 3}=\frac{1}{2}$이므로

$\sin C=\sqrt{1-\left(\frac{1}{2}\right)^2}=\frac{\sqrt{3}}{2}$

$\therefore \square ABCD=\triangle ABD+\triangle BCD$

$=\frac{1}{2}\times 5\times 3\times\sin 120^\circ+\frac{1}{2}\times 8\times 3\times\sin C$

$=\frac{15}{2}\times\frac{\sqrt{3}}{2}+12\times\frac{\sqrt{3}}{2}$

$=\frac{39\sqrt{3}}{4}$ (km^2)

답 ④

1263

> 세 변의 길이가 3, 4, 5인 삼각형의 외접원의 반지름의 길이를 R, 내접원의 반지름의 길이를 r라 할 때, $R+r$의 값을 구하시오.
>
> → 세 개의 넓이 공식 $S=\sqrt{s(s-a)(s-b)(s-c)}$, $S=\frac{abc}{4R}$, $S=\frac{1}{2}r(a+b+c)$를 이용하자.

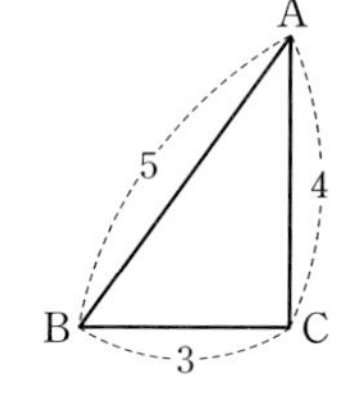

그림과 같이 $a=3$, $b=4$, $c=5$인 $\triangle ABC$의 넓이를 S라 하면

$s=\frac{3+4+5}{2}=6$이므로

$S=\sqrt{6\times 3\times 2\times 1}=6$

$S=\frac{abc}{4R}$에서 $6=\frac{3\times4\times5}{4R}$

$\therefore R=\frac{5}{2}$

$S=rs$에서 $6=r\times6$

$\therefore r=1$

$\therefore R+r=\frac{5}{2}+1=\frac{7}{2}$ 답 $\frac{7}{2}$

1264

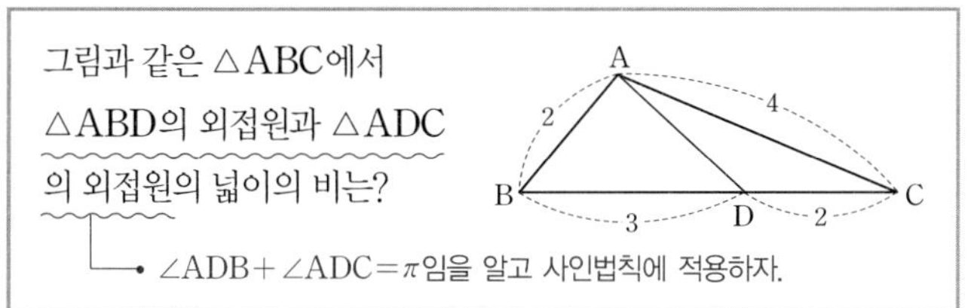

그림과 같은 △ABC에서 △ABD의 외접원과 △ADC의 외접원의 넓이의 비는?

∠ADB+∠ADC=π임을 알고 사인법칙에 적용하자.

$\angle ADB=\theta$로 놓으면 $\angle ADC=\pi-\theta$

△ABD와 △ADC의 외접원의 반지름의 길이를 각각 R_1, R_2라 하면 사인법칙에서

$\frac{2}{\sin\theta}=2R_1$, $\frac{4}{\sin(\pi-\theta)}=2R_2$

이때, $\sin(\pi-\theta)=\sin\theta$이므로 $R_1:R_2=1:2$

따라서 △ABD와 △ADC의 외접원의 넓이의 비는

$\pi R_1{}^2:\pi R_2{}^2=1^2:2^2=1:4$ 답 ③

1265

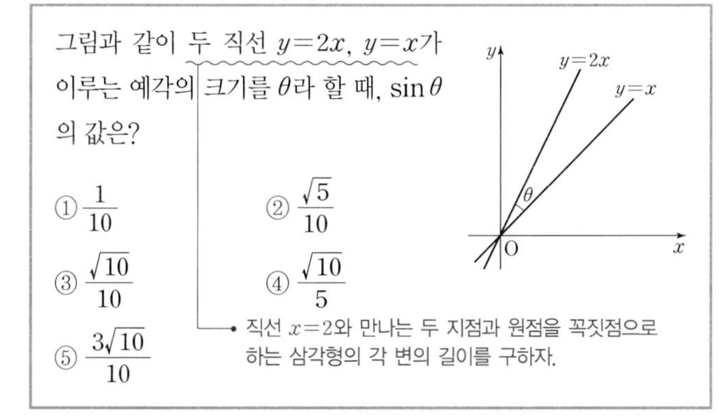

그림과 같이 두 직선 $y=2x$, $y=x$가 이루는 예각의 크기를 θ라 할 때, $\sin\theta$의 값은?

① $\frac{1}{10}$　② $\frac{\sqrt{5}}{10}$

③ $\frac{\sqrt{10}}{10}$　④ $\frac{\sqrt{10}}{5}$

⑤ $\frac{3\sqrt{10}}{10}$

직선 $x=2$와 만나는 두 지점과 원점을 꼭짓점으로 하는 삼각형의 각 변의 길이를 구하자.

그림과 같이 직선 $x=2$와 x축, $y=x$, $y=2x$의 교점을 각각 A, B, C라 하면

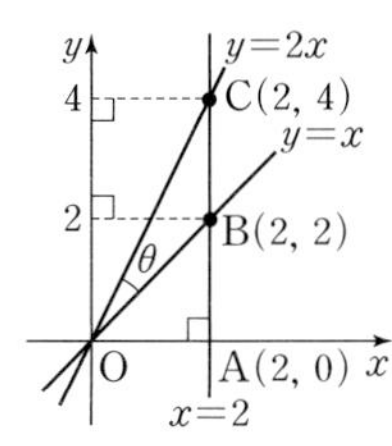

$\overline{BC}=\overline{AC}-\overline{AB}=2$

$\overline{OB}=\sqrt{2^2+2^2}=2\sqrt{2}$

$\overline{OC}=\sqrt{2^2+4^2}=2\sqrt{5}$

삼각형 OBC에서 코사인법칙에 의하여

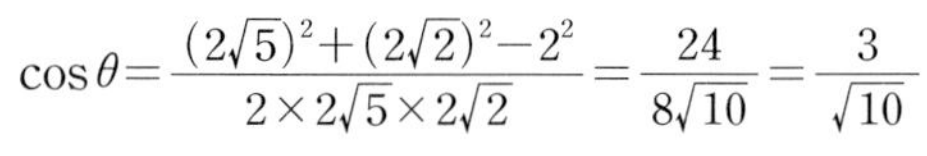

$$\cos\theta=\frac{(2\sqrt{5})^2+(2\sqrt{2})^2-2^2}{2\times2\sqrt{5}\times2\sqrt{2}}=\frac{24}{8\sqrt{10}}=\frac{3}{\sqrt{10}}$$

$\sin^2\theta=1-\cos^2\theta$

$=1-\frac{9}{10}=\frac{1}{10}$

$\therefore \sin\theta=\frac{\sqrt{10}}{10}$ ($\because$ θ는 예각) 답 ③

1266

$\angle A=\frac{\pi}{3}$이고 $\overline{AB}:\overline{AC}=3:1$인 삼각형 ABC가 있다. 삼각형 ABC의 외접원의 반지름의 길이가 7일 때, 선분 AC의 길이를 k라 하자. k^2의 값을 구하시오.

$\overline{AC}=k$이면 $\overline{AB}=3k$이다.

사인법칙을 이용하면 $\overline{BC}$의 길이를 구할 수 있다.

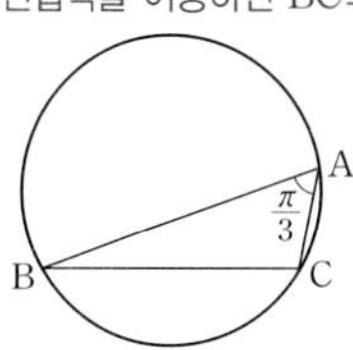

삼각형 ABC의 외접원의 반지름의 길이가 7이므로

$\frac{\overline{BC}}{\sin\frac{\pi}{3}}=2\times7$

$\therefore \overline{BC}=7\sqrt{3}$ ……㉠

한편, $\overline{AB}:\overline{AC}=3:1$이므로

$\overline{AC}=k$ $(k>0)$라 하면 $\overline{AB}=3k$이므로

$\overline{BC}=\sqrt{\overline{AB}^2+\overline{AC}^2-2\overline{AB}\times\overline{AC}\times\cos\frac{\pi}{3}}$

$=\sqrt{9k^2+k^2-2\times3k\times k\times\frac{1}{2}}$

$=\sqrt{7k^2}=\sqrt{7}k$ ……㉡

㉠과 ㉡에서

$7\sqrt{3}=\sqrt{7}k$, $k=\sqrt{21}$

$\therefore k^2=21$ 답 21

1267

$\overline{AB}$의 값을 구한 후 $\sin B$의 값을 구하자.

그림과 같이 삼각형 ABC의 변 BC 위에 점 D가 있다. $\overline{BD}=1$, $\overline{AD}=\sqrt{3}$, $\overline{DC}=3$, $\angle ADB=30°$일 때, 삼각형 ABC의 외접원의 반지름의 길이를 구하시오.

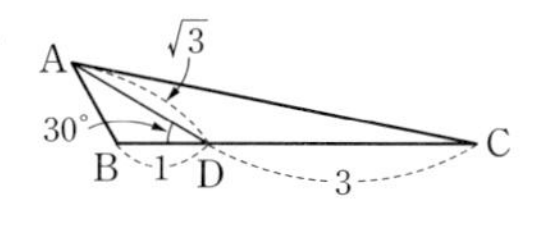

$\overline{AC}$의 값을 구하여 사인법칙을 이용하자.

삼각형 ADC에서

$\angle ADC=180°-30°=150°$이므로

$\overline{AC}^2=3^2+(\sqrt{3})^2-2\times3\times\sqrt{3}\times\cos150°$

$=21$

$\therefore \overline{AC}=\sqrt{21}$ ($\because \overline{AC}>0$)

삼각형 ABD에서

$\overline{AB}^2=1^2+(\sqrt{3})^2-2\times1\times\sqrt{3}\times\cos30°=1$

$\therefore \overline{AB}=1$ ($\because \overline{AB}>0$)

삼각형 ABD에서

$\frac{\overline{AD}}{\sin B}=\frac{\overline{AB}}{\sin30°}$이므로

$\sin B=\frac{\overline{AD}}{\overline{AB}}\sin30°=\frac{\sqrt{3}}{1}\times\frac{1}{2}=\frac{\sqrt{3}}{2}$

따라서 삼각형 ABC의 외접원의 반지름의 길이를 R라 하면

$R=\frac{\overline{AC}}{2\sin B}=\frac{\sqrt{21}}{2\times\frac{\sqrt{3}}{2}}=\sqrt{7}$ 답 $\sqrt{7}$

1268

> 삼각형 ABC에서 $\sin^2 A \cos B = \cos A \sin^2 B$가 성립하면 이 삼각형은 어떤 삼각형인가?
> → $\sin A$, $\sin B$, $\cos A$, $\cos B$를 각각 a, b, c에 관한 식으로 나타내자.

삼각형 ABC에서 $\overline{AB}=c$, $\overline{BC}=a$, $\overline{AC}=b$라 하면 사인법칙에 의하여

$\sin A=\dfrac{a}{2R}$, $\sin B=\dfrac{b}{2R}$ (단, R는 외접원의 반지름의 길이이다.)

코사인법칙에 의하여

$\cos A=\dfrac{b^2+c^2-a^2}{2bc}$, $\cos B=\dfrac{c^2+a^2-b^2}{2ca}$

이것을 $\sin^2 A \cos B=\cos A \sin^2 B$에 대입하면

$\left(\dfrac{a}{2R}\right)^2\times\dfrac{c^2+a^2-b^2}{2ca}=\dfrac{b^2+c^2-a^2}{2bc}\times\left(\dfrac{b}{2R}\right)^2$

$a(a^2+c^2-b^2)=b(b^2+c^2-a^2)$

$a^3+ac^2-ab^2=b^3+bc^2-a^2b$

$a^3-b^3+ac^2-bc^2-ab^2+a^2b=0$

$(a-b)(a^2+ab+b^2)+(a-b)c^2+ab(a-b)=0$

$(a-b)(a^2+2ab+b^2+c^2)=0$

$(a-b)\{(a+b)^2+c^2\}=0$

$(a+b)^2>0$, $c^2>0$이므로 $a=b$

$\therefore \overline{BC}=\overline{AC}$

따라서 삼각형 ABC는 $\overline{AC}=\overline{BC}$인 이등변삼각형이다.

답 ④

1269

> 그림과 같이 한 변의 길이가 100 m인 정사각형 모양의 광장의 한 모퉁이에 수직으로 높이가 60 m인 국기 게양대가 세워져 있다. 이 국기 게양대는 지면에서부터 10 m까지는 파란색, 그 위는 흰색으로 칠해져 있다. 광장의 한 지점에서 국기 게양대의 흰색 부분을 바라보는 각의 크기를 α라 할 때, $\alpha\ge45^\circ$가 되는 광장의 부분의 넓이를 구하시오.
> → 광장의 한 지점과 국기 게양대의 양 끝 지점을 연결하는 직각삼각형을 생각하자.
>
> 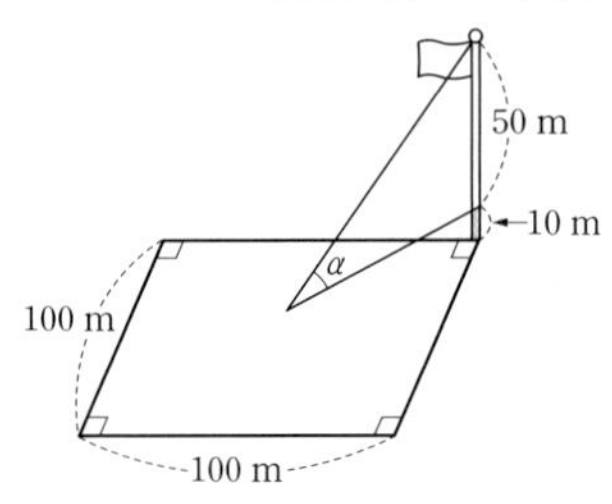
>

광장의 국기 게양대가 세워져 있는 모퉁이를 A, 광장의 임의의 한 지점을 P, $\overline{AP}=x$ m라 하면 피타고라스 정리에 의하여

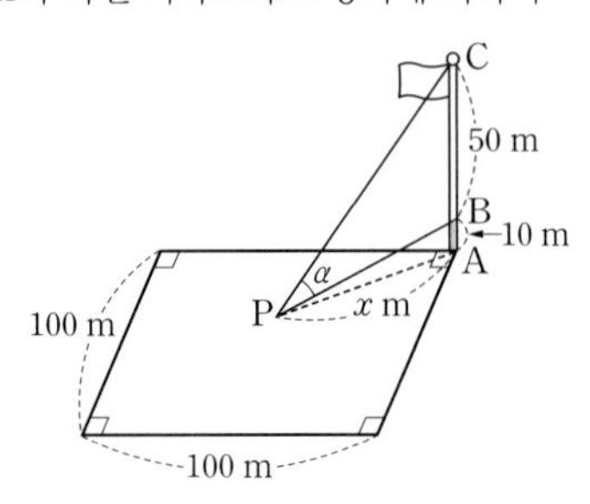

$\overline{BP}=\sqrt{x^2+10^2}$

$\overline{CP}=\sqrt{x^2+60^2}$

삼각형 PBC에서 $45^\circ\le\alpha<90^\circ$이므로 코사인법칙에 의하여

$0<\cos\alpha=\dfrac{(\sqrt{x^2+10^2})^2+(\sqrt{x^2+60^2})^2-50^2}{2\times\sqrt{x^2+10^2}\times\sqrt{x^2+60^2}}\le\dfrac{\sqrt{2}}{2}$

$400\le x^2\le900$ $\quad\therefore 20\le x\le30$

따라서 구하는 넓이는 그림의 어두운 부분과 같으므로

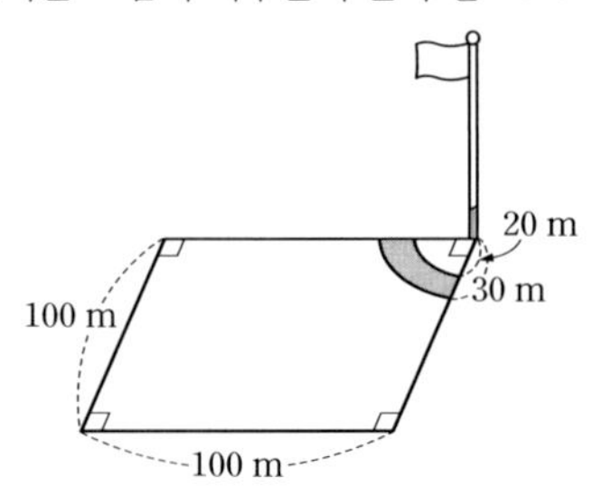

$\dfrac{1}{4}(900\pi-400\pi)=125\pi\ (\text{m}^2)$

답 125π m²

1270

> 그림과 같은 직원뿔 모양의 산이 있다. A지점을 출발하여 산을 한 바퀴 돌아 B지점으로 가는 관광 열차의 궤도를 최단 거리로 놓으면 이 궤도는 처음에는 오르막길이지만 나중에는 내리막길이 된다. 이 내리막길의 길이는?
> → 원뿔의 전개도를 그려놓고 생각하자.
>
> 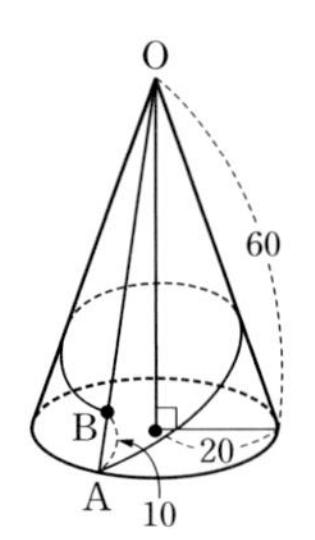
>
>
> ① $\dfrac{200\sqrt{91}}{91}$ ② $\dfrac{300\sqrt{91}}{91}$
> ③ $\dfrac{400\sqrt{91}}{91}$ ④ $\dfrac{200\sqrt{19}}{19}$
> ⑤ $\dfrac{300\sqrt{19}}{19}$

직원뿔의 밑면의 둘레의 길이와 부채꼴 OAA′의 호의 길이가 같으므로 호 AA′의 길이를 l이라 하면

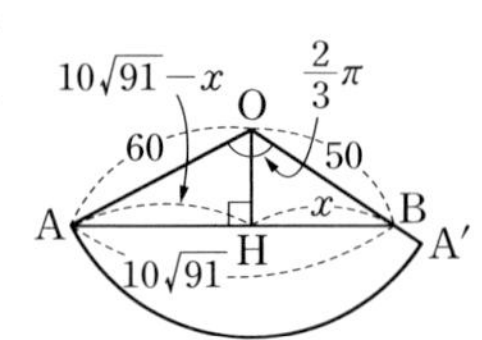

$l=2\pi\times20=40\pi$

부채꼴 OAA′의 중심각의 크기를 θ라 하면

$l=r\theta$에서 $40\pi=60\theta$

$\therefore \theta=\dfrac{2}{3}\pi$

삼각형 OAB에서 코사인법칙에 의하여

$\overline{AB}^2=60^2+50^2-2\times60\times50\times\cos\dfrac{2}{3}\pi$

$\quad=9100$

$\therefore \overline{AB}=10\sqrt{91}$ $\quad(\because \overline{AB}>0)$

점 O에서 선분 AB에 내린 수선의 발을 H라 하면 선분 HB가 내리막길이므로 $\overline{HB}=x$라 하면

$\overline{OH}^2=\overline{OA}^2-\overline{AH}^2=\overline{OB}^2-\overline{HB}^2$에서

$60^2-(10\sqrt{91}-x)^2=50^2-x^2$

$3600-(9100-20\sqrt{91}x+x^2)=2500-x^2$

$20\sqrt{91}x=8000$ $\quad\therefore x=\dfrac{400\sqrt{91}}{91}$

따라서 내리막길의 길이는 $\dfrac{400\sqrt{91}}{91}$이다.

답 ③

1271 $\overline{AE}=x$라 하고, $\triangle ABE$에서 $\overline{BE}$를 구하고, $\triangle ACE$에서 $\overline{CE}$를 구하자.

> 그림과 같이 한 모서리의 길이가 1인 정사면체 ABCD가 있다. 모서리 AD 위를 움직이는 점 E에 대하여 $\angle BEC=\theta$라 하자. $\cos\theta$의 최댓값을 M, 최솟값을 m이라 할 때, $M+m$의 값을 구하시오.
>
> 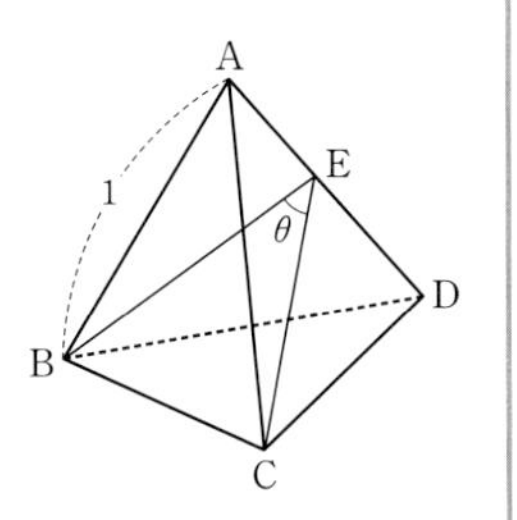
>

$\overline{AE}=x\ (0\le x\le 1)$라 하면

삼각형 ABE에서 코사인법칙에 의하여

$\overline{BE}^2=1^2+x^2-2\times 1\times x\times\cos 60^\circ$

$\quad =x^2-x+1$

$\therefore \overline{BE}=\sqrt{x^2-x+1}\quad (\because \overline{BE}>0)$

$\triangle ABE\equiv\triangle ACE$(SAS 합동)이므로

$\overline{BE}=\overline{CE}=\sqrt{x^2-x+1}$

삼각형 BCE에서 코사인법칙에 의하여

$$\cos\theta=\frac{\overline{BE}^2+\overline{CE}^2-\overline{BC}^2}{2\times\overline{BE}\times\overline{CE}}$$

$$=\frac{2(x^2-x+1)-1}{2(x^2-x+1)}$$

$$=1-\frac{1}{2}\times\frac{1}{x^2-x+1}$$

$$=1-\frac{1}{2}\times\frac{1}{\left(x-\frac{1}{2}\right)^2+\frac{3}{4}}$$

$f(x)=\left(x-\frac{1}{2}\right)^2+\frac{3}{4}$으로 놓으면 $0\le x\le 1$에서

(i) $x=\frac{1}{2}$일 때, $f(x)$는 최소이고 최솟값은

$f\left(\frac{1}{2}\right)=\frac{3}{4}$

이때 $\cos\theta$의 값도 최소이므로

$m=1-\frac{1}{2}\times\frac{1}{\frac{3}{4}}=\frac{1}{3}$

(ii) $x=0$ 또는 $x=1$일 때, $f(x)$는 최대이고 최댓값은

$f(0)=f(1)=1$

이때 $\cos\theta$의 값도 최대이므로

$M=1-\frac{1}{2}\times\frac{1}{1}=\frac{1}{2}$

(i), (ii)에서

$M+m=\frac{1}{2}+\frac{1}{3}=\frac{5}{6}$ 답 $\frac{5}{6}$

1272 $\triangle ADE$에서 $\overline{DE}$를 $\overline{AD}$, $\overline{AE}$를 이용하여 표현하고, 산술평균과 기하평균의 관계를 이용한다.

> 그림과 같이 $\angle A=120^\circ$인 삼각형 ABC의 두 변 AB, AC 위를 움직이는 두 점 D, E가 있다. 삼각형 ADE의 넓이가 삼각형 ABC의 넓이의 $\frac{1}{4}$일 때, 선분 DE의 길이의 최솟값을 구하시오.
>
> 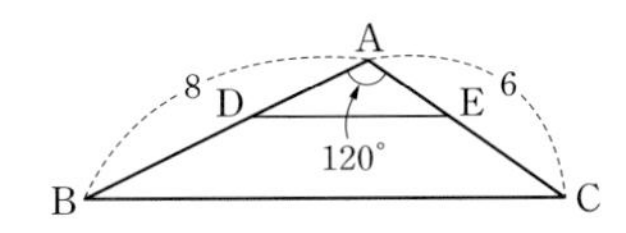
>

삼각형 ABC의 넓이는

$\frac{1}{2}\times 8\times 6\times\sin 120^\circ=12\sqrt{3}$이므로

삼각형 ADE의 넓이는

$\frac{1}{4}\times 12\sqrt{3}=3\sqrt{3}$

$\overline{AD}=a$, $\overline{AE}=b$라 하면 삼각형 ADE의 넓이는

$\frac{1}{2}ab\sin 120^\circ=3\sqrt{3}$

$\therefore ab=12$

삼각형 ADE에서 코사인법칙에 의하여

$\overline{DE}^2=a^2+b^2-2ab\cos 120^\circ=a^2+b^2+12$

이때 $a^2>0$, $b^2>0$이므로 산술평균과 기하평균의 관계에 의하여

$a^2+b^2+12\ge 2\sqrt{a^2b^2}+12=2ab+12=36$

따라서 선분 DE의 길이의 최솟값은 6이다. 답 6

1273

원의 중심에서 원 위의 점까지의 거리는 반지름의 길이이다.

> 좌표평면 위에서 두 원 $x^2+y^2=100$, $x^2+y^2=64$의 둘레를 움직이는 점을 각각 A, B라 하자. 점 A는 제1사분면, 점 B는 제2사분면 위에 있다고 할 때, 삼각형 OAB에서 $\cos A$의 최솟값을 구하시오. (단, O는 원점이다.)
>
> 최댓값 또는 최솟값을 구하는 문제는 산술평균과 기하평균의 관계를 이용하는 경우가 많다.

삼각형 OAB에서 $\overline{AB}=k$라 하면

두 원 $x^2+y^2=100$, $x^2+y^2=64$의 반지름의 길이가 각각 10, 8이므로 $2<k<18$이다.

$$\cos A=\frac{10^2+k^2-8^2}{2\times 10\times k}=\frac{k^2+36}{20k}$$

$$=\frac{1}{20}\left(k+\frac{36}{k}\right)$$

산술평균과 기하평균의 관계에 의하여

$$\cos A=\frac{1}{20}\left(k+\frac{36}{k}\right)\ge\frac{1}{20}\times 2\sqrt{k\times\frac{36}{k}}=\frac{3}{5}$$

(단, 등호는 $k=6$일 때 성립한다.)

따라서 $\cos A$의 최솟값은 $\frac{3}{5}$이다. 답 $\frac{3}{5}$

1274

> 그림과 같이 가로의 길이가 4, 세로의 길이가 2인 직사각형 ABCD가 있다. 변 BC의 중점을 M, 두 선분 AC와 MD의 교점을 P, $\angle APM=\theta$라 할 때, $\cos\theta$의 값은?
>
> 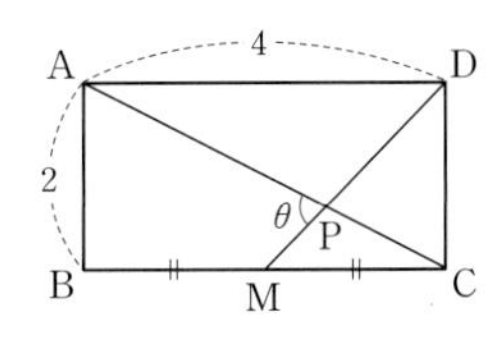
>
>
> 사각형의 넓이 공식 $S=\frac{1}{2}pq\sin\theta$를 이용하여 □AMCD의 넓이를 구하자.

$\overline{AC}=\sqrt{2^2+4^2}=2\sqrt{5}$

$\overline{MC}=2$이므로 $\overline{MD}=\sqrt{2^2+2^2}=2\sqrt{2}$

사다리꼴 AMCD의 넓이는

$\frac{1}{2}\times(2+4)\times 2=\frac{1}{2}\times\overline{AC}\times\overline{MD}\times\sin\theta$

$=\frac{1}{2}\times2\sqrt{5}\times2\sqrt{2}\times\sin\theta$

$=6$

$\therefore \sin\theta=\frac{3}{\sqrt{10}}$

$\therefore \cos\theta=\sqrt{1-\left(\frac{3}{\sqrt{10}}\right)^2}=\frac{\sqrt{10}}{10}$ ($\because \cos\theta>0$)

답 ②

1275

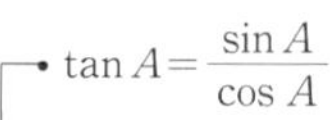

그림과 같은 삼각형 ABC에서 $\tan A\sin^2 B=\tan B\sin^2 A$가 성립할 때, 이 삼각형이 될 수 있는 것을 〈보기〉에서 있는 대로 고른 것은?

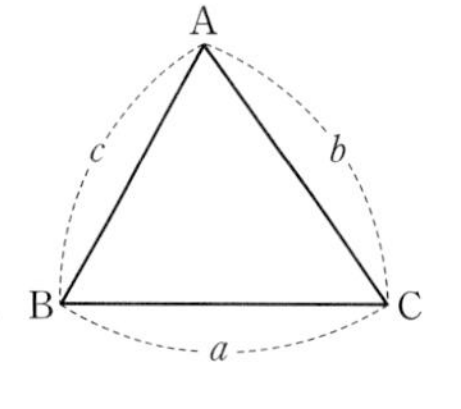

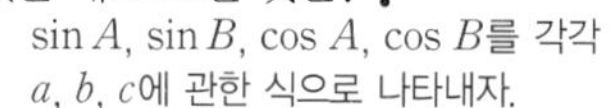

보기

ㄱ. $a=b$인 이등변삼각형 ㄴ. 정삼각형

ㄷ. $\angle B=90^\circ$인 직각삼각형 ㄹ. $\angle C=90^\circ$인 직각삼각형

$\tan A\sin^2 B=\tan B\sin^2 A$에서

$\frac{\sin A}{\cos A}\times\sin^2 B=\frac{\sin B}{\cos B}\times\sin^2 A$, $\frac{\sin B}{\cos A}=\frac{\sin A}{\cos B}$

$\therefore \sin A\cos A=\sin B\cos B$ ······ ㉠

삼각형 ABC의 외접원의 반지름의 길이를 R라 하면 사인법칙에 의하여

$\sin A=\frac{a}{2R}$, $\sin B=\frac{b}{2R}$

코사인법칙에 의하여

$\cos A=\frac{b^2+c^2-a^2}{2bc}$, $\cos B=\frac{c^2+a^2-b^2}{2ca}$

이것을 ㉠에 대입하면

$\frac{a}{2R}\times\frac{b^2+c^2-a^2}{2bc}=\frac{b}{2R}\times\frac{c^2+a^2-b^2}{2ca}$

$a^2(b^2+c^2-a^2)=b^2(c^2+a^2-b^2)$

$a^2c^2-a^4=b^2c^2-b^4$, $(a^2-b^2)c^2-(a^4-b^4)=0$

$(a^2-b^2)c^2-(a^2-b^2)(a^2+b^2)=0$

$(a^2-b^2)(c^2-a^2-b^2)=0$

$(a+b)(a-b)(c^2-a^2-b^2)=0$

$\therefore a=b$ 또는 $c^2=a^2+b^2$ ($\because a>0, b>0$)

따라서 삼각형 ABC는 $a=b$인 이등변삼각형 또는 $\angle C=90^\circ$인 직각삼각형이다.

답 ③

1276

그림과 같이 반지름의 길이가 6인 원 O_1이 있다. 원 O_1 위에 서로 다른 두 점 A, B를 $\overline{AB}=6\sqrt{2}$가 되도록 잡고, 원 O_1의 내부에 점 C를 삼각형 ACB가 정삼각형이 되도록 잡는다. 정삼각형 ACB의 외접원을 O_2라 할 때, 원 O_1과 원 O_2의 공통부분의 넓이는 $p+q\sqrt{3}+r\pi$이다. $p+q+r$의 값을 구하시오. (단, p, q, r는 유리수이다.)

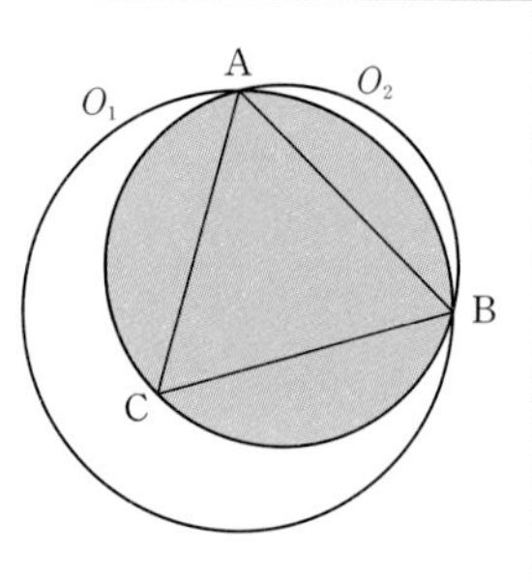

그림 위에 두 원의 중심을 표기하고, 두 점을 연결하는 직선을 그린 후, 나타나는 삼각형과 부채꼴을 이용하자.

원 O_1의 중심을 $\mathrm{O_1}$, 원 O_2의 중심을 $\mathrm{O_2}$, 직선 $\mathrm{O_1O_2}$가 선분 AB와 만나는 점을 M이라 하고, 직선 $\mathrm{O_1O_2}$가 원 O_1과 만나는 두 점 중에서 점 M에 가까운 점을 N이라 하자.

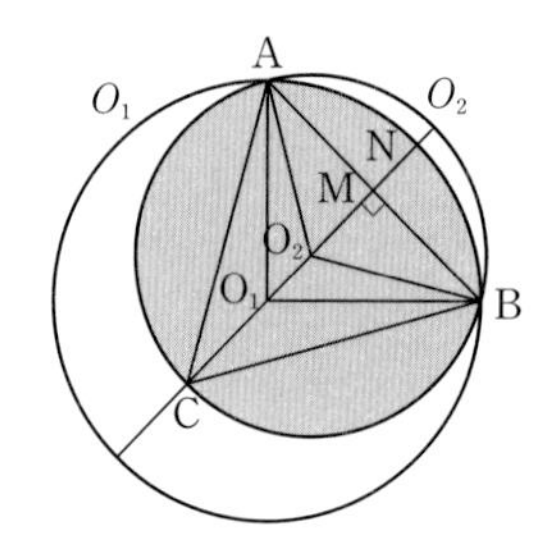

$\overline{\mathrm{O_1A}}=6$, $\overline{\mathrm{AM}}=3\sqrt{2}$이므로

$\overline{\mathrm{O_1A}}:\overline{\mathrm{AM}}=6:3\sqrt{2}=\sqrt{2}:1$

$\therefore \angle\mathrm{MO_1A}=\frac{\pi}{4}$

원 O_1에서 점 B를 포함하지 않는 부채꼴 $\mathrm{O_1NA}$의 넓이는

$\frac{1}{2}\times6^2\times\frac{\pi}{4}=\frac{9}{2}\pi$ ······ ㉠

$\angle\mathrm{MO_2A}=\frac{\pi}{3}$이므로 삼각형 $\mathrm{AO_2M}$에서

$\overline{\mathrm{O_2A}}=\frac{3\sqrt{2}}{\sin\frac{\pi}{3}}=\frac{6\sqrt{2}}{\sqrt{3}}=2\sqrt{6}$

원 O_2에서 점 B를 포함하지 않는 부채꼴 $\mathrm{O_2AC}$의 넓이는

$\frac{1}{2}\times(2\sqrt{6})^2\times\frac{2}{3}\pi=8\pi$ ······ ㉡

$\overline{\mathrm{O_1O_2}}=\overline{\mathrm{O_1M}}-\overline{\mathrm{O_2M}}=3\sqrt{2}-\sqrt{6}$이므로

삼각형 $\mathrm{AO_1O_2}$의 넓이는

$\frac{1}{2}\times6\times(3\sqrt{2}-\sqrt{6})\times\sin\frac{\pi}{4}=9-3\sqrt{3}$ ······ ㉢

㉠, ㉡, ㉢에 의하여 원 O_1과 원 O_2의 공통부분의 넓이는

$2\times\left\{\frac{9}{2}\pi+8\pi-(9-3\sqrt{3})\right\}=-18+6\sqrt{3}+25\pi$

$p+q\sqrt{3}+r\pi=-18+6\sqrt{3}+25\pi$이므로

$p=-18$, $q=6$, $r=25$이다.

$\therefore p+q+r=(-18)+6+25=13$

답 13

1277

∠BAC $=\theta$라 하면, ∠PAU, ∠ABC, ∠QBR도 θ를 사용하여 표현할 수 있다.

> 그림과 같이 직각삼각형 ABC의 세 변 AB, BC, CA를 각각 한 변으로 하는 정사각형 APQB, BRSC, CTUA를 그린다. 세 변 AB, BC, CA의 길이를 각각 c, a, b라 할 때, 다음 중 육각형 PQRSTU의 넓이를 나타낸 것은?
>
> → a, b, c와 θ를 사용하여 나타내어 보자.

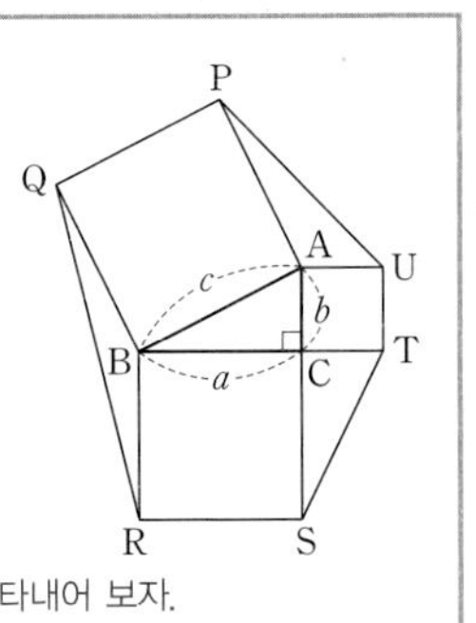

사각형 APQB, BRSC, CTUA의 넓이는 각각 c^2, a^2, b^2이고, △ABC의 넓이는 $\frac{1}{2}ab$이다.

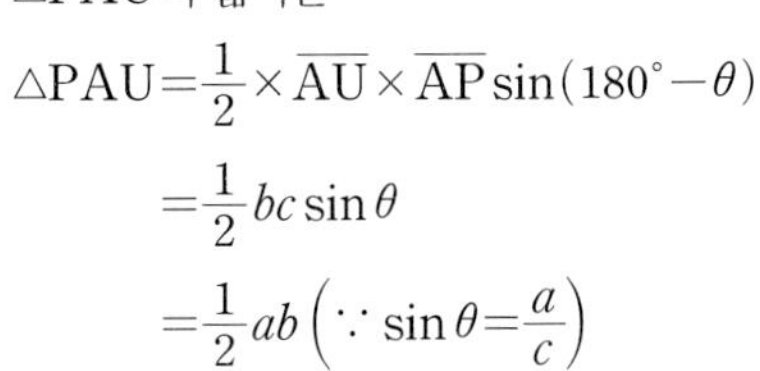

또, ∠BAC $=\theta$라고 하면

∠PAU $=180^\circ-\theta$이므로

△PAU의 넓이는

$$\triangle PAU=\frac{1}{2}\times\overline{AU}\times\overline{AP}\sin(180^\circ-\theta)$$

$$=\frac{1}{2}bc\sin\theta$$

$$=\frac{1}{2}ab\left(\because \sin\theta=\frac{a}{c}\right)$$

마찬가지 방법으로 △QRB, △CST의 넓이도 각각 $\frac{1}{2}ab$이다.

따라서 육각형 PQRSTU의 넓이는

$c^2+a^2+b^2+\frac{1}{2}ab\times4=2(c^2+ab)$ ($\because a^2+b^2=c^2$)

답 ③

1278

→ 원의 중심을 표기하고 각 점들을 연결하여 나타나는 삼각형들을 이용하자.

> 반지름의 길이가 3인 원의 둘레를 6등분하는 점 중에서 연속된 세 개의 점을 각각 A, B, C라 하자. 점 B를 포함하지 않는 호 AC 위의 점 P에 대하여 $\overline{AP}+\overline{CP}=8$이다. 사각형 ABCP의 넓이는?
>
> → ∠ABC + ∠APC $=\pi$

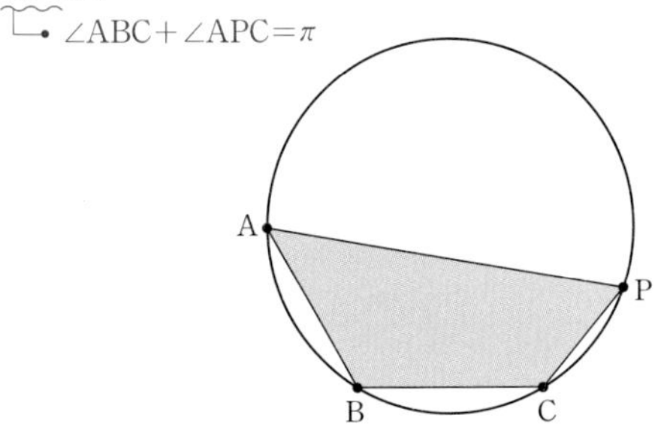

원의 중심을 O라 하고 각 점들을 연결하면 그림과 같다.

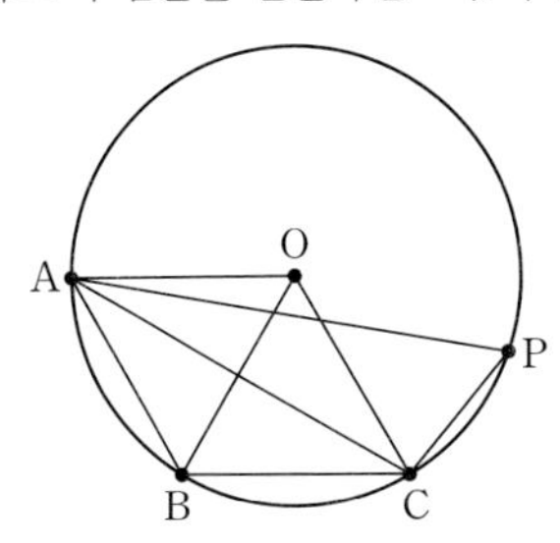

두 삼각형 OAB와 OBC는 정삼각형이므로

$\overline{AB}=\overline{BC}=3$

삼각형 ABC에서 ∠ABC $=\frac{2\pi}{3}$이므로

삼각형 ABC에서 코사인법칙에 의하여

$\overline{AC}^2=3^2+3^2-2\times3\times3\times\cos\frac{2\pi}{3}=27$

$\therefore \overline{AC}=3\sqrt{3}$ ($\because \overline{AC}>0$)

사각형 ABCP가 원에 내접하므로

∠ABC + ∠APC $=\pi$

즉, ∠APC $=\frac{\pi}{3}$

$\overline{AP}=x$, $\overline{CP}=y$라 하면

삼각형 ACP에서 코사인법칙에 의하여

$(3\sqrt{3})^2=x^2+y^2-2xy\cos\frac{\pi}{3}$

$27=(x+y)^2-3xy$

주어진 조건에서 $\overline{AP}+\overline{CP}=x+y=8$이므로 $27=8^2-3xy$

$\therefore xy=\frac{37}{3}$

삼각형 ABC의 넓이는

$\frac{1}{2}\times3\times3\times\sin\frac{2\pi}{3}=\frac{9\sqrt{3}}{4}$

삼각형 ACP의 넓이는

$\frac{1}{2}\times x\times y\times\sin\frac{\pi}{3}=\frac{1}{2}\times\frac{37}{3}\times\frac{\sqrt{3}}{2}=\frac{37\sqrt{3}}{12}$

따라서 사각형 ABCP의 넓이는

$\frac{9\sqrt{3}}{4}+\frac{37\sqrt{3}}{12}=\frac{16\sqrt{3}}{3}$

답 ②

1279

> 그림과 같이 서로 외접하는 세 원의 반지름의 길이가 각각 3, 4, 2일 때, 세 원의 중심을 꼭짓점으로 하는 삼각형 ABC가 있다. 삼각형 ABC의 외접원의 반지름의 길이를 R, 내접원의 반지름의 길이를 r라 할 때, $R-r$의 값은?
>
> → 코사인법칙을 이용하여 $\sin B$를 구하고, 사인법칙을 이용하여 R, 삼각형의 넓이 공식 $S=\frac{1}{2}r(a+b+c)$를 이용하여 r를 구하자.

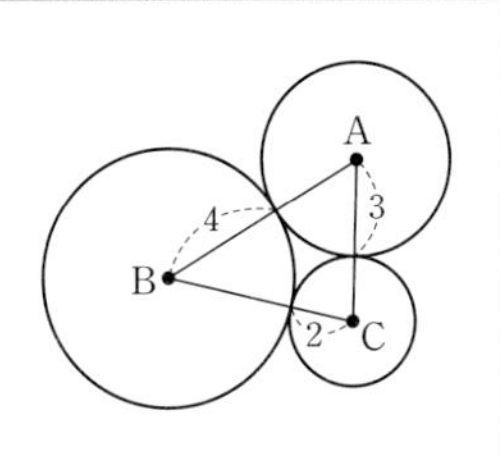

두 원이 외접할 때 두 원의 중심거리는 반지름의 길이의 합과 같으므로

$\overline{AB}=3+4=7$, $\overline{BC}=4+2=6$, $\overline{CA}=2+3=5$

코사인법칙에 의하여

$\cos B=\frac{7^2+6^2-5^2}{2\times7\times6}=\frac{5}{7}$

$\therefore \sin B=\sqrt{1-\cos^2 B}=\sqrt{1-\left(\frac{5}{7}\right)^2}=\frac{2\sqrt{6}}{7}$

삼각형 ABC의 외접원의 반지름의 길이가 R이므로 사인법칙에 의하여

$2R=\frac{\overline{CA}}{\sin B}=\frac{5}{\frac{2\sqrt{6}}{7}}=\frac{35\sqrt{6}}{12}\qquad\therefore R=\frac{35\sqrt{6}}{24}$

삼각형 ABC의 넓이를 S라 하면

$S=\frac{1}{2}\times\overline{AB}\times\overline{BC}\times\sin B=\frac{1}{2}\times7\times6\times\frac{2\sqrt{6}}{7}$

$=6\sqrt{6}$

삼각형 ABC의 내접원의 반지름의 길이가 r이므로

$S=\frac{1}{2}r(6+5+7)=9r$, $9r=6\sqrt{6}$ $\quad\therefore r=\frac{2\sqrt{6}}{3}$

$\therefore R-r=\frac{35\sqrt{6}}{24}-\frac{2\sqrt{6}}{3}=\frac{19\sqrt{6}}{24}$ 답 ③

1280

→ 사인법칙을 이용하자.

그림과 같이 반지름의 길이가 6인 원에 내접하는 사각형 ABCD에 대하여 $\overline{AB}=\overline{CD}=3\sqrt{3}$, $\overline{BD}=8\sqrt{2}$일 때, 사각형 ABCD의 넓이를 S라 하자. $\frac{S^2}{13}$의 값을 구하시오.

→ 등변사다리꼴이다.

→ 두 점 B, C에서 $\overline{AD}$에 각각 수선을 그어보자.

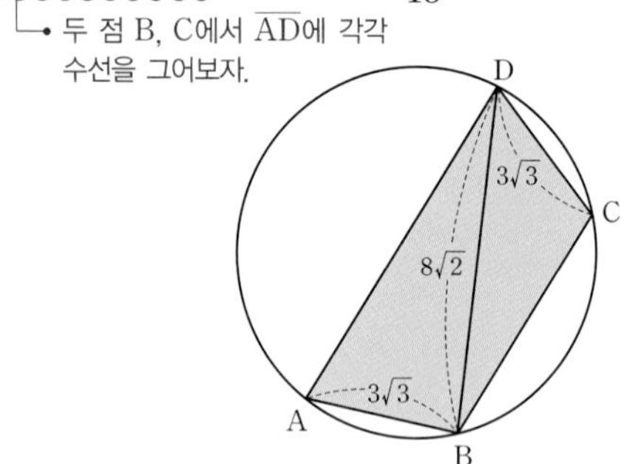

삼각형 ABD에서 $\angle ADB=\alpha$라 할 때, 삼각형 ABD의 외접원의 반지름의 길이가 6이므로

$\frac{\overline{AB}}{\sin\alpha}=12$

$\sin\alpha=\frac{3\sqrt{3}}{12}=\frac{\sqrt{3}}{4}$이므로 $\cos\alpha=\sqrt{1-\left(\frac{\sqrt{3}}{4}\right)^2}=\frac{\sqrt{13}}{4}$

$\overline{AB}=\overline{CD}$이므로 $\angle ADB=\angle CBD$

선분 AD와 선분 BC는 평행하므로 사각형 ABCD는 등변사다리꼴이다.

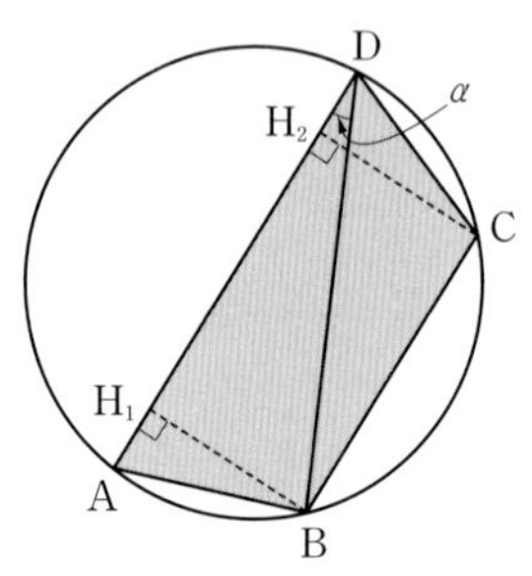

두 점 B, C에서 선분 AD에 내린 수선의 발을 각각 H_1, H_2라 하면

$\overline{DH_1}=\overline{BD}\cos\alpha=8\sqrt{2}\times\frac{\sqrt{13}}{4}=2\sqrt{26}$

$\overline{BH_1}=\overline{BD}\sin\alpha=8\sqrt{2}\times\frac{\sqrt{3}}{4}=2\sqrt{6}$

$\overline{AH_1}=\overline{DH_2}$이므로 사각형 ABCD의 넓이 S는

$S=\frac{1}{2}\times(\overline{AD}+\overline{BC})\times\overline{BH_1}$

$=\frac{1}{2}\times\{(\overline{DH_1}+\overline{AH_1})+(\overline{DH_1}-\overline{DH_2})\}\times\overline{BH_1}$

$=\overline{DH_1}\times\overline{BH_1}$

$=2\sqrt{26}\times2\sqrt{6}=8\sqrt{39}$

$\therefore \frac{S^2}{13}=\frac{(8\sqrt{39})^2}{13}=\frac{2496}{13}=192$ 답 192

08 등차수열

본책 224~250쪽

1281

$a_1=2\times1=2$, $a_2=2\times2=4$, $a_3=2\times3=6$

답 $a_1=2$, $a_2=4$, $a_3=6$

1282

$a_1=4\times1-1=3$, $a_2=4\times2-1=7$, $a_3=4\times3-1=11$

답 $a_1=3$, $a_2=7$, $a_3=11$

1283

$a_1=3\times2=6$, $a_2=3\times2^2=12$, $a_3=3\times2^3=24$

답 $a_1=6$, $a_2=12$, $a_3=24$

1284

$a_1=(-1)\times1=-1$, $a_2=(-1)^2\times2=2$,

$a_3=(-1)^3\times3=-3$ 답 $a_1=-1$, $a_2=2$, $a_3=-3$

1285

$a_{10}=3\times10+4=34$ 답 34

1286

$a_{10}=2^{10+1}=2^{11}=2048$ 답 $2^{11}(=2048)$

1287

$a_{10}=\frac{10-4}{2}=3$ 답 3

1288

$a_{10}=\frac{10+8}{3\times10}=\frac{3}{5}$ 답 $\frac{3}{5}$

1289

$a_1=2$, $a_2=6$에서

$a_2-a_1=6-2=4$

∴ 첫째항: 2, 공차: 4 답 첫째항: 2, 공차: 4

1290

$a_1=-1$, $a_2=4$에서

$a_2-a_1=4-(-1)=5$

∴ 첫째항: -1, 공차: 5 답 첫째항: -1, 공차: 5

1291

$a_1=\frac{1}{2}$, $a_2=1$에서

$a_2-a_1=1-\frac{1}{2}=\frac{1}{2}$

∴ 첫째항: $\frac{1}{2}$, 공차: $\frac{1}{2}$ 답 첫째항: $\frac{1}{2}$, 공차: $\frac{1}{2}$

1292

첫째항이 9, 공차가 -2이므로

9, 7, 5, 3, ⋯ 답 9, 7, 5, 3

1293

첫째항이 -15, 공차가 3이므로

$-15, -12, -9, -6, \cdots$ 답 $-15, -12, -9, -6$

1294

등차수열 $\{6n+2\}$의 첫째항이 8, 공차가 6이므로

$8, 14, 20, 26, \cdots$ 답 $8, 14, 20, 26$

1295

등차수열 $\{-3n+13\}$의 첫째항이 10이고, 공차가 -3이므로

$10, 7, 4, 1, \cdots$ 답 $10, 7, 4, 1$

[1296-1303] 첫째항이 a이고, 공차가 d인 등차수열의 일반항 a_n은 $a_n=a+(n-1)d$임을 이용한다.

1296

$a=5$, $d=2$이므로

$a_n=5+(n-1)\times 2=2n+3$

답 $a_n=2n+3$

1297

$a=10$, $d=-4$이므로

$a_n=10+(n-1)\times(-4)=-4n+14$

답 $a_n=-4n+14$

1298

$a=-1$, $d=3$이므로

$a_n=-1+(n-1)\times 3=3n-4$

답 $a_n=3n-4$

1299

$a=2$, $d=3-2=1$이므로

$a_n=2+(n-1)\times 1=n+1$ 답 $a_n=n+1$

1300

$a=1$, $d=3-1=2$이므로

$a_n=1+(n-1)\times 2=2n-1$ 답 $a_n=2n-1$

1301

$a=-4$, $d=-2-(-4)=2$이므로

$a_n=-4+(n-1)\times 2=2n-6$ 답 $a_n=2n-6$

1302

$a=12$, $d=10-12=-2$이므로

$a_n=12+(n-1)\times(-2)=-2n+14$

답 $a_n=-2n+14$

1303

$a=7$, $d=4-7=-3$이므로

$a_n=7+(n-1)\times(-3)=-3n+10$

답 $a_n=-3n+10$

[1304-1307] 주어진 등차수열의 공차를 d라 하면

1304

$a_4=13$에서 $a_1+3d=13$

$4+3d=13$, $3d=9$

$\therefore d=3$ 답 3

다른풀이 $a_m-a_n=(m-n)d$이므로

$a_4-a_1=3d$

$3d=9$ $\therefore d=3$

1305

$a_5=8$에서 $a_1+4d=8$

$-4+4d=8$, $4d=12$

$\therefore d=3$ 답 3

1306

$a_6=23$에서 $a_2+4d=23$

$7+4d=23$, $4d=16$

$\therefore d=4$ 답 4

다른풀이 첫째항을 a라 하면

$a_2=7$에서 $a+d=7$ ……㉠

$a_6=23$에서 $a+5d=23$ ……㉡

㉠, ㉡을 연립하여 풀면

$d=4$

1307

$a_7=28$에서 $a_3+4d=28$

$8+4d=28$, $4d=20$

$\therefore d=5$ 답 5

다른풀이 첫째항을 a라 하면

$a_3=8$에서 $a+2d=8$ ……㉠

$a_7=28$에서 $a+6d=28$ ……㉡

㉠, ㉡을 연립하여 풀면 $d=5$

1308

$\square$가 1과 15의 등차중항이므로

$\square=\dfrac{1+15}{2}=8$ 답 8

1309

$\square$가 -3과 9의 등차중항이므로

$\square=\dfrac{-3+9}{2}=3$ 답 3

1310

$\square$가 -17과 -7의 등차중항이므로

$\square=\dfrac{-17+(-7)}{2}=-12$ 답 -12

1311

주어진 수열을 $5, a, 21, b, 37, \cdots$이라 하면

$2a=5+21=26$ $\therefore a=13$

$2b=21+37=58$ $\therefore b=29$ 답 13, 29

1312
주어진 수열을 $-6, a, 2, b, 10, \cdots$이라 하면
$2a=(-6)+2=-4 \quad \therefore a=-2$
$2b=2+10=12 \quad \therefore b=6$
답 $-2, 6$

1313
주어진 수열을 $15, a, -3, b, -21, \cdots$이라 하면
$2a=15+(-3)=12 \quad \therefore a=6$
$2b=(-3)+(-21)=-24 \quad \therefore b=-12$
답 $6, -12$

1314
$S_{10}=\frac{10(2+29)}{2}=155$
답 155

1315
$S_8=\frac{8\{5+(-23)\}}{2}=-72$
답 -72

1316
$\frac{9\{2\times(-2)+(9-1)\times 2\}}{2}=\frac{9\times 12}{2}=54$
답 54

1317
$\frac{14\{2\times 11+(14-1)\times(-2)\}}{2}=\frac{14\times(-4)}{2}=-28$
답 -28

1318
첫째항이 1, 공차가 5인 등차수열의 첫째항부터 제20항까지의 합이므로
$\frac{20\{2\times 1+(20-1)\times 5\}}{2}=\frac{20\times 97}{2}=970$
답 970

1319
첫째항이 -8, 공차가 3인 등차수열의 첫째항부터 제20항까지의 합이므로
$\frac{20\{2\times(-8)+(20-1)\times 3\}}{2}=\frac{20\times 41}{2}=410$
답 410

1320
첫째항이 3, 공차가 -1인 등차수열의 첫째항부터 제20항까지의 합이므로
$\frac{20\{2\times 3+(20-1)\times(-1)\}}{2}=\frac{20\times(-13)}{2}=-130$
답 -130

1321
첫째항이 10, 공차가 -3인 등차수열의 첫째항부터 제20항까지의 합이므로
$\frac{20\{2\times 10+(20-1)\times(-3)\}}{2}=\frac{20\times(-37)}{2}=-370$
답 -370

1322
첫째항이 1, 공차가 1인 등차수열의 제100항이 100이므로
$1+2+3+\cdots+100=\frac{100(1+100)}{2}$
$=\frac{100\times 101}{2}=5050$
답 5050

1323
첫째항이 2, 공차가 2인 등차수열의 제 n항을 30이라 하면
$30=2+(n-1)\times 2$이므로 $n=15$
$\therefore 2+4+6+\cdots+30=\frac{15(2+30)}{2}$
$=\frac{15\times 32}{2}$
$=240$
답 240

1324
첫째항이 19, 공차가 -2인 등차수열의 제 n항을 1이라 하면
$1=19+(n-1)\times(-2)$이므로 $n=10$
$\therefore 19+17+15+\cdots+1=\frac{10(19+1)}{2}$
$=\frac{10\times 20}{2}$
$=100$
답 100

1325
$S_{10}=a_1+a_2+a_3+\cdots+a_9+a_{10}=30$
$S_9=a_1+a_2+a_3+\cdots+a_9=25$
$\therefore a_{10}=S_{10}-S_9=5$
답 5

1326
$S_{20}=a_1+a_2+a_3+\cdots+a_{19}+a_{20}=46$
$S_{19}=a_1+a_2+a_3+\cdots+a_{19}=36$
$\therefore a_{20}=S_{20}-S_{19}=10$
답 10

1327
$S_{10}=a_1+a_2+a_3+\cdots+a_8+a_9+a_{10}=35$
$S_8=a_1+a_2+a_3+\cdots+a_8=25$
$\therefore a_9+a_{10}=S_{10}-S_8=10$
답 10

1328
$a_n=S_n-S_{n-1}$
$=n^2-(n-1)^2$
$=2n-1$ (단, $n\geq 2$)
$\therefore a_5=2\times 5-1=9$
답 9

다른풀이 $a_5=S_5-S_4=5^2-4^2=9$

1329
$a_n=S_n-S_{n-1}$
$=(n-1)^2-\{(n-1)-1\}^2$
$=2n-3$ (단, $n\geq 2$)
$\therefore a_5=2\times 5-3=7$
답 7

다른풀이 $a_5=S_5-S_4=4^2-3^2=7$

1330

$a_n=S_n-S_{n-1}$
$=(2n^2+n)-\{2(n-1)^2+(n-1)\}$
$=4n-1$ (단, $n\geq 2$)
$\therefore a_5=4\times 5-1=19$ 답 19

다른풀이 $a_5=S_5-S_4=(2\times 5^2+5)-(2\times 4^2+4)=19$

1331

(i) $n\geq 2$일 때,
$a_n=S_n-S_{n-1}$
$=3n^2-3(n-1)^2$
$=6n-3$
(ii) $n=1$일 때,
$a_1=S_1=3$
$a_1=3$은 $a_n=6n-3$에 $n=1$을 대입한 것과 같다.
$\therefore a_1=3,\ a_n=6n-3$ 답 $a_1=3,\ a_n=6n-3$

1332

(i) $n\geq 2$일 때,
$a_n=S_n-S_{n-1}$
$=n(n+1)-(n-1)\{(n-1)+1\}$
$=2n$
(ii) $n=1$일 때,
$a_1=S_1=2$
$a_1=2$는 $a_n=2n$에 $n=1$을 대입한 것과 같다.
$\therefore a_1=2,\ a_n=2n$ 답 $a_1=2,\ a_n=2n$

1333

(i) $n\geq 2$일 때,
$a_n=S_n-S_{n-1}$
$=(3n^2+n)-\{3(n-1)^2+(n-1)\}$
$=6n-2$
(ii) $n=1$일 때,
$a_1=S_1=4$
$a_1=4$는 $a_n=6n-2$에 $n=1$을 대입한 것과 같다.
$\therefore a_1=4,\ a_n=6n-2$ 답 $a_1=4,\ a_n=6n-2$

1334

(i) $n\geq 2$일 때,
$a_n=S_n-S_{n-1}$
$=(n^2+3)-\{(n-1)^2+3\}$
$=2n-1$
(ii) $n=1$일 때,
$a_1=S_1=4$
(i), (ii)에 의하여 $a_1=4,\ a_n=2n-1$ (단, $n\geq 2$)
답 $a_1=4,\ a_n=2n-1$ (단, $n\geq 2$)

1335

(i) $n\geq 2$일 때,
$a_n=S_n-S_{n-1}$
$=(n^2+2n-1)-\{(n-1)^2+2(n-1)-1\}$
$=2n+1$
(ii) $n=1$일 때,
$a_1=S_1=2$
(i), (ii)에 의하여 $a_1=2,\ a_n=2n+1$ (단, $n\geq 2$)
답 $a_1=2,\ a_n=2n+1$ (단, $n\geq 2$)

1336

(i) $n\geq 2$일 때,
$a_n=S_n-S_{n-1}$
$=(5-n^2)-\{5-(n-1)^2\}$
$=-2n+1$
(ii) $n=1$일 때,
$a_1=S_1=4$
(i), (ii)에 의하여 $a_1=4,\ a_n=-2n+1$ (단, $n\geq 2$)
답 $a_1=4,\ a_n=-2n+1$ (단, $n\geq 2$)

1337

다음 수열에서 두 항 a, b에 대하여 $a+b$의 값은?

각 항의 차가 3인 수열이다.
$2,\ 5,\ 8,\ a,\ 14,\ b,\ \cdots$

첫째항이 2이고, 3씩 더하는 수열이므로
$a=11,\ b=17$
$\therefore a+b=28$ 답 ⑤

1338

일반항이 다음과 같은 수열 $\{a_n\}$에 대하여 a_1+a_5의 값을 구하시오.
$n=1$, $n=5$를 대입하자.

$a_n=3n+5$

$a_1=3\cdot 1+5=8,\ a_5=3\cdot 5+5=20$이므로
$a_1+a_5=28$ 답 28

1339

수열 $\left\{\frac{64}{2^n}\right\}$에서 제3항과 제7항의 곱은?
$n=3$, $n=7$을 대입하자.

수열 $\left\{\frac{64}{2^n}\right\}$에서 일반항 a_n은 $a_n=\frac{64}{2^n}$이므로
$a_3=\frac{64}{2^3}=8$
$a_7=\frac{64}{2^7}=\frac{2^6}{2^7}=\frac{1}{2}$
$\therefore a_3a_7=8\cdot\frac{1}{2}=4$ 답 ④

1340

> 다음 수열 $\{a_n\}$의 일반항 a_n은?
>
> $1\cdot2,\ 2\cdot3,\ 3\cdot4,\ 4\cdot5,\ \cdots$
>
> → n번째 항을 추론하자.

$a_1=1\cdot(1+1)$, $a_2=2\cdot(2+1)$, $a_3=3\cdot(3+1)$,
$a_4=4\cdot(4+1)$, $\cdots$
$\therefore a_n=n(n+1)$

답 ③

1341

> 수열 $1,\ \frac{3}{4},\ \frac{5}{9},\ \frac{7}{16},\ \cdots$의 일반항 a_n을 구하시오.
>
> → 분모는 n^2, 분자는 $2n-1$이다.

$1=\frac{1}{1}$이므로 주어진 수열은

$a_1=\frac{2\cdot1-1}{1^2}$, $a_2=\frac{2\cdot2-1}{2^2}$, $a_3=\frac{2\cdot3-1}{3^2}$, $a_4=\frac{2\cdot4-1}{4^2}$, $\cdots$

$\therefore a_n=\frac{2n-1}{n^2}$

답 $a_n=\frac{2n-1}{n^2}$

1342

> 다음 수열 $\{a_n\}$의 일반항 a_n은?
>
> $101,\ 1001,\ 10001,\ \cdots$
>
> → $101=10^2+1$, $1001=10^3+1$이다.

$a_1=101=10^2+1$, $a_2=1001=10^3+1$,
$a_3=10001=10^4+1$, $\cdots$
$\therefore a_n=10^{n+1}+1$

답 ⑤

1343

> 수열 $a,\ 8,\ 11,\ b,\ \cdots$가 등차수열을 이룰 때, $b-a$의 값은?
>
> → 공차가 3인 등차수열이다.

주어진 수열의 공차를 d라 하면
$d=11-8=3$
$\therefore a=8-3=5$, $b=11+3=14$
$\therefore b-a=9$

답 ③

1344

> 네 수 $a,\ 1,\ b,\ 2$가 이 순서대로 등차수열을 이룰 때, $\frac{b}{a}$의 값은?
>
> → 공차는 $\frac{2-1}{2}=\frac{1}{2}$이다.

주어진 등차수열의 공차를 d라 하면
$1=a+d$, $b=a+2d$, $2=a+3d$이므로
$2-1=(a+3d)-(a+d)=2d$ $\quad\therefore d=\frac{1}{2}$

따라서 $a=\frac{1}{2}$, $b=\frac{3}{2}$이므로 $\frac{b}{a}=\frac{\frac{3}{2}}{\frac{1}{2}}=3$

답 ②

1345

> 수열 $2,\ 7,\ 12,\ 17,\ 22,\ \cdots$의 일반항 a_n을 $a_n=\alpha n+\beta$라 할 때, $\alpha+\beta$의 값은? (단, α, β는 상수)
>
> → 첫째항이 2, 공차가 5인 등차수열이다.

주어진 수열은 첫째항이 2이고, 공차가 5인 등차수열이므로
$a_n=2+(n-1)\cdot5=5n-3$
$\therefore \alpha=5$, $\beta=-3$
$\therefore \alpha+\beta=2$

답 ④

다른풀이 $a_1=\alpha+\beta$이므로 $\alpha+\beta=2$

1346

> 공차가 -2, 제8항이 -13인 등차수열 $\{a_n\}$에서 $a_n=pn+q$라 할 때, $p+q$의 값은?
>
> → $a_8=a+7\times d=-13$

등차수열 $\{a_n\}$의 첫째항을 a라 하면
$a_8=a+(8-1)\cdot(-2)=-13$에서
$a=1$
$\therefore a_n=1+(n-1)\cdot(-2)=-2n+3$
따라서 $p=-2$, $q=3$이므로
$p+q=1$

답 ③

1347

> 등차수열 $\{a_n\}$에 대하여 $a_1=-4$, $a_5=8$일 때, $a_2a_3a_4$의 값은?
>
> → $a_5=a_1+4d=8$

등차수열 $\{a_n\}$의 공차를 d라 하면
$a_5=-4+4d=8$에서 $d=3$
$\therefore a_2=-1$, $a_3=2$, $a_4=5$
$\therefore a_2a_3a_4=(-1)\cdot2\cdot5=-10$

답 ①

1348

> 등차수열 $\{a_n\}$이 $a_3=2$, $a_6=17$을 만족시킬 때, a_8의 값을 구하시오.
>
> → $a_3=a+2d=2$, $a_6=a+5d=17$

등차수열 $\{a_n\}$의 첫째항을 a, 공차를 d라 하면
$a_3=a+2d=2$ $\quad\cdots\cdots$ ㉠
$a_6=a+5d=17$ $\quad\cdots\cdots$ ㉡
㉠, ㉡을 연립하여 풀면 $a=-8$, $d=5$
$\therefore a_8=-8+7\times5=27$

답 27

1349

> 등차수열 $\{a_n\}$의 첫째항이 -2, 공차가 3일 때, 19는 제 몇 항인가?
> └ 일반항은 $a_n=a+(n-1)d$이다.

첫째항이 -2, 공차가 3인 등차수열의 일반항 a_n은
$a_n=-2+(n-1)\cdot 3=3n-5$
이때, $3n-5=19$이므로
$3n=24$ $\therefore n=8$
따라서 19는 제8항이다.
답 ①

1350

> 등차수열 $\{a_n\}$에서 제2항이 10, 제5항이 43일 때, $a_n=978$을 만족하는 n의 값을 구하시오.
> └ $a_2=a+d=10$, $a_5=a+4d=43$

등차수열 $\{a_n\}$의 첫째항을 a, 공차를 d라 하면
$a_2=a+d=10$ ……㉠
$a_5=a+4d=43$ ……㉡
㉠, ㉡을 연립하여 풀면 $a=-1$, $d=11$
$\therefore a_n=-1+(n-1)\cdot 11=11n-12$
$11n-12=978$에서 $11n=990$
$\therefore n=90$
답 90

1351

> 수열 $\{a_n\}$이 공차가 -4인 등차수열일 때,
> $a_1-a_2+a_3-a_4+a_5-\cdots+a_{99}-a_{100}$의 값은?
> └ $a_2=a_1-4$, $a_4=a_3-4$, $\cdots$

등차수열 $\{a_n\}$의 공차가 -4이므로
$a_{n+1}-a_n=-4$, 즉 $a_n-a_{n+1}=4$
그러므로 $a_1-a_2=a_3-a_4=a_5-a_6=\cdots=a_{99}-a_{100}=4$
$\therefore a_1-a_2+a_3-a_4+a_5-\cdots+a_{99}-a_{100}$
$=(a_1-a_2)+(a_3-a_4)+(a_5-a_6)+\cdots+(a_{99}-a_{100})$
$=4+4+4+\cdots+4$
$=4\cdot 50=200$
답 ⑤

1352

> 등차수열 $\{a_n\}$에 대하여 $a_3=5$, $a_6-a_4=4$일 때, a_{10}의 값을 구하시오.
> └ $a_3=a_1+2d$, $a_6-a_4=2d$

등차수열 $\{a_n\}$의 첫째항을 a, 공차를 d라 하면
$a_3=a+2d=5$ ……㉠
$a_6-a_4=(a+5d)-(a+3d)=2d=4$
$\therefore d=2$ ……㉡
㉡을 ㉠에 대입하면 $a=1$
$\therefore a_n=1+(n-1)\cdot 2=2n-1$
$\therefore a_{10}=2\cdot 10-1=19$
답 19

1353

> 등차수열 $\{a_n\}$에 대하여 $a_1+a_2=14$, $a_3+a_4+a_5=51$이 성립할 때, a_{11}의 값은?
> └ $a_1+a_2=2a+d$, $a_3+a_4+a_5=3a+9d$

등차수열 $\{a_n\}$의 첫째항을 a, 공차를 d라 하면
$a_1+a_2=a+(a+d)$
$=2a+d=14$ ……㉠
$a_3+a_4+a_5=(a+2d)+(a+3d)+(a+4d)$
$=3a+9d=51$
즉, $a+3d=17$ ……㉡
㉠, ㉡을 연립하여 풀면 $a=5$, $d=4$
$\therefore a_{11}=5+10\cdot 4=45$
답 ④

1354

> 등차수열 $\{a_n\}$에 대하여 $a_5=4a_3$, $a_2+a_4=4$가 성립할 때, a_6의 값은?
> └ $a+4d=4(a+2d)$

등차수열 $\{a_n\}$의 첫째항을 a, 공차를 d라 하면
$a_5=4a_3$에서 $a+4d=4(a+2d)$
$\therefore 3a+4d=0$ ……㉠
$a_2+a_4=4$에서 $(a+d)+(a+3d)=4$
$\therefore a+2d=2$ ……㉡
㉠, ㉡을 연립하여 풀면 $a=-4$, $d=3$
$\therefore a_6=-4+(6-1)\cdot 3=11$
답 ③

1355

> 등차수열 $\{a_n\}$에 대하여 $a_1+a_3+a_5=9$, $a_7+a_9+a_{11}=45$일 때, $a_3+a_6+a_9$의 값은?
> └ $a_1+a_3+a_5=3a_1+6d$

등차수열 $\{a_n\}$의 공차를 d라 하면
$a_1+a_3+a_5=a_1+(a_1+2d)+(a_1+4d)=3a_1+6d=9$
$\therefore a_1+2d=3$ ……㉠
$a_7+a_9+a_{11}=(a_1+6d)+(a_1+8d)+(a_1+10d)$
$=3a_1+24d=45$
$\therefore a_1+8d=15$ ……㉡
㉠, ㉡을 연립하여 풀면 $a_1=-1$, $d=2$
$\therefore a_3+a_6+a_9=(a_1+2d)+(a_1+5d)+(a_1+8d)$
$=3a_1+15d$
$=3\cdot(-1)+15\cdot 2=27$
답 ④

1356

> 등차수열 $\{a_n\}$에서 $a_1+a_2=8$, $a_3+a_4=24$일 때, $a_k=198$이 되는 상수 k의 값은?
> └ $2a+d=8$ └ $2a+5d=24$

등차수열 $\{a_n\}$의 첫째항을 a, 공차를 d라 하면
$a_1+a_2=8$에서 $a+(a+d)=8$
$\therefore 2a+d=8$ ……㉠

$a_3+a_4=24$에서 $(a+2d)+(a+3d)=24$
$\therefore 2a+5d=24$ ······ ㉡
㉡−㉠을 하면 $4d=16$ $\therefore d=4$
$d=4$를 ㉠에 대입하면 $a=2$
$\therefore a_n=2+(n-1)\cdot 4=4n-2$
$a_k=198$에서 $4k-2=198$
$\therefore k=50$

답 ③

1357

공차가 양수인 등차수열 $\{a_n\}$이 다음 조건을 만족시킬 때, a_2의 값은?

(가) $a_6+a_8=0$ → $2a+12d=0$
(나) $|a_6|=|a_7|+3$

등차수열 $\{a_n\}$의 첫째항을 a, 공차를 d라 하면
조건 (가)에서 $(a+5d)+(a+7d)=0$
$2a+12d=0$
$\therefore a=-6d$ ······ ㉠
또한, 조건 (나)에서
$|a+5d|=|a+6d|+3$
이므로 이 식에 ㉠을 대입하면
$|-d|=3$ $\therefore d=3 (\because d>0)$
따라서 $a=-18$이므로
$a_2=a+d=(-18)+3=-15$

답 ①

1358

첫째항이 30, 공차가 −4인 등차수열 $\{a_n\}$에서 처음으로 음수가 되는 항은 제 몇 항인가? → 일반항 공식 $a_n=a+(n-1)d$를 이용하자.

주어진 등차수열의 일반항 a_n은
$a_n=30+(n-1)\cdot(-4)=-4n+34$
$-4n+34<0$에서 $n>\frac{34}{4}=8.5$
따라서 처음으로 음수가 되는 항은 제9항이다.

답 ①

1359

제1항이 −64, 제10항이 −37인 등차수열에서 처음으로 양수가 되는 항은? → $a_{10}=a+9d=-37$

수열의 첫째항을 a , 공차를 d라 하면
$a=-64$, $a+9d=-37$
$9d=27$
$\therefore d=3$
따라서 이 수열의 일반항은
$a_n=-64+(n-1)\times 3=3n-67$
$3n-67>0$에서
$n>\frac{67}{3}=22.\times\times\times$
처음으로 양수가 되는 항은 제23항이다.

답 ④

1360

제3항이 55이고, 제10항이 27인 등차수열 $\{a_n\}$의 각 항을 순서대로 나열할 때, 처음으로 음수가 나오는 항은 제 몇 항인가? → $a_3=a+2d=55$, $a_{10}=a+9d=27$

등차수열 $\{a_n\}$의 첫째항을 a, 공차를 d라 하면
$a_3=a+2d=55$ ······ ㉠
$a_{10}=a+9d=27$ ······ ㉡
㉠, ㉡을 연립하여 풀면 $a=63$, $d=-4$
$\therefore a_n=63+(n-1)\cdot(-4)=-4n+67$
이때, 제n항에서 처음으로 음수가 나온다고 하면
$-4n+67<0$ $\therefore n>16.75$
따라서 이를 만족하는 자연수 n의 최솟값은 17이므로 제17항부터 음수가 나온다.

답 ⑤

1361

등차수열 2, 6, 10, 14, ⋯에서 처음으로 100보다 커지는 항은 제 몇 항인가? → 첫째항이 2, 공차가 4인 등차수열이다.

첫째항이 2, 공차가 4인 등차수열이므로 일반항 a_n은
$a_n=2+(n-1)\cdot 4=4n-2$
제n항에서 처음으로 100보다 커진다고 하면
$4n-2>100$, $4n>102$
$\therefore n>25.5$
따라서 주어진 수열은 제26항에서 처음으로 100보다 커지게 된다.

답 ②

1362

등차수열 $\{a_n\}$에서 $a_{11}=166$, $a_{51}=-114$일 때, 양수인 항의 개수를 구하시오. → $a+10d=166$ → $a+50d=-114$

등차수열 $\{a_n\}$의 첫째항을 a, 공차를 d라 하면
$a_{11}=a+10d=166$ ······ ㉠
$a_{51}=a+50d=-114$ ······ ㉡
㉡−㉠을 하면 $40d=-280$
$\therefore d=-7$
$d=-7$을 ㉠에 대입하면 $a=236$
$\therefore a_n=236+(n-1)\cdot(-7)$
$=-7n+243$
$-7n+243>0$에서 $n<34.7\times\times\times$
따라서 양수인 항은 제1항에서 제34항까지 34개이다.

답 34

1363

> 공차가 2인 등차수열 $\{a_n\}$이
> $|a_3-1|=|a_6-3|$
> 을 만족시킨다. 이때, $a_n>92$를 만족시키는 자연수 n의 최솟값을 구하시오.
> → $|a+2d-1|=|a+5d-3|$

수열 $\{a_n\}$의 첫째항을 a라 하면
$|a+2\times2-1|=|a+5\times2-3|$
$|a+3|=|a+7|$이므로 $a=-5$
$\therefore a_n=-5+(n-1)\times2=2n-7$
$2n-7>92$에서 $n>49.5$
따라서 n의 최솟값은 50이다. 답 50

1364

> 두 집합 A, B를 → 수열 $\{a_n\}$은 2, 4, 6, 8, ⋯
> $A=\{a_n|a_n=2n, n$은 자연수$\}$,
> $B=\{b_n|b_n=3n-2, n$은 자연수$\}$ → 수열 $\{b_n\}$은 1, 4, 7, 10, ⋯
> 로 정의하자. 집합 $A\cap B$의 원소를 작은 수부터 차례로 나열한 수열을 $\{c_n\}$이라 할 때, 일반항 c_n을 구하시오.

$A=\{2, 4, 6, 8, 10, 12, 14, 16, \cdots\}$
$B=\{1, 4, 7, 10, 13, 16, \cdots\}$
$\therefore A\cap B=\{4, 10, 16, \cdots\}$
따라서 수열 $\{c_n\}$은 첫째항이 4, 공차가 6인 등차수열이므로
$c_n=4+(n-1)\cdot6=6n-2$ 답 $c_n=6n-2$

1365

> 등차수열 $\{a_n\}$에 대하여 $(a_1+a_2):(a_3+a_4)=1:2$가 성립할 때, $a_1:a_4$는? (단, $a_1\neq0$)
> → $2a+d$ → $2a+5d$

등차수열 $\{a_n\}$의 공차를 d라 하면
$(a_1+a_2):(a_3+a_4)=(a_1+a_1+d):(a_1+2d+a_1+3d)$
$=1:2$
이므로 $2a_1+5d=4a_1+2d$
$\therefore 2a_1=3d$
$\therefore a_1:a_4=a_1:(a_1+3d)=a_1:3a_1=1:3$ 답 ②

1366

> 제3항과 제8항은 절댓값이 같고 부호가 반대이며, 제5항은 -1인 등차수열 $\{a_n\}$에서 233은 제 몇 항인가? → $a_8=-a_3$이다.

주어진 등차수열의 첫째항을 a, 공차를 d라 하자. 이때 제3항과 제8항은 절댓값이 같고 부호가 반대이므로
$a_3=-a_8$
$a+2d=-(a+7d)$ $\therefore 2a+9d=0$ ⋯⋯ ㉠
또 제5항이 -1이므로 $a_5=-1$
$\therefore a+4d=-1$ ⋯⋯ ㉡
㉠, ㉡을 연립하여 풀면 $a=-9$, $d=2$
$\therefore a_n=-9+(n-1)\cdot2=2n-11$
233이 제n항이라 하면 $2n-11=233$
$\therefore n=122$
따라서 233은 제122항이다. 답 ⑤

1367

> 등차수열 $\{a_n\}$에서 $a_{2n}=6n+1$ $(n=1, 2, 3, \cdots)$일 때, a_9의 값은?
> → a_2, a_4의 값을 구하자.

등차수열 $\{a_n\}$의 첫째항을 a, 공차를 d라 하면
$a_{2n}=6n+1$에서
$a_2=a+d=7$ ⋯⋯ ㉠
$a_4=a+3d=13$ ⋯⋯ ㉡
㉡$-$㉠을 하면 $2d=6$ $\therefore d=3$
$d=3$을 ㉠에 대입하면 $a=4$
$\therefore a_9=a+8d=4+8\cdot3=28$ 답 ⑤

1368

> $a_5=a_1+4d$, $b_7=b_1+6d'$
> 두 등차수열 $\{a_n\}$, $\{b_n\}$에 대하여 $a_1=b_1$, $a_5=b_7$, $b_{22}=10$일 때, $a_k=10$을 만족시키는 양의 정수 k의 값을 구하시오.

두 수열 $\{a_n\}$, $\{b_n\}$의 공차를 각각 d, d'이라 하면
$a_1=b_1$이므로
$a_5=a_1+4d$, $b_7=a_1+6d'$에서
$4d=6d'$, 즉 $2d=3d'$
$b_{22}=a_1+21d'=a_1+14d=10$에서
$10=a_1+(15-1)d=a_{15}$
$\therefore k=15$ 답 15

1369

> 공차가 0이 아닌 두 등차수열 $\{a_n\}$, $\{b_n\}$에 대하여 $a_1=b_1=a$, $a_{10}=b_{20}=b$가 성립한다. 두 수열 $\{a_n\}$, $\{b_n\}$의 공차를 각각 d_1, d_2라 할 때, $\frac{d_2}{d_1}$의 값은?
> → $a_{10}=a+9d_1$, $b_{20}=a+19d_2$

$a_{10}=a_1+9d_1$에서 $b=a+9d_1$
$\therefore d_1=\frac{b-a}{9}$
$b_{20}=b_1+19d_2$에서 $b=a+19d_2$
$\therefore d_2=\frac{b-a}{19}$
$d_1\neq0$, $d_2\neq0$이므로 $b-a\neq0$
$\therefore \frac{d_2}{d_1}=\frac{\frac{b-a}{19}}{\frac{b-a}{9}}=\frac{9}{19}$ 답 ①

1370

두 수 10과 30 사이에 3개의 수를 넣어 5개의 수가 등차수열을 이루도록 할 때, 이 수열의 공차는?
→ $a_1=10$, $a_5=30$이다.

첫째항이 10, 제5항이 30인 등차수열의 공차를 d라 하면
$30=10+4d \quad \therefore d=5$

답 ③

1371

두 수 -2와 20 사이에 10개의 수 $a_1, a_2, \cdots, a_{10}$을 넣어 등차수열을 이루도록 할 때, a_{10}의 값을 구하시오.
→ $a_1=-2$, $a_{12}=20$이다.

첫째항이 -2, 제12항이 20인 등차수열의 공차를 d라 하면
$20=-2+11d \quad \therefore d=2$
이때, $a_{10}+2=20$이므로 $a_{10}=18$

답 18

1372

다음 수열이 공차가 $\frac{1}{2}$인 등차수열이 되도록 하는 n의 값은?

$-10, a_1, a_2, a_3, \cdots, a_n, 10$

→ 첫째항은 -10이고 $n+2$번째 항은 10이다.

첫째항이 -10, 끝항이 10, 항의 개수가 $n+2$, 공차가 $\frac{1}{2}$이므로
$-10+(n+2-1)\cdot\frac{1}{2}=10$에서
$\frac{1}{2}(n+1)=20$
$\therefore n=39$

답 ④

1373

다섯 개의 수 4, a, b, c, 16이 이 순서대로 등차수열을 이룰 때, $a+b+c$의 값은?
→ $2b=4+16$이다.

4, b, 16이 이 순서대로 등차수열을 이루므로
$b=\frac{4+16}{2}=10$
4, a, 10이 이 순서대로 등차수열을 이루므로
$a=\frac{4+10}{2}=7$
10, c, 16이 이 순서대로 등차수열을 이루므로
$c=\frac{10+16}{2}=13$
$\therefore a+b+c=7+10+13=30$

답 ③

1374

다음 수열이 이 순서대로 등차수열을 이룰 때, $y-x$의 값은?
→ $2x=5+11$이고, $2\times11=x+y$이다.

$5, x, 11, y$

5, x, 11이 이 순서대로 등차수열을 이루므로
$2x=5+11$
$\therefore x=8$
또 x, 11, y, 즉 8, 11, y도 이 순서대로 등차수열을 이루므로
$2\cdot11=8+y$
$\therefore y=14$
$\therefore y-x=14-8=6$

답 ①

1375

세 수 $2k-5$, k^2-1, $2k+3$이 이 순서대로 등차수열을 이룰 때, k의 값은? (단, $k\neq0$)
→ 등차중항의 성질을 이용하자.

$2k-5$, k^2-1, $2k+3$이 이 순서대로 등차수열을 이루므로
$2(k^2-1)=(2k-5)+(2k+3)$
$2k^2=4k$, $2k(k-2)=0$
$\therefore k=2$ ($\because k\neq0$)

답 ②

1376

세 수 7, a, 13이 이 순서대로 등차수열을 이루고, a, 6, b와 a, b, c도 각각 이 순서대로 등차수열을 이룰 때, $a+b+c$의 값은?
→ $2a=7+13$
→ $2\times6=a+b$
→ $2b=a+c$

7, a, 13이 이 순서대로 등차수열을 이루므로
$2a=7+13 \quad \therefore a=10$
10, 6, b가 이 순서대로 등차수열을 이루므로
$12=10+b \quad \therefore b=2$
10, 2, c가 이 순서대로 등차수열을 이루므로
$4=10+c \quad \therefore c=-6$
$\therefore a+b+c=6$

답 ③

1377

이차방정식 $3x^2-6x+1=0$의 두 실근을 각각 α, β라 하면 세 실수 $\frac{1}{\alpha^3}$, $\frac{1}{p}$, $\frac{1}{\beta^3}$이 이 순서대로 등차수열을 이룬다. 이때, 실수 p의 값은?
→ $\alpha+\beta=2$, $\alpha\beta=\frac{1}{3}$
→ 등차중항의 성질을 이용하자.

이차방정식의 근과 계수의 관계에 의하여
$\alpha+\beta=-\frac{-6}{3}=2$, $\alpha\beta=\frac{1}{3}$
이때, $\frac{1}{\alpha^3}$, $\frac{1}{p}$, $\frac{1}{\beta^3}$이 이 순서대로 등차수열을 이루므로
$$\frac{2}{p}=\frac{1}{\alpha^3}+\frac{1}{\beta^3}=\frac{\alpha^3+\beta^3}{\alpha^3\beta^3}=\frac{(\alpha+\beta)^3-3\alpha\beta(\alpha+\beta)}{(\alpha\beta)^3}$$

$$=\frac{2^3-3\cdot\frac{1}{3}\cdot 2}{\frac{1}{3^3}}=27\cdot 6=162$$

$\therefore p=\frac{2}{162}=\frac{1}{81}$ 답 ④

1378

서로 다른 세 정수 a, b, c가 다음 두 조건을 모두 만족한다.

(가) a, b, c가 이 순서대로 등차수열을 이룬다. → $2b=a+c$

(나) a^2, c^2, b^2이 이 순서대로 등차수열을 이룬다. → $2c^2=a^2+b^2$

이때, $\frac{ab}{c^2}$의 값을 구하시오.

a, b, c가 이 순서대로 등차수열을 이루므로

$2b=a+c$

$\therefore c=2b-a$ ······㉠

a^2, c^2, b^2이 이 순서대로 등차수열을 이루므로

$2c^2=a^2+b^2$ ······㉡

㉠을 ㉡에 대입하면

$2(2b-a)^2=a^2+b^2$

$a^2-8ab+7b^2=0$, $(a-b)(a-7b)=0$

$\therefore a=7b$ ($\because$ a, b, c가 서로 다른 정수)

이를 ㉠에 대입하면 $c=-5b$

$\therefore \frac{ab}{c^2}=\frac{7b\cdot b}{(-5b)^2}=\frac{7b^2}{25b^2}=\frac{7}{25}$ 답 $\frac{7}{25}$

1379

세 변의 길이가 등차수열을 이루는 직각삼각형이 있다. 빗변의 길이를 5라고 할 때, 이 직각삼각형의 넓이는?

→ $a-d$, a, $a+d$라 하자.

등차수열을 이루는 세 변의 길이를 그림과 같이

$a-d$, a, $a+d$라 하면

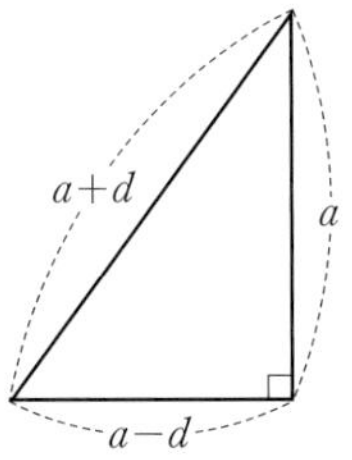

$a+d$, a, $a-d$

$a+d=5$ ······㉠

$(a+d)^2=a^2+(a-d)^2$

$a^2-4ad=0$, $a(a-4d)=0$

이때, $a\neq 0$이므로

$a-4d=0$ ······㉡

㉠, ㉡을 연립하여 풀면 $a=4$, $d=1$

따라서 세 변의 길이는 3, 4, 5이므로 직각삼각형의 넓이는

$\frac{1}{2}\cdot 3\cdot 4=6$ 답 ②

다른풀이 직각삼각형의 나머지 두 변의 길이를 각각 a, b $(a<b)$라 하면

$a^2+b^2=25$ ······㉠

a, b, 5가 이 순서대로 등차수열을 이루므로

$b=\frac{a+5}{2}$ ······㉡

㉡을 ㉠에 대입하면 $a^2+\left(\frac{a+5}{2}\right)^2=25$

$5a^2+10a-75=0$, $a^2+2a-15=0$

$(a-3)(a+5)=0$

$\therefore a=3$ ($\because a>0$)

이것을 ㉡에 대입하면 $b=4$

따라서 직각삼각형의 넓이는 $\frac{1}{2}\cdot 3\cdot 4=6$

1380

다음 세 조건을 모두 만족시키는 삼각형의 세 변 중 가장 긴 변의 길이는?

(가) 세 변의 길이는 공차가 자연수인 등차수열을 이룬다.

(나) 두 번째로 긴 변의 길이가 40이다.

(다) 직각삼각형이다. → 세 변의 길이를 $40-d$, 40, $40+d$라 하자.

삼각형의 세 변의 길이가 등차수열을 이루고, 두 번째로 긴 변의 길이가 40이므로 공차를 d라 하면 삼각형의 세 변의 길이는 $40-d$, 40, $40+d$ (d는 자연수)

이때, 직각삼각형이므로

$(40+d)^2=40^2+(40-d)^2$

$160d=1600$ $\therefore d=10$

따라서 삼각형의 세 변의 길이는 30, 40, 50이므로 가장 긴 변이 길이는 50이다. 답 ②

1381

어떤 직육면체의 가로의 길이, 세로의 길이, 높이는 이 순서대로 등차수열을 이룬다고 한다. 모든 모서리의 길이의 합이 36이고 겉넓이가 46일 때, 이 직육면체의 부피를 구하시오.

→ $a-d$, a, $a+d$라 하자.

가로의 길이, 세로의 길이, 높이가 이 순서대로 등차수열을 이루므로 각각 $a-d$, a, $a+d$라 하면

$4\{(a-d)+a+(a+d)\}=36$

$3a=9$ $\therefore a=3$

$2\{a(a-d)+(a-d)(a+d)+a(a+d)\}=46$

$3a^2-d^2=23$ ······㉠

$a=3$을 ㉠에 대입하면

$27-d^2=23$, $d^2=4$ $\therefore d=2$ 또는 $d=-2$

따라서 가로의 길이, 세로의 길이, 높이는 각각 1, 3, 5 또는 5, 3, 1이므로 구하는 직육면체의 부피는

$1\cdot 3\cdot 5=15$ 답 15

1382

삼차방정식 $x^3-3x^2+kx+8=0$의 세 근이 등차수열을 이룰 때, 상수 k의 값을 구하시오. 세 근을 $a-d$, a, $a+d$라 하자.

삼차방정식의 한 근을 a라 하고, 등차수열의 공차를 d라 하면 나머지 두 근은 $a-d$, $a+d$로 나타낼 수 있다.

이때, 삼차방정식의 근과 계수의 관계에 의하여

$(a-d)+a+(a+d)=3 \quad \therefore a=1$

$(a-d)\cdot a\cdot(a+d)=-8$에서 $(1-d)(1+d)=-8$

$1-d^2=-8$, $d^2=9$

$\therefore d=3$ 또는 $d=-3$

세 근은 -2, 1, 4이므로 삼차방정식의 근과 계수의 관계에 의하여

$k=(-2)\cdot1+1\cdot4+4\cdot(-2)=-6$

답 -6

1383

다섯 개의 수 a, b, c, d, e가 이 순서대로 등차수열을 이루고 $a+c+e=6$, $ace=-120$이 성립한다. 이때, $a+b+c+d+e$의 값은? → $3c=6$이다.

주어진 등차수열의 공차를 x라 하면

$a=c-2x$, $e=c+2x$이므로

$a+c+e=3c=6 \quad \therefore c=2$

$ace=(c-2x)\cdot c\cdot(c+2x)=c(c^2-4x^2)=-120$

$2(4-4x^2)=-120 \quad \therefore x=4$ 또는 $x=-4$

(i) $x=4$일 때, a, b, c, d, e는 각각 -6, -2, 2, 6, 10

(ii) $x=-4$일 때, a, b, c, d, e는 각각 10, 6, 2, -2, -6

$\therefore a+b+c+d+e=10$

답 ①

1384

그림과 같이 반지름의 길이가 15인 원을 5개의 부채꼴로 나누었더니 부채꼴의 넓이가 작은 것부터 차례로 등차수열을 이루었다. 가장 큰 부채꼴의 넓이가 가장 작은 부채꼴의 넓이의 2배일 때, 가장 큰 부채꼴의 넓이는 $k\pi$이다. 이때, k의 값을 구하시오.

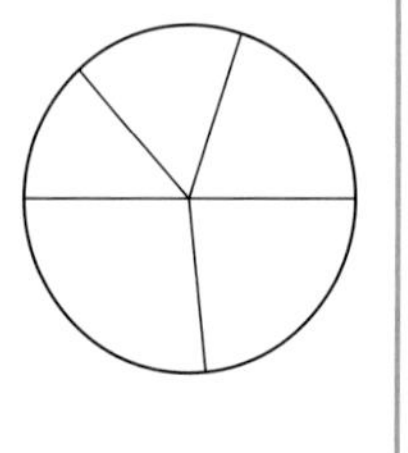

→ $a-2d$, $a-d$, a, $a+d$, $a+2d$라 하자.

5개의 부채꼴의 넓이를 작은 것부터 차례로 $a-2d$, $a-d$, a, $a+d$, $a+2d$ $(d>0)$라 하면 5개의 부채꼴의 넓이의 합은 원의 넓이이므로

$5a=15^2\pi$

$\therefore a=45\pi$

또, 주어진 조건으로부터

$(a+2d)=2(a-2d)$에서

$d=\frac{a}{6}=\frac{15}{2}\pi$

따라서 가장 큰 부채꼴의 넓이는

$a+2d=45\pi+2\times\frac{15}{2}\pi=60\pi$

$\therefore k=60$

답 60

1385

그림과 같이 $\angle B=90^\circ$이고 선분 BC의 길이가 $6\sqrt{5}$인 직각삼각형 ABC의 꼭짓점 B에서 빗변 AC에 내린 수선의 발을 D라 하자. 세 선분 AD, CD, AB의 길이가 이 순서대로 등차수열을 이룰 때, 선분 AC의 길이를 구하시오. → $a-d$, a, $a+d$라 하자.

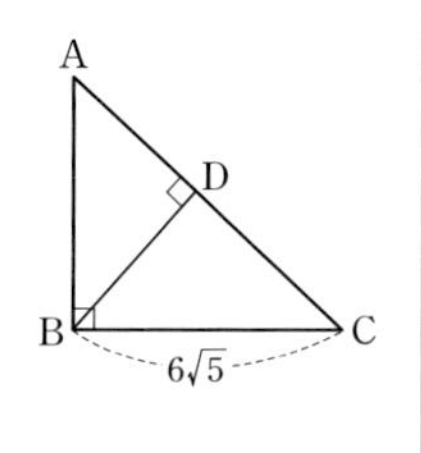

$\overline{AD}=a-d$, $\overline{CD}=a$, $\overline{AB}=a+d$라 하면

$\triangle ABD$와 $\triangle ACB$는 닮음이므로

$(a+d)^2=(a-d)(2a-d)$

$a^2+2ad+d^2=2a^2-3ad+d^2$

$\therefore a^2=5ad$

이때, $a>0$이므로 $a=5d$이다.

따라서 $\overline{AC}=9d$, $\overline{BC}=6\sqrt{5}$, $\overline{AB}=6d$이다.

피타고라스 정리에 의하여

$81d^2=36d^2+180$

$\therefore d=2$ $(\because d>0)$

$\therefore \overline{AC}=18$

답 18

1386

첫째항이 3, 제10항이 27인 등차수열의 첫째항부터 제10항까지의 합을 구하시오. → 등차수열의 합 공식 $S_n=\frac{n(a+l)}{2}$을 이용하자.

첫째항이 3, 끝항이 27, 항의 개수가 10이므로 첫째항부터 제10항까지의 합은

$\frac{10(3+27)}{2}=150$

답 150

1387

등차수열 1, 4, 7, $\cdots$, 28의 합은? → 첫째항이 1, 공차가 3이다.

주어진 등차수열의 일반항을 a_n이라 하면 첫째항이 1, 공차가 3이므로

$a_n=1+(n-1)\cdot3=3n-2$

$3n-2=28$에서 $n=10$

따라서 구하는 등차수열의 합 S_{10}은

$S_{10}=\frac{10(1+28)}{2}=145$

답 ④

1388

$\{a_n\}$은 첫째항이 3, 공차가 2인 등차수열이다.

$a_1=3$, $a_{n+1}=a_n+2$로 정의된 수열 $\{a_n\}$에서 $a_1+a_2+a_3+\cdots+a_{99}$의 값은?

$a_1=3$, $a_{n+1}=a_n+2$이므로 수열 $\{a_n\}$은 첫째항이 3, 공차가 2인 등차수열이다.

$\therefore a_1+a_2+a_3+\cdots+a_{99}=\dfrac{99\{2\cdot3+(99-1)\cdot2\}}{2}$

$=9999$

답 ④

1389

> 등차수열 $\{a_n\}$에서 $a_1=2$, $a_2+a_3=16$일 때, $a_1+a_2+\cdots+a_{20}$의 값은?
>
> └ 공차를 d라 하면 $(2+d)+(2+2d)=16$

등차수열 $\{a_n\}$의 공차를 d라 하면

$a_2+a_3=(2+d)+(2+2d)=16$

$4+3d=16$, $3d=12$ $\quad\therefore d=4$

$\therefore a_1+a_2+\cdots+a_{20}=\dfrac{20\{2\cdot2+(20-1)\cdot4\}}{2}=800$

답 ③

1390

> 첫째항이 m, 공차가 1인 등차수열의 첫째항부터 제n항까지의 합이 50일 때, $m+n$의 값은? (단, $m\le10$인 자연수)
>
> └ $\dfrac{n\{2m+(n-1)\cdot1\}}{2}=50$

$\dfrac{n\{2m+(n-1)\cdot1\}}{2}=50$에서 $n(2m+n-1)=2^2\cdot5^2$

이때, m, n은 자연수이므로 n과 $2m+n-1$은 $2^2\cdot5^2$의 약수이다. 또 $m\le10$이므로 이를 만족하는 자연수 n은

$n=5$

따라서 $2m+n-1=20$이므로 $m=8$

$\therefore m+n=13$

답 ①

1391

> 제8항이 29이고, 제20항이 -7인 등차수열에서 첫째항부터 제몇 항까지의 합이 처음으로 음수가 되는가?
>
> └ $S_n<0$을 만족하는 자연수 n의 최솟값을 구하자.

등차수열 $\{a_n\}$의 첫째항을 a, 공차를 d, 첫째항부터 제n항까지의 합을 S_n이라 하면

$a_8=a+7d=29$ ……㉠

$a_{20}=a+19d=-7$ ……㉡

㉠, ㉡을 연립하여 풀면 $a=50$, $d=-3$

$S_n=\dfrac{n\{2\cdot50+(n-1)\cdot(-3)\}}{2}$

$=\dfrac{n}{2}(103-3n)$

이때, S_n이 처음으로 음수가 되는 n의 값은

$\dfrac{n}{2}(103-3n)<0$을 만족하는 자연수 n의 최솟값이므로

$103-3n<0$ $\quad\therefore n>\dfrac{103}{3}=34.33\times\times\times$

따라서 첫째항부터 제35항까지의 합이 처음으로 음수가 된다.

답 ④

1392

> 등차수열 $\{a_n\}$의 일반항이 $a_n=2n-5$일 때, $a_{11}+a_{12}+a_{13}+\cdots+a_{20}$의 값은?
>
> └ $S_{20}-S_{10}$임을 이용하자.

주어진 등차수열은 첫째항이 -3, 공차가 2이므로 첫째항부터 제n항까지의 합을 S_n이라 하면

$a_{11}+a_{12}+a_{13}+\cdots+a_{20}$

$=S_{20}-S_{10}$

$=\dfrac{20\{2\cdot(-3)+(20-1)\cdot2\}}{2}-\dfrac{10\{2\cdot(-3)+(10-1)\cdot2\}}{2}$

$=320-60=260$

답 ②

다른풀이 $a_{11}=17$, $a_{20}=35$이므로

$a_{11}+a_{12}+a_{13}+\cdots+a_{20}=\dfrac{10(17+35)}{2}=260$

1393

> ┌ $\{a_n\}$은 1, 6, 11, 16, 21, …임을 이용하자.
>
> 첫째항이 1, 공차 5인 등차수열 $\{a_n\}$에서 $a_1+a_3+a_5+\cdots+a_{2n-1}$의 값은?

첫째항이 1, 공차 5인 등차수열 $\{a_n\}$은 1, 6, 11, 16, 21, …

이므로 홀수 번째의 항으로 이루어진 수열은

1, 11, 21, 31, 41, …이고, 첫째항이 1, 공차가 10인 등차수열이다.

이때, a_{2n-1}은 이 수열의 제n항이므로

$a_1+a_3+a_5+\cdots+a_{2n-1}=\dfrac{n\{2\cdot1+(n-1)\cdot10\}}{2}$

$=n(5n-4)$

답 ⑤

1394

> ┌ $a_{10}=6+9d=-12$
>
> 등차수열 $\{a_n\}$에서 $a_1=6$, $a_{10}=-12$일 때, $|a_1|+|a_2|+|a_3|+\cdots+|a_{20}|$의 값은?

등차수열의 첫째항이 6이므로 공차를 d라 하면

$a_{10}=6+9d=-12$에서 $d=-2$

$\therefore a_n=6+(n-1)\cdot(-2)=-2n+8$

$n\le4$일 때 $a_n\ge0$이고, $n>4$일 때 $a_n<0$이므로

$|a_1|+|a_2|+|a_3|+\cdots+|a_{20}|$

$=a_1+a_2+a_3+a_4-(a_5+a_6+\cdots+a_{20})$

$=(6+4+2+0)+(2+4+6+\cdots+32)$

$=12+\dfrac{16(2+32)}{2}$

$=12+272=284$

답 ②

1395

> 첫째항이 8이고, 제3항까지의 합이 36인 등차수열의 첫째항부터 제10항까지의 합은?
>
> └ $\dfrac{3\{2\cdot8+(3-1)d\}}{2}=36$

주어진 등차수열의 공차를 d라 할 때, 제3항까지의 합이 36이므로

$\frac{3\{2\cdot8+(3-1)\cdot d\}}{2}=36$

$16+2d=24 \quad \therefore d=4$

따라서 첫째항부터 제10항까지의 합은

$\frac{10\{2\cdot8+(10-1)\cdot4\}}{2}=5(16+36)=260$ 답 ③

1396

> 등차수열 $\{a_n\}$에서
> $a_1+a_2+a_3+a_4=20,\ a_5+a_6+a_7+a_8=68$
> 일 때, 첫째항과 공차의 곱은?
> → $S_8-S_4=68$임을 이용하자.

등차수열 $\{a_n\}$의 첫째항을 a, 공차를 d, 첫째항부터 제n항까지의 합을 S_n이라 하면

$S_4=\frac{4\{2a+(4-1)\cdot d\}}{2}=20$

$\therefore 2a+3d=10$ ……㉠

$S_8=\frac{8\{2a+(8-1)\cdot d\}}{2}=20+68$

$\therefore 2a+7d=22$ ……㉡

㉠, ㉡을 연립하여 풀면 $a=\frac{1}{2},\ d=3$

$\therefore ad=\frac{1}{2}\cdot3=\frac{3}{2}$ 답 ①

다른풀이 등차수열 $\{a_n\}$의 첫째항을 a, 공차를 d라 하면

$a_1+a_2+a_3+a_4=\frac{4\{a+(a+3d)\}}{2}=20$

$\therefore 2a+3d=10$ ……㉠

$a_5+a_6+a_7+a_8=\frac{4\{(a+4d)+(a+7d)\}}{2}=68$

$\therefore 2a+11d=34$ ……㉡

㉠, ㉡을 연립하여 풀면 $a=\frac{1}{2},\ d=3$

$\therefore ad=\frac{3}{2}$

1397

> 첫째항이 50, 첫째항부터 제10항까지의 합이 410인 등차수열의 제11항부터 제20항까지의 합을 구하시오.
> → $S_{10}=410$
> → $S_{20}-S_{10}$

주어진 등차수열의 공차를 d, 첫째항부터 제n항까지의 합을 S_n이라 하면

$S_{10}=\frac{10\{2\cdot50+(10-1)\cdot d\}}{2}=410$

$5(100+9d)=410,\ 100+9d=82$

$9d=-18 \quad \therefore d=-2$

$a_{11}=a+10d=50+10\cdot(-2)=30$

$a_{20}=a+19d=50+19\cdot(-2)=12$

따라서 제11항부터 제20항까지의 합은

$\frac{10(30+12)}{2}=210$ 답 210

다른풀이 주어진 등차수열의 공차를 d, 첫째항부터 제n항까지의 합을 S_n이라 하면

$S_{10}=\frac{10\{2\cdot50+(10-1)\cdot d\}}{2}=410$

$\therefore d=-2$

$\therefore S_{20}-S_{10}=\frac{20\{2\cdot50+(20-1)\cdot(-2)\}}{2}-410$

$=620-410=210$

1398

> 등차수열 $\{a_n\}$에 대하여
> $a_1+a_2+a_3+a_4=32,\ a_5+a_6+a_7+a_8=96$
> 일 때, $a_1+a_2+\cdots+a_{12}$의 값을 구하시오.
> → $S_4=32,\ S_8=128$

등차수열 $\{a_n\}$의 첫째항을 a, 공차를 d라 하면

$a_1+a_2+a_3+a_4=\frac{4\{2a+(4-1)d\}}{2}=32$

$\therefore 2a+3d=16$ ……㉠

$a_1+a_2+\cdots+a_8=\frac{8\{2a+(8-1)d\}}{2}=32+96=128$

$\therefore 2a+7d=32$ ……㉡

㉠, ㉡을 연립하여 풀면 $a=2,\ d=4$

$\therefore a_1+a_2+\cdots+a_{12}=\frac{12\{2\cdot2+(12-1)\cdot4\}}{2}=288$ 답 288

1399

> 등차수열의 첫째항부터 제n항까지의 합을 S_n이라 할 때, $S_{10}=120,\ S_{20}=440$이다. S_{30}의 값은?
> → 등차수열의 합 공식 $S_n=\frac{n\{2a+(n-1)d\}}{2}$를 이용하자.

주어진 등차수열의 첫째항을 a, 공차를 d라 하면

$S_{10}=\frac{10\{2a+(10-1)\cdot d\}}{2}=120$

$\therefore 2a+9d=24$ ……㉠

$S_{20}=\frac{20\{2a+(20-1)\cdot d\}}{2}=440$

$\therefore 2a+19d=44$ ……㉡

㉠, ㉡을 연립하여 풀면 $a=3,\ d=2$

$\therefore S_{30}=\frac{30\{2\cdot3+(30-1)\cdot2\}}{2}=960$ 답 ④

1400

> 등차수열 $\{a_n\}$이 다음을 만족할 때, $m+a_8$의 값은?
> $a_1+a_3+\cdots+a_{2m+1}=80$
> $a_2+a_4+\cdots+a_{2m}=70$
> → 첫째항은 a_1, 공차는 $2d$, 항의 개수는 $m+1$이다.
> → 첫째항은 a_1+d, 공차는 $2d$, 항의 개수는 m이다.

등차수열 $\{a_n\}$의 첫째항을 a, 공차를 d라 하면

$$a_1+a_3+\cdots+a_{2m+1}=\frac{(m+1)\{2a+(m+1-1)\cdot 2d\}}{2}=80$$

$$\therefore \frac{(m+1)(2a+2md)}{2}=80 \quad \cdots\cdots ㉠$$

$$a_2+a_4+\cdots+a_{2m}=\frac{m\{2(a+d)+(m-1)\cdot 2d\}}{2}=70$$

$$\therefore \frac{m(2a+2md)}{2}=70 \quad \cdots\cdots ㉡$$

㉠÷㉡에서 $\frac{m+1}{m}=\frac{8}{7}$ $\quad \therefore m=7$

$m=7$을 ㉡에 대입하면 $a+7d=10$ $\quad \therefore a_8=10$

$\therefore m+a_8=17$

답 ①

1401

> 첫째항이 15인 등차수열 $\{a_n\}$의 첫째항부터 제n항까지의 합을 S_n이라 할 때, $S_{12}=a_{12}$이다. 이때, S_n의 최댓값은?
>
> └• $a_{12}=S_{12}-S_{11}$임을 이용하자.

등차수열 $\{a_n\}$의 공차를 d라 하면

$S_{12}=a_{12}=S_{12}-S_{11}$이므로

$$S_{11}=\frac{11(30+10d)}{2}=0 \quad \therefore d=-3$$

$\therefore a_n=15+(n-1)\cdot(-3)=-3n+18$

이때, $a_5=3$, $a_6=0$이므로 $S_5=S_6$이 최댓값이다.

따라서 $S_5=\frac{5(15+3)}{2}=45$이므로 S_n의 최댓값은 45이다.

답 ③

1402

> 수열 $\{a_n\}$에 대하여 첫째항부터 제n항까지의 합을 S_n이라 하자. 수열 $\{S_{2n-1}\}$은 공차가 -3인 등차수열이고, 수열 $\{S_{2n}\}$은 공차가 2인 등차수열이다. $a_2=1$일 때, a_8의 값을 구하시오.
>
> • $S_{2n-1}=S_1+(n-1)\times(-3)$
>
> └• $S_{2n}=S_2+(n-1)\times 2$

수열 $\{S_{2n-1}\}$은 공차가 -3인 등차수열이므로

$S_{2n-1}=S_1+(n-1)\cdot(-3)=-3n+3+S_1$

또 수열 $\{S_{2n}\}$은 공차가 2인 등차수열이므로

$S_{2n}=S_2+(n-1)\cdot 2=2n-2+S_2$

이때, $a_8=S_8-S_7=(6+S_2)-(-9+S_1)=15+S_2-S_1$

이고, $S_2-S_1=a_2=1$이므로 $a_8=16$

답 16

1403

등차수열의 합 공식 $S_n=\frac{n\{2a+(n-1)d\}}{2}$를 이용하자. •

> 첫째항이 1, 공차가 $\frac{1}{2}$인 등차수열 $\{a_n\}$의 첫째항부터 제n항까지의 합 S_n에 대하여 S_2, S_n, S_{n+3}이 이 순서대로 등차수열을 이룰 때, n의 값을 구하시오.

등차수열 $\{a_n\}$의 첫째항이 1, 공차가 $\frac{1}{2}$이므로

$$S_2=\frac{2\left\{2\cdot 1+(2-1)\cdot\frac{1}{2}\right\}}{2}=\frac{5}{2}$$

$$S_n=\frac{n\left\{2\cdot 1+(n-1)\cdot\frac{1}{2}\right\}}{2}=\frac{n(n+3)}{4} \quad \cdots\cdots ㉠$$

$$S_{n+3}=\frac{(n+3)(n+3+3)}{4}=\frac{(n+3)(n+6)}{4} \quad (\because ㉠)$$

이때, S_2, S_n, S_{n+3}이 이 순서대로 등차수열을 이루므로

$2S_n=S_2+S_{n+3}$에서

$$2\cdot\frac{n(n+3)}{4}=\frac{5}{2}+\frac{(n+3)(n+6)}{4}$$

$2n(n+3)=10+(n+3)(n+6)$

$n^2-3n-28=0$, $(n-7)(n+4)=0$

$\therefore n=7$ ($\because n>0$)

답 7

1404

> 두 수열 $\{a_n\}$, $\{b_n\}$은 모두 공차가 1인 등차수열이다. 다음 조건을 만족시키는 자연수 m에 대하여 $a_{2m}-b_m$의 값은?
>
> (가) $a_1+a_2+a_3+\cdots+a_m=2m$
>
> (나) $b_1+b_2+b_3+\cdots+b_{2m}=m$
>
> (다) $b_{2m}-a_m=99$
>
> └• $S_n-S_{n-1}=a_n$, $T_n-T_{n-1}=b_n$임을 이용하자.

$a_1+a_2+a_3+\cdots+a_m=2m$에서

$$\frac{m\{2a_1+(m-1)\cdot 1\}}{2}=2m$$

$\therefore 2a_1+m=5 \quad \cdots\cdots ㉠$

$b_1+b_2+b_3+\cdots+b_{2m}=m$에서

$$\frac{2m\{2b_1+(2m-1)\cdot 1\}}{2}=m$$

$\therefore b_1+m=1 \quad \cdots\cdots ㉡$

$b_{2m}-a_m=99$에서

$b_1+(2m-1)-\{a_1+(m-1)\}=99$

$\therefore b_1-a_1+m=99 \quad \cdots\cdots ㉢$

㉠, ㉡, ㉢을 연립하여 풀면

$a_1=-98$, $b_1=-200$, $m=201$

$\therefore a_{2m}-b_m=a_1+(2m-1)-\{b_1+(m-1)\}$

$=a_1-b_1+m$

$=-98-(-200)+201=303$

답 ④

1405

> 공차가 양수인 등차수열 $\{a_n\}$의 첫째항부터 제n항까지의 합을 S_n이라 하자. $S_9=|S_3|=27$일 때, a_{10}의 값은?
>
> └• $S_9=\frac{9(2a+8d)}{2}$, $S_3=\frac{3(2a+2d)}{2}$

등차수열 $\{a_n\}$의 첫째항을 a, 공차를 d라 하면

$S_9=27$이므로

$$\frac{9(2a+8d)}{2}=27 \quad \therefore a+4d=3$$

$|S_3|=27$이므로

$\left|\frac{3(2a+2d)}{2}\right|=27$, $|a+d|=9$

$\therefore a+d=9$ 또는 $a+d=-9$

(i) $a+d=9$인 경우

$a+4d=3$과 $a+d=9$를 연립하여 풀면

$a=11$, $d=-2$가 되어 공차가 양수라는 조건에 맞지 않는다.

(ii) $a+d=-9$인 경우

$a+4d=3$과 $a+d=-9$를 연립하여 풀면

$a=-13$, $d=4$

따라서 $a_{10}=-13+9\times4=23$ 답 ①

1406

> 첫째항이 305, 공차가 -4인 등차수열 $\{a_n\}$에 대하여 첫째항부터 제n항까지의 합 S_n이 최대가 되는 n의 값은?
>
> (공차가 → $d<0$이다.)
> (합 S_n이 최대가 되는 → $a_n>0$, $a_{n+1}<0$이면 S_n이 최대이다.)

등차수열 $\{a_n\}$의 첫째항이 305, 공차가 -4이므로

$a_n=305+(n-1)\cdot(-4)=-4n+309$

이때, $-4n+309>0$에서 $n<77.25$

즉, 수열 $\{a_n\}$은 첫째항부터 제77항까지 양수이고, 제78항부터는 음수이다. 따라서 첫째항부터 제77항까지의 합 S_{77}이 최대가 되므로

$n=77$ 답 ④

1407

> 첫째항이 100, 공차가 -3인 등차수열에 대하여 첫째항부터 제n항까지의 합 S_n의 최댓값을 구하시오.
>
> (공차가 → $d<0$이다.)
> (합 S_n의 최댓값 → $a_n>0$, $a_{n+1}<0$이면 S_n이 최대이다.)

첫째항이 100, 공차가 -3인 등차수열의 일반항 a_n은

$a_n=100+(n-1)\cdot(-3)=-3n+103$

이때, $a_n>0$을 만족하는 자연수 n은

$-3n+103>0$ $\therefore n<34.3\times\times\times$

즉, 첫째항부터 제34항까지가 양수이므로 첫째항부터 제34항까지의 합이 최대이다.

따라서 구하는 최댓값은

$S_{34}=\frac{34\{2\cdot100+(34-1)\cdot(-3)\}}{2}$

$=\frac{34(200-99)}{2}=1717$ 답 1717

1408

> 제4항이 12, 제9항이 -38인 등차수열에 대하여 첫째항부터 제몇 항까지의 합이 최대가 되는지 구하시오.
>
> (제9항이 → $a+8d=-38$)
> (제4항이 → $a+3d=12$)

주어진 등차수열의 첫째항을 a, 공차를 d라 하면

$a_4=a+3d=12$ ……㉠

$a_9=a+8d=-38$ ……㉡

㉠, ㉡을 연립하여 풀면 $a=42$, $d=-10$

$\therefore a_n=42+(n-1)\cdot(-10)=-10n+52$

이때, $a_n>0$을 만족하는 자연수 n은

$-10n+52>0$ $\therefore n<5.2$

따라서 첫째항부터 제5항까지의 합이 최대가 된다. 답 제5항

1409

> 첫째항이 50, 공차가 정수인 등차수열 $\{a_n\}$에서 첫째항부터 제17항까지의 합이 최대가 될 때, 이 수열의 공차는?
>
> (제17항까지의 합이 최대 → $a_{17}\geq0$, $a_{18}<0$임을 이용하자.)

등차수열 $\{a_n\}$의 공차를 d라 하면 첫째항부터 제17항까지의 합이 최대가 되므로

$a_{17}=50+16d\geq0$ ……㉠

$a_{18}=50+17d<0$ ……㉡

㉠, ㉡의 공통 범위를 구하면

$-3.1\times\times\times\leq d<-2.9\times\times\times$

이때, d는 정수이므로 $d=-3$ 답 ③

1410

> 첫째항이 7인 등차수열의 첫째항부터 제3항까지의 합과 첫째항부터 제5항까지의 합이 같다. 이 수열의 첫째항부터 제 몇 항까지의 합이 처음으로 음수가 되는가?
>
> (제3항까지의 합과 … 제5항까지의 합이 같다 → $S_3=S_5$)
> (합이 처음으로 음수가 → $S_n<0$을 만족하는 n을 찾자.)

주어진 등차수열의 공차를 d, 첫째항부터 제n항까지의 합을 S_n이라 하면

$S_3=\frac{3\{2\cdot7+(3-1)d\}}{2}=3d+21$

$S_5=\frac{5\{2\cdot7+(5-1)d\}}{2}=10d+35$

이때, $S_3=S_5$이므로 $3d+21=10d+35$

$-7d=14$ $\therefore d=-2$

$\therefore S_n=\frac{n\{2\cdot7+(n-1)\cdot(-2)\}}{2}=-n^2+8n$

$-n^2+8n<0$에서 $n(n-8)>0$

$\therefore n>8$ ($\because n>0$)

따라서 첫째항부터 제9항까지의 합이 처음으로 음수가 된다.

답 ⑤

1411

> 첫째항이 -90, 공차가 3인 등차수열 $\{a_n\}$의 첫째항부터 제n항까지의 합을 S_n이라 하자. $S_n>0$이 되도록 하는 최소의 자연수 n의 값을 α, S_n의 최솟값을 β라 할 때, $\alpha-\beta$의 값을 구하시오.
>
> (공차가 → $d>0$이다.)
> (S_n의 최솟값을 → $a_n<0$, $a_{n+1}>0$이면 S_n이 최소이다.)

등차수열 $\{a_n\}$의 첫째항이 -90, 공차가 3이므로

$$S_n=\frac{n\{2\cdot(-90)+(n-1)\cdot3\}}{2}=\frac{n(3n-183)}{2}$$

이때, $S_n>0$에서 $\frac{n(3n-183)}{2}>0$이므로

$n(n-61)>0 \quad \therefore n>61\ (\because n>0)$

$\therefore \alpha=62$

$a_n=-90+(n-1)\cdot3=3n-93$

이때, $3n-93>0$에서 $n>31$

즉, $1\le n\le31$일 때 $a_n\le0$이고, $n\ge32$일 때 $a_n>0$이다.

또한, $a_{31}=0$이므로 $S_{30}=S_{31}$이 최솟값이므로

$\beta=S_{31}=\frac{31(93-183)}{2}$

$=31\cdot(-45)$

$=-1395$

$\therefore \alpha-\beta=1457$ 답 1457

1412

200 이하의 자연수 중에서 4로 나누어 떨어지는 수의 총합은?
└• 첫째항은 4, 공차가 4인 등차수열이다.

200 이하의 자연수 중에서 4로 나누어 떨어지는 수를 나열해 보면 4, 8, 12, 16, ⋯, 200으로 첫째항이 4, 끝항이 200, 항의 개수가 50인 등차수열의 합이므로

$\frac{50(4+200)}{2}=5100$ 답 ③

1413

두 자리의 자연수 중에서 5로 나누면 3이 남는 자연수의 총합은?
차례대로 나열해 보면 13, 18, 23, ⋯, 98이다. •┘

두 자리의 자연수 중에서 5로 나누면 3이 남는 자연수는

13, 18, 23, ⋯, 98

이므로 첫째항이 13, 공차가 5인 등차수열이다. 따라서 일반항 a_n은

$a_n=13+(n-1)\cdot5=5n+8$

$5n+8=98$에서 $n=18$

따라서 첫째항이 13, 끝항이 98, 항의 개수가 18이므로 구하는 등차수열의 합은

$\frac{18(13+98)}{2}=999$ 답 ②

1414

50 이하의 자연수 중에서 3 또는 4의 배수의 합을 구하시오.
12의 배수는 3의 배수이면서 4의 배수임을 기억하자. •┘

50 이하의 3의 배수의 합은

$3+6+9+\cdots+48=\frac{16\times(3+48)}{2}=408$이고,

50 이하의 4의 배수의 합은

$4+8+12+\cdots+48=\frac{12\times(4+48)}{2}=312$이고,

50 이하의 12의 배수의 합은

$12+24+36+48=120$이다.

따라서 50 이하의 자연수 중에서 3 또는 4의 배수의 합은

$408+312-120=600$ 답 600

1415

첫째항이 a, 공차가 d인 등차수열 $\{a_n\}$의 첫째항부터 제n항까지의 합 S_n이 $S_n=n^2+5n$일 때, $a+d$의 값을 구하시오.
└• $a_1=S_1$, $n\ge2$일 때 $a_n=S_n-S_{n-1}$임을 이용하자.

$S_n=n^2+5n$에서

$n\ge2$일 때,

$a_n=S_n-S_{n-1}$

$=(n^2+5n)-\{(n-1)^2+5(n-1)\}$

$=2n+4$

$n=1$일 때, $a_1=S_1=1^2+5\cdot1=6$

$a_1=6$은 $a_n=2n+4$에 $n=1$을 대입한 것과 같으므로

$a_n=2n+4$

따라서 $a=6$, $d=2$이므로

$a+d=8$ 답 8

다른풀이 첫째항이 a, 공차가 d인 등차수열의 첫째항부터 제n항까지의 합 S_n은

$S_n=\frac{n\{2a+(n-1)d\}}{2}=n^2+5n$

$2an+dn^2-dn=2n^2+10n$

$dn^2+(2a-d)n=2n^2+10n$

이때, 모든 자연수 n에 대하여 성립해야 하므로

$d=2,\ 2a-d=10 \quad \therefore a=6$

$\therefore a+d=8$

1416

수열 $\{a_n\}$의 첫째항부터 제n항까지의 합 S_n이 $S_n=n^2+3n$일 때, $a_{30}-a_{20}$의 값은?
$a_1=S_1$, $n\ge2$일 때 $a_n=S_n-S_{n-1}$임을 이용하자.

$S_n=n^2+3n$에서

$n\ge2$일 때,

$a_n=S_n-S_{n-1}$

$=(n^2+3n)-\{(n-1)^2+3(n-1)\}$

$=2n+2$

$n=1$일 때, $a_1=S_1=1^2+3\cdot1=4$

$a_1=4$는 $a_n=2n+2$에 $n=1$을 대입한 것과 같으므로 $a_n=2n+2$

$\therefore a_{30}-a_{20}=62-42=20$ 답 ②

다른풀이 $a_{30}-a_{20}=(S_{30}-S_{29})-(S_{20}-S_{19})$

$=\{(30^2-29^2)+3(30-29)\}-\{(20^2-19^2)+3(20-19)\}$

$=(59+3)-(39+3)=20$

1417

수열 $\{a_n\}$의 첫째항부터 제n항까지의 합 S_n이 $S_n=n^2+3n+1$일 때, a_1+a_{10}의 값을 구하시오.

→ $a_1=S_1$, $a_{10}=S_{10}-S_9$

$S_n=n^2+3n+1$이므로

$a_1=S_1=1^2+3\cdot1+1=5$

$a_{10}=S_{10}-S_9$

$=(10^2+3\cdot10+1)-(9^2+3\cdot9+1)$

$=131-109=22$

$\therefore a_1+a_{10}=27$ 답 27

다른풀이 $S_n=n^2+3n+1$에서

$n\ge2$일 때,

$a_n=S_n-S_{n-1}$

$=(n^2+3n+1)-\{(n-1)^2+3(n-1)+1\}$

$=2n+2$ ······㉠

$a_{10}=2\cdot10+2=22$

$n=1$일 때, $a_1=S_1=1^2+3\cdot1+1=5$

$a_1=5$는 ㉠에 $n=1$을 대입한 것과 같지 않으므로

$a_1=5$, $a_n=2n+2\ (n\ge2)$

$\therefore a_1+a_{10}=5+22=27$

1418

수열 $\{a_n\}$에 대하여 $\dfrac{a_1+a_2+\cdots+a_n}{n}=n+\dfrac{1}{n}$이 성립할 때, a_1+a_{10}의 값은?

→ 양변에 n을 곱하면 $a_1+a_2+\cdots+a_n=n^2+1$

수열 $\{a_n\}$의 첫째항부터 제n항까지의 합을 S_n이라 할 때,

$\dfrac{a_1+a_2+\cdots+a_n}{n}=n+\dfrac{1}{n}\ (n\ge1)$의 양변에 n을 곱하면

$a_1+a_2+\cdots+a_n=n^2+1$, 즉 $S_n=n^2+1$에서

$n\ge2$일 때,

$a_n=S_n-S_{n-1}$

$=(n^2+1)-\{(n-1)^2+1\}$

$=2n-1$ ······㉠

$n=1$일 때, $a_1=S_1=1^2+1=2$

$a_1=2$는 ㉠에 $n=1$을 대입한 것과 같지 않으므로

$a_1=2$, $a_n=2n-1\ (n\ge2)$

$\therefore a_{10}=2\cdot10-1=19$

$\therefore a_1+a_{10}=2+19=21$ 답 ④

1419

수열 $\{a_n\}$의 첫째항부터 제n항까지의 합 S_n이 $S_n=-n^2+16n$일 때, 처음으로 음수가 되는 항은 제 몇 항인지 구하시오.

→ $a_1=S_1$, $n\ge2$일 때 $a_n=S_n-S_{n-1}$임을 이용하자.

$S_n=-n^2+16n$에서

$n\ge2$일 때,

$a_n=S_n-S_{n-1}=-n^2+16n-\{-(n-1)^2+16(n-1)\}$

$=-2n+17$

$n=1$일 때, $a_1=S_1=-1^2+16\cdot1=15$

$a_1=15$는 $a_n=-2n+17$에 $n=1$을 대입한 것과 같으므로

$a_n=-2n+17$

이때, a_n이 음수가 되기 위한 조건은

$-2n+17<0 \qquad \therefore n>\dfrac{17}{2}=8.5$

따라서 처음으로 음수가 되는 항은 제9항이다. 답 제9항

1420

→ $a_1=S_1$, $n\ge2$일 때 $a_n=S_n-S_{n-1}$임을 이용하자.

수열 $\{a_n\}$의 첫째항부터 제n항까지의 합 S_n이 $S_n=n^2+3n-1$일 때, $a_k=202$를 만족하는 k의 값은?

$S_n=n^2+3n-1$에서

$n\ge2$일 때,

$a_n=S_n-S_{n-1}$

$=(n^2+3n-1)-\{(n-1)^2+3(n-1)-1\}$

$=2n+2$

$\therefore a_k=2k+2=202$

$\therefore k=100$ 답 ③

1421

수열 $\{a_n\}$의 첫째항부터 제n항까지의 합 S_n은 $S_n=2n^2+kn$이고, $a_{10}=22$이다. 이때, a_1의 값을 구하시오.

→ $a_{10}=S_{10}-S_9$

$S_n=2n^2+kn$에서

$n\ge2$일 때,

$a_n=S_n-S_{n-1}$

$=(2n^2+kn)-\{2(n-1)^2+k(n-1)\}$

$=4n-2+k$ ······㉠

$n=1$일 때, $a_1=S_1=2\cdot1^2+k\cdot1=2+k$

$a_1=2+k$는 ㉠에 $n=1$을 대입한 것과 같으므로

$a_n=4n-2+k$

이때, $a_{10}=22$에서 $38+k=22 \qquad \therefore k=-16$

$\therefore a_1=2-16=-14$ 답 -14

1422

등차수열 $\{a_n\}$에 대하여 첫째항부터 제n항까지의 합 S_n이 $S_n=n^2+1$일 때, 다음 <보기> 중 옳은 것을 모두 고른 것은?

보기

ㄱ. $a_1=2$

ㄴ. $n\ge2$일 때, $a_n=2n-1$ → $n\ge2$일 때 $a_n=S_n-S_{n-1}$임을 이용하자.

ㄷ. 수열 $\{a_{2n}\}$의 공차는 4이다.

ㄱ. $a_1=S_1=1^2+1=2$ (참)

ㄴ. $n\ge2$일 때,

$a_n=S_n-S_{n-1}=n^2+1-\{(n-1)^2+1\}=2n-1$ (참)

ㄷ. 수열 $\{a_n\}$은 제2항부터 공차가 2인 등차수열이므로 수열 $\{a_{2n}\}$의 공차는 $a_4-a_2=2d=4$이다. (참)

따라서 ㄱ, ㄴ, ㄷ 모두 옳다. 답 ⑤

1423

$a_1=S_1$, $n\ge2$일 때 $a_n=S_n-S_{n-1}$임을 이용하자.

> 첫째항부터 제n항까지의 합 S_n이 $S_n=n^2+3n$인 수열 $\{a_n\}$에서 $a_1+a_3+a_5+\cdots+a_{2n-1}=220$을 만족시키는 n의 값은?
>
> a_{2n-1}은 a_n에 $2n-1$을 대입한 것이다.

$S_n=n^2+3n$에서

$n\ge2$일 때,

$a_n=S_n-S_{n-1}$

$=(n^2+3n)-\{(n-1)^2+3(n-1)\}$

$=2n+2$ ……㉠

$n=1$일 때, $a_1=S_1=1^2+3\cdot1=4$

$a_1=4$는 ㉠에 $n=1$을 대입한 것과 같으므로

$a_n=2n+2$

$\therefore a_{2n-1}=2(2n-1)+2=4n$

$a_1+a_3+a_5+\cdots+a_{2n-1}=\dfrac{n(4+4n)}{2}=2n^2+2n$

$2n^2+2n=220$에서 $(n+11)(n-10)=0$

$\therefore n=10$ ($\because n\ge1$) 답 ③

1424

수열 1, x_1, x_2, x_3, $\cdots$, x_{19}, 9가 이 순서대로 등차수열을 이룬다.

> 수직선 위의 두 점 P(1), Q(9)에 대하여 선분 PQ를 20등분하는 점의 좌표를 차례로 x_1, x_2, x_3, $\cdots$, x_{19}라고 할 때, $x_1+x_2+x_3+\cdots+x_{19}$의 값은?

수열 1, x_1, x_2, x_3, $\cdots$, x_{19}, 9가 이 순서대로 등차수열을 이루므로

$1+x_1+x_2+x_3+\cdots+x_{19}+9=\dfrac{21(1+9)}{2}=105$

$\therefore x_1+x_2+x_3+\cdots+x_{19}=105-10=95$ 답 ④

1425

> 좌표평면 위의 두 점 A(2, 3), B(20, 30)을 잇는 선분 AB를 10등분하는 9개의 점들의 x좌표의 합을 구하시오.
>
> 수열 2, x_1, x_2, x_3, $\cdots$, x_9, 20이 이 순서대로 등차수열을 이룬다.

선분 AB를 10등분하는 9개의 점을 P_1, P_2, P_3, $\cdots$, P_9라 하고 각각의 x좌표를 x_1, x_2, x_3, $\cdots$, x_9라 하면

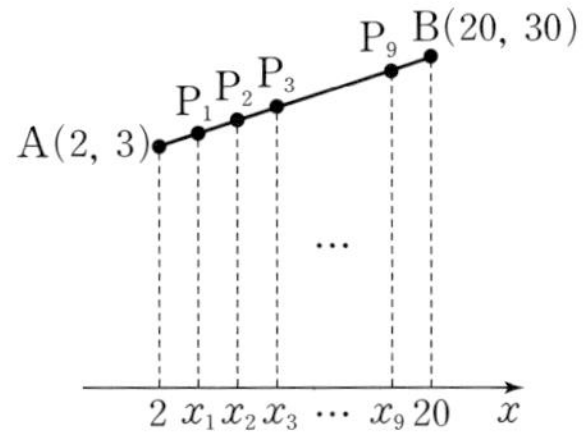

이때, 2, x_1, x_2, x_3, $\cdots$, x_9, 20은 이 순서대로 등차수열을 이루므로

$2+x_1+x_2+x_3+\cdots+x_9+20=\dfrac{11(2+20)}{2}=121$

$\therefore x_1+x_2+x_3+\cdots+x_9=121-22=99$ 답 99

1426

> 그림과 같이 좌표평면의 x축 위에 일정한 간격으로 $X_1(1, 0)$, $X_2(2, 0)$, $X_3(3, 0)$, $\cdots$, $X_{29}(29, 0)$을 잡는다. 그리고 각 점에서 x축에 수직인 직선을 그어 두 직선 $y=2x$, $y=x$와 만나는 점을 각각 A_i, B_i ($i=1, 2, \cdots, 29$)라고 할 때, $\overline{A_1B_1}+\overline{A_2B_2}+\cdots+\overline{A_{29}B_{29}}$의 값은?
>
> 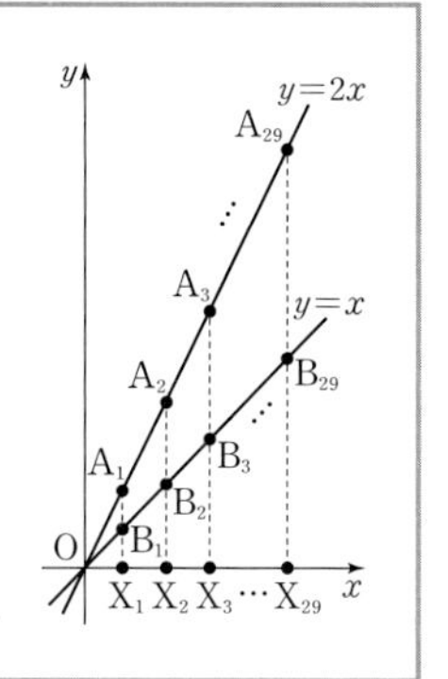
>
>
> A_i의 좌표는 $(i, 2i)$, B_i의 좌표는 (i, i)이다.

$A_1(1, 2)$, $A_2(2, 4)$, $A_3(3, 6)$, $\cdots$, $A_{29}(29, 58)$

$B_1(1, 1)$, $B_2(2, 2)$, $B_3(3, 3)$, $\cdots$, $B_{29}(29, 29)$

$\therefore \overline{A_1B_1}+\overline{A_2B_2}+\cdots+\overline{A_{29}B_{29}}=1+2+\cdots+29$

$=\dfrac{29(1+29)}{2}=435$ 답 ⑤

1427

> 그림은 원점에서 출발하여 점 (1, 0), (1, 1), (0, 1), (−1, 1), (−1, 0), $\cdots$의 순서대로 x, y의 좌표가 모두 정수인 점을 계속해서 지나가는 꺾은 선을 나타낸 것이다. 원점에서 이 꺾은 선을 따라 점 (−10, −10)에 이르는 거리를 구하시오.
>
> 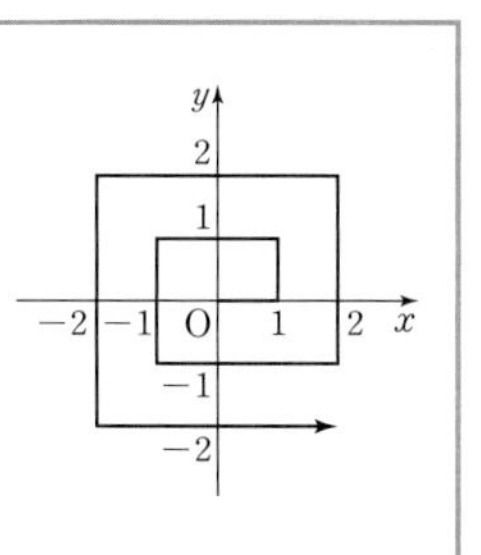
>
>
> 원점에서 점(m, m)까지의 거리를 D_m이라 하면 $D_1=2$, $D_{-1}=6$, $D_2=12$, $\cdots$임을 이용하자.

원점에서 점 (m, m)까지의 거리를 D_m이라 하면

$D_1=2$

$D_{-1}=2(1+2)$

$D_2=2(1+2+3)$

$D_{-2}=2(1+2+3+4)$

$D_3=2(1+2+3+4+5)$

$D_{-3}=2(1+2+3+4+5+6)$

$\vdots$

$\therefore D_{-10}=2(1+2+3+\cdots+20)$

$=2\cdot\dfrac{20(1+20)}{2}=420$ 답 420

1428

> 수열 $\{a_n\}$의 일반항이 $a_n=n^2-n$일 때, a_2+a_5의 값은?
>
> $n=2$, $n=5$를 대입하자.

$a_n=n^2-n$에서

$a_2=2^2-2=2$

$a_5=5^2-5=20$

$\therefore a_2+a_5=22$ 답 ④

1429

제4항이 10이고, 제7항이 19인 등차수열 $\{a_n\}$의 제10항은?
→ $a_4=a_1+3d=10$, $a_7=a_1+6d=19$

등차수열 $\{a_n\}$의 첫째항을 a, 공차를 d라 하면

$a_4=a+3d=10$ ······ ㉠

$a_7=a+6d=19$ ······ ㉡

㉠, ㉡을 연립하여 풀면 $a=1$, $d=3$

$\therefore a_n=1+(n-1)\cdot 3=3n-2$

$\therefore a_{10}=3\cdot 10-2=28$ 답 ③

1430

등차수열 $\{a_n\}$에서 $a_3=10$, $2a_5-a_8=6$일 때, a_{30}의 값은?
→ $a+2d=10$ → $2(a+4d)-(a+7d)=6$

등차수열 $\{a_n\}$의 첫째항을 a, 공차를 d라 하면

$a_3=a+2d=10$ ······ ㉠

$2a_5-a_8=6$에서 $2(a+4d)-(a+7d)=6$

$\therefore a+d=6$ ······ ㉡

㉠－㉡을 하면 $d=4$

$d=4$를 ㉡에 대입하면 $a=2$

$\therefore a_{30}=2+(30-1)\cdot 4=118$ 답 ④

1431 서술형

$a_3=8$, $a_7:a_{11}=5:8$인 등차수열 $\{a_n\}$에서 처음으로 100 이상이 되는 항은 제 몇 항인지 구하시오.
→ $5(a+10d)=8(a+6d)$

등차수열 $\{a_n\}$의 첫째항을 a, 공차를 d라 하면

$a_3=a+2d=8$ ······ ㉠ ······ 30%

$a_7:a_{11}=(a+6d):(a+10d)=5:8$에서

$5(a+10d)=8(a+6d)$

$\therefore 2d=3a$ ······ ㉡ ······ 30%

㉠, ㉡을 연립하여 풀면 $a=2$, $d=3$

$\therefore a_n=2+(n-1)\cdot 3=3n-1$

$3n-1\ge 100$에서

$n\ge 33.6\times\times\times$

따라서 처음으로 100 이상이 되는 항은 제34항이다. ······ 40%

답 제34항

1432

두 집합

$A=\{5n-2\mid n=1, 2, 3, \cdots, 100\}$, → $A=\{3, 8, 13, 18, 23, \cdots, 98\}$

$B=\{3n+2\mid n=1, 2, 3, \cdots, 100\}$

에 대하여 집합 $A\cap B$의 원소를 작은 수부터 차례대로 a_1, a_2, a_3, $\cdots$이라 할 때, a_{10}의 값은?
→ $B=\{5, 8, 11, 14, 17, \cdots, 98\}$

집합 A의 임의의 원소 $5n-2$에 대하여

(i) $n=3k$ $(k=1, 2, 3, \cdots)$일 때,

$5n-2=5\cdot 3k-2=3(5k-1)+1\notin B$

(ii) $n=3k-1$ $(k=1, 2, 3, \cdots)$일 때,

$5n-2=5(3k-1)-2=3(5k-3)+2\in B$

(iii) $n=3k-2$ $(k=1, 2, 3, \cdots)$일 때,

$5n-2=5(3k-2)-2=3(5k-4)\notin B$

(i)~(iii)에 의하여 집합 $A\cap B$의 원소는 $15k-7$ $(k=1, 2, 3, \cdots, 20)$의 꼴이므로 $a_n=15n-7$

$\therefore a_{10}=15\cdot 10-7=143$ 답 ②

1433

세 수 x, y, z가 이 순서대로 등차수열을 이루고, 이 세 수들의 합이 6, 제곱의 합이 30일 때, x의 값은? (단, $x\le y\le z$)
→ $2y=x+z$ → $x+y+z=6$ → $x^2+y^2+z^2=30$

x, y, z가 이 순서대로 등차수열을 이루므로

$2y=x+z$ ······ ㉠

세 수의 합이 6이므로 $x+y+z=3y=6$ $\quad\therefore y=2$

이것을 ㉠에 대입하면

$x+z=4$ ······ ㉡

세 수의 제곱의 합이 30이므로

$x^2+y^2+z^2=30$에서

$x^2+z^2=26$

$x^2+(4-x)^2=26$ ($\because$ ㉡에서 $z=4-x$)

$x^2-4x-5=0$, $(x+1)(x-5)=0$

$\therefore x=-1$ ($\because x\le y$) 답 ①

다른풀이 $x=a-d$, $y=a$, $z=a+d$라 하면 $x\le y\le z$이므로 $d\ge 0$이다.

$x+y+z=(a-d)+a+(a+d)=6$ ······ ㉠

$x^2+y^2+z^2=(a-d)^2+a^2+(a+d)^2=30$ ······ ㉡

㉠에서 $a=2$

이것을 ㉡에 대입하면

$(2-d)^2+2^2+(2+d)^2=30$

$2d^2=18$, $d^2=9$ $\quad\therefore d=3$ ($\because d\ge 0$)

$\therefore x=a-d=2-3=-1$

1434

네 각을 각각 $a-3d$, $a-d$, $a+d$, $a+3d(d>0)$라 하자.

> 사각형 ABCD의 네 각 $\angle A$, $\angle B$, $\angle C$, $\angle D$의 크기가 차례로 등차수열을 이루고, 최대인 각의 크기가 최소인 각의 크기의 3배가 될 때, 최대인 각의 크기는?

사각형 ABCD의 네 각 $\angle A$, $\angle B$, $\angle C$, $\angle D$의 크기가 차례로 등차수열을 이루므로 각각

$a-3d$, $a-d$, $a+d$, $a+3d$ $(d>0)$

로 놓으면

$\angle A+\angle B+\angle C+\angle D=4a=360°$

$\therefore a=90°$

한편, 최대인 각의 크기가 최소인 각의 크기의 3배이므로

$3(a-3d)=a+3d$

$2a=12d$

$\therefore d=\frac{a}{6}=\frac{90°}{6}=15°$

따라서 최대인 각의 크기는

$a+3d=90°+45°=135°$

답 ④

1435

> 첫째항이 19, 공차가 -2인 등차수열 $\{a_n\}$에서 $|a_1|+|a_2|+|a_3|+\cdots+|a_{18}|$의 값을 구하시오.
>
> → 양수가 되는 a_n과 음수가 되는 a_n으로 나누어 계산하자.

첫째항이 19, 공차가 -2인 등차수열의 일반항 a_n은

$a_n=19+(n-1)\cdot(-2)=-2n+21$

이때, $-2n+21<0$에서 $n>10.5$

따라서 $a_1, a_2, \cdots, a_{10}$은 양수이고, a_{11}부터는 음수이므로

$$|a_1|+|a_2|+\cdots+|a_{10}|=a_1+a_2+\cdots+a_{10}$$
$$=19+17+\cdots+1$$
$$=\frac{10(19+1)}{2}=100$$

$$|a_{11}|+|a_{12}|+\cdots+|a_{18}|=-(a_{11}+a_{12}+\cdots+a_{18})$$
$$=1+3+5+\cdots+15$$
$$=\frac{8(1+15)}{2}=64$$

$\therefore |a_1|+|a_2|+|a_3|+\cdots+|a_{18}|=100+64=164$

답 164

1436 서술형

> 등차수열 $\{a_n\}$에 대하여 $a_8+a_9+a_{10}+a_{11}+a_{12}=5$, $a_{17}+a_{18}+a_{19}+a_{20}+a_{21}=55$일 때, $a_1+a_2+\cdots+a_{10}$의 값을 구하시오.
>
> $(a_1+7d)+(a_1+8d)+(a_1+9d)+(a_1+10d)+(a_1+11d)$이다.

등차수열 $\{a_n\}$의 공차를 d라 하면

$a_8+a_9+a_{10}+a_{11}+a_{12}$

$=(a_1+7d)+(a_1+8d)+(a_1+9d)+(a_1+10d)+(a_1+11d)$

$=5a_1+45d=5$

$\therefore a_1+9d=1$ ……㉠ …… 30%

$a_{17}+a_{18}+a_{19}+a_{20}+a_{21}$

$=(a_1+16d)+(a_1+17d)+(a_1+18d)+(a_1+19d)+(a_1+20d)$

$=5a_1+90d=55$

$\therefore a_1+18d=11$ ……㉡ …… 30%

㉠, ㉡을 연립하여 풀면 $a_1=-9$, $d=\frac{10}{9}$

$$\therefore a_1+a_2+\cdots+a_{10}=\frac{10\left\{2\cdot(-9)+(10-1)\cdot\frac{10}{9}\right\}}{2}$$
$$=\frac{10\cdot(-8)}{2}$$
$$=-40$$
…… 40%

답 -40

1437

> 두 등차수열 $\{a_n\}$, $\{b_n\}$의 첫째항부터 제n항까지의 합을 각각 S_n, S_n'이라 하자.
>
> $S_n : S_n'=(2n-1):(3n+2)$
>
> 인 관계가 성립할 때, $a_5 : b_5$는?
>
> → S_n과 S_n'의 꼴은 $pn^2+qn=n(pn+q)$ (p, q는 상수) 꼴임을 이용하자.

등차수열 $\{a_n\}$의 첫째항부터 제n항까지의 합 S_n의 꼴이

$pn^2+qn=n(pn+q)$ (p, q는 상수)이므로

$S_n : S_n'=(2n-1):(3n+2)$에서 0이 아닌 상수 k에 대하여

$S_n=kn(2n-1)$, $S_n'=kn(3n+2)$

로 놓으면

$a_5=S_5-S_4=5k\cdot9-4k\cdot7=17k$

$b_5=S_5'-S_4'=5k\cdot17-4k\cdot14=29k$

$\therefore a_5 : b_5=17k : 29k=17 : 29$

답 ②

참고 등차수열 $\{a_n\}$의 첫째항을 a, 공차를 d라 하면 첫째항부터 제n항까지의 합 S_n은

$$S_n=\frac{n\{2a+(n-1)d\}}{2}=\frac{d}{2}n^2+\frac{2a-d}{2}n$$
$$=pn^2+qn\left(단, \frac{d}{2}=p, \frac{2a-d}{2}=q\right)$$

이므로 n에 관한 2차식이며 상수항은 없다.

1438

$d<0$이다.

> 첫째항이 19, 공차가 -2인 등차수열 $\{a_n\}$에 대하여 첫째항부터 제n항까지의 합의 최댓값을 구하시오.
>
> → $a_n>0$, $a_{n+1}<0$이면 S_n이 최대이다.

등차수열 $\{a_n\}$의 첫째항이 19, 공차가 -2이므로

$a_n=19+(n-1)\cdot(-2)=-2n+21$

이때, $-2n+21>0$에서 $n<10.5$

즉, 수열 $\{a_n\}$의 첫째항부터 제10항까지 양수이고, 제11항부터는 음수이다. 따라서 첫째항부터 제10항까지의 합이 최대이고, 그 최댓값은

$$\frac{10\{2\cdot19+(10-1)\cdot(-2)\}}{2}=100$$

답 100

1439

$a_1=S_1$, $n\geq 2$일 때 $a_n=S_n-S_{n-1}$임을 이용하자.

> 수열 $\{a_n\}$의 첫째항부터 제n항까지의 합 S_n이 $S_n=n^2-2n+3$일 때, a_1+a_{10}의 값은?

$S_n=n^2-2n+3$에서

$n\geq 2$일 때,

$a_n=S_n-S_{n-1}$

$=(n^2-2n+3)-\{(n-1)^2-2(n-1)+3\}$

$=2n-3$

$n=1$일 때, $a_1=S_1=1^2-2\cdot 1+3=2$

$a_1=2$는 $a_n=2n-3$에 $n=1$을 대입한 것과 같지 않으므로

$a_1=2$, $a_n=2n-3$ $(n\geq 2)$

$\therefore a_{10}=2\cdot 10-3=17$

$\therefore a_1+a_{10}=2+17=19$

답 ②

1440

$a_5=b_5=k$라 하자.

> 제5항이 같은 두 등차수열 $\{a_n\}$, $\{b_n\}$에서 $b_8=\dfrac{3}{2}a_8$, $b_{11}=\dfrac{9}{5}a_{11}$일 때, $\dfrac{b_{14}}{a_{14}}$의 값은?

$b_8=k+3d_2$, $a_8=k+3d_1$임을 이용하자.

두 등차수열 $\{a_n\}$, $\{b_n\}$의 공차를 각각 d_1, d_2라 하고,

제5항이 같으므로 $a_5=b_5=k$라 하면

$b_8=\dfrac{3}{2}a_8$에서 $k+3d_2=\dfrac{3}{2}(k+3d_1)$

$\therefore k+9d_1=6d_2$ ······ ㉠

또 $b_{11}=\dfrac{9}{5}a_{11}$에서 $k+6d_2=\dfrac{9}{5}(k+6d_1)$

$\therefore 2k+27d_1=15d_2$ ······ ㉡

$2\times$㉠$-$㉡을 하면 $-9d_1=-3d_2$

$\therefore d_2=3d_1$

이것을 ㉠에 대입하면

$d_1=\dfrac{1}{9}k$, $d_2=\dfrac{1}{3}k$

$$\therefore \frac{b_{14}}{a_{14}}=\frac{k+9d_2}{k+9d_1}=\frac{k+9\times\frac{1}{3}k}{k+9\times\frac{1}{9}k}=\frac{4k}{2k}=2$$

답 ②

1441

> 유한개의 항으로 이루어진 두 등차수열 $\{a_n\}$, $\{b_m\}$이 다음과 같다.
>
> $\{a_n\}$: 5, 8, 11, 14, $\cdots$, 1202 ($a_n=3n+2$)
>
> $\{b_m\}$: 2, 7, 12, 17, $\cdots$, 1212 ($b_m=5m-3$)
>
> 이때, $a_p=b_q$를 만족하는 두 자연수 p, q에 대하여 $p+q$의 최댓값을 구하시오.

$a_n=3n+2$, $b_m=5m-3$이므로

$a_p=b_q$에서 $3p+2=5q-3$

$3p=5(q-1)$

이때, 3, 5가 서로소이므로

$p=5k$, $q-1=3k$ $(k=1, 2, 3, \cdots)$

두 등차수열 $\{a_n\}$, $\{b_m\}$의 공통인 항으로 이루어진 수열을 $\{c_k\}$라 하면

$c_k=a_{5k}=b_{3k+1}=15k+2$

$15k+2\leq 1202$에서 $k\leq 80$이므로 $p+q$의 최댓값은 $k=80$일 때이다.

따라서 $p+q$의 최댓값은

$400+241=641$

답 641

1442

△BCH, △CAH의 넓이를 각각 S_1, S_2라 하면 △ABC의 넓이는 S_1+S_2

> 그림과 같이 직각삼각형 ABC의 꼭짓점 C에서 빗변 AB에 내린 수선의 발을 H라 하자. △BCH, △CAH, △ABC의 넓이가 이 순서대로 등차수열을 이룰 때, $\overline{BC}:\overline{CA}:\overline{AB}$는?
>
> C, A, H, B
>
> $2S_2=S_1+(S_1+S_2)$

△BCH, △CAH의 넓이를 각각 S_1, S_2라 하면

$\triangle ABC=S_1+S_2$

이때, △BCH, △CAH, △ABC의 넓이가 이 순서대로 등차수열을 이루므로

$2\triangle CAH=\triangle BCH+\triangle ABC$

즉, $2S_2=S_1+(S_1+S_2)$에서 $S_2=2S_1$이므로

$\triangle BCH:\triangle CAH:\triangle ABC=S_1:S_2:S_1+S_2$

$=S_1:2S_1:3S_1$

$=1:2:3$

그런데 △BCH∽△CAH∽△ABC이므로

$\overline{BC}:\overline{CA}:\overline{AB}=1:\sqrt{2}:\sqrt{3}$

답 ③

1443

> 수열 $\{a_n\}$은 각 항이 정수인 등차수열이고, $a_1=21$이다. $a_6a_7<0$을 만족할 때, 이 수열의 공차는 d이고, 제n항까지의 합이 최대이다. 이때, $d+n$의 값을 구하시오.
>
> $a_1>0$이므로 $a_6>0$이고 $a_7<0$이다.

$a_1=21>0$이고 $a_6a_7<0$이므로

$a_6>0$이고 $a_7<0$

즉, $21+5d>0$이고 $21+6d<0$이므로

$-\dfrac{21}{5}<d<-\dfrac{7}{2}$ $\quad\therefore -4.2<d<-3.5$

이때, 공차 d는 정수이므로 $d=-4$

또 제7항부터 음수인 항이 나타나므로

첫째항부터 제6항까지의 합이 최대이다.

$\therefore n=6$

$\therefore d+n=-4+6=2$

답 2

1444

두 집합 A와 B가

$A=\{3n-2|n$은 자연수$\}$, ($A=\{1, 4, 7, 10, 13, 16, 19, \cdots\}$)

$B=\{4n-1|n$은 자연수$\}$ ($B=\{3, 7, 11, 15, 19, \cdots\}$)

일 때, 다음 두 조건을 만족하는 x의 총합은?

(가) $x\in A\cap B$

(나) x는 100 이하의 자연수이다.

$A=\{3n-2|n$은 자연수$\}=\{1, 4, 7, 10, 13, 16, 19, \cdots\}$

$B=\{4n-1|n$은 자연수$\}=\{3, 7, 11, 15, 19, \cdots\}$

$\therefore A\cap B=\{7, 19, 31, \cdots\}$

즉, $A\cap B$는 첫째항이 7, 공차가 12인 등차수열의 항을 원소로 갖는 집합이므로

$A\cap B=\{12n-5|n$은 자연수$\}$

이때, $12\cdot8-5=91$, $12\cdot9-5=103$이므로

100 이하의 자연수 중 $A\cap B$의 원소의 최댓값은 91이다.

$12n-5=91$에서 $n=8$

따라서 두 조건을 만족하는 x의 총합은

$\frac{8(7+91)}{2}=392$

답 ④

1445

첫째항이 1인 등차수열 $\{a_n\}$이 다음 조건을 만족시킨다.

(가) $a_2+a_6+a_{10}=8$ ($(1+d)+(1+5d)+(1+9d)=8$)

(나) $a_1+a_2+a_3+\cdots+a_n=25$

이때, n의 값을 구하시오. ($\frac{n\left\{2+\frac{1}{3}(n-1)\right\}}{2}=25$)

등차수열 $\{a_n\}$의 공차를 d라 할 때, $a_1=1$이므로

$a_n=1+(n-1)d$

(가)에 의하여 $(1+d)+(1+5d)+(1+9d)=8$

$\therefore d=\frac{1}{3}$

(나)에 의하여 $\frac{n\left\{2+\frac{1}{3}(n-1)\right\}}{2}=25$

$n^2+5n-150=0$

$(n-10)(n+15)=0$

$\therefore n=10$

답 10

1446

-7과 7 사이에 n개의 수 $a_1, a_2, a_3, \cdots, a_n$을 넣어 공차가 자연수인 등차수열을 만들었다. 모든 항의 절댓값의 합이 32일 때, n의 값은? ($-7+(n+1)\times$(공차)$=7$)

주어진 수열의 공차를 d라 하면 7은 제$(n+2)$항이므로

$7=-7+(n+1)d$

$\therefore (n+1)d=14$

d는 자연수이고, $n\geq1$이므로 d의 값은 1, 2, 7 중의 하나이다.

(i) $d=1$일 때, $n=13$이므로 등차수열은

$-7, -6, -5, \cdots, -1, 0, 1, \cdots, 5, 6, 7$

이므로 모든 항의 절댓값의 합은

$2(1+2+3+\cdots+7)=56$

(ii) $d=2$일 때, $n=6$이므로 등차수열은

$-7, -5, -3, -1, 1, 3, 5, 7$

이므로 모든 항의 절댓값의 합은

$2(1+3+5+7)=32$

(iii) $d=7$일 때, $n=1$이므로 등차수열은

$-7, 0, 7$

이므로 모든 항의 절댓값의 합은

$2\cdot7=14$

(i), (ii), (iii)에서 모든 항의 절댓값의 합이 32일 때, $n=6$이다.

답 ④

1447

이차방정식 $x^2-2x-8=0$의 두 근이 α, β일 때, 세 수 α, p, β는 이 순서대로 등차수열을 이루고, 세 수 α, q, β는 그 역수가 이 순서대로 등차수열을 이룬다. 다음 중 p, q를 두 근으로 하는 이차항의 계수가 1인 이차방정식은? ($2p=\alpha+\beta$, $\frac{2}{q}=\frac{1}{\alpha}+\frac{1}{\beta}$)

이차방정식 $x^2-2x-8=0$에서 근과 계수의 관계에 의하여

$\alpha+\beta=2, \alpha\beta=-8$

세 수 α, p, β는 이 순서대로 등차수열을 이루므로

$p=\frac{1}{2}(\alpha+\beta)=\frac{1}{2}\cdot2=1$

세 수 $\frac{1}{\alpha}, \frac{1}{q}, \frac{1}{\beta}$은 이 순서대로 등차수열을 이루므로

$\frac{1}{q}=\frac{1}{2}\left(\frac{1}{\alpha}+\frac{1}{\beta}\right)=\frac{\alpha+\beta}{2\alpha\beta}$

$=\frac{2}{2\cdot(-8)}=-\frac{1}{8}$

$\therefore q=-8$

따라서 구하는 이차방정식은 $x^2-(p+q)x+pq=0$이므로

$x^2-(1-8)x+1\cdot(-8)=0$

$\therefore x^2+7x-8=0$

답 ②

1448

공차가 $d\ (d\neq0)$인 등차수열 $\{a_n\}$에 대하여 수열 $\{T_n\}$을 ($a_2-a_1=d$, $a_4-a_3=d$)

$T_n=a_1-a_2+a_3-a_4+\cdots+(-1)^{n-1}a_n$

으로 정의할 때, 다음 <보기> 중 옳은 것을 모두 고른 것은?

보기

ㄱ. $T_4=2d$

ㄴ. $T_5=a_3$

ㄷ. 수열 $\{T_{2n}\}$은 등차수열이다.

ㄱ. 등차수열 $\{a_n\}$의 공차가 d이므로

$a_2-a_1=a_4-a_3=d$

$\therefore T_4=(a_1-a_2)+(a_3-a_4)$

$=-d-d=-2d$ (거짓)

ㄴ. $a_3-a_2=a_5-a_4=d$이므로

$T_5=a_1+(-a_2+a_3)+(-a_4+a_5)$

$=a_1+2d=a_3$ (참)

ㄷ. ㄱ과 같은 방법으로 생각하면

$T_2=-d,\ T_4=-2d,\ T_6=-3d,\ \cdots$

이므로 수열 $\{T_{2n}\}$은 공차가 $-d$인 등차수열이다. (참)

따라서 옳은 것은 ㄴ, ㄷ이다. 답 ⑤

1449

그림과 같이 좌표축 위의 다섯 개의 점 A, B, C, D, E에 대하여 $\overline{AB}\perp\overline{BC}$, $\overline{BC}\perp\overline{CD}$, $\overline{CD}\perp\overline{DE}$가 성립한다. 세 선분 $\overline{AO}$, $\overline{OC}$, $\overline{EA}$의 길이가 이 순서대로 등차수열을 이룰 때, 직선 AB의 기울기는? (단, O는 원점이고, $\overline{OA}<\overline{OB}$이다.)

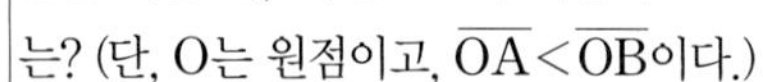

└• 점 A의 좌표를 $A(-a,\ 0)$라 하고, 직선 AB의 기울기를 m이라 놓고, 각 점의 좌표를 a, m을 이용하여 나타내자.

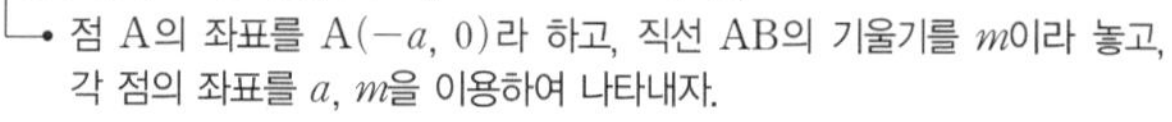

점 A의 좌표를 $(-a,\ 0)$ $(a>0)$, 직선 AB의 기울기를 m이라 하면

점 B의 좌표는 $(0,\ am)$

점 C의 좌표를 $(x,\ 0)$ $(x>0)$이라 하면 $\overline{AB}\perp\overline{BC}$이므로

$m\cdot\dfrac{am}{-x}=-1 \qquad \therefore x=am^2$

즉, 점 C의 좌표는 $(am^2,\ 0)$

마찬가지로 점 D, E의 좌표를 구하면

$D(0,\ -am^3)$, $E(-am^4,\ 0)$

그런데 $\overline{AO}$, $\overline{OC}$, $\overline{EA}$가 이 순서대로 등차수열을 이루므로

$2\overline{OC}=\overline{AO}+\overline{EA}$

$2am^2=a+(am^4-a)$

$m^4=2m^2$

$\therefore m=\sqrt{2}\ (\because m>0)$ 답 ①

1450

첫째항 a, 공차 $2d$, 항의 개수 11이다. •

양수로 이루어진 등차수열 $a_1,\ a_2,\ a_3,\ \cdots,\ a_{21}$에서 홀수 번째 항들의 합을 S, 짝수 번째 항들의 합을 T라 할 때, $S:T$는?

└• 첫째항 $a+d$, 공차 $2d$, 항의 개수 10이다.

등차수열 $a_1,\ a_2,\ a_3,\ \cdots,\ a_{21}$의 첫째항을 a $(a>0)$, 공차를 d라 하면

(i) S는 첫째항이 a, 공차가 $2d$, 항의 개수가 11인 등차수열의 합이므로

$S=a_1+a_3+\cdots+a_{21}=\dfrac{11(2a+10\cdot 2d)}{2}$

$=\dfrac{11(2a+20d)}{2}$

(ii) T는 첫째항이 $a+d$, 공차가 $2d$, 항의 개수가 10인 등차수열의 합이므로

$T=a_2+a_4+\cdots+a_{20}=\dfrac{10\{2(a+d)+9\cdot 2d\}}{2}$

$=\dfrac{10(2a+20d)}{2}$

(i), (ii)에 의하여 $S:T=11:10$ 답 ②

1451

등차수열의 합 공식 $S_n=\dfrac{n\{2a+(n-1)d\}}{2}$를 이용하자.

공차가 d_1, d_2인 두 등차수열 $\{a_n\}$, $\{b_n\}$의 첫째항부터 제n항까지의 합을 각각 S_n, T_n이라 하자.

$S_nT_n=n^2(n^2-1)$

일 때, 〈보기〉에서 항상 옳은 것을 모두 고른 것은?

보기

ㄱ. $a_n=n$이면 $b_n=4n-4$이다.

ㄴ. $d_1d_2=4$

ㄷ. $a_1\neq 0$이면 $a_n=n$이다.

ㄱ. $a_n=n$이면 $S_n=\dfrac{n(n+1)}{2}$

$T_n=\dfrac{n^2(n^2-1)}{S_n}=2n(n-1)=2n^2-2n$

$b_n=T_n-T_{n-1}$

$=2n^2-2n-\{2(n-1)^2-2(n-1)\}$

$=4n-4\ (n\geq 2)$

$b_1=T_1=0$

$\therefore b_n=4n-4\ (n\geq 1)$ (참)

ㄴ. 수열 a_n의 첫째항을 a_1, 수열 b_n의 첫째항을 b_1이라 하면

$S_n=\dfrac{n\{2a_1+(n-1)d_1\}}{2}$,

$T_n=\dfrac{n\{2b_1+(n-1)d_2\}}{2}$

$S_nT_n=n^2(n^2-1)$에서 n^4의 계수를 비교하면

$\dfrac{d_1}{2}\times\dfrac{d_2}{2}=1$

$\therefore d_1d_2=4$ (참)

ㄷ. [반례] $a_n=2n,\ b_n=2n-2$이면

$S_nT_n=\dfrac{n(2+2n)}{2}\times\dfrac{n(0+2n-2)}{2}$

$=n(n+1)\times n(n-1)$

$=n^2(n^2-1)$

을 만족시킨다.

즉, $a_1\neq 0$이면서 $a_n\neq n$이지만 주어진 조건을 만족하는 a_n이 존재한다. (거짓)

따라서 옳은 것은 ㄱ, ㄴ 이다. 답 ③

1452

공차 d가 자연수인 등차수열 $\{a_n\}$에 대하여 $f(n)$, $g(n)$이 다음과 같다.

$f(n)=a_2+a_4+\cdots+a_{2n}$, → 첫째항 $a+d$, 공차 $2d$, 항의 개수 n이다.

$g(n)=a_1+a_3+\cdots+a_{2n-1}$ → 첫째항 a, 공차 $2d$, 항의 개수 n이다.

자연수 m에 대하여 $f(m)=350$, $g(m)=301$이 성립할 때, $d+m$의 값은? (단, $d\geq 2$, $m\geq 2$)

$f(m)=a_2+a_4+\cdots+a_{2m}$

$=\dfrac{m\{2(a_1+d)+(m-1)\cdot 2d\}}{2}$

$=m(a_1+md)$

$=ma_1+m^2d=350$ ……㉠

$g(m)=a_1+a_3+\cdots+a_{2m-1}$

$=\dfrac{m\{2a_1+(m-1)\cdot 2d\}}{2}$

$=m(a_1+md-d)$

$=ma_1+m^2d-md=301$ ……㉡

㉠−㉡을 하면

$md=49=7^2$

이때, d, m은 2 이상의 자연수이므로

$d=m=7$

$\therefore d+m=14$

답 ④

1453

수열 $\{a_n\}$의 첫째항부터 제n항까지의 합 S_n이 $S_n=2pn^2+(1-2p)n$일 때, 다음 〈보기〉 중 옳은 것을 모두 고른 것은? (단, $p\neq 0$) → $a_1=S_1$, $a_n=S_n-S_{n-1}$ $(n\geq 2)$

보기

ㄱ. $a_1=1$

ㄴ. 수열 $\{a_n\}$은 공차가 $4p$인 등차수열이다.

ㄷ. $a_{101}=-99$이면 $a_{n+1}=a_n-1$이다.

ㄱ. $a_1=S_1=2p+(1-2p)=1$ (참)

ㄴ. $n\geq 2$일 때,

$a_n=S_n-S_{n-1}$

$=\{2pn^2+(1-2p)n\}-\{2p(n-1)^2+(1-2p)(n-1)\}$

$=4pn-4p+1$

$=1+(n-1)4p$

이때, $n=1$을 대입하면 $a_1=1$

$\therefore a_n=1+(n-1)4p$ $(n\geq 1)$ ……㉠

따라서 수열 $\{a_n\}$은 첫째항이 1이고, 공차가 $4p$인 등차수열이다. (참)

ㄷ. ㉠에서 $a_{101}=1+400p=-99$ $\quad\therefore p=-\dfrac{1}{4}$

공차가 $4\times\left(-\dfrac{1}{4}\right)=-1$이므로 $a_{n+1}-a_n=-1$

$\therefore a_{n+1}=a_n-1$ (참)

따라서 옳은 것은 ㄱ, ㄴ, ㄷ이다.

답 ⑤

1454

수열 $\{a_n\}$은 첫째항이 4의 배수인 양의 정수이고, 공차가 $-\dfrac{3}{4}$인 등차수열이다. $b_n=|a_n+a_{n+1}|$을 만족시키는 수열 $\{b_n\}$은 $n=11$일 때, 최솟값을 갖는다고 한다. 이때, $|a_1|+|a_5|+|a_9|+\cdots+|a_{37}|$의 값을 구하시오. (단, $n=1, 2, 3, \cdots$)

→ $b_{11}=|a_{11}+a_{12}|$에서 $a_{11}>0$, $a_{12}<0$이다.

등차수열 $\{a_n\}$의 첫째항을 a (4의 배수인 양의 정수)라 하면

$a_n=a-\dfrac{3}{4}(n-1)$

이고, 수열 $\{b_n\}$의 최솟값이 $b_{11}=|a_{11}+a_{12}|$이므로

$a_{11}>0$, $a_{12}<0$

즉, $a_{11}=a-\dfrac{3}{4}\cdot 10>0$, $a_{12}=a-\dfrac{3}{4}\cdot 11<0$이므로

$\dfrac{30}{4}<a<\dfrac{33}{4}$, $7.5<a<8.25$

이때, 첫째항 a는 4의 배수인 양의 정수이므로 $a=8$

$\therefore a_n=8-\dfrac{3}{4}(n-1)$

$=-\dfrac{3}{4}n+\dfrac{35}{4}$ $(n=1, 2, 3, \cdots)$

이때, $a_n=-\dfrac{3}{4}n+\dfrac{35}{4}<0$에서

$n>11.6\times\times\times$

이므로 수열 $\{a_n\}$은 제12항부터 음수이다.

$\therefore |a_1|+|a_5|+|a_9|+\cdots+|a_{37}|$

$=(a_1+a_5+a_9)-(a_{13}+a_{17}+\cdots+a_{37})$

$=(8+5+2)+(1+4+\cdots+19)$

$=15+\dfrac{7(1+19)}{2}=85$

답 85

참고 등차수열 $\{a_n\}$이 양의 정수 k에 대하여

$a_1>a_2>a_3>\cdots>a_k>0>a_{k+1}>a_{k+2}>\cdots$

를 만족시키면

$|a_1+a_2|>|a_2+a_3|>\cdots>|a_{k-1}+a_k|>|a_k+a_{k+1}|$

$<|a_{k+1}+a_{k+2}|<\cdots$

이므로 연속하는 두 항의 합의 절댓값의 최솟값은 $|a_k+a_{k+1}|$이다.

즉, $a_k>0$, $a_{k+1}<0$일 때 최솟값은 $|a_k+a_{k+1}|$이 된다.

1455

→ $\dfrac{9(2a+8d)}{2}=\dfrac{18(2a+17d)}{2}$

첫째항이 0이 아닌 등차수열 $\{a_n\}$의 첫째항부터 제n항까지의 합 S_n에 대하여 $S_9=S_{18}$이다. 집합 T_n을

$T_n=\{S_k|k=1, 2, 3, \cdots, n\}$

이라 하자. 집합 T_n의 원소의 개수가 13이 되도록 하는 모든 자연수 n의 값의 합을 구하시오.

→ $S_n=\dfrac{d}{2}n(n-27)$에서 $S_1=S_{26}$, $S_2=S_{25}$, $S_3=S_{24}$, …이다.

수열 $\{a_n\}$의 첫째항을 a $(a\neq 0)$, 공차를 d라 하면

$S_9=S_{18}$이므로

$\dfrac{9(2a+8d)}{2}=\dfrac{18(2a+17d)}{2}$

$a=-13d$

$S_n=\frac{n\{-26d+(n-1)d\}}{2}=\frac{d}{2}n(n-27)$

$S_1=S_{26}=-13d$,

$S_2=S_{25}=-25d$,

$S_3=S_{24}=-36d$,

$\vdots$

$S_{13}=S_{14}=-91d$,

$S_{27}=0$, $S_{28}=14d$, $S_{29}=29d$, $\cdots$

집합 T_n의 원소의 개수가 13이 되도록 하는 자연수 n의 값은

13, 14, $\cdots$, 26

따라서 모든 자연수 n의 값의 합은

$13+14+15+\cdots+26=273$ 답 273

1456

첫째항이 60인 등차수열 $\{a_n\}$에 대하여 수열 $\{T_n\}$을

$T_n=|a_1+a_2+a_3+\cdots+a_n|$ ← $\left|\frac{n\{120+(n-1)d\}}{2}\right|$

이라 하자. 수열 $\{T_n\}$이 다음 조건을 만족시킨다.

(가) $T_{19}<T_{20}$　　(나) $T_{20}=T_{21}$

$T_n>T_{n+1}$을 만족시키는 n의 최솟값과 최댓값의 합을 구하시오.

수열 $\{a_n\}$의 공차를 d라 하면

$T_n=\left|\frac{n\{120+(n-1)d\}}{2}\right|$

$T_{20}=T_{21}$이므로

$\left|\frac{20(120+19d)}{2}\right|=\left|\frac{21(120+20d)}{2}\right|$

(i) $\frac{20(120+19d)}{2}=\frac{21(120+20d)}{2}$ 일 때

$d=-3$

이때 조건 $T_{19}<T_{20}$이 성립한다.

(ii) $\frac{20(120+19d)}{2}=-\frac{21(120+20d)}{2}$ 일 때

$d=-\frac{123}{20}$

이때 조건 $T_{19}<T_{20}$이 성립하지 않는다.

따라서 $T_n=\left|\frac{-3n^2+123n}{2}\right|$이다.

$f(x)=\left|\frac{-3x^2+123x}{2}\right|$라 하면 함수 $y=f(x)$의 그래프는 다음과 같다.

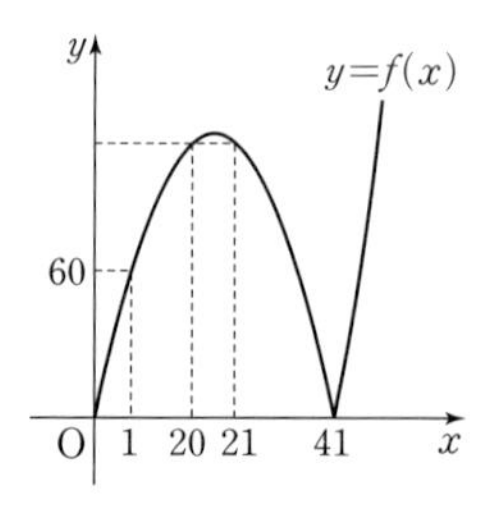

위 그래프에서 $f(41)=0$이므로 $T_{41}=0$

그러므로 $T_{21}>T_{22}>T_{23}>\cdots>T_{41}=0$, $T_{41}<T_{42}$

따라서 $T_n>T_{n+1}$을 만족시키는 n의 값은 21, 22, 23, $\cdots$, 40이다.

그러므로 최솟값과 최댓값의 합은

$21+40=61$ 답 61

1457

자연수 n에 대하여 함수 $f(x)$는

$f(x)=x^2+n$

이다. 함수 $y=f(x)$의 그래프와 직선 $y=mx$가 만나도록 하는 자연수 m의 최솟값을 a_n이라 하자. $a_n<a_{n+1}$을 만족시키는 33 이하의 모든 n의 값의 합을 구하시오.

← 연립한 이차방정식의 판별식 $D\geq0$이어야 한다.

함수 $f(x)=x^2+n$의 그래프와 직선 $y=mx$가 만나기 위해서는 이차방정식 $x^2-mx+n=0$의 판별식 $D=m^2-4n\geq0$에서 $m^2\geq4n$

$n=1$이면 $m^2\geq4$이므로 $a_1=2$

$n=2$이면 $m^2\geq8$이므로 $a_2=3$

$n=3$이면 $m^2\geq12$이므로 $a_3=4$

$n=4$이면 $m^2\geq16$이므로 $a_4=4$

이를 바탕으로 추론하면

$4\times5<5^2<4\times7$이므로

$a_n=5$를 만족시키는 n은 5, 6

$4\times7<6^2\leq4\times9$이므로

$a_n=6$을 만족시키는 n은 7, 8, 9

$4\times10<7^2<4\times13$이므로

$a_n=7$을 만족시키는 n은 10, 11, 12

$4\times13<8^2\leq4\times16$이므로

$a_n=8$을 만족시키는 n은 13, 14, 15, 16

$4\times17<9^2<4\times21$이므로

$a_n=9$를 만족시키는 n은 17, 18, 19, 20

$4\times21<10^2\leq4\times25$이므로

$a_n=10$을 만족시키는 n은 21, 22, 23, 24, 25

$4\times26<11^2<4\times31$이므로

$a_n=11$을 만족시키는 n은 26, 27, 28, 29, 30

$4\times31<12^2\leq4\times36$이므로

$a_n=12$를 만족시키는 n은 31, 32, 33, 34, 35, 36

$a_n<a_{n+1}$을 만족시키는 33 이하의 모든 n의 값은

1, 2, 4, 6, 9, 12, 16, 20, 25, 30

따라서 모든 n의 값의 합은 125이다. 답 125

등비수열

본책 254~281쪽

1458

$a_1=2$, $a_2=4$에서

$\frac{a_2}{a_1}=\frac{4}{2}=2$

$\therefore$ 첫째항 : 2, 공비 : 2

답 첫째항 : 2, 공비 : 2

1459

$a_1=1$, $a_2=-\frac{1}{2}$에서

$a_2\div a_1=\left(-\frac{1}{2}\right)\div 1=-\frac{1}{2}$

$\therefore$ 첫째항 : 1, 공비 : $-\frac{1}{2}$

답 첫째항 : 1, 공비 : $-\frac{1}{2}$

1460

$a_1=1$, $a_2=\sqrt{3}$에서

$\frac{a_2}{a_1}=\frac{\sqrt{3}}{1}=\sqrt{3}$

$\therefore$ 첫째항 : 1, 공비 : $\sqrt{3}$

답 첫째항 : 1, 공비 : $\sqrt{3}$

1461

$a_n=3^n$에서 $a_1=3$, $a_2=3^2=9$이므로

$\frac{a_2}{a_1}=\frac{9}{3}=3$

$\therefore$ 첫째항 : 3, 공비 : 3

답 첫째항 : 3, 공비 : 3

1462

$a_n=\left(\frac{1}{5}\right)^n$에서

$a_1=\frac{1}{5}$, $a_2=\left(\frac{1}{5}\right)^2=\frac{1}{25}$이므로

$a_2\div a_1=\frac{1}{25}\div\frac{1}{5}=\frac{1}{5}$

$\therefore$ 첫째항 : $\frac{1}{5}$, 공비 : $\frac{1}{5}$

답 첫째항 : $\frac{1}{5}$, 공비 : $\frac{1}{5}$

1463

$a_n=3\times(-4)^n$에서

$a_1=3\times(-4)=-12$, $a_2=3\times(-4)^2=48$이므로

$\frac{a_2}{a_1}=\frac{48}{-12}=-4$

$\therefore$ 첫째항 : -12, 공비 : -4

답 첫째항 : -12, 공비 : -4

1464

$a_n=\frac{1}{5}\times 2^n$에서

$a_1=\frac{1}{5}\times 2=\frac{2}{5}$, $a_2=\frac{1}{5}\times 2^2=\frac{4}{5}$이므로

$a_2\div a_1=\frac{4}{5}\div\frac{2}{5}=2$

$\therefore$ 첫째항 : $\frac{2}{5}$, 공비 : 2

답 첫째항 : $\frac{2}{5}$, 공비 : 2

1465

첫째항이 3, 공비가 2이므로

3, 6, 12, 24, $\cdots$

답 3, 6, 12, 24

1466

첫째항이 5, 공비가 -2이므로

5, -10, 20, -40, $\cdots$

답 5, -10, 20, -40

1467

등비수열 $\{2^{n+1}\}$의 첫째항이 4, 공비가 2이므로

4, 8, 16, 32, $\cdots$

답 4, 8, 16, 32

1468

등비수열 $\{5\times(-1)^n\}$의 첫째항이 -5, 공비가 -1이므로

-5, 5, -5, 5, $\cdots$

답 -5, 5, -5, 5

1469

$a=1$, $r=5$이므로

$a_n=ar^{n-1}=1\times 5^{n-1}=5^{n-1}$

$\therefore a_5=5^4=625$

답 $a_n=5^{n-1}$, $a_5=5^4(=625)$

1470

$a=4$, $r=-9$이므로

$a_n=ar^{n-1}=4\times(-9)^{n-1}$

$\therefore a_5=4\times(-9)^4=26244$

답 $a_n=4\times(-9)^{n-1}$, $a_5=4\times(-9)^4(=26244)$

1471

$a=16$, $r=\frac{1}{2}$이므로

$a_n=ar^{n-1}=16\times\left(\frac{1}{2}\right)^{n-1}$

$\therefore a_5=16\times\left(\frac{1}{2}\right)^4=1$

답 $a_n=16\times\left(\frac{1}{2}\right)^{n-1}$, $a_5=1$

1472

$a=6$, $r=\frac{12}{6}=2$이므로

$a_n=ar^{n-1}=6\times 2^{n-1}$

답 $a_n=6\times 2^{n-1}$

1473

$a=3$, $r=\frac{-6}{3}=-2$이므로

$a_n=3\times(-2)^{n-1}$

답 $a_n=3\times(-2)^{n-1}$

1474

$a=\frac{1}{3}$, $r=\frac{3}{-1}=-3$이므로

$a_n=\frac{1}{3}\times(-3)^{n-1}$

답 $a_n=\frac{1}{3}\times(-3)^{n-1}$

1475

$a=54$, $r=\frac{18}{54}=\frac{1}{3}$이므로

$a_n=54\times\left(\frac{1}{3}\right)^{n-1}$

답 $a_n=54\times\left(\frac{1}{3}\right)^{n-1}$

1476

$a=0.1$, $r=\frac{0.01}{0.1}=0.1$이므로

$a_n=0.1\times(0.1)^{n-1}=(0.1)^n$ 답 $a_n=(0.1)^n$

1477

$a=1$, $r=\frac{\sqrt{5}}{1}=\sqrt{5}$이므로

$a_n=1\times(\sqrt{5})^{n-1}=(\sqrt{5})^{n-1}$ 답 $a_n=(\sqrt{5})^{n-1}$

1478

$a_4=64$에서 $1\times r^3=64$

$r^3=64$ $\quad\therefore r=4$ 답 4

1479

$a_3=45$에서 $5r^2=45$

$r^2=9$ $\quad\therefore r=3\ (\because r>0)$ 답 3

1480

$a_3=\frac{1}{4}$에서 $4r^2=\frac{1}{4}$

$r^2=\frac{1}{16}$ $\quad\therefore r=\frac{1}{4}\ (\because r>0)$ 답 $\frac{1}{4}$

1481

$a_5=12$에서 $a_3\times r^2=12$

$6r^2=12$, $r^2=2$

$\therefore r=\sqrt{2}\ (\because r>0)$ 답 $\sqrt{2}$

다른풀이 $a_3=a_1r^2=6$ ……㉠

$a_5=a_1r^4=12$ ……㉡

㉡÷㉠을 하면 $r^2=2$

$\therefore r=\sqrt{2}\ (\because r>0)$

1482

$a_4=-40$에서 $5r^3=-40$

$r^3=-8$ $\quad\therefore r=-2$ 답 -2

1483

$a_5=-32$에서 $(-2)\times r^4=-32$

$r^4=16$ $\quad\therefore r=-2$ 또는 $r=2$ 답 -2 또는 2

1484

$a_5=9$에서 $a_3\times r^2=9$

$\frac{1}{9}r^2=9$, $r^2=81$

$\therefore r=-9$ 또는 $r=9$ 답 -9 또는 9

다른풀이 $a_3=a_1r^2=\frac{1}{9}$ ……㉠

$a_5=a_1r^4=9$ ……㉡

㉡÷㉠을 하면 $r^2=81$

$\therefore r=-9$ 또는 $r=9$

1485

x가 3과 12의 등비중항이므로

$x^2=3\times12=36$

$\therefore x=-6$ 또는 $x=6$ 답 -6 또는 6

1486

x가 18과 50의 등비중항이므로

$x^2=18\times50=900$

$\therefore x=-30$ 또는 $x=30$ 답 -30 또는 30

1487

x가 2와 4의 등비중항이므로

$x^2=2\times4=8$

$\therefore x=-2\sqrt{2}$ 또는 $x=2\sqrt{2}$ 답 $-2\sqrt{2}$ 또는 $2\sqrt{2}$

1488

4, a, 36, b, 324, …이라 하면

$a^2=4\times36=144$

$\therefore a=-12$ 또는 $a=12$

$a=-12$일 때, 공비는 -3이므로 $b=-108$

$a=12$일 때, 공비는 3이므로 $b=108$ 답 -12, -108 또는 12, 108

1489

3, a, $\frac{1}{3}$, b, $\frac{1}{27}$, …이라 하면

$a^2=3\times\frac{1}{3}=1$

$\therefore a=-1$ 또는 $a=1$

$a=-1$일 때, 공비는 $-\frac{1}{3}$이므로 $b=-\frac{1}{9}$

$a=1$일 때, 공비는 $\frac{1}{3}$이므로 $b=\frac{1}{9}$

답 -1, $-\frac{1}{9}$ 또는 1, $\frac{1}{9}$

1490

$$\frac{2(4^5-1)}{4-1}=\frac{2}{3}(4^5-1)=\frac{2}{3}(1024-1)=\frac{2046}{3}=682$$

답 682

1491

$$\frac{4\{1-(-3)^5\}}{1-(-3)}=1-(-3)^5=244$$

답 244

1492

$$\frac{1\left\{1-\left(\frac{1}{2}\right)^8\right\}}{1-\frac{1}{2}}=2-\left(\frac{1}{2}\right)^7$$

답 $2-\left(\frac{1}{2}\right)^7$

1493

첫째항이 2, 공비가 2인 등비수열의 첫째항부터 제 10항까지의 합이므로

$$\frac{2(2^{10}-1)}{2-1}=2\times1023=2046$$

답 2046

1494

첫째항이 2, 공비가 4인 등비수열의 첫째항부터 제 10항까지의 합이므로

$\frac{2(4^{10}-1)}{4-1}=\frac{2}{3}(4^{10}-1)$ 답 $\frac{2}{3}(4^{10}-1)$

1495

첫째항이 2, 공비가 $\frac{1}{2}$인 등비수열의 첫째항부터 제 10항까지의 합이므로

$\frac{2\left\{1-\left(\frac{1}{2}\right)^{10}\right\}}{1-\frac{1}{2}}=4\left\{1-\left(\frac{1}{2}\right)^{10}\right\}$ 답 $4\left\{1-\left(\frac{1}{2}\right)^{10}\right\}$

1496

첫째항이 $\frac{1}{16}$, 공비가 2인 등비수열의 제 n항을 4라 하면

$4=\frac{1}{16}\times 2^{n-1}$, $64=2^6=2^{n-1}$

$\therefore n=7$

따라서 첫째항부터 제 7항까지의 합은

$\frac{\frac{1}{16}(2^7-1)}{2-1}=\frac{1}{16}(2^7-1)$ 답 $\frac{1}{16}(2^7-1)$

1497

첫째항이 3, 공비가 -2인 등비수열의 제 n항을 -384라 하면

$-384=3\times(-2)^{n-1}$

$-128=(-2)^7=(-2)^{n-1}$

$\therefore n=8$

따라서 첫째항부터 제 8항까지의 합은

$\frac{3\{1-(-2)^8\}}{1-(-2)}=-255$ 답 -255

1498

첫째항이 3, 공비가 $\frac{1}{2}$인 등비수열의 제 n항을 $\frac{3}{16}$이라 하면

$\frac{3}{16}=3\times\left(\frac{1}{2}\right)^{n-1}$

$\frac{1}{16}=\left(\frac{1}{2}\right)^4=\left(\frac{1}{2}\right)^{n-1}$

$\therefore n=5$

따라서 첫째항부터 제 5항까지의 합은

$\frac{3\left\{1-\left(\frac{1}{2}\right)^5\right\}}{1-\frac{1}{2}}=6\left\{1-\left(\frac{1}{2}\right)^5\right\}$ 답 $6\left\{1-\left(\frac{1}{2}\right)^5\right\}$

1499

$S_{10}=a_1+a_2+a_3+\cdots+a_9+a_{10}=50$

$S_9=a_1+a_2+a_3+\cdots+a_9=32$

$\therefore a_{10}=S_{10}-S_9=18$ 답 18

1500

$S_{100}=a_1+a_2+a_3+\cdots+a_{99}+a_{100}=1024$

$S_{99}=a_1+a_2+a_3+\cdots+a_{99}=512$

$\therefore a_{100}=S_{100}-S_{99}=512$ 답 512

1501

$S_{10}=a_1+a_2+a_3+\cdots+a_9+a_{10}=150$

$S_5=a_1+a_2+a_3+a_4+a_5=100$

$\therefore a_6+a_7+a_8+a_9+a_{10}=S_{10}-S_5=50$ 답 50

1502

$a_n=S_n-S_{n-1}$

$=2^n-1-(2^{n-1}-1)$

$=2^n-2^{n-1}$

$=2^{n-1}$ (단, $n\geq 2$)

$\therefore a_5=2^{5-1}=16$ 답 16

다른풀이 $a_5=S_5-S_4$

$=(2^5-1)-(2^4-1)$

$=32-16=16$

1503

$a_n=S_n-S_{n-1}$

$=3^n-2-(3^{n-1}-2)$

$=3^n-3^{n-1}$

$=2\times 3^{n-1}$ (단, $n\geq 2$)

$\therefore a_5=2\times 3^{5-1}=162$ 답 162

다른풀이 $a_5=S_5-S_4=(3^5-2)-(3^4-2)$

$=3^5-3^4=162$

1504

(i) $n\geq 2$일 때,

$a_n=S_n-S_{n-1}$

$=3^n-1-(3^{n-1}-1)$

$=3^n-3^{n-1}=2\times 3^{n-1}$

(ii) $n=1$일 때,

$a_1=S_1=2$

$a_1=2$는 $a_n=2\times 3^{n-1}$에 $n=1$을 대입한 것과 같다.

$\therefore a_1=2,\ a_n=2\times 3^{n-1}$ 답 $a_1=2,\ a_n=2\times 3^{n-1}$

1505

(i) $n\geq 2$일 때,

$a_n=S_n-S_{n-1}$

$=2^{n+1}-2-(2^n-2)$

$=2^{n+1}-2^n=2^n$

(ii) $n=1$일 때,

$a_1=S_1=2$

$a_1=2$는 $a_n=2^n$에 $n=1$을 대입한 것과 같다.

$\therefore a_1=2,\ a_n=2^n$ 답 $a_1=2,\ a_n=2^n$

1506

(i) $n\geq 2$일 때,

$a_n=S_n-S_{n-1}$

$=2^n+5-(2^{n-1}+5)$

$=2^n-2^{n-1}=2^{n-1}$

(ii) $n=1$일 때,

$a_1=S_1=7$

$a_1=7$은 $a_n=2^{n-1}$에 $n=1$을 대입한 것과 같지 않다.

$\therefore a_1=7,\ a_n=2^{n-1}$ (단, $n\geq 2$)

답 $a_1=7,\ a_n=2^{n-1}$ (단, $n\geq 2$)

1507

(i) $n\geq 2$일 때,

$a_n=S_n-S_{n-1}$
$=2\times 3^n-1-(2\times 3^{n-1}-1)$
$=2\times 3^n-2\times 3^{n-1}=4\times 3^{n-1}$

(ii) $n=1$일 때,

$a_1=S_1=5$

$a_1=5$는 $a_n=4\times 3^{n-1}$에 $n=1$을 대입한 것과 같지 않다.

$\therefore a_1=5,\ a_n=4\times 3^{n-1}$ (단, $n\geq 2$)

답 $a_1=5,\ a_n=4\times 3^{n-1}$ (단, $n\geq 2$)

1508

등비수열 $4, 2, 1, \frac{1}{2}, \frac{1}{4}, \cdots$의 일반항은?
└ 첫째항은 4이고 공비는 $\frac{2}{4}=\frac{1}{2}$

주어진 수열은 첫째항이 4, 공비가 $\frac{2}{4}=\frac{1}{2}$이므로 일반항은

$4\cdot\left(\frac{1}{2}\right)^{n-1}=\left(\frac{1}{2}\right)^{n-3}$

답 ①

1509

첫째항이 2, 공비가 $-\frac{1}{\sqrt{2}}$인 등비수열 $\{a_n\}$의 a_9의 값은?
└ 등비수열의 일반항 공식 $a_n=ar^{n-1}$을 이용하자.

첫째항이 2이고 공비가 $-\frac{1}{\sqrt{2}}$이므로

$a_n=2\cdot\left(-\frac{1}{\sqrt{2}}\right)^{n-1}$

$\therefore a_9=2\cdot\left(-\frac{1}{\sqrt{2}}\right)^{9-1}=2\cdot\left(\frac{1}{2}\right)^4=\frac{1}{8}$

답 ②

1510

첫째항이 5이고, 제5항이 80인 등비수열의 공비는?
└ $a_5=ar^4=80$

등비수열 $\{a_n\}$의 공비를 r라 하면

$a_5=5\cdot r^4=80$에서

$r^4=16,\ (r^2-4)(r^2+4)=0$

r는 실수이므로 $r^2=4\qquad \therefore r=\pm 2$

답 ④

1511

$a_1=1,\ a_{n+1}=\sqrt{3}a_n$인 수열 $\{a_n\}$에서 a_8의 값은?
└ 공비가 $\sqrt{3}$인 등비수열이다.

$a_1=1,\ a_{n+1}=\sqrt{3}a_n$에서

수열 $\{a_n\}$은 첫째항이 1, 공비가 $\sqrt{3}$인 등비수열이므로

$a_n=1\cdot(\sqrt{3})^{n-1}=(\sqrt{3})^{n-1}$

$\therefore a_8=(\sqrt{3})^7=3^3\cdot\sqrt{3}=27\sqrt{3}$

답 ③

1512

등비수열 $\{a_n\}$에 대하여 $a_3=2,\ a_6=16$일 때, a_9의 값을 구하시오.
└ $a_3=ar^2,\ a_6=ar^5$

첫째항을 a, 공비를 r라 하면

$a_6=a_3r^3=2r^3=16$

$\therefore r^3=8$

$\therefore a_9=a_6r^3=16\cdot 8=128$

답 128

1513

제4항이 24이고, 제8항이 384인 등비수열 $\{a_n\}$의 제10항은? (단, 공비는 양수이다.)
└ $ar^3=24,\ ar^7=384$

등비수열 $\{a_n\}$의 첫째항을 a, 공비를 r라 하면

$a_4=ar^3=24$ ······㉠

$a_8=ar^7=384$ ······㉡

㉡÷㉠을 하면 $r^4=16\qquad \therefore r=2\ (\because r>0)$

$r=2$를 ㉠에 대입하면 $a=3$

$\therefore a_n=3\cdot 2^{n-1}$

$\therefore a_{10}=3\cdot 2^9$

답 ②

1514

네 수 $-2,\ a,\ b,\ 54$는 이 순서대로 등비수열을 이룬다고 할 때, ab의 값은?
└ $a=-2r,\ b=-2r^2,\ 54=-2r^3$

$-2,\ a,\ b,\ 54$는 이 순서대로 등비수열을 이루므로 이 수열의 공비를 r라 하면

$a=-2r,\ b=ar,\ 54=br$ ······㉠

㉠에서 $b=-2r^2,\ 54=-2r^3$

$\therefore r=-3$

㉠에서 $a=6,\ b=-18$

$\therefore ab=-108$

답 ⑤

1515

등비수열 $\{a_n\}$의 첫째항이 4, 공비가 2일 때, 1024는 제 몇 항인가?
└ 등비수열의 일반항 공식 $a_n=ar^{n-1}$을 이용하자.

첫째항이 4, 공비가 2이므로

$a_n=4\cdot 2^{n-1}=2^{n+1}$

이때, $1024=2^{10}=2^{n+1}$이므로

$n+1=10\qquad \therefore n=9$

따라서 1024는 제9항이다.

답 ②

1516

> 등비수열에서 제2항이 10이고, 제5항이 80일 때, 640은 제n항이다. 자연수 n의 값은?
> └ $ar=10$, $ar^4=80$

첫째항을 a, 공비를 r라 하면

$a_2=ar=10$ ······ ㉠

$a_5=ar^4=80$ ······ ㉡

㉡÷㉠을 하면

$r^3=8$ $\therefore r=2$

$r=2$를 ㉠에 대입하면 $a=5$

$\therefore a_n=5\cdot 2^{n-1}$

$5\cdot 2^{n-1}=640$에서 $2^{n-1}=128$

$2^{n-1}=2^7$이므로 $n=8$

답 ②

1517

> 등비수열 $\{a_n\}$에 대하여 $a_3+a_5=60$, $a_9=4a_7$일 때, a_{11}의 값을 구하시오.
> └ ar^2+ar^4 └ $ar^8=4ar^6$

등비수열 $\{a_n\}$의 첫째항을 a, 공비를 r라 하면

$a_3+a_5=60$에서 $ar^2+ar^4=60$ ······ ㉠

$a_9=4a_7$에서 $ar^8=4ar^6$ $\therefore r^2=4$ ······ ㉡

㉡을 ㉠에 대입하면 $4a+16a=60$

$20a=60$ $\therefore a=3$

$\therefore a_{11}=ar^{10}=a\cdot(r^2)^5=3\cdot 4^5=3072$

답 3072

1518

> 모든 항이 양수인 등비수열 $\{a_n\}$에 대하여 $a_2a_4=16$, $a_3a_5=64$ 일 때, a_7의 값을 구하시오.
> └ $ar\times ar^3=16$, $ar^2\times ar^4=64$

등비수열 $\{a_n\}$의 첫째항을 a, 공비를 r라 하면

$a_2a_4=ar\cdot ar^3=a^2r^4=16$ ······ ㉠

$a_3a_5=ar^2\cdot ar^4=a^2r^6=64$ ······ ㉡

㉡÷㉠을 하면 $r^2=4$ $\therefore r=2$ ($\because r>0$)

$r=2$를 ㉠에 대입하면

$a^2=1$ $\therefore a=1$ ($\because a>0$)

$\therefore a_7=ar^6=1\cdot 2^6=64$

답 64

1519

> 등비수열 $\{a_n\}$에 대하여 $a_1+a_2+a_3=-24$, $a_4+a_5+a_6=3$이 성립할 때, 수열 $\{a_n\}$의 첫째항은?
> └ $(a_1+a_2+a_3)\times r^3=a_4+a_5+a_6$

첫째항을 a, 공비를 r라 하면

$a_1+a_2+a_3=a+ar+ar^2$

$=a(1+r+r^2)=-24$ ······ ㉠

$a_4+a_5+a_6=ar^3+ar^4+ar^5$

$=ar^3(1+r+r^2)=3$ ······ ㉡

㉡÷㉠을 하면 $r^3=-\frac{1}{8}$ $\therefore r=-\frac{1}{2}$

$r=-\frac{1}{2}$을 ㉠에 대입하면

$a\left(1-\frac{1}{2}+\frac{1}{4}\right)=a\times\frac{3}{4}=-24$

$\therefore a=-32$

답 ①

1520

> 첫째항과 공비가 모두 0이 아닌 등비수열 $\{a_n\}$에 대하여
> $\frac{a_6}{a_1}+\frac{a_7}{a_2}+\frac{a_8}{a_3}+\cdots+\frac{a_{15}}{a_{10}}=50$일 때, $\frac{a_{20}}{a_{10}}$의 값을 구하시오.
> └ $\frac{a_6}{a_1}=\frac{ar_5}{a}=r^5$

첫째항을 a, 공비를 r라 하면

$\frac{a_6}{a_1}+\frac{a_7}{a_2}+\frac{a_8}{a_3}+\cdots+\frac{a_{15}}{a_{10}}=r^5+r^5+\cdots+r^5=10r^5=50$이므로

$r^5=5$

$\therefore \frac{a_{20}}{a_{10}}=\frac{ar^{19}}{ar^9}=r^{10}=(r^5)^2=25$

답 25

1521

> 모든 항이 양수인 등비수열 $\{a_n\}$에 대하여
> $a_1=3$, $\frac{a_4a_5}{a_2a_3}=16$
> 일 때, a_6의 값을 구하시오.
> └ $\frac{ar^3\times ar^4}{ar\times ar^2}=r^4$

등비수열 $\{a_n\}$의 공비를 r라 하면

$\frac{a_4a_5}{a_2a_3}=\frac{(3r^3)(3r^4)}{(3r)(3r^2)}=r^4=16$

이때, $r^4=16$에서

$(r+2)(r-2)(r^2+4)=0$

$\therefore r=2$ ($\because r>0$)

$\therefore a_6=3\times 2^5=96$

답 96

1522

> 첫째항이 32인 등비수열 $\{a_n\}$에서 $a_4:a_8=2:3$일 때, a_{13}의 값을 구하시오.
> └ $2\times a_8=3\times a_4$

등비수열 $\{a_n\}$의 공비를 r라 하면 첫째항이 32이므로

$a_4:a_8=2:3$에서 $32r^3:32r^7=1:r^4=2:3$

$2r^4=3$ $\therefore r^4=\frac{3}{2}$

$\therefore a_{13}=32\cdot r^{12}=32\cdot(r^4)^3=32\cdot\left(\frac{3}{2}\right)^3=108$

답 108

1523

> 양수로 이루어진 등비수열 $\{a_n\}$에서 $a_1a_2a_3a_4=2000$일 때, $a_1a_4+a_2a_3$의 값은?
> └ $a_1\times a_4=a\times ar^3=a^2r^3$, $a_2\times a_3=ar\times ar^2=a^2r^3$

등비수열 $\{a_n\}$의 첫째항을 a, 공비를 r라 하면
$a_1a_4=a\cdot ar^3=a^2r^3$,
$a_2a_3=ar\cdot ar^2=a^2r^3$
$\therefore a_1a_4=a_2a_3$
한편, $a_1a_2a_3a_4=(a_1a_4)(a_2a_3)=2000$에서
$a_1a_4=a_2a_3=\sqrt{2000}=20\sqrt{5}$
$\therefore a_1a_4+a_2a_3=20\sqrt{5}+20\sqrt{5}=40\sqrt{5}$ 답 ④

1524

> 등비수열 $\{a_n\}$이
> $a_1a_4+a_2a_3=6$, $a_1a_3+a_2a_4=10$ ($a\times ar^3+ar\times ar^2=6$)
> 을 만족시킬 때, 공비 r의 값은? (단, $r>1$)

수열 $\{a_n\}$의 첫째항을 a라 하면
$a_1a_4+a_2a_3=a\cdot ar^3+ar\cdot ar^2$
$=2a^2r^3=6$
$\therefore a^2r^3=3$ ……㉠
$a_1a_3+a_2a_4=a\cdot ar^2+ar\cdot ar^3$
$=a^2r^2(1+r^2)=10$ ……㉡
㉠÷㉡을 하면 $\dfrac{r}{1+r^2}=\dfrac{3}{10}$
$3r^2-10r+3=0$, $(3r-1)(r-3)=0$
$\therefore r=3$ ($\because r>1$) 답 ④

1525

> 세 양수 a, b, c는 이 순서대로 등비수열을 이루고, 다음 두 조건을 만족한다. ($b=ar$, $c=ar^2$이다.)
>
> (가) $a+b+c=\dfrac{7}{2}$ (나) $abc=1$
>
> 이때, $a^2+b^2+c^2$의 값을 구하시오.

공비를 r라 하면
(가)에서
$a+b+c=a+ar+ar^2$
$=a(1+r+r^2)=\dfrac{7}{2}$ ……㉠
(나)에서
$abc=a\cdot ar\cdot ar^2=a^3r^3=(ar)^3=1$
$\therefore ar=1$ ……㉡
㉠÷㉡을 하면
$\dfrac{1+r+r^2}{r}=\dfrac{7}{2}$, $2r^2+2r+2=7r$
$2r^2-5r+2=0$, $(r-2)(2r-1)=0$
$\therefore r=2$ 또는 $r=\dfrac{1}{2}$
㉡에서 $a=\dfrac{1}{2}$ 또는 $a=2$이므로 세 수는 $2, 1, \dfrac{1}{2}$이다.
$\therefore a^2+b^2+c^2=2^2+1^2+\left(\dfrac{1}{2}\right)^2=\dfrac{21}{4}$ 답 $\dfrac{21}{4}$

1526

> 첫째항이 1이고, 공비가 2인 등비수열 $\{a_n\}$에서 처음으로 2000보다 크게 되는 항은 제 몇 항인가?
> (등비수열의 일반항 공식 $a_n=ar^{n-1}$을 이용하자.)

첫째항이 1이고, 공비가 2이므로
$a_n=2^{n-1}$
$2^{n-1}>2000$에서
$2^{10}=1024$, $2^{11}=2048$이므로
$n-1\geq 11$ $\therefore n\geq 12$
따라서 처음으로 2000보다 크게 되는 항은 제12항이다. 답 ②

1527

> 첫째항이 64, 공비가 $-\dfrac{1}{2}$인 등비수열 $\{a_n\}$에 대하여 수열 $\{b_n\}$이 $b_n=a_{2n}$을 만족시킬 때, 등비수열 $\{b_n\}$의 공비는?
> ($64, -32, 16, -8, \cdots$ / $-32, -8, -2, \cdots$)

등비수열 $\{a_n\}$은 첫째항이 64, 공비가 $-\dfrac{1}{2}$이므로
$a_n=64\cdot\left(-\dfrac{1}{2}\right)^{n-1}$
$\therefore b_n=a_{2n}=64\cdot\left(-\dfrac{1}{2}\right)^{2n-1}$
$=64\cdot\left(-\dfrac{1}{2}\right)\cdot\left(-\dfrac{1}{2}\right)^{2(n-1)}$
$=-32\cdot\left(\dfrac{1}{4}\right)^{n-1}$
따라서 등비수열 $\{b_n\}$의 공비는 $\dfrac{1}{4}$이다. 답 ④

1528

> 등비수열 $\{a_n\}$에 대하여 수열 $\{a_n+2a_{n+1}\}$은 첫째항이 16, 공비가 $\dfrac{1}{2}$인 등비수열을 이룬다. 수열 $\{a_n\}$의 첫째항은?
> ($a_n+2a_{n+1}=ar^{n-1}+2ar^n$)

수열 $\{a_n\}$의 첫째항을 a, 공비를 r라 하면
$a_n=ar^{n-1}$
$a_n+2a_{n+1}=ar^{n-1}+2ar^n=(a+2ar)r^{n-1}$
즉, 수열 $\{a_n+2a_{n+1}\}$은 첫째항이 $a+2ar$, 공비가 r인 등비수열이므로
$a+2ar=16$, $r=\dfrac{1}{2}$
$a+2ar=a+2a\cdot\dfrac{1}{2}=2a=16$
$\therefore a=8$ 답 ③

1529

등차수열 $\{a_n\}$과 등비수열 $\{b_n\}$은 다음 조건을 만족한다.

(가) $a_1=2,\ b_1=2$　　(나) $a_2=b_2,\ a_4=b_4$

→ $a_1+d=b_1r,\ a_1+3d=b_1r^3$이다.

이때, a_5+b_5의 값을 구하시오.

(단, 수열 $\{b_n\}$의 공비는 1이 아니다.)

수열 $\{a_n\}$의 공차를 d, 수열 $\{b_n\}$의 공비를 r라 하면

$a_2=b_2$이므로 $2+d=2r$　　……㉠

$a_4=b_4$이므로 $2+3d=2r^3$　　……㉡

㉠에서 $d=2r-2$를 ㉡에 대입하면

$r^3-3r+2=0,\ (r-1)^2(r+2)=0$

$\therefore r=-2\ (\because r\neq1),\ d=-6$

$\therefore a_5+b_5=(2+4d)+2r^4=-22+32=10$

답 10

1530

등비수열 $\{a_n\}$의 $a_1,\ a_2,\ a_3$이 다음 두 조건을 만족한다.

(가) $a_1+a_2+a_3=12$ → $a+ar+ar^2=12$

(나) $a_2,\ a_1,\ a_3$의 순서대로 등차수열을 이룬다. → $2a_1=a_2+a_3$

등비수열 $\{a_n\}$의 공비를 r라 할 때, a_1+r의 값은? (단, $r\neq1$)

등비수열 $\{a_n\}$의 일반항을 $a_n=a_1r^{n-1}$이라 하면

(가) $a_1+a_2+a_3=a_1+a_1r+a_1r^2$

$=a_1(1+r+r^2)=12$　　……㉠

(나) $a_2,\ a_1,\ a_3$의 순서대로 등차수열을 이루므로

$$a_1=\frac{a_2+a_3}{2}=\frac{a_1r+a_1r^2}{2}=\frac{a_1(r+r^2)}{2}$$

즉, $r^2+r=2$

$r^2+r-2=0,\ (r+2)(r-1)=0$

$\therefore r=-2\ (\because r\neq1)$

㉠에 $r=-2$를 대입하면

$3a_1=12$　　$\therefore a_1=4$

$\therefore a_1+r=2$

답 ⑤

1531

각 항이 양수인 등비수열 $\{a_n\}$에 대하여 수열 $\{b_n\}$을 다음과 같이 정의한다.

$b_n=\log_3 a_n\ (n=1,\ 2,\ 3,\ \cdots)$

수열 $\{b_n\}$이 다음 조건을 만족시킬 때, a_{11}의 값은?

(가) $b_1+b_3+b_5+\cdots+b_{15}+b_{17}=36$

(나) $b_2+b_4+b_6+\cdots+b_{16}+b_{18}=45$

→ 로그의 성질 $\log x+\log y=\log xy$를 이용하자.

등비수열 $\{a_n\}$의 첫째항을 a, 공비를 r라 하면

$b_1+b_3+b_5+\cdots+b_{15}+b_{17}$

$=\log_3 a+\log_3 ar^2+\log_3 ar^4+\cdots+\log_3 ar^{14}+\log_3 ar^{16}$

$=\log_3 a^9r^{72}=9\log_3 ar^8=36$

$\therefore ar^8=3^4$　　……㉠

$b_2+b_4+b_6+\cdots+b_{16}+b_{18}$

$=\log_3 ar+\log_3 ar^3+\log_3 ar^5+\cdots+\log_3 ar^{15}+\log_3 ar^{17}$

$=\log_3 a^9r^{81}=9\log_3 ar^9=45$

$\therefore ar^9=3^5$　　……㉡

㉠, ㉡에서 $r=3,\ a=\frac{1}{81}$이므로 $a_n=3^{n-5}$이다.

$\therefore a_{11}=3^{11-5}=3^6$

답 ②

1532

5는 두 수 $a,\ b$의 등비중항이고, 두 수 $a,\ b$의 합이 9일 때, a^2+b^2의 값은? → $ab=5^2$이다.

$a,\ b$의 등비중항이 5이므로 $ab=5^2=25$

$a,\ b$의 합이 9이므로 $a+b=9$

$\therefore a^2+b^2=(a+b)^2-2ab$

$=9^2-2\cdot25=31$

답 ④

1533

세 양수 $x,\ x+6,\ 4x$가 이 순서대로 등비수열을 이룰 때, x의 값을 구하시오. → $(x+6)^2=x\times4x$이다.

세 수 $x,\ x+6,\ 4x$가 이 순서대로 등비수열을 이루므로

$(x+6)^2=x\cdot4x,\ 3x^2-12x-36=0$

$x^2-4x-12=0,\ (x-6)(x+2)=0$

$\therefore x=6\ (\because x>0)$

답 6

1534

등비수열 $\{a_n\}$에서 $a_1a_2a_3=27$일 때, a_2의 값은? → $a_2^2=a_1\times a_3$이다.

a_2는 a_1과 a_3의 등비중항이므로

$a_2^2=a_1a_3$

따라서 $a_1a_2a_3=a_2^3=27$이므로 $a_2=3$

답 ②

1535

다음 표의 가로줄과 세로줄에 있는 세 양수가 각각 등비수열을 이룰 때, $a+b+c+d+e$의 값은? (등비중항의 성질을 이용하자.)

a	b	$\frac{1}{2}$
18	c	d
e	4	8

e, 4, 8에서 4는 등비중항이므로
$8e=4^2 \quad \therefore e=2$
또 a, 18, 2에서 18은 등비중항이므로
$2a=18^2 \quad \therefore a=162$
162, b, $\frac{1}{2}$에서 b는 등비중항이므로
$b^2=81 \quad \therefore b=9 \ (\because b>0)$
9, c, 4에서 c는 등비중항이므로
$c^2=36 \quad \therefore c=6 \ (\because c>0)$
$\frac{1}{2}$, d, 8에서 d는 등비중항이므로
$d^2=4 \quad \therefore d=2 \ (\because d>0)$
$\therefore a+b+c+d+e=181$

답 ⑤

1536

${}_{10}C_1a^9$, ${}_{10}C_2a^8$, ${}_{10}C_4a^6$이 이 순서로 등비수열을 이룰 때, 상수 a의 값을 구하시오. (단, $a\neq0$) (등비중항의 성질을 이용하자.)

${}_{10}C_1=10$, ${}_{10}C_2=\frac{10\times9}{2\times1}=45$, ${}_{10}C_4=\frac{10\times9\times8\times7}{4\times3\times2\times1}=210$이다.
세 수 $10a^9$, $45a^8$, $210a^6$은 이 순서로 등비수열을 이루므로
$(45a^8)^2=10a^9\times210a^6 \quad \therefore a=\frac{28}{27}$

답 $\frac{28}{27}$

1537

서로 다른 세 자연수 a, b, c가 다음 세 조건을 모두 만족시킬 때, $a+b+c$의 값을 구하시오.

> (가) a, b, c는 이 순서대로 등비수열을 이룬다. ($b^2=a\times c$이다.)
> (나) $b-a=n^2$ (n은 자연수이다.) (n^2의 값은 1, 4, 9, 16, ⋯ 중의 하나이다.)
> (다) $\log_6 a+\log_6 b+\log_6 c=3$

(다)에서 $\log_6 abc=3$이므로 $abc=6^3$ ⋯⋯ ㉠
(가)에서 a, b, c가 등비수열을 이루므로
$b^2=ac$ ⋯⋯ ㉡
㉠, ㉡에서 $b=6$
$\therefore ac=6^2$
(나) $b-a=n^2$에서 $6-a=n^2$ (n은 자연수)이므로
$n=1$ 또는 $n=2$이다.
따라서 a의 값은 5 또는 2이다.
한편, $ac=6^2$에서 a는 6^2의 약수이므로 $a=2$뿐이다.
또, $ac=6^2$에서 $c=18$
$\therefore a+b+c=26$

답 26

1538

세 수 1, x, 4가 이 순서대로 등차수열을 이루고, 세 수 1, y, 4가 이 순서대로 등비수열을 이룬다. 이때, $x+y$의 값은? (단, y는 양수이다.) ($2x=1+4$, $y^2=1\times4$)

1, x, 4가 이 순서대로 등차수열을 이루므로
$2x=1+4=5 \quad \therefore x=\frac{5}{2}$
1, y, 4가 이 순서대로 등비수열을 이루므로
$y^2=4 \quad \therefore y=2 \ (\because y>0)$
$\therefore x+y=\frac{5}{2}+2=\frac{9}{2}$

답 ④

1539

세 수 -4, a, 8이 이 순서대로 등차수열을 이루고, 세 수 a, 6, b가 이 순서대로 등비수열을 이룰 때, $a+b$의 값은? ($2a=-4+8$, $6^2=a\times b$)

-4, a, 8이 이 순서대로 등차수열을 이루므로
$a=\frac{-4+8}{2}=2$
a, 6, b가 이 순서대로 등비수열을 이루므로
$ab=6^2=36 \quad \therefore b=\frac{36}{2}=18$
$\therefore a+b=2+18=20$

답 ④

1540

두 정수 a, b에 대하여 세 수 3, a, b가 이 순서대로 등차수열을 이루고, 세 수 a, $\sqrt{5}$, b가 이 순서대로 등비수열을 이룬다고 할 때, a^2+b^2의 값은? ($2a=3+b$, $(\sqrt{5})^2=a\times b$)

3, a, b가 이 순서대로 등차수열을 이루므로
$2a=3+b \quad \therefore b=2a-3$ ⋯⋯ ㉠
a, $\sqrt{5}$, b가 이 순서대로 등비수열을 이루므로
$ab=(\sqrt{5})^2=5$ ⋯⋯ ㉡
㉠을 ㉡에 대입하면 $a(2a-3)=5$
$2a^2-3a-5=0$, $(2a-5)(a+1)=0$
$\therefore a=\frac{5}{2}$ 또는 $a=-1$
이때, a는 정수이므로 $a=-1$
$a=-1$을 ㉠에 대입하면 $b=-5$
$\therefore a^2+b^2=(-1)^2+(-5)^2=26$

답 ③

1541

$a+b=2\times10$

> 10은 두 수 a, b의 등차중항이고, 8은 두 수 a, b의 등비중항일 때, $a-b$의 값은? (단, $a>b$)
>
> $a\times b=8^2$

10은 a, b의 등차중항이므로

$a+b=2\cdot10=20$

8은 a, b의 등비중항이므로

$ab=8^2=64$

$\therefore (a-b)^2=(a+b)^2-4ab=20^2-4\cdot64=144$

$\therefore a-b=12$ ($\because a>b$) 답 ③

1542

> 서로 다른 세 실수 a, b, c가 이 순서대로 등차수열을 이루고, b, a, c가 이 순서대로 등비수열을 이룬다. 세 수의 곱이 8일 때, $a+b+c$의 값은?
>
> $2b=a+c$, $a^2=b\times c$이다.

a, b, c가 이 순서대로 등차수열을 이루므로

$2b=a+c$ ······㉠

b, a, c가 이 순서대로 등비수열을 이루므로

$a^2=bc$ ······㉡

세 수의 곱이 8이므로

$abc=8$ ······㉢

㉡을 ㉢에 대입하면 $a^3=8$ $\quad\therefore a=2$

$a=2$를 ㉠, ㉡에 각각 대입하면

$2b=2+c$, $4=bc$

두 식을 연립하면 $2=b(b-1)$

$(b-2)(b+1)=0$ $\quad\therefore b=2$ 또는 $b=-1$

그런데 a, b, c는 서로 다른 세 수이므로

$b=-1$, $c=-4$

$\therefore a+b+c=2-1-4=-3$ 답 ①

1543

> 공차가 0이 아닌 등차수열 $\{a_n\}$의 세 항 a_2, a_4, a_9가 이 순서대로 공비가 r인 등비수열을 이룰 때, $6r$의 값을 구하시오.
>
> $a_2=a+d$, $a_4=a+3d$, $a_9=a+8d$이고, $a_4^2=a_2\times a_9$이다.

등차수열 $\{a_n\}$의 첫째항을 a, 공차를 d라 하면

$a_2=a+d$, $a_4=a+3d$, $a_9=a+8d$

이고, 세 수 a_2, a_4, a_9가 이 순서대로 등비수열을 이루므로

$(a+3d)^2=(a+d)(a+8d)$

$a^2+6ad+9d^2=a^2+9ad+8d^2$

$d^2=3ad$

이때, $d\neq0$이므로 $d=3a$

$\therefore a_2=4a$, $a_4=10a$, $a_9=25a$

따라서 $r=\frac{10a}{4a}=\frac{5}{2}$이므로 $6r=15$ 답 15

1544

> 두 수 5와 45 사이에 5개의 양수를 넣어 이 순서대로 등비수열 $\{a_n\}$을 만들 때, a_4의 값은?
>
> $a_1=a=5$, $a_7=ar^6=45$이다.

등비수열 $\{a_n\}$의 공비를 $r(r>0)$라 하면

$a_7=5\times r^6=45$에서 $r^6=9$ $\quad\therefore r^3=3$ ($\because r>0$)

$\therefore a_4=5\times r^3=5\times3=15$ 답 ④

1545

$a_1=2$, $a_5=a_1r^4=18$이다.

> 두 수 2와 18 사이에 세 개의 양수 a, b, c를 넣어 2, a, b, c, 18이 이 순서대로 등비수열을 이루도록 할 때, abc의 값을 구하시오.

공비를 r라 하면 a, b, c가 양수이므로 $r>0$

첫째항이 2, 제5항이 18이므로

$2r^4=18$, $r^4=9$

$\therefore r=\sqrt{3}$ ($\because r>0$)

$a=2r$, $b=2r^2$, $c=2r^3$이므로

$abc=2\sqrt{3}\cdot6\cdot6\sqrt{3}=216$ 답 216

1546

$\alpha+\beta=-a$, $\alpha\beta=b$

> 이차방정식 $x^2+ax+b=0$의 두 실근을 각각 α, β라 하면 세 수 α, -4, β는 이 순서대로 등차수열을 이루고, 세 수 α, 2, β는 이 순서대로 등비수열을 이룬다. 이때, 두 실수 a, b의 합 $a+b$의 값은?
>
> $\alpha+\beta=2\times(-4)$ $\quad$ $\alpha\beta=2^2$

이차방정식의 근과 계수의 관계에 의하여

$\alpha+\beta=-a$, $\alpha\beta=b$

세 수 α, -4, β는 이 순서대로 등차수열을 이루므로

$\alpha+\beta=2\cdot(-4)=-8$ $\quad\therefore a=8$

또 세 수 α, 2, β는 이 순서대로 등비수열을 이루므로

$\alpha\beta=2^2=4$ $\quad\therefore b=4$

$\therefore a+b=12$ 답 ③

1547

> 삼차방정식 $x^3-7x^2+px+q=0$의 세 근이 공비가 2인 등비수열을 이룰 때, 상수 p, q의 합 $p+q$의 값은?
>
> 세 근을 a, $2a$, $4a$라 하자.

삼차방정식 $x^3-7x^2+px+q=0$의 세 근이 공비가 2인 등비수열을 이루므로 이 세 근을 a, $2a$, $4a$로 놓으면 삼차방정식의 근과 계수의 관계에 의하여

$a+2a+4a=7$, $7a=7$ $\quad\therefore a=1$

이때, $a=1$은 삼차방정식의 근이므로

$1^3-7\cdot1^2+p\cdot1+q=0$

$\therefore p+q=6$ 답 ①

1548

> 두 곡선 $y=x^3+x^2+4x$와 $y=3x^2+k$가 서로 다른 세 점에서 만나고 그 교점의 x좌표가 등비수열을 이룰 때, 상수 k의 값은?
>
> → a, ar, ar^2이라 하자.

두 곡선 $y=x^3+x^2+4x$와 $y=3x^2+k$가 서로 다른 세 점에서 만나므로 삼차방정식 $x^3-2x^2+4x-k=0$은 서로 다른 세 실근을 갖는다.
이 세 실근이 등비수열을 이루므로 a, ar, ar^2이라고 놓으면 삼차방정식의 근과 계수의 관계에 의하여

$a+ar+ar^2=a(1+r+r^2)=2$ ……㉠

$a^2r+a^2r^2+a^2r^3=a^2r(1+r+r^2)=4$ ……㉡

$a\cdot ar\cdot ar^2=a^3r^3=(ar)^3=k$

㉡÷㉠을 하면 $ar=2$

$\therefore k=(ar)^3=2^3=8$

답 ④

1549

> 다항식 $f(x)=x^2+2x+a$를 $x+1$, $x-1$, $x-2$로 나누었을 때의 나머지가 이 순서대로 등비수열을 이룬다. 이때, $f(x)$를 $x+2$로 나누었을 때의 나머지는?
>
> → $f(-1)$, $f(1)$, $f(2)$이다.

다항식 $f(x)=x^2+2x+a$를 $x+1$, $x-1$, $x-2$로 나누었을 때의 나머지는 각각

$f(-1)=a-1$, $f(1)=a+3$, $f(2)=a+8$

이때, $a-1$, $a+3$, $a+8$이 이 순서대로 등비수열을 이루므로

$a+3$은 $a-1$과 $a+8$의 등비중항이다.

$(a+3)^2=(a-1)(a+8)$

$a^2+6a+9=a^2+7a-8$

$\therefore a=17$

$\therefore f(x)=x^2+2x+17$

따라서 $f(x)$를 $x+2$로 나누었을 때의 나머지는

$f(-2)=4-4+17=17$

답 ②

1550

> 어떤 직육면체의 가로의 길이, 세로의 길이, 높이는 이 순서대로 등비수열을 이룬다고 한다. 모든 모서리의 길이의 합이 32이고, 부피가 27일 때, 이 직육면체의 겉넓이는?
>
> → a, ar, ar^2이라 하자.

가로의 길이, 세로의 길이, 높이를 각각 a, ar, ar^2이라고 놓으면

모서리의 길이의 합은

$4(a+ar+ar^2)=32$

$a+ar+ar^2=8$

부피는 $a\cdot ar\cdot ar^2=27$

$a^3r^3=(ar)^3=27$

$\therefore ar=3$

겉넓이는 $2(a\cdot ar+ar^2\cdot a+ar^2\cdot ar)$에서

$2(a^2r+a^2r^2+a^2r^3)=2ar(a+ar+ar^2)$

$=2\cdot3\cdot8=48$

답 ④

1551

> 한 변의 길이가 3인 정사각형이 있다. 첫 번째 시행에서 그림과 같이 정사각형을 9등분하여 중앙의 정사각형을 버린다. 두 번째 시행에서는 첫 번째 시행의 결과로 남은 나머지 8개의 정사각형을 같은 방법으로 각각 9등분하여 중앙의 정사각형을 버린다. 이와 같은 시행을 10번 반복할 때, 남아 있는 도형의 넓이는 $\frac{2^p}{3^q}$이다. 이때, 자연수 p, q의 합 $p+q$의 값은?
>
> → 남은 부분의 넓이는 기존 정사각형의 넓이의 $\frac{8}{9}$이다.

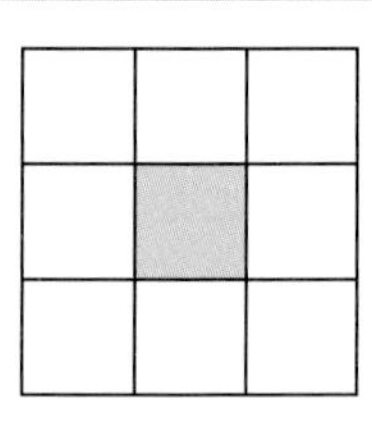

한 변의 길이가 3인 정사각형의 넓이가 9이므로

첫 번째 시행 후 남아 있는 도형의 넓이는 $9\cdot\frac{8}{9}$

두 번째 시행 후 남아 있는 도형의 넓이는 $9\cdot\frac{8}{9}\cdot\frac{8}{9}=9\cdot\left(\frac{8}{9}\right)^2$

⋮

n번째 시행 후 남아 있는 도형의 넓이는 $9\cdot\left(\frac{8}{9}\right)^n$

따라서 10번째 시행 후 남아 있는 도형의 넓이는

$9\cdot\left(\frac{8}{9}\right)^{10}=\frac{8^{10}}{9^9}=\frac{2^{30}}{3^{18}}$이므로 $p=30$, $q=18$

$\therefore p+q=48$

답 ④

1552

> 넓이가 4인 정사각형의 종이를 그림과 같이 각 변의 중점을 이은 정사각형을 만든 후, 정사각형 이외의 부분을 오려낸다. 이와 같은 방법을 10회 반복 시행한 후 남아있는 정사각형의 한 변의 길이를 구하시오.
>
> → 한 변의 길이가 2이다.
>
> → 처음 새로 만든 정사각형의 한 변의 길이는 $\sqrt{2}$이다.

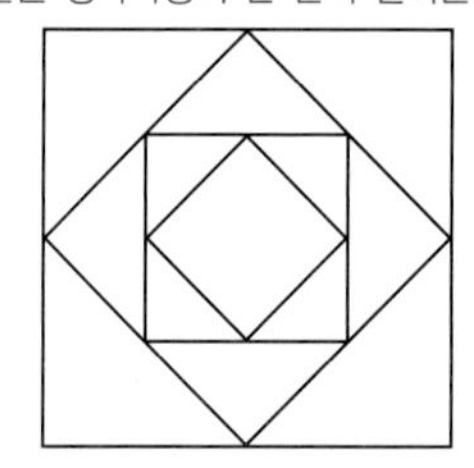

n회 시행 후 남아 있는 정사각형의 한 변의 길이를 a_n이라 하면

$a_1=\sqrt{1^2+1^2}=\sqrt{2}$

$a_2=\sqrt{\left(\frac{\sqrt{2}}{2}\right)^2+\left(\frac{\sqrt{2}}{2}\right)^2}=1$

$a_3=\sqrt{\left(\frac{1}{2}\right)^2+\left(\frac{1}{2}\right)^2}=\frac{1}{\sqrt{2}}$

⋮

이므로 수열 $\{a_n\}$은 첫째항이 $\sqrt{2}$이고 공비가 $\frac{1}{\sqrt{2}}$인 등비수열이 된다.

$\therefore a_n=\sqrt{2}\cdot\left(\frac{1}{\sqrt{2}}\right)^{n-1}$

$\therefore a_{10}=\sqrt{2}\cdot\left(\frac{1}{\sqrt{2}}\right)^9=\frac{1}{2^4}=\frac{1}{16}$

답 $\frac{1}{16}$

1553

한 변의 길이가 4인 정육면체가 있다.

[그림 1]은 이 정육면체의 각 모서리를 수직이등분하여 분리된 정육면체들을 나타낸 것이다.
[그림 2]는 [그림 1]의 정육면체들의 각 모서리를 수직이등분하여 분리된 정육면체들을 나타낸 것이다.

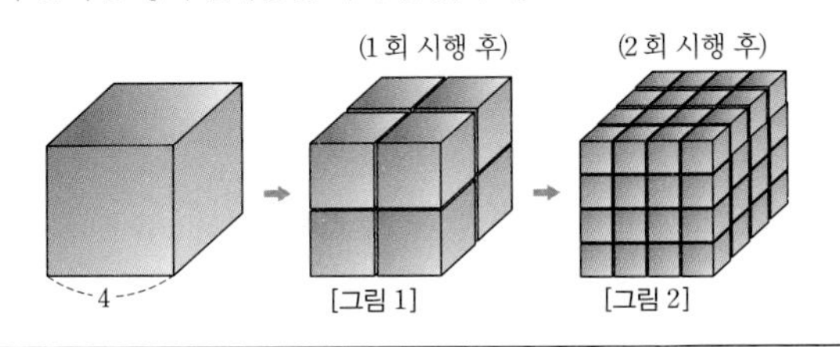

이와 같은 시행을 계속해 나갈 때, 5회 시행 후 분리된 모든 정육면체들의 겉넓이의 합은?

└ 한 변의 길이가 a인 정육면체의 겉넓이는 $6a^2$이다.

	정육면체의 개수	한 변의 길이
1회 시행 후	2^3	2
2회 시행 후	2^6	1
3회 시행 후	2^9	$\frac{1}{2}$
4회 시행 후	2^{12}	$\frac{1}{4}$
5회 시행 후	2^{15}	$\frac{1}{8}$

따라서 5회 시행 후 정육면체들의 겉넓이의 합은

$\left(\frac{1}{8}\right)^2 \times 6 \times 2^{15} = 3 \times 2^{10}$ 답 ①

1554

어떤 세균의 개체 수는 1시간마다 r배 증가한다. 이 세균 100마리를 관찰한 결과 3시간 후 800마리로 증가하였을 때, 실수 r의 값은? 2시간 후는 r^2배, 3시간 후는 r^3배 증가하게 된다.

세균의 개체 수는 1시간마다 r배 증가하고, 세균 100마리가 3시간 후 800마리로 증가하므로

$100 \cdot r^3 = 800$, $r^3 = 8$

$\therefore r = 2$ 답 ②

1555

매시간마다 개체 수가 두 배로 증가하는 세균이 있다. 즉, 세균 1마리는 3시간 후에 8마리로 증가한다. 1마리의 세균이 2000마리 이상 되는 데 걸리는 시간 t의 최솟값을 구하시오. (단, t는 자연수)

└ 처음 개체 수가 a이면, 1시간 후는 $2a$, 2시간 후는 2^2a, 3시간 후는 2^3a, …이다.

1마리가 1시간 후 2마리, 2시간 후 4마리, 3시간 후 8마리로 증가하므로 t시간 후에는 2^t마리로 증가한다.

$2^t \geq 2000$에서

$2^{10} = 1024$, $2^{11} = 2048$이므로 $t \geq 11$

따라서 2000마리 이상이 되는 자연수 t의 최솟값은 11이다. 답 11

1556

→ n개월 후 생산량은 $1000 \times (1+0.1)^n$이다.

어느 자동차 회사는 신형차를 개발하면서 올해 1월에는 1000대를 생산하고, 이후 매달 생산량을 10 %씩 늘려나가는 것을 목표로 정하였다. 1년 동안 이 목표를 달성하기 위해 올해 12월에 생산해야 할 신형차는 몇 대인가? (단, $1.1^{11} = 2.85$로 계산한다.)

올해 1월에 1000대를 생산하고, n개월 후에 생산해야 할 자동차의 수를 a_n이라 하면

$a_1 = 1000 \times (1+0.1)$

$a_2 = 1000 \times (1+0.1) \times (1+0.1) = 1000 \times (1+0.1)^2$

⋮

$a_n = 1000 \times (1+0.1)^n$

따라서 올해 12월에 생산해야 할 자동차의 수는

$a_{11} = 1000 \times (1+0.1)^{11} = 1000 \times 2.85 = 2850$(대) 답 ②

1557

현재 10톤의 물이 들어 있는 물탱크가 있다. 이 물탱크의 물의 양이 매달 전달보다 10 %씩 감소한다고 할 때, 1년 후 이 물탱크의 물의 양은 몇 톤인가? (단, $0.9^{12} = 0.3$으로 계산한다.)

└ n개월 후 물의 양은 $10 \times (1-0.1)^n$이다.

현재 물탱크에 들어 있는 물의 양은 10톤이고, 매달 전달보다 10 %씩 감소하므로 12개월 후의 물탱크의 물의 양은

$10(1-0.1)^{12} = 10 \cdot 0.9^{12} = 10 \cdot 0.3 = 3$(톤) 답 ③

1558

n개월 후 회원 수는 증가율을 r라 할 때, (처음 회원 수) $\times (1+r)^n$이다.

어느 인터넷 교육 사이트의 회원 수는 2006년 1월부터 매월 일정한 비율로 증가하여 5개월 후인 2006년 6월의 회원 수가 1월에 비해 3배가 되었다. 이와 같은 비율로 회원 수가 계속 증가할 것으로 예상하고, 탈퇴하는 회원이 없다고 가정할 때, 2006년 11월의 회원 수는 2006년 6월에 비해 12000명이 늘어났다. 2006년 1월의 회원 수는 몇 명인가?

2006년 1월의 회원 수를 a명이라 하고 매월 증가하는 일정한 비율을 r라 하면

2006년 1월로부터 n개월 후의 회원 수는

$a(1+r)^n$(명)

5개월 후인 6월의 회원 수는 1월의 회원 수의 3배이므로

$a(1+r)^5 = 3a$에서 $(1+r)^5 = 3$

10개월 후인 11월의 회원 수는 $a(1+r)^{10}$이므로 5개월 간 증가한 회원 수는

$a(1+r)^{10} - a(1+r)^5 = a(1+r)^5\{(1+r)^5 - 1\}$

$= 3a(3-1) = 6a = 12000$

$\therefore a = 2000$(명) 답 ②

1559 n년 후 인구 수는 증가율을 r라 할 때, (처음 인구 수)$\times(1+r)^n$이다.

> A도시의 인구는 매년 일정한 비율로 증가하여 10년 후에는 1만 명, 20년 후에는 2만 명이 될 것으로 예상된다. 이때, A도시의 15년 후의 인구는 얼마가 될 것으로 예상할 수 있는가?
> (단, $\sqrt{2}=1.4$로 계산한다.)

A도시의 올해 인구를 a, 인구 증가율을 r라 하면
1년 후의 인구는 $a(1+r)$(명)
2년 후의 인구는 $a(1+r)^2$(명)
⋮
n년 후의 인구는 $a(1+r)^n$(명)
이때, 10년 후의 인구가 1만 명이므로
$a(1+r)^{10}=10^4$ ……㉠
20년 후의 인구가 2만 명이므로
$a(1+r)^{20}=2\cdot10^4$ ……㉡
㉡÷㉠을 하면 $(1+r)^{10}=2$ ……㉢
$\therefore (1+r)^5=\sqrt{2}$
㉢을 ㉠에 대입하면 $2a=1\cdot10^4$
$\therefore a=\dfrac{1}{2}\cdot10^4$
따라서 A도시의 15년 후의 인구는
$a(1+r)^{15}=a\{(1+r)^5\}^3$
$=\dfrac{1}{2}\cdot10^4\cdot(\sqrt{2})^3=1.4\cdot10^4$ (명)
즉, 1만 4천 명으로 예상할 수 있다. 답 ③

1560

> $a_1=6$, $a_{n+1}=2a_n$으로 정의된 수열 $\{a_n\}$에서 $a_1+a_2+a_3+\cdots+a_6$의 값은?
> (공비가 2인 등비수열이다.)
> (등비수열의 합 공식 $S_n=\dfrac{a(r^n-1)}{r-1}$을 이용하자.)

$a_1=6$, $a_{n+1}=2a_n$이므로 수열 $\{a_n\}$은 첫째항이 6, 공비가 2인 등비수열이다.
$\therefore a_1+a_2+a_3+\cdots+a_6=\dfrac{6(2^6-1)}{2-1}=378$ 답 ③

1561

> 첫째항이 1, 공비가 3인 등비수열 $\{a_n\}$에 대하여 $a_1+a_3+a_5+\cdots+a_{19}$의 값은?
> (첫째항은 1, 공비는 9, 항의 개수는 10이다.)

첫째항이 1, 공비가 3이므로
$a_n=3^{n-1}$
$a_1, a_3, a_5, \cdots, a_{19}$에서
$a_{2n-1}=3^{(2n-1)-1}=3^{2(n-1)}=9^{n-1}$
이므로 $\{a_{2n-1}\}$은 첫째항이 1, 공비가 9, 항의 개수가 10인 등비수열이다.
$\therefore a_1+a_3+a_5+\cdots+a_{19}=\dfrac{1(9^{10}-1)}{9-1}$
$=\dfrac{1}{8}(3^{20}-1)$ 답 ④

1562

> 다음 값을 계산하면?
> $\log_2 4+\log_2 4^3+\log_2 4^9+\cdots+\log_2 4^{3^{n-1}}$
> (로그의 성질 $\log x+\log y=\log xy$와 등비수열의 합 공식 $S_n=\dfrac{a(r^n-1)}{r-1}$을 이용하자.)

$\log_2 4+\log_2 4^3+\log_2 4^9+\cdots+\log_2 4^{3^{n-1}}$
$=\log_2 2^2+\log_2 2^6+\log_2 2^{18}+\cdots+\log_2 2^{2\times3^{n-1}}$
$=2+6+18+\cdots+2\times3^{n-1}$
즉, 첫째항이 2, 공비가 3인 등비수열의 첫째항부터 제n항까지의 합이므로
$\dfrac{2(3^n-1)}{3-1}=3^n-1$ 답 ④

1563

> 첫째항이 2, 공비가 -3, 끝항이 -486인 등비수열의 첫째항부터 끝항까지의 합은?
> ($a_n=ar^{n-1}=-486$에서 n의 값을 구하자.)

등비수열 $\{a_n\}$의 항의 개수를 n이라 하면
$a_n=2\cdot(-3)^{n-1}=-486$에서
$(-3)^{n-1}=-243=(-3)^5$
$n-1=5$ $\therefore n=6$
따라서 첫째항부터 끝항인 제6항까지의 합은
$\dfrac{2\{1-(-3)^6\}}{1-(-3)}=\dfrac{1-729}{2}=-364$ 답 ①

1564

> 제2항이 6, 제5항이 48인 등비수열의 첫째항부터 제6항까지의 합을 구하시오.
> ($ar=6$, $ar^4=48$에서 a, r의 값을 구하자.)

등비수열 $\{a_n\}$의 첫째항을 a, 공비를 r, 첫째항부터 제n항까지의 합을 S_n이라 하면
$a_2=ar=6$ ……㉠
$a_5=ar^4=48$ ……㉡
㉡÷㉠을 하면
$r^3=8$ $\therefore r=2$
$r=2$를 ㉠에 대입하면 $a=3$
따라서 첫째항부터 제6항까지의 합 S_6은
$S_6=\dfrac{3(2^6-1)}{2-1}=189$ 답 189

1565

> 등비수열 $\{a_n\}$에 대하여 $a_1+a_4=18$, $a_4+a_7=144$가 성립할 때, 첫째항부터 제6항까지의 합 S_6은?
> ($a+ar^3=18$, $ar^3+ar^6=144$에서 a, r의 값을 구하자.)

등비수열 $\{a_n\}$의 첫째항을 a, 공비를 r라 하면

$a_1+a_4=a+ar^3=18$ ……㉠

$a_4+a_7=ar^3+ar^6$

$=r^3(a+ar^3)=144$ ……㉡

㉡÷㉠을 하면 $r^3=8$ $\therefore r=2$

$r=2$를 ㉠에 대입하면 $a+8a=18$ $\therefore a=2$

따라서 첫째항부터 제6항까지의 합 S_6은

$S_6=\frac{2(2^6-1)}{2-1}=126$

답 ⑤

1566

> 등비수열 $\{a_n\}$에 대하여 $a_4=1$, $a_3:a_7=16:1$일 때, 첫째항부터 제20항까지의 합은? (단, 공비는 양수이다.)
>
> $ar^3=1$, $16ar^6=ar^2$에서 a, r의 값을 구하자.

등비수열 $\{a_n\}$의 첫째항을 a, 공비를 r라 하면

$a_4=ar^3=1$ ……㉠

$a_3:a_7=16:1$에서

$ar^2:ar^6=16:1$

$r^4=\frac{1}{16}$ $\therefore r=\frac{1}{2}$ ($\because r>0$)

$r=\frac{1}{2}$을 ㉠에 대입하면 $a=8$

따라서 첫째항이 8, 공비가 $\frac{1}{2}$인 등비수열의 첫째항부터 제20항까지의 합은

$\frac{8\left\{1-\left(\frac{1}{2}\right)^{20}\right\}}{1-\frac{1}{2}}=16\left(1-\frac{1}{2^{20}}\right)$

답 ②

1567

> 등비수열 $2, a_1, a_2, a_3, \cdots, a_n, 512$에 대하여 $a_1+a_2+a_3+\cdots+a_n=508$일 때, n의 값은?
>
> 첫째항은 2이고, 공비를 r라 하면 $512=2\times r^{n+1}$이다.

주어진 등비수열의 공비를 r라 하면 첫째항이 2이므로

$2\cdot r^{n+1}=512$ ……㉠

$a_1+a_2+a_3+\cdots+a_n=508$이므로

$2+a_1+a_2+a_3+\cdots+a_n+512=1022$

첫째항부터 제 $(n+2)$항까지의 합을 S_{n+2}라 하면

$S_{n+2}=2+a_1+a_2+a_3+\cdots+a_n+512$

$=\frac{2(r^{n+2}-1)}{r-1}=\frac{2\cdot r^{n+1}\cdot r-2}{r-1}$

$=\frac{512r-2}{r-1}=1022$

$512r-2=1022r-1022$

$510r=1020$ $\therefore r=2$

$r=2$를 ㉠에 대입하면

$2\cdot 2^{n+1}=2^{n+2}=2^9$ $\therefore n=7$

답 ③

1568

> 이차방정식 $x^2+x+1=0$의 한 근을 ω라 할 때, $1+(2\omega)^3+(2\omega)^6+(2\omega)^9+\cdots+(2\omega)^{30}$의 값은?
>
> $\omega^2+\omega+1=0$, $\omega^3=1$

$x^2+x+1=0$의 한 근을 ω라 하면

$\omega^2+\omega+1=0$, $(\omega-1)(\omega^2+\omega+1)=0$

$\omega^3-1=0$ $\therefore \omega^3=1$

$1+(2\omega)^3+(2\omega)^6+(2\omega)^9+\cdots+(2\omega)^{30}$은 첫째항이 1, 공비가 $(2\omega)^3=8$인 등비수열의 첫째항부터 제11항까지의 합과 같으므로

$\frac{1(8^{11}-1)}{8-1}=\frac{2^{33}-1}{7}$

답 ①

1569

> 등비수열 $\{a_n\}$의 첫째항부터 제3항까지의 합이 14, 첫째항부터 제6항까지의 합이 126일 때, 첫째항부터 제8항까지의 합을 구하시오.
>
> $S_3=\frac{a(r^3-1)}{r-1}=14$
>
> $S_6=\frac{a(r^6-1)}{r-1}=126$

첫째항을 a, 공비를 r, 첫째항부터 제n항까지의 합을 S_n이라 하면

$S_3=\frac{a(r^3-1)}{r-1}=14$ ……㉠

$S_6=\frac{a(r^6-1)}{r-1}$

$=\frac{a(r^3-1)(r^3+1)}{r-1}=126$ ……㉡

㉡÷㉠을 하면

$r^3+1=9$ $\therefore r=2$

$r=2$를 ㉠에 대입하면 $a=2$

$\therefore S_8=\frac{a(r^8-1)}{r-1}=\frac{2(2^8-1)}{2-1}=510$

답 510

1570

> 공비가 양수인 등비수열 $\{a_n\}$의 첫째항과 제2항의 합이 3, 첫째항부터 제4항까지의 합이 15일 때, 첫째항부터 제6항까지의 합은?
>
> $a+ar=3$
>
> $a+ar+ar^2+ar^3=15$

등비수열 $\{a_n\}$의 첫째항을 a, 공비를 r $(r>0)$라 하면

첫째항과 제2항의 합이 3이므로

$a+ar=3$, $a(1+r)=3$ ……㉠

첫째항부터 제4항까지의 합이 15이므로

$a+ar+ar^2+ar^3=3+ar^2(1+r)$

$=3+3r^2=15$ ……㉡

㉡에서 $r^2=4$ $\therefore r=2$ $(r>0)$

$r=2$를 ㉠에 대입하면 $a=1$

따라서 첫째항부터 제6항까지의 합은

$\frac{2^6-1}{2-1}=63$

답 ②

1571

> 등비수열 $\{a_n\}$에 대하여 $a_1+a_2+a_3=1$, $a_4+a_5+a_6=8$일 때, $a_7+a_8+a_9$의 값을 구하시오.
>
> └ $(a_1+a_2+a_3)\times r^6=a_7+a_8+a_9$

등비수열 $\{a_n\}$의 첫째항을 a, 공비를 r라 하면

$a_1+a_2+a_3=a+ar+ar^2$
$=a(1+r+r^2)=1$ ······㉠

$a_4+a_5+a_6=ar^3+ar^4+ar^5$
$=ar^3(1+r+r^2)=8$ ······㉡

㉡÷㉠을 하면 $r^3=8$

$\therefore a_7+a_8+a_9=ar^6+ar^7+ar^8$
$=ar^6(1+r+r^2)$
$=r^6\cdot a(1+r+r^2)$
$=(r^3)^2\cdot 1=8^2=64$

답 64

1572

> 등비수열 $\{a_n\}$에 대하여 $a_1+a_2+\cdots+a_5=6$, $a_1+a_2+\cdots+a_{10}=36$일 때, $a_1+a_2+\cdots+a_{20}$의 값은?
>
> $S_5=\dfrac{a(r^5-1)}{r-1}=6$
>
> └ $S_{10}=\dfrac{a(r^{10}-1)}{r-1}=36$

등비수열 $\{a_n\}$의 첫째항을 a, 공비를 r라 하면

$a_1+a_2+\cdots+a_5=\dfrac{a(r^5-1)}{r-1}=6$ ······㉠

$a_1+a_2+\cdots+a_{10}=\dfrac{a(r^{10}-1)}{r-1}$
$=\dfrac{a(r^5-1)(r^5+1)}{r-1}=36$ ······㉡

㉡÷㉠을 하면 $r^5+1=6$ $\quad\therefore r^5=5$

$\therefore a_1+a_2+\cdots+a_{20}=\dfrac{a(r^{20}-1)}{r-1}$
$=\dfrac{a(r^{10}-1)(r^{10}+1)}{r-1}$
$=\dfrac{a(r^{10}-1)}{r-1}\cdot(r^{10}+1)$
$=36\cdot(5^2+1)=936$

답 ⑤

1573

> 첫째항부터 제n항까지의 합이 20, 첫째항부터 제$2n$항까지의 합이 10인 등비수열에서 첫째항부터 제$3n$항까지의 합은?
>
> $S_{3n}=\dfrac{a(r^{3n}-1)}{r-1}=\dfrac{a(r^n-1)(r^{2n}+r^n+1)}{r-1}$

첫째항을 a, 공비를 r, 첫째항부터 제n항까지의 합을 S_n이라 하면

$S_n=\dfrac{a(r^n-1)}{r-1}=20$ ······㉠

$S_{2n}=\dfrac{a(r^{2n}-1)}{r-1}$
$=\dfrac{a(r^n-1)(r^n+1)}{r-1}=10$ ······㉡

㉡÷㉠을 하면 $r^n=-\dfrac{1}{2}$

$S_{3n}=\dfrac{a(r^{3n}-1)}{r-1}=\dfrac{a(r^n-1)(r^{2n}+r^n+1)}{r-1}$
$=\dfrac{a(r^n-1)}{r-1}\cdot(r^{2n}+r^n+1)$
$=20\left\{\left(-\dfrac{1}{2}\right)^2+\left(-\dfrac{1}{2}\right)+1\right\}=20\cdot\dfrac{3}{4}=15$

답 ②

1574

> 등비수열 $\{a_n\}$의 첫째항부터 제10항까지의 합이 9, 제11항부터 제20항까지의 합이 27일 때, 제21항부터 제30항까지의 합은?
>
> $a+ar+ar^2+\cdots+ar^9=9$
>
> └ $ar^{10}+ar^{11}+ar^{12}+\cdots+ar^{19}=27$

등비수열 $\{a_n\}$의 첫째항을 a, 공비를 r라 하면

$a+ar+ar^2+\cdots+ar^9=9$ ······㉠

또 $ar^{10}+ar^{11}+ar^{12}+\cdots+ar^{19}=27$

$r^{10}(a+ar+ar^2+\cdots+ar^9)=27$ ······㉡

㉡÷㉠을 하면 $r^{10}=3$

따라서 구하는 합은

$ar^{20}+ar^{21}+ar^{22}+\cdots+ar^{29}$
$=r^{20}(a+ar+ar^2+\cdots+ar^9)=3^2\cdot 9=81$

답 ⑤

1575

> 등비수열 $\dfrac{1}{2}, \dfrac{1}{4}, \dfrac{1}{8}, \cdots$에서 첫째항부터 제$n$항까지의 합이 0.99보다 커지는 최소의 자연수 n의 값을 구하시오.
>
> 등비수열의 합 공식 $S_n=\dfrac{a(1-r^n)}{1-r}$을 이용하자.

첫째항부터 제n항까지의 합을 S_n이라 하면

첫째항이 $\dfrac{1}{2}$, 공비가 $\dfrac{1}{2}$이므로

$S_n=\dfrac{\dfrac{1}{2}\left\{1-\left(\dfrac{1}{2}\right)^n\right\}}{1-\dfrac{1}{2}}=1-\left(\dfrac{1}{2}\right)^n$

$S_n>0.99$에서

$1-\left(\dfrac{1}{2}\right)^n>0.99$, $\left(\dfrac{1}{2}\right)^n<0.01$

$\left(\dfrac{1}{2}\right)^6=\dfrac{1}{64}$, $\left(\dfrac{1}{2}\right)^7=\dfrac{1}{128}$이므로 $n\geq 7$

따라서 최소의 자연수 n은 7이다.

답 7

1576

> 첫째항이 1, 공비가 3인 등비수열 $\{a_n\}$에서 첫째항부터 제n항까지의 합을 S_n이라 하자. 수열 $\{S_n+p\}$가 등비수열을 이루도록 하는 상수 p의 값은?
>
> └ $\mathrm{A}\times\mathrm{B}^{n-1}$ 꼴로 표현되어야 한다.

첫째항이 1, 공비가 3인 등비수열의 첫째항부터 제n항까지의 합 S_n은 $S_n=\dfrac{3^n-1}{2}$이므로

$S_n+p=\frac{3^n-1}{2}+p=\frac{3}{2}\cdot 3^{n-1}+\frac{2p-1}{2}$에서

수열 $\{S_n+p\}$가 등비수열을 이루려면 $\frac{2p-1}{2}=0$이어야 한다.

$\therefore p=\frac{1}{2}$ 답 ②

1577

> 두 수열 $\{a_n\}$, $\{b_n\}$은 첫째항이 각각 2, 3이고, 공비가 각각 5, $\frac{1}{5}$인 등비수열일 때, 수열 $\{a_nb_n\}$의 첫째항부터 제8항까지의 합을 구하시오.
>
> $a_1b_1=2\times3=6$, $a_2b_2=(2\times5)\left(3\times\frac{1}{5}\right)=6$, $a_3b_3=(2\times5^2)\left(3\times\frac{1}{5^2}\right)$, …

두 수열 $\{a_n\}$, $\{b_n\}$의 일반항은

$a_n=2\cdot5^{n-1}$, $b_n=3\cdot\left(\frac{1}{5}\right)^{n-1}$

따라서 수열 $\{a_nb_n\}$의 일반항은

$a_nb_n=(2\cdot5^{n-1})\cdot\left\{3\cdot\left(\frac{1}{5}\right)^{n-1}\right\}$

$=(2\cdot3)\cdot\left(5\cdot\frac{1}{5}\right)^{n-1}=6$

이므로 수열 $\{a_nb_n\}$은 첫째항이 6, 공비가 1인 등비수열이다.

따라서 첫째항부터 제8항까지의 합은 $6\cdot8=48$ 답 48

1578

> 등비수열 $\{a_n\}$의 제3항이 4이고 제7항이 16일 때, $a_1^2+a_2^2+a_3^2+\cdots+a_{10}^2$의 값은?
>
> $a_1^2=a^2$, $a_2^2=(ar)^2=a^2r^2$, $a_3^2=(ar^2)^2=a^2r^4$, …

공비를 r라 하면

$a_3=a_1r^2=4$ ……㉠

$a_7=a_1r^6=16$ ……㉡

㉡÷㉠을 하면 $r^4=4$ $\therefore r^2=2$ ($\because r$는 실수)

$r^2=2$를 ㉠에 대입하면

$2a_1=4$ $\therefore a_1=2$

따라서 $a_1^2+a_2^2+a_3^2+\cdots+a_{10}^2$은

첫째항이 $a_1^2=2^2=4$, 공비가 $r^2=2$인 등비수열의 첫째항부터 제10항까지의 합이므로

$\frac{4(2^{10}-1)}{2-1}=4\cdot1023=4092$ 답 ①

1579

> $a_3=4$, $a_6=-32$인 등비수열 $\{a_n\}$에 대하여 수열 $\{a_{2n}\}$의 첫째항부터 제n항까지의 합은?
>
> 첫째항은 a_2이고, 공비는 r^2, 항의 개수는 n이다.

등비수열 $\{a_n\}$의 첫째항을 a, 공비를 r라 하면

$a_3=ar^2=4$ ……㉠

$a_6=ar^5=-32$ ……㉡

㉡÷㉠을 하면 $r^3=-8$ $\therefore r=-2$

$r=-2$를 ㉠에 대입하면 $a=1$

$\therefore a_n=1\cdot(-2)^{n-1}=(-2)^{n-1}$

$\therefore a_{2n}=(-2)^{2n-1}=(-2)\cdot(-2)^{2(n-1)}$

$=(-2)\cdot4^{n-1}$

따라서 수열 $\{a_{2n}\}$은 첫째항이 -2, 공비가 4인 등비수열이므로 첫째항부터 제n항까지의 합은

$\frac{(-2)(4^n-1)}{4-1}=-\frac{2}{3}(4^n-1)$ 답 ③

1580

> 수열 $\{a_n\}$의 첫째항부터 제n항까지의 합 S_n이 $S_n=4^n-2$일 때, a_1+a_5의 값은? $a_1=S_1$, $a_n=S_n-S_{n-1}(n\ge2)$을 이용하자.

$S_n=4^n-2$이므로

$a_1=S_1=4^1-2=2$

$a_5=S_5-S_4=(4^5-2)-(4^4-2)$

$=4^4(4-1)=768$

$\therefore a_1+a_5=2+768=770$ 답 ③

1581

> $a_1=S_1$, $a_n=S_n-S_{n-1}(n\ge2)$을 이용하자.
>
> 첫째항부터 제n항까지의 합 S_n이 $S_n=2^{n-1}+k$인 수열 $\{a_n\}$에 대하여 첫째항부터 등비수열이 되기 위한 상수 k의 값은?

$S_n=2^{n-1}+k$에서

$n\ge2$일 때,

$a_n=S_n-S_{n-1}$

$=2^{n-1}+k-(2^{n-2}+k)$

$=2^{n-1}-2^{n-2}$

$=2^{n-2}$ ……㉠

$n=1$일 때, $a_1=S_1=1+k$

㉠에 $n=1$을 대입하면 $2^{1-2}=\frac{1}{2}$이므로

주어진 수열이 첫째항부터 등비수열이 되기 위해서는

$\frac{1}{2}=1+k$

$\therefore k=-\frac{1}{2}$ 답 ②

1582

> $S_{10}-S_8=a_{10}+a_9$이다.
>
> 첫째항이 2, 공비가 $\sqrt{3}$인 등비수열 $\{a_n\}$에서 첫째항부터 제n항까지의 합을 S_n이라 할 때, $\frac{a_{10}-a_9}{S_{10}-S_8}+\frac{S_5-S_3}{a_5-a_4}$의 값은?

$$\frac{a_{10}-a_9}{S_{10}-S_8}+\frac{S_5-S_3}{a_5-a_4}=\frac{a_{10}-a_9}{a_{10}+a_9}+\frac{a_5+a_4}{a_5-a_4}$$

$$=\frac{\frac{a_{10}}{a_9}-1}{\frac{a_{10}}{a_9}+1}+\frac{\frac{a_5}{a_4}+1}{\frac{a_5}{a_4}-1}$$

$$=\frac{\sqrt{3}-1}{\sqrt{3}+1}+\frac{\sqrt{3}+1}{\sqrt{3}-1}$$

$$=\frac{(\sqrt{3}-1)^2+(\sqrt{3}+1)^2}{2}=4$$

답 ③

1583

$a_1=S_1$, $a_n=S_n-S_{n-1}(n\ge2)$을 이용하자.

> 첫째항부터 제 n항까지의 합 S_n이 $S_n=3^n-1$인 수열 $\{a_n\}$에 대하여 〈보기〉에서 옳은 것만을 있는 대로 고른 것은?
>
> **보기**
>
> ㄱ. $a_1=S_1=2$
>
> ㄴ. $a_n=2\times3^{n-1}$
>
> ㄷ. $a_1+a_3+a_5=\frac{1}{4}(3^6-1)$

$S_n=3^n-1$이므로

(i) $n\ge2$일 때,

$a_n=S_n-S_{n-1}$
$=(3^n-1)-(3^{n-1}-1)$
$=3^n-3^{n-1}=2\times3^{n-1}$

(ii) $n=1$일 때,

$a_1=S_1=2$

$a_1=2$는 $a_n=2\times3^{n-1}$에 $n=1$을 대입한 것과 같다.

$\therefore a_n=2\times3^{n-1}$ (단, $n\ge1$)

ㄱ. $a_1=S_1=2$ (참)

ㄴ. $a_n=2\times3^{n-1}$ (단, $n\ge1$) (참)

ㄷ. $a_1+a_3+a_5=2+2\times3^2+2\times3^4$

$$=\frac{2\{(3^2)^3-1\}}{3^2-1}$$

$$=\frac{1}{4}(3^6-1)\text{ (참)}$$

따라서 ㄱ, ㄴ, ㄷ 모두 옳다.

답 ⑤

1584

> 수열 $\{a_n\}$의 첫째항부터 제 n항까지의 합 S_n에 대하여 $\log(S_n+1)=2n$을 만족시키는 수열 $\{a_n\}$의 일반항이 $a_n=p\times q^{n-1}$일 때, $p+q$의 값을 구하시오. (단, p, q는 실수이다.)

지수와 로그의 변형에서 $S_n+1=10^{2n}$

$\log(S_n+1)=2n$에서 $S_n+1=10^{2n}$

$\therefore S_n=10^{2n}-1$

(i) $n\ge2$일 때,

$a_n=S_n-S_{n-1}$
$=10^{2n}-1-(10^{2(n-1)}-1)$
$=10^{2n}-10^{2n-2}$
$=100\times10^{2n-2}-10^{2n-2}$
$=(100-1)\times10^{2n-2}$
$=99\times10^{2n-2}$

(ii) $n=1$일 때,

$a_1=S_1=99$

$a_1=99$는 $a_n=99\times10^{2n-2}$에 $n=1$을 대입한 것과 같다.

$\therefore a_n=99\times10^{2n-2}=99\times100^{n-1}$ (단, $n\ge1$)

따라서 $p=99$, $q=100$이므로

$p+q=199$

답 199

1585

> 수열 $\{a_n\}$의 첫째항부터 제 n항까지의 합 S_n이
>
> $$S_n=-\left(\frac{1}{2}\right)^n+1$$
>
> 일 때, $\frac{a_2}{a_1}+\frac{a_4}{a_2}+\frac{a_6}{a_3}+\frac{a_8}{a_4}+\frac{a_{10}}{a_5}+\frac{a_{12}}{a_6}$의 값은?

$a_1=S_1$, $a_n=S_n-S_{n-1}(n\ge2)$을 이용하자.

$S_n=-\left(\frac{1}{2}\right)^n+1$이므로

(i) $n=1$일 때,

$a_1=S_1=-\frac{1}{2}+1=\frac{1}{2}$

(ii) $n\ge2$일 때,

$a_n=S_n-S_{n-1}$

$$=\left(-\frac{1}{2^n}+1\right)-\left(-\frac{1}{2^{n-1}}+1\right)$$

$$=\frac{1}{2^{n-1}}\left(-\frac{1}{2}+1\right)=\frac{1}{2^n}\qquad\cdots\cdots㉠$$

$n=1$일 때, ㉠이 성립하므로 수열 $\{a_n\}$은

$a_1=\frac{1}{2}$이고, 공비가 $\frac{1}{2}$인 등비수열이다.

따라서 $a_n=\frac{1}{2}\left(\frac{1}{2}\right)^{n-1}=\frac{1}{2^n}$ $(n=1, 2, 3, \cdots)$

이므로 $\frac{a_{2k}}{a_k}=\frac{\frac{1}{2^{2k}}}{\frac{1}{2^k}}=\frac{1}{2^k}$

$$\therefore \frac{a_2}{a_1}+\frac{a_4}{a_2}+\frac{a_6}{a_3}+\frac{a_8}{a_4}+\frac{a_{10}}{a_5}+\frac{a_{12}}{a_6}$$

$$=\frac{1}{2}+\frac{1}{4}+\frac{1}{8}+\frac{1}{16}+\frac{1}{32}+\frac{1}{64}=\frac{63}{64}$$

답 ②

1586

n개월 후 목표량은 $500\times(1+0.1)^n$이다.

> 어느 휴대폰 회사는 최신형 휴대폰을 발표하면서 첫 달에는 500개를 주문받고, 이후 매달 주문받는 양을 10 %씩 늘려나가는 것을 목표로 정하였다. 이 목표를 달성한다면 발표 후 1년 동안 주문받은 최신형 휴대폰은 모두 몇 대인가?
>
> (단, $1.1^{12}=3.14$로 계산한다.)

첫 달에는 500개를 주문받고

1개월 후에 주문받는 목표량은 $500\times(1+0.1)^1$

2개월 후에 주문받는 목표량은 $500\times(1+0.1)^2$

⋮

n개월 후에 주문받는 목표량은 $500\times(1+0.1)^n$

따라서 1년 동안의 주문받는 목표량은

$500+500\times1.1+500\times1.1^2+\cdots+500\times1.1^{11}$

$$=\frac{500(1.1^{12}-1)}{1.1-1}$$

$=\dfrac{500(3.14-1)}{0.1}$

$=10700$(대) 답 ④

1587

$S_{20}=90,000$ 등비수열을 이용하자.

의학 기술의 발달로 결핵에 걸리는 사람의 수가 매년 일정한 비율로 감소한다고 하자. 2001년부터 2020년까지 20년 동안은 9만 명의 환자가 발생하였고, 이 중 3만 명은 2011년부터 2020년까지의 10년 동안에 발생하였다고 할 때, 2021년에 발생하는 환자의 수는 2001년에 발생한 환자의 수의 몇 배인가?

$S_{20}-S_{10}=30,000$

2001년에 발생한 결핵 환자의 수를 a라 하고
매년 결핵에 걸리는 환자의 수가 전년도에 발생한 환자의 수의 r배라 하면
2001년부터 2020년까지 발생한 환자의 수는

$a+ar+\cdots+ar^{19}=\dfrac{a(1-r^{20})}{1-r}=90000$ ······㉠

또 2011년부터 2020년까지 발생한 환자의 수는

$ar^{10}+ar^{11}+\cdots+ar^{19}=\dfrac{ar^{10}(1-r^{10})}{1-r}=30000$ ······㉡

㉠÷㉡을 하면

$\dfrac{1-r^{20}}{r^{10}(1-r^{10})}=\dfrac{(1+r^{10})(1-r^{10})}{r^{10}(1-r^{10})}=3$

$\dfrac{1+r^{10}}{r^{10}}=3,\ 1+r^{10}=3r^{10}$

$\therefore r^{10}=\dfrac{1}{2}$

따라서 2021년에 발생한 환자의 수는

$ar^{20}=a(r^{10})^2=a\left(\dfrac{1}{2}\right)^2=\dfrac{1}{4}a$

이므로 2001년에 발생한 환자의 수의 $\dfrac{1}{4}$배이다. 답 ②

1588

넓이는 $\dfrac{\sqrt{3}}{4}\times4^2=4\sqrt{3}$이다.

오른쪽 그림과 같이 한 변의 길이가 4인 정삼각형 모양의 종이가 있다. 첫 번째 시행에서 각 변의 중점을 이어서 만든 정삼각형 $A_1B_1C_1$을 잘라내고, 두 번째 시행에서 첫 번째 시행 후 남은 3개의 정삼각형에서 같은 방법으로 만든 정삼각형을 잘라낸다. 이와 같은 시행을 7회 반복했을 때, 잘라낸 종이의 넓이의 합은?

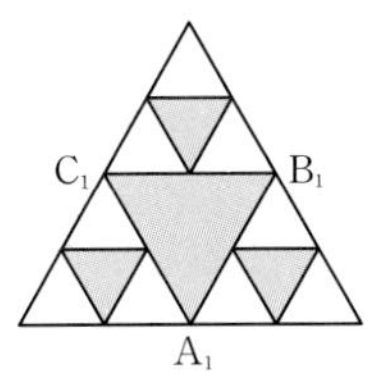

남은 부분의 넓이는 처음 정삼각형의 넓이의 $\dfrac{3}{4}$이다.

정삼각형 모양의 종이는 한 변의 길이가 4이므로 넓이는 $4\sqrt{3}$
매회 시행마다 이전의 정삼각형과 닮음비가 4 : 1이고 개수의 비는 1 : 3이므로 공비는 $\dfrac{3}{4}$, $A_1B_1C_1=\sqrt{3}$으로 등비수열의 합을 계산하면

$S_7=\dfrac{\sqrt{3}\times\left\{1-\left(\dfrac{3}{4}\right)^7\right\}}{1-\dfrac{3}{4}}=4\sqrt{3}\left\{1-\left(\dfrac{3}{4}\right)^7\right\}$ 답 ⑤

1589

n회 실시 후 원의 개수는 $1+4+4^2+4^3+\cdots+4^n$이다.

그림과 같이 한 원의 내부에 서로 같은 4개의 원을 그려 넣는 과정을 10회 실시한 후 나타나는 도형에 그려져 있는 원의 개수를 n이라 할 때, $3n$의 값은?

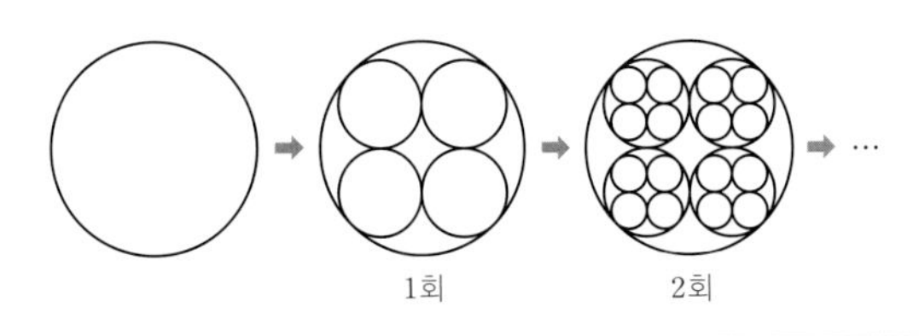

n회 실시 후 원의 개수를 a_n이라 하면

$a_1=1+4$

$a_2=1+4+4^2$

$a_3=1+4+4^2+4^3$

$\vdots$

$a_{10}=1+4+4^2+\cdots+4^{10}$

따라서 10회 실시 후 원의 개수 n은

$n=\dfrac{1(4^{11}-1)}{4-1}=\dfrac{4^{11}-1}{3}$

$\therefore 3n=4^{11}-1$ 답 ④

1590

그림과 같이 1부터 10까지의 숫자가 적힌 원형 모양의 전광판이 있다. 처음으로 버튼을 누르면 숫자 1에 불이 켜지고 다시 버튼을 누르면 시계방향으로 2칸 이동하여 숫자 3에 불이 켜진다. 처음으로 버튼을 누른 후 버튼을 누를 때마다 시계방향으로 2칸, 2^2칸, 2^3칸, $\cdots$씩 이동한 곳의 숫자에 불이 켜질 때, 처음으로 버튼을 누른 후 열 번째 버튼을 눌렀을 때 불이 켜지는 숫자는?

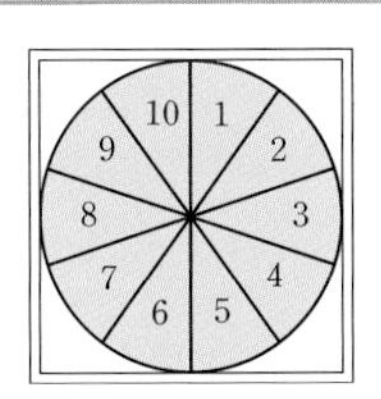

n번 누를 동안 이동하는 칸의 개수는 $2+2^2+2^3+\cdots+2^n$이다.

처음으로 버튼을 누른 후 n번의 버튼을 더 누르는 동안 이동하는 칸의 수를 a_n이라 하면

$a_1=2$

$a_2=2+2^2$

$a_3=2+2^2+2^3$

$\vdots$

$a_{10}=2+2^2+2^3+\cdots+2^{10}=\dfrac{2(2^{10}-1)}{2-1}$

$=2^{11}-2=2046$

$2046=10\cdot204+6$이므로 처음으로 버튼을 누른 후 10번의 버튼을 더 눌렀을 때 불이 켜지는 숫자는 숫자 1로부터 6칸 이동한 숫자 7이다.

답 ④

1591

반지름의 길이가 $2\sqrt{3}$인 원이 있다. 그림과 같이 이 원에 내접하는 두 정삼각형이 겹쳐지는 부분이 정육각형이 되도록 ✡ 모양의 도형 S_1(어두운 부분)을 그린다. 또, S_1의 정육각형에 내접하는 원을 그리고, 이 원에 내접하는 두 정삼각형이 겹쳐지는 부분이 정육각형이 되도록 ✡ 모양의 도형 S_2(어두운 부분)를 그린다. 이와 같은 방법으로 ✡ 모양의 도형 S_3, S_4, $\cdots$, S_{10}을 그릴 때, $S_1+S_2+S_3+\cdots+S_{10}$의 값은?

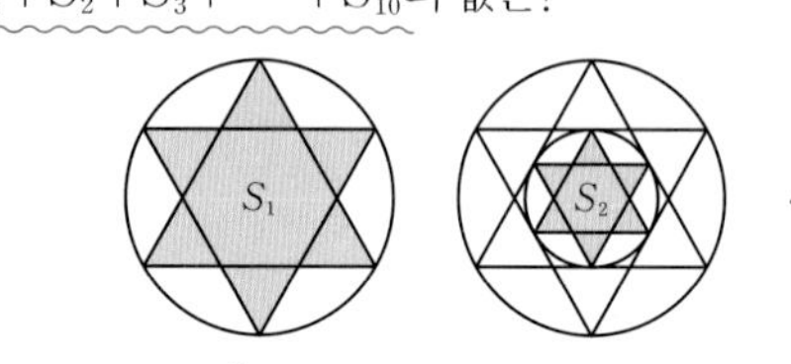

첫째항 S_1과 공비 $\frac{S_2}{S_1}$를 구해서 등비수열의 합 공식을 이용하자.

도형 S_1의 넓이는 12개의 합동인 작은 정삼각형의 넓이의 합과 같고, 작은 정삼각형의 한 변의 길이는 2이므로 S_1의 넓이는

$12\times\frac{\sqrt{3}}{4}\times2^2=12\sqrt{3}$

또한, S_n과 S_{n+1}은 닮은 도형이고 닮음비가 $2:1$이므로 넓이의 비는 $4:1$이다.

$$\therefore S_1+S_2+S_3+\cdots+S_{10}=\frac{12\sqrt{3}\times\left\{1-\left(\frac{1}{4}\right)^{10}\right\}}{1-\frac{1}{4}}=16\sqrt{3}\left(1-\frac{1}{4^{10}}\right)$$

답 ④

1592

정기예금의 원리합계 공식 $S=a(1+r)^n$을 이용하자.

원금 100만 원을 은행에 예금하여 5년간 연이율 10 %의 복리법으로 계산할 때, 원리합계를 구하시오.
(단, $1.1^5=1.61$로 계산한다.)

원금이 100만 원, 연이율이 0.1, 기간이 5년인 원리합계를 복리로 계산하면

$100(1+0.1)^5=100\times1.1^5$
$=100\times1.61$
$=161$(만 원)

답 161만 원

1593

매년 초에 적립한 금액의 각각에 대한 원리합계의 총합을 구한다.

매년 초에 30만 원씩 적립할 때, 10년 후의 원리합계는 얼마인가?
(단, $1.06^{10}=1.8$, 연이율 6 %, 1년마다 복리로 계산한다.)

매년 초에 30만 원씩 연이율 6 %의 복리로 10년간 적립한 원리합계를 S라 하면

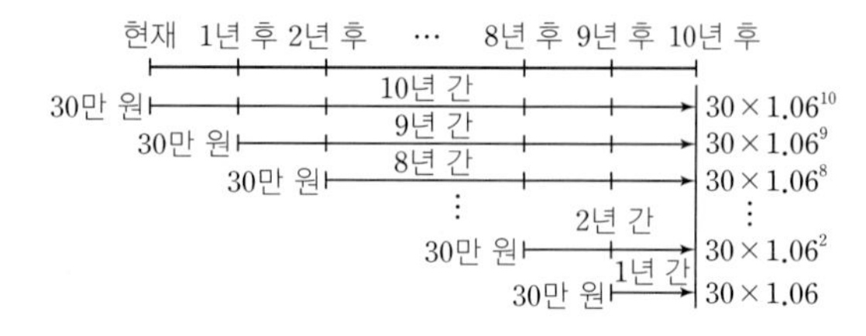

$S=30\times1.06+30\times1.06^2+30\times1.06^3+\cdots+30\times1.06^{10}$

$=\frac{30\times1.06(1.06^{10}-1)}{1.06-1}$

$=\frac{30\times1.06(1.8-1)}{0.06}$

$=424$(만 원)

답 ④

1594

'이율'과 '기간'의 단위를 잘 생각해야 한다.
즉, 매월 적립이므로 월이율을 적용한다.

매월 말에 15만 원씩 적립한다고 할 때, 1월 31일부터 12월 31일까지 적립된 금액의 원리합계는? (단, 월이율 1.5 %, 1개월마다 복리로 하고, $1.015^{12}=1.2$로 계산한다.)

구하는 원리합계를 S라 하면

$S=15\times10^4+15\times10^4\times(1+0.015)+\cdots$
$+15\times10^4\times(1+0.015)^{11}$

즉, S는 첫째항이 15×10^4, 공비가 1.015, 항의 개수가 12인 등비수열의 합이므로

$S=\frac{15\times10^4\times\{(1.015)^{12}-1\}}{1.015-1}$

$=\frac{15\times10^4\times(1.2-1)}{0.015}$

$=2000000$(원)

따라서 적립된 금액의 원리합계는 200만 원이다.

답 ②

1595

매월 초 적립금을 a라 하고, 정기적금에 대한 원리합계 공식 $S=\frac{a(1+r)\{(1+r)^n-1\}}{r}$을 적용하자.

매월 초에 일정한 금액을 월이율 1 %, 한 달마다 복리로 적립하여 5년 후에 2000만 원을 만들려고 한다. 매달 얼마씩 적립해야 하는가?
(단, $1.01^{60}=1.8$로 계산하고, 천 원 단위에서 반올림한다.)

매월 초에 적립하는 금액을 a원이라 하고, 월이율 1 %의 복리로 5년간 적립하므로 기간은 $12\times5=60$이다.
이때, 5년 동안 적립하여 2000만 원을 만들어야 하므로

$a(1+0.01)+a(1+0.01)^2+\cdots+a(1+0.01)^{60}=20000000$

$\frac{a(1+0.01)\{(1+0.01)^{60}-1\}}{(1+0.01)-1}=20000000$

$\frac{a\times1.01(1.8-1)}{0.01}=20000000$

$80.8a=20000000$ $\therefore a=247524.\times\times\times$

따라서 매달 적립해야 할 금액은 25만 원이다.

답 ③

1596

매년 말에 적립하는 정기적금에 대한 원리합계 공식 $S=\frac{a\{(1+r)^n-1\}}{r}$을 적용하자.

금년부터 매년 말에 100만 원씩 20년간 지급받는 연금이 있다. 이 연금을 금년 초에 한꺼번에 지급받는다면 얼마를 받아야 하는가? (단, $1.01^{20}=1.22$, 연이율 1 %, 1년마다 복리로 계산하고, 만 원 미만은 반올림한다.)

정기예금의 원리합계 공식 $S=a(1+r)^n$을 이용하자.

매년 말에 100만 원씩 20년 동안 연이율 1 %의 복리로 적립한 원리합

계는

$100+100(1+0.01)+100(1+0.01)^2+\cdots+100(1+0.01)^{19}$

$=\dfrac{100\{(1+0.01)^{20}-1\}}{1.01-1}$

$=\dfrac{100(1.22-1)}{0.01}=2200$(만 원) ······ ㉠

금년 초에 연금 a만 원을 한꺼번에 받는다고 할 때,
이 금액의 20년 동안 연이율 1 %의 복리로 적립한 원리합계는

$a\times1.01^{20}=a\times1.22=1.22a$ ······ ㉡

㉠=㉡이어야 하므로

$1.22a=2200$

$\therefore a=\dfrac{2200}{1.22}=1803.2\times\times\times$(만 원)

따라서 한꺼번에 지급받는다면 1803만 원을 받아야 한다. 답 ②

1597

(4억 원에 대한 원리합계)=(연금에 대한 원리합계)임을 이용하자.

> 퇴직금으로 받은 4억 원을 은행에 예치하고, 매년 말에 일정한 금액을 연금 형식으로 받으려고 한다. 퇴직금을 모두 1월 초에 은행에 예치하고, 연말부터 20년간 지급받는다면 매년 말에 받을 금액은 얼마인가?
> (단, $1.05^{20}=2.6$, 연이율 5 %, 1년마다 복리로 계산한다.)

매년 지급받을 연금을 a만 원이라 하면

$40000\times1.05^{20}=\dfrac{a(1.05^{20}-1)}{1.05-1}$

$40000\times2.6=\dfrac{a(2.6-1)}{0.05}$

$\therefore a=\dfrac{40000\times2.6\times0.05}{1.6}=3250$(만 원) 답 ①

1598

> 320만 원 하는 오디오를 구입하면서 40만 원은 살 때 지불하고 나머지는 24개월간 나누어 갚기로 하였다. 월이율 1 %의 1개월마다의 복리로 계산할 때 매월 갚아야 할 할부금을 구하시오.
> (단 $1.01^{24}=1.28$로 계산한다.)
> (일시불로 구매 할 때의 원리합계)=(할부금에 대한 원리합계)임을 이용하자.

갚아야 할 280만 원에 대한 24개월 후의 원리합계는

$280(1+0.01)^{24}$ ······ ㉠

한편, 매달 갚아야 할 금액을 a만 원이라 하면
24개월 후의 원리합계는

$a+a(1+0.01)+\cdots+a(1+0.01)^{22}+a(1+0.01)^{23}$

$=\dfrac{a(1.01^{24}-1)}{1.01-1}=\dfrac{a\times0.28}{0.01}=28a$ ······ ㉡

㉠=㉡이어야 하므로

$280(1+0.01)^{24}=28a$

$\therefore a=\dfrac{280\times1.01^{24}}{28}$

$=\dfrac{280\times1.28}{28}=12.8$(만 원)

따라서 매달 갚아야 할 금액은 128000원이다. 답 128000원

1599

> 1월 초에 1000만 원을 월이율 0.5%, 1개월마다 복리로 계산하는 예금 상품에 가입하고, 1월부터 그 해 12월까지 매월 말에 50만 원씩 찾았다. 그 해 12월 말에 통장에 남아있는 금액은?
> (단, $1.005^{12}=1.0617$으로 계산한다.)
> 매월 말의 잔고를 계속 구해서 규칙성을 찾자.

n월 말에 통장에 남아있는 잔액을 a_n이라 하면

$a_1=1000\times1.005-50$

$a_2=a_1\times1.005-50$

$=1000\times1.005^2-50(1.005+1)$

$a_3=a_2\times1.005-50$

$=1000\times1.005^3-50(1.005^2+1.005+1)$

⋮

$a_{12}=a_{11}\times1.005-50$

$=1000\times1.005^{12}-50(1.005^{11}+\cdots+1.005+1)$

$=1000\times1.005^{12}-\dfrac{50(1.005^{12}-1)}{1.005-1}$

$=1061.7-617$

$=444.7$ 답 ④

1600

> 벤처기업 육성회에서는 디자인 개발 아이디어를 응모하여 대상을 받은 팀에게 개발비 10억 원을 지원해 주기로 하였다. 2008년 초에 지원금을 받은 팀은 2013년 말부터 매년 말마다 5회에 걸쳐 10억 원을 모두 갚기로 하였다. 매년 전년도에 갚은 돈보다 8 %씩 더 갚기로 할 때, 1회째에 갚아야 할 금액을 구하시오.
> (단, $1.08^6=1.6$, 1년마다 8 %의 복리로 계산한다.)
> 1회 째 갚아야 할 금액을 a라 하고, 매년 말 갚아야 할 금액을 차례로 구해 보자.

10억 원의 10년 후의 원리합계는

$10(1+0.08)^{10}$(억 원) ······ ㉠

2013년 말에 a억 원을 갚는다고 할 때, 매년 말에 전년도에 갚은 돈보다 8 %씩 더 갚기로 하여 5회에 걸쳐 갚는 금액의 원리합계는

2013년 말 : $a\times(1+0.08)^4$

2014년 말 : $a\times(1+0.08)\times(1+0.08)^3$

2015년 말 : $a\times(1+0.08)^2\times(1+0.08)^2$

2016년 말 : $a\times(1+0.08)^3\times(1+0.08)$

2017년 말 : $a\times(1+0.08)^4$

에서 $5a(1+0.08)^4$(억 원) ······ ㉡

이때, ㉠과 ㉡이 같아야 하므로

$10(1+0.08)^{10}=5a(1+0.08)^4$

$\therefore a=2\cdot1.08^6=2\cdot1.6=3.2$

따라서 1회 째에 갚아야 할 금액은 3억 2천만 원이다.

답 3억 2천만 원

1601

제3항이 4이고, 제6항이 -32인 등비수열 $\{a_n\}$의 일반항 a_n은?

→ $ar^2=4$, $ar^5=-32$

등비수열 $\{a_n\}$의 첫째항을 a, 공비를 r라 하면

$a_3=ar^2=4$ ······ ㉠

$a_6=ar^5=-32$ ······ ㉡

㉡÷㉠을 하면 $r^3=-8$ $\quad\therefore r=-2$

$r=-2$를 ㉠에 대입하면 $a=1$

$\therefore a_n=1\cdot(-2)^{n-1}=(-2)^{n-1}$

답 ②

1602

각 항이 양수인 등비수열 $\{a_n\}$에 대하여 $a_3+a_5=24$, $a_2a_4=64$일 때, a_9의 값을 구하시오.

→ $ar^2+ar^4=24$, $ar\times ar^3=64$

수열 $\{a_n\}$의 첫째항을 a, 공비를 r라 하면

$a_3+a_5=ar^2+ar^4=ar^2(1+r^2)=24$ ······ ㉠

$a_2a_4=ar\cdot ar^3=(ar^2)^2=64$ ······ ㉡

$a>0$, $r>0$이므로

㉡에서 $ar^2=8$

이 값을 ㉠에 대입하면 $r=\sqrt{2}$, $a=4$

$\therefore a_n=4\cdot(\sqrt{2})^{n-1}$

$\therefore a_9=4\cdot(\sqrt{2})^8=64$

답 64

1603

등비수열 $\{a_n\}$의 일반항 $a_n=6\cdot 2^n$에 대하여 $b_n=a_{2n-1}\cdot r^n$이라 하면 수열 $\{b_n\}$은 첫째항이 b, 공비가 12인 등비수열이다. 이때, $b+r$의 값을 구하시오.

→ $a_{2n-1}=6\times 2^{2n-1}=3\times 4^n$, $b_n=b\times 12^{n-1}$

$a_n=6\cdot 2^n$이므로

$b_n=a_{2n-1}\cdot r^n=6\cdot 2^{2n-1}\cdot r^n$

$=3\cdot 2^{2n}\cdot r^n=3(4r)^n$

이때, 수열 $\{b_n\}$은 첫째항이 b, 공비가 12이므로

$3\cdot 4r=b$, $4r=12$ $\quad\therefore b=36$, $r=3$

$\therefore b+r=39$

답 39

1604

등비수열을 이루는 세 수 a, b, c에 대하여 $a+b+c=-15$, $a\times b\times c=1000$일 때, $a+c$의 값을 구하시오.

→ $b^2=a\times c$이다.

세 수 a, b, c가 이 순서대로 등비수열을 이루므로

$b^2=ac$

$a\times b\times c=1000$에서 $b^3=1000$

$\therefore b=10$

$a+b+c=-15$이므로

$a+c=-25$

답 -25

1605 서술형

이차방정식 $x^2-6x+4=0$의 두 근 α, β에 대하여 세 수 α, p, β는 이 순서대로 등차수열을 이루고, 세 수 α, q, β는 이 순서대로 등비수열을 이룬다. 이때, $p+q$의 값을 구하시오. (단, $q>0$)

→ $\alpha\beta=q^2$, $\alpha+\beta=2p$

이차방정식 $x^2-6x+4=0$의 두 근이 α, β이므로 근과 계수의 관계에 의하여

$\alpha+\beta=6$, $\alpha\beta=4$ ······ 30%

α, p, β가 이 순서대로 등차수열을 이루므로

$2p=\alpha+\beta=6$ $\quad\therefore p=3$

α, q, β는 이 순서대로 등비수열을 이루므로

$q^2=\alpha\beta=4$ $\quad\therefore q=2$ ($\because q>0$) ······ 40%

$\therefore p+q=3+2=5$ ······ 30%

답 5

1606

세 변의 길이가 공비가 r인 등비수열을 이루는 직각삼각형이 있다. 이때, r^2의 값은? (단, $r>1$)

→ a, ar, ar^2이라 하자.

직각삼각형의 세 변의 길이가 공비가 r인 등비수열을 이루므로

세 변의 길이를 a, ar, ar^2으로 놓으면 $r>1$이므로

$a<ar<ar^2$

또한 피타고라스 정리에 의하여

$(ar^2)^2=a^2+(ar)^2$

$a^2r^4=a^2+a^2r^2$

양변을 a^2으로 나누어 정리하면

$r^4-r^2-1=0$

$r^2=t$ $(t>1)$로 놓으면 $t^2-t-1=0$

$t=\dfrac{1\pm\sqrt{1+4}}{2}=\dfrac{1\pm\sqrt{5}}{2}$

이때, $t>1$이므로 $t=r^2=\dfrac{1+\sqrt{5}}{2}$

답 ⑤

1607

어떤 세포를 시험관에 넣고 배양하면 그 중 20 %는 죽게 되고, 나머지는 각각 5개씩의 세포로 분열된다고 한다. 처음 10개의 세포를 가지고 위와 같이 10회 배양한 후의 세포의 개수는?

→ 1회 배양 후 세포의 개수는 $10\times(1-0.2)\times 5=40$

n회 배양했을 때의 세포의 개수를 a_n이라 하면

$a_1=10\cdot(1-0.2)\cdot 5=40$

$a_2=40\cdot(1-0.2)\cdot 5=160$

⋮

$a_{n+1}=a_n\cdot(1-0.2)\cdot 5=4a_n$

따라서 수열 $\{a_n\}$은 첫째항이 40, 공비가 4인 등비수열이므로

$a_n=40\cdot 4^{n-1}=10\cdot 4^n$

$\therefore a_{10}=10\cdot 4^{10}=5\cdot 2^{21}$

답 ③

1608

> 첫째항이 2, 공비가 $\frac{1}{3}$인 등비수열의 첫째항부터 제10항까지의 합은?
>
> 등비수열의 합 공식 $S_n=\frac{a(1-r^n)}{1-r}$을 이용하자.

첫째항이 2, 공비가 $\frac{1}{3}$, 항의 개수가 10이므로

$$\frac{2\left\{1-\left(\frac{1}{3}\right)^{10}\right\}}{1-\frac{1}{3}}=\frac{2\left\{1-\left(\frac{1}{3}\right)^{10}\right\}}{\frac{2}{3}}$$

$$=3\left\{1-\left(\frac{1}{3}\right)^{10}\right\}=3-\left(\frac{1}{3}\right)^{9}$$

답 ④

1609 서술형

> 첫째항부터 제6항까지의 합이 2이고, 첫째항부터 제12항까지의 합이 8인 등비수열에서 첫째항부터 제18항까지의 합을 구하시오.
>
> $S_6=\frac{a(r^6-1)}{r-1}$
>
> $S_{12}=\frac{a(r^{12}-1)}{r-1}=8$

첫째항을 a, 공비를 r, 첫째항부터 제n항까지의 합을 S_n이라 하면

$S_6=\frac{a(r^6-1)}{r-1}=2$ ······ ㉠

$S_{12}=\frac{a(r^{12}-1)}{r-1}$

$=\frac{a(r^6-1)(r^6+1)}{r-1}=8$ ······ ㉡ ······ 40%

㉡÷㉠을 하면

$r^6+1=4 \quad \therefore r^6=3$ ······ 30%

$S_{18}=\frac{a(r^{18}-1)}{r-1}=\frac{a(r^6-1)(r^{12}+r^6+1)}{r-1}$

$=\frac{a(r^6-1)}{r-1}\cdot(r^{12}+r^6+1)$

$=2(r^{12}+r^6+1)=2(3^2+3+1)=26$ ······ 30%

답 26

1610

> 수열 $\{a_n\}$의 첫째항부터 제n항까지의 합 S_n이 $S_n=3^n-2$일 때, a_{10}의 값은?
>
> $a_{10}=S_{10}-S_9$이다.

$S_n=3^n-2$에서

$a_{10}=S_{10}-S_9=(3^{10}-2)-(3^9-2)$

$=3^{10}-3^9=2\cdot3^9$

답 ④

1611

> 그림과 같이 $\overline{OP}=\overline{OQ}=2$인 직각이등변삼각형 OPQ에 정사각형 $OA_1B_1C_1$을 내접시킨다. 다시 직각이등변삼각형 A_1PB_1에 정사각형 $A_1A_2B_2C_2$를 내접시킨다. 이와 같은 시행을 5회 반복할 때 만들어지는 정사각형의 넓이의 총합은?
>
> 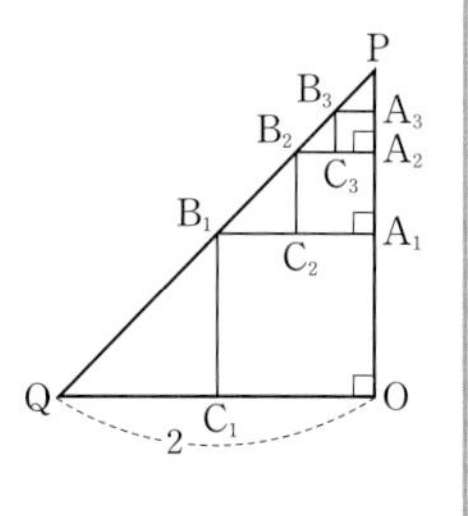
>
>
> 처음 정사각형의 넓이(첫째항)와 연속하는 두 사각형의 비(공비)를 구해서 등비수열의 합 공식을 이용하자.

$\triangle$OPQ는 $\overline{OP}=\overline{OQ}=2$인 직각이등변삼각형이므로 내접시킨 정사각형 $OA_1B_1C_1$의 한 변의 길이는 1이다.

즉, $\overline{OA_1}=1$

마찬가지로 $\overline{A_1A_2}=\frac{1}{2}$, $\overline{A_2A_3}=\frac{1}{4}$, …

이때, 만들어지는 정사각형의 넓이는 1^2, $\left(\frac{1}{2}\right)^2$, $\left(\frac{1}{4}\right)^2$, …이므로

구하는 정사각형의 넓이의 합은 첫째항이 1이고, 공비가 $\frac{1}{4}$인 등비수열의 첫째항부터 제5항까지의 합이다.

$$\therefore \frac{1\left\{1-\left(\frac{1}{4}\right)^5\right\}}{1-\frac{1}{4}}=\frac{4}{3}\left\{1-\left(\frac{1}{2}\right)^{10}\right\}$$

답 ②

1612

> 매년 초에 3만 원씩 적립할 때, 10년 후의 원리합계를 구하시오.
> (단, 연이율 6%, 1년마다 복리로 하고, $1.06^{10}=1.8$로 계산한다.)
>
> 원리합계 공식 $S=\frac{a(1+r)\{(1+r)^n-1\}}{r}$을 적용하자.

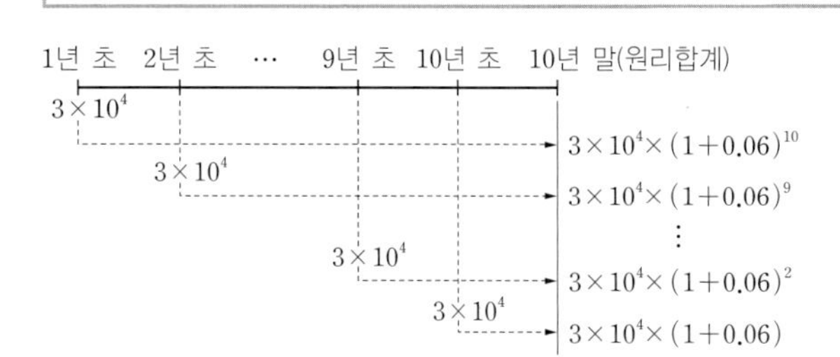

10년 후의 원리합계는

$3\times10^4\times1.06+3\times10^4\times1.06^2+\cdots+3\times10^4\times1.06^{10}$

$=\frac{3\times10^4\times1.06\{(1.06)^{10}-1\}}{1.06-1}$

$=\frac{3\times10^4\times1.06\times(1.8-1)}{0.06}$

$=424000$(원)

따라서 10년 후의 원리합계는 424000원이다.

답 424000원

1613

> 첫째항이 a, 공비가 2인 등비수열 $\{a_n\}$에 대하여
> $$\frac{2^{a_2}\times2^{a_4}\times2^{a_6}}{2^{a_1}\times2^{a_3}\times2^{a_5}}=2^{63}$$
> ($a_n=a\times2^{n-1}$)
> 일 때, a의 값은?

수열 $\{a_n\}$은 첫째항이 a, 공비가 2인 등비수열이므로

$a_n=a\times2^{n-1}$

$$\frac{2^{a_2}\times2^{a_4}\times2^{a_6}}{2^{a_1}\times2^{a_3}\times2^{a_5}}=\frac{2^{2a}\times2^{8a}\times2^{32a}}{2^{a}\times2^{4a}\times2^{16a}}$$
$$=\frac{2^{2a+8a+32a}}{2^{a+4a+16a}}=\frac{2^{42a}}{2^{21a}}$$
$$=2^{21a}=2^{63}$$

$21a=63$이므로 $a=3$ 답 ③

1614

> 등비수열 $\{a_n\}$이
> $$\log a_2=\frac{1}{2},\ \log a_5=2$$
> ($a_2=10^{\frac{1}{2}}$, $a_5=10^2$)
> 를 만족시킨다. $a_1a_2a_3\cdots a_{10}=k$라 할 때, $\log k^2$의 값을 구하시오.

$\log a_2=\frac{1}{2}$에서 $a_2=10^{\frac{1}{2}}$

$\log a_5=2$에서 $a_5=10^2$

첫째항을 a, 공비를 r라 하면

$a_2=ar=10^{\frac{1}{2}}$ ······ ㉠

$a_5=ar^4=10^2$ ······ ㉡

㉡÷㉠을 하면

$r^3=10^{2-\frac{1}{2}}=10^{\frac{3}{2}}$ $\therefore r=10^{\frac{1}{2}}=\sqrt{10}$

$r=\sqrt{10}$을 ㉠에 대입하면 $a=1$

$a_n=(\sqrt{10})^{n-1}$이므로

$k=a_1a_2a_3\cdots a_{10}$

$=(\sqrt{10})^0\times(\sqrt{10})^1\times(\sqrt{10})^2\times\cdots\times(\sqrt{10})^9$

$=(\sqrt{10})^{1+2+3+\cdots+9}=(\sqrt{10})^{45}=10^{\frac{45}{2}}$

$\therefore \log k^2=\log10^{45}=45$ 답 45

1615

($a_n=\frac{1}{2}\times\left(\frac{1}{2}\right)^{n-1}=\left(\frac{1}{2}\right)^n$이므로 $a_{2n}=\left(\frac{1}{2}\right)^{2n}$)

> 첫째항이 $\frac{1}{2}$, 공비가 $\frac{1}{2}$인 등비수열 $\{a_n\}$에 대하여 수열 $\{b_n\}$을 $b_n={a_{2n}}^2$으로 정의할 때, 수열 $\{b_n\}$은 첫째항이 b, 공비가 r인 등비수열이다. 이때, 실수 b, r에 대하여 $\frac{b}{r}$의 값은?

수열 $\{a_n\}$은 첫째항이 $\frac{1}{2}$, 공비가 $\frac{1}{2}$인 등비수열이므로

$$a_n=\frac{1}{2}\cdot\left(\frac{1}{2}\right)^{n-1}=\left(\frac{1}{2}\right)^n$$
$$\therefore b_n={a_{2n}}^2=\left\{\left(\frac{1}{2}\right)^{2n}\right\}^2=\left\{\left(\frac{1}{2}\right)^4\right\}^n$$
$$=\left(\frac{1}{16}\right)^n=\frac{1}{16}\cdot\left(\frac{1}{16}\right)^{n-1}$$

즉, 수열 $\{b_n\}$은 첫째항이 $\frac{1}{16}$, 공비가 $\frac{1}{16}$인 등비수열이므로

$$\frac{b}{r}=\frac{\frac{1}{16}}{\frac{1}{16}}=1$$

답 ②

1616

> 두 수열 $\{a_n\}$, $\{b_n\}$이 모든 자연수 k에 대하여
> $$b_{2k-1}=\left(\frac{1}{2}\right)^{a_1+a_3+a_5+\cdots+a_{2k-1}},\ b_{2k}=2^{a_2+a_4+a_6+\cdots+a_{2k}}$$
> ($b_{2k-1}=2^{-a_1-a_3-a_5-\cdots-a_{2k-1}}$)
> 을 만족시킨다. 수열 $\{a_n\}$은 등차수열이고, $b_1\times b_2\times b_3\times\cdots\times b_{10}=8$일 때, 수열 $\{a_n\}$의 공차는?
> ($b_1\times b_2$, $b_3\times b_4$, …를 구해 보자.)

등차수열 $\{a_n\}$의 공차를 d라 하면

$b_{2k-1}=\left(\frac{1}{2}\right)^{a_1+a_3+a_5+\cdots+a_{2k-1}}$, $b_{2k}=2^{a_2+a_4+a_6+\cdots+a_{2k}}$에서

$b_1\times b_2=2^{-a_1+a_2}=2^d$

$b_3\times b_4=2^{-a_1-a_3+a_2+a_4}=2^{2d}$

⋮

$b_9\times b_{10}=2^{5d}$

$\therefore b_1\times b_2\times b_3\times\cdots\times b_{10}=2^{d+2d+\cdots+5d}=2^{15d}=8$

따라서 $15d=3$이므로 $d=\frac{1}{5}$ 답 ③

1617

> 세 수 x, y, z는 이 순서대로 공비가 r인 등비수열을 이룬다. 세 수의 합은 2이고, 세 수의 제곱의 합이 8일 때, 이를 만족하는 공비 r의 값의 합은?
> ($y=xr$, $z=xr^2$)

세 수 x, y, z는 이 순서대로 공비가 r인 등비수열을 이루므로 $y=xr$, $z=xr^2$

$x+y+z=x+xr+xr^2$

$=x(1+r+r^2)=2$ ······ ㉠

$x^2+y^2+z^2=x^2+x^2r^2+x^2r^4$

$=x^2(1+r^2+r^4)$

$=x^2(1+r+r^2)(1-r+r^2)=8$ ······ ㉡

㉡÷㉠을 하면 $x(1-r+r^2)=4$ ······ ㉢

㉢÷㉠을 하면 $\frac{1-r+r^2}{1+r+r^2}=2$

$2r^2+2r+2=r^2-r+1$, $r^2+3r+1=0$

따라서 근과 계수의 관계에 의하여 공비 r의 값의 합은 -3이다.

답 ①

1618

> 삼각형의 세 내각의 크기를 크기 순으로 a, b, c라 할 때, a, b, c가 이 순서대로 등차수열을 이루고, b, $3a$, $3c$가 이 순서대로 등비수열을 이룬다. 이때, 제일 작은 각의 크기 a의 값은?
>
> (공차를 d라 하면 $a=b-d$, $c=b+d$이다.)
> ($(3a)^2=b\times 3c$)

등차수열 a, b, c의 공차를 d라 하면

$a=b-d$, $c=b+d$

한편, a, b, c는 삼각형의 세 내각의 크기이므로

$a+b+c=180°$

$(b-d)+b+(b+d)=180°$, $3b=180°$

$\therefore b=60°$, $a=60°-d$, $c=60°+d$

이때, b, $3a$, $3c$가 이 순서대로 등비수열을 이루므로

$(3a)^2=b\cdot 3c$

$(180°-3d)^2=60°\cdot 3(60°+d)$

$(d-20°)(d-120°)=0$

$\therefore d=20°$ 또는 $d=120°$

이때, $0<a<b<c$이어야 하므로 $d=20°$

$\therefore a=60°-d=60°-20°=40°$

답 ③

1619

> 수열 $\{a_n\}$은 첫째항이 1, 공차가 2인 등차수열일 때, 수열 $\{2^{a_n}\}$의 첫째항부터 제5항까지의 합은?
>
> ($a_n=1+(n-1)\times 2=2n-1$)
> ($2^{a_n}=2^{2n-1}$)

수열 $\{a_n\}$은 첫째항이 1, 공차가 2인 등차수열이므로

$a_n=2n-1$

$\therefore 2^{a_n}=2^{2n-1}=2\cdot 4^{n-1}$

즉, 수열 $\{2^{a_n}\}$은 첫째항이 2, 공비가 4인 등비수열이다.

따라서 수열 $\{2^{a_n}\}$의 첫째항부터 제5항까지의 합은

$\dfrac{2(4^5-1)}{4-1}=\dfrac{2\times 1023}{3}=682$

답 ⑤

1620

> 이차방정식 $x^2-\frac{1}{2}ax+1=0$의 두 근을 α, β $(\alpha>\beta)$라 하고, 이차방정식 $x^2-\frac{1}{2}bx+2=0$의 두 근을 p, q $(p<q)$라 하자. 네 수 α, p, β, q가 이 순서대로 등비수열을 이루도록 a, b의 값을 정할 때, a^2+b^2의 값을 구하시오. (단, $a>0$, $b>0$)
>
> (공비를 r라 하면 $p=\alpha r$, $\beta=\alpha r^2$, $q=\alpha r^3$이다.)

이차방정식 $x^2-\frac{1}{2}ax+1=0$의 두 근이 α, β이므로 근과 계수의 관계에 의하여

$\alpha+\beta=\frac{1}{2}a$, $\alpha\beta=1$

이차방정식 $x^2-\frac{1}{2}bx+2=0$의 두 근이 p, q이므로 근과 계수의 관계에 의하여

$p+q=\frac{1}{2}b$, $pq=2$

이때, $a>0$, $b>0$이므로 α, β, p, q는 모두 양수이다.

네 수 α, p, β, q가 이 순서대로 등비수열을 이루므로 공비를 r $(r>0)$라 하면

$p=\alpha r$, $\beta=\alpha r^2$, $q=\alpha r^3$

$\alpha\beta=1$에서 $\alpha^2r^2=1$ ……㉠

$pq=2$에서 $\alpha^2r^4=2$ ……㉡

㉡÷㉠을 하면 $r^2=2$

$r^2=2$를 ㉠에 대입하면 $\alpha^2=\frac{1}{2}$

이때, $\alpha>0$, $r>0$이므로

$\alpha=\frac{1}{\sqrt{2}}$, $r=\sqrt{2}$

$\therefore \alpha=\frac{1}{\sqrt{2}}$, $p=1$, $\beta=\sqrt{2}$, $q=2$

$a=2(\alpha+\beta)=2\left(\frac{1}{\sqrt{2}}+\sqrt{2}\right)=3\sqrt{2}$

$b=2(p+q)=2(1+2)=6$

$\therefore a^2+b^2=18+36=54$

답 54

1621

> 세 실수 a, b, c가 이 순서대로 공비가 r $(0<r<1)$인 등비수열을 이루고 있다. 등식
>
> $(x-a)(x-b)(x-c)=x^3-26x^2+kx-216$
>
> 이 성립할 때, 상수 k의 값을 구하시오.
>
> ($b=ar$, $c=ar^2$)
> ($a+b+c=26$, $ab+bc+ca=k$, $abc=216$)

등비수열의 공비가 r이므로 $b=ar$, $c=ar^2$

$(x-a)(x-b)(x-c)$

$=x^3-(a+b+c)x^2+(ab+bc+ca)x-abc$

$=x^3-(a+ar+ar^2)x^2$

$\qquad +(a\cdot ar+ar\cdot ar^2+ar^2\cdot a)x-a\cdot ar\cdot ar^2$

$=x^3-a(1+r+r^2)x^2+a^2r(1+r+r^2)x-(ar)^3$

$=x^3-26x^2+kx-216$

이때, $(ar)^3=216=6^3$에서

$ar=6 \quad \therefore a=\frac{6}{r}$

$a(1+r+r^2)=26$에서 $\frac{6}{r}(1+r+r^2)=26$

$3(1+r+r^2)=13r$, $3r^2-10r+3=0$

$(3r-1)(r-3)=0 \quad \therefore r=\frac{1}{3}$ ($\because 0<r<1$)

따라서 $a=\frac{6}{r}=18$이므로

$k=a^2r(1+r+r^2)=18^2\cdot\frac{1}{3}\left(1+\frac{1}{3}+\frac{1}{9}\right)=156$

답 156

1622

> 모든 항이 양수인 등비수열 $\{a_n\}$에 대하여 $a_1a_2=a_{10}$, $a_1+a_9=20$일 때, $(a_1+a_3+a_5+a_7+a_9)(a_1-a_3+a_5-a_7+a_9)$의 값을 구하시오.
>
> ($a+ar^8=20$)
> ($a\times ar=ar^9$)

등비수열 $\{a_n\}$의 첫째항을 a, 공비를 r라 하면

$a_1a_2=a_{10}$에서 $a\times ar=ar^9$

$a>0$, $r>0$이므로 $a=r^8$ ……㉠

$a_1+a_9=20$에서 $a+ar^8=20$ ……㉡

㉠, ㉡에서 $a+a^2=20$, $a^2+a-20=0$

$(a+5)(a-4)=0$이므로 $a=4(\because a>0)$

㉠에 $a=4$를 대입하면 $r^8=4$, $r^4=2$이고

$r^{20}=(r^4)^5=2^5=32$

$$(a_1+a_3+a_5+a_7+a_9)(a_1-a_3+a_5-a_7+a_9)$$
$$=\frac{a\{1-(r^2)^5\}}{1-r^2}\times\frac{a\{1-(-r^2)^5\}}{1-(-r^2)}$$
$$=\frac{a(1-r^{10})}{1-r^2}\times\frac{a(1+r^{10})}{1+r^2}=\frac{a^2(1-r^{20})}{1-r^4}$$
$$=\frac{4^2(1-32)}{1-2}=16\times31=496$$

답 496

1623

첫째항이 3, 공비가 r^2이고, 항의 개수가 n인 등비수열의 합

> 첫째항이 3인 등비수열 $\{a_n\}$에서
> $$a_1+a_3+a_5+\cdots+a_{2n-1}=2^{30}-1,$$
> $$a_3+a_5+a_7+\cdots+a_{2n+1}=2^{32}-4$$
> 가 성립할 때, 자연수 n의 값은?

등비수열 $\{a_n\}$의 공비를 r라 하면

수열 $a_1, a_3, a_5, \cdots$는 첫째항이 3, 공비가 r^2이므로

$$a_1+a_3+a_5+\cdots+a_{2n-1}=\frac{3\{(r^2)^n-1\}}{r^2-1}$$
$$=\frac{3(r^{2n}-1)}{r^2-1} \quad \cdots\cdots ㉠$$

한편, $a_3+a_5+a_7+\cdots+a_{2n+1}=r^2(a_1+a_3+a_5+\cdots+a_{2n-1})$

$r^2(2^{30}-1)=2^{32}-4=4(2^{30}-1) \quad \therefore r^2=4$

㉠에서 $\dfrac{3(4^n-1)}{4-1}=4^n-1=2^{2n}-1=2^{30}-1$

따라서 $2n=30$이므로 $n=15$

답 ③

1624

> 4와 10 사이에 n개의 수 $a_1, a_2, \cdots, a_n$을 넣어 만든 수열
> $4, a_1, a_2, a_3, \cdots, a_n, 10$은 이 순서대로 등비수열을 이룬다고 한다. 이때, 등식
> (첫째항이 4, 제12항이 10인 등비수열의 공비 r를 구하자.)
> $$a_1+a_2+a_3+\cdots+a_n=p\left(\frac{1}{a_1}+\frac{1}{a_2}+\frac{1}{a_3}+\cdots+\frac{1}{a_n}\right)$$
> 을 만족시키는 상수 p의 값을 구하시오.
> 첫째항이 $\frac{1}{4r}$, 공비가 $\frac{1}{r}$이고, 항의 개수가 n인 등비수열의 합

수열 $4, a_1, a_2, a_3, \cdots, a_n, 10$의 공비를 $r\ (r\neq1)$라 하면

$10=4\cdot r^{(n+2)-1}=4r^{n+1}$

$\therefore r^{n+1}=\dfrac{5}{2}$ ……㉠

수열 $a_1, a_2, a_3, \cdots, a_n$은 첫째항이 $4r$, 공비가 r인 등비수열이므로

$$a_1+a_2+a_3+\cdots+a_n=\frac{4r(1-r^n)}{1-r}$$

수열 $\dfrac{1}{a_1}, \dfrac{1}{a_2}, \dfrac{1}{a_3}, \cdots, \dfrac{1}{a_n}$은 첫째항이 $\dfrac{1}{4r}$, 공비가 $\dfrac{1}{r}$인 등비수열이므로

$$\frac{1}{a_1}+\frac{1}{a_2}+\frac{1}{a_3}+\cdots+\frac{1}{a_n}=\frac{\frac{1}{4r}\left\{\left(\frac{1}{r}\right)^n-1\right\}}{\frac{1}{r}-1}$$
$$=\frac{1-r^n}{4r^n(1-r)}$$

즉, $\dfrac{4r(1-r^n)}{1-r}=p\left\{\dfrac{1-r^n}{4r^n(1-r)}\right\}$이므로 $4r=\dfrac{p}{4r^n}$

$\therefore p=4r\times4r^n=16r^{n+1}=16\times\dfrac{5}{2}=40\ (\because ㉠)$

답 40

1625

> 길이가 2인 끈이 있다. 그림과 같이 첫 번째 시행에서 이를 3등분하여 가운데 부분을 염색하고, 두 번째 시행에서는 첫 번째 시행에서 염색한 부분의 오른쪽 끈을 3등분하여 가운데 부분을 염색한다.
>
> 〈첫 번째 시행〉 〈두 번째 시행〉 〈세 번째 시행〉 …
>
> 이와 같이 이전 시행에서 염색한 부분의 오른쪽 끈을 3등분하여 그 가운데 부분을 염색하는 것을 10회 시행했을 때, 염색되지 않은 부분의 길이는?
> 1회 시행 후 염색된 부분의 길이는 $2\times\frac{1}{3}=\frac{2}{3}$,
> 2회 시행 후 염색된 부분의 길이는 $\frac{2}{3}+\frac{2}{3}\times\frac{1}{3}$

n번째 시행 후 염색된 부분의 길이를 a_n이라 하면

$$a_1=\frac{2}{3}$$
$$a_2=\frac{2}{3}+\frac{2}{3}\cdot\frac{1}{3}$$
$$a_3=\frac{2}{3}+\frac{2}{3}\cdot\frac{1}{3}+\frac{2}{3}\cdot\left(\frac{1}{3}\right)^2$$
$$\vdots$$
$$a_{10}=\frac{2}{3}+\frac{2}{3}\cdot\frac{1}{3}+\frac{2}{3}\cdot\left(\frac{1}{3}\right)^2+\cdots+\frac{2}{3}\cdot\left(\frac{1}{3}\right)^9$$
$$=\frac{\frac{2}{3}\times\left\{1-\left(\frac{1}{3}\right)^{10}\right\}}{1-\frac{1}{3}}=1-\left(\frac{1}{3}\right)^{10}$$

따라서 10회 시행 후 염색되지 않은 부분의 길이는

$$2-a_{10}=2-\left\{1-\left(\frac{1}{3}\right)^{10}\right\}=1+\left(\frac{1}{3}\right)^{10}$$

답 ②

1626

매년 말에 122만 원씩 4년간 적립한다고 생각하자.

> 어느 회사는 올해 초에 기금을 마련하여 올해 말부터 4년간 사원 자녀들에게 매년 총액 122만 원의 장학금을 지불하려 한다. 이 회사가 마련해야 할 기금의 최솟값은?
> (단, $1.05^4=1.22$, 이자는 1년마다 5 %의 복리로 계산한다.)

매년 말에 122만 원씩, 4년 동안 연이율 5 %의 복리로 적립한 원리합계는

$122+122(1+0.05)^1+122(1+0.05)^2+122(1+0.05)^3$

$=\frac{122\{(1+0.05)^4-1\}}{(1+0.05)-1}$

$=\frac{122(1.05^4-1)}{0.05}=\frac{122(1.22-1)}{0.05}$ ······ ㉠

회사가 마련해야 할 기금 a만 원을 4년 동안 연이율 5 %의 복리로 적립한 원리합계는

$a(1+0.05)^4=a(1.05)^4=1.22a$ ······ ㉡

㉡≥㉠이어야 하므로

$1.22a\ge\frac{122(1.22-1)}{0.05}$

$\therefore a\ge\frac{122\times0.22}{0.05\times1.22}=440$(만 원)

따라서 회사가 마련해야 할 기금의 최솟값은 440만 원이다. 답 ④

1627

두 실수 a, b에 대하여 다음 조건을 만족시키는 모든 실수 a의 값의 합을 k라 하자. $48k$의 값을 구하시오.

(가) $ab<0$ → a, b의 부호는 다르다.
(나) 세 수 a, b, ab를 적절히 배열하여 등비수열을 만들 수 있다.
(다) 세 수 a, b, ab를 적절히 배열하여 등차수열을 만들 수 있다.
→ a, b중 양수인 것이 등비중항이 된다.

$ab<0$이므로 a와 b의 부호가 다르다.

(1) $a<0$, $b>0$일 때

세 수 a, b, ab에서 a와 ab는 음수, b는 양수이다. 음수 두 개와 양수 한 개가 등비수열이 되는 배열은 (음수, 양수, 음수)이므로 세 수의 배열은

a, b, ab 또는 ab, b, a

뿐이다. 그러므로 b가 등비중항이므로

$b^2=a\times ab$

$b=a^2$

이다. 따라서 세 수 a, b, ab는 a, a^2, a^3이다.

$a<0$, $a^2>0$, $a^3<0$이므로 세 수를 배열하여 등차수열로 되는 경우의 등차중항은 음수인 a 또는 a^3이다.

(i) a가 등차중항인 경우

$2a=a^3+a^2$

$a(a+2)(a-1)=0$

$a<0$이므로 $a=-2$이고 $b=4$이다.

(ii) a^3이 등차중항인 경우

$2a^3=a+a^2$

$a(a-1)(2a+1)=0$

$a<0$이므로 $a=-\frac{1}{2}$이고 $b=\frac{1}{4}$이다.

따라서 a의 값은 -2, $-\frac{1}{2}$이다.

(2) $a>0$, $b<0$일 때

(1)과 같은 방법에 의해 a의 값은 4, $\frac{1}{4}$이다.

(1)과 (2)에 의해 a의 값은 -2, $-\frac{1}{2}$, 4, $\frac{1}{4}$이다.

따라서 $k=-2-\frac{1}{2}+4+\frac{1}{4}=\frac{7}{4}$이고 $48k=84$이다. 답 84

1628

등비수열 $\{a_n\}$과 등차수열 $\{b_n\}$이 다음 두 조건을 만족한다.

→ $a_1+a_1r=288$, $a_1r^3+a_1r^4=36$

(가) $a_1+a_2=288$, $a_4+a_5=36$
(나) $b_1=84$, $b_1+b_2+b_3+b_4+b_5=290$ → $\frac{5(2b_1+4d)}{2}=290$

부등식 $a_n<b_n$이 성립하도록 하는 모든 자연수 n의 값의 합을 구하시오.

조건 (가)에서 등비수열 $\{a_n\}$의 공비를 r라 하면

$a_1+a_2=a_1+a_1r=a_1(1+r)=288$ ······ ㉠

$a_4+a_5=a_1r^3+a_1r^4=a_1r^3(1+r)=36$ ······ ㉡

㉡÷㉠을 하면 $r^3=\frac{1}{8}$이므로

$r=\frac{1}{2}$, $a_1=192$ $\quad\therefore a_n=192\left(\frac{1}{2}\right)^{n-1}$

조건 (나)에서 등차수열 $\{b_n\}$의 공차를 d라 하면

$b_1+b_2+b_3+b_4+b_5=\frac{5(2b_1+4d)}{2}$

$=5(b_1+2d)$

$=5(84+2d)=290$

$\therefore d=-13$

$\therefore b_n=-13n+97$

이때, 자연수 n에 대하여 두 수열 $\{a_n\}$, $\{b_n\}$의 값의 변화를 살펴보면 다음과 같다.

n	1	2	3	4	5	6	7	8	…
a_n	192	96	48	24	12	6	3	$\frac{3}{2}$	…
b_n	84	71	58	45	32	19	6	-7	…

따라서 부등식 $a_n<b_n$이 성립하도록 하는 모든 자연수 n의 값의 합은

$3+4+5+6+7=25$ 답 25

1629

→ 매년 적립하는 금액의 각각에 대한 원리합계를 구한 후 등비수열의 합을 이용하자.

정부가 통일 이후 필요한 통일 비용을 마련하기 위해 예산의 일부를 2021년부터 매년 1월 1일에 적립한다고 하자. 적립할 금액은 경제성장률을 감안하여 매년 전년도보다 6 % 증액한다. 2021년 1월 1일부터 10조 원을 적립하기 시작한다면, 2030년 12월 31일까지 적립된 금액의 원리합계는 몇 조 원인가? (단, 연이율 6 %, 1년마다 복리로 계산하고, $1.06^{10}=1.8$로 계산한다.)

매년 적립금에 대한 원리합계를 그림으로 나타내면 다음과 같다.

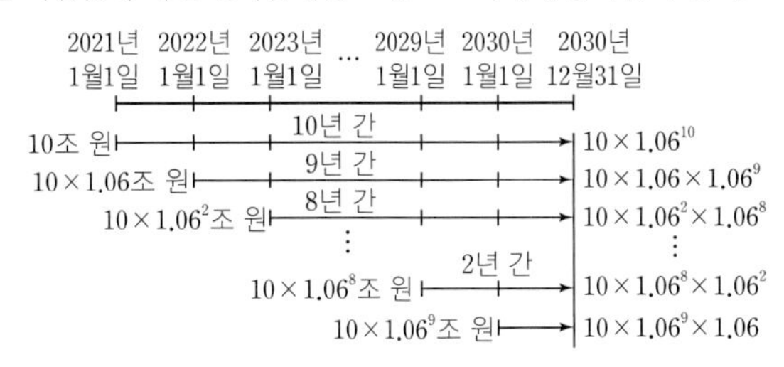

따라서 적립된 금액의 원리합계는

$10\times1.06^{10}\times10=10\times1.8\times10=180$(조 원) 답 ③

1630

> 공차가 양수인 등차수열 $\{a_n\}$이 다음 조건을 만족시킨다. ($\to$ $a_8=a_7+d$라 하자.)
>
> (가) 수열 $\{a_n\}$의 모든 항은 정수이다.
> (나) a_7, a_8, a_k가 이 순서대로 등비수열을 이루도록 하는 8보다 큰 자연수 k가 존재한다. ($\to$ $a_8=a_7r$, $a_k=a_7r^2$)
>
> $a_k=144$가 되도록 하는 모든 k의 값의 합을 구하시오.

a_7, a_8, a_k가 이 순서대로 등비수열을 이루므로
이 수열의 공비를 r라 하면
$a_8=a_7r$, $a_k=a_7r^2$ ……㉠
등차수열 $\{a_n\}$의 공차를 d라 하면
조건 (가)에서
$a_n=a_1+(n-1)d$ (a_1은 정수, d는 자연수)
이므로
$a_8-a_7=d$, $a_k-a_8=(k-8)d$
이 식에 ㉠을 대입하면
$a_7(r-1)=d$, $a_7(r-1)r=(k-8)d$
위 식으로부터
$dr=(k-8)d$
$d\neq0$이므로 $r=k-8$ ……㉡
㉡을 ㉠에 대입하면
$a_k=a_7(k-8)^2$, $a_k=144=12^2$
위 식으로부터
$a_7(k-8)^2=12^2$
조건 (가)에서 $k-8$과 a_7이 정수이므로 a_7은 완전제곱수이다. 따라서 a_7은 12의 약수의 제곱수인 1, 2^2, 3^2, 4^2, 6^2, 12^2 중 하나이다.

(i) $a_7=1$일 때
$(k-8)^2=12^2$이므로
$k=20$ $(k>8)$

(ii) $a_7=2^2$일 때
$(k-8)^2=6^2$이므로
$k=14$ $(k>8)$

(iii) $a_7=3^2$일 때
$(k-8)^2=4^2$이므로
$k=12$ $(k>8)$

(iv) $a_7=4^2$일 때
$(k-8)^2=3^2$이므로
$k=11$ $(k>8)$

(v) $a_7=6^2$일 때
$(k-8)^2=2^2$이므로
$k=10$ $(k>8)$

(vi) $a_7=12^2$일 때
$(k-8)^2=1$이므로
$k=9$ $(k>8)$
그런데 $k=9$이면 ㉡에서 $r=1$이므로 수열 $\{a_n\}$의 공차가 0이다. 따라서 $k\neq9$이다.

(i)~(vi)에서 구하는 모든 k의 값의 합은
$20+14+12+11+10=67$ 답 67

수열의 합

본책 286~316쪽

1631

$a_1+a_2+a_3+\cdots+a_{15}=\sum_{k=1}^{15}a_k$ 답 $\sum_{k=1}^{15}a_k$

1632

$1+3+5+\cdots+(2n-1)=\sum_{k=1}^{n}(2k-1)$ 답 $\sum_{k=1}^{n}(2k-1)$

1633

$1+\frac{1}{2}+\frac{1}{3}+\cdots+\frac{1}{n}=\sum_{k=1}^{n}\frac{1}{k}$ 답 $\sum_{k=1}^{n}\frac{1}{k}$

1634

$1\times2+2\times3+3\times4+\cdots+n(n+1)=\sum_{k=1}^{n}k(k+1)$

답 $\sum_{k=1}^{n}k(k+1)$

1635

$1^2+2^2+3^2+\cdots+10^2=\sum_{k=1}^{10}k^2$ 답 $\sum_{k=1}^{10}k^2$

1636

$3+3^2+3^3+\cdots+3^7=\sum_{k=1}^{7}3^k$ 답 $\sum_{k=1}^{7}3^k$

1637

$\frac{1}{1\times2}+\frac{1}{2\times3}+\frac{1}{3\times4}+\cdots+\frac{1}{99\times100}=\sum_{k=1}^{99}\frac{1}{k(k+1)}$

답 $\sum_{k=1}^{99}\frac{1}{k(k+1)}$

1638

$\sum_{k=1}^{50}a_k=\sum_{i=\boxed{1}}^{50}a_i=\sum_{j=1}^{\boxed{50}}\boxed{a_j}$

답 풀이 참조

1639

$\sum_{k=1}^{5}(2k+3)=\sum_{i=1}^{5}(\boxed{2i+3})=\sum_{j=\boxed{1}}^{\boxed{5}}(2j+3)$

답 풀이 참조

1640

$\sum_{k=1}^{5}a_k+\sum_{k=6}^{10}a_k=\sum_{k=\boxed{1}}^{\boxed{10}}a_k$ 답 풀이 참조

1641

$\sum_{k=1}^{5}2k=2+4+6+8+10$ 답 $2+4+6+8+10$

1642

$\sum_{k=1}^{5}5=5+5+5+5+5$ 답 $5+5+5+5+5$

1643

$\sum_{i=1}^{5}(-1)^i=-1+1-1+1-1$ 답 $-1+1-1+1-1$

1644

$\sum_{i=1}^{20}5^i=5^1+5^2+5^3+\cdots+5^{20}$ 답 $5^1+5^2+5^3+\cdots+5^{20}$

1645

$\sum_{k=1}^{5}k^2+\sum_{k=1}^{5}2k=\sum_{k=1}^{5}(\boxed{k^2+2k})$ 답 k^2+2k

1646

$\sum_{k=1}^{20}(k^2-4k+4)=\sum_{k=1}^{\boxed{20}}k^2-\sum_{k=1}^{\boxed{20}}\boxed{4k}+\sum_{k=1}^{20}\boxed{4}$

답 20, 20, $4k$, 4

1647

$\sum_{k=1}^{8}3k^2=3\sum_{k=1}^{8}\boxed{k^2}$ 답 k^2

1648

$\sum_{k=1}^{6}7=\boxed{42}$ 답 42

1649

$\sum_{k=1}^{10}(a_k+b_k)=\sum_{k=1}^{10}a_k+\sum_{k=1}^{10}b_k$

$=5+(-3)=2$ 답 2

1650

$\sum_{k=1}^{10}(3a_k-b_k)=3\sum_{k=1}^{10}a_k-\sum_{k=1}^{10}b_k$

$=3\times5-(-3)=18$ 답 18

1651

$\sum_{k=1}^{10}(a_k+2b_k-1)=\sum_{k=1}^{10}a_k+2\sum_{k=1}^{10}b_k-\sum_{k=1}^{10}1$

$=5+2\times(-3)-1\times10$

$=-11$ 답 -11

1652

$\sum_{k=1}^{7}(a_k+1)^2=\sum_{k=1}^{7}(a_k^2+2a_k+1)$

$=\sum_{k=1}^{7}a_k^2+2\sum_{k=1}^{7}a_k+\sum_{k=1}^{7}1$

$=6+2\times3+1\times7=19$ 답 19

1653

$\sum_{k=1}^{7}a_k(a_k-1)=\sum_{k=1}^{7}(a_k^2-a_k)$

$=\sum_{k=1}^{7}a_k^2-\sum_{k=1}^{7}a_k$

$=6-3=3$ 답 3

1654

$\sum_{k=1}^{7}(a_k+1)(a_k-1)=\sum_{k=1}^{7}(a_k^2-1)$

$=\sum_{k=1}^{7}a_k^2-\sum_{k=1}^{7}1$

$=6-1\times7=-1$ 답 -1

1655

$1+2+3+\cdots+20=\sum_{k=1}^{20}k$

$=\frac{20\times21}{2}=210$ 답 210

1656

$1^2+2^2+3^2+\cdots+10^2=\sum_{k=1}^{10}k^2$

$=\frac{10\times11\times21}{6}=385$ 답 385

1657

$1^3+2^3+3^3+\cdots+10^3=\sum_{k=1}^{10}k^3$

$=\left(\frac{10\times11}{2}\right)^2=3025$ 답 3025

1658

$\sum_{k=1}^{20}5=5\times20=100$ 답 100

1659

$\sum_{k=1}^{15}2k=2\sum_{k=1}^{15}k$

$=2\times\frac{15\times16}{2}=240$ 답 240

1660

$\sum_{k=1}^{12}(k+5)=\sum_{k=1}^{12}k+\sum_{k=1}^{12}5$

$=\frac{12\times13}{2}+5\times12$

$=78+60=138$ 답 138

1661

$\sum_{k=1}^{9}(3k-10)=3\sum_{k=1}^{9}k-\sum_{k=1}^{9}10$

$=3\times\frac{9\times10}{2}-10\times9$

$=135-90=45$ 답 45

1662

$\sum_{k=1}^{10}(k^2+3)=\sum_{k=1}^{10}k^2+\sum_{k=1}^{10}3$

$=\frac{10\times11\times21}{6}+3\times10$

$=385+30=415$ 답 415

1663

$\sum_{k=1}^{6}(k+1)(k+2)=\sum_{k=1}^{6}(k^2+3k+2)$
$=\sum_{k=1}^{6}k^2+3\sum_{k=1}^{6}k+\sum_{k=1}^{6}2$
$=\frac{6\times7\times13}{6}+3\times\frac{6\times7}{2}+2\times6$
$=91+63+12=166$ 답 166

1664

$\sum_{k=1}^{10}(k^3+1)=\sum_{k=1}^{10}k^3+\sum_{k=1}^{10}1$
$=\left(\frac{10\times11}{2}\right)^2+1\times10$
$=3025+10=3035$ 답 3035

1665 답 $\sum_{k=1}^{n}(2k-1)$

1666 답 $\sum_{k=1}^{n}(3-5k)$

1667

수열 3, 7, 11, 15, ⋯은 첫째항이 3, 공차가 4인 등차수열이므로 일반항 a_n은
$a_n=3+(n-1)\times4=4n-1$
$4n-1=39$에서 $4n=40$
$\therefore n=10$
따라서 첫째항부터 제10항까지의 합은
$\sum_{k=1}^{10}(4k-1)=4\sum_{k=1}^{10}k-\sum_{k=1}^{10}1$
$=4\times\frac{10\times11}{2}-1\times10$
$=210$ 답 210

1668

수열 -4, -1, 2, 5, ⋯은 첫째항이 -4, 공차가 3인 등차수열이므로 일반항 a_n은
$a_n=-4+(n-1)\times3=3n-7$
$3n-7=14$에서 $3n=21$
$\therefore n=7$
따라서 첫째항부터 제7항까지의 합은
$\sum_{k=1}^{7}(3k-7)=3\sum_{k=1}^{7}k-\sum_{k=1}^{7}7$
$=3\times\frac{7\times8}{2}-7\times7$
$=35$ 답 35

1669

수열 20, 18, 16, 14, ⋯은 첫째항이 20, 공차가 -2인 등차수열이므로 일반항 a_n은
$a_n=20+(n-1)\times(-2)=-2n+22$
$-2n+22=6$에서 $2n=16$
$\therefore n=8$
따라서 첫째항부터 제8항까지의 합은
$\sum_{k=1}^{8}(-2k+22)=-2\sum_{k=1}^{8}k+\sum_{k=1}^{8}22$
$=-2\times\frac{8\times9}{2}+22\times8$
$=104$ 답 104

1670

수열 -2, -7, -12, -17, ⋯은 첫째항이 -2, 공차가 -5인 등차수열이므로 일반항 a_n은
$a_n=-2+(n-1)\times(-5)=-5n+3$
$-5n+3=-47$에서 $5n=50$
$\therefore n=10$
따라서 첫째항부터 제10항까지의 합은
$\sum_{k=1}^{10}(-5k+3)=-5\sum_{k=1}^{10}k+\sum_{k=1}^{10}3$
$=-5\times\frac{10\times11}{2}+3\times10$
$=-245$ 답 -245

[1671-1673] 첫째항부터 제n항까지의 합을 S_n이라 하면

1671

$\sum_{k=1}^{n}a_k=S_n=n^2+2n$이므로 수열의 합과 일반항 사이의 관계에서
(i) $n\geq2$일 때,
$a_n=S_n-S_{n-1}$
$=(n^2+2n)-\{(n-1)^2+2(n-1)\}$
$=2n+1$ ⋯⋯㉠
(ii) $n=1$일 때,
$a_1=S_1=3$
$a_1=3$은 ㉠에 $n=1$을 대입한 것과 같으므로
$a_n=2n+1$ 답 $a_n=2n+1$

1672

$\sum_{k=1}^{n}a_k=S_n=n^2+2n+1$이므로 수열의 합과 일반항 사이의 관계에서
(i) $n\geq2$일 때,
$a_n=S_n-S_{n-1}$
$=(n^2+2n+1)-\{(n-1)^2+2(n-1)+1\}$
$=2n+1$ ⋯⋯㉠
(ii) $n=1$일 때,
$a_1=S_1=4$
$a_1=4$는 ㉠에 $n=1$을 대입한 것과 같지 않으므로
$a_1=4$, $a_n=2n+1$ (단, $n\geq2$)
답 $a_1=4$, $a_n=2n+1$ (단, $n\geq2$)

1673

$\sum_{k=1}^{n}a_k=S_n=2n^2-n+3$이므로 수열의 합과 일반항 사이의 관계에서
(i) $n\geq2$일 때,
$a_n=S_n-S_{n-1}$
$=(2n^2-n+3)-\{2(n-1)^2-(n-1)+3\}$
$=4n-3$ ⋯⋯㉠
(ii) $n=1$일 때, $a_1=S_1=4$
$a_1=4$는 ㉠에 $n=1$을 대입한 것과 같지 않으므로

$a_1=4,\ a_n=4n-3$ (단, $n\geq2$)

답 $a_1=4,\ a_n=4n-3$ (단, $n\geq2$)

1674

$\sum_{k=1}^{20}\left(\frac{1}{k}-\frac{1}{k+1}\right)$

$=\left(1-\frac{1}{2}\right)+\left(\frac{1}{2}-\frac{1}{3}\right)+\cdots+\left(\frac{1}{20}-\frac{1}{21}\right)$

$=1-\frac{1}{21}=\frac{20}{21}$

답 $\frac{20}{21}$

1675

$\sum_{k=1}^{5}\left(\frac{1}{2k-1}-\frac{1}{2k+1}\right)$

$=\left(1-\frac{1}{3}\right)+\left(\frac{1}{3}-\frac{1}{5}\right)+\left(\frac{1}{5}-\frac{1}{7}\right)+\left(\frac{1}{7}-\frac{1}{9}\right)+\left(\frac{1}{9}-\frac{1}{11}\right)$

$=1-\frac{1}{11}=\frac{10}{11}$

답 $\frac{10}{11}$

1676

$\sum_{k=1}^{6}\left(\frac{1}{k}-\frac{1}{k+2}\right)$

$=\left(1-\frac{1}{3}\right)+\left(\frac{1}{2}-\frac{1}{4}\right)+\left(\frac{1}{3}-\frac{1}{5}\right)+\left(\frac{1}{4}-\frac{1}{6}\right)+\left(\frac{1}{5}-\frac{1}{7}\right)+\left(\frac{1}{6}-\frac{1}{8}\right)$

$=1+\frac{1}{2}-\frac{1}{7}-\frac{1}{8}=\frac{69}{56}$

답 $\frac{69}{56}$

1677

$\sum_{k=1}^{8}(\sqrt{k}-\sqrt{k+1})$

$=(1-\sqrt{2})+(\sqrt{2}-\sqrt{3})+\cdots+(\sqrt{8}-\sqrt{9})$

$=1-\sqrt{9}=-2$

답 -2

1678

$\sum_{k=1}^{12}(\sqrt{2k-1}-\sqrt{2k+1})$

$=(1-\sqrt{3})+(\sqrt{3}-\sqrt{5})+\cdots+(\sqrt{23}-\sqrt{25})$

$=1-\sqrt{25}=-4$

답 -4

1679

$\frac{1}{x(x+1)}=\frac{1}{x}-\frac{1}{\boxed{x+1}}$

답 $x+1$

1680

$\frac{1}{x(x+3)}=\frac{1}{\boxed{3}}\left(\frac{1}{x}-\frac{1}{\boxed{x+3}}\right)$

답 $3,\ x+3$

1681

$\sum_{k=1}^{4}\frac{1}{k(k+1)}=\sum_{k=1}^{4}\left(\frac{1}{k}-\frac{1}{k+1}\right)$

$=\left(1-\frac{1}{2}\right)+\left(\frac{1}{2}-\frac{1}{3}\right)+\left(\frac{1}{3}-\frac{1}{4}\right)+\left(\frac{1}{4}-\frac{1}{5}\right)$

$=1-\frac{1}{5}=\frac{4}{5}$

답 $\frac{4}{5}$

1682

$\sum_{k=1}^{5}\frac{2}{k(k+2)}$

$=\sum_{k=1}^{5}\left(\frac{1}{k}-\frac{1}{k+2}\right)$

$=\left(1-\frac{1}{3}\right)+\left(\frac{1}{2}-\frac{1}{4}\right)+\left(\frac{1}{3}-\frac{1}{5}\right)+\left(\frac{1}{4}-\frac{1}{6}\right)+\left(\frac{1}{5}-\frac{1}{7}\right)$

$=1+\frac{1}{2}-\frac{1}{6}-\frac{1}{7}$

$=\frac{50}{42}=\frac{25}{21}$

답 $\frac{25}{21}$

1683

> $\sum_{k=1}^{8}a_k-\sum_{k=1}^{7}a_k=5$일 때, a_8의 값을 구하시오.
>
> $(a_1+a_2+\cdots+a_8)-(a_1+a_2+\cdots+a_7)=a_8$

$\sum_{k=1}^{8}a_k=a_1+a_2+\cdots+a_7+a_8$

$\sum_{k=1}^{7}a_k=a_1+a_2+\cdots+a_7$

$\therefore a_8=\sum_{k=1}^{8}a_k-\sum_{k=1}^{7}a_k=5$

답 5

1684

> $f(2)+f(3)+\cdots+f(9)+f(10)$
>
> 함수 $f(x)$가 $f(10)=50,\ f(1)=3$을 만족시킬 때,
>
> $\sum_{k=1}^{9}f(k+1)-\sum_{k=2}^{10}f(k-1)$
>
> 의 값을 구하시오.
>
> $f(1)+f(2)+f(3)+\cdots+f(9)$

$\sum_{k=1}^{9}f(k+1)=f(2)+f(3)+\cdots+f(9)+f(10)$

$\sum_{k=2}^{10}f(k-1)=f(1)+f(2)+f(3)+\cdots+f(9)$

$\therefore \sum_{k=1}^{9}f(k+1)-\sum_{k=2}^{10}f(k-1)=f(10)-f(1)$

$=50-3=47$

답 47

1685

> $a_2+a_3+\cdots+a_9+a_{10}$
>
> 수열 $\{a_n\}$에 대하여 $a_1=2,\ a_{10}=45$일 때, $\sum_{k=1}^{9}a_{k+1}-\sum_{k=2}^{10}a_{k-1}$의 값은?
>
> $a_1+a_2+a_3+\cdots+a_9$

$\sum_{k=1}^{9}a_{k+1}=a_2+a_3+\cdots+a_9+a_{10}$

$\sum_{k=2}^{10}a_{k-1}=a_1+a_2+a_3+\cdots+a_9$

$\therefore \sum_{k=1}^{9}a_{k+1}-\sum_{k=2}^{10}a_{k-1}=a_{10}-a_1=45-2=43$

답 ②

1686

수열 $\{a_n\}$은 $a_1=15$이고,

$\sum_{k=1}^{n}(a_{k+1}-a_k)=2n+1 \ (n\ge1)$

→ $(a_2-a_1)+(a_3-a_2)+\cdots+(a_{n+1}-a_n)$

을 만족시킨다. a_{10}의 값을 구하시오.

$\sum_{k=1}^{n}(a_{k+1}-a_k)=2n+1$에서

$\sum_{k=1}^{n}(a_{k+1}-a_k)=(a_2-a_1)+(a_3-a_2)+\cdots+(a_{n+1}-a_n)$

$=a_{n+1}-a_1$

$=2n+1$

$\therefore a_{n+1}=a_1+2n+1$

$n=9$를 대입하면 $a_1=15$이므로

$a_{10}=15+2\times9+1=34$

답 34

1687

수열 $\{a_n\}$이 $\sum_{k=1}^{20}ka_k=400$, $\sum_{k=1}^{19}ka_{k+1}=250$을 만족할 때, $\sum_{k=1}^{20}a_k$의 값을 구하시오.

→ $a_1+2a_2+3a_3+\cdots+19a_{19}+20a_{20}$

→ $a_2+2a_3+\cdots+18a_{19}+19a_{20}$

$\sum_{k=1}^{20}ka_k=400$에서

$a_1+2a_2+3a_3+\cdots+19a_{19}+20a_{20}=400$ ……㉠

$\sum_{k=1}^{19}ka_{k+1}=250$에서

$a_2+2a_3+\cdots+18a_{19}+19a_{20}=250$ ……㉡

㉠－㉡을 하면

$a_1+a_2+a_3+\cdots+a_{19}+a_{20}=150$

$\therefore \sum_{k=1}^{20}a_k=150$

답 150

1688

수열 $\{a_n\}$에 대하여 $a_{100}=\frac{1}{9}$, $\sum_{k=1}^{99}k(a_k-a_{k+1})=50$일 때, $\sum_{k=1}^{99}a_k$의 값을 구하시오.

→ $(a_1-a_2)+2(a_2-a_3)+3(a_3-a_4)+\cdots+98(a_{98}-a_{99})+99(a_{99}-a_{100})$

$\sum_{k=1}^{99}k(a_k-a_{k+1})$

$=(a_1-a_2)+2(a_2-a_3)+3(a_3-a_4)+\cdots+98(a_{98}-a_{99})+99(a_{99}-a_{100})$

$=a_1+a_2+a_3+\cdots+a_{99}-99a_{100}$

$=\sum_{k=1}^{99}a_k-99a_{100}$

$\therefore \sum_{k=1}^{99}a_k=\sum_{k=1}^{99}k(a_k-a_{k+1})+99a_{100}=50+11=61$

답 61

1689

$\sum_{k=1}^{10}a_k=30$, $\sum_{k=1}^{10}b_k=12$일 때, $\sum_{k=1}^{10}(a_k-2b_k)$의 값을 구하시오.

→ $\sum_{k=1}^{n}(a_k+b_k)=\sum_{k=1}^{n}a_k+\sum_{k=1}^{n}b_k$, $\sum_{k=1}^{n}ca_k=c\sum_{k=1}^{n}a_k$임을 이용하자.

$\sum_{k=1}^{10}(a_k-2b_k)=\sum_{k=1}^{10}a_k-\sum_{k=1}^{10}2b_k$

$=\sum_{k=1}^{10}a_k-2\sum_{k=1}^{10}b_k$

$=30-2\cdot12=6$

답 6

1690

두 수열 $\{a_n\}$, $\{b_n\}$에 대하여

$\sum_{n=1}^{10}a_n=9$, $\sum_{n=1}^{10}b_n=7$

일 때, $\sum_{n=1}^{10}(3a_n+b_n-2)$의 값은?

→ $\sum_{k=1}^{n}(a_k+b_k)=\sum_{k=1}^{n}a_k+\sum_{k=1}^{n}b_k$, $\sum_{k=1}^{n}ca_k=c\sum_{k=1}^{n}a_k$임을 이용하자.

$\sum_{n=1}^{10}(3a_n+b_n-2)=3\sum_{n=1}^{10}a_n+\sum_{n=1}^{10}b_n-\sum_{n=1}^{10}2$

$=3\times9+7-2\times10$

$=14$

답 ④

1691

$\sum_{k=1}^{7}a_k^2=3$일 때, $\sum_{k=1}^{7}(a_k+1)(a_k-1)$의 값은?

→ $\sum_{k=1}^{7}(a_k^2-1)$

$\sum_{k=1}^{7}(a_k+1)(a_k-1)=\sum_{k=1}^{7}(a_k^2-1)=\sum_{k=1}^{7}a_k^2-\sum_{k=1}^{7}1$

$=3-1\cdot7=-4$

답 ②

1692

$\sum_{k=1}^{10}a_k=-10$, $\sum_{k=1}^{10}(a_k+1)^2=35$일 때, $\sum_{k=1}^{10}a_k^2$의 값은?

→ $\sum_{k=1}^{10}a_k^2+2\sum_{k=1}^{10}a_k+\sum_{k=1}^{10}1$

$\sum_{k=1}^{10}(a_k+1)^2=\sum_{k=1}^{10}(a_k^2+2a_k+1)$

$=\sum_{k=1}^{10}a_k^2+2\sum_{k=1}^{10}a_k+\sum_{k=1}^{10}1$

$=\sum_{k=1}^{10}a_k^2+2\cdot(-10)+1\cdot10$

$=\sum_{k=1}^{10}a_k^2-10=35$

$\therefore \sum_{k=1}^{10}a_k^2=45$

답 ③

1693

> $\sum_{k=1}^{20} a_k=10$, $\sum_{k=1}^{20} a_k^2=20$일 때, $\sum_{k=1}^{20} (2a_k-c)^2=240$을 만족시키는 양수 c의 값은?
>
> $\hookrightarrow 4\sum_{k=1}^{20} a_k^2-4c\sum_{k=1}^{20} a_k+\sum_{k=1}^{20} c^2$

$$\sum_{k=1}^{20} (2a_k-c)^2=\sum_{k=1}^{20} (4a_k^2-4ca_k+c^2)$$
$$=4\sum_{k=1}^{20} a_k^2-4c\sum_{k=1}^{20} a_k+\sum_{k=1}^{20} c^2$$
$$=4\cdot 20-4c\cdot 10+c^2\cdot 20$$
$$=80-40c+20c^2=240$$

따라서 $20c^2-40c-160=0$이므로

$c^2-2c-8=0$, $(c-4)(c+2)=0$

$\therefore c=4$ ($\because c>0$)

답 ③

1694

> $\sum_{k=1}^{10} (a_k+b_k)^2=40$, $\sum_{k=1}^{10} a_kb_k=5$일 때, $\sum_{k=1}^{10} (a_k^2+b_k^2)$의 값은?
>
> 곱셈 공식의 변형 $a^2+b^2=(a+b)^2-2ab$를 이용하자.

$$\sum_{k=1}^{10} (a_k^2+b_k^2)=\sum_{k=1}^{10} \{(a_k+b_k)^2-2a_kb_k\}$$
$$=\sum_{k=1}^{10} (a_k+b_k)^2-\sum_{k=1}^{10} 2a_kb_k$$
$$=\sum_{k=1}^{10} (a_k+b_k)^2-2\sum_{k=1}^{10} a_kb_k$$
$$=40-2\cdot 5=30$$

답 ⑤

1695

> 수열 $\{a_n\}$에 대하여
> $$\sum_{k=1}^{100} (a_k+1)^2=500,\ \sum_{k=1}^{100} (a_k+2)^2=1000$$
> 일 때, $\sum_{k=1}^{100} a_k$의 값은?
>
> $\hookrightarrow \sum_{k=1}^{100} (a_k^2+2a_k+1)=500$

$\sum_{k=1}^{100} (a_k+1)^2=\sum_{k=1}^{100} (a_k^2+2a_k+1)=500$ ······㉠

$\sum_{k=1}^{100} (a_k+2)^2=\sum_{k=1}^{100} (a_k^2+4a_k+4)=1000$ ······㉡

㉡−㉠을 하면

$$\sum_{k=1}^{100} \{(a_k^2+4a_k+4)-(a_k^2+2a_k+1)\}=500$$
$$\sum_{k=1}^{100} (2a_k+3)=2\sum_{k=1}^{100} a_k+3\cdot 100=500$$
$$\therefore \sum_{k=1}^{100} a_k=100$$

답 ④

1696

두 식을 빼면 $(a_4-a_1)+(a_6-a_3)+(a_8-a_5)$임을 이용하자.

> 등차수열 $\{a_n\}$에 대하여 $a_1+a_3+a_5=20$, $a_4+a_6+a_8=56$이 성립할 때, $\sum_{k=1}^{10} (a_{k+1}-a_k)$의 값은?

등차수열 $\{a_n\}$의 공차를 d라 하면

$$(a_4+a_6+a_8)-(a_1+a_3+a_5)$$
$$=(a_4-a_1)+(a_6-a_3)+(a_8-a_5)$$
$$=3d+3d+3d=9d$$
$$=56-20=36$$
$$\therefore d=4$$
$$\therefore \sum_{k=1}^{10} (a_{k+1}-a_k)=\sum_{k=1}^{10} d=\sum_{k=1}^{10} 4=40$$

답 ②

1697

> $\sum_{k=1}^{10} (a_k+2b_k)^2=300$, $\sum_{k=1}^{10} (2a_k-b_k)^2=100$일 때, $\sum_{k=1}^{10} (a_k^2+b_k^2+4)$의 값을 구하시오.
>
> $\hookrightarrow \sum_{k=1}^{10} (a_k^2+4a_kb_k+4b_k^2)$
>
> $\hookrightarrow \sum_{k=1}^{10} (4a_k^2-4a_kb_k+b_k^2)$

$$\sum_{k=1}^{10} (a_k+2b_k)^2=\sum_{k=1}^{10} (a_k^2+4a_kb_k+4b_k^2)$$
$=\sum_{k=1}^{10} a_k^2+4\sum_{k=1}^{10} a_kb_k+4\sum_{k=1}^{10} b_k^2=300$ ······㉠

$$\sum_{k=1}^{10} (2a_k-b_k)^2=\sum_{k=1}^{10} (4a_k^2-4a_kb_k+b_k^2)$$
$=4\sum_{k=1}^{10} a_k^2-4\sum_{k=1}^{10} a_kb_k+\sum_{k=1}^{10} b_k^2=100$ ······㉡

㉠+㉡을 하면

$$5\sum_{k=1}^{10} a_k^2+5\sum_{k=1}^{10} b_k^2=400$$
$$\therefore \sum_{k=1}^{10} a_k^2+\sum_{k=1}^{10} b_k^2=80$$
$$\therefore \sum_{k=1}^{10} (a_k^2+b_k^2+4)=\sum_{k=1}^{10} a_k^2+\sum_{k=1}^{10} b_k^2+\sum_{k=1}^{10} 4$$
$$=80+4\cdot 10=120$$

답 120

1698

> $\sum_{k=1}^{10} (3k-4)$의 값은?
>
> $\hookrightarrow 3\sum_{k=1}^{10} k-\sum_{k=1}^{10} 4$

$$\sum_{k=1}^{10} (3k-4)=3\sum_{k=1}^{10} k-\sum_{k=1}^{10} 4$$
$$=3\cdot\frac{10\cdot 11}{2}-4\cdot 10=125$$

답 ②

1699

> $\sum_{k=1}^{n} (2k-2)=210$을 만족하는 n의 값은?
>
> $\hookrightarrow 2\sum_{k=1}^{n} k-\sum_{k=1}^{n} 2=210$

$$\sum_{k=1}^{n} (2k-2)=2\cdot\frac{n(n+1)}{2}-2\cdot n$$
$$=n^2-n=210$$

$n^2-n-210=0$, $(n+14)(n-15)=0$

$\therefore n=15$ ($\because n$은 자연수)

답 ③

1700

> $\sum_{k=1}^{20} \frac{1+2+3+\cdots+k}{k}$ 의 값은?
> └• $1+2+3+\cdots+k=\frac{k(k+1)}{2}$

$1+2+3+\cdots+k=\sum_{i=1}^{k} i=\frac{k(k+1)}{2}$ 이므로

$$\sum_{k=1}^{20} \frac{1+2+3+\cdots+k}{k}=\sum_{k=1}^{20}\frac{1}{k}\cdot\frac{k(k+1)}{2}$$
$$=\frac{1}{2}\sum_{k=1}^{20}(k+1)$$
$$=\frac{1}{2}\left(\frac{20\cdot21}{2}+1\cdot20\right)=115$$

답 ③

1701

> $\sum_{k=1}^{10}(k-1)(k+2)$ 의 값을 구하시오.
> └• $\sum_{k=1}^{10}(k^2+k-2)$

$$\sum_{k=1}^{10}(k-1)(k+2)=\sum_{k=1}^{10}(k^2+k-2)$$
$$=\sum_{k=1}^{10}k^2+\sum_{k=1}^{10}k-\sum_{k=1}^{10}2$$
$$=\frac{10\cdot11\cdot21}{6}+\frac{10\cdot11}{2}-2\cdot10$$
$$=420$$

답 420

1702

> $\sum_{k=1}^{n}(4k^2+2k)=406$을 만족하는 n의 값은?
> └• $\sum_{k=1}^{n}k^2=\frac{n(n+1)(2n+1)}{6}$ 임을 이용하자.

$$\sum_{k=1}^{n}(4k^2+2k)=4\sum_{k=1}^{n}k^2+2\sum_{k=1}^{n}k$$
$$=4\cdot\frac{n(n+1)(2n+1)}{6}+2\cdot\frac{n(n+1)}{2}$$
$$=\frac{1}{3}n(n+1)(4n+5)=406$$

따라서 $n(n+1)(4n+5)=3\cdot406=6\cdot7\cdot29$이므로

$n=6$

답 ①

1703

> $\sum_{k=1}^{4}(k-1)(k^2+k+1)$ 의 값은?
> └• 곱셈 공식 $(a-b)(a^2+ab+b^2)=a^3-b^3$을 이용하자.

$$\sum_{k=1}^{4}(k-1)(k^2+k+1)=\sum_{k=1}^{4}(k^3-1)$$
$$=\sum_{k=1}^{4}k^3-\sum_{k=1}^{4}1$$
$$=\left(\frac{4\cdot5}{2}\right)^2-1\cdot4=96$$

답 ②

1704

> $\sum_{k=1}^{5}(k+2)^2-\sum_{k=1}^{5}(k^2+1)$ 의 값은?
> └• $\sum_{k=1}^{5}(k^2+4k+4)-\sum_{k=1}^{5}(k^2+1)$

$$\sum_{k=1}^{5}(k+2)^2-\sum_{k=1}^{5}(k^2+1)=\sum_{k=1}^{5}(k^2+4k+4)-\sum_{k=1}^{5}(k^2+1)$$
$$=\sum_{k=1}^{5}(4k+3)$$
$$=4\sum_{k=1}^{5}k+\sum_{k=1}^{5}3$$
$$=4\cdot\frac{5\cdot6}{2}+3\cdot5=75$$

답 ⑤

1705

> $\sum_{k=1}^{10}(k^2-2k+3)+\sum_{i=1}^{10}(i^2+i-3)$ 의 값은?
> └• $\sum_{k=1}^{10}(k^2+k-3)$과 같다.

$$\sum_{k=1}^{10}(k^2-2k+3)+\sum_{i=1}^{10}(i^2+i-3)$$
$$=\sum_{k=1}^{10}(k^2-2k+3)+\sum_{k=1}^{10}(k^2+k-3)$$
$$=\sum_{k=1}^{10}(2k^2-k)$$
$$=2\sum_{k=1}^{10}k^2-\sum_{k=1}^{10}k$$
$$=2\cdot\frac{10\cdot11\cdot21}{6}-\frac{10\cdot11}{2}=715$$

답 ④

1706

> $\sum_{k=6}^{10}k^2$의 값은?
> └• $\sum_{k=1}^{10}k^2-\sum_{k=1}^{5}k^2$과 같다.

$$\sum_{k=6}^{10}k^2=\sum_{k=1}^{10}k^2-\sum_{k=1}^{5}k^2$$
$$=\frac{10\cdot11\cdot21}{6}-\frac{5\cdot6\cdot11}{6}=330$$

답 ④

1707

> $\sum_{k=0}^{9}(2k+1)^2+\sum_{k=1}^{10}(2k)^2$의 값은?
> └• $(1^2+3^2+\cdots+19^2)+(2^2+4^2+\cdots+20^2)$임을 이용하자.

$$\sum_{k=0}^{9}(2k+1)^2+\sum_{k=1}^{10}(2k)^2$$
$$=(1^2+3^2+\cdots+19^2)+(2^2+4^2+\cdots+20^2)$$
$$=1^2+2^2+3^2+\cdots+20^2$$
$$=\sum_{k=1}^{20}k^2=\frac{20\cdot21\cdot41}{6}=2870$$

답 ③

1708

> $\sum_{k=1}^{n}(k^2-2)-\sum_{k=1}^{n-1}(k^2+3)=53$을 만족하는 자연수 n의 값을 구하시오.
> └• $\sum_{k=1}^{n}k^2-\sum_{k=1}^{n-1}k^2=k^2$임을 이용하자.

$\sum_{k=1}^{n}(k^2-2)-\sum_{k=1}^{n-1}(k^2+3)$

$=\left(\sum_{k=1}^{n}k^2-\sum_{k=1}^{n}2\right)-\left(\sum_{k=1}^{n-1}k^2+\sum_{k=1}^{n-1}3\right)$

$=\left(\sum_{k=1}^{n}k^2-\sum_{k=1}^{n-1}k^2\right)-2n-3(n-1)$

$=\sum_{k=1}^{n-1}k^2+n^2-\sum_{k=1}^{n-1}k^2-2n-3n+3$

$=n^2-5n+3=53$

$n^2-5n-50=0$, $(n-10)(n+5)=0$

$\therefore n=10$ ($\because n$은 자연수)

답 10

1709

> $\sum_{k=1}^{10}2k+\sum_{k=2}^{10}2k+\sum_{k=3}^{10}2k+\cdots+\sum_{k=10}^{10}2k$의 값은?
> └• $2+2\times4+3\times6+\cdots+10\times20$임을 이용하자.

$\sum_{k=1}^{10}2k=2+4+6+\cdots+20$

$\sum_{k=2}^{10}2k=4+6+\cdots+20$

$\sum_{k=3}^{10}2k=6+\cdots+20$

⋮

$\sum_{k=10}^{10}2k=20$

$\therefore \sum_{k=1}^{10}2k+\sum_{k=2}^{10}2k+\sum_{k=3}^{10}2k+\cdots+\sum_{k=10}^{10}2k$

$=2+2\cdot4+3\cdot6+\cdots+10\cdot20$

$=2\cdot1^2+2\cdot2^2+2\cdot3^2+\cdots+2\cdot10^2$

$=\sum_{k=1}^{10}2k^2=2\cdot\frac{10\cdot11\cdot21}{6}=770$

답 ①

1710

> 자연수 n에 대하여 x에 대한 이차방정식
> $x^2-(n+1)x-(n+2)=0$의 두 근을 α_n, β_n이라 할 때,
> $\sum_{n=1}^{10}(\alpha_n^2+\beta_n^2)$의 값을 구하시오.
> └• 근과 계수의 관계에 의하여 $\alpha_n+\beta_n=n+1$, $\alpha_n\beta_n=-(n+2)$

$x^2-(n+1)x-(n+2)=0$의 두 근이 α_n, β_n이므로

이차방정식의 근과 계수의 관계에 의하여

$\alpha_n+\beta_n=n+1$, $\alpha_n\beta_n=-(n+2)$

$\therefore \sum_{n=1}^{10}(\alpha_n^2+\beta_n^2)=\sum_{n=1}^{10}\{(\alpha_n+\beta_n)^2-2\alpha_n\beta_n\}$

$=\sum_{n=1}^{10}\{(n+1)^2+2(n+2)\}$

$=\sum_{n=1}^{10}(n^2+4n+5)$

$=\sum_{n=1}^{10}n^2+4\sum_{n=1}^{10}n+\sum_{n=1}^{10}5$

$=\frac{10\cdot11\cdot21}{6}+4\cdot\frac{10\cdot11}{2}+5\cdot10$

$=655$

답 655

1711

> $\sum_{k=1}^{7}(k-a)^2$의 값이 최소가 되도록 하는 상수 a의 값은?
> └• Σ의 성질을 이용하여 a에 관한 이차식으로 정리하자.

$\sum_{k=1}^{7}(k-a)^2=\sum_{k=1}^{7}(k^2-2ak+a^2)$

$=\sum_{k=1}^{7}k^2-2a\sum_{k=1}^{7}k+\sum_{k=1}^{7}a^2$

$=\frac{7\cdot8\cdot15}{6}-2a\cdot\frac{7\cdot8}{2}+7a^2$

$=7a^2-56a+140$

$=7(a-4)^2+28$

따라서 주어진 값은 $a=4$일 때 최솟값 28을 갖는다.

답 ②

1712

> 함수 $f(x)=\sum_{k=1}^{10}\left(kx-\frac{1}{k}\right)^2$은 $x=a$에서 최솟값을 갖는다. 이때, a의 값은?
> └• Σ의 성질을 이용하여 x에 관한 이차식으로 정리하자.

$f(x)=\sum_{k=1}^{10}\left(kx-\frac{1}{k}\right)^2=\sum_{k=1}^{10}\left(k^2x^2-2x+\frac{1}{k^2}\right)$

$=\left(\sum_{k=1}^{10}k^2\right)x^2-\sum_{k=1}^{10}2x+\sum_{k=1}^{10}\frac{1}{k^2}$

$=\frac{10\cdot11\cdot21}{6}x^2-2x\cdot10+\sum_{k=1}^{10}\frac{1}{k^2}$

$=385x^2-20x+\sum_{k=1}^{10}\frac{1}{k^2}$

따라서 함수 $f(x)$는 $x=\frac{10}{385}=\frac{2}{77}$일 때, 최솟값을 갖는다.

$\therefore a=\frac{2}{77}$

답 ②

1713

> $\sum_{k=1}^{5}(2^k+k)$의 값은?
> └• $\sum_{k=1}^{5}2^k=2+2^2+2^3+2^4+2^5$

$\sum_{k=1}^{5}(2^k+k)=\sum_{k=1}^{5}2^k+\sum_{k=1}^{5}k$

$=(2+2^2+2^3+2^4+2^5)+\sum_{k=1}^{5}k$

$=\frac{2(2^5-1)}{2-1}+\frac{5\cdot6}{2}=77$

답 ④

1714

$\sum_{k=1}^{5}\left(\frac{1}{5}k^2-3^{k+1}\right)$의 값은?
└• 첫째항이 9이고 공비가 3인 등비수열이다.

$$\sum_{k=1}^{5}\left(\frac{1}{5}k^2-3^{k+1}\right)=\frac{1}{5}\sum_{k=1}^{5}k^2-\sum_{k=1}^{5}3^{k+1}$$
$$=\frac{1}{5}\cdot\frac{5\cdot6\cdot11}{6}-\frac{9(3^5-1)}{3-1}$$
$$=11-1089=-1078$$

답 ②

1715

모든 항이 양의 실수인 등비수열 $\{a_n\}$의 첫째항부터 제n항까지의 합을 S_n이라 하자. $S_3=7a_3$일 때, $\sum_{n=1}^{8}\frac{S_n}{a_n}$의 값을 구하시오.
└• $a+ar+ar^2=7ar^2$

모든 항이 양의 실수인 등비수열 $\{a_n\}$의 첫째항을 a $(a>0)$, 공비를 r $(r>0)$라 하면

$S_3=7a_3$에서 $a+ar+ar^2=7ar^2$

$a>0$이므로

$1+r+r^2=7r^2$

$6r^2-r-1=0$

$(3r+1)(2r-1)=0$

$r>0$이므로 $r=\frac{1}{2}$

따라서

$$a_n=a\left(\frac{1}{2}\right)^{n-1}$$

$$S_n=\frac{a\left\{1-\left(\frac{1}{2}\right)^n\right\}}{1-\frac{1}{2}}=2a\left\{1-\left(\frac{1}{2}\right)^n\right\}$$

이므로

$$\sum_{n=1}^{8}\frac{S_n}{a_n}=\sum_{n=1}^{8}\frac{2a\left\{1-\left(\frac{1}{2}\right)^n\right\}}{a\left(\frac{1}{2}\right)^{n-1}}$$
$$=\sum_{n=1}^{8}(2^n-1)$$
$$=\frac{2(2^8-1)}{2-1}-8=502$$

답 502

다른풀이 모든 항이 양의 실수인 등비수열 $\{a_n\}$의 첫째항을 a $(a>0)$, 공비를 r $(r>0)$라 하면

(i) $r=1$일 때

$S_3=7a_3$에서 $a+a+a=7a$

$4a=0$에서 $a=0$

$a>0$이므로 조건을 만족하지 않는다.

(ii) $r\neq1$일 때

$S_3=7a_3$에서 $\frac{a(1-r^3)}{1-r}=7ar^2$

$\frac{a(1-r)(1+r+r^2)}{1-r}=7ar^2$

$r\neq1$이므로 $a(1+r+r^2)=7ar^2$

$a>0$이므로

$1+r+r^2=7r^2$

$6r^2-r-1=0$

$(3r+1)(2r-1)=0$

$r>0$이므로 $r=\frac{1}{2}$

따라서 $\sum_{n=1}^{8}\frac{S_n}{a_n}=502$

1716

$8^2+9^2+10^2+\cdots+15^2$의 값은?
└• $\sum_{k=1}^{15}k^2-\sum_{k=1}^{7}k^2$임을 이용하자.

$$8^2+9^2+10^2+\cdots+15^2=\sum_{k=1}^{15}k^2-\sum_{k=1}^{7}k^2$$
$$=\frac{15\cdot16\cdot31}{6}-\frac{7\cdot8\cdot15}{6}$$
$$=1100$$

답 ②

1717

수열 $1+1^2$, $2+2^2$, $3+3^2$, $\cdots$의 첫째항부터 제10항까지의 합은?
$\sum_{k=1}^{10}(k+k^2)$임을 이용하자. •┘

주어진 수열 $1+1^2$, $2+2^2$, $3+3^2$, $\cdots$의 일반항 a_n은

$a_n=n+n^2$

따라서 첫째항부터 제10항까지의 합은

$$\sum_{k=1}^{10}(k+k^2)=\sum_{k=1}^{10}k+\sum_{k=1}^{10}k^2$$
$$=\frac{10\cdot11}{2}+\frac{10\cdot11\cdot21}{6}$$
$$=440$$

답 ⑤

1718

다음 수열의 첫째항부터 제n항까지의 합을 구하시오.

$1\cdot1,\ 2\cdot3,\ 3\cdot5,\ 4\cdot7,\ \cdots$

주어진 수열의 일반항을 구하면 $a_n=n(2n-1)$이다.

주어진 수열 $1\cdot1$, $2\cdot3$, $3\cdot5$, $4\cdot7$, $\cdots$의 일반항 a_n은

$a_n=n(2n-1)$

따라서 첫째항부터 제n항까지의 합은

$$\sum_{k=1}^{n}k(2k-1)=\sum_{k=1}^{n}(2k^2-k)=2\sum_{k=1}^{n}k^2-\sum_{k=1}^{n}k$$
$$=2\cdot\frac{n(n+1)(2n+1)}{6}-\frac{n(n+1)}{2}$$
$$=\frac{1}{6}n(n+1)(4n-1)$$

답 $\frac{1}{6}n(n+1)(4n-1)$

1719

다음 수열의 첫째항부터 제10항까지의 합을 구하시오.

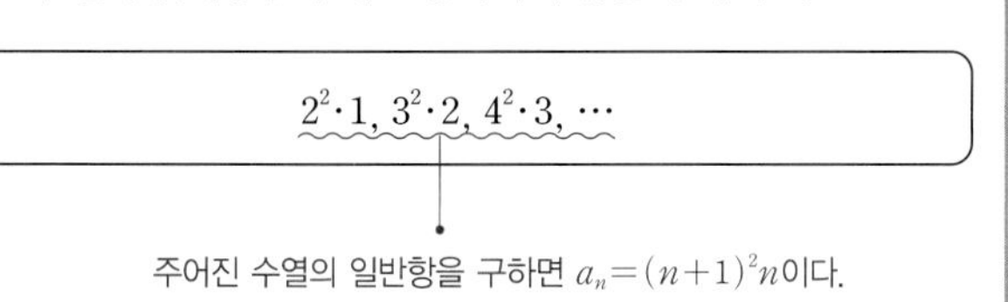

주어진 수열 $2^2\cdot1,\ 3^2\cdot2,\ 4^2\cdot3,\ \cdots$의 일반항 a_n은

$a_n=(n+1)^2n$

따라서 첫째항부터 제10항까지의 합은

$$\sum_{k=1}^{10}(k+1)^2k=\sum_{k=1}^{10}(k^3+2k^2+k)=\sum_{k=1}^{10}k^3+2\sum_{k=1}^{10}k^2+\sum_{k=1}^{10}k$$
$$=\left(\frac{10\cdot11}{2}\right)^2+2\cdot\frac{10\cdot11\cdot21}{6}+\frac{10\cdot11}{2}$$
$$=3850$$

답 3850

1720

$1+(1+2)+(1+2+3)+\cdots+(1+2+3+\cdots+10)$의 값은?

→ 주어진 수열의 일반항을 구하면 $a_k=1+2+3+\cdots+k=\frac{k(k+1)}{2}$이다.

주어진 수열의 제k항을 a_k라 하면

$$a_k=1+2+3+\cdots+k=\frac{k(k+1)}{2}=\frac{k^2+k}{2}$$

주어진 식은 첫째항부터 제10항까지의 합이므로

$$\sum_{k=1}^{10}a_k=\sum_{k=1}^{10}\frac{k^2+k}{2}=\frac{1}{2}\sum_{k=1}^{10}(k^2+k)$$
$$=\frac{1}{2}\left(\frac{10\cdot11\cdot21}{6}+\frac{10\cdot11}{2}\right)=220$$

답 ④

1721

수열 $1,\ 2+4,\ 3+6+9,\ 4+8+12+16,\ \cdots$의 첫째항부터 제10항까지의 합은?

→ $a_n=n+2n+3n+\cdots+n^2$임을 이용하자.

$$a_n=n+2n+3n+\cdots+n^2=\sum_{k=1}^{n}kn$$
$$=n\cdot\frac{n(n+1)}{2}=\frac{1}{2}(n^3+n^2)$$
$$\therefore\ \sum_{k=1}^{10}a_k=\sum_{k=1}^{10}\frac{1}{2}(k^3+k^2)=\frac{1}{2}\left(\sum_{k=1}^{10}k^3+\sum_{k=1}^{10}k^2\right)$$
$$=\frac{1}{2}\left\{\left(\frac{10\cdot11}{2}\right)^2+\frac{10\cdot11\cdot21}{6}\right\}$$
$$=1705$$

답 ③

1722

$\sum_{k=1}^{8}(\sqrt{k+1}-\sqrt{k})$의 값을 구하시오.

→ $(\sqrt{2}-\sqrt{1})+(\sqrt{3}-\sqrt{2})+\cdots+(\sqrt{9}-\sqrt{8})$

$$\sum_{k=1}^{8}(\sqrt{k+1}-\sqrt{k})$$
$$=(\sqrt{2}-\sqrt{1})+(\sqrt{3}-\sqrt{2})+\cdots+(\sqrt{9}-\sqrt{8})$$
$$=\sqrt{9}-1=2$$

답 2

1723

$\sum_{k=1}^{12}\frac{1}{\sqrt{2k-1}+\sqrt{2k+1}}$의 값은?

→ $=\frac{\sqrt{2k-1}-\sqrt{2k+1}}{(\sqrt{2k-1}+\sqrt{2k+1})(\sqrt{2k-1}-\sqrt{2k+1})}$

$$\sum_{k=1}^{12}\frac{1}{\sqrt{2k-1}+\sqrt{2k+1}}$$
$$=\sum_{k=1}^{12}\frac{\sqrt{2k-1}-\sqrt{2k+1}}{(\sqrt{2k-1}+\sqrt{2k+1})(\sqrt{2k-1}-\sqrt{2k+1})}$$
$$=-\frac{1}{2}\sum_{k=1}^{12}(\sqrt{2k-1}-\sqrt{2k+1})$$
$$=-\frac{1}{2}\{(\sqrt{1}-\sqrt{3})+(\sqrt{3}-\sqrt{5})+\cdots+(\sqrt{23}-\sqrt{25})\}$$
$$=-\frac{1}{2}(\sqrt{1}-\sqrt{25})$$
$$=-\frac{1}{2}(1-5)=2$$

답 ②

1724

→ $a_n=2n+1$이므로 $a_{n+1}=2n+3$

첫째항이 3, 공차가 2인 등차수열 $\{a_n\}$에 대하여

$\sum_{k=1}^{15}\frac{\sqrt{2}}{\sqrt{a_k-1}+\sqrt{a_{k+1}-1}}$의 값을 구하시오.

첫째항이 3, 공차가 2인 등차수열의 일반항은

$a_n=3+2(n-1)=2n+1$이고 $a_{n+1}=2n+3$이다.

$$\sum_{k=1}^{15}\frac{\sqrt{2}}{\sqrt{a_k-1}+\sqrt{a_{k+1}-1}}$$
$$=\sum_{k=1}^{15}\frac{\sqrt{2}}{\sqrt{2k}+\sqrt{2k+2}}$$
$$=\sum_{k=1}^{15}\frac{1}{\sqrt{k}+\sqrt{k+1}}$$
$$=\sum_{k=1}^{15}(\sqrt{k+1}-\sqrt{k})$$
$$=(\sqrt{2}-1)+(\sqrt{3}-\sqrt{2})+\cdots+(\sqrt{16}-\sqrt{15})$$
$$=-1+4=3$$

답 3

1725

→ 주어진 수열의 일반항을 구하면 $a_n=\sqrt{n}+\sqrt{n+1}$이다.

$a_1=1+\sqrt{2},\ a_2=\sqrt{2}+\sqrt{3},\ a_3=\sqrt{3}+\sqrt{4},\ \cdots$인 수열 $\{a_n\}$에서

$\sum_{k=1}^{n}\frac{1}{a_k}=5$를 만족하는 자연수 n의 값은?

$a_n=\sqrt{n}+\sqrt{n+1}$이므로

$$\sum_{k=1}^{n}\frac{1}{a_k}=\sum_{k=1}^{n}\frac{1}{\sqrt{k+1}+\sqrt{k}}$$
$$=\sum_{k=1}^{n}\frac{(\sqrt{k+1}-\sqrt{k})}{(\sqrt{k+1}+\sqrt{k})(\sqrt{k+1}-\sqrt{k})}$$

$=\sum_{k=1}^{n}(\sqrt{k+1}-\sqrt{k})$

$=(\sqrt{2}-\sqrt{1})+(\sqrt{3}-\sqrt{2})+\cdots+(\sqrt{n+1}-\sqrt{n})$

$=\sqrt{n+1}-1$

즉, $\sqrt{n+1}-1=5$에서 $\sqrt{n+1}=6$

$n+1=36$

$\therefore n=35$

답 ①

1726

> 수열 $\{a_n\}$은 첫째항이 1, 공차가 1인 등차수열일 때,
> $\frac{1}{\sqrt{a_2}+\sqrt{a_1}}+\frac{1}{\sqrt{a_3}+\sqrt{a_2}}+\frac{1}{\sqrt{a_4}+\sqrt{a_3}}+\cdots+\frac{1}{\sqrt{a_{100}}+\sqrt{a_{99}}}$
> 의 값은?
> • $=\sum_{k=1}^{99}\frac{1}{\sqrt{a_{k+1}}+\sqrt{a_k}}$임을 이용하자.

$\frac{1}{\sqrt{a_{k+1}}+\sqrt{a_k}}=\frac{\sqrt{a_{k+1}}-\sqrt{a_k}}{(\sqrt{a_{k+1}}+\sqrt{a_k})(\sqrt{a_{k+1}}-\sqrt{a_k})}$

$=\frac{\sqrt{a_{k+1}}-\sqrt{a_k}}{a_{k+1}-a_k}$

$=\sqrt{a_{k+1}}-\sqrt{a_k}\ (\because a_{k+1}-a_k=1)$

이고, $a_n=n$이므로

$\frac{1}{\sqrt{a_2}+\sqrt{a_1}}+\frac{1}{\sqrt{a_3}+\sqrt{a_2}}+\frac{1}{\sqrt{a_4}+\sqrt{a_3}}+\cdots+\frac{1}{\sqrt{a_{100}}+\sqrt{a_{99}}}$

$=\sum_{k=1}^{99}\frac{1}{\sqrt{a_{k+1}}+\sqrt{a_k}}=\sum_{k=1}^{99}(\sqrt{a_{k+1}}-\sqrt{a_k})$

$=\sum_{k=1}^{99}(\sqrt{k+1}-\sqrt{k})$

$=(\sqrt{2}-\sqrt{1})+(\sqrt{3}-\sqrt{2})+\cdots+(\sqrt{100}-\sqrt{99})$

$=\sqrt{100}-\sqrt{1}$

$=10-1=9$

답 ④

1727

> 수열 $\{a_n\}$의 일반항 a_n이 $a_n=\frac{1}{\sqrt{n+1}+\sqrt{n+2}}$이고,
> 첫째항부터 제n항까지의 합이 $\sqrt{2}$일 때, n의 값은?
> 분모와 분자에 $\sqrt{n+1}-\sqrt{n+2}$를 각각 곱하여 분모를 유리화하자.

$a_n=\frac{1}{\sqrt{n+1}+\sqrt{n+2}}$

$=\frac{\sqrt{n+1}-\sqrt{n+2}}{(\sqrt{n+1}+\sqrt{n+2})(\sqrt{n+1}-\sqrt{n+2})}$

$=\frac{\sqrt{n+1}-\sqrt{n+2}}{(n+1)-(n+2)}=-(\sqrt{n+1}-\sqrt{n+2})$

$=\sqrt{n+2}-\sqrt{n+1}$

첫째항부터 제n항까지의 합은

$\sum_{k=1}^{n}(\sqrt{k+2}-\sqrt{k+1})$

$=(\sqrt{3}-\sqrt{2})+(\sqrt{4}-\sqrt{3})+\cdots+(\sqrt{n+2}-\sqrt{n+1})$

$=\sqrt{n+2}-\sqrt{2}=\sqrt{2}$

에서 $\sqrt{n+2}=2\sqrt{2}$

$n+2=8\qquad\therefore n=6$

답 ②

1728

> $\sum_{k=2}^{n}\frac{1}{k(k-1)}$의 값은?
> • 부분분수로 분리하면 $\frac{1}{k-1}-\frac{1}{k}$이다.

$\sum_{k=2}^{n}\frac{1}{k(k-1)}=\sum_{k=2}^{n}\left(\frac{1}{k-1}-\frac{1}{k}\right)$

$=\left(\frac{1}{1}-\frac{1}{2}\right)+\left(\frac{1}{2}-\frac{1}{3}\right)+\cdots+\left(\frac{1}{n-1}-\frac{1}{n}\right)$

$=1-\frac{1}{n}=\frac{n-1}{n}$

답 ②

1729

> $\sum_{k=2}^{10}\frac{1}{k^2-1}$의 값은?
> • $=\frac{1}{(k-1)(k+1)}=\frac{1}{2}\left(\frac{1}{k-1}-\frac{1}{k+1}\right)$

$\sum_{k=2}^{10}\frac{1}{k^2-1}=\sum_{k=2}^{10}\frac{1}{(k-1)(k+1)}$

$=\sum_{k=2}^{10}\frac{1}{2}\left(\frac{1}{k-1}-\frac{1}{k+1}\right)$

$=\frac{1}{2}\left\{\left(\frac{1}{1}-\frac{1}{3}\right)+\left(\frac{1}{2}-\frac{1}{4}\right)+\left(\frac{1}{3}-\frac{1}{5}\right)+\cdots\right.$

$\left.+\left(\frac{1}{8}-\frac{1}{10}\right)+\left(\frac{1}{9}-\frac{1}{11}\right)\right\}$

$=\frac{1}{2}\left(\frac{1}{1}+\frac{1}{2}-\frac{1}{10}-\frac{1}{11}\right)=\frac{36}{55}$

답 ③

1730

> 이차방정식 $x^2-x+n(n+1)=0$의 두 근을 α_n, β_n이라 할 때,
> $\sum_{n=1}^{100}\left(\frac{1}{\alpha_n}+\frac{1}{\beta_n}\right)$의 값은?
> • 근과 계수의 관계에 의하여 $\alpha_n+\beta_n=1$, $\alpha_n\beta_n=n(n+1)$

이차방정식 $x^2-x+n(n+1)=0$의 두 근이 α_n, β_n이므로 근과 계수의 관계에 의하여

$\alpha_n+\beta_n=1$, $\alpha_n\beta_n=n(n+1)$

$\therefore \sum_{n=1}^{100}\left(\frac{1}{\alpha_n}+\frac{1}{\beta_n}\right)=\sum_{n=1}^{100}\frac{\alpha_n+\beta_n}{\alpha_n\beta_n}$

$=\sum_{n=1}^{100}\frac{1}{n(n+1)}$

$=\sum_{n=1}^{100}\left(\frac{1}{n}-\frac{1}{n+1}\right)$

$=\left(\frac{1}{1}-\frac{1}{2}\right)+\left(\frac{1}{2}-\frac{1}{3}\right)+\cdots+\left(\frac{1}{100}-\frac{1}{101}\right)$

$=1-\frac{1}{101}=\frac{100}{101}$

답 ③

1731

> 수열 $\{a_n\}$의 첫째항부터 제n항까지의 합이 $S_n=n^2+2n$일 때, $\sum_{k=1}^{50} \frac{1}{a_{k-1}a_k}$의 값을 구하시오.
> $a_1=S_1$, $a_n=S_n-S_{n-1}(n\ge2)$임을 이용하자.

$S_n=n^2+2n$에서

$S_n-S_{n-1}=a_n$ $(n\ge2)$이므로

$a_n=n^2+2n-(n-1)^2-2(n-1)$

$=2n+1$ $(n\ge2)$

이때, $S_1=a_1=3$이므로 $a_n=2n+1$

$$\sum_{k=1}^{50} \frac{1}{a_{k-1}a_k}=\sum_{k=1}^{50} \frac{1}{(2k-1)(2k+1)}$$
$$=\frac{1}{2}\sum_{k=1}^{50}\left(\frac{1}{2k-1}-\frac{1}{2k+1}\right)$$
$$=\frac{1}{2}\left\{\left(1-\frac{1}{3}\right)+\left(\frac{1}{3}-\frac{1}{5}\right)+\cdots+\left(\frac{1}{99}-\frac{1}{101}\right)\right\}$$
$$=\frac{1}{2}\left(1-\frac{1}{101}\right)$$
$$=\frac{1}{2}\times\frac{100}{101}=\frac{50}{101}$$

답 $\frac{50}{101}$

1732

> $\sum_{k=1}^{n} a_k=2n^2+n$일 때, $\sum_{k=1}^{10} \frac{1}{a_k a_{k+1}}=\frac{q}{p}$이다. 서로소인 자연수 p, q에 대하여 $p+q$의 값은?
> $S_n=2n^2+n$
> $a_1=S_1$, $a_n=S_n-S_{n-1}(n\ge2)$임을 이용하자.

첫째항부터 제n항까지의 합을 S_n이라 하면

$S_n=\sum_{k=1}^{n} a_k=2n^2+n$이므로

$n\ge2$일 때,

$a_n=S_n-S_{n-1}=2n^2+n-\{2(n-1)^2+(n-1)\}$

$=4n-1$ $(n\ge2)$ ······ ㉠

$n=1$일 때, $a_1=S_1=2\cdot1^2+1=3$

$a_1=3$은 ㉠에 $n=1$을 대입한 것과 같으므로 $a_n=4n-1$

$$\therefore \sum_{k=1}^{10} \frac{1}{a_k a_{k+1}}=\sum_{k=1}^{10} \frac{1}{(4k-1)(4k+3)}$$
$$=\frac{1}{4}\sum_{k=1}^{10}\left(\frac{1}{4k-1}-\frac{1}{4k+3}\right)$$
$$=\frac{1}{4}\left\{\left(\frac{1}{3}-\frac{1}{7}\right)+\left(\frac{1}{7}-\frac{1}{11}\right)+\cdots+\left(\frac{1}{39}-\frac{1}{43}\right)\right\}$$
$$=\frac{1}{4}\left(\frac{1}{3}-\frac{1}{43}\right)=\frac{10}{129}$$

따라서 $p=129$, $q=10$이므로 $p+q=139$

답 ①

1733

> 자연수 n에 대하여 다항식 $f(x)=x^2+4x+3$을 $x-n$으로 나눈 나머지를 a_n이라 할 때, $\sum_{k=1}^{7} \frac{90}{a_k}$의 값을 구하시오.
> $a_n=f(n)=(n+1)(n+3)$

$f(x)=x^2+4x+3$을 $x-n$으로 나눈 나머지를 a_n이라 하면

$a_n=f(n)=n^2+4n+3=(n+1)(n+3)$

$$\sum_{k=1}^{7} \frac{90}{a_k}=\sum_{k=1}^{7} \frac{90}{(k+1)(k+3)}$$
$$=\frac{90}{2}\sum_{k=1}^{7}\left(\frac{1}{k+1}-\frac{1}{k+3}\right)$$
$$=\frac{90}{2}\left\{\left(\frac{1}{2}-\frac{1}{4}\right)+\left(\frac{1}{3}-\frac{1}{5}\right)+\cdots+\left(\frac{1}{7}-\frac{1}{9}\right)+\left(\frac{1}{8}-\frac{1}{10}\right)\right\}$$
$$=\frac{90}{2}\left(\frac{1}{2}+\frac{1}{3}-\frac{1}{9}-\frac{1}{10}\right)=28$$

답 28

1734

> 다음 수열의 합이 $\frac{b}{a}$일 때, $a+b$의 값은?
> (단, a, b는 서로소인 자연수이다.)
>
> $$\frac{1}{1\cdot2}+\frac{1}{2\cdot3}+\frac{1}{3\cdot4}+\cdots+\frac{1}{10\cdot11}$$
>
> $\sum_{k=1}^{10}\frac{1}{k(k+1)}$

$$\frac{1}{1\cdot2}+\frac{1}{2\cdot3}+\frac{1}{3\cdot4}+\cdots+\frac{1}{10\cdot11}$$
$$=\sum_{k=1}^{10}\frac{1}{k(k+1)}=\sum_{k=1}^{10}\left(\frac{1}{k}-\frac{1}{k+1}\right)$$
$$=\left(\frac{1}{1}-\frac{1}{2}\right)+\left(\frac{1}{2}-\frac{1}{3}\right)+\left(\frac{1}{3}-\frac{1}{4}\right)+\cdots+\left(\frac{1}{10}-\frac{1}{11}\right)$$
$$=1-\frac{1}{11}=\frac{10}{11}$$

따라서 $a=11$, $b=10$이므로

$a+b=21$

답 ⑤

1735

> 수열 $1, \frac{1}{1+2}, \frac{1}{1+2+3}, \cdots, \frac{1}{1+2+3+\cdots+n}, \cdots$
> 의 첫째항부터 제20항까지의 합은?
> 주어진 수열의 일반항을 구하면 $a_n=\frac{1}{\frac{n(n+1)}{2}}$이다.

주어진 수열의 일반항 a_n은

$$a_n=\frac{1}{1+2+3+\cdots+n}=\frac{1}{\frac{n(n+1)}{2}}$$
$$=\frac{2}{n(n+1)}=2\left(\frac{1}{n}-\frac{1}{n+1}\right)$$

따라서 첫째항부터 제20항까지의 합은

$$\sum_{k=1}^{20} a_k=\sum_{k=1}^{20} 2\left(\frac{1}{k}-\frac{1}{k+1}\right)$$
$$=2\left\{\left(\frac{1}{1}-\frac{1}{2}\right)+\left(\frac{1}{2}-\frac{1}{3}\right)+\cdots+\left(\frac{1}{20}-\frac{1}{21}\right)\right\}$$
$$=2\left(1-\frac{1}{21}\right)=\frac{40}{21}$$

답 ②

1736

> $\frac{2}{3^2-1}+\frac{2}{5^2-1}+\frac{2}{7^2-1}+\cdots+\frac{2}{21^2-1}$ 의 값은?
>
> └ $\sum_{k=1}^{10}\frac{2}{(2k+1)^2-1}$

$\frac{2}{3^2-1}+\frac{2}{5^2-1}+\frac{2}{7^2-1}+\cdots+\frac{2}{21^2-1}$

$=\sum_{k=1}^{10}\frac{2}{(2k+1)^2-1}=\sum_{k=1}^{10}\frac{2}{(2k+1-1)(2k+1+1)}$

$=\sum_{k=1}^{10}\frac{2}{2k(2k+2)}=\frac{1}{2}\sum_{k=1}^{10}\frac{1}{k(k+1)}$

$=\frac{1}{2}\sum_{k=1}^{10}\left(\frac{1}{k}-\frac{1}{k+1}\right)$

$=\frac{1}{2}\left\{\left(1-\frac{1}{2}\right)+\left(\frac{1}{2}-\frac{1}{3}\right)+\cdots+\left(\frac{1}{10}-\frac{1}{11}\right)\right\}$

$=\frac{1}{2}\left(1-\frac{1}{11}\right)=\frac{5}{11}$

답 ③

1737

> 수열 $\{a_n\}$의 일반항은 $a_n=\log\left(1+\frac{1}{n}\right)$이다. $\sum_{n=1}^{99}a_n$의 값은?
>
> └ $\log\left(\frac{n+1}{n}\right)$
>
> └ $\log\left(\frac{2}{1}\times\frac{3}{2}\times\frac{4}{3}\times\cdots\times\frac{100}{99}\right)$이다.

$a_n=\log\left(1+\frac{1}{n}\right)=\log\left(\frac{n+1}{n}\right)$이므로

$\sum_{n=1}^{99}a_n=\log\frac{2}{1}+\log\frac{3}{2}+\log\frac{4}{3}+\cdots+\log\frac{100}{99}$

$=\log\left(\frac{2}{1}\times\frac{3}{2}\times\frac{4}{3}\times\cdots\times\frac{100}{99}\right)$

$=\log 100=2$

답 ②

1738

> $\sum_{k=1}^{n}\log_3\left(1+\frac{2}{2k-1}\right)=5$일 때, 자연수 n의 값을 구하시오.
>
> └ $\log_3\left(\frac{2k+1}{2k-1}\right)$임을 이용하자.

$\sum_{k=1}^{n}\log_3\left(1+\frac{2}{2k-1}\right)$

$=\sum_{k=1}^{n}\log_3\frac{2k+1}{2k-1}$

$=\log_3\frac{3}{1}+\log_3\frac{5}{3}+\log_3\frac{7}{5}+\cdots+\log_3\frac{2n+1}{2n-1}$

$=\log_3\left(\frac{3}{1}\times\frac{5}{3}\times\frac{7}{5}\times\cdots\times\frac{2n+1}{2n-1}\right)$

$=\log_3(2n+1)$

$\log_3(2n+1)=5$에서 $2n+1=3^5=243$

$\therefore n=121$

답 121

1739

> $\sum_{k=2}^{255}\log_2\{\log_k(k+1)\}$의 값을 구하시오.
>
> └ $=\log_2(\log_2 3)+\log_2(\log_3 4)+\log_2(\log_4 5)+\cdots+\log_2(\log_{255}256)$

$\sum_{k=2}^{255}\log_2\{\log_k(k+1)\}$

$=\log_2(\log_2 3)+\log_2(\log_3 4)+\log_2(\log_4 5)+\cdots+\log_2(\log_{255}256)$

$=\log_2(\log_2 3\times\log_3 4\times\cdots\times\log_{255}256)$

$=\log_2\left(\frac{\log 3}{\log 2}\times\frac{\log 4}{\log 3}\times\cdots\times\frac{\log 256}{\log 255}\right)$

$=\log_2\left(\frac{\log 256}{\log 2}\right)$

$=\log_2(\log_2 256)$

$=\log_2 8=3$

답 3

1740

> $f(n)=(3^n$의 일의 자리수)라 할 때, $\sum_{k=1}^{50}f(k)$의 값은?
>
> └ $f(1)=3, f(2)=9, f(3)=7, f(4)=1, f(5)=3, \cdots$

$f(1)=3, f(2)=9, f(3)=7, f(4)=1, f(5)=3, \cdots$

따라서 $f(n)$의 값은 3, 9, 7, 1이 반복되고

$50=4\cdot12+2$이므로

$\sum_{k=1}^{50}f(k)=(3+9+7+1)+\cdots+(3+9+7+1)+3+9$

$=20\cdot12+12=252$

답 ④

1741

> 수열 $\{a_n\}$이 다음 조건을 만족시킬 때, $\sum_{k=1}^{40}a_k$의 값을 구하시오.
>
> (가) $a_1=1$
>
> (나) $a_{k+1}=a_k+3\ (k=1, 2, 3, \cdots, 11)$ └ 수열 $\{a_n\}$은 공차가 3인 등차수열이다.
>
> (다) $a_{m+12}=a_m\ (m=1, 2, 3, \cdots)$ └ 수열 $\{a_n\}$은 $a_1, a_2, \cdots, a_{12}$가 반복된다.

조건 (가), (나)에서 수열 $\{a_n\}$은 첫째항이 1, 공차가 3인 등차수열이므로

$a_n=3n-2$

조건 (다)에서 수열 $\{a_n\}$은 $a_1, a_2, \cdots, a_{12}$가 반복되므로

$\sum_{k=1}^{40}a_k=\sum_{k=1}^{36}a_k+a_1+a_2+a_3+a_4$

$=3\sum_{k=1}^{12}(3k-2)+(1+4+7+10)$

$=3\left(3\cdot\frac{12\cdot13}{2}-2\cdot12\right)+22$

$=652$

답 652

1742

자연수 n에 대하여 n^2을 3으로 나눈 나머지를 a_n이라 할 때, $\sum_{k=1}^{m} a_k=21$을 만족하는 m의 값을 구하시오.

자연수의 제곱은 차례대로 나열해 보면 1, 4, 9, 16, 25, 36, ⋯
이 수들을 3으로 나눈 나머지는 각각 1, 1, 0, 1, 1, 0, ⋯이다.

a_1의 값은 1^2을 3으로 나눈 나머지이므로 $a_1=1$
a_2의 값은 2^2을 3으로 나눈 나머지이므로 $a_2=1$
a_3의 값은 3^2을 3으로 나눈 나머지이므로 $a_3=0$
a_4의 값은 4^2을 3으로 나눈 나머지이므로 $a_4=1$
⋮
즉, n이 3의 배수이면 $a_n=0$이고, 3의 배수가 아니면 $a_n=1$이다.

$\sum_{k=1}^{30} a_k=1+1+0+1+1+0+\cdots+1+1+0=20$

이므로 $\sum_{k=1}^{31} a_k=21$

$\therefore m=31$

답 31

1743

수열 $\{a_n\}$의 항을 차례대로 나열해 보면 0, 0, 1, 1, 1, 2, 2, 2, 3, 3, 3, 4, ⋯ 임을 알 수 있다.

임의의 자연수 n에 대하여 $\frac{n}{3}$의 정수 부분을 a_n이라 하자. 이때, $\sum_{n=1}^{99}\left(\frac{n}{3}-a_n\right)$의 값을 구하시오.

수열 $\{a_n\}$의 항을 차례대로 나열해 보면
0, 0, 1, 1, 1, 2, 2, 2, 3, 3, 3, 4, ⋯
이므로 수열 $\left\{\frac{n}{3}-a_n\right\}$의 항은 차례대로
$\frac{1}{3}, \frac{2}{3}, 0, \frac{1}{3}, \frac{2}{3}, 0, \frac{1}{3}, \frac{2}{3}, 0, \frac{1}{3}, \frac{2}{3}, 0, \cdots$이다.

$$\therefore \sum_{n=1}^{99}\left(\frac{n}{3}-a_n\right)$$
$$=\left(\frac{1}{3}+\frac{2}{3}+0\right)+\left(\frac{1}{3}+\frac{2}{3}+0\right)+\cdots+\left(\frac{1}{3}+\frac{2}{3}+0\right)$$
$$=33$$

답 33

1744

n에 1, 2, 3, 4, ⋯ 를 차례대로 대입하여 반복되는 규칙을 찾자.

$a_n=\cos\frac{2n\pi}{3}$일 때, $\sum_{n=1}^{10}\frac{a_{2n}}{a_{2n-1}+a_{2n+1}}$의 값은?

$a_1=\cos\frac{2\pi}{3}=-\frac{1}{2}$

$a_2=\cos\frac{4\pi}{3}=-\frac{1}{2}$

$a_3=\cos 2\pi=1$

$a_4=\cos\frac{8\pi}{3}=\cos\frac{2\pi}{3}=-\frac{1}{2}$

따라서 $\{a_n\}$: $-\frac{1}{2}, -\frac{1}{2}, 1, -\frac{1}{2}, -\frac{1}{2}, 1, \cdots$이므로

모든 n에 대하여 $\frac{a_{2n}}{a_{2n-1}+a_{2n+1}}=-1$이다.

$$\therefore \sum_{n=1}^{10}\frac{a_{2n}}{a_{2n-1}+a_{2n+1}}=(-1)\times 10=-10$$

답 ①

1745

수열 $\{a_n\}$에서 $a_n=\sin\frac{n\pi}{4}$일 때, $\sum_{n=1}^{32} n{a_n}^2$의 값을 구하시오.

n에 1, 2, 3, 4, ⋯ 를 차례대로 대입하여 반복되는 규칙을 찾자.

$a_1=\sin\frac{\pi}{4}=\frac{\sqrt{2}}{2}$

$a_2=\sin\frac{\pi}{2}=1$

$a_3=\sin\frac{3\pi}{4}=\frac{\sqrt{2}}{2}$

$a_4=\sin\pi=0$

$a_5=\sin\frac{5\pi}{4}=-\frac{\sqrt{2}}{2}$

⋮

따라서

${a_1}^2=\frac{1}{2}, {a_2}^2=1, {a_3}^2=\frac{1}{2}, {a_4}^2=0,$

${a_5}^2=\frac{1}{2}, {a_6}^2=1, {a_7}^2=\frac{1}{2}, {a_8}^2=0, \cdots$

$$\therefore \sum_{n=1}^{32} n{a_n}^2=1\times\frac{1}{2}+2\times 1+3\times\frac{1}{2}+\cdots+32\times 0$$
$$=(1+3+5+\cdots+31)\times\frac{1}{2}+(2+6+10+\cdots+30)\times 1$$
$$=\frac{1}{2}\times\frac{16\times(1+31)}{2}+1\times\frac{8\times(2+30)}{2}$$
$$=128+128=256$$

답 256

1746

$\sum_{i=1}^{5}\left(\sum_{j=1}^{10} 2ij\right)$의 값을 구하시오.

$=\sum_{i=1}^{5}\left(2i\sum_{j=1}^{10} j\right)$

$$\sum_{i=1}^{5}\left(\sum_{j=1}^{10} 2ij\right)=\sum_{i=1}^{5}\left(2i\sum_{j=1}^{10} j\right)=\sum_{i=1}^{5} 2\cdot i\frac{10\cdot 11}{2}$$
$$=110\sum_{i=1}^{5} i=110\cdot\frac{5\cdot 6}{2}=1650$$

답 1650

1747

$\sum_{k=1}^{5}\left\{\sum_{i=1}^{k}(i-1)\right\}$의 값은?

$=\sum_{k=1}^{5}\left(\sum_{i=1}^{k} i-\sum_{i=1}^{k} 1\right)$

$$\sum_{k=1}^{5}\left\{\sum_{i=1}^{k}(i-1)\right\}=\sum_{k=1}^{5}\left(\sum_{i=1}^{k} i-\sum_{i=1}^{k} 1\right)$$
$$=\sum_{k=1}^{5}\left\{\frac{k(k+1)}{2}-1\cdot k\right\}$$
$$=\frac{1}{2}\sum_{k=1}^{5}(k^2-k)$$
$$=\frac{1}{2}\left(\sum_{k=1}^{5} k^2-\sum_{k=1}^{5} k\right)$$
$$=\frac{1}{2}\left(\frac{5\cdot 6\cdot 11}{6}-\frac{5\cdot 6}{2}\right)=20$$

답 ⑤

1748

$\sum_{l=1}^{10}\left\{\sum_{k=1}^{4}(k+l+1)\right\}$의 값은?

└• $l+1$은 상수로 취급한다.

$\sum_{k=1}^{4}(k+l+1)=\sum_{k=1}^{4}k+\sum_{k=1}^{4}l+\sum_{k=1}^{4}1=\frac{4\cdot5}{2}+4l+4$

$=4l+14$

$\therefore \sum_{l=1}^{10}\{\sum_{k=1}^{4}(k+l+1)\}=\sum_{l=1}^{10}(4l+14)$

$=4\sum_{l=1}^{10}l+\sum_{l=1}^{10}14$

$=4\cdot\frac{10\cdot11}{2}+140$

$=360$

답 ②

1749

$\sum_{i=1}^{n}\left(\sum_{j=1}^{7}ij\right)=420$일 때, 자연수 n의 값은?

└• $=i\sum_{j=1}^{7}j$임을 이용하자.

$\sum_{j=1}^{7}ij=i\sum_{j=1}^{7}j=i\cdot\frac{7\cdot8}{2}=28i$

$\therefore \sum_{i=1}^{n}\left(\sum_{j=1}^{7}ij\right)=\sum_{i=1}^{n}28i=28\cdot\frac{n(n+1)}{2}=14n(n+1)=420$

이므로 $n(n+1)=30$에서

$n^2+n-30=0$, $(n+6)(n-5)=0$

$\therefore n=5$ ($\because$ n은 자연수)

답 ③

1750

$\sum_{n=1}^{8}\left\{\sum_{k=1}^{n}k(n-k)\right\}$의 값을 구하시오.

└• $=n\sum_{k=1}^{n}k-\sum_{k=1}^{n}k^2$

$\sum_{n=1}^{8}\left\{\sum_{k=1}^{n}k(n-k)\right\}$

$=\sum_{n=1}^{8}\left(n\sum_{k=1}^{n}k-\sum_{k=1}^{n}k^2\right)$

$=\sum_{n=1}^{8}\left\{n\cdot\frac{n(n+1)}{2}-\frac{n(n+1)(2n+1)}{6}\right\}$

$=\sum_{n=1}^{8}\frac{n(n+1)(n-1)}{6}=\frac{1}{6}\sum_{n=1}^{8}(n^3-n)$

$=\frac{1}{6}\left\{\left(\frac{8\cdot9}{2}\right)^2-\frac{8\cdot9}{2}\right\}=210$

답 210

1751

$\sum_{m=1}^{n}\left\{\sum_{l=1}^{m}\left(\sum_{k=1}^{l}2\right)\right\}$를 간단히 하면?

└• $=\sum_{m=1}^{n}\left(\sum_{l=1}^{m}2l\right)$

$\sum_{m=1}^{n}\left\{\sum_{l=1}^{m}\left(\sum_{k=1}^{l}2\right)\right\}=\sum_{m=1}^{n}\left(\sum_{l=1}^{m}2l\right)$

$=\sum_{m=1}^{n}2\cdot\frac{m(m+1)}{2}$

$=\sum_{m=1}^{n}(m^2+m)$

$=\frac{n(n+1)(2n+1)}{6}+\frac{n(n+1)}{2}$

$=\frac{1}{3}n(n+1)(n+2)$

답 ①

1752

$\sum_{k=1}^{n}k(n+k-1)$을 간단히 하면?

└• $\sum_{k=1}^{n}\{(n-1)k+k^2\}=(n-1)\sum_{k=1}^{n}k+\sum_{k=1}^{n}k^2$

$\sum_{k=1}^{n}k(n+k-1)$

$=\sum_{k=1}^{n}\{(n-1)k+k^2\}=(n-1)\sum_{k=1}^{n}k+\sum_{k=1}^{n}k^2$

$=(n-1)\frac{n(n+1)}{2}+\frac{n(n+1)(2n+1)}{6}$

$=\frac{1}{6}n(n+1)\{3(n-1)+(2n+1)\}$

$=\frac{1}{6}n(n+1)(5n-2)$

답 ③

1753

$(n-1)+2(n-2)+3(n-3)+\cdots+(n-2)2+(n-1)$

$=\frac{n(n+a)(n+b)}{6}$가 성립할 때, $a+b$의 값을 구하시오.

└• $=\sum_{k=1}^{n-1}k(n-k)$임을 이용하자.

(단, a, b는 상수이다.)

수열

$1\times(n-1)$, $2\times(n-2)$, $3\times(n-3)$, $\cdots$, $(n-2)\times2$, $(n-1)\times1$

에서 k번째 항은 $k\times(n-k)$이므로

$(n-1)+2(n-2)+3(n-3)+\cdots+(n-2)2+(n-1)$

$=\sum_{k=1}^{n-1}k(n-k)$

$=\sum_{k=1}^{n-1}(kn-k^2)$

$=n\times\frac{(n-1)n}{2}-\frac{(n-1)n(2n-1)}{6}$

$=\frac{n(n-1)(n+1)}{6}$

$\therefore a+b=0$

답 0

1754

> 수열
>
> $1\times n,\ 2\times(n-1),\ 3\times(n-2),\ \cdots,\ (n-1)\times 2,\ n\times 1$
>
> 의 첫째항부터 제n항까지의 합을 $f(n)$이라 할 때, $f(12)$의 값을 구하시오.
>
> └• 수열에서 k번째 항은 $k\{n-(k-1)\}$임을 이용하자.

수열

$1\times n,\ 2\times(n-1),\ 3\times(n-2),\ \cdots,\ (n-1)\times 2,\ n\times 1$

에서 k번째 항은 $k\{n-(k-1)\}$이므로

첫째항부터 제n항까지의 합

$$\begin{aligned} f(n)&=\sum_{k=1}^{n} k\{n-(k-1)\} \\ &=\sum_{k=1}^{n}(-k^2)+\sum_{k=1}^{n}(n+1)k \\ &=-\sum_{k=1}^{n}k^2+(n+1)\sum_{k=1}^{n}k \\ &=-\frac{n(n+1)(2n+1)}{6}+(n+1)\times\frac{n(n+1)}{2} \\ &=\frac{n(n+1)(n+2)}{6} \end{aligned}$$

$f(12)=\dfrac{12\times13\times14}{6}=364$

답 364

1755

> $\displaystyle\sum_{k=1}^{n}(a_{2k-1}+a_{2k})=n^2$일 때, $\displaystyle\sum_{k=1}^{10}a_k$의 값은?
>
> └• $\displaystyle\sum_{k=1}^{n}(a_{2k-1}+a_{2k})=\sum_{k=1}^{2n}a_k=n^2$이므로, $n=5$일 때 $\displaystyle\sum_{k=1}^{2\times5}a_k=5^2$

$\displaystyle\sum_{k=1}^{n}(a_{2k-1}+a_{2k})=n^2$에서

$(a_1+a_2)+(a_3+a_4)+\cdots+(a_{2n-1}+a_{2n})=n^2$

$\therefore \displaystyle\sum_{k=1}^{2n}a_k=n^2$

$\therefore \displaystyle\sum_{k=1}^{10}a_k=5^2=25$

답 ③

1756

> 등차수열 $\{a_n\}$이
>
> $$\sum_{k=1}^{n}a_{2k-1}=2n^2+n$$
>
> 을 만족시킬 때, a_{12}의 값을 구하시오.
>
> └• $\displaystyle\sum_{k=1}^{n}a_{2k-1}=a_1+a_3+a_5+\cdots+a_{2n-1}=\frac{n\{6+(n-1)2d\}}{2}$

주어진 수열 $\{a_n\}$에서 $a_1=2\times1^2+1=3$이고, 공차를 d라 하면

$$\begin{aligned} \sum_{k=1}^{n}a_{2k-1}&=a_1+a_3+a_5+\cdots+a_{2n-1} \\ &=\frac{n\{6+(n-1)2d\}}{2} \\ &=dn^2+(3-d)n=2n^2+n \end{aligned}$$

$\therefore d=2$

$\therefore a_{12}=3+11\times2=25$

답 25

1757

> 등차수열 $\{a_n\}$에 대하여 $\displaystyle\sum_{k=1}^{n}a_{2k-1}=4n^2-3n$을 만족시킬 때, $\displaystyle\sum_{k=1}^{10}a_{2k}$의 값을 구하시오.
>
> └• $n=1$을 대입하면 $a_1=1$을 얻고, $n=2$를 대입하면 $a_1+a_3=10$을 얻는다.

$\displaystyle\sum_{k=1}^{n}a_{2k-1}=4n^2-3n$에서

$n=1$을 대입하면 $a_1=1$이고,

$n=2$를 대입하면 $a_1+a_3=10$이므로

$a_1=1,\ a_3=9$이다.

즉, 등차수열 $\{a_n\}$의 첫째항은 1이고 공차는 4이다.

$\therefore a_n=4n-3$

따라서 $a_{2n}=8n-3$

$\displaystyle\sum_{k=1}^{10}a_{2k}=\sum_{k=1}^{10}(8k-3)=8\times\frac{10\times11}{2}-30=410$

답 410

1758

> $\displaystyle\sum_{k=1}^{10}a_k=16,\ \sum_{k=1}^{5}a_{2k}=7$일 때, $\displaystyle\sum_{k=1}^{5}a_{2k-1}$의 값은?
>
> $\displaystyle\sum_{k=1}^{n}(a_{2k-1}+a_{2k})=\sum_{k=1}^{2n}a_k$임을 이용하자. •┘

$$\begin{aligned} \sum_{k=1}^{5}a_{2k-1}&=(a_1+a_3+a_5+a_7+a_9) \\ &=(a_1+a_2+a_3+a_4+\cdots+a_9+a_{10})-(a_2+a_4+\cdots+a_{10}) \\ &=\sum_{k=1}^{10}a_k-\sum_{k=1}^{5}a_{2k} \\ &=16-7=9 \end{aligned}$$

답 ④

1759

> 수열 $\{a_n\}$이 모든 자연수 n에 대하여
>
> $$\sum_{k=1}^{n}a_{2k-1}=3n^2-n,\ \sum_{k=1}^{2n}a_k=6n^2+n$$
>
> 을 만족시킬 때, $\displaystyle\sum_{k=1}^{24}(-1)^k a_k$의 값은?
>
> └• $-a_1+a_2-a_3+a_4-\cdots-a_{23}+a_{24}$이다.

$$\begin{aligned} \sum_{k=1}^{24}(-1)^k a_k&=-a_1+a_2-a_3+a_4-\cdots-a_{23}+a_{24} \\ &=(a_1+a_2+a_3+\cdots+a_{24})-2(a_1+a_3+a_5+\cdots+a_{23}) \\ &=\sum_{k=1}^{24}a_k-2\sum_{k=1}^{12}a_{2k-1} \\ &=(6\times12^2+12)-2\times(3\times12^2-12) \\ &=36 \end{aligned}$$

답 ④

1760

> $\displaystyle\sum_{k=1}^{n}(a_{2k-1}+a_{2k})=\sum_{k=1}^{2n}a_k$임을 이용하자.
>
> 수열 $\{a_n\}$에 대하여 $\displaystyle\sum_{k=1}^{20}(a_k+a_{k+1})=40,\ \sum_{k=1}^{10}(a_{2k-1}+a_{2k})=30$일 때, $a_{21}-a_1$의 값은?

$\sum_{k=1}^{20}(a_k+a_{k+1})$
$=(a_1+a_2)+(a_2+a_3)+\cdots+(a_{20}+a_{21})$
$=a_1+2(a_2+a_3+\cdots+a_{20})+a_{21}=40$ ……㉠
$\sum_{k=1}^{10}(a_{2k-1}+a_{2k})$
$=(a_1+a_2)+(a_3+a_4)+\cdots+(a_{19}+a_{20})=30$ ……㉡
㉠−㉡을 하면 $a_2+a_3+\cdots+a_{20}+a_{21}=10$
따라서 $a_2+a_3+\cdots+a_{20}=10-a_{21}$을 ㉠에 대입하면
$a_1+2(10-a_{21})+a_{21}=40,\ a_1-a_{21}=20$
$\therefore a_{21}-a_1=-20$

답 ①

1761

$\sum_{k=1}^{n}a_k=n^2+4n$일 때, a_{13}의 값은?

$a_1=S_1,\ a_n=S_n-S_{n-1}\ (n\ge 2)$임을 이용하자.

첫째항부터 제n항까지의 합을 S_n이라 하면
$S_n=\sum_{k=1}^{n}a_k=n^2+4n$이므로
$n\ge 2$일 때,
$a_n=S_n-S_{n-1}=(n^2+4n)-\{(n-1)^2+4(n-1)\}$
$=2n+3$
$\therefore a_{13}=2\cdot 13+3=29$

답 ⑤

1762

$\sum_{k=1}^{n}a_k=n^2+2n$일 때, $\sum_{k=1}^{10}a_{2k}$의 값은?

$a_1=S_1,\ a_n=S_n-S_{n-1}\ (n\ge 2)$임을 이용하자.

첫째항부터 제n항까지의 합을 S_n이라 하면
$S_n=\sum_{k=1}^{n}a_k=n^2+2n$이므로
$n\ge 2$일 때,
$a_n=S_n-S_{n-1}=(n^2+2n)-\{(n-1)^2+2(n-1)\}$
$=2n+1$
따라서 $a_{2n}=2\cdot 2n+1=4n+1$이므로
$\sum_{k=1}^{10}a_{2k}=\sum_{k=1}^{10}(4k+1)=4\sum_{k=1}^{10}k+\sum_{k=1}^{10}1$
$=4\cdot\frac{10\cdot 11}{2}+10$
$=230$

답 ④

1763

$a_1=S_1,\ a_n=S_n-S_{n-1}\ (n\ge 2)$임을 이용하여 일반항 a_n을 구하자.

수열 $\{a_n\}$에 대하여 $\sum_{k=1}^{n}a_k=n^2+2n$일 때, $\sum_{k=1}^{10}ka_{3k}$의 값은?

첫째항부터 제n항까지의 합을 S_n이라 하면
$\sum_{k=1}^{n}a_k=S_n=n^2+2n$이므로
(i) $n\ge 2$일 때,
$a_n=S_n-S_{n-1}$
$=(n^2+2n)-\{(n-1)^2+2(n-1)\}$
$=2n+1$ ……㉠
(ii) $n=1$일 때, $a_1=S_1=1^2+2\cdot 1=3$
이때, $a_1=3$은 ㉠에 $n=1$을 대입한 것과 같으므로
$a_n=2n+1$
$\therefore \sum_{k=1}^{10}ka_{3k}=\sum_{k=1}^{10}k(2\cdot 3k+1)$
$=\sum_{k=1}^{10}(6k^2+k)$
$=6\sum_{k=1}^{10}k^2+\sum_{k=1}^{10}k$
$=6\cdot\frac{10\cdot 11\cdot 21}{6}+\frac{10\cdot 11}{2}=2365$

답 ①

1764

수열 $\{a_n\}$에 대하여 $\sum_{k=1}^{n}a_k=n^2$일 때, $\sum_{k=1}^{10}a_k^2$의 값은?

먼저 a_n을 구한 뒤 제곱하자.

첫째항부터 제n항까지의 합을 S_n이라 하면
$\sum_{k=1}^{n}a_k=S_n=n^2$이므로
(i) $n\ge 2$일 때,
$a_n=S_n-S_{n-1}$
$=n^2-(n-1)^2$
$=2n-1$ ……㉠
(ii) $n=1$일 때, $a_1=S_1=1^2=1$
이때, $a_1=1$은 ㉠에 $n=1$을 대입한 것과 같으므로
$a_n=2n-1$
$\therefore \sum_{k=1}^{10}a_k^2=\sum_{k=1}^{10}(2k-1)^2$
$=\sum_{k=1}^{10}(4k^2-4k+1)$
$=4\sum_{k=1}^{10}k^2-4\sum_{k=1}^{10}k+\sum_{k=1}^{10}1$
$=4\cdot\frac{10\cdot 11\cdot 21}{6}-4\cdot\frac{10\cdot 11}{2}+1\cdot 10$
$=1330$

답 ③

1765

수열 $\{a_n\}$에 대하여
$$\frac{a_1}{2}+\frac{a_2}{3}+\frac{a_3}{4}+\cdots+\frac{a_n}{n+1}=\frac{6n}{n+1}\ (n=1, 2, 3, \cdots)$$
일 때, $\sum_{k=1}^{12}k^2a_k$의 값을 구하시오.

$T_n=\frac{a_1}{2}+\frac{a_2}{3}+\frac{a_3}{4}+\cdots+\frac{a_n}{n+1}=\frac{6_n}{n+1}$이라 하면 $T_{n-1}=\frac{a_1}{2}+\frac{a_2}{3}+\frac{a_3}{4}+\cdots+\frac{a_{n-1}}{n}=\frac{6(n-1)}{n}$, 이때 T_n-T_{n-1}을 계산하자.

$$\frac{a_1}{2}+\frac{a_2}{3}+\frac{a_3}{4}+\cdots+\frac{a_n}{n+1}=\frac{6n}{n+1} \quad \cdots\cdots ㉠$$

에서 n대신 $n-1$을 대입하면

$$\frac{a_1}{2}+\frac{a_2}{3}+\frac{a_3}{4}+\cdots+\frac{a_{n-1}}{n}=\frac{6(n-1)}{n} \quad \cdots\cdots ㉡$$

㉠－㉡을 하면

$$\frac{a_n}{n+1}=\frac{6n}{n+1}-\frac{6n-6}{n}$$

양변에 $n(n+1)$을 곱하면

$na_n=6n^2-6(n^2-1)$

$\therefore a_n=\frac{6}{n}$

따라서 $\sum_{k=1}^{12} k^2a_k=\sum_{k=1}^{12} 6k=6\times\frac{12\times13}{2}=468$

답 468

1766

수열 $\{a_n\}$의 첫째항부터 제n항까지의 합을 S_n이라 할 때,

$$\sum_{k=1}^{n}\frac{S_k}{2k-1}=n^2+2n \ (n=1, 2, 3, \cdots)$$

이 성립한다. 이때, a_{10}의 값은?

$\frac{S_n}{2n-1}=\sum_{k=1}^{n}\frac{S_k}{2k-1}-\sum_{k=1}^{n-1}\frac{S_k}{2k-1}$임을 이용하자.

$$\frac{S_n}{2n-1}=\sum_{k=1}^{n}\frac{S_k}{2k-1}-\sum_{k=1}^{n-1}\frac{S_k}{2k-1}$$
$$=(n^2+2n)-\{(n-1)^2+2(n-1)\}$$
$$=2n+1 \ (n\ge2)$$

$\therefore S_n=(2n-1)(2n+1)=4n^2-1$

$\therefore a_{10}=S_{10}-S_9=(4\cdot10^2-1)-(4\cdot9^2-1)=76$

답 ③

1767

첫째항이 3인 등차수열 $\{a_n\}$에 대하여 $\sum_{n=1}^{10}(a_{5n}-a_n)=440$일 때, $\sum_{n=1}^{10}a_n$의 값을 구하시오.

$a_n=3+(n-1)d$, $a_{5n}=3+(5n-1)d$ 이므로 $a_{5n}-a_n=4dn$

등차수열 $\{a_n\}$의 공차를 d라 하면 일반항은

$a_n=3+(n-1)d$

$a_{5n}-a_n=4dn$이므로

$\sum_{n=1}^{10}4dn=4d\times\frac{10\times11}{2}=220d=440$

$d=2$이므로 $a_n=2n+1$

따라서 $\sum_{n=1}^{10}a_n=\sum_{n=1}^{10}(2n+1)=120$

답 120

1768

첫째항이 2, 공차가 4인 등차수열 $\{a_n\}$에 대하여

$\sum_{k=1}^{n}a_kb_k=4n^3+3n^2-n$일 때, b_5의 값을 구하시오.

$a_5b_5=\sum_{k=1}^{5}a_kb_k-\sum_{k=1}^{4}a_kb_k$임을 이용하자.

등차수열 $\{a_n\}$의 첫째항이 2, 공차가 4이므로

일반항 $a_n=4n-2$, $a_5=18$

$a_5b_5=\sum_{k=1}^{5}a_kb_k-\sum_{k=1}^{4}a_kb_k=570-300=270$

따라서 $b_5=\frac{270}{18}=15$

답 15

1769

첫째항이 양수이고 공비가 -2인 등비수열 $\{a_n\}$에 대하여

$$\sum_{k=1}^{9}(|a_k|+a_k)=66$$

일 때, a_1의 값을 구하시오.

$a_{2n-1}>0$이고 $a_{2n}<0$임을 이용하자.

등비수열 $\{a_n\}$의 첫째항이 양수, 공비가 음수이므로

$a_{2n-1}>0$에서 $|a_{2n-1}|+a_{2n-1}=2a_{2n-1}$이고

$a_{2n}<0$에서 $|a_{2n}|+a_{2n}=0$이다.

수열 $\{a_{2n-1}\}$은 첫째항이 a_1, 공비가 $(-2)^2=4$인 등비수열이므로

$$\sum_{k=1}^{9}(|a_k|+a_k)=2(a_1+a_3+a_5+a_7+a_9)$$
$$=2\times\frac{a_1(4^5-1)}{4-1}$$
$$=2\times\frac{1023\times a_1}{3}$$
$$=682a_1$$

따라서 $682a_1=66$이므로 $a_1=\frac{3}{31}$

답 $\frac{3}{31}$

1770

첫째항이 자연수이고 공차가 음수인 등차수열 $\{a_n\}$이 다음 조건을 만족시킬 때, a_1의 값을 구하시오.

(가) $|a_5|+|a_6|=|a_5+a_6|+2$

(나) $\sum_{n=1}^{6}|a_n|=37$

$|a_5|+|a_6|>|a_5+a_6|$이고 공차가 음수이므로 $a_5>0$, $a_6<0$이다.

조건 (가)에서 $|a_5|+|a_6|=|a_5+a_6|+2$이고 공차가 음수이므로

$a_5>0$, $a_6<0$이다.

이 수열의 공차를 d라 하면

$(a_1+4d)-(a_1+5d)=|2a_1+9d|+2$

$|2a_1+9d|=-d-2$이므로

$2a_1+9d=d+2$, $a_1+4d=1$ $\cdots\cdots$ ㉠

또는 $2a_1+9d=-d-2$, $a_1+5d=-1$ $\cdots\cdots$ ㉡

조건 (나)에서

$$\sum_{n=1}^{6}|a_n|=\sum_{n=1}^{5}a_n-a_6$$
$$=\frac{5(2a_1+4d)}{2}-a_1-5d=37$$

에서 $4a_1+5d=37$ $\cdots\cdots$ ㉢

㉠, ㉢에서 $a_1=13$

㉡, ㉢에서 $a_1=\frac{38}{3}$은 자연수가 아니다.

따라서 $a_1=13$

답 13

1771

첫째항이 2이고 공비가 정수인 등비수열 $\{a_n\}$과 자연수 m이 다음 조건을 만족시킬 때, a_m의 값을 구하시오. → $a_n=2r^{n-1}$이라 하자.

(가) $4<a_2+a_3\leq 12$ → $2<r+r^2\leq 6$이다.
(나) $\sum_{k=1}^{m} a_k=122$

등비수열 $\{a_n\}$의 공비를 r (r는 정수)라 하면
첫째항이 2이므로 $a_n=2r^{n-1}$
$a_2=2r$, $a_3=2r^2$이므로
조건 (가)에서
$4<2r+2r^2\leq 12$, 즉 $2<r+r^2\leq 6$
$r^2+r>2$에서
$r^2+r-2=(r+2)(r-1)>0$이므로
$r<-2$ 또는 $r>1$ ⋯⋯ ㉠
$r^2+r\leq 6$에서
$r^2+r-6=(r+3)(r-2)\leq 0$이므로
$-3\leq r\leq 2$ ⋯⋯ ㉡
㉠, ㉡에서
$-3\leq r<-2$ 또는 $1<r\leq 2$
r는 정수이므로 $r=-3$ 또는 $r=2$
(i) $r=2$인 경우
조건 (나)에서

$$\sum_{k=1}^{m} a_k=\sum_{k=1}^{m}(2\times 2^{k-1})=\frac{2(2^m-1)}{2-1}=2(2^m-1)$$

$2(2^m-1)=122$에서
$2^m-1=61$, $2^m=62$
이때 $2^m=62$를 만족시키는 m의 값은 존재하지 않는다.
(ii) $r=-3$인 경우
조건 (나)에서

$$\sum_{k=1}^{m} a_k=\sum_{k=1}^{m}\{2\times(-3)^{k-1}\}=\frac{2\{1-(-3)^m\}}{1-(-3)}=\frac{1-(-3)^m}{2}$$

$\frac{1-(-3)^m}{2}=122$에서
$1-(-3)^m=244$
$(-3)^m=-243$
즉, $(-3)^m=(-3)^5$이므로 $m=5$
(i), (ii)에 의하여 $r=-3$, $m=5$이므로
$a_m=a_5=2\times(-3)^4=162$

답 162

1772

자연수로 이루어진 수열 $\{a_n\}$이 다음 조건을 만족시킬 때, a_1의 최댓값은?

(가) $a_{10}\leq 5120$
(나) n이 2 이상의 자연수일 때, $a_n=8+\sum_{k=1}^{n-1} a_k$이다.

→ $a_2=8+a_1$, $a_3=8+(a_1+a_2)=2a_2$, $a_4=8+(a_1+a_2+a_3)=2a_3=2^2a_2$, ⋯

조건 (나)에서
$a_2=8+a_1$
$a_3=8+(a_1+a_2)=2a_2$
$a_4=8+(a_1+a_2+a_3)=2a_3=2^2a_2$
⋮
$a_{10}=2^8a_2$
조건 (가)에 의해 $a_{10}=2^8a_2\leq 5120$
$a_2=8+a_1\leq 20$
$a_1\leq 12$
따라서 a_1의 최댓값은 12이다.

답 ④

다른풀이 $S_n=\sum_{k=1}^{n} a_k$라 하면 조건 (나)에 의해
$a_n=8+S_{n-1}$ $(n\geq 2)$ ⋯⋯ ㉠
㉠에 n대신 $n+1$을 대입하면
$a_{n+1}=8+S_n$ ⋯⋯ ㉡
㉡$-$㉠을 하면
$a_{n+1}-a_n=S_n-S_{n-1}$
$=a_n$ $(n\geq 2)$
$a_{n+1}=2a_n$ $(n\geq 2)$
$\therefore a_n=a_2\cdot 2^{n-2}$ $(n\geq 2)$
조건 (가)에 의해 $a_{10}=2^8a_2\leq 5120$
$a_2=8+a_1\leq 20$
$a_1\leq 12$
따라서 a_1의 최댓값은 12이다.

1773

수열 $\{a_n\}$은 다음 조건을 모두 만족한다.

(가) $a_1=10$
(나) $a_1+2a_2+\cdots+na_n=\frac{1}{2}n(n+1)a_{n+1}+1$
$(n=1, 2, 3, \cdots)$

이때, a_{100}의 값을 구하시오.

→ $T_n=a_1+2a_2+\cdots+na_n=\frac{1}{2}n(n+1)a_{n+1}+1$이라 하면
$T_{n-1}=a_1+2a_2+\cdots+(n-1)a_{n-1}=\frac{1}{2}(n-1)na_n+1$,
이때 T_n-T_{n-1}을 계산하자.

조건 (나)에서

$a_1+2a_2+\cdots+(n-1)a_{n-1}+na_n=\frac{1}{2}n(n+1)a_{n+1}+1$ ⋯⋯ ㉠

$a_1+2a_2+\cdots+(n-1)a_{n-1}=\frac{1}{2}(n-1)na_n+1$ ······ㄴ

ㄱ−ㄴ을 하면

$na_n=\frac{1}{2}\{n(n+1)a_{n+1}-(n-1)na_n\}$

$n\left\{\frac{1}{2}(n+1)a_n-\frac{1}{2}(n+1)a_{n+1}\right\}=0$

$\therefore a_{n+1}=a_n\ (n\geq 2)$

한편, $a_1=a_2+1$에서 $a_2=a_1-1=9$

따라서 구하는 수열은 $a_1=10$, $a_n=9\ (n\geq 2)$

$\therefore a_{100}=9$ 답 9

1774

> 자연수 n에 대하여 2^{n-1}의 모든 양의 약수의 합을 a_n이라 할 때, $\sum_{n=1}^{8} a_n$의 값을 구하시오.
> ↳ 2^{n-1}의 모든 양의 약수는 $1, 2, 2^2, \cdots, 2^{n-1}$이다.

2^{n-1}의 모든 양의 약수: $1, 2, 2^2, \cdots, 2^{n-1}$

$a_n=1+2+\cdots+2^{n-1}=\frac{1\times(2^n-1)}{2-1}=2^n-1$

$\sum_{n=1}^{8} a_n=\sum_{n=1}^{8}(2^n-1)$

$=\sum_{n=1}^{8}2^n-\sum_{n=1}^{8}1$

$=\frac{2\times(2^8-1)}{2-1}-8$

$=2^9-2-8=502$ 답 502

1775

> 수열 $\{a_n\}$은 다음과 같이 3으로 나누어떨어지지 않는 자연수를 작은 수부터 차례로 나열한 것이다.
>
> 1, 2, 4, 5, 7, 8, ⋯
>
> 이때 $\sum_{k=1}^{30} a_k$의 값을 구하시오.
> ↳ $\sum_{k=1}^{30} a_k=\sum_{k=1}^{45} k-\sum_{k=1}^{15} 3k$

주어진 수열은 3의 배수를 함께 생각하면

1, 2, ❸, 4, 5, ❻, ⋯, 44, ㊺

$\sum_{k=1}^{30} a_k=\sum_{k=1}^{45} k-\sum_{k=1}^{15} 3k$

$=\frac{45\times 46}{2}-3\times\frac{15\times 16}{2}$

$=1035-360=675$ 답 675

1776

> 자연수 n에 대하여 10^n의 모든 약수 중에서 홀수인 약수의 개수를 $f(n)$, 짝수인 약수의 개수를 $g(n)$이라 할 때, $\sum_{n=1}^{10}\{g(n)-f(n)\}$의 값은?
> ↳ 10^n을 소인수분해하면 2^n5^n이므로 홀수인 약수의 개수는 5^n의 약수의 개수이다.

10^n을 소인수분해하면 2^n5^n이므로 홀수인 약수의 개수는 5^n의 약수의 개수이다.

$\therefore f(n)=n+1$

한편, 짝수인 약수의 개수는 10^n의 모든 약수의 개수에서 홀수인 약수의 개수를 빼면 되므로

$g(n)=(n+1)^2-(n+1)$

$\therefore g(n)-f(n)=(n+1)^2-(n+1)-(n+1)=n^2-1$

$\therefore \sum_{n=1}^{10}(n^2-1)=\frac{10\cdot 11\cdot 21}{6}-10=375$ 답 ④

1777

> 수열 $a_1, a_2, a_3, \cdots, a_n$은 0, 1, 2 중 어느 하나의 값을 갖는다. $\sum_{k=1}^{n} a_k=40$, $\sum_{k=1}^{n} {a_k}^2=70$일 때, $\sum_{k=1}^{n} {a_k}^3$의 값은?
> ↳ $a_1, a_2, \cdots, a_n$중 1의 개수를 x, 2의 개수를 y라 하자.
> ↳ $=x+2y$ ↳ $=x+4y$

$a_1, a_2, a_3, \cdots, a_n$ 중 1의 개수를 x, 2의 개수를 y라고 하면

$\sum_{k=1}^{n} a_k=x+2y=40$ ······ㄱ

$\sum_{k=1}^{n} {a_k}^2=x+4y=70$ ······ㄴ

ㄱ, ㄴ을 연립하여 풀면 $x=10$, $y=15$

$\therefore \sum_{k=1}^{n} {a_k}^3=x+8y=10+120=130$ 답 ③

1778

> 이차함수 $f(x)=x^2+ax+b$가 모든 자연수 n에 대하여 $\frac{1}{n}\sum_{k=1}^{n} f(k)=\frac{1}{3}f(n)$을 만족할 때, 두 상수 a, b에 대하여 a^2+b^2의 값을 구하시오.
> ↳ $\sum_{k=1}^{n} f(k)=\sum_{k=1}^{n}(k^2+ak+b)=\frac{n(n+1)(2n+1)}{6}+a\times\frac{n(n+1)}{2}+bn$

$\sum_{k=1}^{n} f(k)=\sum_{k=1}^{n}(k^2+ak+b)$

$=\frac{n(n+1)(2n+1)}{6}+a\cdot\frac{n(n+1)}{2}+bn$

이때, $\frac{1}{n}\sum_{k=1}^{n} f(k)=\frac{1}{3}f(n)$이므로

$\frac{(n+1)(2n+1)}{6}+a\cdot\frac{n+1}{2}+b=\frac{1}{3}(n^2+an+b)$

$\frac{1}{3}n^2+\frac{a+1}{2}n+\frac{3a+6b+1}{6}=\frac{1}{3}n^2+\frac{a}{3}n+\frac{b}{3}$

모든 자연수 n에 대하여 성립하므로

$\frac{a+1}{2}=\frac{a}{3}$, $\frac{3a+6b+1}{6}=\frac{b}{3}$ $\quad\therefore a=-3, b=2$

$\therefore a^2+b^2=13$ 답 13

1779

집합

$S_n=\{(x, y) \mid x^2<y\le nx,\ x$와 y는 자연수$\}$

에 속하는 원소의 개수를 a_n $(n=1, 2, 3, \cdots)$이라 하자. 이때, $\sum_{k=2}^{10} \frac{1}{a_k}$의 값은?

└ $a_n=(n+2n+3n+\cdots+n^2)-(1^2+2^2+\cdots+n^2)$

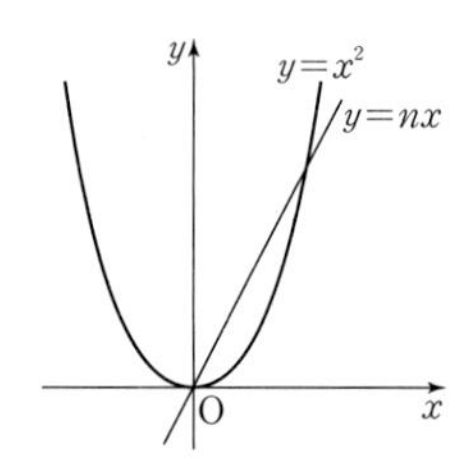

$y=x^2$과 $y=nx$의 교점은 $(0, 0)$, (n, n^2)이므로

$a_n=(n+2n+3n+\cdots+n^2)-(1^2+2^2+\cdots+n^2)$

$=\frac{n(n+1)}{2}n-\frac{n(n+1)(2n+1)}{6}$

$=\frac{n(n+1)}{6}\{3n-(2n+1)\}$

$=\frac{(n-1)n(n+1)}{6}$

$\therefore \sum_{k=2}^{10}\frac{1}{a_k}=\sum_{k=2}^{10}\frac{6}{(k-1)k(k+1)}$

$=\sum_{k=2}^{10}3\left\{\frac{1}{(k-1)k}-\frac{1}{k(k+1)}\right\}$

$=3\left\{\left(\frac{1}{1\cdot2}-\frac{1}{2\cdot3}\right)+\left(\frac{1}{2\cdot3}-\frac{1}{3\cdot4}\right)+\cdots+\left(\frac{1}{9\cdot10}-\frac{1}{10\cdot11}\right)\right\}$

$=3\left(\frac{1}{1\cdot2}-\frac{1}{10\cdot11}\right)=\frac{81}{55}$

답 ③

1780

└ $a_n=2\sqrt{(n+1)^2-n^2}=2\sqrt{2n+1}$임을 이용하자.

자연수 n에 대하여 직선 $x=n$과 원 $x^2+y^2=(n+1)^2$이 만나는 두 점 사이의 거리를 a_n이라 하자.

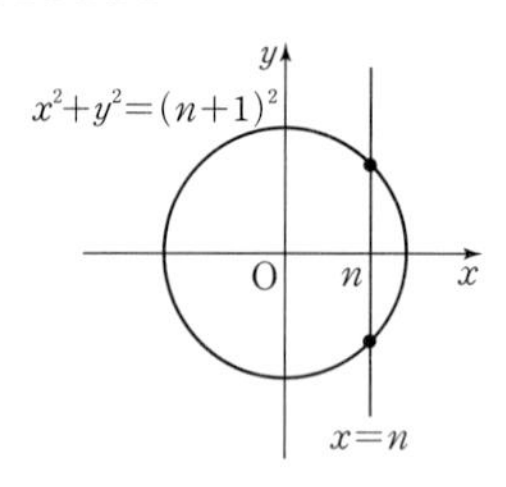

이때, $\sum_{n=2}^{37}\frac{1}{a_n+a_{n-1}}$의 값은?

$a_n=2\sqrt{(n+1)^2-n^2}=2\sqrt{2n+1}$이므로

$\frac{1}{a_n+a_{n-1}}=\frac{1}{2\sqrt{2n+1}+2\sqrt{2n-1}}$

$=\frac{1}{2}\cdot\frac{\sqrt{2n+1}-\sqrt{2n-1}}{2}=\frac{\sqrt{2n+1}-\sqrt{2n-1}}{4}$

$\therefore \sum_{n=2}^{37}\frac{1}{a_n+a_{n-1}}=\frac{1}{4}\sum_{n=2}^{37}(\sqrt{2n+1}-\sqrt{2n-1})$

$=\frac{1}{4}\{(\sqrt{5}-\sqrt{3})+(\sqrt{7}-\sqrt{5})+\cdots+(\sqrt{75}-\sqrt{73})\}$

$=\frac{1}{4}(\sqrt{75}-\sqrt{3})$

$=\frac{1}{4}(5\sqrt{3}-\sqrt{3})=\sqrt{3}$

답 ②

1781

아래 표와 같이 각 행에 일정한 간격으로 홀수들을 배열해 나간다. 이와 같은 규칙으로 계속 써 나갈 때, 자연수 51은 몇 번 나타나는지 구하시오.

└ 각 행의 일반항을 구해 보면 2행: $2n+1$, 3행: $4n+1$, 4행: $6n+1$, $\cdots$임을 알 수 있다.

1	1	1	1	1	⋯
1	3	5	7	9	⋯
1	5	9	13	17	⋯
1	7	13	19	25	⋯
1	9	17	25	33	⋯
⋮	⋮	⋮	⋮	⋮	⋱

$n=0$부터 차례대로 양의 정수를 대입할 때 각 행의 일반항을 구해 보면

제2행 : $2n+1$

제3행 : $4n+1$

제4행 : $6n+1$

제5행 : $8n+1$

⋮ ⋮

따라서 각 행은 2의 배수로 나눌 때, 나머지가 1인 수들을 나열한 것이다.

$51=50+1=2\cdot5^2+1$이므로 2, 10, 50으로 나눌 때 나머지가 1이 된다.

즉, 제2행, 제6행, 제26행에서 3번 나타난다.

답 3번

1782

다음과 같이 가운데 1을 중심으로 사각형의 안쪽에서 바깥쪽으로, 맨 아래 왼쪽부터 시계반대 방향으로 숫자를 써 나가는 판이 있다. 이 같은 규칙으로 숫자를 배열할 때, 81을 둘러싸고 있는 8개의 칸에 적힌 수들의 합은?

⋱	⋯	⋯	⋯	⋯	⋯	⋰
⋯	22	21	20	19	18	⋯
⋯	23	8	7	6	17	⋯
⋯	24	9	1	5	16	⋯
⋯	25	2	3	4	15	⋯
⋯	10	11	12	13	14	⋯
⋰	⋯	⋯	⋯	⋯	⋯	⋱

└ 1을 중심으로 같은 둘레에 있는 수들을 묶어보면 차례대로 {1}, {2, 3, ⋯, 9}, {10, 11, ⋯, 25}, {26, 27, ⋯, 49}, {50, 51, ⋯, 81}임을 알 수 있다.

1을 중심으로 같은 둘레에 있는 수들을 하나의 군으로 보면 각 군의 끝항은 $(2n-1)^2$ $(n=1, 2, 3, \cdots)$이 된다.
따라서 표와 같이 어두운 부분은 $(2n-1)^2$이 되고, 규칙에 따라 81을 둘러싸고 있는 칸을 모두 채우고 그 수들의 합을 구하면

118	79	48	25
119	80	49	10
120	81	26	27
121	50	51	52

$119+51+121+49+80+50+120+26=616$

답 ③

1783

• 가장 위층부터 각 층에 쌓인 정육면체의 개수를 차례대로 나열해 보면 $1, 1+2, 1+2+3, 1+2+3+4, \cdots$임을 알 수 있다.

그림과 같은 3층 탑을 쌓을 때, 가장 아래층을 쌓는데 필요한 정육면체의 개수는 6이다. 이와 같은 규칙으로 탑을 15층까지 쌓을 때, 가장 아래층을 쌓는데 필요한 정육면체의 개수는?

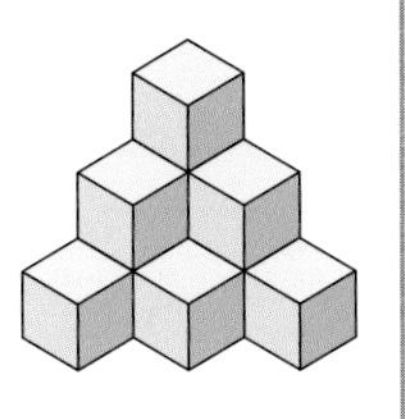

가장 위층부터 각 층에 쌓인 정육면체의 개수를 차례대로 나열하여 규칙을 찾아보면
$1, 1+2, 1+2+3, 1+2+3+4, \cdots$
따라서 n층에 쌓인 정육면체의 개수는 $\sum_{k=1}^{n} k$이므로 15층까지 쌓을 때 가장 아래층에 쌓인 정육면체의 개수는
$\sum_{k=1}^{15} k=\frac{15\cdot16}{2}=120$

답 ⑤

1784

한 변의 길이가 n인 정사각형을 한 변의 길이가 1인 정사각형으로 나누어 그림과 같이 색칠하였을 때, 한 변의 길이가 1인 정사각형 중 색칠된 것의 개수를 a_n이라 하자. 이때, $\sum_{n=1}^{20} a_n$의 값은?

• 수열 $\{a_n\}$을 나열해 보면 $1, 2, 5, 8, \cdots$이다.

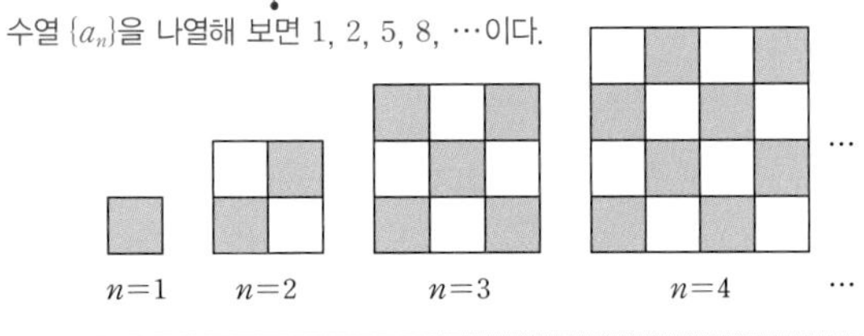

$\{a_n\}: 1, 2, 5, 8, \cdots$이므로
n이 홀수일 때, $a_n=\frac{n^2+1}{2}$
n이 짝수일 때, $a_n=\frac{n^2}{2}$

$$\begin{aligned}\therefore \sum_{n=1}^{20} a_n &= \sum_{n=1}^{10} a_{2n-1}+\sum_{n=1}^{10} a_{2n}\\ &=\sum_{n=1}^{10}\frac{(2n-1)^2+1}{2}+\sum_{n=1}^{10}\frac{(2n)^2}{2}\\ &=\sum_{n=1}^{10}(2n^2-2n+1)+\sum_{n=1}^{10}2n^2\\ &=\sum_{n=1}^{10}(4n^2-2n+1)\\ &=4\cdot\frac{10\cdot11\cdot21}{6}-2\cdot\frac{10\cdot11}{2}+10\\ &=1440\end{aligned}$$

답 ①

1785

그림과 같이 좌표평면 위에 서로 다른 세 점 $A(x_1, y_1)$, $B(x_2, y_2)$, $C(x_3, y_3)$를 꼭짓점으로 하는 $\triangle ABC$의 무게중심의 좌표가 $(-1, 5)$일 때, $\sum_{k=1}^{3}(x_k+y_k)$의 값을 구하시오.

• $\frac{x_1+x_2+x_3}{3}=-1$, $\frac{y_1+y_2+y_3}{3}=5$

$\triangle ABC$의 무게중심의 좌표가 $(-1, 5)$이므로
$\frac{x_1+x_2+x_3}{3}=-1$, $\frac{y_1+y_2+y_3}{3}=5$
$\therefore x_1+x_2+x_3=-3$, $y_1+y_2+y_3=15$
$\therefore \sum_{k=1}^{3}(x_k+y_k)=\sum_{k=1}^{3}x_k+\sum_{k=1}^{3}y_k=-3+15=12$

답 12

1786

그림과 같이 두 곡선 $y=\sqrt{x+1}$과 $y=-\sqrt{x}$가 직선 $x=k$ $(k=1, 2, 3, \cdots)$와 만나는 점을 각각 P_k, Q_k라 할 때, $\sum_{k=1}^{35}\frac{1}{\overline{P_kQ_k}}$의 값은?

• $\frac{1}{\sqrt{k+1}+\sqrt{k}}=\sqrt{k+1}-\sqrt{k}$

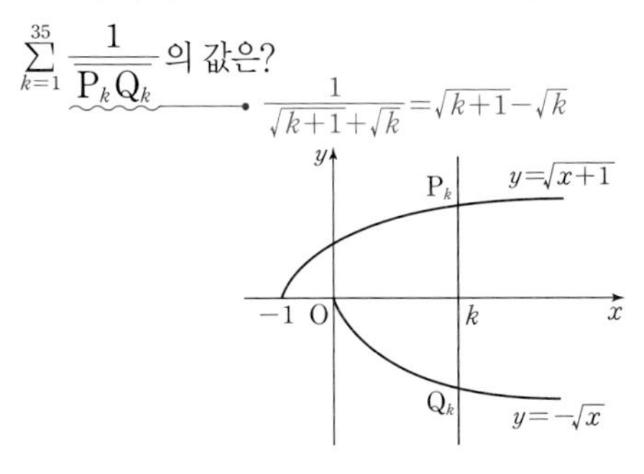

$\overline{P_kQ_k}=\sqrt{k+1}+\sqrt{k}$이므로
$\frac{1}{\overline{P_kQ_k}}=\frac{1}{\sqrt{k+1}+\sqrt{k}}=\sqrt{k+1}-\sqrt{k}$

$$\begin{aligned}\therefore \sum_{k=1}^{35}\frac{1}{\overline{P_kQ_k}} &= \sum_{k=1}^{35}(\sqrt{k+1}-\sqrt{k})\\ &=(\sqrt{2}-\sqrt{1})+(\sqrt{3}-\sqrt{2})+(\sqrt{4}-\sqrt{3})+\cdots\\ &\quad+(\sqrt{36}-\sqrt{35})\\ &=\sqrt{36}-\sqrt{1}\\ &=6-1=5\end{aligned}$$

답 ②

1787

• $n=10$을 대입하면 $x\geq0$일 때의 교점의 x좌표는 10

자연수 n에 대하여 연립부등식 $\begin{cases} y\geq x^2 \\ y\leq|x|+n^2-n \end{cases}$을 만족하는 좌표평면 위의 점 (x, y) 중에서 x좌표와 y좌표가 모두 정수인 점의 개수를 a_n이라 하자. 이때, a_{10}의 값을 구하시오.

• 자연수 k에 대하여 $x=k$일 때, x좌표와 y좌표가 모두 정수인 점의 개수는 $\{(k+90)-k^2\}+1$

$n=10$일 때, 연립부등식

$\begin{cases} y \ge x^2 \\ y \le |x|+90 \end{cases}$ 이 나타내는 영역은

그림과 같다.

$x \ge 0$일 때, $y=x^2$과 $y=x+90$의

교점의 x좌표는

$x^2=x+90$, $x^2-x-90=0$

$(x-10)(x+9)=0 \quad \therefore x=10$

따라서 자연수 k에 대하여 $x=k$일 때, 좌표평면 위의 점 (x, y) 중에서 x좌표와 y좌표가 모두 정수인 점의 개수를 b_k라 하면

$b_k=\{(k+90)-k^2\}+1=-k^2+k+91$

이고, $x=0$일 때, 좌표평면 위의 점 (x, y) 중에서 x좌표와 y좌표가 모두 정수인 점의 개수는 91이다.

$\therefore a_{10}=2\sum_{k=1}^{10}(-k^2+k+91)+91$

$=2\left(-\frac{10\cdot11\cdot21}{6}+\frac{10\cdot11}{2}+91\cdot10\right)+91$

$=1251$

답 1251

1788

그림과 같이 두 분수함수 $y=\frac{1}{x}$, $y=\frac{1}{x+1}$의 그래프와 직선 $x=n$ ($n=1, 2, 3, \cdots, 20$)이 만나서 생기는 교점으로 이루어진 직각삼각형의 넓이의 합을 나타내는 식은?

→ k번째 삼각형의 넓이는 $\frac{1}{2}\left(\frac{1}{k}-\frac{1}{k+1}\right)$

모든 직각삼각형의 밑변의 길이는 1로 같고, 높이는 각각

$1-\frac{1}{2}, \frac{1}{2}-\frac{1}{3}, \frac{1}{3}-\frac{1}{4}, \cdots, \frac{1}{20}-\frac{1}{21}$

이므로 그 넓이의 합을 S라 하면

$S=\frac{1}{2}\left(1-\frac{1}{2}\right)+\frac{1}{2}\left(\frac{1}{2}-\frac{1}{3}\right)+\cdots+\frac{1}{2}\left(\frac{1}{20}-\frac{1}{21}\right)$

$=\sum_{k=1}^{20}\frac{1}{2}\left(\frac{1}{k}-\frac{1}{k+1}\right)$

$=\sum_{k=1}^{20}\frac{1}{2}\cdot\frac{1}{k(k+1)}$

$=\sum_{k=1}^{20}\frac{1}{2k(k+1)}$

답 ①

1789

그림과 같이 $\angle B=90°$, $\overline{AC}=1$인 직각삼각형 ABC에 대하여 선분 AC를 10등분하여 각 점을 차례로 $P_1, P_2, \cdots, P_9$라 할 때, $\overline{BP_1}^2+\overline{BP_2}^2+\cdots+\overline{BP_9}^2$의 값은?

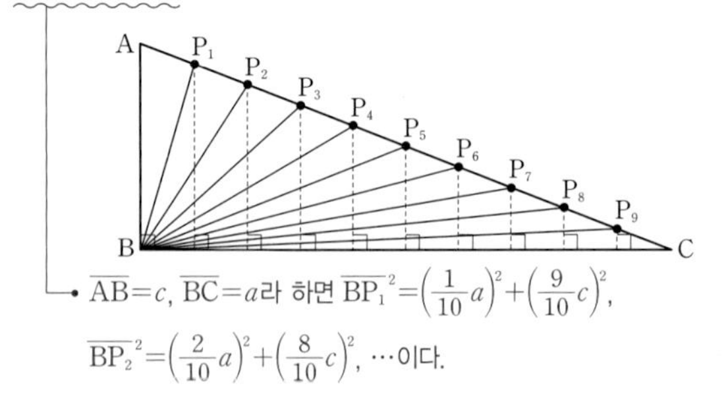

→ $\overline{AB}=c$, $\overline{BC}=a$라 하면 $\overline{BP_1}^2=\left(\frac{1}{10}a\right)^2+\left(\frac{9}{10}c\right)^2$, $\overline{BP_2}^2=\left(\frac{2}{10}a\right)^2+\left(\frac{8}{10}c\right)^2$, …이다.

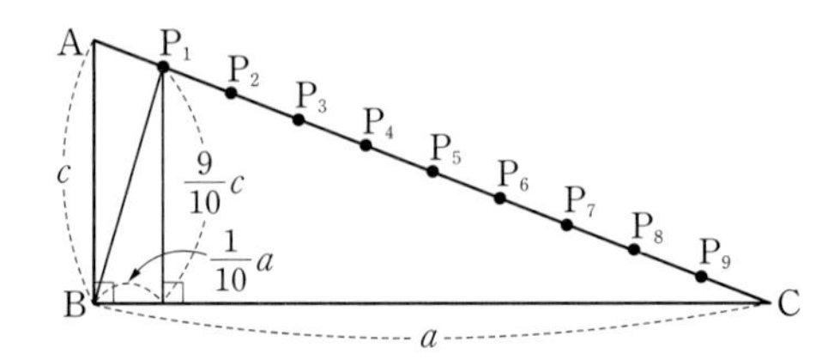

위의 그림에서

$\overline{AB}=c$, $\overline{BC}=a$라 하면 $a^2+c^2=1$이고,

$\overline{BP_1}^2=\left(\frac{1}{10}a\right)^2+\left(\frac{9}{10}c\right)^2$

$\overline{BP_2}^2=\left(\frac{2}{10}a\right)^2+\left(\frac{8}{10}c\right)^2$

$\vdots$

$\overline{BP_9}^2=\left(\frac{9}{10}a\right)^2+\left(\frac{1}{10}c\right)^2$

$\therefore \overline{BP_1}^2+\overline{BP_2}^2+\cdots+\overline{BP_9}^2$

$=\left\{\left(\frac{1}{10}\right)^2+\left(\frac{2}{10}\right)^2+\cdots+\left(\frac{9}{10}\right)^2\right\}(a^2+c^2)$

$=\sum_{k=1}^{9}\left(\frac{k}{10}\right)^2=\frac{1}{100}\cdot\frac{9\cdot10\cdot19}{6}$

$=\frac{57}{20}$

답 ①

1790

공차가 3인 등차수열 $\{a_n\}$에 대하여 $\sum_{k=5}^{8}a_k-\sum_{k=1}^{4}a_k$의 값은?

→ $(a_5+a_6+a_7+a_8)-(a_1+a_2+a_3+a_4)$

$a_5=a_1+4\cdot3$

$a_6=a_1+5\cdot3=(a_1+3)+4\cdot3=a_2+4\cdot3$

$a_7=a_1+6\cdot3=(a_1+2\cdot3)+4\cdot3=a_3+4\cdot3$

$a_8=a_1+7\cdot3=(a_1+3\cdot3)+4\cdot3=a_4+4\cdot3$

이므로 $a_5-a_1=a_6-a_2=a_7-a_3=a_8-a_4=12$

$\therefore \sum_{k=5}^{8}a_k-\sum_{k=1}^{4}a_k=(a_5+a_6+a_7+a_8)-(a_1+a_2+a_3+a_4)$

$=(a_5-a_1)+(a_6-a_2)+(a_7-a_3)+(a_8-a_4)$

$=12+12+12+12=48$

답 ④

1791

$\sum_{k=1}^{7} a_k=10$, $\sum_{k=1}^{7} b_k=6$일 때, $\sum_{k=1}^{7}(a_k+2b_k-3)$의 값은?

└• $\sum_{k=1}^{7} a_k+2\sum_{k=1}^{7} b_k-\sum_{k=1}^{7} 3$

$$\sum_{k=1}^{7}(a_k+2b_k-3)=\sum_{k=1}^{7} a_k+\sum_{k=1}^{7} 2b_k-\sum_{k=1}^{7} 3$$
$$=\sum_{k=1}^{7} a_k+2\sum_{k=1}^{7} b_k-\sum_{k=1}^{7} 3$$
$$=10+2\cdot6-3\cdot7=1$$

답 ③

1792

$\sum_{k=1}^{10}(4k+2)^2-\sum_{k=1}^{10}(4k-1)^2$의 값은?

└• $\sum_{k=1}^{10}\{(4k+2)^2-(4k-1)^2\}$

$$\sum_{k=1}^{10}(4k+2)^2-\sum_{k=1}^{10}(4k-1)^2$$
$$=\sum_{k=1}^{10}\{(4k+2)^2-(4k-1)^2\}$$
$$=\sum_{k=1}^{10}\{(16k^2+16k+4)-(16k^2-8k+1)\}$$
$$=\sum_{k=1}^{10}(24k+3)=24\sum_{k=1}^{10}k+\sum_{k=1}^{10}3$$
$$=24\cdot\frac{10\cdot11}{2}+3\cdot10=1350$$

답 ③

1793

주어진 수열의 일반항을 구하면 $a_n=(3n-1)^2$이다.

다음 수열의 첫째항부터 제12항까지의 합은?

$2^2,\ 5^2,\ 8^2,\ 11^2,\ 14^2,\ \cdots$

$a_n=(3n-1)^2$이므로

$$\sum_{k=1}^{12}a_k=\sum_{k=1}^{12}(3k-1)^2=\sum_{k=1}^{12}(9k^2-6k+1)$$
$$=9\sum_{k=1}^{12}k^2-6\sum_{k=1}^{12}k+\sum_{k=1}^{12}1$$
$$=9\cdot\frac{12\cdot13\cdot25}{6}-6\cdot\frac{12\cdot13}{2}+12$$
$$=5394$$

답 ①

1794

$\sum_{k=1}^{13}\frac{1}{\sqrt{k+3}+\sqrt{k+2}}$의 값은?

└• 분모와 분자에 $\sqrt{k+3}-\sqrt{k+2}$를 각각 곱하여 분모를 유리화하자.

$$\sum_{k=1}^{13}\frac{1}{\sqrt{k+3}+\sqrt{k+2}}$$
$$=\sum_{k=1}^{13}\frac{(\sqrt{k+3}-\sqrt{k+2})}{(\sqrt{k+3}+\sqrt{k+2})(\sqrt{k+3}-\sqrt{k+2})}$$
$$=\sum_{k=1}^{13}(\sqrt{k+3}-\sqrt{k+2})$$
$$=(\sqrt{4}-\sqrt{3})+(\sqrt{5}-\sqrt{4})+\cdots+(\sqrt{16}-\sqrt{15})$$
$$=\sqrt{16}-\sqrt{3}=4-\sqrt{3}$$

답 ③

1795

수열 $\{a_n\}$에 대하여 $\sum_{k=1}^{n}a_k=\frac{1}{3}n(n+1)(n+2)$일 때, $\sum_{k=1}^{50}\frac{1}{a_k}$의 값을 구하시오.

└• $a_1=S_1$, $a_n=S_n-S_{n-1}\ (n\ge2)$임을 이용하자.

첫째항부터 제n항까지의 합을 S_n이라 하면

$S_n=\sum_{k=1}^{n}a_k=\frac{1}{3}n(n+1)(n+2)$이므로

$n\ge2$일 때,

$$a_n=S_n-S_{n-1}$$
$$=\frac{1}{3}n(n+1)(n+2)-\frac{1}{3}(n-1)n(n+1)$$
$$=n(n+1)\quad\cdots\cdots㉠$$

$n=1$일 때, $a_1=S_1=\frac{1}{3}\cdot1\cdot2\cdot3=2$

$a_1=2$는 ㉠에 $n=1$을 대입한 것과 같으므로 $a_n=n(n+1)$

$$\therefore\ \sum_{k=1}^{50}\frac{1}{a_k}=\sum_{k=1}^{50}\frac{1}{k(k+1)}$$
$$=\sum_{k=1}^{50}\left(\frac{1}{k}-\frac{1}{k+1}\right)$$
$$=\left(\frac{1}{1}-\frac{1}{2}\right)+\left(\frac{1}{2}-\frac{1}{3}\right)+\cdots+\left(\frac{1}{50}-\frac{1}{51}\right)$$
$$=1-\frac{1}{51}=\frac{50}{51}$$

답 $\frac{50}{51}$

1796

$\sum_{i=1}^{n}\left(\sum_{k=1}^{i}k\right)=35$일 때, n의 값은?

└• $=\sum_{i=1}^{n}\frac{i(i+1)}{2}$

$$\sum_{i=1}^{n}\left(\sum_{k=1}^{i}k\right)=\sum_{i=1}^{n}\frac{i(i+1)}{2}$$
$$=\frac{1}{2}\sum_{i=1}^{n}(i^2+i)$$
$$=\frac{1}{2}\left(\sum_{i=1}^{n}i^2+\sum_{i=1}^{n}i\right)$$
$$=\frac{1}{2}\left\{\frac{n(n+1)(2n+1)}{6}+\frac{n(n+1)}{2}\right\}$$
$$=\frac{1}{6}n(n+1)(n+2)=35$$

$n(n+1)(n+2)=6\cdot35=5\cdot6\cdot7$

$\therefore\ n=5$

답 ②

1797 서술형

┌• $\sum_{k=1}^{n}(a_{2k-1}+a_{2k})=\sum_{k=1}^{2n}a_k$임을 이용하자.

$\sum_{k=1}^{n}(a_{2k-1}+a_{2k})=3n^2+n$일 때, $\sum_{k=11}^{20}a_k$의 값을 구하시오.

$\sum_{k=1}^{n}(a_{2k-1}+a_{2k})=3n^2+n$에 $n=10$을 대입하면

$(a_1+a_2)+(a_3+a_4)+(a_5+a_6)+\cdots+(a_{19}+a_{20})$

$=3\times10^2+10=310$ …… 30%

$n=5$를 대입하면

$(a_1+a_2)+(a_3+a_4)+(a_5+a_6)+\cdots+(a_9+a_{10})$

$=3\times5^2+5=80$ …… 30%

$\therefore \sum_{k=11}^{20}a_k=a_{11}+a_{12}+\cdots+a_{20}=310-80=230$ …… 40%

답 230

1798

수열 $\{a_n\}$에 대하여 $\sum_{k=1}^{n}a_k=n(n+1)$일 때, $\sum_{k=1}^{10}a_{2k-1}$의 값은?

$a_1=S_1$, $a_n=S_n-S_{n-1}\ (n\ge2)$임을 이용하여 수열의 일반항을 구하자.

첫째항부터 제n항까지의 합을 S_n이라 하면

$\sum_{k=1}^{n}a_k=S_n=n(n+1)=n^2+n$이므로

(i) $n\ge2$일 때,

$a_n=S_n-S_{n-1}$

$=(n^2+n)-\{(n-1)^2+n-1\}$

$=2n$ ……㉠

(ii) $n=1$일 때, $a_1=S_1=1^2+1=2$

이때, $a_1=2$는 ㉠에 $n=1$을 대입한 것과 같으므로

$a_n=2n$

$\therefore \sum_{k=1}^{10}a_{2k-1}=\sum_{k=1}^{10}2(2k-1)=\sum_{k=1}^{10}(4k-2)$

$=4\sum_{k=1}^{10}k-\sum_{k=1}^{10}2$

$=4\cdot\frac{10\cdot11}{2}-2\cdot10=200$

답 ①

1799

모든 자연수 n에 대하여 수열 $\{a_n\}$은 $\sum_{k=1}^{n}\frac{a_k}{k}=n^2+1$을 만족시킨다. 이때, $\sum_{k=1}^{10}a_k$의 값을 구하시오.

$\sum_{k=1}^{n}\frac{a_k}{k}=S_n$이라 하면 $n\ge2$일 때, $\frac{a_n}{n}=S_n-S_{n-1}=(n^2+1)-\{(n-1)^2+1\}$

$\sum_{k=1}^{n}\frac{a_k}{k}=S_n$이라 하면 $n\ge2$일 때,

$\frac{a_n}{n}=S_n-S_{n-1}=(n^2+1)-\{(n-1)^2+1\}=2n-1$

$\therefore a_n=n(2n-1)\ (n\ge2)$, $a_1=2$

$\therefore \sum_{k=1}^{10}a_k=a_1+\sum_{k=2}^{10}a_k=2+\sum_{k=2}^{10}k(2k-1)$

$=2+\sum_{k=1}^{10}(2k^2-k)-1$

$=1+2\cdot\frac{10\cdot11\cdot21}{6}-\frac{10\cdot11}{2}$

$=716$

답 716

1800 서술형

$f(x)=\frac{1}{\sqrt{x+2}+\sqrt{x+1}}$을 만족하는 $f(x)$에 대하여 $\sum_{k=0}^{n}f(k)=g(n)$이다. $1\le n\le400$일 때, $g(n)$이 정수가 되게 하는 자연수 n의 개수를 구하시오.

$f(x)=\sqrt{x+2}-\sqrt{x+1}$임을 이용하자.

$f(x)=\frac{1}{\sqrt{x+2}+\sqrt{x+1}}=\sqrt{x+2}-\sqrt{x+1}$이므로 …… 20%

$g(n)=\sum_{k=0}^{n}f(k)=\sum_{k=0}^{n}(\sqrt{k+2}-\sqrt{k+1})$

$=(\sqrt{2}-\sqrt{1})+(\sqrt{3}-\sqrt{2})+\cdots+(\sqrt{n+2}-\sqrt{n+1})$

$=\sqrt{n+2}-1$ …… 50%

이때, $g(n)$이 정수이려면 $1\le n\le400$에서 $n+2$가 제곱수이어야 하므로 $n+2=2^2, 3^2, \cdots, 20^2$, 즉

$n=2^2-2, 3^2-2, \cdots, 20^2-2$

따라서 구하는 n의 개수는 19이다. …… 30%

답 19

1801

그림과 같이 두 곡선 $y=\sqrt{x+1}$, $y=-\sqrt{x}$와 두 직선 $x=k$, $x=k+1$에 의해 만들어지는 직사각형을 $A_k\ (k=1, 2, 3, \cdots)$라 하자.

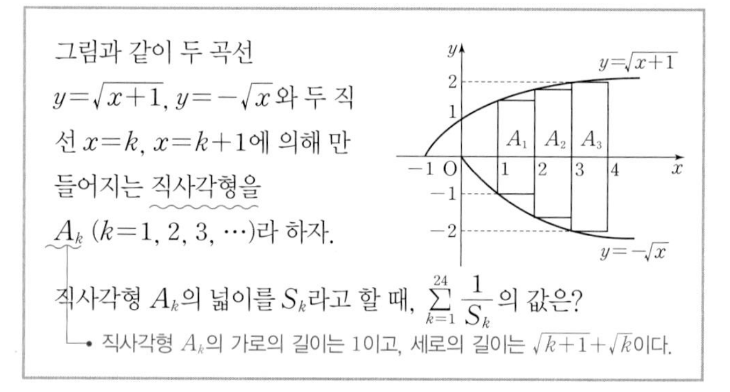

직사각형 A_k의 넓이를 S_k라고 할 때, $\sum_{k=1}^{24}\frac{1}{S_k}$의 값은?

직사각형 A_k의 가로의 길이는 1이고, 세로의 길이는 $\sqrt{k+1}+\sqrt{k}$이다.

직사각형 A_k의 가로의 길이는 1이고,

세로의 길이는 $\sqrt{k+1}+\sqrt{k}$이므로

$S_k=\sqrt{k+1}+\sqrt{k}$

$\sum_{k=1}^{24}\frac{1}{S_k}=\sum_{k=1}^{24}\frac{1}{\sqrt{k+1}+\sqrt{k}}$

$=\sum_{k=1}^{24}\frac{(\sqrt{k+1}-\sqrt{k})}{(\sqrt{k+1}+\sqrt{k})(\sqrt{k+1}-\sqrt{k})}$

$=\sum_{k=1}^{24}(\sqrt{k+1}-\sqrt{k})$

$=(\sqrt{2}-\sqrt{1})+(\sqrt{3}-\sqrt{2})+\cdots+(\sqrt{25}-\sqrt{24})$

$=\sqrt{25}-1=4$

답 ③

1802

첫째항이 0, 공차가 0이 아닌 등차수열 $\{a_n\}$에 대하여 수열 $\{b_n\}$이 $a_{n+1}b_n=\sum_{k=1}^{n}a_k$를 만족시킬 때, b_{27}의 값을 구하시오.

$\sum_{k=1}^{n}(k-1)d$

등차수열 $\{a_n\}$의 공차를 $d\ (d\ne0)$라 하면

$a_n=(n-1)d$

$\therefore \sum_{k=1}^{n}a_k=\sum_{k=1}^{n}d(k-1)=d\sum_{k=1}^{n}k-dn$

$$=d\sum_{k=1}^{n-1}k=d\cdot\frac{(n-1)n}{2}$$

이때, $a_{n+1}b_n=dn\cdot b_n=\dfrac{dn(n-1)}{2}$이므로

$b_n=\dfrac{n-1}{2}$ (단, $n=1, 2, 3, \cdots$)

$\therefore b_{27}=\dfrac{27-1}{2}=13$

답 13

1803

두 등차수열 $\{a_n\}$, $\{b_n\}$에 대하여 $a_1=6$이고

$\sum_{k=1}^{n}a_k=\dfrac{2n+1}{n+3}\sum_{k=1}^{n}b_k$를 만족시킬 때, b_{11}의 값을 구하시오.

└• $\sum_{k=1}^{n}a_k$, $\sum_{k=1}^{n}b_k$은 모두 등차수열의 합이므로 n에 관한 이차식이어야 한다.

$\sum_{k=1}^{n}a_k=S_n$, $\sum_{k=1}^{n}b_k=T_n$이라 하면,

$\dfrac{S_n}{T_n}=\dfrac{2n+1}{n+3}$

수열 $\{a_n\}$, $\{b_n\}$이 등차수열이므로

$S_n=kn(2n+1)$, $T_n=kn(n+3)$ (k는 상수)

$S_1=3k=a_1=6$이므로 $k=2$

$T_n=2n(n+3)$, $b_1=T_1=8$

수열 $\{b_n\}$은 $b_1=8$, 공차 4인 등차수열이다.

$\therefore b_{11}=48$

답 48

1804

수열 $\{a_n\}$은 첫째항이 8, 공차가 2인 등차수열이고, 수열 $\{b_n\}$은 $b_1=6$, $b_{n+1}-a_{n+1}=b_n$ ($n=1, 2, 3, \cdots$)을 만족시킨다. 이때, b_{20}의 값을 구하시오.

└• 주어진 식에 $n=1, 2, 3, \cdots$을 대입하여 해결의 실마리를 찾자.

$b_{n+1}-a_{n+1}=b_n$에 $n=1, 2, 3, \cdots, 19$를 차례로 대입하면

$b_2-a_2=b_1$

$b_3-a_3=b_2$

$b_4-a_4=b_3$

$\vdots$

$b_{20}-a_{20}=b_{19}$

위 식을 변끼리 모두 더하면

$b_{20}-(a_2+a_3+\cdots+a_{20})=b_1$

$$\therefore b_{20}=b_1+(a_2+a_3+\cdots+a_{20})=6+\frac{19(2\cdot10+18\cdot2)}{2}$$

$$=6+19\cdot28=538$$

답 538

1805

$S=10\cdot1+9\cdot2+8\cdot2^2+\cdots+1\cdot2^9$일 때, S의 값은?

└• 일반항이 (등차수열)×(등비수열)의 꼴인 멱급수이다. 등비수열의 공비를 양변에 곱한 식을 변변 빼셈해 보자.

$$S=10\cdot1+9\cdot2+8\cdot2^2+\cdots+1\cdot2^9$$

$$-\underline{)\ 2S=\qquad 10\cdot2+9\cdot2^2+\cdots+2\cdot2^9+1\cdot2^{10}}$$

$$-S=10-(2+2^2+\cdots+2^9+2^{10})$$

$$=10-\frac{2(2^{10}-1)}{2-1}=12-2^{11}=-2036$$

$\therefore S=2036$

답 ④

1806

자연수 전체의 집합을 정의역으로 하는 두 함수

$f(n)=(n-1)(n+1)$, $g(n)=2n+1$

이 있다. $h(n)=(f\circ g)(n)$일 때, $\sum_{n=1}^{10}\dfrac{1}{h(n)}$의 값을 구하시오.

부분분수 공식 $\dfrac{1}{AB}=\dfrac{1}{B-A}\left(\dfrac{1}{A}-\dfrac{1}{B}\right)$을 이용하자.

$h(n)=(f\circ g)(n)=f(g(n))=f(2n+1)$

$=(2n+1-1)(2n+1+1)$

$=2n(2n+2)=4n(n+1)$

$$\therefore \sum_{n=1}^{10}\frac{1}{h(n)}=\sum_{n=1}^{10}\frac{1}{4n(n+1)}$$

$$=\frac{1}{4}\sum_{n=1}^{10}\left(\frac{1}{n}-\frac{1}{n+1}\right)$$

$$=\frac{1}{4}\left\{\left(\frac{1}{1}-\frac{1}{2}\right)+\left(\frac{1}{2}-\frac{1}{3}\right)+\cdots+\left(\frac{1}{10}-\frac{1}{11}\right)\right\}$$

$$=\frac{1}{4}\left(\frac{1}{1}-\frac{1}{11}\right)=\frac{5}{22}$$

답 $\dfrac{5}{22}$

1807

각 층에 필요한 정육면체의 개수를 차례로 구해서 규칙성을 찾자.

그림과 같은 모양의 4층 탑을 쌓았을 때, 크기가 같은 44개의 정육면체가 필요하였다. 이와 같은 규칙으로 10층 탑을 쌓으려고 할 때, 필요한 정육면체의 총 개수는?

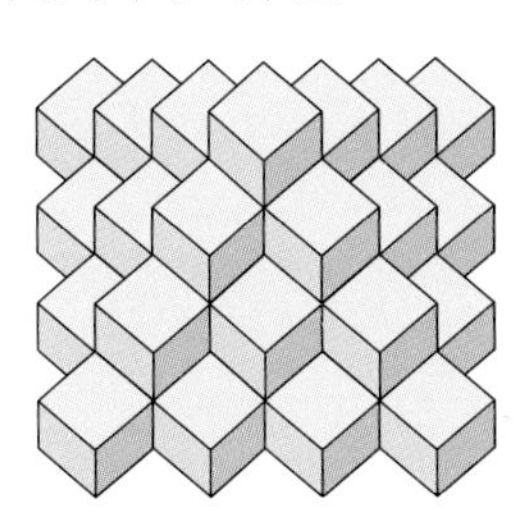

n층 탑을 쌓을 때, 맨 위층에서부터 각 층에 필요한 정육면체의 수를 a_n이라 하면

$a_1=1$

$a_2=1+4$

$a_3=1+4+8$

$a_4=1+4+8+12$

$\vdots$

$a_n=1+4+8+12+\cdots+4(n-1)$

$$=1+\sum_{k=1}^{n-1}4k$$

$$=1+4\cdot\frac{(n-1)n}{2}$$

$$=2n^2-2n+1$$

따라서 10층 탑을 쌓는 데 필요한 정육면체의 총 개수는

$$\sum_{n=1}^{10} a_n = \sum_{n=1}^{10} (2n^2-2n+1)$$
$$=2\cdot\frac{10\cdot11\cdot21}{6}-2\cdot\frac{10\cdot11}{2}+10$$
$$=670$$

답 ②

1808

수열 $\{a_n\}$에 대하여 $a_1+a_2+\cdots+a_n=10n-n^2$ $(n=1, 2, 3, \cdots)$ 이 성립할 때, $\sum_{k=1}^{25} |a_k|$의 값은?

→ $S_n=10n-n^2$에서 a_n을 구하자.

첫째항부터 제n항까지의 합을 S_n이라 하면

$S_n=10n-n^2$이므로 $n\ge2$일 때,

$a_n=S_n-S_{n-1}=(10n-n^2)-\{10(n-1)-(n-1)^2\}$

$=11-2n$ ……㉠

$n=1$일 때, $a_1=S_1=10\cdot1-1^2=9$

$a_1=9$는 ㉠에 $n=1$을 대입한 것과 같으므로

$a_n=11-2n$

그런데 $11-2n>0$에서 $n<5.5$이므로

$$|a_n|=\begin{cases}11-2n & (n\le5)\\ 2n-11 & (n>5)\end{cases}$$

따라서 수열 $\{|a_n|\}$은 첫째항부터 제5항까지는 공차가 -2인 등차수열이고, 제6항부터는 공차가 2인 등차수열을 이룬다.

$$\therefore \sum_{k=1}^{25}|a_k|=\sum_{k=1}^{5}|a_k|+\sum_{k=6}^{25}|a_k|$$
$$=\frac{5(9+1)}{2}+\frac{20(1+39)}{2}$$
$$=425$$

답 ④

1809

수열 $\{a_n\}$이 모든 자연수 n에 대하여 다음 조건을 만족시킨다.

(가) a_n은 자연수이다.

(나) $|a_n-\sqrt{n}|<\frac{1}{2}$

→ a_n의 값이 1인 경우, 2인 경우, …를 각각 구해보자.

이때, $\sum_{n=1}^{90} a_n$의 값을 구하시오.

$a_n=k$ (k는 자연수)라 하면

$$k-\frac{1}{2}<\sqrt{n}<k+\frac{1}{2}$$

$$k^2-k+\frac{1}{4}<n<k^2+k+\frac{1}{4}$$

그런데 n은 자연수이므로 $a_n=k$를 만족하는 n은 k^2-k+1부터 k^2+k까지 모두 $2k$개이다. 즉,

$k=1$일 때, $a_1=a_2=1$

$k=2$일 때, $a_3=a_4=a_5=a_6=2$

$k=3$일 때, $a_7=a_8=a_9=a_{10}=a_{11}=a_{12}=3$

⋮

$k=9$일 때, $a_{73}=a_{74}=\cdots=a_{90}=9$

$$\therefore \sum_{n=1}^{90} a_n=1\cdot2+2\cdot4+3\cdot6+\cdots+9\cdot18$$
$$=\sum_{k=1}^{9} k\cdot2k=2\sum_{k=1}^{9}k^2$$
$$=2\cdot\frac{9\cdot10\cdot19}{6}=570$$

답 570

1810

→ $\{a_n\}$: $-1^2, 2^2, -3^2, 4^2, -5^2, \cdots$

수열 $\{a_n\}$을 다음과 같이 정의하자.

$a_n=(-1)^n\cdot n^2$ $(n=1, 2, 3, \cdots)$

수열 $\{a_n\}$의 첫째항부터 제n항까지의 합을 S_n이라 할 때,

$\frac{S_{2n}-S_{2n-1}}{S_{2n}+S_{2n-1}}=100$을 만족시키는 자연수 n의 값은?

→ S_{2n-1}과 S_{2n}을 각각 구하자.

수열 $\{a_n\}$의 각 항은

$\{a_n\}$: $-1^2, 2^2, -3^2, 4^2, -5^2, 6^2, \cdots$

즉, $a_{2n-1}=-(2n-1)^2$, $a_{2n}=(2n)^2$이므로

$$S_{2n}=\sum_{k=1}^{n}(a_{2k-1}+a_{2k})$$
$$=\sum_{k=1}^{n}\{-(2k-1)^2+(2k)^2\}$$
$$=\sum_{k=1}^{n}(4k-1)$$
$$=4\cdot\frac{n(n+1)}{2}-n$$
$$=2n^2+n$$

$$S_{2n-1}=S_{2n}-a_{2n}$$
$$=(2n^2+n)-(2n)^2$$
$$=-2n^2+n$$

이때,

$$\frac{S_{2n}-S_{2n-1}}{S_{2n}+S_{2n-1}}=\frac{(2n^2+n)-(-2n^2+n)}{(2n^2+n)+(-2n^2+n)}=\frac{4n^2}{2n}=2n=100$$

이므로 $n=50$

답 ③

1811

다음 〈보기〉 중 옳은 것을 모두 고른 것은?

보기

ㄱ. $\left(\sum_{k=1}^{n}a_k\right)^2=\sum_{k=1}^{n}a_k^2$

ㄴ. $\sum_{k=1}^{n}a_kb_k=\sum_{k=1}^{n}a_k\sum_{k=1}^{n}b_k$

ㄷ. $\sum_{k=1}^{2n}a_k=\sum_{k=1}^{n}a_k+\sum_{k=n+1}^{2n}a_k$

→ $\sum_{k=n+1}^{2n}a_k=a_{n+1}+a_{n+2}+a_{n+2}+\cdots+a_{2n}$

ㄱ. $\left(\sum_{k=1}^{n}a_k\right)^2=(a_1+a_2+\cdots+a_n)^2$

$\sum_{k=1}^{n}a_k^2=a_1^2+a_2^2+\cdots+a_n^2$

$\therefore \left(\sum_{k=1}^{n}a_k\right)^2\ne\sum_{k=1}^{n}a_k^2$ (거짓)

ㄴ. $\sum_{k=1}^{n}a_kb_k=a_1b_1+a_2b_2+\cdots+a_nb_n$

$\sum_{k=1}^{n} a_k \sum_{k=1}^{n} b_k=(a_1+a_2+\cdots+a_n)(b_1+b_2+\cdots+b_n)$

$\therefore \sum_{k=1}^{n} a_k b_k \neq \sum_{k=1}^{n} a_k \sum_{k=1}^{n} b_k$ (거짓)

ㄷ. $\sum_{k=1}^{2n} a_k=(a_1+a_2+\cdots+a_n)+(a_{n+1}+a_{n+2}+\cdots+a_{2n})$

$=\sum_{k=1}^{n} a_k+\sum_{k=n+1}^{2n} a_k$ (참)

따라서 옳은 것은 ㄷ뿐이다. 답 ③

1812

> 모든 항이 양수인 등차수열 $\{a_n\}$은
>
> $a_{26}=30$, $\sum_{n=1}^{13}\{(a_{2n})^2-(a_{2n-1})^2\}=260$
>
> 을 만족시킨다. a_{11}의 값을 구하시오.
>
> ($a_{26}=30$ → $a_1+25d=30$, $\{(a_{2n})^2-(a_{2n-1})^2\}$ → $(a_{2n}-a_{2n-1})(a_{2n}+a_{2n-1})$)

수열 $\{a_n\}$의 공차를 d라고 하자.

$a_{26}=30$이므로 $a_1+25d=30$ ⋯⋯ ㉠

$\sum_{n=1}^{13}\{(a_{2n})^2-(a_{2n-1})^2\}$

$=\sum_{n=1}^{13}\{(a_{2n}-a_{2n-1})(a_{2n}+a_{2n-1})\}$

$=\sum_{n=1}^{13} d(a_{2n}+a_{2n-1})$

$=d\{(a_2+a_1)+(a_4+a_3)+\cdots+(a_{26}+a_{25})\}$

$=d(a_1+a_2+\cdots+a_{26})$

$=\dfrac{d\times 26(a_1+a_{26})}{2}$

$=13d(a_1+30)=260$

$\therefore d(a_1+30)=20$ ⋯⋯ ㉡

㉠, ㉡에 의해서

$d(30-25d+30)=20$, $25d^2-60d+20=0$

$5d^2-12d+4=0$, $(5d-2)(d-2)=0$

$d=\dfrac{2}{5}$ 또는 $d=2$

$d=2$이면 $a_1=-20<0$이므로 수열 $\{a_n\}$의 모든 항이 양수인 것은 아니다.

따라서 $d=\dfrac{2}{5}$이고 $a_1=20$이다.

그러므로 $a_{11}=20+10\times\dfrac{2}{5}=20+4=24$이다. 답 24

1813

등차수열의 합공식 $S_n=\dfrac{n\{2a+(n-1)d\}}{2}$를 이용하자.

> 공차가 0이 아닌 등차수열 $\{a_n\}$이 다음 조건을 만족시킨다.
>
> (가) $\sum_{n=1}^{5} a_n=2\left|\sum_{n=1}^{10} a_n\right|$
>
> (나) $a_3a_6>0$
>
> $\dfrac{a_{21}}{a_1}$의 값은?

등차수열 $\{a_n\}$의 공차를 $d\,(d\neq 0)$라 하면

(가)에 의하여

$\dfrac{5(2a_1+4d)}{2}=2\left|\dfrac{10(2a_1+9d)}{2}\right|$

$a_1+2d=2|2a_1+9d|$

(i) $a_1+2d=4a_1+18d$일 때, $a_1=-\dfrac{16}{3}d$

$a_3a_6=\left(-\dfrac{10}{3}d\right)\times\left(-\dfrac{d}{3}\right)=\dfrac{10}{9}d^2>0$이므로

(나)의 조건을 만족시킨다.

(ii) $a_1+2d=-4a_1-18d$일 때, $a_1=-4d$

$a_3a_6=(-2d)\times d=-2d^2<0$이므로

(나)의 조건에 모순이다.

따라서 $\dfrac{a_{21}}{a_1}=\dfrac{-\dfrac{16}{3}d+20d}{-\dfrac{16}{3}d}=-\dfrac{11}{4}$ 답 ④

1814

> 수열 $\{a_n\}$은 첫째항이 2, 공비가 2인 등비수열일 때, 수열 $\{b_n\}$은 다음 조건을 만족시킨다. (→ $a_n=2^n$)
>
> (가) $b_1=-1$
>
> (나) 곡선 $y=x^2$ 위의 한 점 $\mathrm{P}(b_k, b_k^{\,2})$을 지나고 기울기가 a_k인 직선과 곡선 $y=x^2$의 교점 중 점 P가 아닌 점의 x좌표는 b_{k+1}이다. (→ $y=a_k(x-b_k)+b_k^{\,2}$)
>
> 이때, $\sum_{k=1}^{20} b_k$의 값은?

수열 $\{a_n\}$은 첫째항이 2, 공비가 2인 등비수열이므로

$a_n=2\cdot 2^{n-1}=2^n$

점 $\mathrm{P}(b_k, b_k^{\,2})$을 지나고 기울기가 a_k인 직선의 방정식은

$y=a_k(x-b_k)+b_k^{\,2}$

이므로 $a_k(x-b_k)+b_k^{\,2}=x^2$에서

$x^2-a_k\cdot x+a_kb_k-b_k^{\,2}=0$, $(x-b_k)(x+b_k-a_k)=0$

$\therefore x=b_k$ 또는 $x=a_k-b_k$

따라서 $b_{k+1}=a_k-b_k$에서 $b_{k+1}+b_k=a_k$이므로

$\sum_{k=1}^{20} b_k=(b_1+b_2)+(b_3+b_4)+(b_5+b_6)+\cdots+(b_{19}+b_{20})$

$=a_1+a_3+a_5+\cdots+a_{19}=\sum_{k=1}^{10} a_{2k-1}=\sum_{k=1}^{10} 2^{2k-1}$

$=\dfrac{1}{2}\cdot\sum_{k=1}^{10} 4^k=\dfrac{1}{2}\cdot\dfrac{4(4^{10}-1)}{4-1}=\dfrac{2}{3}(4^{10}-1)$ 답 ①

1815

x좌표의 값이 1, 2, 3, ⋯일 때, 각각의 가능한 좌표의 개수를 구해보자.

> 자연수 n에 대하여 점 P_n을 다음 규칙에 따라 정한다.
>
> (가) 점 P_1의 좌표는 $(1, 1)$이다.
>
> (나) 점 P_n의 좌표가 (a, b)일 때, $b<2^a$이면 점 P_{n+1}의 좌표는 $(a, b+1)$이고, $b=2^a$이면 점 P_{n+1}의 좌표는 $(a+1, 1)$이다.
>
> 점 P_n의 좌표가 $(10, 2^{10})$일 때, n의 값은?

$n=1, 2, 3$일 때, 점 P_n의 좌표를 차례로 나열하면

$(1, 1) \to (1, 2)$: 2개

$\to (2, 1) \to (2, 2) \to (2, 3) \to (2, 2^2)$: 2^2개

$\to (3, 1) \to (3, 2) \to \cdots \to (3, 2^3)$: 2^3개

$\to (4, 1) \to (4, 2) \to \cdots \to (4, 2^4)$: 2^4개

$\vdots$ $\vdots$

$\to (10, 1) \to (10, 2) \to \cdots \to (10, 2^{10})$: 2^{10}개

따라서 구하는 n의 값은

$$2+2^2+2^3+\cdots+2^{10}=\frac{2(2^{10}-1)}{2-1}=2^{11}-2$$

답 ③

1816

그림과 같이 좌표평면에서 자연수 n에 대하여 A_n을 4개의 점 (n^2, n^2), $(4n^2, n^2)$, $(4n^2, 4n^2)$, $(n^2, 4n^2)$을 꼭짓점으로 하는 정사각형이라 하자. 정사각형 A_n과 함수 $y=k\sqrt{x}$의 그래프가 만나도록 하는 자연수 k의 개수를 a_n이라 할 때, 〈보기〉에서 옳은 것만을 있는 대로 고른 것은?

• 두 점 $(n^2, 4n^2)$, $(4n^2, n^2)$ 사이를 지나야 한다.

보기

ㄱ. $a_5=15$ ㄴ. $a_{n+2}-a_n=7$ ㄷ. $\sum_{k=1}^{10} a_k=200$

정사각형 A_n과 함수 $y=k\sqrt{x}$의 그래프가 만나기 위해서는 점 $(n^2, 4n^2)$과 점 $(4n^2, n^2)$ 사이를 지나야 한다.

점 $(n^2, 4n^2)$을 지날 때, $4n^2=k\sqrt{n^2}$에서 $k=4n$이고,

점 $(4n^2, n^2)$을 지날 때, $n^2=k\sqrt{4n^2}$에서 $k=\frac{n}{2}$이므로

k의 값의 범위는 $\frac{n}{2}\le k\le 4n$이다.

ㄱ. $n=5$일 때, $\frac{5}{2}\le k\le 20$이므로 자연수 k의 개수는 18이다.

$\therefore a_5=18$ (거짓)

ㄴ. (i) n이 홀수일 때,

$$a_n=4n-\frac{n+1}{2}+1=\frac{7}{2}n+\frac{1}{2}$$

$$a_{n+2}=4(n+2)-\frac{n+3}{2}+1=\frac{7}{2}n+\frac{15}{2}$$

$\therefore a_{n+2}-a_n=7$

(ii) n이 짝수일 때,

$$a_n=4n-\frac{n}{2}+1=\frac{7}{2}n+1$$

$$a_{n+2}=4(n+2)-\frac{n+2}{2}+1=\frac{7}{2}n+8$$

$\therefore a_{n+2}-a_n=7$

(i), (ii)에서 $a_{n+2}-a_n=7$ (참)

ㄷ. $\sum_{k=1}^{10} a_k=\sum_{k=1}^{5} a_{2k-1}+\sum_{k=1}^{5} a_{2k}$

$=\sum_{k=1}^{5}\left\{\frac{7}{2}(2k-1)+\frac{1}{2}\right\}+\sum_{k=1}^{5}\left(\frac{7}{2}\cdot 2k+1\right)$

$=\sum_{k=1}^{5}(14k-2)=14\cdot\frac{5\cdot 6}{2}-2\cdot 5$

$=210-10=200$ (참)

따라서 옳은 것은 ㄴ, ㄷ이다.

답 ④

1817

n이 3 이상인 자연수일 때, 네 점 $(n, 0)$, $\left(\frac{3n}{2}, 0\right)$, $\left(\frac{3n}{2}, \frac{n}{2}\right)$, $\left(n, \frac{n}{2}\right)$을 꼭짓점으로 하는 정사각형을 A_n이라 하자. 그림과 같이 두 정사각형 A_n, A_{n+1}이 겹치는 부분(색칠한 부분)의 넓이를 a_n이라 할 때, $\sum_{n=3}^{10}\frac{1}{a_n}$의 값은?

(가로의 길이)$=\frac{3}{2}n-(n+1)=\frac{n-2}{2}$, (세로의 길이)$=\frac{n}{2}$

그림과 같이 어두운 부분의 세로의 길이는 정사각형 A_n의 세로의 길이인 $\frac{n}{2}$이고, 가로의 길이는 $\frac{3n}{2}-(n+1)=\frac{n-2}{2}$

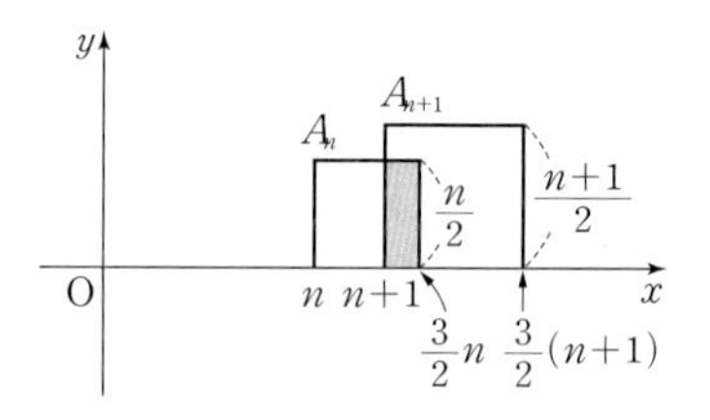

$$\therefore a_n=\frac{n-2}{2}\cdot\frac{n}{2}=\frac{(n-2)n}{4}\ (n\ge 3)$$

$$\therefore \sum_{n=3}^{10}\frac{1}{a_n}=\sum_{n=3}^{10}\frac{4}{(n-2)n}=4\sum_{n=3}^{10}\frac{1}{(n-2)n}$$

$=4\cdot\frac{1}{2}\sum_{n=3}^{10}\left(\frac{1}{n-2}-\frac{1}{n}\right)$

$=2\left\{\left(1-\frac{1}{3}\right)+\left(\frac{1}{2}-\frac{1}{4}\right)+\left(\frac{1}{3}-\frac{1}{5}\right)+\cdots+\left(\frac{1}{7}-\frac{1}{9}\right)+\left(\frac{1}{8}-\frac{1}{10}\right)\right\}$

$=2\left(1+\frac{1}{2}-\frac{1}{9}-\frac{1}{10}\right)=2\cdot\frac{116}{90}=\frac{116}{45}$

답 ②

1818

• 등차수열에서 $a_{n+1}-a_n=d$(공차)이다.

첫째항이 양수인 등차수열 $\{a_n\}$에 대하여

$$S_n=\sum_{k=1}^{n}(-1)^k a_k,\ T_n=\sum_{k=1}^{n}\frac{1}{a_k a_{k+1}}$$

이다. $S_{10}=25$, $\frac{1}{T_5}=\frac{54}{5}$일 때, a_6의 값을 구하시오.

부분분수 공식 $\frac{1}{AB}=\frac{1}{B-A}\left(\frac{1}{A}-\frac{1}{B}\right)$을 이용하자.

등차수열 $\{a_n\}$의 첫째항을 a, 공차를 d라 하자.

$S_{10}=\sum_{k=1}^{10}(-1)^k a_k$

$=-a_1+a_2-a_3+a_4-a_5+a_6-a_7+a_8-a_9+a_{10}$

$=(a_2-a_1)+(a_4-a_3)+(a_6-a_5)+(a_8-a_7)+(a_{10}-a_9)$

$=d+d+d+d+d$

$=5d$

$S_{10}=25$이므로

$5d=25 \qquad \therefore d=5$

$\frac{1}{a_k a_{k+1}}=\frac{1}{a_{k+1}-a_k}\left(\frac{1}{a_k}-\frac{1}{a_{k+1}}\right)$

그런데 수열 $\{a_n\}$은 공차가 d인 등차수열이므로

$a_{k+1}-a_k=d=5$

즉, $\frac{1}{a_{k+1}-a_k}=\frac{1}{5}$

그러므로 $\frac{1}{a_k a_{k+1}}=\frac{1}{5}\left(\frac{1}{a_k}-\frac{1}{a_{k+1}}\right)$

$$T_5=\sum_{k=1}^{5}\frac{1}{a_k a_{k+1}}$$
$$=\frac{1}{5}\left\{\left(\frac{1}{a_1}-\frac{1}{a_2}\right)+\left(\frac{1}{a_2}-\frac{1}{a_3}\right)+\left(\frac{1}{a_3}-\frac{1}{a_4}\right)+\left(\frac{1}{a_4}-\frac{1}{a_5}\right)+\left(\frac{1}{a_5}-\frac{1}{a_6}\right)\right\}$$
$$=\frac{1}{5}\left(\frac{1}{a_1}-\frac{1}{a_6}\right)$$
$$=\frac{1}{5}\left(\frac{1}{a}-\frac{1}{a+5d}\right)$$
$$=\frac{1}{5}\left(\frac{1}{a}-\frac{1}{a+25}\right)$$
$$=\frac{1}{5}\times\frac{25}{a(a+25)}$$
$$=\frac{5}{a(a+25)}$$

$\frac{1}{T_5}=\frac{54}{5}$이므로

$\frac{a(a+25)}{5}=\frac{54}{5}$

$a(a+25)=54$

$a^2+25a-54=0$

$(a+27)(a-2)=0$

$\therefore a=2\,(\because a>0)$

따라서 $a_6=2+5\times5=27$ 답 27

1819

> 첫째항이 1인 등차수열 $\{a_n\}$에 대하여 수열 $\{b_n\}$을
>
> $b_n=a_1+2a_2+3a_3+\cdots+na_n \quad (n\geq1)$
>
> 이라 하자. $b_{10}=715$일 때, $\sum_{n=1}^{10}\frac{b_n}{n(n+1)}$의 값은?
>
> → $b_n=\sum_{k=1}^{n}ka_k=\sum_{k=1}^{n}k\{1+(k-1)d\}$

등차수열 $\{a_n\}$의 공차를 d라 하면

$a_n=1+(n-1)d$이므로

$$b_n=\sum_{k=1}^{n}k\{1+(k-1)d\}$$
$$=\sum_{k=1}^{n}\{dk^2+(1-d)k\}$$
$$=d\sum_{k=1}^{n}k^2+(1-d)\sum_{k=1}^{n}k$$
$$=\frac{dn(n+1)(2n+1)}{6}+\frac{(1-d)n(n+1)}{2}$$
$$=\frac{n(n+1)}{6}\times\{d(2n+1)+3(1-d)\}$$
$$=\frac{n(n+1)}{6}\times(2dn-2d+3)$$

$b_{10}=715$이므로

$\frac{10\times11}{6}\times(20d-2d+3)=715$

$18d+3=39$

$18d=36$

$d=2$

$$b_n=\frac{n(n+1)}{6}\times(2\times2\times n-2\times2+3)$$
$$=\frac{n(n+1)}{6}\times(4n-1)$$

$\frac{b_n}{n(n+1)}=\frac{1}{6}(4n-1)$

따라서

$$\sum_{n=1}^{10}\frac{b_n}{n(n+1)}=\sum_{n=1}^{10}\frac{1}{6}(4n-1)$$
$$=\frac{1}{6}(220-10)$$
$$=35$$

답 ②

다른풀이 등차수열 $\{a_n\}$의 공차를 d라 하면

$a_n=1+(n-1)d$이므로

$$b_n=\sum_{k=1}^{n}k\{1+(k-1)d\}$$
$$=\sum_{k=1}^{n}\{dk^2+(1-d)k\}$$
$$=d\sum_{k=1}^{n}k^2+(1-d)\sum_{k=1}^{n}k$$
$$=\frac{dn(n+1)(2n+1)}{6}+\frac{(1-d)n(n+1)}{2}$$
$$=\frac{n(n+1)}{6}\times\{d(2n+1)+3(1-d)\}$$
$$=\frac{n(n+1)}{6}\times(2dn-2d+3)$$

$$\frac{b_n}{n(n+1)}=\frac{3-2d+2dn}{6}$$
$$=\frac{1}{2}+(n-1)\frac{d}{3}$$

이므로

수열 $\left\{\frac{b_n}{n(n+1)}\right\}$은 첫째항이 $\frac{1}{2}$이고 공차가 $\frac{d}{3}$인 등차수열이다.

$b_{10}=715$이므로

수열 $\left\{\frac{b_n}{n(n+1)}\right\}$의 제10항은

$\frac{b_{10}}{10\times11}=\frac{715}{10\times11}=\frac{13}{2}$

따라서

$$\sum_{n=1}^{10}\frac{b_n}{n(n+1)}=\frac{10\times\left(\frac{1}{2}+\frac{13}{2}\right)}{2}$$
$$=\frac{10\times7}{2}$$
$$=35$$

1820

수열 $\{a_n\}$이 다음 조건을 만족시킨다.

(가) $|a_n|+a_{n+1}=n+6\ (n\ge1)$

(나) $\sum_{n=1}^{40}a_n=520$ — $\sum_{n=1}^{40}a_n=\sum_{n=1}^{20}(a_{2n-1}+a_{2n})$

$\sum_{n=1}^{30}a_n$의 값을 구하시오.

(가)에서 $a_n+a_{n+1}\le|a_n|+a_{n+1}=n+6$

$n=2k-1$일 때 $a_{2k-1}+a_{2k}\le2k+5$

그런데 $\sum_{n=1}^{40}a_n=\sum_{k=1}^{20}(a_{2k-1}+a_{2k})\le\sum_{k=1}^{20}(2k+5)=520$

(나)에서 $\sum_{n=1}^{40}a_n=520$이므로

$a_{2k-1}=|a_{2k-1}|\ (k=1, 2, \cdots, 20)$

$a_{2k-1}\ge0$이므로 $a_{2k-1}+a_{2k}=2k+5$

따라서 $\sum_{n=1}^{30}a_n=\sum_{k=1}^{15}(a_{2k-1}+a_{2k})=\sum_{k=1}^{15}(2k+5)=315$

답 315

1821

$\sum_{n=1}^{2m-1}a_n=\frac{(2m-1)\{2a+(2m-2)d\}}{2}$에서 $a_m=a+(m-1)d$임을 이용하자.

공차가 양수인 등차수열 $\{a_n\}$이 다음 조건을 만족시킬 때, a_{14}의 값은?

(가) $\sum_{n=1}^{2m-1}a_n=0$을 만족시키는 자연수 m이 존재한다.

(나) $2\sum_{n=1}^{15}a_n=\sum_{n=1}^{15}|a_n|=90$

등차수열 $\{a_n\}$의 첫째항을 a, 공차를 d라 하자.

조건 (가)에 의하여

$$\sum_{n=1}^{2m-1}a_n=\frac{(2m-1)\{2a+(2m-2)d\}}{2}$$
$$=(2m-1)\{a+(m-1)d\}=0$$

$2m-1>0$이므로 $a+(m-1)d=0$

즉, $a_m=0$

조건 (나)에 의하여

$\sum_{n=1}^{15}a_n\ne\sum_{n=1}^{15}|a_n|$이고 $\sum_{n=1}^{15}a_n>0$이므로

a_m을 만족시키는 m의 범위는 $m\le7$

수열의 항	항의 개수
$-(m-1)d, \cdots, -2d, -d$	$(m-1)$개
$0(=a_m)$	1개
$d, 2d, \cdots, (m-1)d$	$(m-1)$개
$md, (m+1)d, \cdots, a_{15}$	$(16-2m)$개

$\sum_{n=1}^{2m-1}a_n=0$이므로

$$\sum_{n=1}^{15}a_n=\frac{(16-2m)\{2md+(15-2m)d\}}{2}$$
$$=15(8-m)d=45$$

$$\sum_{n=1}^{15}|a_n|=2\times\frac{(m-1)\{d+(m-1)d\}}{2}+15(8-m)d$$
$$=(m-1)md+45=90$$

$2\sum_{n=1}^{15}a_n=\sum_{n=1}^{15}|a_n|$이므로

$15(8-m)d=(m-1)md$

$m^2+14m-120=0$

$(m-6)(m+20)=0$

m은 자연수이므로 $m=6$

$\sum_{n=1}^{15}a_n=30d=45$, 즉 $d=\frac{3}{2}$

따라서 $a_{14}=a_6+8d=0+12=12$

답 ④

1822 기울기를 각각 a, b라 하고 직선의 방정식을 구하자.

그림과 같이 좌표평면에 점 $(-1, 1)$을 지나는 서로 다른 두 직선 l, m이 있다. 자연수 n에 대하여 직선 $x=n$이 두 직선 l, m과 만나는 점을 각각 A_n, B_n이라 하자.
사각형 $A_nB_nB_{n+1}A_{n+1}$의 넓이를 S_n이라 할 때, $\sum_{k=1}^{10}S_{2k-1}=115$이다. $\sum_{k=1}^{10}S_{2k}$의 값을 구하시오.

— A_n, B_n, A_{n+1}, B_{n+1}의 좌표를 구하자.

두 직선 l, m의 방정식을 각각

$y=a(x+1)+1=ax+a+1$ (a는 상수)

$y=b(x+1)+1=bx+b+1$ (b는 상수)

로 놓으면

$A_n(n,\ an+a+1)$, $B_n(n,\ bn+b+1)$이다.

$$\overline{A_nB_n}=|(an+a+1)-(bn+b+1)|$$
$$=|a-b|(n+1)$$

이므로

$$S_n=\frac{1}{2}(\overline{A_nB_n}+\overline{A_{n+1}B_{n+1}})\{(n+1)-n\}$$
$$=\frac{1}{2}\{|a-b|(n+1)+|a-b|(n+2)\}$$
$$=\frac{1}{2}|a-b|(2n+3)$$

$$\sum_{k=1}^{10}S_{2k-1}=\sum_{k=1}^{10}\frac{1}{2}|a-b|\{2(2k-1)+3\}$$
$$=\frac{1}{2}|a-b|\sum_{k=1}^{10}(4k+1)$$
$$=\frac{1}{2}|a-b|\left(4\times\frac{10\times11}{2}+10\right)$$
$$=115|a-b|$$

$\sum_{k=1}^{10}S_{2k-1}=115$에서 $|a-b|=1$이므로

$S_n=\frac{1}{2}(2n+3)$

$S_{2k}=\frac{1}{2}(4k+3)$이므로

$$\sum_{k=1}^{10}S_{2k}=\frac{1}{2}\sum_{k=1}^{10}(4k+3)$$
$$=\frac{1}{2}\left(4\times\frac{10\times11}{2}+30\right)=125$$

답 125

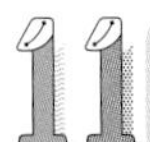

수학적 귀납법

본책 320~350쪽

1823

$a_1=4$, $a_{n+1}-a_n=2$에서 $a_{n+1}=a_n+2$이므로
$a_2=a_1+2=4+2=6$, $a_3=a_2+2=6+2=8$
$a_4=a_3+2=8+2=10$ 답 $a_2=6$, $a_3=8$, $a_4=10$

1824

$a_1=15$, $a_{n+1}-a_n=-3$에서 $a_{n+1}=a_n-3$이므로
$a_2=a_1-3=15-3=12$, $a_3=a_2-3=12-3=9$
$a_4=a_3-3=9-3=6$ 답 $a_2=12$, $a_3=9$, $a_4=6$

1825

$a_1=1$, $a_{n+1}=a_n+2$에서
$a_2=a_1+2=1+2=3$, $a_3=a_2+2=3+2=5$
$a_4=a_3+2=5+2=7$ 답 $a_2=3$, $a_3=5$, $a_4=7$

1826

$a_1=-3$, $\frac{a_{n+1}}{a_n}=-1$에서 $a_{n+1}=-a_n$이므로
$a_2=-a_1=-(-3)=3$, $a_3=-a_2=-3$
$a_4=-a_3=-(-3)=3$ 답 $a_2=3$, $a_3=-3$, $a_4=3$

1827

$a_1=24$, $\frac{a_{n+1}}{a_n}=\frac{1}{2}$에서 $a_{n+1}=\frac{1}{2}a_n$이므로
$a_2=\frac{1}{2}a_1=\frac{1}{2}\times24=12$, $a_3=\frac{1}{2}a_2=\frac{1}{2}\times12=6$
$a_4=\frac{1}{2}a_3=\frac{1}{2}\times6=3$ 답 $a_2=12$, $a_3=6$, $a_4=3$

1828

$a_1=4$, $a_{n+1}=3a_n$에서
$a_2=3a_1=3\times4=12$, $a_3=3a_2=3\times12=36$
$a_4=3a_3=3\times36=108$ 답 $a_2=12$, $a_3=36$, $a_4=108$

1829

$a_1=-4$, $a_{n+1}=-2a_n$에서
$a_2=-2a_1=-2\times(-4)=8$
$a_3=-2a_2=-2\times8=-16$
$a_4=-2a_3=-2\times(-16)=32$
답 $a_2=8$, $a_3=-16$, $a_4=32$

1830

$a_1=1$, $a_{n+1}=a_n+n$에서
$a_2=a_1+1=1+1=2$, $a_3=a_2+2=2+2=4$
$a_4=a_3+3=4+3=7$ 답 $a_2=2$, $a_3=4$, $a_4=7$

1831

$a_1=3$, $a_{n+1}-a_n=2n+1$에서 $a_{n+1}=a_n+2n+1$이므로
$a_2=a_1+2\times1+1=3+3=6$
$a_3=a_2+2\times2+1=6+5=11$
$a_4=a_3+2\times3+1=11+7=18$ 답 $a_2=6$, $a_3=11$, $a_4=18$

1832

$a_1=2$, $a_{n+1}=a_n+2^n$에서
$a_2=a_1+2=2+2=4$, $a_3=a_2+2^2=4+4=8$
$a_4=a_3+2^3=8+8=16$ 답 $a_2=4$, $a_3=8$, $a_4=16$

1833

$a_1=1$, $a_{n+1}=(n+1)a_n$에서
$a_2=(1+1)a_1=2\times1=2$, $a_3=(2+1)a_2=3\times2=6$
$a_4=(3+1)a_3=4\times6=24$ 답 $a_2=2$, $a_3=6$, $a_4=24$

1834

$a_1=1$, $a_{n+1}=2a_n+1$에서
$a_2=2a_1+1=2\times1+1=3$, $a_3=2a_2+1=2\times3+1=7$
$a_4=2a_3+1=2\times7+1=15$ 답 $a_2=3$, $a_3=7$, $a_4=15$

1835

$a_1=2$, $a_{n+1}=3a_n-1$에서
$a_2=3a_1-1=3\times2-1=5$, $a_3=3a_2-1=3\times5-1=14$
$a_4=3a_3-1=3\times14-1=41$ 답 $a_2=5$, $a_3=14$, $a_4=41$

1836

$a_1=1$, $a_{n+1}=\frac{a_n}{a_n+1}$에서

$a_2=\frac{a_1}{a_1+1}=\frac{1}{1+1}=\frac{1}{2}$, $a_3=\frac{a_2}{a_2+1}=\frac{\frac{1}{2}}{\frac{1}{2}+1}=\frac{1}{3}$

$a_4=\frac{a_3}{a_3+1}=\frac{\frac{1}{3}}{\frac{1}{3}+1}=\frac{1}{4}$

답 $a_2=\frac{1}{2}$, $a_3=\frac{1}{3}$, $a_4=\frac{1}{4}$

1837

$a_1=2$, $a_{n+1}=\frac{2a_n}{1+a_n}$에서

$a_2=\frac{2a_1}{1+a_1}=\frac{2\times2}{1+2}=\frac{4}{3}$, $a_3=\frac{2a_2}{1+a_2}=\frac{2\times\frac{4}{3}}{1+\frac{4}{3}}=\frac{8}{7}$

$a_4=\frac{2a_3}{1+a_3}=\frac{2\times\frac{8}{7}}{1+\frac{8}{7}}=\frac{16}{15}$

답 $a_2=\frac{4}{3}$, $a_3=\frac{8}{7}$, $a_4=\frac{16}{15}$

1838

$a_1=1$, $a_{n+1}=\frac{a_n}{a_n+2}$에서

$a_2=\frac{a_1}{a_1+2}=\frac{1}{1+2}=\frac{1}{3}$, $a_3=\frac{a_2}{a_2+2}=\frac{\frac{1}{3}}{\frac{1}{3}+2}=\frac{1}{7}$

$a_4=\frac{a_3}{a_3+2}=\frac{\frac{1}{7}}{\frac{1}{7}+2}=\frac{1}{15}$ 답 $a_2=\frac{1}{3}$, $a_3=\frac{1}{7}$, $a_4=\frac{1}{15}$

1839

$a_1=1$, $a_2=4$, $a_{n+1}-a_n=a_{n+2}-a_{n+1}$에서
$a_{n+2}=2a_{n+1}-a_n$이므로
$a_3=2a_2-a_1=2\times4-1=7$
$\therefore a_4=2a_3-a_2=2\times7-4=10$

답 10

다른풀이 $a_{n+1}-a_n=a_{n+2}-a_{n+1}$이므로 주어진 수열은 첫째항이 1, 공차가 $4-1=3$인 등차수열이다.
따라서 일반항 a_n은 $a_n=1+(n-1)\times3=3n-2$
$\therefore a_4=3\times4-2=10$

1840

$a_1=3$, $a_2=5$, $2a_{n+1}=a_n+a_{n+2}$에서
$a_{n+2}=2a_{n+1}-a_n$이므로
$a_3=2a_2-a_1=2\times5-3=7$
$\therefore a_4=2a_3-a_2=2\times7-5=9$

답 9

다른풀이 $2a_{n+1}=a_n+a_{n+2}$에서 $a_{n+1}-a_n=a_{n+2}-a_{n+1}$이므로 주어진 수열은 첫째항이 3, 공차가 $5-3=2$인 등차수열이다.
따라서 일반항 a_n은 $a_n=3+(n-1)\times2=2n+1$
$\therefore a_4=2\times4+1=9$

1841

$a_1=1$, $a_2=3$, $\dfrac{a_{n+1}}{a_n}=\dfrac{a_{n+2}}{a_{n+1}}$에서 $a_{n+2}=\dfrac{{a_{n+1}}^2}{a_n}$이므로

$a_3=\dfrac{{a_2}^2}{a_1}=\dfrac{3^2}{1}=9$ $\quad\therefore a_4=\dfrac{{a_3}^2}{a_2}=\dfrac{9^2}{3}=27$

답 27

다른풀이 $\dfrac{a_{n+1}}{a_n}=\dfrac{a_{n+2}}{a_{n+1}}$이므로 주어진 수열은 첫째항이 1, 공비가 $\dfrac{3}{1}=3$인 등비수열이다.
따라서 일반항 a_n은 $a_n=1\times3^{n-1}=3^{n-1}$
$\therefore a_4=3^{4-1}=27$

1842

$a_1=4$, $a_2=2$, ${a_{n+1}}^2=a_na_{n+2}$에서 $a_{n+2}=\dfrac{{a_{n+1}}^2}{a_n}$이므로

$a_3=\dfrac{{a_2}^2}{a_1}=\dfrac{2^2}{4}=1$ $\quad\therefore a_4=\dfrac{{a_3}^2}{a_2}=\dfrac{1^2}{2}=\dfrac{1}{2}$

답 $\dfrac{1}{2}$

다른풀이 ${a_{n+1}}^2=a_na_{n+2}$에서 $\dfrac{a_{n+1}}{a_n}=\dfrac{a_{n+2}}{a_{n+1}}$이므로 주어진 수열은 첫째항이 4, 공비가 $\dfrac{2}{4}=\dfrac{1}{2}$인 등비수열이다.
따라서 일반항 a_n은 $a_n=4\times\left(\dfrac{1}{2}\right)^{n-1}$
$\therefore a_4=4\times\left(\dfrac{1}{2}\right)^{4-1}=\dfrac{1}{2}$

1843

$a_1=1$, $a_2=2$, $a_{n+2}=a_{n+1}+a_n$에서
$a_3=a_2+a_1=2+1=3$
$\therefore a_4=a_3+a_2=3+2=5$

답 5

1844

$a_1=1$, $a_2=2$, $a_{n+2}-3a_{n+1}+2a_n=0$에서
$a_{n+2}=3a_{n+1}-2a_n$이므로
$a_3=3a_2-2a_1=3\times2-2\times1=4$
$\therefore a_4=3a_3-2a_2=3\times4-2\times2=8$

답 8

1845

$a_1=0$, $a_2=1$, $3a_{n+2}-2a_{n+1}-a_n=0$에서
$a_{n+2}=\dfrac{2a_{n+1}+a_n}{3}$이므로

$a_3=\dfrac{2a_2+a_1}{3}=\dfrac{2\times1+0}{3}=\dfrac{2}{3}$

$\therefore a_4=\dfrac{2a_3+a_2}{3}=\dfrac{2\times\dfrac{2}{3}+1}{3}=\dfrac{7}{9}$

답 $\dfrac{7}{9}$

1846

수열 $\{a_n\}$이 등차수열이면
$a_{n+1}-a_n=d$ (일정)
$\Longleftrightarrow 2a_{n+1}=a_n+a_{n+2}$
$\Longleftrightarrow a_{n+1}-a_n=a_{n+2}-a_{n+1}$
$\Longleftrightarrow a_{n+2}-2a_{n+1}+a_n=0$
따라서 등차수열을 나타낸 것은 ㄱ, ㄴ, ㅅ, ㅇ이다.

답 ㄱ, ㄴ, ㅅ, ㅇ

1847

수열 $\{a_n\}$이 등비수열이면
$\dfrac{a_{n+1}}{a_n}=r$ (일정)
$\Longleftrightarrow {a_{n+1}}^2=a_na_{n+2}$
$\Longleftrightarrow \dfrac{a_{n+1}}{a_n}=\dfrac{a_{n+2}}{a_{n+1}}$
따라서 등비수열을 나타낸 것은 ㄷ, ㄹ, ㅁ이다.

답 ㄷ, ㄹ, ㅁ

1848

첫째항 a_1은 $a_1=1$이고, 이웃하는 항들 사이의 관계를 살펴보면
$a_2-a_1=4-1=3$
$a_3-a_2=7-4=3$
$a_4-a_3=10-7=3$
$\vdots$
$a_{n+1}-a_n=3$ (단, $n\ge1$)
따라서 수열 $\{a_n\}$의 귀납적 정의는
$a_1=1$, $a_{n+1}=a_n+3$ (단, $n=1, 2, 3, \cdots$)

답 $a_1=1$, $a_{n+1}=a_n+3$ (단, $n=1, 2, 3, \cdots$)

1849

첫째항 a_1은 $a_1=5$이고, 이웃하는 항들 사이의 관계를 살펴보면
$a_2-a_1=7-5=2$
$a_3-a_2=9-7=2$
$a_4-a_3=11-9=2$
$\vdots$
$a_{n+1}-a_n=2$ (단, $n\ge1$)
따라서 수열 $\{a_n\}$의 귀납적 정의는
$a_1=5$, $a_{n+1}=a_n+2$ (단, $n=1, 2, 3, \cdots$)

답 $a_1=5$, $a_{n+1}=a_n+2$ (단, $n=1, 2, 3, \cdots$)

1850

첫째항 a_1은 $a_1=6$이고, 이웃하는 항들 사이의 관계를 살펴보면

$a_2-a_1=2-6=-4$

$a_3-a_2=-2-2=-4$

$a_4-a_3=-6-(-2)=-4$

⋮

$a_{n+1}-a_n=-4$ (단, $n\geq 1$)

따라서 수열 $\{a_n\}$의 귀납적 정의는

$a_1=6$, $a_{n+1}=a_n-4$ (단, $n=1, 2, 3, \cdots$)

답 $a_1=6$, $a_{n+1}=a_n-4$ (단, $n=1, 2, 3, \cdots$)

1851

첫째항 a_1은 $a_1=-1$이고, 이웃하는 항들 사이의 관계를 살펴보면

$a_2-a_1=-6-(-1)=-5$

$a_3-a_2=-11-(-6)=-5$

$a_4-a_3=-16-(-11)=-5$

⋮

$a_{n+1}-a_n=-5$ (단, $n\geq 1$)

따라서 수열 $\{a_n\}$의 귀납적 정의는

$a_1=-1$, $a_{n+1}=a_n-5$ (단, $n=1, 2, 3, \cdots$)

답 $a_1=-1$, $a_{n+1}=a_n-5$ (단, $n=1, 2, 3, \cdots$)

1852

첫째항 a_1은 $a_1=1$이고, 이웃하는 항들 사이의 관계를 살펴보면

$a_2\div a_1=2\div 1=2$

$a_3\div a_2=4\div 2=2$

$a_4\div a_3=8\div 4=2$

⋮

$a_{n+1}\div a_n=2$ (단, $n\geq 1$)

따라서 수열 $\{a_n\}$의 귀납적 정의는

$a_1=1$, $a_{n+1}=2a_n$ (단, $n=1, 2, 3, \cdots$)

답 $a_1=1$, $a_{n+1}=2a_n$ (단, $n=1, 2, 3, \cdots$)

1853

첫째항 a_1은 $a_1=3$이고, 이웃하는 항들 사이의 관계를 살펴보면

$a_2\div a_1=(-3)\div 3=-1$

$a_3\div a_2=3\div(-3)=-1$

$a_4\div a_3=(-3)\div 3=-1$

⋮

$a_{n+1}\div a_n=-1$ (단, $n\geq 1$)

따라서 수열 $\{a_n\}$의 귀납적 정의는

$a_1=3$, $a_{n+1}=-a_n$ (단, $n=1, 2, 3, \cdots$)

답 $a_1=3$, $a_{n+1}=-a_n$ (단, $n=1, 2, 3, \cdots$)

1854

첫째항 a_1은 $a_1=-5$이고, 이웃하는 항들 사이의 관계를 살펴보면

$a_2\div a_1=10\div(-5)=-2$

$a_3\div a_2=(-20)\div 10=-2$

$a_4\div a_3=40\div(-20)=-2$

⋮

$a_{n+1}\div a_n=-2$ (단, $n\geq 1$)

따라서 수열 $\{a_n\}$의 귀납적 정의는

$a_1=-5$, $a_{n+1}=-2a_n$ (단, $n=1, 2, 3, \cdots$)

답 $a_1=-5$, $a_{n+1}=-2a_n$ (단, $n=1, 2, 3, \cdots$)

1855

명제 $p(n)$이 모든 자연수 n에 대하여 성립함을 증명하려면 다음 (i), (ii)를 보이면 된다.

(i) $\boxed{n=1}$일 때, 명제 $p(n)$이 성립한다.

(ii) $n=k$일 때, 명제 $p(n)$이 성립한다고 가정하면

$n=\boxed{k+1}$일 때에도 명제 $p(n)$이 성립한다.

이와 같은 증명 방법을 [수학적 귀납법]이라고 한다.

답 $n=1$, $k+1$, 수학적 귀납법

1856

자연수 k에 대하여 참인 명제를 나열해 보면

$P(2)$, $P(5)$, $P(8)$, $\cdots$, $P(3k-1)$, $\cdots$

이므로 $P(1)$부터 $P(80)$ 중에서 참인 명제는

$3k-1\leq 80$, $3k\leq 81$

$\therefore k\leq 27$

따라서 참인 명제의 개수는 27이다.

답 27

1857

$P(2)$, $P(4)$, $P(6)$, $\cdots$, $P(2n)$, $\cdots$이 참임을 증명하려면 다음 (i), (ii)를 보이면 된다.

(i) $P(2)$가 참이다.

(ii) $P(2k)$가 참이라 가정할 때, $P(2(k+1))$이 참이다.

$P(2(k+1))$은 $P(2k+2)$이므로 증명해야 할 것은 ㄴ, ㄹ이다.

답 ㄴ, ㄹ

1858

(i) $\boxed{n=1}$일 때,

(좌변)$=2$, (우변)$=1\times 2=2$

따라서 주어진 등식이 성립한다.

(ii) $n=k$일 때, 주어진 등식이 성립한다고 가정하면

$2+4+6+\cdots+2k=k(k+1)$

이 식의 양변에 $\boxed{2(k+1)}$을 더하면

$2+4+6+\cdots+2k+\boxed{2(k+1)}$

$=k(k+1)+\boxed{2(k+1)}$

$=(k+1)(\boxed{k+2})$

따라서 $n=\boxed{k+1}$일 때에도 주어진 등식이 성립한다.

(i), (ii)에 의하여 모든 자연수 n에 대하여 주어진 등식이 성립한다.

답 (가): $n=1$, (나): $2(k+1)$, (다): $k+2$, (라): $k+1$

1859

> 수열 $\{a_n\}$을 $a_1=3$, $a_{n+1}=a_n+3n$ $(n\geq 1)$으로 정의할 때, a_5의 값은?
>
> $n=1, 2, 3, 4$를 차례로 대입해서 a_2, a_3, a_4, a_5를 구하자.

$a_1=3$, $a_{n+1}=a_n+3n$이므로

$a_2=a_1+3\cdot 1=3+3=6$

$a_3=a_2+3\cdot 2=6+6=12$

$a_4=a_3+3\cdot3=12+9=21$

$a_5=a_4+3\cdot4=21+12=33$

답 ③

1860

수열 $\{a_n\}$에서 $a_1=2$, $a_{n+1}=a_n+2^n$ $(n=1, 2, 3, \cdots)$일 때, $\sum_{k=1}^{4} a_k$의 값을 구하시오.

$n=1$을 대입하면 $a_2=a_1+2^1=4$, $n=2$를 대입하면 $a_3=a_2+2^2=8$, $\cdots$

$a_1=2$, $a_{n+1}=a_n+2^n$이므로

$a_2=a_1+2^1=2+2=4$

$a_3=a_2+2^2=4+4=8$

$a_4=a_3+2^3=8+8=16$

$\therefore \sum_{k=1}^{4} a_k=2+4+8+16=30$

답 30

1861

$\begin{cases} a_1=1 \\ a_{n+1}=a_n+n^2 \end{cases}$ $(n=1, 2, 3, \cdots)$으로 정의된 수열 $\{a_n\}$에서 a_5의 값은?

$n=1$을 대입하면 $a_2=a_1+1^2=2$, $n=2$를 대입하면 $a_3=a_2+2^2=6$, $\cdots$

$a_1=1$, $a_{n+1}=a_n+n^2$이므로

$a_2=a_1+1^2=1+1=2$

$a_3=a_2+2^2=2+4=6$

$a_4=a_3+3^2=6+9=15$

$a_5=a_4+4^2=15+16=31$

답 ②

1862

$a_{n+1}=\frac{n(n+1)}{(n+2)^2}a_n$이다.

$a_1=1$, $(n+2)^2a_{n+1}=n(n+1)a_n$ $(n=1, 2, 3, \cdots)$으로 정의된 수열 $\{a_n\}$에 대하여 $a_4=\frac{q}{p}$일 때, $p+q$의 값을 구하시오.
(단, p, q는 서로소인 자연수이다.)

$a_1=1$, $(n+2)^2a_{n+1}=n(n+1)a_n$에서

$a_{n+1}=\frac{n(n+1)}{(n+2)^2}a_n$이므로

$a_2=\frac{1\cdot2}{3^2}a_1=\frac{2}{9}\cdot1=\frac{2}{9}$

$a_3=\frac{2\cdot3}{4^2}a_2=\frac{3}{8}\cdot\frac{2}{9}=\frac{1}{12}$

$a_4=\frac{3\cdot4}{5^2}a_3=\frac{12}{25}\cdot\frac{1}{12}=\frac{1}{25}$

$\therefore p=25,\ q=1$

$\therefore p+q=26$

답 26

1863

$n=1$을 대입하면 $a_2=-3\cdot a_1+2=-1$, $n=2$를 대입하면 $a_3=-3\cdot a_2+2=5$, $\cdots$

수열 $\{a_n\}$을 $\begin{cases} a_1=1 \\ a_{n+1}=-3a_n+2 \end{cases}$ 로 정의할 때, a_6의 값은?

$a_1=1$, $a_{n+1}=-3a_n+2$에서

$a_2=-3\cdot1+2=-1$

$a_3=-3\cdot(-1)+2=5$

$a_4=-3\cdot5+2=-13$

$a_5=-3\cdot(-13)+2=41$

$\therefore a_6=-3\cdot41+2=-121$

답 ①

1864

수열 $\{a_n\}$에서 $a_2=2$, $a_{n+1}=\frac{1}{2}a_n-1$ $(n=1, 2, 3, \cdots)$일 때, a_5-a_6의 값을 구하시오.

$a_2=2$이므로, $n=2$를 대입하면 $a_3=\frac{1}{2}a_2-1=0$, $n=3$을 대입하면 $a_4=\frac{1}{2}a_3-1=-1$, $\cdots$

$a_2=2$, $a_{n+1}=\frac{1}{2}a_n-1$에서

$a_3=\frac{1}{2}a_2-1=\frac{1}{2}\cdot2-1=0$

$a_4=\frac{1}{2}a_3-1=\frac{1}{2}\cdot0-1=-1$

$a_5=\frac{1}{2}a_4-1=\frac{1}{2}\cdot(-1)-1=-\frac{3}{2}$

$a_6=\frac{1}{2}a_5-1=\frac{1}{2}\cdot\left(-\frac{3}{2}\right)-1=-\frac{7}{4}$

$\therefore a_5-a_6=-\frac{3}{2}-\left(-\frac{7}{4}\right)=\frac{1}{4}$

답 $\frac{1}{4}$

1865

수열 $\{a_n\}$에 대하여 $a_1=2$, $a_{n+1}=2a_n+2$일 때, $\sum_{k=1}^{5} a_k$의 값은?

$n=1$을 대입하면 $a_2=2a_1+2=6$, $n=2$를 대입하면 $a_3=2a_2+2=14$, $\cdots$

$a_1=2$, $a_{n+1}=2a_n+2$이므로

$a_2=2a_1+2=2\cdot2+2=6$

$a_3=2a_2+2=2\cdot6+2=14$

$a_4=2a_3+2=2\cdot14+2=30$

$a_5=2a_4+2=2\cdot30+2=62$

$\therefore \sum_{k=1}^{5} a_k=2+6+14+30+62=114$

답 ②

1866

$n=1$을 대입하면 $\frac{1}{a_2}=\frac{1}{a_1}+2=3$, $n=2$를 대입하면 $\frac{1}{a_3}=\frac{1}{a_2}+2=5$, $\cdots$

$a_1=1$, $\frac{1}{a_{n+1}}=\frac{1}{a_n}+2$ $(n=1, 2, 3, \cdots)$로 정의되는 수열 $\{a_n\}$에 대하여 $\frac{1}{a_5}$의 값을 구하시오.

$a_1=1$, $\frac{1}{a_n+1}=\frac{1}{a_n}+2$에서

$\frac{1}{a_2}=\frac{1}{a_1}+2=\frac{1}{1}+2=3$

$\frac{1}{a_3}=\frac{1}{a_2}+2=3+2=5$

$\frac{1}{a_4}=\frac{1}{a_3}+2=5+2=7$

$\frac{1}{a_5}=\frac{1}{a_4}+2=7+2=9$

$\therefore \frac{1}{a_5}=9$ 답 9

1867

> $a_1=4$, $3a_{n+1}-2a_n=3$ $(n=1, 2, 3, \cdots)$으로 정의된 수열 $\{a_n\}$에 대하여 $a_1+a_2+a_3+a_4+a_5$의 값을 구하시오.
> ↳ a_{n+1}에 관하여 풀면 $a_{n+1}=\frac{2}{3}a_n+1$이다.

$a_1=4$, $3a_{n+1}-2a_n=3$에서 $a_{n+1}=\frac{2}{3}a_n+1$이므로

$a_2=\frac{2}{3}a_1+1=\frac{2}{3}\cdot 4+1=\frac{11}{3}$

$a_3=\frac{2}{3}a_2+1=\frac{2}{3}\cdot\frac{11}{3}+1=\frac{31}{3^2}$

$a_4=\frac{2}{3}a_3+1=\frac{2}{3}\cdot\frac{31}{3^2}+1=\frac{89}{3^3}$

$a_5=\frac{2}{3}a_4+1=\frac{2}{3}\cdot\frac{89}{3^3}+1=\frac{259}{3^4}$

$\therefore a_1+a_2+a_3+a_4+a_5=4+\frac{11}{3}+\frac{31}{9}+\frac{89}{27}+\frac{259}{81}$

$=\frac{1426}{81}$ 답 $\frac{1426}{81}$

1868

> 수열 $\{a_n\}$을 $\begin{cases} a_1=2 \\ a_{n+1}=a_n-2 \ (n=1, 2, 3, \cdots) \end{cases}$ 로 정의할 때, a_{10}의 값은?
> ↳ $a_{n+1}-a_n=-2$이므로 차가 일정한 등차수열이다.

$a_1=2$, $a_{n+1}=a_n-2$이므로 수열 $\{a_n\}$은 첫째항이 2, 공차가 -2인 등차수열이다.

$\therefore a_n=2+(n-1)\cdot(-2)=-2n+4$

$\therefore a_{10}=-2\cdot 10+4=-16$ 답 ①

1869

> $a_1=2$, $a_{n+1}=a_n+d$ $(n=1, 2, 3, \cdots)$로 정의된 수열 $\{a_n\}$에서 $a_3=8$일 때, a_{20}의 값은? (단, d는 상수)
> ↳ $a_{n+1}-a_n=d$, d는 상수이므로 a_n은 등차수열이다.

$a_{n+1}=a_n+d$에서 $a_{n+1}-a_n=d$이므로

수열 $\{a_n\}$은 공차가 d인 등차수열이다.

이때, $a_3=2+2d=8$이므로 $d=3$

$\therefore a_n=2+(n-1)\cdot 3=3n-1$

$\therefore a_{20}=3\cdot 20-1=59$ 답 ③

1870

> $a_{n+1}=\frac{a_n+a_{n+2}}{2}$이므로 a_{n+1}은 a_n과 a_{n+2}의 등차중항이다.
>
> 수열 $\{a_n\}$이 $a_1=1$, $a_2=4$, $2a_{n+1}=a_n+a_{n+2}$ $(n=1, 2, 3, \cdots)$로 정의될 때, $\sum_{k=1}^{10} a_k$의 값은?

$2a_{n+1}=a_n+a_{n+2}$에서 $a_{n+2}-a_{n+1}=a_{n+1}-a_n$이므로

수열 $\{a_n\}$은 첫째항이 1, 공차가 $4-1=3$인 등차수열이다.

$\therefore a_n=1+(n-1)\cdot 3=3n-2$

$\therefore \sum_{k=1}^{10} a_k=\sum_{k=1}^{10}(3k-2)$

$=3\cdot\frac{10\cdot 11}{2}-2\cdot 10=145$ 답 ②

1871

> 수열 $\{a_n\}$이 $a_{n+1}=\frac{a_n+a_{n+2}}{2}$ $(n=1, 2, 3, \cdots)$을 만족하고,
> ↳ a_{n+1}은 a_n과 a_{n+2}의 등차중항이다.
> $a_1=3$, $a_3+a_5=0$일 때, $\sum_{k=1}^{10} a_k$의 값은?

$a_{n+1}=\frac{a_n+a_{n+2}}{2}$에서 $a_{n+2}-a_{n+1}=a_{n+1}-a_n$이므로

수열 $\{a_n\}$은 등차수열이다.

이때, 수열 $\{a_n\}$의 공차를 d라 하면

$a_1=3$, $a_3+a_5=0$에서

$(3+2d)+(3+4d)=0$

$6+6d=0 \quad \therefore d=-1$

$\therefore a_n=3+(n-1)\cdot(-1)=-n+4$

$\therefore \sum_{k=1}^{10} a_k=\sum_{k=1}^{10}(-k+4)=-\frac{10\cdot 11}{2}+4\cdot 10=-15$ 답 ②

1872

> 수열 $\{a_n\}$에 대하여 $a_1=3$, $a_{n+1}=a_n+3$ $(n=1, 2, 3, \cdots)$일 때,
> ↳ 첫째항이 3, 공차가 3이므로 $a_n=3n$
> $\sum_{k=1}^{n}\frac{1}{a_ka_{k+1}}$을 구하면?
> ↳ $\frac{1}{9}\sum_{k=1}^{n}\frac{1}{k(k+1)}$이다.

$a_1=3$, $a_{n+1}=a_n+3$이므로 수열 $\{a_n\}$은 첫째항이 3, 공차가 3인 등차수열이다.

$\therefore a_n=3+(n-1)\cdot 3=3n$

$\therefore \sum_{k=1}^{n}\frac{1}{a_ka_{k+1}}=\sum_{k=1}^{n}\frac{1}{3k\cdot 3(k+1)}$

$=\frac{1}{9}\sum_{k=1}^{n}\frac{1}{k(k+1)}=\frac{1}{9}\sum_{k=1}^{n}\left(\frac{1}{k}-\frac{1}{k+1}\right)$

$=\frac{1}{9}\left\{\left(\frac{1}{1}-\frac{1}{2}\right)+\left(\frac{1}{2}-\frac{1}{3}\right)+\cdots+\left(\frac{1}{n}-\frac{1}{n+1}\right)\right\}$

$=\frac{1}{9}\left(1-\frac{1}{n+1}\right)=\frac{n}{9(n+1)}$ 답 ⑤

1873

> 수열 $\{a_n\}$은
> $a_{n+2}-a_{n+1}=a_{n+1}-a_n$ $(n=1, 2, 3, \cdots)$ ← 이웃한 항들의 차가 일정한 등차수열이다.
> 을 만족하고, $a_2=-19$, $a_5=-10$이다. 이때, 첫째항부터 제n항까지의 합 S_n의 값이 최소가 되도록 하는 n의 값을 구하시오.
> ← $a_n<0$, $a_{n+1}>0$이면 S_n이 최소이다.

$a_{n+2}-a_{n+1}=a_{n+1}-a_n$이므로 수열 $\{a_n\}$은 등차수열이고 첫째항을 a, 공차를 d라 하면

$a_2=a+d=-19$ ……㉠

$a_5=a+4d=-10$ ……㉡

㉠, ㉡을 연립하여 풀면 $a=-22$, $d=3$

$\therefore a_n=-22+(n-1)\cdot 3=3n-25$

이때, $a_n<0$에서 $3n-25<0$

$n<\frac{25}{3}=8.33\times\times\times$이므로

$a_1<a_2<\cdots<a_8<0<a_9<a_{10}<\cdots$

따라서 첫째항부터 제8항까지의 합이 최소이다. 답 8

1874

> $a_1=1$, $a_{n+1}=2a_n$ $(n=1, 2, 3, \cdots)$으로 정의된 수열 $\{a_n\}$의 a_8의 값은?
> ← $\frac{a_{n+1}}{a_n}=2$이므로 비가 일정한 등비수열이다.

$a_{n+1}=2a_n$을 만족하는 수열 $\{a_n\}$은 첫째항이 1, 공비가 2인 등비수열이므로

$a_n=1\cdot 2^{n-1}=2^{n-1}$

$\therefore a_8=2^7=128$ 답 ②

1875

> 수열 $\{a_n\}$이 다음과 같이 정의될 때, a_{15}의 값은?
>
> $a_1=4$, $a_2=6$, $a_{n+1}^2=a_na_{n+2}$ $(n=1, 2, 3, \cdots)$
> ← a_{n+1}은 a_n과 a_{n+2}의 등비중항이다.

$a_{n+1}^2=a_na_{n+2}$에서 수열 $\{a_n\}$은 등비수열이고 첫째항이 4, 공비가 $\frac{a_2}{a_1}=\frac{3}{2}$이므로

$a_n=4\left(\frac{3}{2}\right)^{n-1}$

$\therefore a_{15}=4\left(\frac{3}{2}\right)^{14}$ 답 ④

1876

> ← a_{n+1}은 a_n과 a_{n+2}의 등비중항이다.
> $a_1+a_1=a_2$, $a_5=48$이고,
> $a_{n+1}^2=a_na_{n+2}$ $(n=1, 2, 3, \cdots)$
> 를 만족하는 수열 $\{a_n\}$에 대하여 $\sum_{n=1}^{8} a_n$의 값을 구하시오.

$a_{n+1}^2=a_na_{n+2}$를 만족하는 수열 $\{a_n\}$은 등비수열이고, $a_1+a_1=a_2$에서 $2a_1=a_2$이므로 공비가 2이다.

또한, 수열 $\{a_n\}$의 첫째항을 a라 하면

$a_5=a\cdot 2^4=48$에서 $a=3$

$\therefore a_n=3\cdot 2^{n-1}$

$\therefore \sum_{n=1}^{8} a_n=\frac{3(2^8-1)}{2-1}$

$=3\cdot 255=765$ 답 765

1877

> $a_1=3$, $a_4=24$이고 $a_{n+1}=\sqrt{a_na_{n+2}}$ $(n=1, 2, 3, \cdots)$를 만족할 때, $\sum_{n=1}^{10} a_n$의 값은?
> ← 양변을 제곱하면 $a_{n+1}^2=a_na_{n+2}$, a_{n+1}은 a_n과 a_{n+2}의 등비중항이다.

$a_{n+1}=\sqrt{a_na_{n+2}}$의 양변을 제곱하면 $a_{n+1}^2=a_na_{n+2}$이므로 수열 $\{a_n\}$은 등비수열이다. 공비를 r라 하면 첫째항은 3이므로

$a_4=3\cdot r^3=24$, $r^3=8$

$\therefore r=2$

$\therefore a_n=3\cdot 2^{n-1}$

$\sum_{n=1}^{10} a_n=\sum_{n=1}^{10} 3\cdot 2^{n-1}$

$=\frac{3(2^{10}-1)}{2-1}$

$=3(2^{10}-1)=3\cdot 2^{10}-3$ 답 ③

1878

> 모든 항이 양수인 수열 $\{a_n\}$이 $a_1=2$이고,
> $\log_2 a_{n+1}=1+\log_2 a_n$ $(n\ge 1)$
> 을 만족시킨다. $a_1\times a_2\times a_3\times\cdots\times a_8=2^k$일 때 상수 k의 값은?
> ← $\log_2 a_{n+1}=\log_2 2a_n$에서 $a_{n+1}=2a_n$임을 알 수 있다.

모든 항이 양수인 수열 $\{a_n\}$이므로 $a_n>0$, $a_1=2$

$\log_2 a_{n+1}=1+\log_2 a_n$ $(n\ge 1)$에서

$a_{n+1}=2a_n$

수열 $\{a_n\}$은 $a_1=2$이고 공비가 2인 등비수열이므로

$a_n=2\times 2^{n-1}=2^n$

$\therefore a_1\times a_2\times a_3\times\cdots\times a_8=2^1\times 2^2\times 2^3\times\cdots\times 2^7\times 2^8$

$=2^{1+2+3+\cdots+8}$

$=2^{\frac{8}{2}(1+8)}=2^{36}=2^k$

$\therefore k=36$ 답 ①

1879

> $2\log a_{n+1}=\log a_n+\log a_{n+2}$에서 $a_{n+1}^2=a_na_{n+2}$임을 알 수 있다. →
> 수열 $\{a_n\}$이 $a_1=1$, $a_2=3$이고
> $\log a_{n+2}=2\log a_{n+1}-\log a_n$ $(n=1, 2, 3, \cdots)$
> 인 관계를 만족시킬 때, $\sum_{k=1}^{10} a_{2k-1}$의 값은?

$a_1=1$, $a_2=3$, $\log a_{n+2}=2\log a_{n+1}-\log a_n$에서

$2\log a_{n+1}=\log a_n+\log a_{n+2}$이므로

$a_{n+1}^2=a_n\times a_{n+2}$

즉, 수열 $\{a_n\}$은 첫째항이 1, 공비가 3인 등비수열이다.

$\therefore a_n=3^{n-1}$

$\sum_{k=1}^{10} a_{2k-1}=\sum_{k=1}^{10} 9^{k-1}=\frac{1\times(9^{10}-1)}{9-1}=\frac{1}{8}(9^{10}-1)$ 답 ③

1880

$a_1=2$, $a_{n+1}=a_n+3n$ $(n=1, 2, 3, \cdots)$으로 정의된 수열 $\{a_n\}$에 대하여 a_5의 값은? → n 대신에 1, 2, 3, 4를 대입하여 변끼리 더하자.

$a_{n+1}=a_n+3n$에서 n 대신에 1, 2, 3, 4를 대입하여 변끼리 더하면

$$\begin{aligned} a_2&=a_1+3\cdot1\\ a_3&=a_2+3\cdot2\\ a_4&=a_3+3\cdot3\\ +)\ a_5&=a_4+3\cdot4\\ \hline a_5&=a_1+3(1+2+3+4)\\ &=2+3\cdot10=32 \end{aligned}$$

답 ④

다른풀이 $a_1=2$, $a_{n+1}=a_n+3n$에서

$a_2=a_1+3\cdot1=2+3=5$

$a_3=a_2+3\cdot2=5+6=11$

$a_4=a_3+3\cdot3=11+9=20$

$a_5=a_4+3\cdot4=20+12=32$

1881

$a_1=-3$, $a_{n+1}=a_n+4n-3$ $(n=1, 2, 3, \cdots)$으로 정의된 수열 $\{a_n\}$에 대하여 $\sum_{n=1}^{4} a_n$의 값은?

→ $n=1$을 대입하면 $a_2=a_1+4\times1-3=-2$, $n=2$를 대입하면 $a_3=a_2+4\times2-3=3$, $\cdots$

$a_{n+1}=a_n+4n-3$에서

$a_2=a_1+4\cdot1-3=-3+1=-2$

$a_3=a_2+4\cdot2-3=-2+5=3$

$a_4=a_3+4\cdot3-3=3+9=12$

$\therefore \sum_{n=1}^{4} a_n=a_1+a_2+a_3+a_4=-3+(-2)+3+12=10$ 답 ④

1882

$a_1=1$, $a_{n+1}=a_n+3^n$ $(n=1, 2, 3, \cdots)$으로 정의된 수열 $\{a_n\}$의 일반항이 $a_n=\frac{p^n-q}{2}$일 때, 상수 p, q의 곱 pq의 값을 구하시오.

→ n 대신에 1, 2, 3, $\cdots$, $n-1$을 대입하여 변끼리 더하자.

$a_1=1$, $a_{n+1}=a_n+3^n$에서 n 대신에 1, 2, 3, $\cdots$, $n-1$을 대입하여 변끼리 더하면

$$\begin{aligned} a_2&=a_1+3^1\\ a_3&=a_2+3^2\\ a_4&=a_3+3^3\\ &\ \vdots\\ +)\ a_n&=a_{n-1}+3^{n-1}\\ \hline a_n&=a_1+(3+3^2+3^3+\cdots+3^{n-1})\\ &=1+\frac{3(3^{n-1}-1)}{3-1}=\frac{3^n-1}{2} \end{aligned}$$

$\therefore p=3, q=1$

$\therefore pq=3$ 답 3

1883

$a_1=-2$, $a_{n+1}=a_n+\frac{1}{n(n+1)}$ $(n=1, 2, 3, \cdots)$으로 정의된 수열 $\{a_n\}$에 대하여 a_5의 값은? → n 대신에 1, 2, 3, 4를 대입하여 변끼리 더하자.

$a_{n+1}=a_n+\frac{1}{n(n+1)}$에서 n 대신에 1, 2, 3, 4를 대입하여 변끼리 더하면

$$\begin{aligned} a_2&=a_1+\frac{1}{1\cdot2}\\ a_3&=a_2+\frac{1}{2\cdot3}\\ a_4&=a_3+\frac{1}{3\cdot4}\\ +)\ a_5&=a_4+\frac{1}{4\cdot5}\\ \hline a_5&=a_1+\frac{1}{1\cdot2}+\frac{1}{2\cdot3}+\frac{1}{3\cdot4}+\frac{1}{4\cdot5}\\ &=a_1+\left(\frac{1}{1}-\frac{1}{2}\right)+\left(\frac{1}{2}-\frac{1}{3}\right)+\left(\frac{1}{3}-\frac{1}{4}\right)+\left(\frac{1}{4}-\frac{1}{5}\right)\\ &=-2+1-\frac{1}{5}=-\frac{6}{5} \end{aligned}$$

답 ②

1884

→ n 대신에 1, 2, 3, $\cdots$, 9를 대입하여 변끼리 더하자.

$a_1=\frac{1}{2}$, $a_{n+1}=a_n+\frac{1}{(2n-1)(2n+1)}$ $(n=1, 2, 3, \cdots)$로 정의되는 수열 $\{a_n\}$에 대하여 $a_{10}=\frac{q}{p}$이다. p, q는 서로소인 자연수일 때, $p+q$의 값을 구하시오.

$a_1=\frac{1}{2}$, $a_{n+1}=a_n+\frac{1}{(2n-1)(2n+1)}$에서

n 대신에 1, 2, 3, $\cdots$, 9를 대입하여 변끼리 더하면

$$\begin{aligned} a_2&=a_1+\frac{1}{1\cdot3}\\ a_3&=a_2+\frac{1}{3\cdot5}\\ a_4&=a_3+\frac{1}{5\cdot7}\\ &\ \vdots\\ +)\ a_{10}&=a_9+\frac{1}{17\cdot19}\\ \hline a_{10}&=a_1+\left(\frac{1}{1\cdot3}+\frac{1}{3\cdot5}+\frac{1}{5\cdot7}+\cdots+\frac{1}{17\cdot19}\right)\\ &=\frac{1}{2}+\frac{1}{2}\left\{\left(\frac{1}{1}-\frac{1}{3}\right)+\left(\frac{1}{3}-\frac{1}{5}\right)+\left(\frac{1}{5}-\frac{1}{7}\right)+\cdots+\left(\frac{1}{17}-\frac{1}{19}\right)\right\}\\ &=\frac{1}{2}+\frac{1}{2}\left(1-\frac{1}{19}\right)=\frac{37}{38} \end{aligned}$$

$\therefore p=38, q=37$

$\therefore p+q=75$ 답 75

1885

→ n 대신에 1, 2, 3, …, 99를 대입하여 변끼리 더하자.

> $a_1=1$, $a_{n+1}=a_n+f(n)$ $(n=1, 2, 3, \cdots)$으로 정의되는 수열 $\{a_n\}$에서 $\sum_{k=1}^{n} f(k)=n^2-1$일 때, a_{100}의 값은?

$a_1=1$, $a_{n+1}=a_n+f(n)$에서 n 대신에 1, 2, 3, …, 99를 대입하여 변끼리 더하면

$$\begin{aligned} a_2&=a_1+f(1)\\ a_3&=a_2+f(2)\\ a_4&=a_3+f(3)\\ &\vdots\\ +)\ a_{100}&=a_{99}+f(99)\\ \hline a_{100}&=a_1+\sum_{k=1}^{99} f(k)\\ &=1+(99^2-1)=99^2 \end{aligned}$$

답 ①

1886

> $a_1=1$, $a_{n+1}=\frac{n+2}{n}a_n$ $(n=1, 2, 3, \cdots)$으로 정의된 수열 $\{a_n\}$에서 a_{10}의 값을 구하시오.

→ n 대신에 1, 2, 3, …, 9를 대입하여 변끼리 곱하자.

$a_{n+1}=\frac{n+2}{n}a_n$에서 n 대신에 1, 2, 3, …, 9를 대입하여 변끼리 곱하면

$$\begin{aligned} a_2&=\frac{3}{1}a_1\\ a_3&=\frac{4}{2}a_2\\ a_4&=\frac{5}{3}a_3\\ &\vdots\\ \times)\ a_{10}&=\frac{11}{9}a_9\\ \hline a_{10}&=\frac{3}{1}\times\frac{4}{2}\times\frac{5}{3}\times\cdots\times\frac{11}{9}\times a_1\\ &=\frac{10\times 11}{2}=55 \end{aligned}$$

답 55

1887

→ n 대신에 1, 2, 3, 4를 대입하여 변끼리 곱하자.

> $a_1=32$, $a_{n+1}=2^n a_n$ $(n=1, 2, 3, \cdots)$으로 정의된 수열 $\{a_n\}$에서 a_5의 값은?

$a_{n+1}=2^n a_n$에서 n 대신에 1, 2, 3, 4를 대입하여 변끼리 곱하면

$$\begin{aligned} a_2&=2^1\times a_1\\ a_3&=2^2\times a_2\\ a_4&=2^3\times a_3\\ \times)\ a_5&=2^4\times a_4\\ \hline a_5&=2^1\times 2^2\times 2^3\times 2^4\times a_1\\ &=2^{10}\times 2^5=2^{15} \end{aligned}$$

답 ③

다른풀이 $a_1=32$, $a_{n+1}=2^n a_n$에서

$a_2=2^1\times a_1=2^1\times 2^5=2^6$

$a_3=2^2\times a_2=2^2\times 2^6=2^8$

$a_4=2^3\times a_3=2^3\times 2^8=2^{11}$

$a_5=2^4\times a_4=2^4\times 2^{11}=2^{15}$

1888

> $a_1=1$, $a_{n+1}=3^n a_n$ (n은 자연수)으로 정의된 수열 $\{a_n\}$에서 $a_n=3^{45}$일 때, n의 값을 구하시오.

→ n 대신에 1, 2, 3, …, $n-1$을 대입하여 변끼리 곱하자.

$a_1=1$, $a_{n+1}=3^n a_n$에서 n 대신에 1, 2, 3, …, $n-1$을 대입하여 변끼리 곱하면

$$\begin{aligned} a_2&=3^1 a_1\\ a_3&=3^2 a_2\\ a_4&=3^3 a_3\\ &\vdots\\ \times)\ a_n&=3^{n-1}a_{n-1}\\ \hline a_n&=3^1\times 3^2\times 3^3\times\cdots\times 3^{n-1}\times a_1\\ &=3^{1+2+3+\cdots+(n-1)}\ (\because a_1=1)\\ &=3^{\frac{(n-1)n}{2}}=3^{45} \end{aligned}$$

따라서 $\frac{(n-1)n}{2}=45$에서 $(n-1)n=90$

$\therefore n=10$ 답 10

1889

→ a_{n+1}에 관하여 풀면 $a_{n+1}=\frac{\sqrt{n+1}}{\sqrt{n}}a_n$이다.

> $a_1=3$, $\sqrt{n}a_{n+1}=\sqrt{n+1}a_n$ $(n=1, 2, 3, \cdots)$으로 정의된 수열 $\{a_n\}$에서 a_{100}의 값을 구하시오.

$\sqrt{n}a_{n+1}=\sqrt{n+1}a_n$에서 $a_{n+1}=\frac{\sqrt{n+1}}{\sqrt{n}}a_n$

n 대신에 1, 2, 3, …, $n-1$을 대입하여 변끼리 곱하면

$$\begin{aligned} a_2&=\frac{\sqrt{2}}{\sqrt{1}}a_1\\ a_3&=\frac{\sqrt{3}}{\sqrt{2}}a_2\\ a_4&=\frac{\sqrt{4}}{\sqrt{3}}a_3\\ &\vdots\\ \times)\ a_n&=\frac{\sqrt{n}}{\sqrt{n-1}}a_{n-1}\\ \hline a_n&=\frac{\sqrt{2}}{\sqrt{1}}\times\frac{\sqrt{3}}{\sqrt{2}}\times\frac{\sqrt{4}}{\sqrt{3}}\times\cdots\times\frac{\sqrt{n}}{\sqrt{n-1}}\times a_1\\ &=3\sqrt{n} \end{aligned}$$

$\therefore a_{100}=3\sqrt{100}=30$ 답 30

1890

$\frac{a_{n+1}}{a_n}=\frac{n^2+2n}{(n+1)^2}=\frac{n+2}{n+1}\times\frac{n}{n+1}$ 임을 이용하자.

> 수열 $\{a_n\}$이 $a_1=1$이고, 모든 자연수 n에 대하여
> $$\frac{a_{n+1}}{a_n}=1-\frac{1}{(n+1)^2}$$
> 을 만족시킬 때, $100a_{10}$의 값을 구하시오.

$$\frac{a_{n+1}}{a_n}=\frac{n^2+2n}{(n+1)^2}=\frac{n+2}{n+1}\times\frac{n}{n+1}$$

$$\frac{a_2}{a_1}=\frac{3}{2}\times\frac{1}{2},\ \frac{a_3}{a_2}=\frac{4}{3}\times\frac{2}{3},\ \cdots,\ \frac{a_n}{a_{n-1}}=\frac{n+1}{n}\times\frac{n-1}{n}$$

$$\frac{a_2}{a_1}\times\frac{a_3}{a_2}\times\cdots\times\frac{a_n}{a_{n-1}}=\frac{1}{2}\times\frac{3}{2}\times\frac{2}{3}\times\frac{4}{3}\times\cdots\times\frac{n-1}{n}\times\frac{n+1}{n}$$

$$\therefore a_n=\frac{1}{2}\times\frac{n+1}{n}=\frac{n+1}{2n}$$

$\therefore 100a_{10}=55$

답 55

1891

> 수열 $\{a_n\}$을
> $$a_1=1,\ a_{n+1}=(n+1)a_n\ (n=1, 2, 3, \cdots)$$
> 과 같이 정의할 때, $\sum_{n=1}^{50} a_n$을 30으로 나누었을 때의 나머지를 구하시오.

n 대신에 $1, 2, 3, \cdots, n-1$을 대입하여 변끼리 곱하자.

$a_1=1$

$a_2=2\times a_1$

$a_3=3\times a_2$

$\vdots$

$a_n=n\times a_{n-1}$

변끼리 곱해서 정리하면,

$a_n=1\times 2\times\cdots\times n=n!$

$a_1+a_2+a_3+\cdots+a_{50}=1!+2!+3!+\cdots+50!$

$1!=1,\ 2!=2,\ 3!=6,\ 4!=24$이고, $5!=120$이므로

$n\geq 5$인 경우 $n!$은 모두 30의 배수이다.

그러므로 $5!$부터의 수는 30으로 나누면 나머지가 0이다.

따라서 구하는 나머지는 $(1+2+6+24)$를 30으로 나눈 나머지와 같다.

따라서 $1+2+6+24=33$이므로 구하는 나머지는 3이다.

답 3

1892

> $a_1=-1,\ a_{n+1}=\frac{1}{1-a_n}\ (n=1, 2, 3, \cdots)$로 정의된 수열 $\{a_n\}$에서 a_{46}의 값을 구하시오.
>
> $a_2=\frac{1}{1-a_1}=\frac{1}{2},\ a_3=\frac{1}{1-a_2}=2,\ a_4=\frac{1}{1-a_3}=-1$이고 $a_4=a_1$임을 이용하자.

$a_1=-1,\ a_{n+1}=\frac{1}{1-a_n}$에서

$$a_2=\frac{1}{1-a_1}=\frac{1}{1-(-1)}=\frac{1}{2}$$

$$a_3=\frac{1}{1-a_2}=\frac{1}{1-\frac{1}{2}}=2$$

$$a_4=\frac{1}{1-a_3}=\frac{1}{1-2}=-1$$

$\vdots$

즉, 수열 $\{a_n\}$은 $-1,\ \frac{1}{2},\ 2$가 반복하는 수열이다. 이때,

$46=3\cdot 15+1$이므로

$a_{46}=a_1=-1$

답 -1

1893

> $a_1=2,\ a_{n+1}=\frac{a_n-1}{a_n}\ (n=1, 2, 3, \cdots)$으로 정의된 수열 $\{a_n\}$에 대하여 $a_{102}\times a_{103}+a_{104}$의 값을 구하시오.
>
> $a_2=\frac{a_1-1}{a_1}=\frac{1}{2},\ a_3=\frac{a_2-1}{a_2}=-1,\ a_4=\frac{a_3-1}{a_3}=2$이고 $a_4=a_1$임을 이용하자.

$a_1=2,\ a_{n+1}=\frac{a_n-1}{a_n}$이므로

$$a_2=\frac{a_1-1}{a_1}=\frac{2-1}{2}=\frac{1}{2}$$

$$a_3=\frac{a_2-1}{a_2}=\frac{\frac{1}{2}-1}{\frac{1}{2}}=-1$$

$$a_4=\frac{a_3-1}{a_3}=\frac{-1-1}{-1}=2$$

$\vdots$

즉, 수열 $\{a_n\}$은 $2,\ \frac{1}{2},\ -1$이 반복하는 수열이다.

$$\therefore a_{102}\times a_{103}+a_{104}=a_{3\times 34}\times a_{3\times 34+1}+a_{3\times 34+2}$$
$$=(-1)\times 2+\frac{1}{2}$$
$$=-\frac{3}{2}$$

답 $-\frac{3}{2}$

1894

$a_2=p$로 놓자.

> 수열 $\{a_n\}$은 $a_1=7$이고, 다음 조건을 만족시킨다.
>
> (가) $a_{n+2}=a_n-4\ (n=1, 2, 3, 4)$
> (나) 모든 자연수 n에 대하여 $a_{n+6}=a_n$이다.
>
> $\sum_{k=1}^{50} a_k=258$일 때, a_2의 값을 구하시오.
>
> $n=1$을 대입하면 $a_3=a_1-4=3$, $n=2$를 대입하면 $a_4=a_2-4=p-4$, $\cdots$

조건 (가)에서 $a_{n+2}=a_n-4$이므로 $a_2=p$로 놓으면

$a_1=7$

$a_2=p$

$a_3=a_1-4=3$

$a_4=a_2-4=p-4$

$a_5=a_3-4=-1$

$a_6=a_4-4=p-8$

조건 (나)에서 $a_{n+6}=a_n$이므로

$a_1=a_7=a_{13}=\cdots=a_{43}=a_{49}$

$a_2=a_8=a_{14}=\cdots=a_{44}=a_{50}$

$a_3=a_9=a_{15}=\cdots=a_{45}$

$a_4=a_{10}=a_{16}=\cdots=a_{46}$

$a_5=a_{11}=a_{17}=\cdots=a_{47}$

$a_6=a_{12}=a_{18}=\cdots=a_{48}$

$\sum_{k=1}^{50} a_k=8\sum_{k=1}^{6} a_k+a_1+a_2$

$=8\{7+p+3+(p-4)+(-1)+(p-8)\}+7+p$

$=8(3p-3)+7+p$

$=25p-17$

$=258$

$25p=275$

$\therefore p=11$

$\therefore a_2=11$

답 11

1895

$a_1=1$인 수열 $\{a_n\}$이 다음 조건을 만족시킬 때, a_9의 값을 구하시오.

(가) $a_{n+2}=2a_n-4$ $(n=1, 2, 3)$

(나) 모든 자연수 n에 대하여 $a_{n+5}=a_n$이다.

(다) $\sum_{k=1}^{10} a_k=4$

• $a_2=x$라 놓자.

• $n=1$을 대입하면 $a_3=2a_1-4=-2$, $n=2$를 대입하면 $a_4=2a_2-4=2x-4$, $n=3$을 대입하면 $a_5=2a_3-4=-8$

$a_2=x$라 하면

$a_1=1$

$a_2=x$

$a_3=2a_1-4=-2$

$a_4=2x-4$

$a_5=2(-2)-4=-8$

(나)에 의하여 수열 $\{a_n\}$은 $1, x, -2, 2x-4, -8$의 수가 반복되는 수열이므로

$\sum_{k=1}^{10} a_k=(1+x-2+2x-4-8)\times 2=4$

$3x-13=2$에서 $x=5$이므로

$a_9=a_4=2x-4=6$

답 6

1896

수열 $\{a_n\}$을 다음과 같이 정의한다.

$a_1=1$

$a_{n+1}=((a_n+1)^2$을 10으로 나눈 나머지) $(n=1, 2, 3, \cdots)$

이때, a_{100}의 값을 구하시오.

• $(a_1+1)^2=(1+1)^2=4$에서 $a_2=4$, $(a_2+1)^2=(4+1)^2=25$에서 $a_3=5$, $\cdots$

$a_1=1$

$(a_1+1)^2=(1+1)^2=4$이므로 $a_2=4$

$(a_2+1)^2=(4+1)^2=25$이므로 $a_3=5$

$(a_3+1)^2=(5+1)^2=36$이므로 $a_4=6$

$(a_4+1)^2=(6+1)^2=49$이므로 $a_5=9$

$(a_5+1)^2=(9+1)^2=100$이므로 $a_6=0$

$(a_6+1)^2=(0+1)^2=1$이므로 $a_7=1$

$\vdots$

즉, 수열 $\{a_n\}$은 1, 4, 5, 6, 9, 0이 반복하는 수열이다. 이때,

$100=6\cdot 16+4$이므로

$a_{100}=a_4=6$

답 6

1897

수열 $\{a_n\}$을 다음과 같이 정의할 때, $\sum_{k=1}^{17} a_k$의 값을 구하시오.

$a_1=6, a_2=1$

$a_{n+2}=\dfrac{1+a_{n+1}}{a_n}$ $(n=1, 2, 3, \cdots)$

• $n=1, 2, 3, \cdots$ 을 차례로 대입하여 수열의 항이 반복되는 규칙을 찾자.

$a_1=6, a_2=1, a_{n+2}=\dfrac{1+a_{n+1}}{a_n}$에서

$a_3=\dfrac{1+a_2}{a_1}=\dfrac{1+1}{6}=\dfrac{1}{3}$

$a_4=\dfrac{1+a_3}{a_2}=\dfrac{1+\frac{1}{3}}{1}=\dfrac{4}{3}$

$a_5=\dfrac{1+a_4}{a_3}=\dfrac{1+\frac{4}{3}}{\frac{1}{3}}=7$

$a_6=\dfrac{1+a_5}{a_4}=\dfrac{1+7}{\frac{4}{3}}=6$

$\vdots$

즉, 수열 $\{a_n\}$은 $6, 1, \frac{1}{3}, \frac{4}{3}, 7$이 반복하는 수열이다. 이때,

$17=5\times 3+2$이므로

$\sum_{k=1}^{17} a_k=\left(6+1+\frac{1}{3}+\frac{4}{3}+7\right)\times 3+6+1=54$

답 54

1898

$a_1=100$, $a_{n+1}={a_n}^2$ $(n=1, 2, 3, \cdots)$으로 정의된 수열 $\{a_n\}$에서 a_8의 값은?

• $n=1$을 대입하면 $a_2={a_1}^2=10^4$, $n=2$를 대입하면 $a_3={a_2}^2=10^8$, $\cdots$

$a_1=100$, $a_{n+1}={a_n}^2$에서

$a_2={a_1}^2=100^2=10^4$

$a_3={a_2}^2=10^8$

$a_4={a_3}^2=10^{16}$

$\vdots$

$\therefore a_8={a_7}^2=10^{256}$

답 ③

1899

수열 $\{a_n\}$이
$$\begin{cases} a_1=1,\ a_2=3,\ a_3=5,\ a_4=7 \\ a_{k+4}=2a_k(k=1,\ 2,\ 3,\ \cdots) \end{cases}$$
으로 정의될 때, $\sum_{k=1}^{20} a_k$의 값을 구하시오.

$a_5+a_6+a_7+a_8=2(a_1+a_2+a_3+a_4)$임을 이용하자.

$a_1=1,\ a_2=3,\ a_3=5,\ a_4=7$이고 $a_{k+4}=2a_k$이므로
$a_1+a_2+a_3+a_4=16$,
$a_5+a_6+a_7+a_8=2(a_1+a_2+a_3+a_4)=2\times16$,
$a_9+a_{10}+a_{11}+a_{12}=2^2(a_1+a_2+a_3+a_4)=2^2\times16$,
⋮
$\sum_{k=1}^{20} a_k=16(1+2+2^2+2^3+2^4)=496$

답 496

1900

$a_1=1,\ a_2=3,\ a_{n+2}=a_{n+1}+a_n\ (n=1,\ 2,\ 3,\ \cdots)$으로 정의된 수열 $\{a_n\}$에서 a_{2022}의 값을 5로 나눈 나머지는?

a_n을 5로 나눈 나머지를 b_n이라 하면 $b_1=1,\ b_2=3,\ a_3=a_2+a_1=4$에서 $b_3=4,\ \cdots$

a_n을 5로 나눈 나머지를 b_n이라 하면
$a_1=1$이므로 $b_1=1$, $a_2=3$이므로 $b_2=3$
$a_{n+2}=a_{n+1}+a_n$에서
$a_3=a_2+a_1=3+1=4$이므로 $b_3=4$
$a_4=a_3+a_2=4+3=7$이므로 $b_4=2$
$a_5=a_4+a_3=7+4=11$이므로 $b_5=1$
⋮
즉, 수열 $\{b_n\}$은 1, 3, 4, 2가 반복하는 수열이다. 이때,
$2022=4\times505+2$이므로
$b_{2022}=b_2=3$

답 ④

1901

수열 $\{a_n\}$은 $a_1=2$이고, 모든 자연수 n에 대하여
$$a_{n+1}=\begin{cases} a_n-1 & (a_n\text{이 짝수인 경우}) \\ a_n+n & (a_n\text{이 홀수인 경우}) \end{cases}$$
를 만족시킨다. a_7의 값은?

a_1은 짝수이므로 $a_2=a_1-1=1$
a_2는 홀수이므로 $a_3=a_2+2=3,\ \cdots$

$a_1=2$이고 이 수는 짝수이므로
$a_2=a_1-1=1$
$a_3=a_2+2=1+2=3$
$a_4=a_3+3=3+3=6$
$a_5=a_4-1=6-1=5$
$a_6=a_5+5=5+5=10$
$a_7=a_6-1=10-1=9$

답 ②

1902

수열 $\{a_n\}$은 $a_1=2$이고, 모든 자연수 n에 대하여
$$a_{n+1}=\begin{cases} \dfrac{a_n}{2-3a_n} & (n\text{이 홀수인 경우}) \\ 1+a_n & (n\text{이 짝수인 경우}) \end{cases}$$
를 만족시킨다. $\sum_{n=1}^{40} a_n$의 값은?

$n=1$이면 n은 홀수이므로 $a_2=\frac{a_1}{2-3a_1}=-\frac{1}{2}$
$n=2$이면 n은 짝수이므로 $a_3=1+a_2=\frac{1}{2},\ \cdots$

$a_1=2$이므로
$a_2=\frac{a_1}{2-3a_1}=\frac{2}{2-6}=-\frac{1}{2}$
$a_3=1+a_2=1+\left(-\frac{1}{2}\right)=\frac{1}{2}$
$a_4=\frac{a_3}{2-3a_3}=\frac{\frac{1}{2}}{2-\frac{3}{2}}=1$
$a_5=1+a_4=1+1=2$
⋮
즉, 수열 $\{a_n\}$은 $2,\ -\frac{1}{2},\ \frac{1}{2},\ 1$이 반복되는 수열이다.
$\therefore \sum_{n=1}^{40} a_n=10(a_1+a_2+a_3+a_4)$
$=10\left(2-\frac{1}{2}+\frac{1}{2}+1\right)$
$=10\times3$
$=30$

답 ①

1903

수열 $\{a_n\}$은 모든 자연수 n에 대하여
$$a_1=\frac{1}{5},\ a_{n+1}=\begin{cases} 2a_n & (a_n<1) \\ a_n-1 & (a_n\ge1) \end{cases}$$
을 만족시킨다. $\sum_{n=1}^{60} a_n$의 값을 구하시오.

$a_1<1$이므로 $a_2=2a_1=\frac{2}{5}$, $a_2<1$이므로 $a_3=2a_2=\frac{4}{5}$, $a_3<1$이므로 $a_4=2a_3=\frac{8}{5}$
$a_4>1$이므로 $a_5=a_4-1=\frac{3}{5}$

$a_1=\frac{1}{5}$
$a_2=2a_1=\frac{2}{5}$
$a_3=2a_2=\frac{4}{5}$
$a_4=2a_3=\frac{8}{5}$
$a_5=a_4-1=\frac{3}{5}$
$a_6=2a_5=\frac{6}{5}$
$a_7=a_6-1=\frac{1}{5}=a_1$이므로
수열 $\{a_n\}$은 $\frac{1}{5},\ \frac{2}{5},\ \frac{4}{5},\ \frac{8}{5},\ \frac{3}{5},\ \frac{6}{5}$이 반복되는 수열이다.
$\therefore \sum_{n=1}^{60} a_n=10\times(a_1+a_2+a_3+a_4+a_5+a_6)$
$=10\times\frac{24}{5}=48$

답 48

1904

> 수열 $\{a_n\}$이 모든 자연수 n에 대하여
>
> $$a_1=1,\ a_{n+1}=\begin{cases}\frac{1}{2}a_n & (a_n\ge 2)\\ \sqrt[3]{2}a_n & (a_n<2)\end{cases}$$
>
> $a_1<2$이므로 $a_2=\sqrt[3]{2}a_1=\sqrt[3]{2}<2$
>
> 을 만족시킬 때, a_{115}의 값은?
>
> a_n의 조건에 맞게 계속 대입하여 규칙을 찾자.

$a_1=1<2$

$a_2=\sqrt[3]{2}a_1=\sqrt[3]{2}\cdot 1=\sqrt[3]{2}<2$

$a_3=\sqrt[3]{2}a_2=\sqrt[3]{2}\cdot\sqrt[3]{2}=\sqrt[3]{4}<2$

$a_4=\sqrt[3]{2}a_3=\sqrt[3]{2}\cdot\sqrt[3]{4}=2\ge 2$

$a_5=\frac{1}{2}a_4=\frac{1}{2}\cdot 2=1<2$

⋮

즉, 수열 $\{a_n\}$은 $1, \sqrt[3]{2}, \sqrt[3]{4}, 2$가 반복하는 수열이다.

$\therefore a_{115}=a_{4\cdot 28+3}=a_3=\sqrt[3]{4}$

답 ④

1905

$n=1$이면 $a_2=a_1+(-1)^1\times 2=a-2$,
$n=2$이면 $a_3=a_2+(-1)^2\times 2=a$

> 첫째항이 a인 수열 $\{a_n\}$은 모든 자연수 n에 대하여
>
> $$a_{n+1}=\begin{cases}a_n+(-1)^n\times 2 & (n\text{이 3의 배수가 아닌 경우})\\ a_n+1 & (n\text{이 3의 배수인 경우})\end{cases}$$
>
> 를 만족시킨다. $a_{15}=43$일 때, a의 값은?
>
> $n=3$이면 $a_4=a_3+1=a+1, \cdots$

$a_1=a$

$a_2=a_1+(-1)^1\times 2=a-2$

$a_3=a_2+(-1)^2\times 2=a$

$a_4=a_3+1=a+1$

$a_5=a_4+(-1)^4\times 2=a+3$

$a_6=a_5+(-1)^5\times 2=a+1$

$a_7=a_6+1=a+2$

$a_8=a_7+(-1)^7\times 2=a$

$a_9=a_8+(-1)^8\times 2=a+2$

$a_{10}=a_9+1=a+3$

⋮

$a_{15}=a+4=43$

$\therefore a=39$

답 ⑤

1906

> 수열 $\{a_n\}$은 $a_1=1$이고, 모든 자연수 n에 대하여
>
> $$\begin{cases}a_{3n-1}=2a_n+1\\ a_{3n}=-a_n+2\\ a_{3n+1}=a_n+1\end{cases}$$
>
> 주어진 3개의 식에 $n=1$을 대입하면 $a_2=2a_1+1=3,\ a_3=-a_1+2=1,\ a_4=a_1+1=2$임을 알 수 있다.
>
> 을 만족시킨다. $a_{11}+a_{12}+a_{13}$의 값을 구하시오.

$a_1=1$이므로

$a_4=a_1+1=2$

$a_4=2$이므로

$a_{11}=2a_4+1=2\times 2+1=5$

$a_{12}=-a_4+2=-2+2=0$

$a_{13}=a_4+1=2+1=3$

$\therefore a_{11}+a_{12}+a_{13}=5+0+3=8$

답 8

1907

a_n은 등차수열이다.

> 두 수열 $\{a_n\}, \{b_n\}$이 자연수 n에 대하여
>
> $a_n=5n+1,\ b_1=1,\ b_{n+1}-b_n=n+1$을 만족시킨다. 10 이하인 두 자연수 k, l에 대하여 a_k와 b_l의 곱이 홀수가 되는 순서쌍 (k, l)의 개수를 구하시오.
>
> $b_1=1,\ b_2=1+2,\ b_3=1+2+3, \cdots$

a_n은 첫째항이 6이고 공차가 5인 등차수열이므로

a_1부터 a_{10} 중 홀수인 항은 5개이다.

$b_1=1,\ b_2=1+2,\ b_3=1+2+3, \cdots$이므로

b_n은 홀수 2개와 짝수 2개가 반복되는 수열이다.

따라서 10 이하인 두 자연수 k, l에 대하여 a_k와 b_l의 곱이 홀수가 되는 순서쌍 (k, l)의 개수는

$5\times 6=30$

답 30

1908

> 두 수열 $\{a_n\}, \{b_n\}$이 모든 자연수 n에 대하여 다음을 만족시킨다.
>
> - $a_{n+1}=a_n+2$ — a_n은 공차가 2인 등차수열
> - $b_{n+1}=b_n-2$ — b_n은 공차가 -2인 등차수열
> - $a_1=b_1,\ a_3=2b_3$
>
> $\sum_{k=1}^{10}(a_kb_k+4k^2)$의 값을 구하시오.

$a_{n+1}=a_n+2$이므로 a_n은 공차가 2인 등차수열

$b_{n+1}=b_n-2$이므로 b_n은 공차가 -2인 등차수열

$a_1=b_1$이므로 $a_1=b_1=a$라 하면

$a_n=2n+a-2,\ b_n=-2n+a+2$이다.

$a_3=2b_3$에서 $a+4=2(-4+a)\qquad \therefore a=12$

즉 $a_n=2n+10,\ b_n=-2n+14$이다.

$$\sum_{k=1}^{10}(a_kb_k+4k^2)=\sum_{k=1}^{10}(-4k^2+8k+140+4k^2)$$
$$=\sum_{k=1}^{10}(8k+140)$$
$$=8\times\frac{10\times 11}{2}+1400=1840$$

답 1840

1909

두 수열의 일반항을 각각 구하자.

> 두 수열 $\{a_n\}, \{b_n\}$은 첫째항이 모두 1이고
>
> $a_{n+1}=3a_n,\ b_{n+1}=(n+1)b_n\ (n=1, 2, 3, \cdots)$
>
> 을 만족시킨다. 수열 $\{c_n\}$을
>
> $a_n=3^{n-1}$ / $b_n=n(n-1)\times\cdots\times 2\times 1=n!$
>
> $c_n=\begin{cases}a_n & (a_n<b_n)\\ b_n & (a_n\ge b_n)\end{cases}$이라 할 때, $\sum_{n=1}^{50}2c_n$의 값은?

$a_n=3^{n-1}$, $b_n=n(n-1)\times\cdots\times2\times1=n!$
$1\le n\le4$일 때 $a_n\ge b_n$이므로 $c_n=b_n$
$n\ge5$일 때 $a_n<b_n$이므로 $c_n=a_n$

n	1	2	3	4	5	$\cdots$
a_n	1	3	9	27	81	$\cdots$
b_n	1	2	6	24	120	$\cdots$
c_n	1	2	6	24	81	$\cdots$

$$\therefore \sum_{n=1}^{50}2c_n=2\left(\sum_{n=1}^{4}n!+\sum_{n=5}^{50}3^{n-1}\right)$$
$$=2\left\{1+2+6+24+\frac{3^4(3^{46}-1)}{3-1}\right\}$$
$$=3^{50}-15$$

답 ③

1910

공차가 0이 아닌 등차수열 $\{a_n\}$이 있다. 수열 $\{b_n\}$은

$b_1=a_1$

이고, 2 이상의 자연수 n에 대하여

$$b_n=\begin{cases}b_{n-1}+a_n & (n\text{이 3의 배수가 아닌 경우})\\ b_{n-1}-a_n & (n\text{이 3의 배수인 경우})\end{cases}$$

이다. $b_{10}=a_{10}$일 때, $\frac{b_8}{b_{10}}=\frac{q}{p}$이다. $p+q$의 값을 구하시오.

(단, p와 q는 서로소인 자연수이다.)

$n=2$이면 $b_2=b_1+a_2=a_1+(a_1+d)=2a_1+d$, $\cdots$

$n=3$이면 $b_3=b_2-a_3=(2a_1+d)-(a_1+2d)=a_1-d$, $\cdots$

등차수열 $\{a_n\}$의 공차를 $d(d\ne0)$라 하자.
$b_2=b_1+a_2=a_1+(a_1+d)=2a_1+d$
$b_3=b_2-a_3=(2a_1+d)-(a_1+2d)=a_1-d$
$b_4=b_3+a_4=(a_1-d)+(a_1+3d)=2a_1+2d$
$b_5=b_4+a_5=(2a_1+2d)+(a_1+4d)=3a_1+6d$
$b_6=b_5-a_6=(3a_1+6d)-(a_1+5d)=2a_1+d$
$b_7=b_6+a_7=(2a_1+d)+(a_1+6d)=3a_1+7d$
$b_8=b_7+a_8=(3a_1+7d)+(a_1+7d)=4a_1+14d$
$b_9=b_8-a_9=(4a_1+14d)-(a_1+8d)=3a_1+6d$
$b_{10}=b_9+a_{10}=(3a_1+6d)+(a_1+9d)=4a_1+15d$
이때 $b_{10}=a_{10}$이므로
$4a_1+15d=a_1+9d$
$a_1=-2d$
따라서
$$\frac{b_8}{b_{10}}=\frac{4a_1+14d}{4a_1+15d}$$
$$=\frac{4\times(-2d)+14d}{4\times(-2d)+15d}$$
$$=\frac{6}{7}$$
이므로
$p+q=7+6=13$

답 13

1911

두 수열 $\{a_n\}$, $\{b_n\}$을 다음과 같이 정의한다. $(n=1, 2, 3, \cdots)$

- $a_n=\frac{1}{9}(10^n-1)$
- $b_1=1$, $b_{n+1}=b_n+a_{n+1}$

a_9와 b_9의 각 자리의 숫자의 합을 각각 a, b라 할 때, $a+b$의 값을 구하시오.

$a_9=111111111$

$b_2=b_1+a_2=1+11=12$, $b_3=b_2+a_3=12+111=123$, $\cdots$

$a_n=\frac{1}{9}(10^n-1)$에서
$a_1=\frac{1}{9}(10-1)=1$
$a_2=\frac{1}{9}(10^2-1)=11$
$a_3=\frac{1}{9}(10^3-1)=111$
$a_4=\frac{1}{9}(10^4-1)=1111$
$\vdots$
이므로 $a_9=111111111$
또 $b_1=1$, $b_{n+1}=b_n+a_{n+1}$에서
$b_2=b_1+a_2=1+11=12$
$b_3=b_2+a_3=12+111=123$
$b_4=b_3+a_4=123+1111=1234$
$\vdots$
이므로 $b_9=123456789$
$\therefore a+b=9+45=54$

답 54

1912

두 수열 $\{a_n\}$, $\{b_n\}$은 $a_1=a_2=1$, $b_1=k$이고, 모든 자연수 n에 대하여

$a_{n+2}=(a_{n+1})^2-(a_n)^2$, $b_{n+1}=a_n-b_n+n$

을 만족시킨다. $b_{20}=14$일 때, k의 값을 구하시오.

$a_3=(a_2)^2-(a_1)^2=1^2-1^2=0$, $a_4=(a_3)^2-(a_2)^2=0^2-1^2=-1$, $\cdots$

$a_1=a_2=1$이고
모든 자연수 n에 대하여
$a_{n+2}=(a_{n+1})^2-(a_n)^2$
이므로
$a_3=(a_2)^2-(a_1)^2=1^2-1^2=0$
$a_4=(a_3)^2-(a_2)^2=0^2-1^2=-1$
$a_5=(a_4)^2-(a_3)^2=(-1)^2-0^2=1$
$a_6=(a_5)^2-(a_4)^2=1^2-(-1)^2=0$
$a_7=(a_6)^2-(a_5)^2=0^2-1^2=-1$
$\vdots$
이므로
수열 $\{a_n\}$은
$a_1=1$, $a_2=1$, $a_3=0$, $a_4=-1$
$a_{n+3}=a_n\ (n\ge2)$
$b_{n+1}=a_n-b_n+n$이므로

$b_2=a_1-b_1+1=1-k+1=2-k$
$b_3=a_2-b_2+2=1-(2-k)+2=1+k$
$b_4=a_3-b_3+3=0-(1+k)+3=2-k$
$b_5=a_4-b_4+4=-1-(2-k)+4=1+k$
$b_6=a_5-b_5+5=1-(1+k)+5=5-k$
$b_7=a_6-b_6+6=0-(5-k)+6=1+k$
$b_8=a_7-b_7+7=-1-(1+k)+7=5-k$
$b_9=a_8-b_8+8=1-(5-k)+8=4+k$
$b_{10}=a_9-b_9+9=0-(4+k)+9=5-k$
$b_{11}=a_{10}-b_{10}+10=-1-(5-k)+10=4+k$
$b_{12}=a_{11}-b_{11}+11=1-(4+k)+11=8-k$
$b_{13}=a_{12}-b_{12}+12=0-(8-k)+12=4+k$
$b_{14}=a_{13}-b_{13}+13=-1-(4+k)+13=8-k$
$b_{15}=a_{14}-b_{14}+14=1-(8-k)+14=7+k$
$b_{16}=a_{15}-b_{15}+15=0-(7+k)+15=8-k$
$b_{17}=a_{16}-b_{16}+16=-1-(8-k)+16=7+k$
$b_{18}=a_{17}-b_{17}+17=1-(7+k)+17=11-k$
$b_{19}=a_{18}-b_{18}+18=0-(11-k)+18=7+k$
$b_{20}=a_{19}-b_{19}+19=-1-(7+k)+19=11-k$
이때 $b_{20}=14$이므로
$11-k=14$
따라서 $k=-3$

답 -3

1913

$S_1=\frac{1}{2}$

수열 $\{a_n\}$에서 첫째항부터 제n항까지의 합을 S_n이라 할 때,

$a_1=\frac{1}{2}$, $a_{n+1}=2S_n+n$ $(n=1, 2, 3, \cdots)$

을 만족한다. 이때, a_1+a_5의 값을 구하시오.

$a_2=2S_1+1=2$, $a_3=2S_2+2=2\left(\frac{1}{2}+2\right)+2=7$, $\cdots$

$a_1=S_1=\frac{1}{2}$, $a_{n+1}=2S_n+n$이므로

$a_2=2S_1+1=2\cdot\frac{1}{2}+1=2$

$a_3=2S_2+2=2\left(\frac{1}{2}+2\right)+2=7$

$a_4=2S_3+3=2\left(\frac{1}{2}+2+7\right)+3=22$

$a_5=2S_4+4=2\left(\frac{1}{2}+2+7+22\right)+4=67$

$\therefore a_1+a_5=\frac{1}{2}+67=\frac{135}{2}$

답 $\frac{135}{2}$

1914

n대신 $n+1$을 대입하면 $S_{n+1}=(n+1)^2a_{n+1}$이고 두 식을 빼면, $a_{n+1}=(n+1)^2a_{n+1}-n^2a_n$을 얻는다.

수열 $\{a_n\}$의 첫째항부터 제n항까지의 합을 S_n이라 할 때, 모든 자연수 n에 대하여 $a_1=4$, $S_n=n^2a_n$을 만족한다. 이때, S_7의 값을 구하시오.

주어진 조건에서 $S_7=49a_7$이다. 또한

$S_n=n^2a_n$ $\cdots\cdots$ ㉠

$S_{n+1}=(n+1)^2a_{n+1}$ $\cdots\cdots$ ㉡

이라 하면

㉡$-$㉠에서 $a_{n+1}=(n+1)^2a_{n+1}-n^2a_n$이다. 즉

$a_{n+1}=\frac{n}{n+2}a_n$

따라서

$a_2=\frac{1}{3}a_1$, $a_3=\frac{2}{4}a_2$, $a_4=\frac{3}{5}a_3$, $a_5=\frac{4}{6}a_4$, $a_6=\frac{5}{7}a_5$, $a_7=\frac{6}{8}a_6$

각각 좌변끼리 우변끼리 곱하여 정리하면

$a_7=a_1\times\frac{1}{3}\times\frac{2}{4}\times\frac{3}{5}\times\frac{4}{6}\times\frac{5}{7}\times\frac{6}{8}=\frac{1}{7}$ ($\because a_1=4$)

$\therefore S_7=49\times\frac{1}{7}=7$

답 7

1915

수열 $\{a_n\}$에 대하여 첫째항부터 제n항까지의 합을 S_n이라 할 때,

$a_1=1$, $a_2=3$

$a_{n+1}+a_n$임을 이용하자.

$(S_{n+1}-S_{n-1})^2=4a_na_{n+1}+4$ $(n=2, 3, 4, \cdots)$

가 성립한다. 이때, a_{20}의 값을 구하시오.

(단, $a_1<a_2<a_3<\cdots<a_n<\cdots$이다.)

$S_{n+1}-S_{n-1}=a_{n+1}+a_n$이므로
$(S_{n+1}-S_{n-1})^2=4a_na_{n+1}+4$에서
$(a_{n+1}+a_n)^2=4a_na_{n+1}+4$
${a_{n+1}}^2+2a_{n+1}a_n+{a_n}^2=4a_na_{n+1}+4$, ${a_{n+1}}^2-2a_{n+1}a_n+{a_n}^2=4$
$(a_{n+1}-a_n)^2=4$
$\therefore a_{n+1}-a_n=2$ ($\because a_{n+1}-a_n>0$)
따라서 수열 $\{a_n\}$은 첫째항이 1, 공차가 2인 등차수열이므로
$a_n=1+(n-1)\cdot2=2n-1$
$\therefore a_{20}=39$

답 39

1916

n대신 $n-1$을 대입하면 $2S_{n-1}=a_{n-1}a_n$이고 두 식을 빼면, $2a_n=a_n(a_{n+1}-a_{n-1})$을 얻는다.

수열 $\{a_n\}$의 첫째항부터 제n항까지의 합을 S_n이라 할 때, $a_1=1$, $2S_n=a_na_{n+1}$ $(n=1, 2, 3, \cdots)$이 성립한다. 이때, 〈보기〉에서 옳은 것을 모두 고른 것은?

보기

ㄱ. $a_2=2$
ㄴ. $a_{n+1}+a_{n-1}=2$ $(n\ge2)$
ㄷ. 수열 $\{a_n\}$은 등차수열이다.

ㄱ. $S_1=a_1=1$이므로 $2S_1=a_1a_2$에서
$2\cdot1=1\cdot a_2$ $\quad\therefore a_2=2$ (참)

ㄴ.
$$\begin{array}{rl} & 2S_n=a_na_{n+1} \\ -) & 2S_{n-1}=a_{n-1}a_n \\ \hline & 2(S_n-S_{n-1})=a_n(a_{n+1}-a_{n-1}) \\ & 2a_n=a_n(a_{n+1}-a_{n-1}) \end{array}$$
$\therefore a_{n+1}-a_{n-1}=2$ $(n\ge2)$ (거짓)

ㄷ. $a_1=1$, $a_2=2$, $a_{n+1}-a_{n-1}=2$에서
$a_{n+1}=a_{n-1}+2$이므로
$a_3=a_1+2=1+2=3$
$a_4=a_2+2=2+2=4$

$a_5=a_3+2=3+2=5$

$\vdots$

즉, 수열 $\{a_n\}$은 공차가 1인 등차수열이다. (참)

따라서 옳은 것은 ㄱ, ㄷ이다. 답 ④

1917

n대신 $n+1$을 대입하면 $2\sum_{k=1}^{n+1} a_k=3a_{n+2}-2a_{n+1}-1$이고 두 식을 빼면, $2a_{n+1}=3a_{n+2}-5a_{n+1}+2a_n$을 얻는다.

수열 $\{a_n\}$에 대하여 $a_1=-1$, $2\sum_{k=1}^{n} a_k=3a_{n+1}-2a_n-1$ $(n\ge1)$이 성립할 때, 〈보기〉에서 옳은 것을 모두 고른 것은?

보기

ㄱ. $a_2=-1$

ㄴ. $3a_{n+2}=7a_{n+1}+2a_n$

ㄷ. 수열 $\{3a_{n+1}-a_n\}$은 공비가 2인 등비수열이다.

ㄱ. $2\sum_{k=1}^{n} a_k=3a_{n+1}-2a_n-1$에서 $n=1$을 대입하면

$2\sum_{k=1}^{1} a_k=3a_2-2a_1-1$, 즉 $2a_1=3a_2-2a_1-1$

$\therefore a_2=\frac{4a_1+1}{3}=\frac{-3}{3}=-1$ (참)

ㄴ. $2\sum_{k=1}^{n} a_k=3a_{n+1}-2a_n-1$ ……㉠

$2\sum_{k=1}^{n+1} a_k=3a_{n+2}-2a_{n+1}-1$ ……㉡

㉡−㉠을 하면

$2\left(\sum_{k=1}^{n+1} a_k-\sum_{k=1}^{n} a_k\right)=3a_{n+2}-5a_{n+1}+2a_n$에서

$2a_{n+1}=3a_{n+2}-5a_{n+1}+2a_n$

$\therefore 3a_{n+2}=7a_{n+1}-2a_n$ (거짓)

ㄷ. ㄴ에서 $3a_{n+2}=7a_{n+1}-2a_n$이므로

$3a_{n+2}-a_{n+1}=6a_{n+1}-2a_n$

$=2(3a_{n+1}-a_n)$

따라서 수열 $\{3a_{n+1}-a_n\}$은 공비가 2인 등비수열이다. (참)

그러므로 옳은 것은 ㄱ, ㄷ이다. 답 ③

1918

그림은 직선 $y=x$와 함수 $f(x)=3x+2$의 그래프이다. 그림과 같은 방법으로 수열 $\{a_n\}$을 만들어 갈 때, 일반항 a_n은? (단, $a_1=2$)

$a_1=2$, $a_{n+1}=3a_n+2(n=1, 2, 3, \cdots)$ 임을 이용하자.

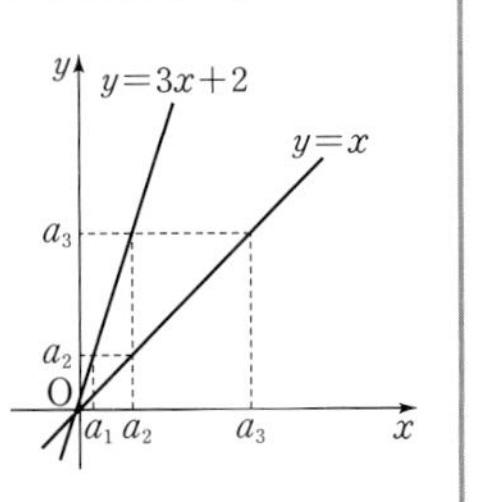

$a_1=2$

$a_2=3a_1+2=3\cdot2+2=8=3^2-1$

$a_3=3a_2+2=3\cdot8+2=26=3^3-1$

$a_4=3a_3+2=3\cdot26+2=80=3^4-1$

$\vdots$

$\therefore a_n=3^n-1$ 답 ②

1919

한 개의 정삼각형에서 각 변의 중점을 선분으로 이으면 4개의 작은 정삼각형이 생긴다. 이때, 가운데 정삼각형 하나를 잘라내면 3개의 정삼각형이 남는다. 남은 3개의 각 정삼각형에서 같은 과정을 반복하면 모두 9개의 정삼각형이 남고, 다시 9개의 각 정삼각형에서 같은 과정을 계속하여 만들어지는 도형을 그림과 같이 나타낸 것이다.

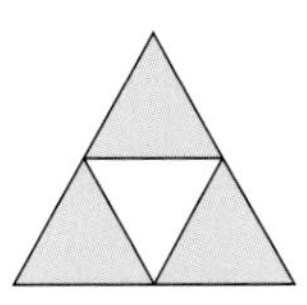
[첫 번째]

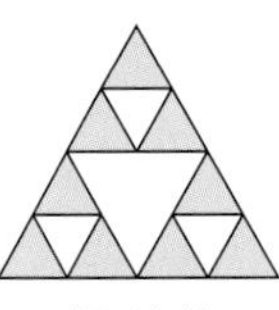
[두 번째]

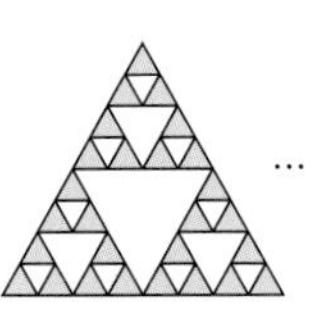
[세 번째]

…

두 정삼각형이 공유하는 꼭짓점은 한 개의 꼭짓점으로 셀 때, n번째 도형에서 남은 정삼각형들의 꼭짓점의 개수를 a_n이라 하자. 예를 들면, $a_1=6$, $a_2=15$이다. 이때, a_5의 값은?

$a_1=6$, $a_{n+1}=3a_n-3(n=1, 2, 3, \cdots)$임을 이용하자.

$a_1=6$, $a_2=15$, $a_{n+1}=3a_n-3$에서

$a_3=3a_2-3=3\cdot15-3=42$

$a_4=3a_3-3=3\cdot42-3=123$

$\therefore a_5=3a_4-3=3\cdot123-3=366$ 답 ①

1920

시험관 속에는 10마리의 배양균이 들어있다. 이 배양균은 1분마다 3마리가 죽고 남은 배양균은 각각 2배로 증식한다고 한다. 처음부터 5분 후 이 배양균의 개체 수는?

n분 후 시험관 속의 배양균의 개체 수를 a_n이라 하면 $a_1=14$, $a_{n+1}=2(a_n-3)(n=1, 2, 3, \cdots)$

n분 후 시험관 속의 배양균의 개체 수를 a_n이라 하면 $(n+1)$분 후 시험관 속의 배양균의 개체 수는 a_{n+1}이다.

이때, $a_1=2(10-3)=14$이고, $a_{n+1}=2(a_n-3)=2a_n-6$이므로

$a_2=2a_1-6=2\cdot14-6=22$

$a_3=2a_2-6=2\cdot22-6=38$

$a_4=2a_3-6=2\cdot38-6=70$

$a_5=2a_4-6=2\cdot70-6=134$

따라서 처음부터 5분 후 배양균의 개체 수는 134마리이다. 답 ④

1921

n년 후의 연봉을 a_n(만 원)이라 하면 $a_{n+1}=1.2a_n-400(n=1, 2, 3, \cdots)$

축구선수 K군의 올해 연봉은 5000만 원이다. 매년 전년도의 연봉에서 20 % 인상된 금액보다 400만 원씩 덜 받기로 한다면, 축구선수 K군의 n년 후의 연봉을 a_n(만 원)이라 할 때, $a_{n+1}=pa_n+q$가 성립한다. pq의 값은? (단 p, q는 상수)

n년 후의 연봉을 a_n(만 원)이라 하면 매년 전년도의 연봉에서 20 % 인상된 금액보다 400만 원씩 덜 받으므로

$a_{n+1}=1.2a_n-400$

따라서 $p=1.2$, $q=-400$이므로

$pq=1.2\times(-400)=-480$ 답 ③

1922

어느 용기에 18 L의 물이 들어있다. 이 용기의 물의 $\frac{1}{3}$을 사용한 다음 2 L의 물을 다시 넣는 시행을 5번 하였을 때 용기에 남아있는 물의 양은 $\left(\frac{a}{3^4}+b\right)$L이다. 이때, $a+b$의 값을 구하시오. (단, $0<a<3^4$, b는 자연수)

n번 시행 후 용기에 남아있는 물의 양을 a_n이라 하면 $a_1=14$, $a_{n+1}=\frac{2}{3}a_n+2(n=1, 2, 3, \cdots)$

n번 시행 후 용기에 남아있는 물의 양을 a_n이라 하면

$a_1=\frac{2}{3}\cdot 18+2=14(\mathrm{L})$, $a_{n+1}=\frac{2}{3}a_n+2$이므로

$a_2=\frac{2}{3}a_1+2=\frac{2}{3}\cdot 14+2=\frac{34}{3}$

$a_3=\frac{2}{3}a_2+2=\frac{2}{3}\cdot\frac{34}{3}+2=\frac{86}{3^2}$

$a_4=\frac{2}{3}a_3+2=\frac{2}{3}\cdot\frac{86}{3^2}+2=\frac{226}{3^3}$

$a_5=\frac{2}{3}a_4+2=\frac{2}{3}\cdot\frac{226}{3^3}+2=\frac{452}{3^4}+2=\frac{47}{3^4}+7$

따라서 $a=47$ ($\because 0<a<3^4$), $b=7$이므로

$a+b=54$ 답 54

1923

그림과 같이 관람석이 전체 15열로 이루어진 극장이 있다. 제n열의 좌석 수를 a_n이라 하면, 수열 $\{a_n\}$은 $a_{n+1}=a_n+1$을 만족한다. 제1열의 좌석수가 30일 때, 이 극장의 총 좌석 수는? (단, $n=1, 2, \cdots, 14$)

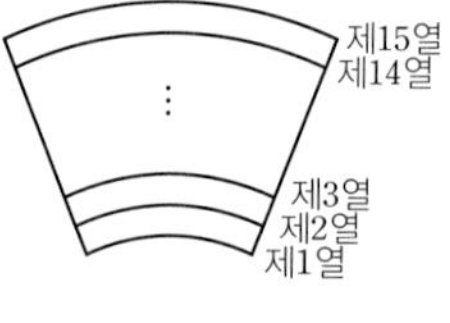

수열 $\{a_n\}$은 첫째항이 30, 공차가 1인 등차수열이다.

$a_{n+1}=a_n+1$이므로 수열 $\{a_n\}$은 첫째항이 30, 공차가 1인 등차수열이다.

$\therefore a_n=30+(n-1)\cdot 1$

$=n+29$

따라서 총 좌석 수는

$\sum_{k=1}^{15}(k+29)=\frac{15\cdot 16}{2}+29\cdot 15$

$=555$ 답 ④

1924

다음은 제품 P_n을 만드는 방법과 소요 시간에 대한 설명이다.

(가) 제품 P_1을 한 개 만드는 데 걸리는 시간은 1시간이다.

(나) 제품 P_1을 차례로 두 개 만든 다음에 이를 연결하면 제품 P_2가 만들어진다.

(다) 제품 P_n을 차례로 두 개 만든 다음에 이를 연결하면 제품 P_{2n}이 한 개 만들어진다. 이때, 제품 P_n 두 개를 연결하는 데 걸리는 시간은 $2n$시간이다.

이때, 제품 P_{16}을 한 개 만드는 데 걸리는 시간은? (단, $n=2^k$, $k=0, 1, 2, 3, \cdots$)

제품 P_n을 한 개 만드는 데 걸리는 시간을 a_n이라 하면 $a_1=1$, $a_{2n}=2a_n+2n(n=1, 2, 3, \cdots)$

제품 P_n을 한 개 만드는 데 걸리는 시간을 a_n시간이라 하면 $a_1=1$

이때, 제품 P_{2n}을 한 개 만드는 데 걸리는 시간은 제품 P_n을 두 개 만드는 데 걸리는 시간과 연결하는 데 걸리는 시간 $2n$시간의 합이므로

$a_{2n}=2a_n+2n$

이 식의 n 대신에 1, 2, 4, 8을 대입하면

$a_2=2a_1+2\cdot 1=2\cdot 1+2=4$

$a_4=2a_2+2\cdot 2=2\cdot 4+4=12$

$a_8=2a_4+2\cdot 4=2\cdot 12+8=32$

$a_{16}=2a_8+2\cdot 8=2\cdot 32+16=80$

따라서 제품 P_{16}을 한 개 만드는 데 걸리는 시간은 80시간이다.

답 ③

1925

농도가 10 %인 설탕물 400 g이 들어 있는 그릇에서 설탕물 40 g을 덜어 내고 물 40 g을 넣고 잘 섞는다. 이와 같은 과정을 n번 반복한 후 설탕물의 농도를 a_n %라고 할 때, $\sum_{n=1}^{10}a_n$의 값은?

$a_1=\frac{36}{400}\times 100=9$, $\frac{a_{n+1}}{100}\times 400=\frac{a_n}{100}\times(400-40)$ $(n=1, 2, 3, \cdots)$

n번째 시행 후의 농도와 $(n+1)$번째 시행 후의 농도를 각각 a_n% , a_{n+1}%라 하면

$\frac{a_n}{100}\times(400-40)=\frac{a_{n+1}}{100}\times 400$

$a_{n+1}=\frac{9}{10}a_n$, $a_1=\frac{36}{400}\times 100=9$

수열 $\{a_n\}$은 공비가 $\frac{9}{10}$이고 첫째항인 $a_1=9$인 등비수열이다.

$\therefore \sum_{k=1}^{10}a_n=\frac{9\left\{1-\left(\frac{9}{10}\right)^{10}\right\}}{1-\frac{9}{10}}=90\left(1-\frac{9^{10}}{10^{10}}\right)=90-\frac{9^{11}}{10^9}$

답 ②

1926

원 A_n의 중심을 O_n이라 하면 $\overline{O_nO_{n+1}}=\sqrt{(a_n-a_{n+1})^2+(a_n-a_{n+1})^2}$

좌표평면 위의 제1사분면에 중심이 존재하는 원 A_n의 방정식이 $(x-a_n)^2+(y-a_n)^2=a_n^2$이고, 원 A_n과 A_{n+1}이 외접할 때, 수열 $\{a_n\}$에 대한 설명으로 옳은 것은?

(단, $a_n>a_{n+1}$, $n=1, 2, 3, \cdots$)

A_n, A_{n+1}은 외접하므로 $\overline{O_nO_{n+1}}=a_n+a_{n+1}$

원 A_n의 중심을 $O_n(a_n, a_n)$이라 하면

$\overline{O_nO_{n+1}}=\sqrt{(a_n-a_{n+1})^2+(a_n-a_{n+1})^2}$

$=\sqrt{2}(a_n-a_{n+1})$ ($\because a_n>a_{n+1}$)

이때, 원 A_n의 반지름의 길이는 a_n이고 두 원 A_n, A_{n+1}은 서로 외접하므로

$\sqrt{2}(a_n-a_{n+1})=a_n+a_{n+1}$

$(\sqrt{2}+1)a_{n+1}=(\sqrt{2}-1)a_n$

$\therefore a_{n+1}=\dfrac{\sqrt{2}-1}{\sqrt{2}+1}a_n=(3-2\sqrt{2})a_n$

따라서 수열 $\{a_n\}$은 공비가 $3-2\sqrt{2}$인 등비수열이다. 답 ④

1927

좌표평면에서 점 $A_n(n=1, 2, 3, \cdots)$을 다음 규칙에 따라 정한다.

(가) 점 A_1의 좌표는 $(0, 0)$이다.
(나) 점 A_{4n-3}을 x축의 양의 방향으로 $(4n-3)$만큼 평행이동시킨 점은 A_{4n-2}이다.
(다) 점 A_{4n-2}를 y축의 음의 방향으로 $(4n-2)$만큼 평행이동시킨 점은 A_{4n-1}이다.
(라) 점 A_{4n-1}을 x축의 음의 방향으로 $(4n-1)$만큼 평행이동시킨 점은 A_{4n}이다.
(마) 점 A_{4n}을 y축의 양의 방향으로 $4n$만큼 평행이동시킨 점은 A_{4n+1}이다.

그림은 위의 규칙대로 정한 점 A_1, A_2, A_3, $\cdots$의 일부를 나타낸 것이다. 점 A_{50}의 좌표를 (p, q)라 할 때, $p+q$의 값을 구하시오.

주어진 규칙에 따라 점 A_n을 정하면 $n=4k-2(k=2, 3, 4, \cdots)$일 때, 점 A_n은 제1사분면에 있다.

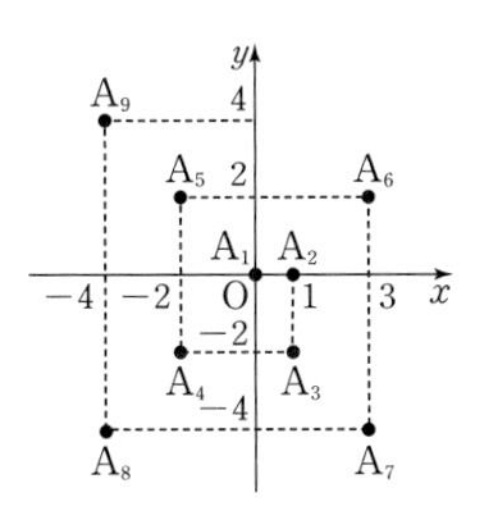

주어진 규칙에 따라 점 A_n을 정하면

$n=4k-2(k=2, 3, \cdots)$일 때, 점 A_n은 제1사분면에 있다.

$A_6(3, 2)$, $A_{10}(5, 4)$, $A_{14}(7, 6)$, $\cdots$, $A_{4k-2}(2k-1, 2k-2)$

따라서 $A_{50}(25, 24)$이므로 $p+q=49$이다. 답 49

1928

자연수 n에 대하여 점 A_n이 x축 위의 점일 때, 점 A_{n+1}을 다음 규칙에 따라 정한다.

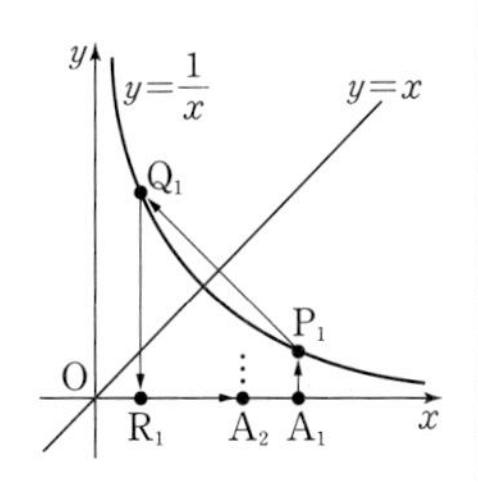

(가) 점 A_1의 좌표는 $(2, 0)$이다.
(나) (1) 점 A_n을 지나고 y축에 평행한 직선이 곡선 $y=\dfrac{1}{x}$ $(x>0)$과 만나는 점을 P_n이라 한다.
(2) 점 P_n을 직선 $y=x$에 대하여 대칭이동한 점을 Q_n이라 한다.
(3) 점 Q_n을 지나고 y축에 평행한 직선이 x축과 만나는 점을 R_n이라 한다.
(4) 점 R_n을 x축의 방향으로 1만큼 평행이동한 점을 A_{n+1}이라 한다.

점 A_n의 x좌표를 x_n이라 하자. $x_5=\dfrac{q}{p}$일 때, $p+q$의 값을 구하시오. (단, p, q는 서로소인 자연수이다.)

$x_1=2$, $x_{n+1}=\dfrac{1}{x_n}+1(n=1, 2, 3, \cdots)$임을 이용하자.

$A_n(x_n, 0)$이라 하면 $P_n\left(x_n, \dfrac{1}{x_n}\right)$, $Q_n\left(\dfrac{1}{x_n}, x_n\right)$, $R_n\left(\dfrac{1}{x_n}, 0\right)$이므로

$A_{n+1}\left(\dfrac{1}{x_n}+1, 0\right)$

따라서 $x_1=2$, $x_{n+1}=\dfrac{1}{x_n}+1$이므로

$x_2=\dfrac{1}{x_1}+1=\dfrac{1}{2}+1=\dfrac{3}{2}$

$x_3=\dfrac{1}{x_2}+1=\dfrac{2}{3}+1=\dfrac{5}{3}$

$x_4=\dfrac{1}{x_3}+1=\dfrac{3}{5}+1=\dfrac{8}{5}$

$x_5=\dfrac{1}{x_4}+1=\dfrac{5}{8}+1=\dfrac{13}{8}$

$\therefore p=8, q=13$

$\therefore p+q=21$ 답 21

1929

다음은 모든 자연수 n에 대하여 등식

$$1+2+3+\cdots+n=\frac{n(n+1)}{2}$$

이 성립함을 수학적 귀납법으로 증명한 것이다.

증명

(i) $n=1$일 때,

(좌변)$=1$, (우변)$=\frac{1\cdot2}{2}=1$

따라서 주어진 등식이 성립한다.

(ii) $n=k$일 때, 주어진 등식이 성립한다고 가정하면

$$1+2+3+\cdots+k=\frac{k(k+1)}{2}$$

이 식의 양변에 (가) 을(를) 더하면

$$1+2+3+\cdots+k+\boxed{(가)}=\frac{k(k+1)}{2}+\boxed{(가)}$$

$$=\frac{\boxed{(나)}}{2}$$

$n=k+1$일 때도 등식이 성립함을 보여야 하므로 $k+1$을 더하자.

따라서 $n=k+1$일 때도 주어진 등식이 성립한다.

그러므로 (i), (ii)에 의하여 주어진 등식은 모든 자연수 n에 대하여 성립한다.

위의 증명에서 (가), (나)에 알맞은 것을 차례대로 적은 것은?

(i) $n=1$일 때,

(좌변)$=1$, (우변)$=\frac{1\cdot2}{2}=1$

따라서 주어진 등식이 성립한다.

(ii) $n=k$일 때, 주어진 등식이 성립한다고 가정하면

$$1+2+3+\cdots+k=\frac{k(k+1)}{2}$$

이 식의 양변에 $\boxed{k+1}$ 을 더하면

$$1+2+3+\cdots+k+\boxed{k+1}=\frac{k(k+1)}{2}+\boxed{k+1}$$

$$=\frac{k(k+1)+2(k+1)}{2}$$

$$=\frac{\boxed{(k+1)(k+2)}}{2}$$

따라서 $n=k+1$일 때도 주어진 등식이 성립한다.

그러므로 (i), (ii)에 의하여 주어진 등식은 모든 자연수 n에 대하여 성립한다.

$\therefore$ (가): $k+1$, (나): $(k+1)(k+2)$

답 ④

1930

다음은 임의의 자연수 n에 대하여 등식

$$\frac{1}{1\cdot3}+\frac{1}{3\cdot5}+\cdots+\frac{1}{(2n-1)(2n+1)}=\frac{n}{2n+1}$$

이 성립함을 수학적 귀납법으로 증명한 것이다.

증명

(i) $n=1$일 때,

(좌변)$=\frac{1}{1\cdot3}=\frac{1}{3}$, (우변)$=\frac{1}{2+1}=\frac{1}{3}$

따라서 주어진 등식이 성립한다.

(ii) $n=k$일 때, 주어진 등식이 성립한다고 가정하면

$$\frac{1}{1\cdot3}+\frac{1}{3\cdot5}+\cdots+\frac{1}{(2k-1)(2k+1)}=\boxed{(가)}$$

$\frac{n}{2n+1}$에서 $n=k$를 대입하자.

이 식의 양변에 $\frac{1}{(2k+1)(2k+3)}$을 더하면

$$\frac{1}{1\cdot3}+\frac{1}{3\cdot5}+\cdots+\frac{1}{(2k-1)(2k+1)}+\frac{1}{(2k+1)(2k+3)}=\boxed{(나)}$$

따라서 $n=k+1$일 때도 주어진 등식이 성립한다.

그러므로 (i), (ii)에 의하여 주어진 등식은 모든 자연수 n에 대하여 성립한다.

위의 증명에서 (가), (나)에 알맞은 식을 각각 $f(k)$, $g(k)$라 할 때, $f(2)+g(1)$의 값을 구하시오.

$\frac{n}{2n+1}$에서 $n=k+1$를 대입하자.

(i) $n=1$일 때,

(좌변)$=\frac{1}{1\cdot3}=\frac{1}{3}$, (우변)$=\frac{1}{2+1}=\frac{1}{3}$

따라서 주어진 등식이 성립한다.

(ii) $n=k$일 때, 주어진 등식이 성립한다고 가정하면

$$\frac{1}{1\cdot3}+\frac{1}{3\cdot5}+\cdots+\frac{1}{(2k-1)(2k+1)}=\boxed{\frac{k}{2k+1}}$$

이 식의 양변에 $\frac{1}{(2k+1)(2k+3)}$을 더하면

$$\frac{1}{1\cdot3}+\frac{1}{3\cdot5}+\cdots+\frac{1}{(2k-1)(2k+1)}+\frac{1}{(2k+1)(2k+3)}$$

$$=\frac{k}{2k+1}+\frac{1}{(2k+1)(2k+3)}$$

$$=\frac{k(2k+3)+1}{(2k+1)(2k+3)}=\frac{2k^2+3k+1}{(2k+1)(2k+3)}$$

$$=\frac{(2k+1)(k+1)}{(2k+1)(2k+3)}$$

$$=\boxed{\frac{k+1}{2k+3}}$$

따라서 $n=k+1$일 때도 주어진 등식이 성립한다.

그러므로 (i), (ii)에 의하여 주어진 등식은 모든 자연수 n에 대하여 성립한다.

$\therefore f(k)=\frac{k}{2k+1}$, $g(k)=\frac{k+1}{2k+3}$

$\therefore f(2)+g(1)=\frac{2}{5}+\frac{2}{5}=\frac{4}{5}$

답 $\frac{4}{5}$

1931

모든 자연수 n에 대하여 다음 등식이 성립함을 수학적 귀납법으로 증명하시오.

$$\frac{1}{1\cdot2}+\frac{1}{2\cdot3}+\frac{1}{3\cdot4}+\cdots+\frac{1}{n(n+1)}=\frac{n}{n+1}$$

① $n=1$일 때, 등식이 성립함을 확인하자.
② $n=k$일 때, 등식이 성립한다고 가정한 다음 $n=k+1$일 때도 등식이 성립함을 보이자.

(i) $n=1$일 때,

(좌변)$=\frac{1}{1\cdot2}=\frac{1}{2}$, (우변)$=\frac{1}{1+1}=\frac{1}{2}$

따라서 주어진 등식이 성립한다.

(ii) $n=k$일 때, 주어진 등식이 성립한다고 가정하면

$$\frac{1}{1\cdot2}+\frac{1}{2\cdot3}+\frac{1}{3\cdot4}+\cdots+\frac{1}{k(k+1)}=\frac{k}{k+1}$$

이 식의 양변에 $\frac{1}{(k+1)(k+2)}$을 더하면

$$\frac{1}{1\cdot2}+\frac{1}{2\cdot3}+\frac{1}{3\cdot4}+\cdots+\frac{1}{k(k+1)}+\frac{1}{(k+1)(k+2)}$$
$$=\frac{k}{k+1}+\frac{1}{(k+1)(k+2)}=\frac{(k+1)^2}{(k+1)(k+2)}$$
$$=\frac{k+1}{k+2}=\frac{k+1}{(k+1)+1}$$

따라서 $n=k+1$일 때도 주어진 등식은 성립한다.

그러므로 (i), (ii)에 의하여 주어진 등식은 모든 자연수 n에 대하여 성립한다.

답 풀이 참조

1932

다음은 임의의 자연수 n에 대하여 등식

$$1+3+5+\cdots+(2n-1)=n^2$$

이 성립함을 수학적 귀납법으로 증명한 것이다.

증명

(i) $n=1$일 때,

(좌변)$=2-1=1$, (우변)$=1^2=1$

따라서 주어진 등식이 성립한다.

(ii) $n=k$일 때, 주어진 등식이 성립한다고 가정하면

$1+3+5+\cdots+(2k-1)=k^2$

이 식의 양변에 [(가)]을 더하면

$1+3+5+\cdots+(2k-1)+$ [(가)] $=k^2+$ [(가)]

$=$ [(나)]

$n=k+1$일 때도 등식이 성립함을 보여야 하므로 $2k+1$을 더하자.

따라서 $n=k+1$일 때도 주어진 등식이 성립한다.

그러므로 (i), (ii)에 의하여 주어진 등식은 모든 자연수 n에 대하여 성립한다.

n^2에서 $n=k+1$을 대입하자.

위의 증명에서 (가), (나)에 알맞은 것을 순서대로 적은 것은?

(i) $n=1$일 때,

(좌변)$=2-1=1$, (우변)$=1^2=1$

따라서 주어진 등식이 성립한다.

(ii) $n=k$일 때, 주어진 등식이 성립한다고 가정하면

$1+3+5+\cdots+(2k-1)=k^2$

이 식의 양변에 [$2k+1$]을 더하면

$1+3+5+\cdots+(2k-1)+$ [$2k+1$] $=k^2+$ [$2k+1$]

$=$ [$(k+1)^2$]

따라서 $n=k+1$일 때도 주어진 등식이 성립한다.

그러므로 (i), (ii)에 의하여 주어진 등식은 모든 자연수 n에 대하여 성립한다.

$\therefore$ (가): $2k+1$, (나): $(k+1)^2$

답 ④

1933

모든 자연수 n에 대하여 등식

$$1+4+7+\cdots+(3n-2)=\frac{n(3n-1)}{2}$$

이 성립함을 수학적 귀납법으로 증명하시오.

① $n=1$일 때, 등식이 성립함을 확인하자.
② $n=k$일 때, 등식이 성립한다고 가정한 다음 $n=k+1$일 때도 등식이 성립함을 보이자.

(i) $n=1$일 때,

(좌변)$=1$, (우변)$=\frac{1\cdot(3\cdot1-1)}{2}=1$

따라서 주어진 등식이 성립한다.

(ii) $n=k$일 때, 주어진 등식이 성립한다고 가정하면

$$1+4+7+\cdots+(3k-2)=\frac{k(3k-1)}{2}$$

이 식의 양변에 $3k+1$을 더하면

$$1+4+7+\cdots+(3k-2)+(3k+1)$$
$$=\frac{k(3k-1)}{2}+(3k+1)$$
$$=\frac{3k^2+5k+2}{2}$$
$$=\frac{(k+1)(3k+2)}{2}$$
$$=\frac{(k+1)\{3(k+1)-1\}}{2}$$

따라서 $n=k+1$일 때도 주어진 등식이 성립한다.

그러므로 (i), (ii)에 의하여 주어진 등식은 모든 자연수 n에 대하여 성립한다.

답 풀이 참조

1934

다음은 모든 자연수 n에 대하여 등식

$$1^3+2^3+3^3+\cdots+n^3=\left\{\frac{n(n+1)}{2}\right\}^2$$

이 성립함을 수학적 귀납법으로 증명한 것이다.

증명

(i) $n=1$일 때,

(좌변)$=1^3=1$, (우변)$=\left(\frac{1\cdot2}{2}\right)^2=1$

따라서 주어진 등식이 성립한다.

(ii) $n=k$일 때, 주어진 등식이 성립한다고 가정하면

$$1^3+2^3+3^3+\cdots+k^3=\left\{\frac{k(k+1)}{2}\right\}^2$$

이 식의 양변에 (가) 을 더하면

$$1^3+2^3+3^3+\cdots+k^3+\boxed{(가)}$$

$$=\left\{\frac{k(k+1)}{2}\right\}^2+\boxed{(가)}$$

→ $n=k+1$일 때도 등식이 성립함을 보여야 하므로 $(k+1)^3$을 더하자.

$$=\left(\frac{k+1}{2}\right)^2\times\boxed{(나)}$$

→ 위의 식과 비교하여 답을 구하자.

$$=\left[\frac{(k+1)\{(k+1)+1\}}{2}\right]^2$$

따라서 $n=k+1$일 때도 주어진 등식이 성립한다.

그러므로 (i), (ii)에 의하여 주어진 등식은 모든 자연수 n에 대하여 성립한다.

위의 증명에서 (가), (나)에 알맞은 식을 각각 $f(k)$, $g(k)$라 할 때, $f(2)+g(2)$의 값은?

(i) $n=1$일 때,

(좌변)$=1^3=1$, (우변)$=\left(\frac{1\cdot2}{2}\right)^2=1$

따라서 주어진 등식이 성립한다.

(ii) $n=k$일 때, 주어진 등식이 성립한다고 가정하면

$$1^3+2^3+3^3+\cdots+k^3=\left\{\frac{k(k+1)}{2}\right\}^2$$

이 식의 양변에 $\boxed{(k+1)^3}$ 을 더하면

$$1^3+2^3+3^3+\cdots+k^3+\boxed{(k+1)^3}$$

$$=\left\{\frac{k(k+1)}{2}\right\}^2+\boxed{(k+1)^3}$$

$$=\left(\frac{k+1}{2}\right)^2\cdot k^2+\left(\frac{k+1}{2}\right)^2\cdot4(k+1)$$

$$=\left(\frac{k+1}{2}\right)^2\times(k^2+4k+4)$$

$$=\left(\frac{k+1}{2}\right)^2\times\boxed{(k+2)^2}$$

$$=\left[\frac{(k+1)\{(k+1)+1\}}{2}\right]^2$$

따라서 $n=k+1$일 때도 주어진 등식이 성립한다.

그러므로 (i), (ii)에 의하여 주어진 등식은 모든 자연수 n에 대하여 성립한다.

$\therefore f(k)=(k+1)^3$, $g(k)=(k+2)^2$

$\therefore f(2)+g(2)=(2+1)^3+(2+2)^2=43$ 답 ②

1935

다음은 모든 자연수 n에 대하여

$$\sum_{k=1}^{n}(2k-1)(2n+1-2k)^2=\frac{n^2(2n^2+1)}{3}$$

이 성립함을 수학적 귀납법으로 증명한 것이다.

증명

(i) $n=1$일 때, (좌변)$=1$, (우변)$=1$이므로 주어진 등식은 성립한다.

(ii) $n=m$일 때, 등식

$$\sum_{k=1}^{m}(2k-1)(2m+1-2k)^2=\frac{m^2(2m^2+1)}{3}$$

이 성립한다고 가정하자.

$n=m+1$일 때,

$$\sum_{k=1}^{m+1}(2k-1)(2m+3-2k)^2$$

$$=\sum_{k=1}^{m}(2k-1)(2m+3-2k)^2+\boxed{(가)}$$

→ 가정된 등식을 이용하기 위하여 분리하였다.

$$=\sum_{k=1}^{m}(2k-1)(2m+1-2k)^2$$

$$+\boxed{(나)}\times\sum_{k=1}^{m}(2k-1)(m+1-k)+\boxed{(가)}$$

→ 위의 식과 비교하여 답을 구하자.

$$=\frac{(m+1)^2\{2(m+1)^2+1\}}{3}$$

이다. 따라서 $n=m+1$일 때도 주어진 등식이 성립한다.

(i), (ii)에 의하여 모든 자연수 n에 대하여 주어진 등식이 성립한다.

위의 (가)에 알맞은 식을 $f(m)$, (나)에 알맞은 수를 p라 할 때, $f(3)+p$의 값은?

(i) $n=1$일 때, (좌변)$=1$, (우변)$=1$이므로 주어진 등식은 성립한다.

(ii) $n=m$일 때, 등식

$$\sum_{k=1}^{m}(2k-1)(2m+1-2k)^2=\frac{m^2(2m^2+1)}{3}$$

이 성립한다고 가정하자.

$n=m+1$일 때,

$$\sum_{k=1}^{m+1}(2k-1)(2m+3-2k)^2$$

$$=\sum_{k=1}^{m}(2k-1)(2m+3-2k)^2+\boxed{2m+1}$$

$$=\sum_{k=1}^{m}(2k-1)(2m+1-2k)^2$$

$$+\boxed{8}\times\sum_{k=1}^{m}(2k-1)(m+1-k)+\boxed{2m+1}$$

$$=\frac{(m+1)^2\{2(m+1)^2+1\}}{3}$$

이다. 따라서 $n=m+1$일 때도 주어진 등식이 성립한다.

(i), (ii)에 의하여 모든 자연수 n에 대하여 주어진 등식이 성립한다.

$f(m)=2m+1$이고

$(2m+3-2k)^2$

$=(2m+1-2k+2)^2$

$=(2m+1-2k)^2+4(2m+1-2k)+4$

$=(2m+1-2k)^2+8(m+1-k)$

이므로

$$\sum_{k=1}^{m}(2k-1)(2m+3-2k)^2$$

$$=\sum_{k=1}^{m}(2k-1)(2m+1-2k)^2+8\times\sum_{k=1}^{m}(2k-1)(m+1-k)$$

에서 $p=8$

따라서 $f(3)+p=7+8=15$ 답 ③

1936

다음은 모든 자연수 n에 대하여

$$1\cdot n+2\cdot(n-1)+3\cdot(n-2)+\cdots+(n-1)\cdot 2+n\cdot 1=\frac{n(n+1)(n+2)}{6}$$

가 성립함을 수학적 귀납법으로 증명한 것이다.

증명

(i) $n=1$일 때, (좌변)$=1$, (우변)$=1$이므로 주어진 식은 성립한다.

(ii) $n=k$일 때 성립한다고 가정하면

$$1\cdot k+2\cdot(k-1)+3\cdot(k-2)+\cdots+k\cdot 1=\frac{k(k+1)(k+2)}{6}$$

이다. $n=k+1$일 때 성립함을 보이자.

• 가정된 등식을 이용하기 위하여 분리하였다.

$1\cdot(k+1)+2\cdot k+3\cdot(k-1)+\cdots+(k+1)\cdot 1$

$=1\cdot k+2\cdot(k-1)+3\cdot(k-2)+\cdots+k\cdot 1$

$\qquad+(1+2+3+\cdots+k)+$ (가)

$=\dfrac{k(k+1)(k+2)}{6}+$ (나)

$=$ (다)

• 위의 식과 비교하여 답을 구하자.

그러므로 $n=k+1$ 일 때도 성립한다.

따라서 모든 자연수 n에 대하여 주어진 등식은 성립한다.

위의 증명에서 (가), (나), (다)에 알맞은 것을 차례로 나열한 것은?

$n=k+1$일 때,

$1\cdot(k+1)+2\cdot k+3\cdot(k-1)+\cdots+(k+1)\cdot 1$

$=1\cdot k+2\cdot(k-1)+3\cdot(k-2)+\cdots+k\cdot 1$

$\qquad+(1+2+3+\cdots+k)+\boxed{k+1}$

$=\dfrac{k(k+1)(k+2)}{6}+\dfrac{k(k+1)}{2}+k+1$

$=\dfrac{k(k+1)(k+2)}{6}+\boxed{\dfrac{(k+1)(k+2)}{2}}$

$=\boxed{\dfrac{(k+1)(k+2)(k+3)}{6}}$ 답 ④

1937

다음은 $n\geq 2$인 자연수 n에 대하여 등식

$$\left(1-\frac{1}{2^2}\right)\left(1-\frac{1}{3^2}\right)\left(1-\frac{1}{4^2}\right)\times\cdots\times\left(1-\frac{1}{n^2}\right)=\frac{n+1}{2n}$$

이 성립함을 수학적 귀납법으로 증명한 것이다.

증명

(i) $n=2$일 때,

(좌변)$=1-\dfrac{1}{2^2}=\dfrac{3}{4}$, (우변)$=\dfrac{2+1}{2\cdot 2}=\dfrac{3}{4}$

따라서 주어진 등식이 성립한다.

(ii) $n=k\ (k\geq 2)$일 때, 주어진 등식이 성립한다고 가정하면

$$\left(1-\frac{1}{2^2}\right)\left(1-\frac{1}{3^2}\right)\left(1-\frac{1}{4^2}\right)\times\cdots\times\left(1-\frac{1}{k^2}\right)=\frac{k+1}{2k}$$

이 식의 양변에 (가) 을 곱하면

• $n=k+1$일 때도 등식이 성립함을 보여야 하므로 $1-\dfrac{1}{(k+1)^2}$을 곱하자.

$\left(1-\dfrac{1}{2^2}\right)\left(1-\dfrac{1}{3^2}\right)\left(1-\dfrac{1}{4^2}\right)\times\cdots\times\left(1-\dfrac{1}{k^2}\right)\{$ (가) $\}$

$=\left(\dfrac{k+1}{2k}\right)\{$ (가) $\}$

$=$ (나)

• $\dfrac{n+1}{2n}$에서 $n=k+1$를 대입하자.

따라서 $n=k+1$일 때도 주어진 등식이 성립한다.

그러므로 (i), (ii)에 의하여 주어진 등식은 $n\geq 2$인 모든 자연수 n에 대하여 성립한다.

위의 증명에서 (가), (나)에 알맞은 것을 순서대로 적은 것은?

(i) $n=2$일 때,

(좌변)$=1-\dfrac{1}{2^2}=\dfrac{3}{4}$, (우변)$=\dfrac{2+1}{2\cdot 2}=\dfrac{3}{4}$

따라서 주어진 등식이 성립한다.

(ii) $n=k\ (k\geq 2)$일 때, 주어진 등식이 성립한다고 가정하면

$$\left(1-\frac{1}{2^2}\right)\left(1-\frac{1}{3^2}\right)\left(1-\frac{1}{4^2}\right)\times\cdots\times\left(1-\frac{1}{k^2}\right)=\frac{k+1}{2k}$$

이 식의 양변에 $\boxed{1-\dfrac{1}{(k+1)^2}}$을 곱하면

$\left(1-\dfrac{1}{2^2}\right)\left(1-\dfrac{1}{3^2}\right)\left(1-\dfrac{1}{4^2}\right)\times\cdots\times\left(1-\dfrac{1}{k^2}\right)\left\{\boxed{1-\dfrac{1}{(k+1)^2}}\right\}$

$=\left(\dfrac{k+1}{2k}\right)\left\{\boxed{1-\dfrac{1}{(k+1)^2}}\right\}=\left(\dfrac{k+1}{2k}\right)\left\{\dfrac{(k+1)^2-1}{(k+1)^2}\right\}$

$=\left(\dfrac{k+1}{2k}\right)\left\{\dfrac{k^2+2k}{(k+1)^2}\right\}=\left(\dfrac{k+1}{2k}\right)\left\{\dfrac{k(k+2)}{(k+1)^2}\right\}$

$=\boxed{\dfrac{k+2}{2(k+1)}}$

따라서 $n=k+1$일 때도 주어진 등식이 성립한다.

그러므로 (i), (ii)에 의하여 주어진 등식은 $n\geq 2$인 모든 자연수 n에 대하여 성립한다.

$\therefore$ (가): $1-\dfrac{1}{(k+1)^2}$, (나): $\dfrac{k+2}{2(k+1)}$ 답 ③

1938

다음은 모든 자연수 n에 대하여 $3^{2n}-1$이 8의 배수임을 수학적 귀납법으로 증명한 것이다.

증명

(i) $n=$ (가) 일 때 $3^2-1=8$은 8의 배수이다.

(ii) $n=k$일 때 $3^{2k}-1$이 8의 배수라 가정하면

$3^{2k}-1=8m$ (m은 자연수)

이므로 $3^{2k}=8m+1$

$n=k+1$일 때

$3^{2(k+1)}-1=$ (나) $\times 3^{2k}-1$

$=$ (다) $(9m+1)$

이므로 $n=k+1$일 때도 $3^{2n}-1$은 8의 배수이다.

(i), (ii)에 의하여 모든 자연수 n에 대하여 $3^{2n}-1$은 8의 배수이다.

• 모든 자연수 n이므로 $n=1$부터 살펴보자.

• 8의 배수임을 보여야 하므로 $8\times(\bigcirc+\triangle)$ 꼴로 정리하자.

위의 증명에서 (가), (나), (다)에 알맞은 수를 각각 a, b, c라 할 때, $a+b+c$의 값을 구하시오.

(i) $n=$ 1 일 때 $3^2-1=8$은 8의 배수이다.

(ii) $n=k$일 때 $3^{2k}-1$이 8의 배수라 가정하면

$3^{2(k+1)}-1=$ 9 $\times 3^{2k}-1$

$=9(8m+1)-1$ ($\because 3^{2k}-1=8m$)

$=72m+8$

$=$ 8 $\times(9m+1)$

따라서 $a=1$, $b=9$, $c=8$이다.

$\therefore a+b+c=1+9+8=18$

답 18

1939

다음은 모든 자연수 n에 대하여 $2^{4n+2}+3^{n+2}$은 13의 배수임을 증명한 것이다.

증명

(i) $n=1$일 때,

$2^{4+2}+3^{1+2}=91=13\times7$이므로 13의 배수이다.

(ii) $n=k$(k는 자연수)일 때, 성립한다고 가정하면

$2^{4k+2}+3^{k+2}=13m$ (m은 자연수)

$n=k+1$(k는 자연수)일 때

$2^{4(k+1)+2}+3^{(k+1)+2}$

$=$ (가) $\times 2^{4k+2}+$ (나) $\times 3^{k+2}$

$=$ (가) $\times 13m+$ (다) $\times 3^{k+2}$

따라서 $n=k+1$일 때에도 $2^{4n+2}+3^{n+2}$은 13의 배수이다.

(i), (ii)에 의해 모든 자연수 n에 대하여 $2^{4n+2}+3^{n+2}$은 13의 배수이다.

• 위의 식과 비교하여 답을 구하자.

• 가정에 의하여 $2^{4k+2}+3^{k+2}$는 13의 배수이다.

위의 증명에서 (가), (나), (다)에 알맞은 수를 각각 a, b, c라 할 때, $a+b+c$의 값을 구하시오.

(ii) $n=k$(k는 자연수)일 때, 성립한다고 가정하면

$2^{4k+2}+3^{k+2}=13m$ (m은 자연수)

$n=k+1$(k는 자연수)일 때

$2^{4(k+1)+2}+3^{(k+1)+2}$

$=$ 16 $\times 2^{4k+2}+$ 3 $\times 3^{k+2}$

또한 $2^{4k+2}+3^{k+2}=13m$ (m은 자연수)이므로

$2^{4k+2}=13m-3^{k+2}$

$16\times2^{4k+2}+3\times3^{k+2}$

$=16\times(13m-3^{k+2})+3\times3^{k+2}$

$=16\times13m+$ -13 $\times3^{k+2}$

따라서 $a=16$, $b=3$, $c=-13$이다.

$\therefore a+b+c=16+3-13=6$

답 6

1940

다음은 모든 자연수 n에 대하여 부등식

$$1+\frac{1}{2}+\cdots+\frac{1}{n}\ge2\left\{\frac{1}{1\cdot2}+\frac{1}{2\cdot3}+\cdots+\frac{1}{n(n+1)}\right\}$$

이 성립함을 수학적 귀납법으로 증명한 것이다.

증명

(i) $n=1$일 때,

(좌변)$=1$, (우변)$=2\cdot\frac{1}{1\cdot2}$

따라서 주어진 등식이 성립한다.

(ii) $n=k$ ($k\ge1$)일 때, 주어진 부등식이 성립한다고 가정하면

$$1+\frac{1}{2}+\cdots+\frac{1}{k}\ge2\left\{\frac{1}{1\cdot2}+\frac{1}{2\cdot3}+\cdots+\frac{1}{k(k+1)}\right\}$$

이 식의 양변에 $\frac{1}{k+1}$을 더하면

$$1+\frac{1}{2}+\cdots+\frac{1}{k}+\frac{1}{k+1}$$

$$\ge2\left\{\frac{1}{1\cdot2}+\frac{1}{2\cdot3}+\cdots+\frac{1}{k(k+1)}\right\}+\frac{1}{k+1}$$

$$>2\left\{\frac{1}{1\cdot2}+\frac{1}{2\cdot3}+\cdots+\frac{1}{k(k+1)}\right\}+\frac{1}{k+2}$$

$$=2\left\{\frac{1}{1\cdot2}+\frac{1}{2\cdot3}+\cdots+\frac{1}{k(k+1)}\right\}+\frac{1}{k+1}\cdot\text{(가)}$$

$$\ge2\left\{\frac{1}{1\cdot2}+\frac{1}{2\cdot3}+\cdots+\frac{1}{k(k+1)}\right\}+\frac{\text{(나)}}{(k+1)(k+2)}$$

$$=2\left\{\frac{1}{1\cdot2}+\frac{1}{2\cdot3}+\cdots+\frac{1}{(k+1)(k+2)}\right\}$$

$$\therefore 1+\frac{1}{2}+\cdots+\frac{1}{k+1}$$

$$\ge2\left\{\frac{1}{1\cdot2}+\frac{1}{2\cdot3}+\cdots+\frac{1}{(k+1)(k+2)}\right\}$$

따라서 $n=k+1$일 때도 주어진 부등식이 성립한다.

그러므로 (i), (ii)에 의하여 주어진 부등식은 모든 자연수 n에 대하여 성립한다.

• 가정에 의하여 성립

• 위의 식과 비교하여 답을 구하자.

• $\frac{1}{k+1}>\frac{1}{k+2}$이므로 성립

위의 증명에서 (가), (나)에 알맞은 것을 써넣으시오.

(i) $n=1$일 때,

(좌변)$=1$, (우변)$=2\cdot\frac{1}{1\cdot2}$

따라서 주어진 부등식이 성립한다.

(ii) $n=k\ (k\ge 1)$일 때, 주어진 부등식이 성립한다고 가정하면

$1+\frac{1}{2}+\cdots+\frac{1}{k}\ge 2\left\{\frac{1}{1\cdot 2}+\frac{1}{2\cdot 3}+\cdots+\frac{1}{k(k+1)}\right\}$

이 식의 양변에 $\frac{1}{k+1}$을 더하면

$1+\frac{1}{2}+\cdots+\frac{1}{k}+\frac{1}{k+1}$

$\ge 2\left\{\frac{1}{1\cdot 2}+\frac{1}{2\cdot 3}+\cdots+\frac{1}{k(k+1)}\right\}+\frac{1}{k+1}$

$>2\left\{\frac{1}{1\cdot 2}+\frac{1}{2\cdot 3}+\cdots+\frac{1}{k(k+1)}\right\}+\frac{1}{k+2}$

$=2\left\{\frac{1}{1\cdot 2}+\frac{1}{2\cdot 3}+\cdots+\frac{1}{k(k+1)}\right\}+\frac{1}{k+1}\cdot\boxed{\frac{k+1}{k+2}}$

$\ge 2\left\{\frac{1}{1\cdot 2}+\frac{1}{2\cdot 3}+\cdots+\frac{1}{k(k+1)}\right\}+\frac{\boxed{2}}{(k+1)(k+2)}$

$(\because k+1\ge 2)$

$=2\left\{\frac{1}{1\cdot 2}+\frac{1}{2\cdot 3}+\cdots+\frac{1}{(k+1)(k+2)}\right\}$

$\therefore 1+\frac{1}{2}+\cdots+\frac{1}{k+1}$

$\ge 2\left\{\frac{1}{1\cdot 2}+\frac{1}{2\cdot 3}+\cdots+\frac{1}{(k+1)(k+2)}\right\}$

따라서 $n=k+1$일 때도 주어진 부등식이 성립한다.

그러므로 (i), (ii)에 의하여 주어진 부등식은 모든 자연수 n에 대하여 성립한다.

$\therefore$ (가): $\frac{k+1}{k+2}$, (나): 2

답 (가): $\frac{k+1}{k+2}$, (나): 2

1941

다음은 2 이상인 자연수 n에 대하여 부등식

$1+\frac{1}{2^2}+\frac{1}{3^2}+\cdots+\frac{1}{n^2}<2-\frac{1}{n}$

이 성립함을 수학적 귀납법으로 증명한 것이다.

증명

(i) $n=2$일 때,

(좌변)$=1+\frac{1}{2^2}=\frac{5}{4}$, (우변)$=2-\frac{1}{2}=\frac{3}{2}$

따라서 주어진 부등식이 성립한다.

(ii) $n=k\ (k\ge 2)$일 때, 주어진 부등식이 성립한다고 가정하면

$1+\frac{1}{2^2}+\frac{1}{3^2}+\cdots+\frac{1}{k^2}<2-\frac{1}{k}$

이 식의 양변에 $\frac{1}{(k+1)^2}$을 더하면

$1+\frac{1}{2^2}+\frac{1}{3^2}+\cdots+\frac{1}{k^2}+\frac{1}{(k+1)^2}$

$<2-\frac{1}{k}+\frac{1}{(k+1)^2}$

이때,

$\frac{1}{k(k+1)^2}>0$임을 이용하자.

$\left\{2-\frac{1}{k}+\frac{1}{(k+1)^2}\right\}-($ (가) $)=-\frac{1}{k(k+1)^2}$

$<$ (나)

$\therefore 1+\frac{1}{2^2}+\frac{1}{3^2}+\cdots+\frac{1}{k^2}+\frac{1}{(k+1)^2}<$ (가)

따라서 $n=k+1$일 때도 주어진 부등식이 성립한다.

그러므로 (i), (ii)에 의하여 주어진 부등식은 2이상의 모든 자연수에 대하여 성립한다.

$2-\frac{1}{n}$에서 $n=k+1$을 대입하자.

위의 증명에서 (가), (나)에 알맞은 것을 순서대로 적은 것은?

(i) $n=2$일 때,

(좌변)$=1+\frac{1}{2^2}=\frac{5}{4}$, (우변)$=2-\frac{1}{2}=\frac{3}{2}$

따라서 주어진 부등식이 성립한다.

(ii) $n=k\ (k\ge 2)$일 때, 주어진 부등식이 성립한다고 가정하면

$1+\frac{1}{2^2}+\frac{1}{3^2}+\cdots+\frac{1}{k^2}<2-\frac{1}{k}$

이 식의 양변에 $\frac{1}{(k+1)^2}$을 더하면

$1+\frac{1}{2^2}+\frac{1}{3^2}+\cdots+\frac{1}{k^2}+\frac{1}{(k+1)^2}$

$<2-\frac{1}{k}+\frac{1}{(k+1)^2}$

이때,

$\left\{2-\frac{1}{k}+\frac{1}{(k+1)^2}\right\}-\left(\boxed{2-\frac{1}{k+1}}\right)$

$=-\frac{1}{k}+\frac{1}{k+1}+\frac{1}{(k+1)^2}$

$=-\frac{1}{k(k+1)^2}<\boxed{0}$

$\therefore 1+\frac{1}{2^2}+\frac{1}{3^2}+\cdots+\frac{1}{k^2}+\frac{1}{(k+1)^2}<\boxed{2-\frac{1}{k+1}}$

따라서 $n=k+1$일 때도 주어진 부등식이 성립한다.

그러므로 (i), (ii)에 의하여 주어진 부등식은 2 이상의 모든 자연수에 대

하여 성립한다.

$\therefore$ (가): $2-\frac{1}{k+1}$, (나): 0

답 ③

1942

다음은 2 이상의 자연수 n에 대하여 부등식

$$\frac{1}{\sqrt{1}}+\frac{1}{\sqrt{2}}+\frac{1}{\sqrt{3}}+\cdots+\frac{1}{\sqrt{n}}>\sqrt{n}$$

이 성립함을 증명하는 과정이다.

증명

(i) $n=2$일 때, $\frac{1}{\sqrt{1}}+\frac{1}{\sqrt{2}}=\frac{2+\sqrt{2}}{2}$에서

$\frac{1}{\sqrt{1}}+\frac{1}{\sqrt{2}}>$ (가)

$\sqrt{n}$에서 $n=2$를 대입하자.

(ii) $n=k(k\geq2)$일 때, 주어진 부등식이 성립한다고 가정하면

$$\frac{1}{\sqrt{1}}+\frac{1}{\sqrt{2}}+\frac{1}{\sqrt{3}}+\cdots+\frac{1}{\sqrt{k}}>\sqrt{k}$$

$$\sqrt{k+1}-\left(\frac{1}{\sqrt{1}}+\frac{1}{\sqrt{2}}+\frac{1}{\sqrt{3}}+\cdots+\frac{1}{\sqrt{k}}+\frac{1}{\sqrt{k+1}}\right)$$

$$=\sqrt{k+1}-\left(\frac{1}{\sqrt{1}}+\frac{1}{\sqrt{2}}+\frac{1}{\sqrt{3}}+\cdots+\frac{1}{\sqrt{k}}\right)-\frac{1}{\sqrt{k+1}}$$

$$<\sqrt{k+1}-\boxed{(나)}-\frac{1}{\sqrt{k+1}}=\frac{\boxed{(다)}}{\sqrt{k+1}}<0$$

$$\therefore \frac{1}{\sqrt{1}}+\frac{1}{\sqrt{2}}+\frac{1}{\sqrt{3}}+\cdots+\frac{1}{\sqrt{k}}+\frac{1}{\sqrt{k+1}}>\sqrt{k+1}$$

따라서 $n=k+1$일 때도 주어진 부등식이 성립한다.

(i), (ii)에서 2 이상의 자연수 n에 대하여 주어진 부등식이 성립한다.

가정에 의하여 $\frac{1}{\sqrt{1}}+\frac{1}{\sqrt{2}}+\frac{1}{\sqrt{3}}+\cdots+\frac{1}{\sqrt{k}}>\sqrt{k}$이다.

위의 증명에서 (가), (나), (다)에 알맞은 것은?

(i) $n=2$일 때, $\frac{1}{\sqrt{1}}+\frac{1}{\sqrt{2}}=\frac{2+\sqrt{2}}{2}$에서

$\frac{1}{\sqrt{1}}+\frac{1}{\sqrt{2}}>\boxed{\sqrt{2}}$

(ii) $n=k(k\geq2)$일 때, 주어진 부등식이 성립한다고 가정하면

$$\frac{1}{\sqrt{1}}+\frac{1}{\sqrt{2}}+\frac{1}{\sqrt{3}}+\cdots+\frac{1}{\sqrt{k}}>\sqrt{k}$$

$$\sqrt{k+1}-\left(\frac{1}{\sqrt{1}}+\frac{1}{\sqrt{2}}+\frac{1}{\sqrt{3}}+\cdots+\frac{1}{\sqrt{k}}+\frac{1}{\sqrt{k+1}}\right)$$

$$=\sqrt{k+1}-\left(\frac{1}{\sqrt{1}}+\frac{1}{\sqrt{2}}+\frac{1}{\sqrt{3}}+\cdots+\frac{1}{\sqrt{k}}\right)-\frac{1}{\sqrt{k+1}}$$

$$<\sqrt{k+1}-\boxed{\sqrt{k}}-\frac{1}{\sqrt{k+1}}=\frac{\boxed{k-\sqrt{k(k+1)}}}{\sqrt{k+1}}<0$$

$$\therefore \frac{1}{\sqrt{1}}+\frac{1}{\sqrt{2}}+\frac{1}{\sqrt{3}}+\cdots+\frac{1}{\sqrt{k}}+\frac{1}{\sqrt{k+1}}>\sqrt{k+1}$$

따라서 $n=k+1$일 때도 주어진 부등식이 성립한다.

(i), (ii)에서 2 이상의 자연수 n에 대하여 주어진 부등식이 성립한다.

따라서 (가), (나), (다)에 알맞은 것은 $\sqrt{2}$, $\sqrt{k}$, $k-\sqrt{k(k+1)}$이다.

답 ③

1943

다음은 $n\geq4$인 모든 자연수 n에 대하여 부등식 $2^n\geq n^2$이 성립함을 수학적 귀납법으로 증명한 것이다.

증명

(i) $n=4$일 때, (좌변)$=16$, (우변)$=16$이므로 주어진 부등식이 성립한다.

(ii) $n=k$ $(k\geq4)$일 때, 주어진 부등식이 성립한다고 가정하면

$2^k\geq k^2$

왼쪽의 식과 비교하여 답을 구하자.

이 식의 양변에 2를 곱하면 $2^{k+1}\geq2k^2$이고,

$2k^2-\boxed{(가)}=(k-1)^2-\boxed{(나)}\geq0$ $(\because k\geq4)$

$\therefore 2^{k+1}\geq\boxed{(가)}$

그러므로 (i), (ii)에 의하여 주어진 부등식은 $n\geq4$인 모든 자연수 n에 대하여 성립한다.

위의 증명에서 (가), (나)에 알맞은 것을 차례대로 적은 것은?

$n=k+1$일 때도 부등식이 성립함을 보여야 한다.

(i) $n=4$일 때, (좌변)$=16$, (우변)$=16$이므로 주어진 부등식이 성립한다.

(ii) $n=k$ $(k\geq4)$일 때, 주어진 부등식이 성립한다고 하면

$2^k>k^2$

이 식의 양변에 2를 곱하면 $2^{k+1}\geq2k^2$이고,

$2k^2-\boxed{(k+1)^2}=2k^2-(k^2+2k+1)=k^2-2k-1$

$=(k-1)^2-\boxed{2}\geq0$ $(\because k\geq4)$

$\therefore 2^{k+1}\geq\boxed{(k+1)^2}$

그러므로 (i), (ii)에 의하여 주어진 부등식은 $n\geq4$인 모든 자연수 n에 대하여 성립한다.

$\therefore$ (가): $(k+1)^2$, (나): 2

답 ④

1944

다음은 $h>0$이고, n이 (가) 이상의 자연수일 때, 부등식 $(1+h)^n>1+nh$가 성립함을 수학적 귀납법으로 증명한 것이다.

증명

(i) $n=$ (가) 일 때, (좌변)$-$(우변)>0이므로 주어진 부등식이 성립한다.

$n=1$일 때는 성립하지 않는다.

(ii) $n=k$일 때, 주어진 부등식이 성립한다고 가정하면

$(1+h)^k>1+kh$

이 식의 양변에 $1+h$를 곱하면

$(1+h)^k(1+h)>(1+kh)(1+h)$

$>1+(\boxed{(나)})h$

$(1+kh)(1+h)$
$=1+(k+1)h+kh^2$
$>1+(k+1)h$
$(\because kh^2>0)$

$\therefore (1+h)^{k+1}>1+(\boxed{(나)})h$

이것은 주어진 부등식에 $n=$ (나) 을(를) 대입한 부등식과 같으므로 $n=$ (나) 일 때도 부등식은 성립한다.

따라서 (i), (ii)로부터 (가) 이상인 모든 자연수 n에 대하여 부등식은 성립한다.

위의 증명에서 (가), (나)에 알맞은 것을 차례대로 적은 것은?

부등식 $(1+h)^n>1+nh$에서 $n=1$이면

(좌변)$=1+h$, (우변)$=1+h$이므로 부등식이 성립하지 않는다.

(i) $n=$ 2 일 때,

(좌변)$-$(우변)$=(1+2h+h^2)-(1+2h)=h^2>0$

이므로 주어진 부등식이 성립한다.

(ii) $n=k$일 때, 주어진 부등식이 성립한다고 가정하면

$(1+h)^k>1+kh$

이 식의 양변에 $1+h$를 곱하면

$(1+h)^k(1+h)>(1+kh)(1+h)$

$=1+h+kh+kh^2>1+($ $k+1$ $)h$ ($\because kh^2>0$)

$\therefore (1+h)^{k+1}>1+($ $k+1$ $)h$

이것은 주어진 부등식에 $n=$ $k+1$ 을 대입한 부등식과 같으므로

$n=$ $k+1$ 일 때도 부등식은 성립한다.

따라서 (i), (ii)로부터 2 이상인 모든 자연수 n에 대하여 부등식은 성립한다.

$\therefore$ (가): 2, (나): $k+1$

답 ④

1945

n 대신에 1, 2, 3을 대입하여 각 항을 직접 구하자.

> 수열 $\{a_n\}$에서 $a_1=1$, $a_{n+1}=2a_n+3$ $(n=1, 2, 3, \cdots)$일 때, a_4의 값을 구하시오.

$a_1=1$, $a_{n+1}=2a_n+3$에서

$a_2=2a_1+3=2\cdot1+3=5$

$a_3=2a_2+3=2\cdot5+3=13$

$\therefore a_4=2a_3+3=2\cdot13+3=29$

답 29

1946

> 수열 $\{a_n\}$이 모든 자연수 n에 대하여
>
> $2a_{n+1}=a_n+a_{n+2}$ — a_{n+1}은 a_n과 a_{n+2}의 등차중항이다.
>
> 를 만족시킨다. $a_2=-1$, $a_3=2$일 때, 수열 $\{a_n\}$의 첫째항부터 제10항까지의 합은? — 공차는 $a_3-a_2=3$임을 이용하자.

$2a_{n+1}=a_n+a_{n+2}$이므로 수열 $\{a_n\}$은 등차수열이고

첫째항을 a, 공차를 d라 하면

$d=a_3-a_2=2-(-1)=3$

$a_2=a+d=a+3=-1$ $\quad\therefore a=-4$

$\therefore a_n=-4+(n-1)\cdot3=3n-7$

따라서 수열 $\{a_n\}$의 첫째항부터 제10항까지의 합은

$\sum_{k=1}^{10}(3k-7)=3\cdot\frac{10\cdot11}{2}-7\cdot10=95$

답 ⑤

1947

> 모든 항이 양수인 수열 $\{a_n\}$을 $a_1=1$, $a_6=6$, ${a_{n+1}}^2=a_na_{n+2}$ $(n=1, 2, 3, \cdots)$와 같이 정의할 때, — a_{n+1}은 a_n과 a_{n+2}의 등비중항이다.
>
> $\frac{a_{11}}{a_1}+\frac{a_{12}}{a_2}+\frac{a_{13}}{a_3}+\cdots+\frac{a_{20}}{a_{10}}$의 값을 구하시오.
>
> — $\frac{a_{11}}{a_1}=\frac{a_{12}}{a_2}=\frac{a_{13}}{a_3}=\cdots=\frac{a_{20}}{a_{10}}=r^{10}$임을 이용하자.

${a_{n+1}}^2=a_na_{n+2}$이므로 수열 $\{a_n\}$은 등비수열이다.

공비를 r라 하면 첫째항이 1이므로 $a_6=1\cdot r^5=6$ $\quad\therefore r^5=6$

$\therefore \frac{a_{11}}{a_1}+\frac{a_{12}}{a_2}+\frac{a_{13}}{a_3}+\cdots+\frac{a_{20}}{a_{10}}=r^{10}+r^{10}+\cdots+r^{10}$

$=10r^{10}=10\times6^2=360$

답 360

1948

n 대신에 1, 2, 3, $\cdots$, $n-1$을 대입하여 변끼리 더하자.

> $a_1=1$, $a_{n+1}=a_n+2n$ $(n=1, 2, 3, \cdots)$으로 정의된 수열 $\{a_n\}$에서 $a_k=31$을 만족시키는 자연수 k의 값을 구하시오.

$a_{n+1}=a_n+2n$에서 n 대신에 1, 2, 3, $\cdots$, $n-1$을 대입하여 변끼리 더하면

$a_2=a_1+2\cdot1$

$a_3=a_2+2\cdot2$

$a_4=a_3+2\cdot3$

$\vdots$

$+)\ a_n=a_{n-1}+2(n-1)$

$a_n=a_1+2\{1+2+3+\cdots+(n-1)\}$

$=1+2\sum_{k=1}^{n-1}k=1+2\cdot\frac{(n-1)n}{2}$

$=n^2-n+1$

이때, $a_k=k^2-k+1=31$에서 $k^2-k-30=0$

$(k-6)(k+5)=0$

$\therefore k=6$ ($\because k$는 자연수)

답 6

1949

> 수열 $\{a_n\}$을
>
> $a_1=1$, $(2n-1)a_{n+1}=(2n+1)a_n$ $(n=1, 2, 3, \cdots)$
>
> 으로 정의할 때, a_5의 값은? — a_{n+1}에 관하여 풀면 $a_{n+1}=\frac{2n+1}{2n-1}a_n$이다.

$a_1=1$, $(2n-1)a_{n+1}=(2n+1)a_n$에서

$a_{n+1}=\frac{2n+1}{2n-1}a_n$이므로

$a_2=\frac{3}{1}a_1=3$, $a_3=\frac{5}{3}a_2=5$

$a_4=\frac{7}{5}a_3=7$, $a_5=\frac{9}{7}a_4=9$

답 ②

1950 서술형

$n=1, 2, 3, 4, 5$일 때 수열 $\{a_n\}$은 공비가 $-\frac{1}{2}$인 등비수열이다.

> 첫째항이 16인 수열 $\{a_n\}$이 다음 조건을 만족시킨다.
>
> (가) $a_{n+1}=-\frac{1}{2}a_n$ $(n=1, 2, 3, 4, 5)$
>
> (나) 모든 자연수 n에 대하여 $a_{n+6}=a_n$이다. — $a_7=a_1$, $a_8=a_2$, $\cdots$
>
> $a_{10}+a_{20}$의 값을 구하시오.

$n=1, 2, 3, 4, 5$를 각각 대입하면

$a_1=16$

$a_2=-\frac{1}{2}\times a_1=-8$

$a_3=-\frac{1}{2}\times(-8)=4$

$a_4=-\frac{1}{2}\times 4=-2$

$a_5=-\frac{1}{2}\times(-2)=1$

$a_6=-\frac{1}{2}\times 1=-\frac{1}{2}$ …… 30%

이므로 수열 $\{a_n\}$은 $16, -8, 4, -2, 1, -\frac{1}{2}$이 반복되는 수열이다.

…… 40%

따라서 $a_{10}=a_4=-2$, $a_{20}=a_{14}=a_8=a_2=-8$

$\therefore a_{10}+a_{20}=-2+(-8)=-10$ …… 30%

답 -10

1951

수열 $\{a_n\}$이

$$a_1=6,\ a_{n+1}=\begin{cases}\frac{1}{2}a_n & (a_n\text{이 짝수})\\ 3a_n+1 & (a_n\text{이 홀수})\end{cases}\quad (n=1, 2, 3, \cdots)$$

로 정의될 때, a_{50}을 구하시오.

• a_1은 짝수이므로 $a_2=\frac{1}{2}a_1=3, \cdots$

• a_2는 홀수이므로 $a_3=3a_2+1=10, \cdots$

$a_1=6,\ a_{n+1}=\begin{cases}\frac{1}{2}a_n & (a_n\text{이 짝수})\\ 3a_n+1 & (a_n\text{이 홀수})\end{cases}$ 에서

$a_2=\frac{1}{2}\times 6=3$, $a_3=3\times 3+1=10$, $a_4=\frac{1}{2}\times 10=5$,

$a_5=3\times 5+1=16$, $a_6=\frac{1}{2}\times 16=8$,

$a_7=\frac{1}{2}\times 8=4$, $a_8=\frac{1}{2}\times 4=2$, $a_9=\frac{1}{2}\times 2=1$,

$a_{10}=3\times 1+1=4$, $a_{11}=\frac{1}{2}\times 4=2$, $a_{12}=\frac{1}{2}\times 2=1, \cdots$

즉, 수열 $\{a_n\}$은 $n\geq 7$일 때, 4, 2, 1이 순서대로 반복된다.

$50=6+3\times 14+2$이므로

$a_{50}=2$

답 2

참고 이러한 특징을 갖는 수열을 우박수열(hailstone sequence)이라고도 한다.

1952

• 두 등식을 더하면 $a_{n+1}+b_{n+1}=3(a_n+b_n)-2$

두 수열 $\{a_n\}$, $\{b_n\}$이 모든 자연수 n에 대하여 $a_1=3$, $b_1=1$이고,

$$\begin{cases}a_{n+1}=2a_n+b_n-1\\ b_{n+1}=a_n+2b_n-1\end{cases}$$

을 만족할 때, a_5의 값은?

• 두 등식을 빼면 $a_{n+1}-b_{n+1}=a_n-b_n$

$a_{n+1}=2a_n+b_n-1$ …… ㉠

$b_{n+1}=a_n+2b_n-1$ …… ㉡

(i) ㉠+㉡을 하면

$a_{n+1}+b_{n+1}=3(a_n+b_n)-2$

이때, $a_n+b_n=c_n$이라 하면

$c_1=4$, $c_{n+1}=3c_n-2$에서

$c_2=3c_1-2=3\cdot 4-2=10=3^2+1$

$c_3=3c_2-2=3\cdot 10-2=28=3^3+1$

$c_4=3c_3-2=3\cdot 28-2=82=3^4+1$

⋮

$c_n=3^n+1$

$\therefore a_n+b_n=3^n+1$ …… ㉢

(ii) ㉠−㉡을 하면

$a_{n+1}-b_{n+1}=a_n-b_n$

즉, $a_n-b_n=a_1-b_1=3-1=2$

$\therefore a_n-b_n=2$ …… ㉣

㉢+㉣을 하면

$2a_n=3^n+3 \quad \therefore a_n=\frac{1}{2}(3^n+3)$

$\therefore a_5=\frac{1}{2}(3^5+3)=123$

답 ②

1953

어느 공장에 용량이 100 L인 물탱크가 있다. 이 공장에서는 매일 처음 물탱크에 있던 전체 물의 양의 $\frac{1}{2}$이 사용되고 다시 10 L의 물을 채운다. 물이 가득 채워진 날로부터 6일 후에 남아 있는 물탱크의 물에서 다시 20 L를 사용하였을 때, 남아 있는 물의 양을 a L라 하자. 이때, 다음 중 옳은 것은?

• n일 후에 남아있는 물의 양을 $a_n(L)$이라 하면 $a_1=\frac{1}{2}\times 100+10=60$, $a_{n+1}=\frac{1}{2}a_n+10\ (n=1, 2, 3, \cdots)$

물이 가득 채워진 날로부터 n일 $(1\leq n\leq 6)$ 후에 남아 있는 물의 양을 a_n L라 하면

$a_1=\frac{1}{2}\cdot 100+10=60$, $a_{n+1}=\frac{1}{2}a_n+10$이므로

$a_2=\frac{1}{2}a_1+10=\frac{1}{2}\cdot 60+10=40$

$a_3=\frac{1}{2}a_2+10=\frac{1}{2}\cdot 40+10=30$

$a_4=\frac{1}{2}a_3+10=\frac{1}{2}\cdot 30+10=25$

$a_5=\frac{1}{2}a_4+10=\frac{1}{2}\cdot 25+10=\frac{45}{2}$

$a_6=\frac{1}{2}a_5+10=\frac{1}{2}\cdot\frac{45}{2}+10=\frac{85}{4}$

따라서 $a=a_6-20=\frac{85}{4}-20=\frac{5}{4}$이므로

$1<a<2$

답 ③

1954 각 점의 좌표를 차례로 구하면 $A_1(1, 1)$, $B_1(2, 0)$, $A_2(2, 2)$, $B_2(4, 0)$, $A_3(4, 4)$, $B_3(8, 0)$, $\cdots$

자연수 n에 대하여 다음 조건을 만족시키는 삼각형 $A_nB_nA_{n+1}$의 넓이를 S_n이라 할 때, 부등식 $\sum_{k=1}^{m} S_k > 2000$을 만족시키는 자연수 m의 최솟값을 구하시오.

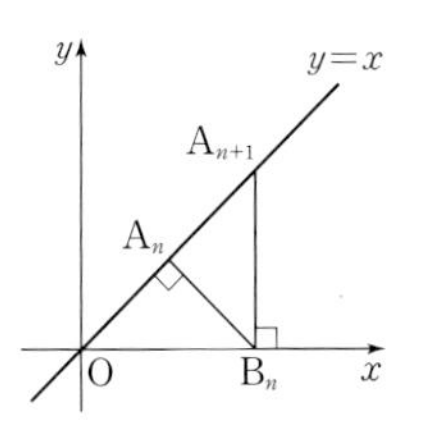

(가) 점 A_1의 좌표는 $(1, 1)$이다.
(나) 점 A_n을 지나고 직선 $y=x$에 수직인 직선이 x축과 만나는 점을 B_n이라 하고, 점 B_n을 지나고 y축에 평행한 직선이 직선 $y=x$와 만나는 점을 A_{n+1}이라 하자.

주어진 조건에 의하여
$A_1(1, 1)$, $B_1(2, 0)$, $A_2(2, 2)$, $B_2(4, 0)$, $A_3(4, 4)$, $B_3(8, 0)$, $\cdots$
즉 $A_n(2^{n-1}, 2^{n-1})$, $B_n(2^n, 0)$임을 알 수 있다.
그러므로
$\triangle A_1B_1A_2$의 넓이는 1,
$\triangle A_2B_2A_3$의 넓이는 4,
$\triangle A_3B_3A_4$의 넓이는 16,
$\vdots$
따라서 $S_n = 4^{n-1}$, $\sum_{k=1}^{m} S_k = \frac{4^m - 1}{3}$

$\frac{4^m-1}{3} > 2000$을 만족시키는 최소의 자연수 $m=7$ 답 7

1955 서술형

① $n=1$일 때, 등식이 성립함을 확인하자.
② $n=k$일 때, 등식이 성립한다고 가정한 다음 $n=k+1$일 때도 등식이 성립함을 보이자.

모든 자연수 n에 대하여 다음 등식이 성립함을 수학적 귀납법으로 증명하시오.

$$1^2+2^2+3^2+\cdots+n^2 = \frac{n(n+1)(2n+1)}{6}$$

(i) $n=1$인 경우
(좌변)$=1^2=1$, (우변)$=\frac{1\times2\times3}{6}=1$이므로 주어진 등식이 성립한다. …… 20%

(ii) $n=k$인 경우 주어진 등식이 성립한다고 가정하면
$$1^2+2^2+3^2+\cdots+k^2 = \frac{k(k+1)(2k+1)}{6}$$
양변에 $(k+1)^2$을 더하면
$$\begin{aligned}1^2+2^2+\cdots+k^2+(k+1)^2 &= \frac{k(k+1)(2k+1)}{6}+(k+1)^2\\ &= \frac{k(k+1)(2k+1)}{6}+\frac{6(k+1)^2}{6}\\ &= \frac{(k+1)(2k^2+k+6k+6)}{6}\\ &= \frac{(k+1)(k+2)(2k+3)}{6}\\ &= \frac{(k+1)(k+2)\{2(k+1)+1\}}{6}\end{aligned}$$
…… 50%

그러므로 $n=k+1$인 경우도 성립한다.
따라서 모든 자연수 n에 대하여
$1^2+2^2+3^2+\cdots+n^2 = \frac{n(n+1)(2n+1)}{6}$이 성립한다. …… 30%

답 풀이 참조

1956

$x>0$이고, 2 이상의 자연수 n에 대하여 부등식 $(1+x)^n > 1+nx$가 성립함을 수학적 귀납법으로 증명한 것이다.

증명

(i) $n=2$일 때, (좌변)$-$(우변)$=$ (가) >0
따라서 주어진 부등식이 성립한다.
(ii) $n=k$ $(k\ge2)$일 때, 주어진 부등식이 성립한다고 가정하면
$(1+x)^k > 1+kx$
이 식의 양변에 $1+x$를 곱하면 $1+x>0$이므로
$(1+x)^{k+1} > (1+kx)(1+x)$
$=$ (나) $+kx^2 >$ (나)
따라서 $n=k+1$일 때도 주어진 부등식이 성립한다.
그러므로 (i), (ii)에 의하여 주어진 부등식은 2 이상의 모든 자연수에 대하여 성립한다.

$(1+kx)(1+x)=1+(k+1)x+kx^2 > 1+(k+1)x$ $(\because kx^2>0)$

위의 증명에서 (가), (나)에 알맞은 것을 적으시오.

(i) $n=2$일 때,
(좌변)$-$(우변)$=(1+x)^2-(1+2x)=$ x^2 >0
따라서 주어진 부등식이 성립한다.
(ii) $n=k$ $(k\ge2)$일 때, 주어진 부등식이 성립한다고 가정하면
$(1+x)^k > 1+kx$
이 식의 양변에 $1+x$를 곱하면 $1+x>0$이므로
$(1+x)^{k+1} > (1+kx)(1+x)$
$=$ $1+(k+1)x$ $+kx^2$
$>$ $1+(k+1)x$
따라서 $n=k+1$일 때도 주어진 부등식이 성립한다.
그러므로 (i), (ii)에 의하여 주어진 부등식은 2 이상의 모든 자연수에 대하여 성립한다.
$\therefore$ (가): x^2, (나): $1+(k+1)x$ 답 (가): x^2, (나): $1+(k+1)x$

1957

$n=2, 3, 4, \cdots$을 대입하여 수열의 규칙성을 찾자.
$n=2$이면 $a_1a_3=a_2a_4$에서 $1\times4=2a_4$이므로 $a_4=2$

다음과 같이 정의된 수열 $\{a_n\}$이 있다.

$a_1=1$, $a_2=2$, $a_3=4$이고,
$a_{n-1}a_{n+1}=a_na_{n+2}$ $(n=2, 3, 4, \cdots)$

이때, $\sum_{k=1}^{12} a_k$의 값은?

$a_1=1$, $a_2=2$, $a_3=4$, $a_{n-1}a_{n+1}=a_na_{n+2}$에서
$n=2, 3, 4, \cdots$를 대입하면
$a_1a_3=a_2a_4$에서 $1\cdot4=2a_4$ $\therefore a_4=2$

$a_2a_4=a_3a_5$에서 $2\cdot2=4a_5$ $\therefore a_5=1$
$a_3a_5=a_4a_6$에서 $4\cdot1=2a_6$ $\therefore a_6=2$
$a_4a_6=a_5a_7$에서 $2\cdot2=1a_7$ $\therefore a_7=4$
$a_5a_7=a_6a_8$에서 $1\cdot4=2a_8$ $\therefore a_8=2$
⋮
즉, 수열 $\{a_n\}$은 1, 2, 4, 2가 반복하는 수열이다. 이때, $12=4\cdot3$이므로
$\sum_{k=1}^{12}a_k=(1+2+4+2)\cdot3=27$ 답 ①

1958

$a_1=1$인 수열 $\{a_n\}$은 모든 자연수 n에 대하여 다음 조건을 만족시킨다.

(가) $a_{2n}=2a_n-1$ — $a_{128}=2a_{64}-1=2a_{32}-1=2a_{16}-1=\cdots$
(나) $a_{2n+1}=2a_n+1$ — $a_{127}=2a_{63}+1=2a_{31}+1=2a_{15}+1=\cdots$

이때, $a_{127}+a_{128}$의 값을 구하시오.

$a_{127}=2a_{63}+1$, $a_{63}=2a_{31}+1$, $a_{31}=2a_{15}+1$, $a_{15}=2a_7+1$,
$a_7=2a_3+1$, $a_3=2a_1+1$이므로
$a_3=3$, $a_7=7$, $a_{15}=15$, $a_{31}=31$, $a_{63}=63$, $a_{127}=127$
한편, $a_{128}=2a_{64}-1$, $a_{64}=2a_{32}-1$, $a_{32}=2a_{16}-1$, $a_{16}=2a_8-1$,
$a_8=2a_4-1$, $a_4=2a_2-1$, $a_2=2a_1-1$이므로
$a_2=a_4=a_8=a_{16}=a_{32}=a_{64}=a_{128}=1$
$\therefore a_{127}+a_{128}=127+1=128$ 답 128

1959

수열 $\{a_n\}$에서 $S_n=\sum_{k=1}^{n}a_k$라 할 때, $S_1=1$, $S_{n+1}=2S_n+3$ $(n\ge1)$이 성립한다. 이때, 수열 $\{a_n\}$의 제12항은?

n대신 $n-1$을 대입하면 $S_n=2S_{n-1}+3(n\ge2)$,
두 식을 빼면 $a_{n+1}=2a_n$, $a_1=S_1=1$

$S_1=1$, $S_{n+1}=2S_n+3$에서
$S_2=2S_1+3=2\cdot1+3=5=2^3-3$
$S_3=2S_2+3=2\cdot5+3=13=2^4-3$
$S_4=2S_3+3=2\cdot13+3=29=2^5-3$
⋮
$S_n=2^{n+1}-3$
$\therefore a_{12}=S_{12}-S_{11}=(2^{13}-3)-(2^{12}-3)=2^{12}$ 답 ②

다른풀이 $S_{n+1}=2S_n+3$에서
$S_{n+1}-k=2(S_n-k)$, $S_{n+1}=2S_n-k$
즉, $k=-3$이므로 $S_{n+1}+3=2(S_n+3)$
따라서 수열 $\{S_n+3\}$은 첫째항이 $S_1+3=4$, 공비가 2인 등비수열이므로
$S_n+3=2^2\cdot2^{n-1}=2^{n+1}$ $\therefore S_n=2^{n+1}-3$
이때, $a_n=S_n-S_{n-1}$ $(n\ge2)$이므로
$a_n=2^{n+1}-3-(2^n-3)=2^n$
$\therefore a_{12}=2^{12}$

1960

$a_1=1$, $\frac{1}{a_{n+1}}=\frac{1}{a_n}+d$ $(n=1, 2, 3, \cdots)$로 정의되는 수열 $\{a_n\}$에 대하여 $a_1=1$, $a_{11}=\frac{1}{21}$이다. 이때, $\sum_{n=1}^{10}a_na_{n+1}$의 값을 구하시오.

수열 $\left\{\frac{1}{a_n}\right\}$은 첫째항이 $\frac{1}{a_1}=1$, 공차가 d인 등차수열이므로
$\frac{1}{a_n}=1+(n-1)d$

$a_1=1$, $\frac{1}{a_{n+1}}=\frac{1}{a_n}+d$에서 수열 $\left\{\frac{1}{a_n}\right\}$은 첫째항이 $\frac{1}{a_1}=1$,
공차가 d인 등차수열이다.
$\therefore \frac{1}{a_n}=1+(n-1)d$
이때, $a_{11}=\frac{1}{21}$에서 $\frac{1}{a_{11}}=21$이므로
$1+10d=21$ $\therefore d=2$
한편, $\frac{1}{a_{n+1}}-\frac{1}{a_n}=\frac{a_n-a_{n+1}}{a_na_{n+1}}=2$이므로
$a_na_{n+1}=\frac{a_n-a_{n+1}}{2}$

$$\begin{aligned}\therefore \sum_{n=1}^{10}a_na_{n+1}&=\sum_{n=1}^{10}\frac{a_n-a_{n+1}}{2}\\&=\frac{1}{2}\sum_{n=1}^{10}(a_n-a_{n+1})\\&=\frac{1}{2}\{(a_1-a_2)+(a_2-a_3)+\cdots+(a_{10}-a_{11})\}\\&=\frac{1}{2}(a_1-a_{11})\\&=\frac{1}{2}\left(1-\frac{1}{21}\right)=\frac{10}{21}\end{aligned}$$

답 $\frac{10}{21}$

1961

다음은 모든 자연수 n에 대하여 등식

$$\sum_{k=1}^{n}(5k-3)\left(\frac{1}{k}+\frac{1}{k+1}+\frac{1}{k+2}+\cdots+\frac{1}{n}\right)=\frac{n(5n+3)}{4}$$

이 성립함을 수학적 귀납법으로 증명한 것이다.

증명

(i) $n=1$일 때,

(좌변)$=2$, (우변)$=2$

따라서 주어진 등식이 성립한다.

(ii) $n=m$일 때, 주어진 등식이 성립한다고 가정하면

$$\sum_{k=1}^{m}(5k-3)\left(\frac{1}{k}+\frac{1}{k+1}+\frac{1}{k+2}+\cdots+\frac{1}{m}\right)=\frac{m(5m+3)}{4}$$

$n=m+1$일 때,

$$\sum_{k=1}^{m+1}(5k-3)\left(\frac{1}{k}+\frac{1}{k+1}+\frac{1}{k+2}+\cdots+\frac{1}{m+1}\right)$$

$$=\sum_{k=1}^{m}(5k-3)\left(\frac{1}{k}+\frac{1}{k+1}+\frac{1}{k+2}+\cdots+\frac{1}{m+1}\right)+\frac{\boxed{(가)}}{m+1}$$

위의 식과 비교하여 답을 구하자.

$$=\sum_{k=1}^{m}(5k-3)\left(\frac{1}{k}+\frac{1}{k+1}+\frac{1}{k+2}+\cdots+\frac{1}{\boxed{(나)}}\right)+\frac{1}{m+1}\sum_{k=1}^{m}(5k-3)+\frac{\boxed{(가)}}{m+1}$$

가정된 등식을 이용하기 위하여 분리하였다.

$$=\frac{m(5m+3)}{4}+\frac{1}{m+1}\sum_{k=1}^{m+1}(\boxed{(다)})$$

$$=\frac{(m+1)(5m+8)}{4}$$

따라서 $n=m+1$일 때도 주어진 등식이 성립한다.

그러므로 (i), (ii)에 의하여 주어진 등식은 모든 자연수 n에 대하여 성립한다.

위의 증명에서 (가), (나), (다)에 알맞은 것을 순서대로 적은 것은?

(i) $n=1$일 때,

(좌변)$=2$, (우변)$=2$

따라서 주어진 등식이 성립한다.

(ii) $n=m$일 때, 주어진 등식이 성립한다고 가정하면

$$\sum_{k=1}^{m}(5k-3)\left(\frac{1}{k}+\frac{1}{k+1}+\frac{1}{k+2}+\cdots+\frac{1}{m}\right)=\frac{m(5m+3)}{4}$$

$n=m+1$일 때,

$$\sum_{k=1}^{m+1}(5k-3)\left(\frac{1}{k}+\frac{1}{k+1}+\frac{1}{k+2}+\cdots+\frac{1}{m+1}\right)$$

$$=\sum_{k=1}^{m}(5k-3)\left(\frac{1}{k}+\frac{1}{k+1}+\frac{1}{k+2}+\cdots+\frac{1}{m+1}\right)+\{5(m+1)-3\}\frac{1}{m+1}$$

$$=\sum_{k=1}^{m}(5k-3)\left(\frac{1}{k}+\frac{1}{k+1}+\frac{1}{k+2}+\cdots+\frac{1}{m+1}\right)+\frac{\boxed{5m+2}}{m+1}$$

$$=\sum_{k=1}^{m}(5k-3)\left\{\left(\frac{1}{k}+\frac{1}{k+1}+\frac{1}{k+2}+\cdots+\frac{1}{m}\right)+\frac{1}{m+1}\right\}+\frac{5m+2}{m+1}$$

$$=\sum_{k=1}^{m}(5k-3)\left(\frac{1}{k}+\frac{1}{k+1}+\cdots+\frac{1}{\boxed{m}}\right)+\frac{1}{m+1}\sum_{k=1}^{m}(5k-3)+\frac{\boxed{5m+2}}{m+1}$$

$$=\frac{m(5m+3)}{4}+\frac{1}{m+1}\sum_{k=1}^{m+1}(\boxed{5k-3})$$

$$=\frac{(m+1)(5m+8)}{4}$$

따라서 $n=m+1$일 때도 주어진 등식이 성립한다.

그러므로 (i), (ii)에 의하여 주어진 등식은 모든 자연수 n에 대하여 성립한다.

$\therefore$ (가): $5m+2$, (나): m, (다): $5k-3$

답 ③

1962

수열 $\{a_n\}$은

$a_1=1$, $n^2a_n=(n^2-1)a_{n-1}$ $(n=2, 3, 4, \cdots)$

로 정의한다. $a_{100}=\frac{q}{p}$ (p, q는 서로소인 자연수)라 할 때, $p+q$의 값을 구하시오.

• a_n에 관하여 풀면 $a_n=\frac{(n-1)(n+1)}{n^2}a_{n-1}$이다.

• n 대신에 2, 3, 4, $\cdots$, n을 대입하여 변끼리 곱하자.

$n^2a_n=(n^2-1)a_{n-1}=(n-1)(n+1)a_{n-1}$에서

$a_n=\frac{(n-1)(n+1)}{n^2}a_{n-1}$이므로 n 대신에 2, 3, 4, $\cdots$, n을 대입하여 변끼리 곱하면

$$a_2=\frac{1\cdot3}{2^2}a_1$$

$$a_3=\frac{2\cdot4}{3^2}a_2$$

$$a_4=\frac{3\cdot5}{4^2}a_3$$

$$\vdots$$

$$\times\ \ a_n=\frac{(n-1)(n+1)}{n^2}a_{n-1}$$

$$a_n=\frac{(1\cdot3)(2\cdot4)(3\cdot5)\times\cdots\times(n-1)(n+1)}{(2\cdot2)(3\cdot3)(4\cdot4)\times\cdots\times(n\cdot n)}\cdot a_1$$

$$=\frac{n+1}{2n}$$

$\therefore a_{100}=\frac{101}{200}$

따라서 $p=200$, $q=101$이므로

$p+q=301$

답 301

1963

$b_n=a_{n+1}-a_n$을 이용하기 위하여 식을 분리하면

$3a_{n+2}-3a_{n+1}=-(a_{n+1}-a_n)$, $a_{n+2}-a_{n+1}=-\frac{1}{3}(a_{n+1}-a_n)$

수열 $\{a_n\}$이

$a_1=1$, $a_2=3$, $3a_{n+2}-2a_{n+1}-a_n=0$ $(n=1, 2, 3, \cdots)$

으로 정의될 때, 수열 $\{b_n\}$을 $b_n=a_{n+1}-a_n$이라 하면 b_5의 값을 구하시오.

$3a_{n+2}-2a_{n+1}-a_n=0$에서

$3a_{n+2}-3a_{n+1}=-(a_{n+1}-a_n)$

$\therefore a_{n+2}-a_{n+1}=-\frac{1}{3}(a_{n+1}-a_n)$

$a_{n+1}-a_n=b_n$으로 놓으면 $b_{n+1}=-\frac{1}{3}b_n$이므로 수열 $\{b_n\}$은 첫째항이 $a_2-a_1=2$, 공비가 $-\frac{1}{3}$인 등비수열이다.

$\therefore b_n=2\cdot\left(-\frac{1}{3}\right)^{n-1}$

$\therefore b_5=2\cdot\left(-\frac{1}{3}\right)^4=\frac{2}{81}$

답 $\frac{2}{81}$

1964

• 양변을 a_na_{n+1}로 나누면 $\frac{n+1}{a_{n+1}}-\frac{n}{a_n}=1$

> $a_1=\frac{1}{2}$, $(n+1)a_n-na_{n+1}=a_na_{n+1}$ $(n=1, 2, 3, \cdots)$로 정의된 수열 $\{a_n\}$에 대하여 $a_1\times a_2\times a_3\times\cdots\times a_{99}$의 값을 구하시오.

$(n+1)a_n-na_{n+1}=a_na_{n+1}$의 양변을 a_na_{n+1}로 나누면

$\frac{n+1}{a_{n+1}}-\frac{n}{a_n}=1$

이때, $\frac{n}{a_n}=b_n$으로 놓으면 $b_{n+1}-b_n=1$

이므로 수열 $\{b_n\}$은 첫째항이 $\frac{1}{a_1}=2$, 공차가 1인 등차수열이다.

$\therefore b_n=2+(n-1)\cdot 1=n+1$

따라서 $\frac{n}{a_n}=n+1$, 즉 $a_n=\frac{n}{n+1}$

$\therefore a_1\times a_2\times a_3\times\cdots\times a_{99}=\frac{1}{2}\times\frac{2}{3}\times\frac{3}{4}\times\cdots\times\frac{99}{100}$

$=\frac{1}{100}$

답 $\frac{1}{100}$

1965

> 수열 $\{a_n\}$이
>
> $a_1=1$, $a_{2n}=a_n$, $a_{2n+1}=a_n+1$ $(n=1, 2, 3, \cdots)$
>
> 로 정의된다. 〈보기〉에서 옳은 것만을 있는 대로 고른 것은?
>
> 보기
>
> ㄱ. $a_7=4$ • $a_7=a_3+1$임을 이용하자.
>
> ㄴ. $n=2^k$ (k는 자연수)이면 $a_n=1$이다. • $a_{2^k}=a_{2^{k-1}}=a_{2^{k-2}}=\cdots=a_2=a_1$
>
> ㄷ. $n=2^k-1$ (k는 자연수)이면 $a_n=k$이다.
>
> • $a_{2^k-1}=a_{2\times(2^{k-1}-1)+1}=a_{2^{k-1}-1}+1$

ㄱ. $a_7=a_3+1=(a_1+1)+1=3$ (거짓)

ㄴ. $a_n=a_{2^k}=a_{2^{k-1}}=a_{2^{k-2}}=\cdots=a_2=a_1=1$ (참)

ㄷ. $a_n=a_{2^k-1}=a_{2\cdot(2^{k-1}-1)+1}=a_{2^{k-1}-1}+1$

$=a_{2^{k-2}-1}+2=a_{2^{k-3}-1}+3=\cdots=a_{2^2-1}+k-2$

$=a_{2-1}+k-1=k$ (참)

따라서 옳은 것은 ㄴ, ㄷ이다.

답 ⑤

1966

> 모든 자연수 n에 대하여
>
> $f(1)=1$, $f(1)+f(2)+f(3)+\cdots+f(n)=n^2f(n)$
>
> 일 때, 〈보기〉에서 옳은 것만을 있는 대로 고른 것은?
>
> 보기
>
> 문제에서 주어진 식에 n대신 $n-1$을 대입하면 $f(1)+f(2)+f(3)+\cdots+f(n-1)=(n-1)^2f(n-1)$(단, $n\geq 2$)임을 이용하자.
>
> ㄱ. $f(3)=\frac{1}{6}$
>
> ㄴ. $f(n)=\frac{n-1}{n+1}f(n-1)$ $(n\geq 2)$
>
> ㄷ. $f(n)=\frac{2}{n(n+1)}$

ㄱ. $f(1)=1$, $f(1)+f(2)+f(3)+\cdots+f(n)=n^2f(n)$에서

$f(1)+f(2)=2^2f(2)$, $3f(2)=f(1)=1$

$\therefore f(2)=\frac{1}{3}$

$f(1)+f(2)+f(3)=3^2f(3)$

$8f(3)=f(1)+f(2)=1+\frac{1}{3}=\frac{4}{3}$

$\therefore f(3)=\frac{1}{6}$ (참)

ㄴ. $f(1)+f(2)+f(3)+\cdots+f(n-1)=(n^2-1)f(n)$에서

$f(n)=\frac{f(1)+f(2)+f(3)+\cdots+f(n-1)}{n^2-1}$

$=\frac{(n-1)^2f(n-1)}{(n+1)(n-1)}$

$=\frac{n-1}{n+1}f(n-1)$ $(n\geq 2)$ (참)

ㄷ. ㄴ에서 $f(n)=\frac{n-1}{n+1}f(n-1)$이므로

n 대신에 2, 3, 4, $\cdots$, n을 대입하여 변끼리 곱하면

$f(2)=\frac{1}{3}f(1)$

$f(3)=\frac{2}{4}f(2)$

$f(4)=\frac{3}{5}f(3)$

$f(5)=\frac{4}{6}f(4)$

$\vdots$

$f(n-1)=\frac{n-2}{n}f(n-2)$

$\times)\ f(n)=\frac{n-1}{n+1}f(n-1)$

$f(n)=\frac{1}{3}\times\frac{2}{4}\times\frac{3}{5}\times\frac{4}{6}\times\cdots\times\frac{n-2}{n}\times\frac{n-1}{n+1}\times f(1)$

$=\frac{2}{n(n+1)}\cdot 1=\frac{2}{n(n+1)}$ (참)

따라서 ㄱ, ㄴ, ㄷ 모두 옳다.

답 ⑤

1967

(농도)$=\dfrac{(\text{소금의 양})}{(\text{소금물의 양})}\times 100(\%)$

> 50 %의 소금물 100 g과 10 %의 소금물 100 g을 섞은 농도를 $a_1(\%)$, $a_1(\%)$의 소금물 100 g에 10 %의 소금물 100 g을 섞은 농도를 $a_2(\%)$, $a_2(\%)$의 소금물 100 g에 10 %의 소금물 100 g을 섞은 농도를 $a_3(\%)$, …이라 하자. 이와 같이 반복하면 $a_{10}=p\left(2+\dfrac{1}{2^q}\right)(\%)$이다. $p+q$의 값을 고르시오.
>
> $a_{n+1}=\dfrac{a_n+10}{200}\times 100$

50 %의 소금물 100 g과 10%의 소금물 100 g을 섞은 농도 a_1은

$a_1=\dfrac{50+10}{200}\times 100=30$

$a_n(\%)$의 소금물 100 g에 10 %의 소금물 100 g을 섞은 농도 $a_{n+1}(\%)$은

$a_{n+1}=\dfrac{a_n+10}{200}\times 100=\dfrac{1}{2}a_n+5$

$a_{n+1}-k=\dfrac{1}{2}(a_n-k)$에서

$a_{n+1}=\dfrac{1}{2}a_n+\dfrac{1}{2}k$이므로 $k=10$

$\therefore a_{n+1}-10=\dfrac{1}{2}(a_n-10)$

수열 $\{a_n-10\}$은 첫째항이 $a_1-10=20$, 공비가 $\dfrac{1}{2}$인 등비수열이므로

$a_n-10=20\cdot\left(\dfrac{1}{2}\right)^{n-1}$, 즉 $a_n=10+20\cdot\left(\dfrac{1}{2}\right)^{n-1}$

$\therefore a_{10}=10+20\cdot\left(\dfrac{1}{2}\right)^9=5\left(2+\dfrac{1}{2^7}\right)$

따라서 $p=5$, $q=7$이므로

$p+q=12$ 답 12

1968

> 직선 $y=-\dfrac{2}{3}x+2$ 위의 점 $P_1(0,\ 2)$를 지나고 x축에 평행한 직선이 직선 $y=x$와 만나는 점을 Q_1이라 하고, 점 Q_1을 지나고 y축에 평행한 직선이 직선 $y=-\dfrac{2}{3}x+2$와 만나는 점을 P_2라 하자. 이와 같은 방법으로 Q_2, P_3, Q_3, …을 한없이 만들 때, 점 $P_n(x_n,\ y_n)$에 대하여 $y_{n+1}-a=-\dfrac{2}{3}(y_n-a)$가 성립한다. 이때, a의 값을 구하시오.
>
> 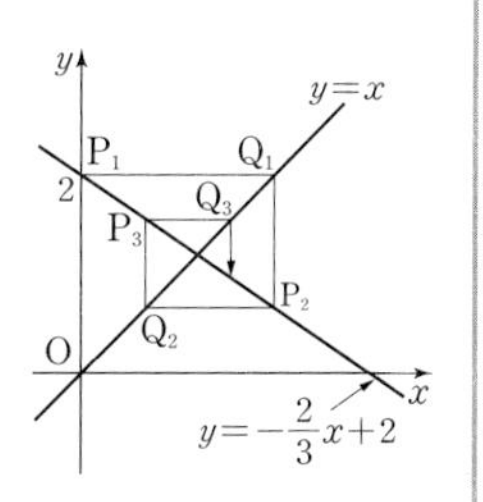
>
>
> 점 P_{n+1}의 x, y좌표와 점 Q_n의 x, y좌표의 관계를 파악하자.

점 $P_{n+1}(x_{n+1},\ y_{n+1})$은 직선 $y=-\dfrac{2}{3}x+2$ 위에 있으므로

$y_{n+1}=-\dfrac{2}{3}x_{n+1}+2$ ……㉠

점 Q_n의 좌표는 $(x_{n+1},\ y_n)$이고, 직선 $y=x$ 위에 있으므로

$y_n=x_{n+1}$ ……㉡

㉠, ㉡에서 $y_{n+1}=-\dfrac{2}{3}y_n+2$

$y_{n+1}-a=-\dfrac{2}{3}(y_n-a)$에서

$y_{n+1}=-\dfrac{2}{3}y_n+\dfrac{5}{3}a$

따라서 $\dfrac{5}{3}a=2$이므로 $a=\dfrac{6}{5}$ 답 $\dfrac{6}{5}$

1969

> 흰 바둑돌과 검은 바둑돌이 있다. 이 바둑돌 n개를 일렬로 나열할 때, 흰 바둑돌끼리는 이웃하지 않도록 나열하는 방법의 수를 a_n이라 하자. 예를 들면, $a_1=2$, $a_2=3$이다. 이때, a_{10}의 값은?
>
> a_3, a_4, a_5를 구해서 연속된 세 항 사이의 관계를 찾아보자.
>
> ○, ● ○●, ●○, ●●
>
> $a_1=2$ $a_2=3$

흰 바둑돌끼리는 이웃할 수 없으므로 바둑돌 n개를 일렬로 나열하는 방법의 수 a_n은 다음 두 가지 방법의 수의 합이다.

(i) ●로 시작하는 경우 : ●××××…×의 꼴 ($(n-1)$개)

➡ ●의 뒤에 $(n-1)$개를 나열하면 되므로 경우의 수는 a_{n-1}

(ii) ○●로 시작하는 경우 : ○●×××…×의 꼴 ($(n-2)$개)

➡ ●의 뒤에 $(n-2)$개를 나열하면 되므로 경우의 수는 a_{n-2}

따라서 (i), (ii)에 의하여 $a_n=a_{n-1}+a_{n-2}\ (n\geq 3)$

$a_1=2$, $a_2=3$, $a_n=a_{n-1}+a_{n-2}\ (n\geq 3)$이므로

$a_3=a_2+a_1=3+2=5$

$a_4=a_3+a_2=5+3=8$

$a_5=a_4+a_3=8+5=13$

$a_6=a_5+a_4=13+8=21$

$a_7=a_6+a_5=21+13=34$

$a_8=a_7+a_6=34+21=55$

$a_9=a_8+a_7=55+34=89$

$a_{10}=a_9+a_8=89+55=144$ 답 ④

1970

수직선 위에 점 P_n ($n=1, 2, 3, \cdots$)을 다음 규칙에 따라 정한다.

(가) 점 P_1의 좌표는 $P_1(0)$이다.
(나) $\overline{P_1P_2}=1$이다.
(다) $\overline{P_nP_{n+1}}=\dfrac{n-1}{n+1}\times\overline{P_{n-1}P_n}$ ($n=2, 3, 4, \cdots$)

선분 P_nP_{n+1}을 밑변으로 하고 높이가 1인 직각삼각형의 넓이를 S_n이라 하자. $S_1+S_2+S_3+\cdots+S_{50}=\dfrac{q}{p}$일 때, $p+q$의 값을 구하시오. (단, p, q는 서로소인 자연수이다.)

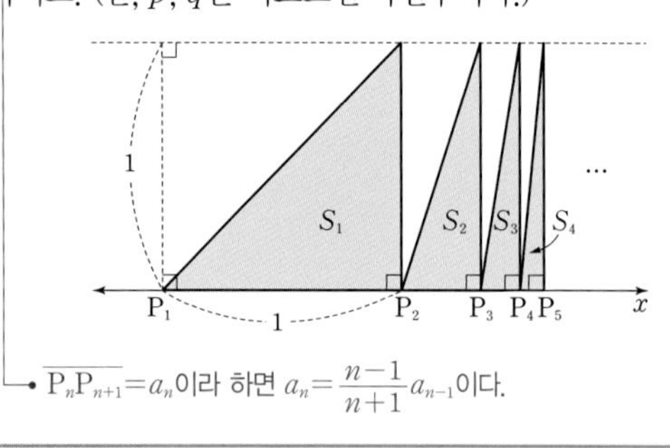

$\overline{P_nP_{n+1}}=a_n$이라 하면 $a_n=\dfrac{n-1}{n+1}a_{n-1}$이다.

$\overline{P_nP_{n+1}}=a_n$이라 하면 $a_n=\dfrac{n-1}{n+1}a_{n-1}$이므로 n 대신에 2, 3, 4, $\cdots$, n을 대입하여 변끼리 곱하면

$$a_2=\frac{1}{3}a_1$$
$$a_3=\frac{2}{4}a_2$$
$$a_4=\frac{3}{5}a_3$$
$$\vdots$$
$$\times\Big)\ a_n=\frac{n-1}{n+1}a_{n-1}$$

$$a_n=a_1\times\frac{1}{3}\times\frac{2}{4}\times\frac{3}{5}\times\cdots\times\frac{n-2}{n}\times\frac{n-1}{n+1}$$
$$=\frac{2}{n(n+1)}$$

따라서 $S_n=\dfrac{1}{2}a_n=\dfrac{1}{n(n+1)}$이므로

$$\sum_{k=1}^{50}S_k=\sum_{k=1}^{50}\left(\frac{1}{k}-\frac{1}{k+1}\right)=\frac{50}{51}$$

$\therefore p+q=101$

답 101

1971

다음은 모든 자연수 n에 대하여 부등식

$$\frac{1}{n+1}+\frac{1}{n+2}+\cdots+\frac{1}{3n+1}>1$$

이 성립함을 수학적 귀납법으로 증명한 것이다.

증명

모든 자연수 n에 대하여

$a_n=\dfrac{1}{n+1}+\dfrac{1}{n+2}+\cdots+\dfrac{1}{3n+1}$이라 할 때, $a_n>1$임을 보이면 된다.

(i) $n=1$일 때,

$$a_1=\frac{1}{2}+\frac{1}{3}+\frac{1}{4}>1$$

따라서 주어진 부등식이 성립한다.

(ii) $n=k$일 때, 주어진 부등식이 성립한다고 가정하면

$$a_k=\frac{1}{k+1}+\frac{1}{k+2}+\cdots+\frac{1}{3k+1}>1$$

$n=k+1$일 때,

a_k를 대입하고 비교하면 (가) 만큼의 차이가 보인다.

$$a_{k+1}=\frac{1}{k+2}+\frac{1}{k+3}+\cdots+\frac{1}{3k+4}$$
$$=a_k+\left(\frac{1}{3k+2}+\frac{1}{3k+3}+\frac{1}{3k+4}\right)-\boxed{(가)}$$

한편, $(3k+2)(3k+4)\ \boxed{(나)}\ (3k+3)^2$이므로

$(A-1)(A+1)<A^2$이다.

$$\frac{1}{3k+2}+\frac{1}{3k+4}>\boxed{(다)}$$

$$\therefore a_{k+1}>a_k+\left(\frac{1}{3k+3}+\boxed{(다)}\right)-\boxed{(가)}>1$$

따라서 $n=k+1$일 때도 주어진 부등식이 성립한다.

그러므로 (i), (ii)에 의하여 모든 자연수 n에 대하여 주어진 부등식은 성립한다.

위의 증명에서 (가), (나), (다)에 알맞은 것은?

모든 자연수 n에 대하여

$a_n=\dfrac{1}{n+1}+\dfrac{1}{n+2}+\cdots+\dfrac{1}{3n+1}$이라 할 때, $a_n>1$임을 보이면 된다.

(i) $n=1$일 때, $a_1=\dfrac{1}{2}+\dfrac{1}{3}+\dfrac{1}{4}>1$

따라서 주어진 부등식이 성립한다.

(ii) $n=k$일 때, 주어진 부등식이 성립한다고 가정하면

$$a_k=\frac{1}{k+1}+\frac{1}{k+2}+\cdots+\frac{1}{3k+1}>1$$

$n=k+1$일 때,

$$a_{k+1}=\frac{1}{k+2}+\frac{1}{k+3}+\cdots+\frac{1}{3k+4}$$
$$=\left(\frac{1}{k+1}+\frac{1}{k+2}+\cdots+\frac{1}{3k+1}\right)+\left(\frac{1}{3k+2}+\frac{1}{3k+3}+\frac{1}{3k+4}\right)-\frac{1}{k+1}$$
$$=a_k+\left(\frac{1}{3k+2}+\frac{1}{3k+3}+\frac{1}{3k+4}\right)-\boxed{\frac{1}{k+1}}$$

한편,

$$(3k+2)(3k+4)=9k^2+18k+8\ \boxed{<}\ 9k^2+18k+9=(3k+3)^2$$

이므로

$$\frac{1}{3k+2}+\frac{1}{3k+4}=\frac{6k+6}{(3k+2)(3k+4)}$$
$$>\frac{6k+6}{(3k+3)^2}=\frac{2(3k+3)}{(3k+3)^2}$$
$$=\boxed{\frac{2}{3k+3}}$$

$$\therefore a_{k+1}>a_k+\left(\frac{1}{3k+3}+\boxed{\frac{2}{3k+3}}\right)-\boxed{\frac{1}{k+1}}>1$$

따라서 $n=k+1$일 때도 주어진 부등식이 성립한다.

그러므로 (i), (ii)에 의하여 모든 자연수 n에 대하여 주어진 부등식이 성립한다.

$\therefore$ (가): $\frac{1}{k+1}$, (나): $<$, (다): $\frac{2}{3k+3}$ 답 ②

1972

> 수열 $\{a_n\}$이 $a_2=2a_1$, $2a_{n+2}-3a_{n+1}+a_n=0$ $(n=1, 2, 3, \cdots)$을 만족하고, $a_8=191$일 때, a_1의 값은?
> ($a_{n+2}-a_{n+1}=\frac{1}{2}(a_{n+1}-a_n)$)

$2a_{n+2}-3a_{n+1}+a_n=0$에서

$2a_{n+2}-2a_{n+1}=a_{n+1}-a_n$

$\therefore a_{n+2}-a_{n+1}=\frac{1}{2}(a_{n+1}-a_n)$

따라서 수열 $\{a_{n+1}-a_n\}$은 첫째항이 $a_2-a_1=a_1$, 공비가 $\frac{1}{2}$인 등비수열이므로

$$a_{n+1}-a_n=a_1\left(\frac{1}{2}\right)^{n-1}$$

$$a_8-a_7=a_1\left(\frac{1}{2}\right)^6$$
$$a_7-a_6=a_1\left(\frac{1}{2}\right)^5$$
$$a_6-a_5=a_1\left(\frac{1}{2}\right)^4$$
$$a_5-a_4=a_1\left(\frac{1}{2}\right)^3$$
$$a_4-a_3=a_1\left(\frac{1}{2}\right)^2$$
$$a_3-a_2=a_1\left(\frac{1}{2}\right)^1$$
$$+\big)\ a_2-a_1=a_1\left(\frac{1}{2}\right)^0$$
$$a_8-a_1=a_1\left(1+\frac{1}{2}+\frac{1}{2^2}+\frac{1}{2^3}+\frac{1}{2^4}+\frac{1}{2^5}+\frac{1}{2^6}\right)$$
$$=a_1\cdot\frac{1-\frac{1}{2^7}}{1-\frac{1}{2}}=\frac{127}{64}a_1$$

$\therefore \frac{191}{64}a_1=a_8$

이때, $a_8=191$이므로 $a_1=64$ 답 ①

1973

> 그림과 같이 자연수를 다음 규칙에 따라 나열하였다.
>
> [규칙1] 1행에는 2, 3, 6의 3개의 수를 차례대로 나열한다.
> [규칙2] $n+1$행에 나열된 수는 1열에 2, 2열부터는 n행에 나열된 각 수에 2를 곱하여 차례대로 나열한다.
>
> 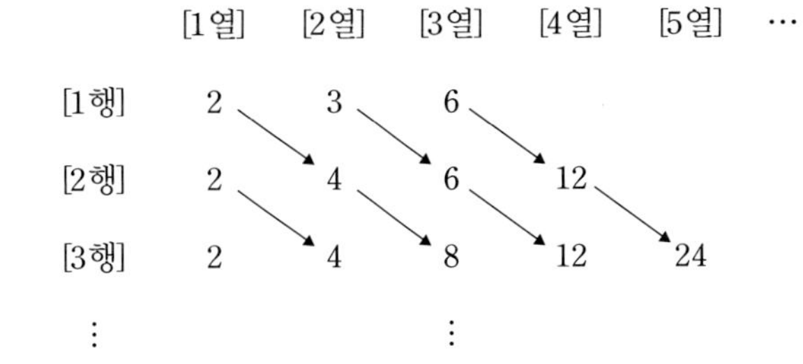
>
>
> 10행에 나열된 모든 자연수의 합을 S라 할 때, $S=p\times2^9-2$이다. 이때, p의 값을 구하시오.
>
> 각 행에 나열된 수의 합을 +, ×, 거듭제곱으로 표현한 뒤 n행에 나열된 수의 합을 추론해보자.

n행에 나열된 모든 자연수의 합을 S_n이라 하자.

$S_1=2+3+3\times2$

$S_2=2+2S_1=2+2^2+3\times2+3\times2^2$

$S_3=2+2S_2=2+2^2+2^3+3\times2^2+3\times2^3$

⋮

$S_n=2^1+2^2+2^3+\cdots+2^n+3\times2^{n-1}+3\times2^n$이므로

$$S_{10}=(2^1+2^2+2^3+\cdots+2^{10})+(3\times2^9+3\times2^{10})$$
$$=\frac{2(2^{10}-1)}{2-1}+3\times2^9+3\times2^{10}$$
$$=2^{11}-2+3\times2^9+3\times2^{10}$$
$$=(4+3+6)\times2^9-2=13\times2^9-2$$

따라서 $S=13\times2^9-2$이므로 $p=13$이다. 답 13

1974

> $p\geq2$인 자연수 p에 대하여 수열 $\{a_n\}$이 다음 세 조건을 만족시킨다.
>
> (가) $a_1=0$
> (나) $a_{k+1}=a_k+1$ $(1\leq k\leq p-1)$ — 공차가 1인 등차수열이다.
> (다) $a_{k+p}=a_k$ $(k=1, 2, 3, \cdots)$ — 주기가 p인 수열이다.
>
> 이때, 〈보기〉에서 옳은 것을 모두 고른 것은?
>
> **보기**
>
> ㄱ. $a_{2k}=2a_k$
>
> ㄴ. $a_1+a_2+a_3+\cdots+a_p=\frac{p(p-1)}{2}$
>
> ㄷ. $a_p+a_{2p}+a_{3p}+\cdots+a_{kp}=k(p-1)$

ㄱ. [반례] $p=2$이면

$a_2=a_1+1=1$, $2a_1=0$이므로 $a_2\neq2a_1$

$\therefore a_{2k} \neq 2a_k$ (거짓)

ㄴ. (가), (나)에서

$a_1=0$

$a_2=a_1+1=1$

$a_3=a_2+1=2$

$\vdots$

$a_p=a_{p-1}+1=p-1$

$\therefore a_1+a_2+a_3+\cdots+a_p=0+1+2+\cdots+(p-1)$

$=\dfrac{p(p-1)}{2}$ (참)

ㄷ. (다)에서

$a_{2p}=a_{p+p}=a_p=p-1$

$a_{3p}=a_{2p+p}=a_{2p}=a_p=p-1$

$\vdots$

$a_{kp}=a_p=p-1$

$\therefore a_p+a_{2p}+a_{3p}+\cdots+a_{kp}=k(p-1)$ (참)

따라서 옳은 것은 ㄴ, ㄷ이다. 답 ④

1975

한 환경보호단체에서는 호수 A의 오염물질에 대한 다음과 같은 내용의 보고서를 작성하였다.

> 현재 호수 A에는 산업폐기물에 의한 250톤의 오염물질이 있다. 또한 매년 초에 $\frac{50}{3}$톤의 오염물질이 새로 쌓인다. 이때, 이 오염물질들은 매년 광산화(햇빛에 의한 자연 정화)에 의하여 10 % 씩 줄어든다.
> … (이하 생략)

이 보고서에 의하면 지금부터 10년 후 이 호수에 남아 있는 오염물질의 양은? (단, $0.9^9=0.4$로 계산한다.)

• 1년 후 남아있는 양은 $\left(250+\frac{50}{3}\right)\times0.9$이고,
$n+1$년 후 남아있는 양은 $\left(a_n+\frac{50}{3}\right)\times0.9$이다.

지금부터 n년 후 호수에 남아 있는 오염물질의 양을 a_n(톤)이라고 하면

$a_1=\left(250+\dfrac{50}{3}\right)\times0.9=240$

$a_{n+1}=\left(a_n+\dfrac{50}{3}\right)\times0.9=0.9a_n+15$

$a_{n+1}=0.9a_n+15$에서

$a_{n+1}-k=0.9(a_n-k)$, $a_{n+1}=0.9a_n+0.1k$

즉, $k=150$이므로 $a_{n+1}-150=0.9(a_n-150)$

수열 $\{a_n-150\}$은 첫째항이 $a_1-150=90$, 공비가 0.9인 등비수열이므로

$a_n-150=90(0.9)^{n-1}$

$\therefore a_n=90(0.9)^{n-1}+150$

따라서 지금부터 10년 후 호수에 남아 있는 오염물질의 양은

$a_{10}=90(0.9)^9+150=90\times0.4+150=186$(톤) 답 ④

Memo

Memo